Collins French Dictionary

Published by HarperCollins
Publishers Ltd

HarperCollins books may be purchased for educational, business, or sales promotional use through our Special Markets department.

HarperCollins Publishers Ltd
2 Bloor Street East, 20th Floor
Toronto, Ontario
Canada, M4W 1A8

www.collinsdictionaries.com

Cataloguing in Publication Data is available upon request

Typeset by Thomas Callan

Printed and bound in the United States

TABLE DES MATIÈRES

CONTENTS

INTRODUCTION

Nous sommes très heureux que vous ayez choisi ce dictionnaire et espérons que vous aimerez l'utiliser et que vous en tirerez profit au lycée, à la maison, en vacances ou au travail.

INTRODUCTION

We are delighted you have decided to buy this dictionary and hope you will enjoy and benefit from using it at school, at home, on holiday or at work.

William Collins' dream of knowledge for all began with the publication of his first book in 1819. A self-educated mill worker, he not only enriched millions of lives, but also founded a flourishing publishing house.Today, staying true to this spirit,Collins books are packed with inspiration, innovation, and practical expertise.They place you at the centre of a world of possibility and give you exactly what you need to explore it.

Language is the key to this exploration, and at the heart of Collins Dictionaries is language as it is really used.New words, phrases, and meanings spring up every day, and all of them are captured and analysed by the Collins Word Web. Constantly updated, and with over 2.5 billion entries, this living language resource is unique to our dictionaries. Words are tools for life. And a Collins Dictionary makes them work for you.

Collins. Do more.

ABRÉVIATIONS		ABBREVIATIONS
abréviation	*ab(b)r*	abbreviation
adjectif, locution adjectivale	*adj*	adjective, adjectival phrase
administration	*Admin*	administration
adverbe, locution adverbiale	*adv*	adverb, adverbial phrase
agriculture	*Agr*	agriculture
anatomie	*Anat*	anatomy
architecture	*Archit*	architecture
article défini	*art déf*	definite article
article indéfini	*art indéf*	indefinite article
automobile	*Aut(o)*	the motor car and motoring
aviation, voyages aériens	*Aviat*	flying, air travel
biologie	*Bio(l)*	biology
botanique	*Bot*	botany
anglais britannique	BRIT	British English
chimie	*Chem*	chemistry
commerce, finance, banque	*Comm*	commerce, finance, banking
informatique	*Comput*	computing
conjonction	*conj*	conjunction
construction	*Constr*	building
nom utilisé comme adjectif	*cpd*	compound element
cuisine	*Culin*	cookery
article défini	*def art*	definite article
déterminant: article; adjectif démonstratif ou indéfini etc	*dét*	determiner: article, demonstrative etc
économie	*Écon, Econ*	economics
électricité, électronique	*Élec, Elec*	electricity, electronics
en particulier	*esp*	especially
exclamation, interjection	*excl*	exclamation, interjection
féminin	*f*	feminine
langue familière (! emploi vulgaire)	*fam(!)*	colloquial usage (! particularly offensive)
emploi figuré	*fig*	figurative use
(verbe anglais) dont la particule est inséparable	*fus*	(phrasal verb) where the particle is inseparable
généralement	*gén, gen*	generally
géographie, géologie	*Géo, Geo*	geography, geology
géométrie	*Géom, Geom*	geometry
langue familière (! emploi vulgaire)	*inf(!)*	colloquial usage (! particularly offensive)
infinitif	*infin*	infinitive
informatique	*Inform*	computing
invariable	*inv*	invariable
irrégulier	*irreg*	irregular
domaine juridique	*Jur*	law

ABRÉVIATIONS		**ABBREVIATIONS**
grammaire, linguistique	*Ling*	grammar, linguistics
masculin	*m*	masculine
mathématiques, algèbre	*Math*	mathematics, calculus
médecine	*Méd, Med*	medical term, medicine
masculin ou féminin	*m/f*	masculine or feminine
domaine militaire, armée	*Mil*	military matters
musique	*Mus*	music
nom	*n*	noun
navigation, nautisme	*Navig, Naut*	sailing, navigation
nom ou adjectif numéral	*num*	numeral noun or adjective
	o.s.	oneself
péjoratif	*péj, pej*	derogatory, pejorative
photographie	*Phot(o)*	photography
physiologie	*Physiol*	physiology
pluriel	*pl*	plural
politique	*Pol*	politics
participe passé	*pp*	past participle
préposition	*prép, prep*	preposition
pronom	*pron*	pronoun
psychologie, psychiatrie	*Psych*	psychology, psychiatry
temps du passé	*pt*	past tense
quelque chose	*qch*	
quelqu'un	*qn*	
religion, domaine ecclésiastique	*Rel*	religion
	sb	somebody
enseignement, système scolaire et universitaire	*Scol*	schooling, schools and universities
singulier	*sg*	singular
	sth	something
subjonctif	*sub*	subjunctive
sujet (grammatical)	*su(b)j*	(grammatical) subject
superlatif	*superl*	superlative
techniques, technologie	*Tech*	technical term, technology
télécommunications	*Tél, Tel*	telecommunications
télévision	*TV*	television
typographie	*Typ(o)*	typography, printing
anglais des USA	*US*	American English
verbe (auxiliare)	*vb (aux)*	(auxiliary) verb
verbe intransitif	*vi*	intransitive verb
verbe transitif	*vt*	transitive verb
zoologie	*Zool*	zoology
marque déposée	®	registered trademark
indique une équivalence culturelle	≈	introduces a cultural equivalent

TRANSCRIPTION PHONÉTIQUE

CONSONNES		CONSONANTS
NB. **p, b, t, d, k, g** sont suivis d'une aspiration en anglais.		NB. **p, b, t, d, k, g** are not aspirated in French.
poupée	p	puppy
bombe	b	baby
tente thermal	t	tent
dinde	d	daddy
coq qui képi	k	cork kiss chord
gage bague	g	gag guess
sale ce nation	s	so rice kiss
zéro rose	z	cousin buzz
tache chat	ʃ	sheep sugar
gilet juge	ʒ	pleasure beige
	tʃ	church
	dʒ	judge general
fer phare	f	farm raffle
verveine	v	very revel
	θ	thin maths
	ð	that other
lent salle	l	little ball
rare rentrer	ʀ	
	r	rat rare
maman femme	m	mummy comb
non bonne	n	no ran
agneau vigne	ɲ	
	ŋ	singing bank
	h	hat rehearse
yeux paille pied	j	yet
nouer oui	w	wall wail
huile lui	ɥ	
	x	loch

DIVERS		MISCELLANEOUS
pour l'anglais: le r final se prononce en liaison devant une voyelle	ʳ	in English transcription: final r can be pronounced before a vowel
pour l'anglais: précède la syllabe accentuée	ˈ	in French wordlist: no liaison before aspirate h

En règle générale, la prononciation est donnée entre crochets après chaque entrée. Toutefois, du côté anglais-français et dans le cas des expressions composées de deux ou plusieurs mots non réunis par un trait d'union et faisant l'objet d'une entrée séparée, la prononciation doit être cherchée sous chacun des mots constitutifs de l'expression en question.

PHONETIC TRANSCRIPTION

VOYELLES		VOWELS
NB. La mise en équivalence de certains sons n'indique qu'une ressemblance approximative.		NB. The pairing of some vowel sounds only indicates approximate equivalence.
ici vie lyrique	i iː	heel bead
	ɪ	hit pity
jouer été	e	
lait jouet merci	ɛ	set tent
plat amour	a æ	bat apple
bas pâte	ɑ ɑː	after car calm
	ʌ	fun cousin
le premier	ə	over above
beurre peur	œ	
peu deux	ø əː	urgent fern work
or homme	ɔ	wash pot
mot eau gauche	o ɔː	born cork
genou roue	u	full hook
	uː	boom shoe
rue urne	y	

DIPHTONGUES		DIPHTHONGS
	ɪə	beer tier
	ɛə	tear fair there
	eɪ	date plaice day
	aɪ	life buy cry
	au	owl foul now
	əu	low no
	ɔɪ	boil boy oily
	uə	poor tour

NASALES		NASAL VOWELS
matin plein	ɛ̃	
brun	œ̃	
sang an dans	ɑ̃	
non pont	ɔ̃	

In general, we give the pronunciation of each entry in square brackets after the word in question. However, on the English-French side, where the entry is composed of two or more unhyphenated words, each of which is given elsewhere in this dictionary, you will find the pronunciation of each word in its alphabetical position.

a

a [a] *vb voir* **avoir**

MOT-CLÉ

à [a] (*à + le* = **au**, *à + les* = **aux**) *prép* **1** (*endroit, situation*) at, in; **être à Paris/au Portugal** to be in Paris/Portugal; **être à la maison/à l'école** to be at home/at school; **à la campagne** in the country; **c'est à 10 km/à 20 minutes (d'ici)** it's 10 km/20 minutes away
2 (*direction*) to; **aller à Paris/au Portugal** to go to Paris/Portugal; **aller à la maison/à l'école** to go home/to school; **à la campagne** to the country
3 (*temps*): **à 3 heures/minuit** at 3 o'clock/midnight; **au printemps/mois de juin** in the spring/the month of June; **à Noël/Pâques** at Christmas/Easter; **à demain/lundi!** see you tomorrow/on Monday!
4 (*attribution, appartenance*) to; **le livre est à Paul/à lui/à nous** this book is Paul's/his/ours; **un ami à moi** a friend of mine; **donner qch à qn** to give sth to sb
5 (*moyen*) with; **se chauffer au gaz** to have gas heating; **à bicyclette** on a *ou* by bicycle; **à pied** on foot; **à la main/machine** by hand/machine
6 (*provenance*) from; **boire à la bouteille** to drink from the bottle
7 (*caractérisation, manière*): **l'homme aux yeux bleus** the man with the blue eyes; **à leur grande surprise** much to their surprise; **à ce qu'il prétend** according to him, from what he says; **à la russe** the Russian way; **à nous deux nous n'avons pas su le faire** we couldn't do it, even between the two of us
8 (*but, destination*): **tasse à café** coffee cup; **maison à vendre** house for sale; **je n'ai rien à lire** I don't have anything to read; **à bien réfléchir ...** thinking about it ..., on reflection ...
9 (*rapport, évaluation, distribution*): **100 km/unités à l'heure** 100 km/units per *ou* an hour; **payé au mois/à l'heure** paid monthly/by the hour; **cinq à six** five to six; **ils sont arrivés à quatre** four of them arrived

abaisser [abese] *vt* to lower, bring down; (*manette*) to pull down; **s'~** *vi* to go down; (*fig*) to demean o.s.
abandon [abɑ̃dɔ̃] *nm* abandoning; giving up; withdrawal; **être à l'~** to be in a state of neglect; **laisser à l'~** to abandon
abandonner [abɑ̃dɔne] *vt* (*personne*) to abandon; (*projet, activité*) to abandon, give up; (*Sport*) to retire *ou* withdraw from; (*céder*) to surrender; **s'~ à** (*paresse, plaisirs*) to give o.s. up to
abat-jour [abaʒuʀ] *nm inv* lampshade
abats [aba] *nmpl* (*de bœuf, porc*) offal *sg*; (*de volaille*) giblets
abattement [abatmɑ̃] *nm*: **abattement fiscal** ≈ tax allowance
abattoir [abatwaʀ] *nm* slaughterhouse
abattre [abatʀ] *vt* (*arbre*) to cut down, fell; (*mur, maison*) to pull down; (*avion, personne*) to shoot down; (*animal*) to shoot, kill; (*fig*) to wear out, tire out; to demoralize; **s'~** *vi* to crash down; **ne pas se laisser ~** to keep one's spirits up, not to let things get one down; **s'~ sur** to beat down on; (*fig*) to rain down on; **~ du travail** *ou* **de la besogne** to get through a lot of work
abbaye [abei] *nf* abbey
abbé [abe] *nm* priest; (*d'une abbaye*) abbot
abcès [apsɛ] *nm* abscess
abdiquer [abdike] *vi* to abdicate
abdominaux [abdɔmino] *nmpl*: **faire des ~** to do sit-ups
abeille [abɛj] *nf* bee
aberrant, e [abeʀɑ̃, ɑ̃t] *adj* absurd
aberration [abeʀasjɔ̃] *nf* aberration
abîme [abim] *nm* abyss, gulf
abîmer [abime] *vt* to spoil, damage; **s'~** *vi* to get spoilt *ou* damaged
aboiement [abwamɑ̃] *nm* bark, barking
abolir [abɔliʀ] *vt* to abolish
abominable [abɔminabl] *adj* abominable
abondance [abɔ̃dɑ̃s] *nf* abundance
abondant, e [abɔ̃dɑ̃, ɑ̃t] *adj* plentiful, abundant, copious; **abonder** *vi* to abound, be plentiful; **abonder dans le sens de qn** to concur with sb
abonné, e [abɔne] *nm/f* subscriber; season ticket holder
abonnement [abɔnmɑ̃] *nm* subscription; (*transports, concerts*) season ticket
abonner [abɔne] *vt*: **s'~ à** to subscribe to, take out a subscription to
abord [abɔʀ] *nm*: **au premier ~** at first sight, initially; **abords** *nmpl* (*environs*) surroundings; **d'~** first
abordable [abɔʀdabl] *adj* (*prix*) reasonable; (*personne*) approachable
aborder [abɔʀde] *vi* to land ▷ *vt* (*sujet, difficulté*) to tackle; (*personne*) to approach; (*rivage etc*) to reach
aboutir [abutiʀ] *vi* (*négociations etc*) to succeed; **~ à** to end up at; **n'~ à rien** to come to nothing
aboyer [abwaje] *vi* to bark
abréger [abʀeʒe] *vt* to shorten
abreuver [abʀœve]: **s'~** *vi* to drink; **abreuvoir** *nm* watering place
abréviation [abʀevjasjɔ̃] *nf* abbreviation
abri [abʀi] *nm* shelter; **être à l'~** to be under cover; **se mettre à l'~** to shelter; **à l'~ de** (*vent, soleil*) sheltered from; (*danger*) safe from
abricot [abʀiko] *nm* apricot
abriter [abʀite] *vt* to shelter; **s'~** *vt* to shelter, take cover
abrupt, e [abʀypt] *adj* sheer, steep; (*ton*) abrupt
abruti, e [abʀyti] *adj* stunned, dazed ▷ *nm/f* (*fam*) idiot, moron; **~ de travail** overworked
absence [apsɑ̃s] *nf* absence; (*Méd*) blackout; **avoir des ~s** to have mental blanks
absent, e [apsɑ̃, ɑ̃t] *adj* absent ▷ *nm/f* absentee; **absenter**: **s'absenter** *vi* to take time off work; (*sortir*) to leave, go out
absolu, e [apsɔly] *adj* absolute; **absolument** *adv* absolutely
absorbant, e [apsɔʀbɑ̃, ɑ̃t] *adj* absorbent
absorber [apsɔʀbe] *vt* to absorb; (*gén Méd*: *manger,*

boire) to take
abstenir [apstəniʀ] *vb*: **s'~ de qch/de faire** to refrain from sth/from doing
abstrait, e [apstʀɛ, ɛt] *adj* abstract
absurde [apsyʀd] *adj* absurd
abus [aby] *nm* abuse; **~ de confiance** breach of trust; **il y a de l'~!** (*fam*) that's a bit much!; **abuser** *vi* to go too far, overstep the mark; **abuser de** (*duper*) to take advantage of; **s'abuser** *vi* (*se méprendre*) to be mistaken; **abusif, -ive** *adj* exorbitant; (*punition*) excessive
académie [akademi] *nf* academy; (*Scol*: *circonscription*) ≈ regional education authority
acajou [akaʒu] *nm* mahogany
acariâtre [akaʀjɑtʀ] *adj* cantankerous
accablant, e [akɑblɑ̃, ɑ̃t] *adj* (*chaleur*) oppressive; (*témoignage, preuve*) overwhelming
accabler [akɑble] *vt* to overwhelm, overcome; **~ qn d'injures** to heap *ou* shower abuse on sb; **~ qn de travail** to overwork sb
accalmie [akalmi] *nf* lull
accaparer [akapaʀe] *vt* to monopolize; (*suj*: *travail etc*) to take up (all) the time *ou* attention of
accéder [aksede]: **~ à** *vt* (*lieu*) to reach; (*accorder*: *requête*) to grant, accede to
accélérateur [akseleʀatœʀ] *nm* accelerator
accélérer [akseleʀe] *vt* to speed up ▷ *vi* to accelerate
accent [aksɑ̃] *nm* accent; (*Phonétique, fig*) stress; **mettre l'~ sur** (*fig*) to stress; **~ aigu/grave/circonflexe** acute/grave/circumflex accent; **accentuer** *vt* (*Ling*) to accent; (*fig*) to accentuate, emphasize; **s'accentuer** *vi* to become more marked *ou* pronounced
acceptation [aksɛptasjɔ̃] *nf* acceptance
accepter [aksɛpte] *vt* to accept; **~ de faire** to agree to do; **acceptez-vous les cartes de crédit?** do you take credit cards?
accès [aksɛ] *nm* (*à un lieu*) access; (*Méd*: *de toux*) fit; (: *de fièvre*) bout; **d'~ facile** easily accessible; **facile d'~** easy to get to; **accès de colère** fit of anger; **accessible** *adj* accessible; (*livre, sujet*): **accessible à qn** within the reach of sb
accessoire [akseswaʀ] *adj* secondary; incidental ▷ *nm* accessory; (*Théâtre*) prop
accident [aksidɑ̃] *nm* accident; **par ~** by chance; **j'ai eu un ~** I've had an accident; **accident de la route** road accident; **accidenté, e** *adj* damaged; injured; (*relief, terrain*) uneven; hilly; **accidentel, le** *adj* accidental
acclamer [aklame] *vt* to cheer, acclaim
acclimater [aklimate]: **s'~** *vi* (*personne*) to adapt (o.s.)
accolade [akɔlad] *nf* (*amicale*) embrace; (*signe*) brace
accommoder [akɔmɔde] *vt* (*Culin*) to prepare; **s'~ de** *vt* to put up with; (*se contenter de*) to make do with
accompagnateur, -trice [akɔ̃paɲatœʀ, tʀis] *nm/f* (*Mus*) accompanist; (*de voyage*: *guide*) guide; (*de voyage organisé*) courier
accompagner [akɔ̃paɲe] *vt* to accompany, be *ou* go *ou* come with; (*Mus*) to accompany
accompli, e [akɔ̃pli] *adj* accomplished; *voir aussi* **fait**
accomplir [akɔ̃pliʀ] *vt* (*tâche, projet*) to carry out; (*souhait*) to fulfil; **s'~** *vi* to be fulfilled
accord [akɔʀ] *nm* agreement; (*entre des styles, tons etc*) harmony; (*Mus*) chord; **d'~!** OK!; **se mettre d'~** to come to an agreement; **être d'~ (pour faire qch)** to agree (to do sth)
accordéon [akɔʀdeɔ̃] *nm* (*Mus*) accordion
accorder [akɔʀde] *vt* (*faveur, délai*) to grant; (*harmoniser*) to match; (*Mus*) to tune; (*valeur, importance*) attach
accoster [akɔste] *vt* (*Navig*) to draw alongside ▷ *vi* to berth
accouchement [akuʃmɑ̃] *nm* delivery, (child)birth; labour
accoucher [akuʃe] *vi* to give birth, have a baby; **~ d'un garçon** to give birth to a boy
accouder [akude]: **s'~** *vi*: **s'~ à/contre/sur** to rest one's elbows on/against/on; **accoudoir** *nm* armrest
accoupler [akuple] *vt* to couple; (*pour la reproduction*) to mate; **s'~** *vt* to mate
accourir [akuʀiʀ] *vi* to rush *ou* run up
accoutumance [akutymɑ̃s] *nf* (*gén*) adaptation; (*Méd*) addiction
accoutumé, e [akutyme] *adj* (*habituel*) customary, usual
accoutumer [akutyme] *vt*: **s'~ à** to get accustomed *ou* used to
accroc [akʀo] *nm* (*déchirure*) tear; (*fig*) hitch, snag
accrochage [akʀɔʃaʒ] *nm* (*Auto*) collision; (*dispute*) clash, brush
accrocher [akʀɔʃe] *vt* (*fig*) to catch, attract; **s'~** (*se disputer*) to have a clash *ou* brush; **~ qch à** (*suspendre*) to hang sth (up) on; (*attacher*: *remorque*) to hitch sth (up) to; **~ qch (à)** (*déchirer*) to catch sth (on); **il a accroché ma voiture** he bumped into my car; **s'~ à** (*rester pris à*) to catch on; (*agripper, fig*) to hang on *ou* cling to
accroissement [akʀwasmɑ̃] *nm* increase
accroître [akʀwatʀ]: **s'~** *vi* to increase
accroupir [akʀupiʀ]: **s'~** *vi* to squat, crouch (down)
accru, e [akʀy] *pp de* **accroître**
accueil [akœj] *nm* welcome; **comité d'~** reception committee; **accueillir** *vt* to welcome; (*aller chercher*) to meet, collect
accumuler [akymyle] *vt* to accumulate, amass; **s'~** *vi* to accumulate; to pile up
accusation [akyzasjɔ̃] *nf* (*gén*) accusation; (*Jur*) charge; (*partie*): **l'~** the prosecution
accusé, e [akyze] *nm/f* accused; defendant; **accusé de réception** acknowledgement of receipt
accuser [akyze] *vt* to accuse; (*fig*) to emphasize, bring out; to show; **~ qn de** to accuse sb of; (*Jur*) to charge sb with; **~ réception de** to acknowledge receipt of
acéré, e [aseʀe] *adj* sharp
acharné, e [aʃaʀne] *adj* (*efforts*) relentless; (*lutte, adversaire*) fierce, bitter
acharner [aʃaʀne] *vb*: **s'~ contre** to set o.s. against; (*suj*: *malchance*) to dog; **s'~ à faire** to try doggedly to do; (*persister*) to persist in doing; **s'~ sur qn** to hound sb
achat [aʃa] *nm* purchase; **faire des ~s** to do some shopping; **faire l'~ de qch** to purchase sth
acheter [aʃ(ə)te] *vt* to buy, purchase; (*soudoyer*) to buy; **~ qch à** (*marchand*) to buy *ou* purchase sth from; (*ami etc*: *offrir*) to buy sth for; **où est-ce que je peux ~ des cartes postales?** where can I buy (some) postcards?; **acheteur, -euse** *nm/f* buyer; shopper; (*Comm*) buyer
achever [aʃ(ə)ve] *vt* to complete, finish; (*blessé*) to finish off; **s'~** *vi* to end
acide [asid] *adj* sour, sharp; (*Chimie*) acid(ic) ▷ *nm*

(*Chimie*) acid; **acidulé, e** *adj* slightly acid; **bonbons acidulés** acid drops
acier [asje] *nm* steel; **aciérie** *nf* steelworks *sg*
acné [akne] *nf* acne
acompte [akɔ̃t] *nm* deposit
à-côté [akote] *nm* side-issue; (*argent*) extra
à-coup [aku] *nm*: **par ~s** by fits and starts
acoustique [akustik] *nf* (*d'une salle*) acoustics *pl*
acquéreur [akeʀœʀ] *nm* buyer, purchaser
acquérir [akeʀiʀ] *vt* to acquire
acquis, e [aki, iz] *pp de* **acquérir** ▷ *nm* (accumulated) experience; **son aide nous est ~e** we can count on her help
acquitter [akite] *vt* (*Jur*) to acquit; (*facture*) to pay, settle; **s'~ de** *vt* (*devoir*) to discharge; (*promesse*) to fulfil
âcre [ɑkʀ] *adj* acrid, pungent
acrobate [akʀɔbat] *nm/f* acrobat; **acrobatie** *nf* acrobatics *sg*
acte [akt] *nm* act, action; (*Théâtre*) act; **prendre ~ de** to note, take note of; **faire ~ de candidature** to apply; **faire ~ de présence** to put in an appearance; **acte de naissance** birth certificate
acteur [aktœʀ] *nm* actor
actif, -ive [aktif, iv] *adj* active ▷ *nm* (*Comm*) assets *pl*; (*fig*): **avoir à son ~** to have to one's credit; **population active** working population
action [aksjɔ̃] *nf* (*gén*) action; (*Comm*) share; **une bonne ~** a good deed; **actionnaire** *nm/f* shareholder; **actionner** *vt* (*mécanisme*) to activate; (*machine*) to operate
activer [aktive] *vt* to speed up; **s'~** *vi* to bustle about; to hurry up
activité [aktivite] *nf* activity; **en ~** (*volcan*) active; (*fonctionnaire*) in active life
actrice [aktʀis] *nf* actress
actualité [aktɥalite] *nf* (*d'un problème*) topicality; (*événements*): **l'~** current events; **actualités** *nfpl* (*Cinéma, TV*) the news; **d'~** topical
actuel, le [aktɥɛl] *adj* (*présent*) present; (*d'actualité*) topical; **à l'heure ~le** at the present time; **actuellement** *adv* at present, at the present time
acuponcture [akypɔ̃ktyʀ] *nf* acupuncture
adaptateur [adaptatœʀ] *nm* (*Élec*) adapter
adapter [adapte] *vt* to adapt; **s'~ (à)** (*suj*: *personne*) to adapt (to); **~ qch à** (*approprier*) to adapt sth to (fit); **~ qch sur/dans/à** (*fixer*) to fit sth on/into/to
addition [adisjɔ̃] *nf* addition; (*au café*) bill; **l'~, s'il vous plaît** could I have the bill, please?; **additionner** *vt* to add (up)
adepte [adɛpt] *nm/f* follower
adéquat, e [adekwa(t), at] *adj* appropriate, suitable
adhérent, e [adeʀɑ̃, ɑ̃t] *nm/f* member
adhérer [adeʀe]: **~ à** *vt* (*coller*) to adhere *ou* stick to; (*se rallier à*) to join; **adhésif, -ive** *adj* adhesive, sticky; **ruban adhésif** sticky *ou* adhesive tape
adieu, x [adjø] *excl* goodbye ▷ *nm* farewell
adjectif [adʒɛktif] *nm* adjective
adjoint, e [adʒwɛ̃, wɛ̃t] *nm/f* assistant; **adjoint au maire** deputy mayor; **directeur adjoint** assistant manager
admettre [admɛtʀ] *vt* (*laisser entrer*) to admit; (*candidat*: *Scol*) to pass; (*tolérer*) to allow, accept; (*reconnaître*) to admit, acknowledge
administrateur, -trice [administʀatœʀ, tʀis] *nm/f* (*Comm*) director; (*Admin*) administrator
administration [administʀasjɔ̃] *nf* administration; **l'A~** ≈ the Civil Service
administrer [administʀe] *vt* (*firme*) to manage, run; (*biens, remède, sacrement etc*) to administer
admirable [admiʀabl] *adj* admirable, wonderful
admirateur, -trice [admiʀatœʀ, tʀis] *nm/f* admirer
admiration [admiʀasjɔ̃] *nf* admiration
admirer [admiʀe] *vt* to admire
admis, e [admi, iz] *pp de* **admettre**
admissible [admisibl] *adj* (*candidat*) eligible; (*comportement*) admissible, acceptable
ADN *sigle m* (= *acide désoxyribonucléique*) DNA
adolescence [adɔlesɑ̃s] *nf* adolescence
adolescent, e [adɔlesɑ̃, ɑ̃t] *nm/f* adolescent, teenager
adopter [adɔpte] *vt* to adopt; **adoptif, -ive** *adj* (*parents*) adoptive; (*fils, patrie*) adopted
adorable [adɔʀabl] *adj* delightful, adorable
adorer [adɔʀe] *vt* to adore; (*Rel*) to worship
adosser [adose] *vt*: **~ qch à** *ou* **contre** to stand sth against; **s'~ à/contre** to lean with one's back against
adoucir [adusiʀ] *vt* (*goût, température*) to make milder; (*avec du sucre*) to sweeten; (*peau, voix*) to soften; (*caractère*) to mellow
adresse [adʀɛs] *nf* (*domicile*) address; (*dextérité*) skill, dexterity; **~ électronique** email address
adresser [adʀese] *vt* (*lettre*: *expédier*) to send; (: *écrire l'adresse sur*) to address; (*injure, compliments*) to address; **s'~ à** (*parler à*) to speak to, address; (*s'informer auprès de*) to go and see; (: *bureau*) to inquire at; (*suj*: *livre, conseil*) to be aimed at; **~ la parole à** to speak to, address
adroit, e [adʀwa, wat] *adj* skilful, skilled
ADSL *sigle m* (= *asymmetrical digital subscriber line*) ADSL, broadband
adulte [adylt] *nm/f* adult, grown-up ▷ *adj* (*chien, arbre*) fully-grown, mature; (*attitude*) adult, grown-up
adverbe [advɛʀb] *nm* adverb
adversaire [advɛʀsɛʀ] *nm/f* (*Sport, gén*) opponent, adversary
aération [aeʀasjɔ̃] *nf* airing; (*circulation de l'air*) ventilation
aérer [aeʀe] *vt* to air; (*fig*) to lighten
aérien, ne [aeʀjɛ̃, jɛn] *adj* (*Aviat*) air *cpd*, aerial; (*câble, métro*) overhead; (*fig*) light; **compagnie ~ne** airline
aéro... [aeʀɔ] *préfixe*: **aérobic** *nm* aerobics *sg*; **aérogare** *nf* airport (buildings); (*en ville*) air terminal; **aéroglisseur** *nm* hovercraft; **aérophagie** *nf* (*Méd*) wind, aerophagia (*Méd*); **aéroport** *nm* airport; **aérosol** *nm* aerosol
affaiblir [afebliʀ]: **s'~** *vi* to weaken
affaire [afɛʀ] *nf* (*problème, question*) matter; (*criminelle, judiciaire*) case; (*scandaleuse etc*) affair; (*entreprise*) business; (*marché, transaction*) deal; business *no pl*; (*occasion intéressante*) bargain; **affaires** *nfpl* (*intérêts publics et privés*) affairs; (*activité commerciale*) business *sg*; (*effets personnels*) things, belongings; **ce sont mes ~s** (*cela me concerne*) that's my business; **occupe-toi de tes ~s!** mind your own business!; **ça fera l'~** that will do (nicely); **se tirer d'~** to sort it *ou* things out for o.s.; **avoir ~ à** (*être en contact*) to be dealing with; **les A~s étrangères** Foreign Affairs; **affairer**: **s'affairer** *vi* to busy o.s., bustle about
affamé, e [afame] *adj* starving
affecter [afɛkte] *vt* to affect; **~ qch à** to allocate *ou* allot sth to; **~ qn à** to appoint sb to; (*diplomate*) to

post sb to
affectif, -ive [afɛktif, iv] *adj* emotional
affection [afɛksjɔ̃] *nf* affection; (*mal*) ailment; **affectionner** *vt* to be fond of; **affectueux, -euse** *adj* affectionate
affichage [afiʃaʒ] *nm* billposting; (*électronique*) display; **"~ interdit"** "stick no bills"; **affichage à cristaux liquides** liquid crystal display, LCD
affiche [afiʃ] *nf* poster; (*officielle*) notice; (*Théâtre*) bill; **être à l'~** to be on
afficher [afiʃe] *vt* (*affiche*) to put up; (*réunion*) to put up a notice about; (*électroniquement*) to display; (*fig*) to exhibit, display; **"défense d'~"** "no bill posters"; **s'~** *vr* (*péj*) to flaunt o.s.; (*électroniquement*) to be displayed
affilée [afile]: **d'~** *adv* at a stretch
affirmatif, -ive [afiʀmatif, iv] *adj* affirmative
affirmer [afiʀme] *vt* to assert
affligé, e [afliʒe] *adj* distressed, grieved; **~ de** (*maladie, tare*) afflicted with
affliger [afliʒe] *vt* (*peiner*) to distress, grieve
affluence [aflyɑ̃s] *nf* crowds *pl*; **heures d'~** rush hours; **jours d'~** busiest days
affluent [aflyɑ̃] *nm* tributary
affolement [afɔlmɑ̃] *nm* panic
affoler [afɔle] *vt* to throw into a panic; **s'~** *vi* to panic
affranchir [afʀɑ̃ʃiʀ] *vt* to put a stamp *ou* stamps on; (*à la machine*) to frank (BRIT), meter (US); (*fig*) to free, liberate; **affranchissement** *nm* postage
affreux, -euse [afʀø, øz] *adj* dreadful, awful
affront [afʀɔ̃] *nm* affront; **affrontement** *nm* clash, confrontation
affronter [afʀɔ̃te] *vt* to confront, face
affût [afy] *nm*: **à l'~ (de)** (*gibier*) lying in wait (for); (*fig*) on the look-out (for)
Afghanistan [afganistɑ̃] *nm*: **l'~** Afghanistan
afin [afɛ̃]: **~ que** *conj* so that, in order that; **~ de faire** in order to do, so as to do
africain, e [afʀikɛ̃, ɛn] *adj* African ▷ *nm/f*: **A~, e** African
Afrique [afʀik] *nf*: **l'~** Africa; **l'Afrique du Nord/Sud** North/South Africa
agacer [agase] *vt* to irritate
âge [ɑʒ] *nm* age; **quel ~ as-tu?** how old are you?; **prendre de l'~** to be getting on (in years); **le troisième ~** (*période*) retirement; (*personnes âgées*) senior citizens; **âgé, e** *adj* old, elderly; **âgé de 10 ans** 10 years old
agence [aʒɑ̃s] *nf* agency, office; (*succursale*) branch; **agence de voyages** travel agency; **agence immobilière** estate (BRIT) *ou* real estate (US) agent's (office)
agenda [aʒɛ̃da] *nm* diary; **~ électronique** PDA
agenouiller [aʒ(ə)nuje]: **s'~** *vi* to kneel (down)
agent, e [aʒɑ̃, ɑ̃t] *nm/f* (*aussi*: **~(e) de police**) policeman(policewoman); (*Admin*) official, officer; **agent immobilier** estate agent (BRIT), realtor (US)
agglomération [aglɔmeʀasjɔ̃] *nf* town; built-up area; **l'~ parisienne** the urban area of Paris
aggraver [agʀave]: **s'~** *vi* to worsen
agile [aʒil] *adj* agile, nimble
agir [aʒiʀ] *vi* to act; **il s'agit de** (*ça traite de*) it is about; (*il est important de*) it's a matter *ou* question of; **il s'agit de faire** we (*ou* you *etc*) must do; **de quoi s'agit-il?** what is it about?
agitation [aʒitasjɔ̃] *nf* (hustle and) bustle; (*trouble*) agitation, excitement; (*politique*) unrest, agitation
agité, e [aʒite] *adj* fidgety, restless; (*troublé*) agitated, perturbed; (*mer*) rough
agiter [aʒite] *vt* (*bouteille, chiffon*) to shake; (*bras, mains*) to wave; (*préoccuper, exciter*) to perturb
agneau, x [aɲo] *nm* lamb
agonie [agɔni] *nf* mortal agony, death pangs *pl*; (*fig*) death throes *pl*
agrafe [agʀaf] *nf* (*de vêtement*) hook, fastener; (*de bureau*) staple; **agrafer** *vt* to fasten; to staple; **agrafeuse** *nf* stapler
agrandir [agʀɑ̃diʀ] *vt* to enlarge; **s'~** *vi* (*ville, famille*) to grow, expand; (*trou, écart*) to get bigger; **agrandissement** *nm* (*Photo*) enlargement
agréable [agʀeabl] *adj* pleasant, nice
agréé, e [agʀee] *adj*: **concessionnaire ~** registered dealer
agréer [agʀee] *vt* (*requête*) to accept; **~ à** to please, suit; **veuillez ~, Monsieur/Madame, mes salutations distinguées** (*personne nommée*) yours sincerely; (*personne non nommée*) yours faithfully
agrégation [agʀegasjɔ̃] *nf highest teaching diploma in France*; **agrégé, e** *nm/f* holder of the *agrégation*
agrément [agʀemɑ̃] *nm* (*accord*) consent, approval; (*attraits*) charm, attractiveness; (*plaisir*) pleasure
agresser [agʀese] *vt* to attack; **agresseur** *nm* aggressor, attacker; (*Pol, Mil*) aggressor; **agressif, -ive** *adj* aggressive
agricole [agʀikɔl] *adj* agricultural; **agriculteur** *nm* farmer; **agriculture** *nf* agriculture, farming
agripper [agʀipe] *vt* to grab, clutch; **s'~ à** to cling (on) to, clutch, grip
agro-alimentaire [agʀoalimɑ̃tɛʀ] *nm* farm-produce industry
agrumes [agʀym] *nmpl* citrus fruit(s)
aguets [agɛ] *nmpl*: **être aux ~** to be on the look out
ai [ɛ] *vb voir* **avoir**
aide [ɛd] *nm/f* assistant; carer ▷ *nf* assistance, help; (*secours financier*) aid; **à l'~ de** (*avec*) with the help *ou* aid of; **appeler (qn) à l'~** to call for help (from sb); **à l'~!** help!; **aide judiciaire** legal aid; **aide ménagère** ≈ home help (BRIT) *ou* helper (US); **aide-mémoire** *nm inv* memoranda pages *pl*; (key facts) handbook; **aide-soignant, e** *nm/f* auxiliary nurse
aider [ede] *vt* to help; **~ à qch** to help (towards) sth; **~ qn à faire qch** to help sb to do sth; **pouvez-vous m'~?** can you help me?; **s'~ de** (*se servir de*) to use, make use of
aïe [aj] *excl* ouch!
aie *etc* [ɛ] *vb voir* **avoir**
aigle [ɛgl] *nm* eagle
aigre [ɛgʀ] *adj* sour, sharp; (*fig*) sharp, cutting; **aigre-doux, -ce** *adj* (*sauce*) sweet and sour; **aigreur** *nf* sourness; sharpness; **aigreurs d'estomac** heartburn *sg*
aigu, ë [egy] *adj* (*objet, douleur*) sharp; (*son, voix*) high-pitched, shrill; (*note*) high(-pitched)
aiguille [egɥij] *nf* needle; (*de montre*) hand; **aiguille à tricoter** knitting needle
aiguiser [egize] *vt* to sharpen; (*fig*) to stimulate; (: *sens*) to excite
ail [aj] *nm* garlic
aile [ɛl] *nf* wing; **aileron** *nm* (*de requin*) fin; **ailier** *nm* winger
aille *etc* [aj] *vb voir* **aller**
ailleurs [ajœʀ] *adv* elsewhere, somewhere else; **partout/nulle part ~** everywhere/nowhere else; **d'~** (*du reste*) moreover, besides; **par ~** (*d'autre part*) moreover, furthermore
aimable [ɛmabl] *adj* kind, nice
aimant [ɛmɑ̃] *nm* magnet

aimer [eme] *vt* to love; (*d'amitié, affection, par goût*) to like; (*souhait*): **j'aimerais ...** I would like ...; **j'aime faire du ski** I like skiing; **je t'aime** I love you; **bien ~ qn/qch** to like sb/sth; **j'aime mieux Paul (que Pierre)** I prefer Paul (to Pierre); **j'aimerais mieux faire** I'd much rather do
aine [ɛn] *nf* groin
aîné, e [ene] *adj* elder, older; (*le plus âgé*) eldest, oldest ▷ *nm/f* oldest child *ou* one, oldest boy *ou* son/girl *ou* daughter
ainsi [ɛ̃si] *adv* (*de cette façon*) like this, in this way, thus; (*ce faisant*) thus ▷ *conj* thus, so; **~ que** (*comme*) (just) as; (*et aussi*) as well as; **pour ~ dire** so to speak; **et ~ de suite** and so on
air [ɛʀ] *nm* air; (*mélodie*) tune; (*expression*) look, air; **prendre l'~** to get some (fresh) air; **avoir l'~** (*sembler*) to look, appear; **il a l'~ triste/malade** he looks sad/ill; **avoir l'~ de** to look like; **il a l'~ de dormir** he looks as if he's sleeping; **en l'~** (*promesses*) empty
airbag [ɛʀbag] *nm* airbag
aisance [ɛzɑ̃s] *nf* ease; (*richesse*) affluence
aise [ɛz] *nf* comfort; **être à l'~** *ou* **à son ~** to be comfortable; (*pas embarrassé*) to be at ease; (*financièrement*) to be comfortably off; **se mettre à l'~** to make o.s. comfortable; **être mal à l'~** to be uncomfortable; (*gêné*) to be ill at ease; **en faire à son ~** to do as one likes; **aisé, e** *adj* easy; (*assez riche*) well-to-do, well-off
aisselle [ɛsɛl] *nf* armpit
ait [ɛ] *vb voir* **avoir**
ajonc [aʒɔ̃] *nm* gorse *no pl*
ajourner [aʒuʀne] *vt* (*réunion*) to adjourn; (*décision*) to defer, postpone
ajouter [aʒute] *vt* to add
alarme [alaʀm] *nf* alarm; **donner l'~** to give *ou* raise the alarm; **alarmer** *vt* to alarm; **s'alarmer** *vi* to become alarmed
Albanie [albani] *nf*: **l'~** Albania
album [albɔm] *nm* album
alcool [alkɔl] *nm*: **l'~** alcohol; **un ~** a spirit, a brandy; **bière sans ~** non-alcoholic *ou* alcohol-free beer; **alcool à brûler** methylated spirits (BRIT), wood alcohol (US); **alcool à 90°** surgical spirit; **alcoolique** *adj, nm/f* alcoholic; **alcoolisé, e** *adj* alcoholic; **une boisson non alcoolisée** a soft drink; **alcoolisme** *nm* alcoholism; **alco(o)test®** *nm* Breathalyser®; (*test*) breath-test
aléatoire [aleatwaʀ] *adj* uncertain; (*Inform*) random
alentour [alɑ̃tuʀ] *adv* around, round about; **alentours** *nmpl* (*environs*) surroundings; **aux ~s de** in the vicinity *ou* neighbourhood of, round about; (*temps*) round about
alerte [alɛʀt] *adj* agile, nimble; brisk, lively ▷ *nf* alert; warning; **alerte à la bombe** bomb scare; **alerter** *vt* to alert
algèbre [alʒɛbʀ] *nf* algebra
Alger [alʒe] *n* Algiers
Algérie [alʒeʀi] *nf*: **l'~** Algeria; **algérien, ne** *adj* Algerian ▷ *nm/f*: **Algérien, ne** Algerian
algue [alg] *nf* (*gén*) seaweed *no pl*; (*Bot*) alga
alibi [alibi] *nm* alibi
aligner [aliɲe] *vt* to align, line up; (*idées, chiffres*) to string together; (*adapter*): **~ qch sur** to bring sth into alignment with; **s'~** (*soldats etc*) to line up; **s'~ sur** (*Pol*) to align o.s. on
aliment [alimɑ̃] *nm* food; **alimentation** *nf* (*commerce*) food trade; (*magasin*) grocery store; (*régime*) diet; (*en eau etc, de moteur*) supplying; (*Inform*) feed; **alimenter** *vt* to feed; (*Tech*): **alimenter (en)** to supply (with); to feed (with); (*fig*) to sustain, keep going
allaiter [alete] *vt* to (breast-)feed, nurse; (*suj: animal*) to suckle
allécher [aleʃe] *vt*: **~ qn** to make sb's mouth water; to tempt *ou* entice sb
allée [ale] *nf* (*de jardin*) path; (*en ville*) avenue, drive; **~s et venues** comings and goings
allégé, e [aleʒe] *adj* (*yaourt etc*) low-fat
alléger [aleʒe] *vt* (*voiture*) to make lighter; (*chargement*) to lighten; (*souffrance*) to alleviate, soothe
Allemagne [almaɲ] *nf*: **l'~** Germany; **allemand, e** *adj* German ▷ *nm/f*: **Allemand, e** German ▷ *nm* (*Ling*) German
aller [ale] *nm* (*trajet*) outward journey; (*billet: aussi*: **~ simple**) single (BRIT) *ou* one-way (US) ticket; **~ (et) retour** return (ticket) (BRIT), round-trip ticket (US) ▷ *vi* (*gén*) to go; **~ à** (*convenir*) to suit; (*suj: forme, pointure etc*) to fit; **~ (bien) avec** (*couleurs, style etc*) to go (well) with; **je vais y ~/me fâcher** I'm going to go/to get angry; **~ chercher qn** to go and get *ou* fetch (BRIT) sb; **~ voir** to go and see, go to see; **allez!** come on!; **allons!** come now!; **comment allez-vous?** how are you?; **comment ça va?** how are you?; (*affaires etc*) how are things?; **il va bien/mal** he's well/not well, he's fine/ill; **ça va bien/mal** (*affaires etc*) it's going well/not going well; **~ mieux** to be better; **s'en ~** (*partir*) to be off, go, leave; (*disparaître*) to go away
allergie [alɛʀʒi] *nf* allergy
allergique [alɛʀʒik] *adj*: **~ à** allergic to; **je suis ~ à la pénicilline** I'm allergic to penicillin
alliance [aljɑ̃s] *nf* (*Mil, Pol*) alliance; (*bague*) wedding ring
allier [alje] *vt* (*Pol, gén*) to ally; (*fig*) to combine; **s'~** to become allies; to combine
allô [alo] *excl* hullo, hallo
allocation [alɔkasjɔ̃] *nf* allowance; **allocation (de) chômage** unemployment benefit; **allocations familiales** ≈ child benefit
allonger [alɔ̃ʒe] *vt* to lengthen, make longer; (*étendre: bras, jambe*) to stretch (out); **s'~** *vi* to get longer; (*se coucher*) to lie down, stretch out; **~ le pas** to hasten one's step(s)
allumage [alymaʒ] *nm* (*Auto*) ignition
allume-cigare [alymsigaʀ] *nm inv* cigar lighter
allumer [alyme] *vt* (*lampe, phare, radio*) to put *ou* switch on; (*pièce*) to put *ou* switch the light(s) on in; (*feu*) to light; **s'~** *vi* (*lumière, lampe*) to come *ou* go on; **je n'arrive pas à ~ le chauffage** I can't turn the heating on
allumette [alymɛt] *nf* match
allure [alyʀ] *nf* (*vitesse*) speed, pace; (*démarche*) walk; (*aspect, air*) look; **avoir de l'~** to have style; **à toute ~** at top speed
allusion [a(l)lyzjɔ̃] *nf* allusion; (*sous-entendu*) hint; **faire ~ à** to allude *ou* refer to; to hint at

MOT-CLÉ

alors [alɔʀ] *adv* **1** (*à ce moment-là*) then, at that time; **il habitait alors à Paris** he lived in Paris at that time
2 (*par conséquent*) then; **tu as fini? alors je m'en vais** have you finished? I'm going then; **et alors?** so what?
▷ *conj*: **alors que 1** (*au moment où*) when, as; **il est**

arrivé alors que je partais he arrived as I was leaving
2 (*tandis que*) whereas, while; **alors que son frère travaillait dur, lui se reposait** while his brother was working hard, HE would rest
3 (*bien que*) even though; **il a été puni alors qu'il n'a rien fait** he was punished, even though he had done nothing

alourdir [aluʀdiʀ] *vt* to weigh down, make heavy
Alpes [alp] *nfpl*: **les ~** the Alps
alphabet [alfabɛ] *nm* alphabet; (*livre*) ABC (book)
alpinisme [alpinism] *nm* mountaineering, climbing
Alsace [alzas] *nf* Alsace; **alsacien, ne** *adj* Alsatian ▷ *nm/f*: **Alsacien, ne** Alsatian
altermondialisme [altɛʀmɔ̃djalism] *nm* anti-globalism; **altermondialiste** *adj, nm/f* anti-globalist
alternatif, -ive [altɛʀnatif, iv] *adj* alternating; **alternative** *nf* (*choix*) alternative; **alterner** *vi* to alternate
altitude [altityd] *nf* altitude, height
alto [alto] *nm* (*instrument*) viola
aluminium [alyminjɔm] *nm* aluminium (BRIT), aluminum (US)
amabilité [amabilite] *nf* kindness
amaigrissant, e [amegʀisɑ̃, ɑ̃t] *adj* (*régime*) slimming
amande [amɑ̃d] *nf* (*de l'amandier*) almond; **amandier** *nm* almond (tree)
amant [amɑ̃] *nm* lover
amas [amɑ] *nm* heap, pile; **amasser** *vt* to amass
amateur [amatœʀ] *nm* amateur; **en ~** (*péj*) amateurishly; **amateur de musique/sport** music/sport lover
ambassade [ɑ̃basad] *nf* embassy; **l'~ de France** the French Embassy; **ambassadeur, -drice** *nm/f* ambassador(-dress)
ambiance [ɑ̃bjɑ̃s] *nf* atmosphere; **il y a de l'~** there's a great atmosphere
ambigu, ë [ɑ̃bigy] *adj* ambiguous
ambitieux, -euse [ɑ̃bisjø, jøz] *adj* ambitious
ambition [ɑ̃bisjɔ̃] *nf* ambition
ambulance [ɑ̃bylɑ̃s] *nf* ambulance; **appelez une ~!** call an ambulance!; **ambulancier, -ière** *nm/f* ambulance man(-woman) (BRIT), paramedic (US)
âme [ɑm] *nf* soul; **âme sœur** kindred spirit
amélioration [ameljɔʀasjɔ̃] *nf* improvement
améliorer [ameljɔʀe] *vt* to improve; **s'~** *vi* to improve, get better
aménager [amenaʒe] *vt* (*agencer, transformer*) to fit out; to lay out; (*: quartier, territoire*) to develop; (*installer*) to fix up, put in; **ferme aménagée** converted farmhouse
amende [amɑ̃d] *nf* fine; **faire ~ honorable** to make amends
amener [am(ə)ne] *vt* to bring; (*causer*) to bring about; **s'~** *vi* to show up (*fam*), turn up; **~ qn à faire qch** to lead sb to do sth
amer, amère [amɛʀ] *adj* bitter
américain, e [ameʀikɛ̃, ɛn] *adj* American ▷ *nm/f*: **A~, e** American
Amérique [ameʀik] *nf*: **l'~** America; **Amérique centrale/latine** Central/Latin America; **l'Amérique du Nord/Sud** North/South America
amertume [amɛʀtym] *nf* bitterness
ameublement [amœbləmɑ̃] *nm* furnishing; (*meubles*) furniture
ami, e [ami] *nm/f* friend; (*amant/maîtresse*) boyfriend/girlfriend ▷ *adj*: **pays/groupe ~** friendly country/group; **petit ~/petite ~e** boyfriend/girlfriend
amiable [amjabl]: **à l'~** *adv* (*Jur*) out of court; (*gén*) amicably
amiante [amjɑ̃t] *nm* asbestos
amical, e, -aux [amikal, o] *adj* friendly; **amicalement** *adv* in a friendly way; (*dans une lettre*) (with) best wishes
amincir [amɛ̃siʀ] *vt*: **~ qn** to make sb thinner *ou* slimmer; (*suj: vêtement*) to make sb look slimmer
amincissant, e [amɛ̃sisɑ̃, ɑ̃t] *adj*: **régime ~** (slimming) diet; **crème ~e** slimming cream
amiral, -aux [amiʀal, o] *nm* admiral
amitié [amitje] *nf* friendship; **prendre en ~** to befriend; **faire** *ou* **présenter ses ~s à qn** to send sb one's best wishes; **"~s"** (*dans une lettre*) "(with) best wishes"
amonceler [amɔ̃s(ə)le] *vt* to pile *ou* heap up; **s'~** *vi* to pile *ou* heap up; (*fig*) to accumulate
amont [amɔ̃]: **en ~** *adv* upstream
amorce [amɔʀs] *nf* (*sur un hameçon*) bait; (*explosif*) cap; primer; priming; (*fig: début*) beginning(s), start
amortir [amɔʀtiʀ] *vt* (*atténuer: choc*) to absorb, cushion; (*bruit, douleur*) to deaden; (*Comm: dette*) to pay off; **~ un achat** to make a purchase pay for itself; **amortisseur** *nm* shock absorber
amour [amuʀ] *nm* love; **faire l'~** to make love; **amoureux, -euse** *adj* (*regard, tempérament*) amorous; (*vie, problèmes*) love *cpd*; (*personne*): **être amoureux (de qn)** to be in love (with sb); **tomber amoureux (de qn)** to fall in love (with sb) ▷ *nmpl* courting couple(s); **amour-propre** *nm* self-esteem, pride
ampère [ɑ̃pɛʀ] *nm* amp(ere)
amphithéâtre [ɑ̃fiteɑtʀ] *nm* amphitheatre; (*d'université*) lecture hall *ou* theatre
ample [ɑ̃pl] *adj* (*vêtement*) roomy, ample; (*gestes, mouvement*) broad; (*ressources*) ample; **amplement** *adv*: **c'est amplement suffisant** that's more than enough; **ampleur** *nf* (*de dégâts, problème*) extent
amplificateur [ɑ̃plifikatœʀ] *nm* amplifier
amplifier [ɑ̃plifje] *vt* (*fig*) to expand, increase
ampoule [ɑ̃pul] *nf* (*électrique*) bulb; (*de médicament*) phial; (*aux mains, pieds*) blister
amusant, e [amyzɑ̃, ɑ̃t] *adj* (*divertissant, spirituel*) entertaining, amusing; (*comique*) funny, amusing
amuse-gueule [amyzgœl] *nm inv* appetizer, snack
amusement [amyzmɑ̃] *nm* (*divertissement*) amusement; (*jeu etc*) pastime, diversion
amuser [amyze] *vt* (*divertir*) to entertain, amuse; (*égayer, faire rire*) to amuse; **s'~** *vi* (*jouer*) to play; (*se divertir*) to enjoy o.s., have fun; (*fig*) to mess around
amygdale [amidal] *nf* tonsil
an [ɑ̃] *nm* year; **avoir quinze ans** to be fifteen (years old); **le jour de l'an, le premier de l'an, le nouvel an** New Year's Day
analphabète [analfabɛt] *nm/f* illiterate
analyse [analiz] *nf* analysis; (*Méd*) test; **analyser** *vt* to analyse; to test
ananas [anana(s)] *nm* pineapple
anatomie [anatɔmi] *nf* anatomy
ancêtre [ɑ̃sɛtʀ] *nm/f* ancestor
anchois [ɑ̃ʃwa] *nm* anchovy
ancien, ne [ɑ̃sjɛ̃, jɛn] *adj* old; (*de jadis, de l'antiquité*) ancient; (*précédent, ex-*) former, old; (*par l'expérience*) senior ▷ *nm/f* (*dans une tribu*) elder; **ancienneté** *nf* (*Admin*) (length of) service; (*privilèges obtenus*)

seniority
ancre [ɑ̃kʀ] *nf* anchor; **jeter/lever l'~** to cast/weigh anchor; **ancrer** *vt* (*Constr: câble etc*) to anchor; (*fig*) to fix firmly
Andorre [ɑ̃dɔʀ] *nf* Andorra
andouille [ɑ̃duj] *nf* (*Culin*) *sausage made of chitterlings*; (*fam*) clot, nit
âne [ɑn] *nm* donkey, ass; (*péj*) dunce
anéantir [aneɑ̃tiʀ] *vt* to annihilate, wipe out; (*fig*) to obliterate, destroy
anémie [anemi] *nf* anaemia; **anémique** *adj* anaemic
anesthésie [anɛstezi] *nf* anaesthesia; **faire une ~ locale/générale à qn** to give sb a local/general anaesthetic
ange [ɑ̃ʒ] *nm* angel; **être aux ~s** to be over the moon
angine [ɑ̃ʒin] *nf* throat infection; **angine de poitrine** angina
anglais, e [ɑ̃glɛ, ɛz] *adj* English ▷ *nm/f*: **A~, e** Englishman(-woman) ▷ *nm* (*Ling*) English; **les A~** the English; **filer à l'~e** to take French leave
angle [ɑ̃gl] *nm* angle; (*coin*) corner; **angle droit** right angle
Angleterre [ɑ̃glətɛʀ] *nf*: **l'~** England
anglo... [ɑ̃glɔ] *préfixe* Anglo-, anglo(-); **anglophone** *adj* English-speaking
angoisse [ɑ̃gwas] *nf* anguish, distress; **angoissé, e** *adj* (*personne*) distressed
anguille [ɑ̃gij] *nf* eel
animal, e, -aux [animal, o] *adj, nm* animal
animateur, -trice [animatœʀ, tʀis] *nm/f* (*de télévision*) host; (*de groupe*) leader, organizer
animation [animasjɔ̃] *nf* (*voir animé*) busyness; liveliness; (*Cinéma: technique*) animation
animé, e [anime] *adj* (*lieu*) busy, lively; (*conversation, réunion*) lively, animated
animer [anime] *vt* (*ville, soirée*) to liven up; (*mener*) to lead
anis [ani(s)] *nm* (*Culin*) aniseed; (*Bot*) anise
ankyloser [ɑ̃kiloze]: **s'~** *vi* to get stiff
anneau, x [ano] *nm* (*de rideau, bague*) ring; (*de chaîne*) link
année [ane] *nf* year
annexe [anɛks] *adj* (*problème*) related; (*document*) appended; (*salle*) adjoining ▷ *nf* (*bâtiment*) annex(e); (*jointe à une lettre*) enclosure
anniversaire [anivɛʀsɛʀ] *nm* birthday; (*d'un événement, bâtiment*) anniversary
annonce [anɔ̃s] *nf* announcement; (*signe, indice*) sign; (*aussi*: **~ publicitaire**) advertisement; **les petites ~s** the classified advertisements, the small ads
annoncer [anɔ̃se] *vt* to announce; (*être le signe de*) to herald; **s'~ bien/difficile** to look promising/difficult
annuaire [anɥɛʀ] *nm* yearbook, annual; **annuaire téléphonique** (telephone) directory, phone book
annuel, le [anɥɛl] *adj* annual, yearly
annulation [anylasjɔ̃] *nf* cancellation
annuler [anyle] *vt* (*rendez-vous, voyage*) to cancel, call off; (*jugement*) to quash (BRIT), repeal (US); (*Math, Physique*) to cancel out; **je voudrais ~ ma réservation** I'd like to cancel my reservation
anonymat [anɔnima] *nm* anonymity; **garder l'~** to remain anonymous
anonyme [anɔnim] *adj* anonymous; (*fig*) impersonal
anorak [anɔʀak] *nm* anorak
anorexie [anɔʀɛksi] *nf* anorexia
anormal, e, -aux [anɔʀmal, o] *adj* abnormal
ANPE *sigle f* (*= Agence nationale pour l'emploi*) *national employment agency*
antarctique [ɑ̃taʀktik] *adj* Antarctic ▷ *nm*: **l'A~** the Antarctic
antenne [ɑ̃tɛn] *nf* (*de radio*) aerial; (*d'insecte*) antenna, feeler; (*poste avancé*) outpost; (*petite succursale*) sub-branch; **passer à l'~** to go on the air; **antenne parabolique** satellite dish
antérieur, e [ɑ̃teʀjœʀ] *adj* (*d'avant*) previous, earlier; (*de devant*) front
anti... [ɑ̃ti] *préfixe* anti...; **antialcoolique** *adj* anti-alcohol; **antibiotique** *nm* antibiotic; **antibrouillard** *adj*: **phare antibrouillard** fog lamp (BRIT) *ou* light (US)
anticipation [ɑ̃tisipasjɔ̃] *nf*: **livre/film d'~** science fiction book/film
anticipé, e [ɑ̃tisipe] *adj*: **avec mes remerciements ~s** thanking you in advance *ou* anticipation
anticiper [ɑ̃tisipe] *vt* (*événement, coup*) to anticipate, foresee
anti...: **anticorps** *nm* antibody; **antidote** *nm* antidote; **antigel** *nm* antifreeze; **antihistaminique** *nm* antihistamine
antillais, e [ɑ̃tijɛ, ɛz] *adj* West Indian, Caribbean ▷ *nm/f*: **A~, e** West Indian, Caribbean
Antilles [ɑ̃tij] *nfpl*: **les ~** the West Indies; **les Grandes/Petites ~** the Greater/Lesser Antilles
antilope [ɑ̃tilɔp] *nf* antelope
anti...: **antimite(s)** *adj, nm*: **(produit) antimite(s)** mothproofer; moth repellent; **antimondialisation** *nf* anti-globalization; **antipathique** *adj* unpleasant, disagreeable; **antipelliculaire** *adj* anti-dandruff
antiquaire [ɑ̃tikɛʀ] *nm/f* antique dealer
antique [ɑ̃tik] *adj* antique; (*très vieux*) ancient, antiquated; **antiquité** *nf* (*objet*) antique; **l'Antiquité** Antiquity; **magasin d'antiquités** antique shop
anti...: **antirabique** *adj* rabies *cpd*; **antirouille** *adj inv* anti-rust *cpd*; **antisémite** *adj* anti-Semitic; **antiseptique** *adj, nm* antiseptic
antivirus [anti'virus] *nm* (*Inform*) antivirus; **antivol** *adj, nm*: **(dispositif) antivol** anti-theft device
anxieux, -euse [ɑ̃ksjø, jøz] *adj* anxious, worried
AOC *sigle f* (*= appellation d'origine contrôlée*) *label guaranteeing the quality of wine*
août [u(t)] *nm* August
apaiser [apeze] *vt* (*colère, douleur*) to soothe; (*personne*) to calm (down), pacify; **s'~** *vi* (*tempête, bruit*) to die down, subside; (*personne*) to calm down
apercevoir [apɛʀsəvwaʀ] *vt* to see; **s'~ de** *vt* to notice; **s'~ que** to notice that
aperçu [apɛʀsy] *nm* (*vue d'ensemble*) general survey
apéritif [apeʀitif] *nm* (*boisson*) aperitif; (*réunion*) drinks *pl*
à-peu-près [apøpʀɛ] (*péj*) *nm inv* vague approximation
apeuré, e [apœʀe] *adj* frightened, scared
aphte [aft] *nm* mouth ulcer
apitoyer [apitwaje] *vt* to move to pity; **s'~ (sur)** to feel pity (for)
aplatir [aplatiʀ] *vt* to flatten; **s'~** *vi* to become flatter; (*écrasé*) to be flattened
aplomb [aplɔ̃] *nm* (*équilibre*) balance, equilibrium; (*fig*) self-assurance; nerve; **d'~** steady
apostrophe [apɔstʀɔf] *nf* (*signe*) apostrophe
apparaître [apaʀɛtʀ] *vi* to appear
appareil [apaʀɛj] *nm* (*outil, machine*) piece of

apparatus, device; (*électrique, ménager*) appliance; (*avion*) (aero)plane, aircraft *inv*; (*téléphonique*) phone; (*dentier*) brace (BRIT), braces (US); **"qui est à l'~?"** "who's speaking?"; **dans le plus simple ~** in one's birthday suit; **appareil(-photo)** camera; **appareiller** *vi* (*Navig*) to cast off, get under way ▷ *vt* (*assortir*) to match up

apparemment [apaʀamɑ̃] *adv* apparently

apparence [apaʀɑ̃s] *nf* appearance; **en ~** apparently

apparent, e [apaʀɑ̃, ɑ̃t] *adj* visible; (*évident*) obvious; (*superficiel*) apparent

apparenté, e [apaʀɑ̃te] *adj*: **~ à** related to; (*fig*) similar to

apparition [apaʀisjɔ̃] *nf* appearance; (*surnaturelle*) apparition

appartement [apaʀtəmɑ̃] *nm* flat (BRIT), apartment (US)

appartenir [apaʀtəniʀ]: **~ à** *vt* to belong to; **il lui appartient de** it is his duty to

apparu, e [apaʀy] *pp de* **apparaître**

appât [apɑ] *nm* (*Pêche*) bait; (*fig*) lure, bait

appel [apɛl] *nm* call; (*nominal*) roll call; (: *Scol*) register; (*Mil*: *recrutement*) call-up; **faire ~ à** (*invoquer*) to appeal to; (*avoir recours à*) to call on; (*nécessiter*) to call for, require; **faire** *ou* **interjeter ~** (*Jur*) to appeal; **faire l'~** to call the roll; (*Scol*) to call the register; **sans ~** (*fig*) final, irrevocable; **faire un ~ de phares** to flash one's headlights; **appel d'offres** (*Comm*) invitation to tender; **appel (téléphonique)** (tele)phone call

appelé [ap(ə)le] *nm* (*Mil*) conscript

appeler [ap(ə)le] *vt* to call; (*faire venir*: *médecin etc*) to call, send for; **s'~** *vi*: **elle s'appelle Gabrielle** her name is Gabrielle, she's called Gabrielle; **comment vous appelez-vous?** what's your name?; **comment ça s'appelle?** what is it called?; **être appelé à** (*fig*) to be destined to

appendicite [apɛ̃disit] *nf* appendicitis

appesantir [apəzɑ̃tiʀ]: **s'~** *vi* to grow heavier; **s'~ sur** (*fig*) to dwell on

appétissant, e [apetisɑ̃, ɑ̃t] *adj* appetizing, mouth-watering

appétit [apeti] *nm* appetite; **bon ~!** enjoy your meal!

applaudir [aplodiʀ] *vt* to applaud ▷ *vi* to applaud, clap; **applaudissements** *nmpl* applause *sg*, clapping *sg*

application [aplikasjɔ̃] *nf* application

appliquer [aplike] *vt* to apply; (*loi*) to enforce; **s'~** *vi* (*élève etc*) to apply o.s.; **s'~ à** to apply to

appoint [apwɛ̃] *nm* (extra) contribution *ou* help; **avoir/faire l'~** to have/give the right change *ou* money; **chauffage d'~** extra heating

apporter [apɔʀte] *vt* to bring

appréciable [apʀesjabl] *adj* appreciable

apprécier [apʀesje] *vt* to appreciate; (*évaluer*) to estimate, assess

appréhender [apʀeɑ̃de] *vt* (*craindre*) to dread; (*arrêter*) to apprehend

apprendre [apʀɑ̃dʀ] *vt* to learn; (*événement, résultats*) to learn of, hear of; **~ qch à qn** (*informer*) to tell sb (of) sth; (*enseigner*) to teach sb sth; **~ à faire qch** to learn to do sth; **~ à qn à faire qch** to teach sb to do sth; **apprenti, e** *nm/f* apprentice; **apprentissage** *nm* learning; (*Comm, Scol*: *période*) apprenticeship

apprêter [apʀete] *vt*: **s'~ à faire qch** to get ready to do sth

appris, e [apʀi, iz] *pp de* **apprendre**

apprivoiser [apʀivwaze] *vt* to tame

approbation [apʀɔbasjɔ̃] *nf* approval

approcher [apʀɔʃe] *vi* to approach, come near ▷ *vt* to approach; (*rapprocher*): **~ qch (de qch)** to bring *ou* put sth near (to sth); **s'~ de** to approach, go *ou* come near to; **~ de** (*lieu, but*) to draw near to; (*quantité, moment*) to approach

approfondir [apʀɔfɔ̃diʀ] *vt* to deepen; (*question*) to go further into

approprié, e [apʀɔpʀije] *adj*: **~ (à)** appropriate (to), suited to

approprier [apʀɔpʀije]: **s'~** *vt* to appropriate, take over; **s'~ en** to stock up with

approuver [apʀuve] *vt* to agree with; (*trouver louable*) to approve of

approvisionner [apʀɔvizjɔne] *vt* to supply; (*compte bancaire*) to pay funds into; **s'~ en** to stock up with

approximatif, -ive [apʀɔksimatif, iv] *adj* approximate, rough; (*termes*) vague

appt *abr* = **appartement**

appui [apɥi] *nm* support; **prendre ~ sur** to lean on; (*objet*) to rest on; **l'~ de la fenêtre** the windowsill, the window ledge

appuyer [apɥije] *vt* (*poser*): **~ qch sur/contre** to lean *ou* rest sth on/against; (*soutenir*: *personne, demande*) to support, back (up) ▷ *vi*: **~ sur** (*bouton*) to press, push; (*mot, détail*) to stress, emphasize; **~ sur le frein** to brake, to apply the brakes; **s'~ sur** to lean on; (*fig*: *compter sur*) to rely on

après [apʀɛ] *prép* after ▷ *adv* afterwards; **2 heures ~** 2 hours later; **~ qu'il est** *ou* **soit parti** after he left; **~ avoir fait** after having done; **d'~** (*selon*) according to; **~ coup** after the event, afterwards; **~ tout** (*au fond*) after all; **et (puis) ~?** so what?; **après-demain** *adv* the day after tomorrow; **après-midi** *nm ou nf inv* afternoon; **après-rasage** *nm inv* aftershave; **après-shampooing** *nm inv* conditioner; **après-ski** *nm inv* snow boot

après-soleil [apʀɛsɔlɛj] *adj inv* after-sun *cpd* ▷ *nm* after-sun cream *ou* lotion

apte [apt] *adj* capable; **~ à qch/faire qch** capable of sth/doing sth; **~ (au service)** (*Mil*) fit (for service)

aquarelle [akwaʀɛl] *nf* watercolour

aquarium [akwaʀjɔm] *nm* aquarium

arabe [aʀab] *adj* Arabic; (*désert, cheval*) Arabian; (*nation, peuple*) Arab ▷ *nm/f*: **A~** Arab ▷ *nm* (*Ling*) Arabic

Arabie [aʀabi] *nf*: **l'~ (Saoudite)** Saudi Arabia

arachide [aʀaʃid] *nf* (*plante*) groundnut (plant); (*graine*) peanut, groundnut

araignée [aʀeɲe] *nf* spider

arbitraire [aʀbitʀɛʀ] *adj* arbitrary

arbitre [aʀbitʀ] *nm* (*Sport*) referee; (: *Tennis, Cricket*) umpire; (*fig*) arbiter, judge; (*Jur*) arbitrator; **arbitrer** *vt* to referee; to umpire; to arbitrate

arbre [aʀbʀ] *nm* tree; (*Tech*) shaft

arbuste [aʀbyst] *nm* small shrub

arc [aʀk] *nm* (*arme*) bow; (*Géom*) arc; (*Archit*) arch; **en ~ de cercle** semi-circular

arcade [aʀkad] *nf* arch(way); **arcades** *nfpl* (*série*) arcade *sg*, arches

arc-en-ciel [aʀkɑ̃sjɛl] *nm* rainbow

arche [aʀʃ] *nf* arch; **arche de Noé** Noah's Ark

archéologie [aʀkeɔlɔʒi] *nf* arch(a)eology; **archéologue** *nm/f* arch(a)eologist

archet [aʀʃɛ] *nm* bow

archipel [aʀʃipɛl] *nm* archipelago

architecte [aʀʃitɛkt] *nm* architect
architecture [aʀʃitɛktyʀ] *nf* architecture
archives [aʀʃiv] *nfpl* (*collection*) archives
arctique [aʀktik] *adj* Arctic ▷ *nm*: **l'A~** the Arctic
ardent, e [aʀdɑ̃, ɑ̃t] *adj* (*soleil*) blazing; (*amour*) ardent, passionate; (*prière*) fervent
ardoise [aʀdwaz] *nf* slate
ardu, e [aʀdy] *adj* (*travail*) arduous; (*problème*) difficult
arène [aʀɛn] *nf* arena; **arènes** *nfpl* (*amphithéâtre*) bull-ring *sg*
arête [aʀɛt] *nf* (*de poisson*) bone; (*d'une montagne*) ridge
argent [aʀʒɑ̃] *nm* (*métal*) silver; (*monnaie*) money; **argent de poche** pocket money; **argent liquide** ready money, (ready) cash; **argenterie** *nf* silverware
argentin, e [aʀʒɑ̃tɛ̃, in] *adj* Argentinian ▷ *nm/f*: **A~, e** Argentinian
Argentine [aʀʒɑ̃tin] *nf*: **l'~** Argentina
argentique [aʀʒɑ̃tik] *adj* (*appareil-photo*) film *cpd*
argile [aʀʒil] *nf* clay
argot [aʀgo] *nm* slang; **argotique** *adj* slang *cpd*; (*très familier*) slangy
argument [aʀgymɑ̃] *nm* argument
argumenter [aʀgymɑ̃te] *vi* to argue
aride [aʀid] *adj* arid
aristocratie [aʀistɔkʀasi] *nf* aristocracy; **aristocratique** *adj* aristocratic
arithmétique [aʀitmetik] *adj* arithmetic(al) ▷ *nf* arithmetic
arme [aʀm] *nf* weapon; **armes** *nfpl* (*armement*) weapons, arms; (*blason*) (coat of) arms; **~s de destruction massive** weapons of mass destruction; **arme à feu** firearm
armée [aʀme] *nf* army; **armée de l'air** Air Force; **armée de terre** Army
armer [aʀme] *vt* to arm; (*arme à feu*) to cock; (*appareil-photo*) to wind on; **~ qch de** to reinforce sth with; **s'~ de** to arm o.s. with
armistice [aʀmistis] *nm* armistice; **l'A~** ≈ Remembrance (BRIT) *ou* Veterans (US) Day
armoire [aʀmwaʀ] *nf* (tall) cupboard; (*penderie*) wardrobe (BRIT), closet (US)
armure [aʀmyʀ] *nf* armour *no pl*, suit of armour; **armurier** *nm* gunsmith
arnaque [aʀnak] (*fam*) *nf* swindling; **c'est de l'~** it's a rip-off; **arnaquer** (*fam*) *vt* to swindle
arobase [aʀobaz] *nf* (*symbole*) at symbol; **"paul ~ société point fr"** "paul at société dot fr"
aromates [aʀɔmat] *nmpl* seasoning *sg*, herbs (and spices)
aromathérapie [aʀɔmateʀapi] *nf* aromatherapy
aromatisé, e [aʀɔmatize] *adj* flavoured
arôme [aʀom] *nm* aroma
arracher [aʀaʃe] *vt* to pull out; (*page etc*) to tear off, tear out; (*légumes, herbe*) to pull up; (*bras etc*) to tear off; **s'~** *vt* (*article recherché*) to fight over; **~ qch à qn** to snatch sth from sb; (*fig*) to wring sth out of sb
arrangement [aʀɑ̃ʒmɑ̃] *nm* agreement, arrangement
arranger [aʀɑ̃ʒe] *vt* (*gén*) to arrange; (*réparer*) to fix, put right; (*régler: différend*) to settle, sort out; (*convenir à*) to suit, be convenient for; **cela m'arrange** that suits me (fine); **s'~** *vi* (*se mettre d'accord*) to come to an agreement; **je vais m'~** I'll manage; **ça va s'~** it'll sort itself out
arrestation [aʀɛstasjɔ̃] *nf* arrest
arrêt [aʀɛ] *nm* stopping; (*de bus etc*) stop; (*Jur*) judgment, decision; **à l'~** stationary; **tomber en ~ devant** to stop short in front of; **sans ~** (*sans interruption*) non-stop; (*très fréquemment*) continually; **arrêt de travail** stoppage (of work)
arrêter [aʀete] *vt* to stop; (*chauffage etc*) to turn off, switch off; (*fixer: date etc*) to appoint, decide on; (*criminel, suspect*) to arrest; **s'~** *vi* to stop; **~ de faire** to stop doing; **arrêtez-vous ici/au coin, s'il vous plaît** could you stop here/at the corner, please?
arrhes [aʀ] *nfpl* deposit *sg*
arrière [aʀjɛʀ] *nm* back; (*Sport*) fullback ▷ *adj inv*: **siège/roue ~** back *ou* rear seat/wheel; **à l'~** behind, at the back; **en ~** behind; (*regarder*) back, behind; (*tomber, aller*) backwards; **arrière-goût** *nm* aftertaste; **arrière-grand-mère** *nf* great-grandmother; **arrière-grand-père** *nm* great-grandfather; **arrière-pays** *nm inv* hinterland; **arrière-pensée** *nf* ulterior motive; mental reservation; **arrière-plan** *nm* background; **à l'arrière-plan** in the background; **arrière-saison** *nf* late autumn
arrimer [aʀime] *vt* to secure; (*cargaison*) to stow
arrivage [aʀivaʒ] *nm* consignment
arrivée [aʀive] *nf* arrival; (*ligne d'arrivée*) finish
arriver [aʀive] *vi* to arrive; (*survenir*) to happen, occur; **il arrive à Paris à 8h** he gets to *ou* arrives in Paris at 8; **à quelle heure arrive le train de Lyon?** what time does the train from Lyons get in?; **~ à** (*atteindre*) to reach; **~ à faire qch** to succeed in doing sth; **en ~ à** (*finir par*) to come to; **il arrive que** it happens that; **il lui arrive de faire** he sometimes does
arrobase [aʀɔbaz] *nf* (*Inform*) @, 'at' sign
arrogance [aʀɔgɑ̃s] *nf* arrogance
arrogant, e [aʀɔgɑ̃, ɑ̃t] *adj* arrogant
arrondissement [aʀɔ̃dismɑ̃] *nm* (*Admin*) ≈ district
arroser [aʀoze] *vt* to water; (*victoire*) to celebrate (over a drink); (*Culin*) to baste; **arrosoir** *nm* watering can
arsenal, -aux [aʀsənal, o] *nm* (*Navig*) naval dockyard; (*Mil*) arsenal; (*fig*) gear, paraphernalia
art [aʀ] *nm* art
artère [aʀtɛʀ] *nf* (*Anat*) artery; (*rue*) main road
arthrite [aʀtʀit] *nf* arthritis
artichaut [aʀtiʃo] *nm* artichoke
article [aʀtikl] *nm* article; (*Comm*) item, article; **à l'~ de la mort** at the point of death
articulation [aʀtikylasjɔ̃] *nf* articulation; (*Anat*) joint
articuler [aʀtikyle] *vt* to articulate
artificiel, le [aʀtifisjɛl] *adj* artificial
artisan [aʀtizɑ̃] *nm* artisan, (self-employed) craftsman; **artisanal, e, -aux** *adj* of *ou* made by craftsmen; (*péj*) cottage industry *cpd*; **de fabrication artisanale** home-made; **artisanat** *nm* arts and crafts *pl*
artiste [aʀtist] *nm/f* artist; (*de variétés*) entertainer; (*musicien etc*) performer; **artistique** *adj* artistic
as[1] [a] *vb voir* **avoir**
as[2] [ɑs] *nm* ace
ascenseur [asɑ̃sœʀ] *nm* lift (BRIT), elevator (US)
ascension [asɑ̃sjɔ̃] *nf* ascent; (*de montagne*) climb; **l'A~** (*Rel*) the Ascension
asiatique [azjatik] *adj* Asiatic, Asian ▷ *nm/f*: **A~** Asian
Asie [azi] *nf*: **l'~** Asia
asile [azil] *nm* (*refuge*) refuge, sanctuary; (*Pol*): **droit d'~** (political) asylum
aspect [aspɛ] *nm* appearance, look; (*fig*) aspect,

side; **à l'~ de** at the sight of
asperge [aspɛʀʒ] *nf* asparagus *no pl*
asperger [aspɛʀʒe] *vt* to spray, sprinkle
asphalte [asfalt] *nm* asphalt
asphyxier [asfiksje] *vt* to suffocate, asphyxiate; (*fig*) to stifle
aspirateur [aspiʀatœʀ] *nm* vacuum cleaner; **passer l'~** to vacuum
aspirer [aspiʀe] *vt* (*air*) to inhale; (*liquide*) to suck (up); (*suj: appareil*) to suck up; **~ à** to aspire to
aspirine [aspiʀin] *nf* aspirin
assagir [asaʒiʀ]: **s'~** *vi* to quieten down, settle down
assaisonnement [asɛzɔnmɑ̃] *nm* seasoning
assaisonner [asɛzɔne] *vt* to season
assassin [asasɛ̃] *nm* murderer; assassin; **assassiner** *vt* to murder; (*esp Pol*) to assassinate
assaut [aso] *nm* assault, attack; **prendre d'~** to storm, assault; **donner l'~ à** to attack
assécher [aseʃe] *vt* to drain
assemblage [asɑ̃blaʒ] *nm* (*action*) assembling; (*de couleurs, choses*) collection
assemblée [asɑ̃ble] *nf* (*réunion*) meeting; (*assistance*) gathering; (*Pol*) assembly; **l'A~ nationale** the National Assembly (*the lower house of the French Parliament*)
assembler [asɑ̃ble] *vt* (*joindre, monter*) to assemble, put together; (*amasser*) to gather (together), collect (together); **s'~** *vi* to gather
asseoir [aswaʀ] *vt* (*malade, bébé*) to sit up; (*personne debout*) to sit down; (*autorité, réputation*) to establish; **s'~** *vi* to sit (o.s.) down
assez [ase] *adv* (*suffisamment*) enough, sufficiently; (*passablement*) rather, quite, fairly; **~ de pain/livres** enough *ou* sufficient bread/books; **vous en avez ~?** have you got enough?; **j'en ai ~!** I've had enough!
assidu, e [asidy] *adj* (*appliqué*) assiduous, painstaking; (*ponctuel*) regular
assied *etc* [asje] *vb voir* **asseoir**
assiérai *etc* [asjeʀe] *vb voir* **asseoir**
assiette [asjɛt] *nf* plate; (*contenu*) plate(ful); **il n'est pas dans son ~** he's not feeling quite himself; **assiette à dessert** dessert plate; **assiette anglaise** assorted cold meats; **assiette creuse** (soup) dish, soup plate; **assiette plate** (dinner) plate
assimiler [asimile] *vt* to assimilate, absorb; (*comparer*): **~ qch/qn à** to liken *ou* compare sth/sb to; **s'~** *vr* (*s'intégrer*) to be assimilated, assimilate
assis, e [asi, iz] *pp de* **asseoir** ▷ *adj* sitting (down), seated
assistance [asistɑ̃s] *nf* (*public*) audience; (*aide*) assistance; **enfant de l'A~ publique** child in care
assistant, e [asistɑ̃, ɑ̃t] *nm/f* assistant; (*d'université*) probationary lecturer; **assistant(e) social(e)** social worker
assisté, e [asiste] *adj* (*Auto*) power assisted; **~ par ordinateur** computer-assisted; **direction ~e** power steering
assister [asiste] *vt* (*aider*) to assist; **~ à** (*scène, événement*) to witness; (*conférence, séminaire*) to attend, be at; (*spectacle, match*) to be at, see
association [asɔsjasjɔ̃] *nf* association
associé, e [asɔsje] *nm/f* associate; (*Comm*) partner
associer [asɔsje] *vt* to associate; **s'~** *vi* to join together; **s'~ à qn pour faire** to join (forces) with sb to do; **s'~ à** (*couleurs, qualités*) to be combined with; (*opinions, joie de qn*) to share in; **~ qn à** (*profits*) to give sb a share of; (*affaire*) to make sb a partner in; (*joie, triomphe*) to include sb in; **~ qch à** (*allier à*) to combine sth with
assoiffé, e [aswafe] *adj* thirsty
assommer [asɔme] *vt* (*étourdir, abrutir*) to knock out, stun
Assomption [asɔ̃psjɔ̃] *nf*: **l'~** the Assumption
assorti, e [asɔʀti] *adj* matched, matching; (*varié*) assorted; **~ à** matching; **assortiment** *nm* assortment, selection
assortir [asɔʀtiʀ] *vt* to match; **~ qch à** to match sth with; **~ qch de** to accompany sth with
assouplir [asupliʀ] *vt* to make supple; (*fig*) to relax; **assouplissant** *nm* (fabric) softener
assumer [asyme] *vt* (*fonction, emploi*) to assume, take on
assurance [asyʀɑ̃s] *nf* (*certitude*) assurance; (*confiance en soi*) (self-)confidence; (*contrat*) insurance (policy); (*secteur commercial*) insurance; **assurance au tiers** third-party insurance; **assurance maladie** health insurance; **assurance tous risques** (*Auto*) comprehensive insurance; **assurances sociales** ≈ National Insurance (BRIT), ≈ Social Security (US); **assurance-vie** *nf* life assurance *ou* insurance
assuré, e [asyʀe] *adj* (*certain: réussite, échec*) certain, sure; (*air*) assured; (*pas*) steady ▷ *nm/f* insured (person); **assurément** *adv* assuredly, most certainly
assurer [asyʀe] *vt* (*Finance*) to insure; (*victoire etc*) to ensure; (*frontières, pouvoir*) to make secure; (*service*) to provide, operate; **s'~ (contre)** (*Comm*) to insure o.s. (against); **s'~ de/que** (*vérifier*) to make sure of/that; **s'~ (de)** (*aide de qn*) to secure; **~ à qn que** to assure sb that; **~ qn de** to assure sb of
asthmatique [asmatik] *adj, nm/f* asthmatic
asthme [asm] *nm* asthma
asticot [astiko] *nm* maggot
astre [astʀ] *nm* star
astrologie [astʀɔlɔʒi] *nf* astrology
astronaute [astʀonot] *nm/f* astronaut
astronomie [astʀɔnɔmi] *nf* astronomy
astuce [astys] *nf* shrewdness, astuteness; (*truc*) trick, clever way; **astucieux, -euse** *adj* clever
atelier [atəlje] *nm* workshop; (*de peintre*) studio
athée [ate] *adj* atheistic ▷ *nm/f* atheist
Athènes [atɛn] *n* Athens
athlète [atlɛt] *nm/f* (*Sport*) athlete; **athlétisme** *nm* athletics *sg*
atlantique [atlɑ̃tik] *adj* Atlantic ▷ *nm*: **l'(océan) A~** the Atlantic (Ocean)
atlas [atlɑs] *nm* atlas
atmosphère [atmɔsfɛʀ] *nf* atmosphere
atome [atom] *nm* atom; **atomique** *adj* atomic, nuclear
atomiseur [atɔmizœʀ] *nm* atomizer
atout [atu] *nm* trump; (*fig*) asset
atroce [atʀɔs] *adj* atrocious
attachant, e [ataʃɑ̃, ɑ̃t] *adj* engaging, lovable, likeable
attache [ataʃ] *nf* clip, fastener; (*fig*) tie
attacher [ataʃe] *vt* to tie up; (*étiquette*) to attach, tie on; (*ceinture*) to fasten ▷ *vi* (*poêle, riz*) to stick; **s'~ à** (*par affection*) to become attached to; **~ qch à** to tie *ou* attach sth to
attaque [atak] *nf* attack; (*cérébrale*) stroke; (*d'épilepsie*) fit
attaquer [atake] *vt* to attack ▷ *vi* to attack; **s'~ à** *vt* (*personne*) to attack; (*problème*) to tackle; **~ qn en justice** to bring an action against sb, sue sb

attarder [ataʀde]: **s'~** *vi* to linger
atteindre [atɛ̃dʀ] *vt* to reach; (*blesser*) to hit; (*émouvoir*) to affect; **atteint, e** *adj* (*Méd*): **être atteint de** to be suffering from; **atteinte** *nf*: **hors d'atteinte** out of reach; **porter atteinte à** to strike a blow at
attendant [atɑ̃dɑ̃] *adv*: **en ~** meanwhile, in the meantime
attendre [atɑ̃dʀ] *vt* (*gén*) to wait for; (*être destiné ou réservé à*) to await, be in store for ▷ *vi* to wait; **s'~ à (ce que)** to expect (that); **attendez-moi, s'il vous plaît** wait for me, please; **~ un enfant** to be expecting a baby; **~ de faire/d'être** to wait until one does/is; **attendez qu'il vienne** wait until he comes; **~ qch de** to expect sth of
attendrir [atɑ̃dʀiʀ] *vt* to move (to pity); (*viande*) to tenderize
attendu, e [atɑ̃dy] *adj* (*visiteur*) expected; (*événement*) long-awaited; **~ que** considering that, since
attentat [atɑ̃ta] *nm* assassination attempt; **attentat à la pudeur** indecent assault *no pl*; **attentat suicide** suicide bombing
attente [atɑ̃t] *nf* wait; (*espérance*) expectation
attenter [atɑ̃te]: **~ à** *vt* (*liberté*) to violate; **~ à la vie de qn** to make an attempt on sb's life
attentif, -ive [atɑ̃tif, iv] *adj* (*auditeur*) attentive; (*examen*) careful; **~ à** careful to
attention [atɑ̃sjɔ̃] *nf* attention; (*prévenance*) attention, thoughtfulness *no pl*; **à l'~ de** for the attention of; **faire ~ (à)** to be careful (of); **faire ~ (à ce) que** to be *ou* make sure that; **~!** careful!, watch out!; **~ à la voiture!** watch out for that car!; **attentionné, e** *adj* thoughtful, considerate
atténuer [atenɥe] *vt* (*douleur*) to alleviate, ease; (*couleurs*) to soften; **s'~** *vi* to ease; (*violence etc*) to abate
atterrir [ateʀiʀ] *vi* to land; **atterrissage** *nm* landing
attestation [atɛstasjɔ̃] *nf* certificate
attirant, e [atiʀɑ̃, ɑ̃t] *adj* attractive, appealing
attirer [atiʀe] *vt* to attract; (*appâter*) to lure, entice; **~ qn dans un coin/vers soi** to draw sb into a corner/towards one; **~ l'attention de qn** to attract sb's attention; **~ l'attention de qn sur** to draw sb's attention to; **s'~ des ennuis** to bring trouble upon o.s., get into trouble
attitude [atityd] *nf* attitude; (*position du corps*) bearing
attraction [atʀaksjɔ̃] *nf* (*gén*) attraction; (*de cabaret, cirque*) number
attrait [atʀɛ] *nm* appeal, attraction
attraper [atʀape] *vt* (*gén*) to catch; (*habitude, amende*) to get, pick up; (*fam: duper*) to con; **se faire ~** (*fam*) to be told off
attrayant, e [atʀɛjɑ̃, ɑ̃t] *adj* attractive
attribuer [atʀibɥe] *vt* (*prix*) to award; (*rôle, tâche*) to allocate, assign; (*imputer*): **~ qch à** to attribute sth to; **s'~** *vt* (*s'approprier*) to claim for o.s.
attrister [atʀiste] *vt* to sadden
attroupement [atʀupmɑ̃] *nm* crowd
attrouper [atʀupe]: **s'~** *vi* to gather
au [o] *prép + dét* = **à + le**
aubaine [obɛn] *nf* godsend
aube [ob] *nf* dawn, daybreak; **à l'~** at dawn *ou* daybreak
aubépine [obepin] *nf* hawthorn
auberge [obɛʀʒ] *nf* inn; **auberge de jeunesse** youth hostel
aubergine [obɛʀʒin] *nf* aubergine
aucun, e [okœ̃, yn] *dét* no, *tournure négative* + any; (*positif*) any ▷ *pron* none, *tournure négative* + any; any(one); **sans ~ doute** without any doubt; **plus qu'~ autre** more than any other; **il le fera mieux qu'~ de nous** he'll do it better than any of us; **~ des deux** neither of the two; **~ d'entre eux** none of them
audace [odas] *nf* daring, boldness; (*péj*) audacity; **audacieux, -euse** *adj* daring, bold
au-delà [od(ə)la] *adv* beyond ▷ *nm*: **l'~** the hereafter; **~ de** beyond
au-dessous [odsu] *adv* underneath; below; **~ de** under(neath), below; (*limite, somme etc*) below, under; (*dignité, condition*) below
au-dessus [odsy] *adv* above; **~ de** above
au-devant [od(ə)vɑ̃]: **~ de** *prép*: **aller ~ de** (*personne, danger*) to go (out) and meet; (*souhaits de qn*) to anticipate
audience [odjɑ̃s] *nf* audience; (*Jur: séance*) hearing
audiovisuel, le [odjovizɥɛl] *adj* audiovisual
audition [odisjɔ̃] *nf* (*ouïe, écoute*) hearing; (*Jur: de témoins*) examination; (*Mus, Théâtre: épreuve*) audition
auditoire [oditwaʀ] *nm* audience
augmentation [ɔgmɑ̃tasjɔ̃] *nf* increase; **augmentation (de salaire)** rise (in salary) (BRIT), (pay) raise (US)
augmenter [ɔgmɑ̃te] *vt* (*gén*) to increase; (*salaire, prix*) to increase, raise, put up; (*employé*) to increase the salary of ▷ *vi* to increase
augure [ogyʀ] *nm*: **de bon/mauvais ~** of good/ill omen
aujourd'hui [oʒuʀdɥi] *adv* today
aumône [omon] *nf inv* alms *sg*; **aumônier** *nm* chaplain
auparavant [opaʀavɑ̃] *adv* before(hand)
auprès [opʀɛ]: **~ de** *prép* next to, close to; (*recourir, s'adresser*) to; (*en comparaison de*) compared with
auquel [okɛl] *prép + pron* = **à + lequel**
aurai *etc* [ɔʀe] *vb voir* **avoir**
aurons *etc* [ɔʀɔ̃] *vb voir* **avoir**
aurore [ɔʀɔʀ] *nf* dawn, daybreak
ausculter [ɔskylte] *vt* to sound (the chest of)
aussi [osi] *adv* (*également*) also, too; (*de comparaison*) as ▷ *conj* therefore, consequently; **~ fort que** as strong as; **moi ~** me too
aussitôt [osito] *adv* straight away, immediately; **~ que** as soon as
austère [ostɛʀ] *adj* austere
austral, e [ɔstʀal] *adj* southern
Australie [ɔstʀali] *nf*: **l'~** Australia; **australien, ne** *adj* Australian ▷ *nm/f*: **Australien, ne** Australian
autant [otɑ̃] *adv* (*intensité*) so much; **je ne savais pas que tu la détestais ~** I didn't know you hated her so much; (*comparatif*): **~ (que)** as much (as); (*nombre*) as many (as); **~ (de)** so much (*ou* many); as much (*ou* many); **~ partir** we (*ou* you *etc*) may as well leave; **~ dire que ...** one might as well say that ...; **pour ~** for all that; **d'~ plus/mieux (que)** all the more/the better (since)
autel [otɛl] *nm* altar
auteur [otœʀ] *nm* author
authentique [otɑ̃tik] *adj* authentic, genuine
auto [oto] *nf* car
auto...: **autobiographie** *nf* autobiography; **autobronzant** *nm* self-tanning cream (*or* lotion *etc*); **autobus** *nm* bus; **autocar** *nm* coach
autochtone [ɔtɔktɔn] *nm/f* native

auto...: **autocollant, e** *adj* self-adhesive; (*enveloppe*) self-seal ▷ *nm* sticker; **autocuiseur** *nm* pressure cooker; **autodéfense** *nf* self-defence; **autodidacte** *nm/f* self-taught person; **auto-école** *nf* driving school; **autographe** *nm* autograph

automate [ɔtɔmat] *nm* (*machine*) (automatic) machine

automatique [ɔtɔmatik] *adj* automatic ▷ *nm*: **l'~** direct dialling

automne [ɔtɔn] *nm* autumn (BRIT), fall (US)

automobile [ɔtɔmɔbil] *adj* motor *cpd*, car *cpd* ▷ *nf* (motor) car; **automobiliste** *nm/f* motorist

autonome [ɔtɔnɔm] *adj* autonomous; **autonomie** *nf* autonomy; (*Pol*) self-government, autonomy

autopsie [ɔtɔpsi] *nf* post-mortem (examination), autopsy

autoradio [otoʀadjo] *nm* car radio

autorisation [ɔtɔʀizasjɔ̃] *nf* permission, authorization; (*papiers*) permit

autorisé, e [ɔtɔʀize] *adj* (*opinion, sources*) authoritative

autoriser [ɔtɔʀize] *vt* to give permission for, authorize; (*fig*) to allow (of)

autoritaire [ɔtɔʀitɛʀ] *adj* authoritarian

autorité [ɔtɔʀite] *nf* authority; **faire ~** to be authoritative; **les ~s** the authorities

autoroute [otoʀut] *nf* motorway (BRIT), highway (US); **~ de l'information** (*Inform*) information superhighway

auto-stop [otostɔp] *nm*: **faire de l'~** to hitch-hike; **prendre qn en ~** to give sb a lift; **auto-stoppeur, -euse** *nm/f* hitch-hiker

autour [otuʀ] *adv* around; **~ de** around; **tout ~** all around

MOT-CLÉ

autre [otʀ] *adj* **1** (*différent*) other, different; **je préférerais un autre verre** I'd prefer another *ou* a different glass

2 (*supplémentaire*) other; **je voudrais un autre verre d'eau** I'd like another glass of water

3: **autre chose** something else; **autre part** somewhere else; **d'autre part** on the other hand

▷ *pron*: **un autre** another (one); **nous/vous autres** us/you; **d'autres** others; **l'autre** the other (one); **les autres** the others; (*autrui*) others; **l'un et l'autre** both of them; **se détester l'un l'autre/les uns les autres** to hate each other *ou* one another; **d'une semaine à l'autre** from one week to the next; (*incessamment*) any week now; **entre autres** (*personnes*) among others; (*choses*) among other things

autrefois [otʀəfwa] *adv* in the past

autrement [otʀəmɑ̃] *adv* differently; (*d'une manière différente*) in another way; (*sinon*) otherwise; **~ dit** in other words

Autriche [otʀiʃ] *nf*: **l'~** Austria; **autrichien, ne** *adj* Austrian ▷ *nm/f*: **Autrichien, ne** Austrian

autruche [otʀyʃ] *nf* ostrich

aux [o] *prép +dét* = **à +les**

auxiliaire [ɔksiljɛʀ] *adj, nm/f* auxiliary

auxquelles [okɛl] *prép +pron* = **à +lesquelles**

auxquels [okɛl] *prép +pron* = **à +lesquels**

avalanche [avalɑ̃ʃ] *nf* avalanche

avaler [avale] *vt* to swallow

avance [avɑ̃s] *nf* (*de troupes etc*) advance; progress; (*d'argent*) advance; (*sur un concurrent*) lead; **avances** *nfpl* (*amoureuses*) advances; **(être) en ~** (to be) early; (*sur un programme*) (to be) ahead of schedule; **à l'~, d'~** in advance

avancé, e [avɑ̃se] *adj* advanced; (*travail*) well on, well under way

avancement [avɑ̃smɑ̃] *nm* (*professionnel*) promotion

avancer [avɑ̃se] *vi* to move forward, advance; (*projet, travail*) to make progress; (*montre, réveil*) to be fast; to gain ▷ *vt* to move forward, advance; (*argent*) to advance; (*montre, pendule*) to put forward; **s'~** *vi* to move forward, advance; (*fig*) to commit o.s.

avant [avɑ̃] *prép, adv* before ▷ *adj inv*: **siège/roue ~** front seat/wheel ▷ *nm* (*d'un véhicule, bâtiment*) front; (*Sport: joueur*) forward; **~ qu'il (ne) parte** before he goes *ou* leaves; **~ de partir** before leaving; **~ tout** (*surtout*) above all; **à l'~** (*dans un véhicule*) in (the) front; **en ~** (*se pencher, tomber*) forward(s); **partir en ~** to go on ahead; **en ~ de** in front of

avantage [avɑ̃taʒ] *nm* advantage; **avantages sociaux** fringe benefits; **avantager** *vt* (*favoriser*) to favour; (*embellir*) to flatter; **avantageux, -euse** *adj* (*prix*) attractive

avant...: **avant-bras** *nm inv* forearm; **avant-coureur** *adj inv*: **signe avant-coureur** advance indication *ou* sign; **avant-dernier, -ière** *adj, nm/f* next to last, last but one; **avant-goût** *nm* foretaste; **avant-hier** *adv* the day before yesterday; **avant-première** *nf* (*de film*) preview; **avant-veille** *nf*: **l'avant-veille** two days before

avare [avaʀ] *adj* miserly, avaricious ▷ *nm/f* miser; **~ de** (*compliments etc*) sparing of

avec [avɛk] *prép* with; (*à l'égard de*) to(wards), with; **et ~ ça?** (*dans magasin*) anything else?

avenir [avniʀ] *nm* future; **à l'~** in future; **politicien/métier d'~** politician/job with prospects *ou* a future

aventure [avɑ̃tyʀ] *nf* adventure; (*amoureuse*) affair; **aventureux, -euse** *adj* adventurous, venturesome; (*projet*) risky, chancy

avenue [avny] *nf* avenue

avérer [aveʀe]: **s'~** *vb +attrib* to prove (to be)

averse [avɛʀs] *nf* shower

averti, e [avɛʀti] *adj* (well-)informed

avertir [avɛʀtiʀ] *vt*: **~ qn (de qch/que)** to warn sb (of sth/that); (*renseigner*) to inform sb (of sth/that); **avertissement** *nm* warning; **avertisseur** *nm* horn, siren

aveu, x [avø] *nm* confession

aveugle [avœgl] *adj* blind ▷ *nm/f* blind man/woman

aviation [avjasjɔ̃] *nf* aviation; (*sport*) flying; (*Mil*) air force

avide [avid] *adj* eager; (*péj*) greedy, grasping

avion [avjɔ̃] *nm* (aero)plane (BRIT), (air)plane (US); **aller (quelque part) en ~** to go (somewhere) by plane, fly (somewhere); **par ~** by airmail; **avion à réaction** jet (plane)

aviron [aviʀɔ̃] *nm* oar; (*sport*): **l'~** rowing

avis [avi] *nm* opinion; (*notification*) notice; **à mon ~** in my opinion; **changer d'~** to change one's mind; **jusqu'à nouvel ~** until further notice

aviser [avize] *vt* (*informer*): **~ qn de/que** to advise *ou* inform sb of/that ▷ *vi* to think about things, assess the situation; **nous ~ons sur place** we'll work something out once we're there; **s'~ de qch/que** to become suddenly aware of sth/that; **s'~ de faire** to take it into one's head to do

avocat, e [avɔka, at] *nm/f* (*Jur*) barrister (BRIT), lawyer ▷ *nm* (*Culin*) avocado (pear); **~ de la défense**

counsel for the defence; **avocat général** assistant public prosecutor
avoine [avwan] *nf* oats *pl*

MOT-CLÉ

avoir [avwaʀ] *nm* assets *pl*, resources *pl*; (*Comm*) credit
▷ *vt* **1** (*posséder*) to have; **elle a 2 enfants/une belle maison** she has (got) 2 children/a lovely house; **il a les yeux bleus** he has (got) blue eyes; **vous avez du sel?** do you have any salt?; **avoir du courage/de la patience** to be brave/patient
2 (*âge, dimensions*) to be; **il a 3 ans** he is 3 (years old); **le mur a 3 mètres de haut** the wall is 3 metres high; *voir aussi* **faim**; **peur** *etc*
3 (*fam: duper*) to do, have; **on vous a eu!** (*dupé*) you've been done *ou* had!; (*fait une plaisanterie*) we *ou* they had you there
4: **en avoir après** *ou* **contre qn** to have a grudge against sb; **en avoir assez** to be fed up; **j'en ai pour une demi-heure** it'll take me half an hour
5 (*obtenir, attraper*) to get; **j'ai réussi à avoir mon train** I managed to get *ou* catch my train; **j'ai réussi à avoir le renseignement qu'il me fallait** I managed to get (hold of) the information I needed
6 (*éprouver*): **avoir de la peine** to be *ou* feel sad
▷ *vb aux* **1** to have; **avoir mangé/dormi** to have eaten/slept
2 (*avoir + à + infinitif*): **avoir à faire qch** to have to do sth; **vous n'avez qu'à lui demander** you only have to ask him
▷ *vb impers* **1**: **il y a** (+ *singulier*) there is; (+ *pluriel*) there are; **il y avait du café/des gâteaux** there was coffee/there were cakes; **qu'y-a-t-il?, qu'est-ce qu'il y a?** what's the matter?, what is it?; **il doit y avoir une explication** there must be an explanation; **il n'y a qu'à ...** we (*ou* you *etc*) will just have to ...; **il ne peut y en avoir qu'un** there can only be one
2 (*temporel*): **il y a 10 ans** 10 years ago; **il y a 10 ans/longtemps que je le sais** I've known it for 10 years/a long time; **il y a 10 ans qu'il est arrivé** it's 10 years since he arrived

avortement [avɔʀtəmɑ̃] *nm* abortion
avouer [avwe] *vt* (*crime, défaut*) to confess (to); **~ avoir fait/que** to admit *ou* confess to having done/that
avril [avʀil] *nm* April
axe [aks] *nm* axis; (*de roue etc*) axle; (*fig*) main line; **axe routier** main road, trunk road (BRIT), highway (US)
ayons *etc* [ɛjɔ̃] *vb voir* **avoir**

b

bâbord [bɑbɔʀ] *nm*: **à ~** to port, on the port side
baby-foot [babifut] *nm* table football
bac [bak] *abr m* = **baccalauréat** ▷ *nm* (*récipient*) tub
baccalauréat [bakalɔʀea] *nm* high school diploma
bâcler [bɑkle] *vt* to botch (up)
baffe [baf] (*fam*) *nf* slap, clout
bafouiller [bafuje] *vi, vt* to stammer
bagage [bagaʒ] *nm* piece of luggage; (*connaissances*) background, knowledge; **nos ~s ne sont pas arrivés** our luggage hasn't arrived; **bagage à main** piece of hand-luggage
bagarre [bagaʀ] *nf* fight, brawl; **bagarrer**: **se bagarrer** *vi* to have a fight *ou* scuffle, fight
bagnole [baɲɔl] (*fam*) *nf* car
bague [bag] *nf* ring; **bague de fiançailles** engagement ring
baguette [bagɛt] *nf* stick; (*cuisine chinoise*) chopstick; (*de chef d'orchestre*) baton; (*pain*) stick of (French) bread; **baguette magique** magic wand
baie [bɛ] *nf* (*Géo*) bay; (*fruit*) berry; **baie (vitrée)** picture window
baignade [bɛɲad] *nf* bathing; **"~ interdite"** "no bathing"
baigner [beɲe] *vt* (*bébé*) to bath; **se ~** *vi* to have a swim, go swimming *ou* bathing; **baignoire** *nf* bath(tub)
bail [baj, bo] (*pl* **baux**) *nm* lease
bâiller [bɑje] *vi* to yawn; (*être ouvert*) to gape
bain [bɛ̃] *nm* bath; **prendre un ~** to have a bath; **se mettre dans le ~** (*fig*) to get into it *ou* things; **bain de bouche** mouthwash; **bain moussant** bubble bath; **bain de soleil**: **prendre un bain de soleil** to sunbathe; **bain-marie** *nm*: **faire chauffer au bain-marie** (*boîte etc*) to immerse in boiling water
baiser [beze] *nm* kiss ▷ *vt* (*main, front*) to kiss; (*fam!*) to screw (*!*)
baisse [bɛs] *nf* fall, drop; **être en ~** to be falling, be declining
baisser [bese] *vt* to lower; (*radio, chauffage*) to turn down ▷ *vi* to fall, drop, go down; (*vue, santé*) to fail, dwindle; **se ~** *vi* to bend down
bal [bal] *nm* dance; (*grande soirée*) ball; **bal costumé** fancy-dress ball
balade [balad] (*fam*) *nf* (*à pied*) walk, stroll; (*en voiture*) drive; **balader** (*fam*): **se balader** *vi* to go for a walk *ou* stroll; to go for a drive; **baladeur** *nm* personal stereo, Walkman®
balai [balɛ] *nm* broom, brush
balance [balɑ̃s] *nf* scales *pl*; (*signe*): **la B~** Libra; **balance commerciale** balance of trade
balancer [balɑ̃se] *vt* to swing; (*fam: lancer*) to fling, chuck; (*: jeter*) to chuck out; **se ~** *vi* to swing, rock; **se ~ de** (*fam*) not to care about; **balançoire** *nf* swing; (*sur pivot*) seesaw

balayer [baleje] *vt* (*feuilles etc*) to sweep up, brush up; (*pièce*) to sweep; (*objections*) to sweep aside; (*suj: radar*) to scan; **balayeur, -euse** *nm/f* roadsweeper
balbutier [balbysje] *vi, vt* to stammer
balcon [balkɔ̃] *nm* balcony; (*Théâtre*) dress circle; **avez-vous une chambre avec ~?** do you have a room with a balcony?
Bâle [bɑl] *n* Basle, Basel
Baléares [baleaʀ] *nfpl*: **les ~** the Balearic Islands, the Balearics
baleine [balɛn] *nf* whale
balise [baliz] *nf* (*Navig*) beacon; (marker) buoy; (*Aviat*) runway light, beacon; (*Auto, Ski*) sign, marker; **baliser** *vt* to mark out (with lights *etc*)
balle [bal] *nf* (*de fusil*) bullet; (*de sport*) ball; (*fam: franc*) franc
ballerine [bal(ə)ʀin] *nf* (*danseuse*) ballet dancer; (*chaussure*) ballet shoe
ballet [balɛ] *nm* ballet
ballon [balɔ̃] *nm* (*de sport*) ball; (*jouet, Aviat*) balloon; **ballon de football** football
balnéaire [balneɛʀ] *adj* seaside *cpd*; **station ~** seaside resort
balustrade [balystʀad] *nf* railings *pl*, handrail
bambin [bɑ̃bɛ̃] *nm* little child
bambou [bɑ̃bu] *nm* bamboo
banal, e [banal] *adj* banal, commonplace; (*péj*) trite; **banalité** *nf* banality
banane [banan] *nf* banana; (*sac*) waist-bag, bum-bag
banc [bɑ̃] *nm* seat, bench; (*de poissons*) shoal; **banc d'essai** (*fig*) testing ground
bancaire [bɑ̃kɛʀ] *adj* banking; (*chèque, carte*) bank *cpd*
bancal, e [bɑ̃kal] *adj* wobbly
bandage [bɑ̃daʒ] *nm* bandage
bande [bɑ̃d] *nf* (*de tissu etc*) strip; (*Méd*) bandage; (*motif*) stripe; (*magnétique etc*) tape; (*groupe*) band; (*: péj*) bunch; **faire ~ à part** to keep to o.s.; **bande dessinée** comic strip; **bande sonore** sound track
bande-annonce [bɑ̃danɔ̃s] *nf* trailer
bandeau, x [bɑ̃do] *nm* headband; (*sur les yeux*) blindfold
bander [bɑ̃de] *vt* (*blessure*) to bandage; **~ les yeux à qn** to blindfold sb
bandit [bɑ̃di] *nm* bandit
bandoulière [bɑ̃duljɛʀ] *nf*: **en ~** (slung *ou* worn) across the shoulder
Bangladesh [bɑ̃gladɛʃ] *nm*: **le ~** Bangladesh
banlieue [bɑ̃ljø] *nf* suburbs *pl*; **lignes/quartiers de ~** suburban lines/areas; **trains de ~** commuter trains
bannir [baniʀ] *vt* to banish
banque [bɑ̃k] *nf* bank; (*activités*) banking; **banque de données** data bank
banquet [bɑ̃kɛ] *nm* dinner; (*d'apparat*) banquet
banquette [bɑ̃kɛt] *nf* seat
banquier [bɑ̃kje] *nm* banker
banquise [bɑ̃kiz] *nf* ice field
baptême [batɛm] *nm* christening; baptism; **baptême de l'air** first flight
baptiser [batize] *vt* to baptize, christen
bar [baʀ] *nm* bar
baraque [baʀak] *nf* shed; (*fam*) house; (*dans une fête foraine*) stall, booth; **baraqué, e** (*fam*) *adj* well-built, hefty
barbare [baʀbaʀ] *adj* barbaric
barbe [baʀb] *nf* beard; **la ~!** (*fam*) damn it!; **quelle ~!** (*fam*) what a drag *ou* bore!; **à la ~ de qn** under sb's nose; **barbe à papa** candy-floss (BRIT), cotton candy (US)
barbelé [baʀbəle] *adj, nm*: **(fil de fer) ~** barbed wire *no pl*
barbiturique [baʀbityʀik] *nm* barbiturate
barbouiller [baʀbuje] *vt* to daub; **avoir l'estomac barbouillé** to feel queasy
barbu, e [baʀby] *adj* bearded
barder [baʀde] (*fam*) *vi*: **ça va ~** sparks will fly, things are going to get hot
barème [baʀɛm] *nm* (*Scol*) scale; (*table de référence*) table
baril [baʀi(l)] *nm* barrel; (*poudre*) keg
bariolé, e [baʀjɔle] *adj* gaudily-coloured
baromètre [baʀɔmɛtʀ] *nm* barometer
baron, ne [baʀɔ̃] *nm/f* baron(ess)
baroque [baʀɔk] *adj* (*Art*) baroque; (*fig*) weird
barque [baʀk] *nf* small boat
barquette [baʀkɛt] *nf* (*pour repas*) tray; (*pour fruits*) punnet
barrage [baʀaʒ] *nm* dam; (*sur route*) roadblock, barricade
barre [baʀ] *nf* bar; (*Navig*) helm; (*écrite*) line, stroke
barreau, x [baʀo] *nm* bar; (*Jur*): **le ~** the Bar
barrer [baʀe] *vt* (*route etc*) to block; (*mot*) to cross out; (*chèque*) to cross (BRIT); (*Navig*) to steer; **se ~** (*fam*) ▷ *vi* to clear off
barrette [baʀɛt] *nf* (*pour cheveux*) (hair) slide (BRIT) *ou* clip (US)
barricader [baʀikade]: **se ~** *vi* to barricade o.s.
barrière [baʀjɛʀ] *nf* fence; (*obstacle*) barrier; (*porte*) gate
barrique [baʀik] *nf* barrel, cask
bar-tabac [baʀtaba] *nm* bar (*which sells tobacco and stamps*)
bas, basse [bɑ, bɑs] *adj* low ▷ *nm* bottom, lower part; (*vêtement*) stocking ▷ *adv* low; (*parler*) softly; **au ~ mot** at the lowest estimate; **en ~** down below; (*d'une liste, d'un mur etc*) at/to the bottom; (*dans une maison*) downstairs; **en ~ de** at the bottom of; **un enfant en ~ âge** a young child; **à ~ ...!** down with ...!
bas-côté [bɑkote] *nm* (*de route*) verge (BRIT), shoulder (US)
basculer [baskyle] *vi* to fall over, topple (over); (*benne*) to tip up ▷ *vt* (*contenu*) to tip out; (*benne*) to tip up
base [bɑz] *nf* base; (*Pol*) rank and file; (*fondement, principe*) basis; **de ~** basic; **à ~ de café** *etc* coffee *etc* -based; **base de données** database; **baser** *vt* to base; **se baser sur** *vt* (*preuves*) to base one's argument on
bas-fond [bɑfɔ̃] *nm* (*Navig*) shallow; **bas-fonds** *nmpl* (*fig*) dregs
basilic [bazilik] *nm* (*Culin*) basil
basket [baskɛt] *nm* trainer (BRIT), sneaker (US); (*aussi*: **~-ball**) basketball
basque [bask] *adj* Basque ▷ *nm/f*: **B~** Basque; **le Pays Basque** the Basque Country
basse [bɑs] *adj voir* **bas** ▷ *nf* (*Mus*) bass; **basse-cour** *nf* farmyard
bassin [basɛ̃] *nm* (*pièce d'eau*) pond, pool; (*de fontaine*;: *Géo*) basin; (*Anat*) pelvis; (*portuaire*) dock
bassine [basin] *nf* (*ustensile*) basin; (*contenu*) bowl(ful)
basson [basɔ̃] *nm* bassoon
bat [ba] *vb voir* **battre**
bataille [bataj] *nf* (*Mil*) battle; (*rixe*) fight; **elle avait les cheveux en ~** her hair was a mess
bateau, x [bato] *nm* boat, ship; **bateau-mouche**

nm passenger pleasure boat (*on the Seine*)
bâti, e [bɑti] *adj*: **bien ~** well-built; **terrain ~** piece of land that has been built on
bâtiment [bɑtimɑ̃] *nm* building; (*Navig*) ship, vessel; (*industrie*) building trade
bâtir [bɑtiʀ] *vt* to build
bâtisse [bɑtis] *nf* building
bâton [bɑtɔ̃] *nm* stick; **parler à ~s rompus** to chat about this and that
bats [ba] *vb voir* **battre**
battement [batmɑ̃] *nm* (*de cœur*) beat; (*intervalle*) interval; **10 minutes de ~** 10 minutes to spare
batterie [batʀi] *nf* (*Mil, Élec*) battery; (*Mus*) drums *pl*, drum kit; **batterie de cuisine** pots and pans *pl*, kitchen utensils *pl*
batteur [batœʀ] *nm* (*Mus*) drummer; (*appareil*) whisk
battre [batʀ] *vt* to beat; (*blé*) to thresh; (*passer au peigne fin*) to scour; (*cartes*) to shuffle ▷ *vi* (*cœur*) to beat; (*volets etc*) to bang, rattle; **se ~** *vi* to fight; **~ la mesure** to beat time; **~ son plein** to be at its height, be going full swing; **~ des mains** to clap one's hands
baume [bom] *nm* balm
bavard, e [bavaʀ, aʀd] *adj* (very) talkative; gossipy; **bavarder** *vi* to chatter; (*commérer*) to gossip; (*divulguer un secret*) to blab
baver [bave] *vi* to dribble; (*chien*) to slobber; **en ~** (*fam*) to have a hard time (of it)
bavoir [bavwaʀ] *nm* bib
bavure [bavyʀ] *nf* smudge; (*fig*) hitch; (*policière etc*) blunder
bazar [bazaʀ] *nm* general store; (*fam*) jumble; **bazarder** (*fam*) *vt* to chuck out
BCBG *sigle adj* (= *bon chic bon genre*) preppy, smart and trendy
BD *sigle f* = **bande dessinée**
bd *abr* = **boulevard**
béant, e [beɑ̃, ɑ̃t] *adj* gaping
beau, bel, belle [bo, bɛl] (*mpl* **~x**) *adj* beautiful, lovely; (*homme*) handsome; (*femme*) beautiful ▷ *adv*: **il fait ~** the weather's fine ▷ *nm*: **faire le ~** (*chien*) to sit up and beg; **un ~ jour** one (fine) day; **de plus belle** more than ever, even more; **on a ~ essayer** however hard we try; **bel et bien** well and truly; **le plus ~ c'est que ...** the best of it is that ...

MOT-CLÉ

beaucoup [boku] *adv* **1** a lot; **il boit beaucoup** he drinks a lot; **il ne boit pas beaucoup** he doesn't drink much *ou* a lot
2 (*suivi de plus, trop etc*) much, a lot; **il est beaucoup plus grand** he is much *ou* a lot taller; **c'est beaucoup plus cher** it's a lot *ou* much more expensive; **il a beaucoup plus de temps que moi** he has much *ou* a lot more time than me; **il y a beaucoup plus de touristes ici** there are a lot *ou* many more tourists here; **beaucoup trop vite** much too fast; **il fume beaucoup trop** he smokes far too much
3: **beaucoup de** (*nombre*) many, a lot of; (*quantité*) a lot of; **beaucoup d'étudiants/de touristes** a lot of *ou* many students/tourists; **beaucoup de courage** a lot of courage; **il n'a pas beaucoup d'argent** he hasn't got much *ou* at lot of money
4: **de beaucoup** by far

beau...: **beau-fils** *nm* son-in-law; (*remariage*) stepson; **beau-frère** *nm* brother-in-law; **beau-père** *nm* father-in-law; (*remariage*) stepfather
beauté [bote] *nf* beauty; **de toute ~** beautiful; **finir qch en ~** to complete sth brilliantly
beaux-arts [bozaʀ] *nmpl* fine arts
beaux-parents [bopaʀɑ̃] *nmpl* wife's/husband's family, in-laws
bébé [bebe] *nm* baby
bec [bɛk] *nm* beak, bill; (*de théière*) spout; (*de casserole*) lip; (*fam*) mouth; **bec de gaz** (street) gaslamp
bêche [bɛʃ] *nf* spade; **bêcher** *vt* to dig
bedaine [bədɛn] *nf* paunch
bedonnant, e [bədɔnɑ̃, ɑ̃t] *adj* potbellied
bée [be] *adj*: **bouche ~** gaping
bégayer [begeje] *vt, vi* to stammer
beige [bɛʒ] *adj* beige
beignet [bɛɲɛ] *nm* fritter
bel [bɛl] *adj voir* **beau**
bêler [bele] *vi* to bleat
belette [bəlɛt] *nf* weasel
belge [bɛlʒ] *adj* Belgian ▷ *nm/f*: **B~** Belgian
Belgique [bɛlʒik] *nf*: **la ~** Belgium
bélier [belje] *nm* ram; (*signe*): **le B~** Aries
belle [bɛl] *adj voir* **beau** ▷ *nf* (*Sport*): **la ~** the decider; **belle-fille** *nf* daughter-in-law; (*remariage*) stepdaughter; **belle-mère** *nf* mother-in-law; stepmother; **belle-sœur** *nf* sister-in-law
belvédère [bɛlvedɛʀ] *nm* panoramic viewpoint (*or small building there*)
bémol [bemɔl] *nm* (*Mus*) flat
bénédiction [benediksjɔ̃] *nf* blessing
bénéfice [benefis] *nm* (*Comm*) profit; (*avantage*) benefit; **bénéficier**: **bénéficier de** *vt* to enjoy; (*situation*) to benefit by *ou* from; **bénéfique** *adj* beneficial
Benelux [benelyks] *nm*: **le ~** Benelux, the Benelux countries
bénévole [benevɔl] *adj* voluntary, unpaid
bénin, -igne [benɛ̃, iɲ] *adj* minor, mild; (*tumeur*) benign
bénir [beniʀ] *vt* to bless; **bénit, e** *adj* consecrated; **eau bénite** holy water
benne [bɛn] *nf* skip; (*de téléphérique*) (cable) car; **benne à ordures** (*amovible*) skip
béquille [bekij] *nf* crutch; (*de bicyclette*) stand
berceau, x [bɛʀso] *nm* cradle, crib
bercer [bɛʀse] *vt* to rock, cradle; (*suj: musique etc*) to lull; **~ qn de** (*promesses etc*) to delude sb with; **berceuse** *nf* lullaby
béret [beʀɛ] *nm* (*aussi*: **~ basque**) beret
berge [bɛʀʒ] *nf* bank
berger, -ère [bɛʀʒe, ɛʀ] *nm/f* shepherd(-ess); **berger allemand** alsatian (BRIT), German shepherd
Berlin [bɛʀlɛ̃] *n* Berlin
Bermudes [bɛʀmyd] *nfpl*: **les (îles) ~** Bermuda
Berne [bɛʀn(ə)] *n* Bern
berner [bɛʀne] *vt* to fool
besogne [bəzɔɲ] *nf* work *no pl*, job
besoin [bəzwɛ̃] *nm* need; **avoir ~ de qch/faire qch** to need sth/to do sth; **au ~** if need be; **le ~** (*pauvreté*) need, want; **être dans le ~** to be in need *ou* want; **faire ses ~s** to relieve o.s.
bestiole [bɛstjɔl] *nf* (tiny) creature
bétail [betaj] *nm* livestock, cattle *pl*
bête [bɛt] *nf* animal; (*bestiole*) insect, creature ▷ *adj* stupid, silly; **il cherche la petite ~** he's being pernickety *ou* overfussy; **bête noire** pet hate; **bête sauvage** wild beast *ou* animal
bêtise [betiz] *nf* stupidity; (*action*) stupid thing (to

say *ou* do)
béton [betɔ̃] *nm* concrete; **(en) ~** (*alibi, argument*) cast iron; **béton armé** reinforced concrete
betterave [bɛtʀav] *nf* beetroot (BRIT), beet (US); **betterave sucrière** sugar beet
Beur [bœʀ] *nm/f person of North African origin living in France*
beurre [bœʀ] *nm* butter; **beurrer** *vt* to butter; **beurrier** *nm* butter dish
biais [bjɛ] *nm* (*moyen*) device, expedient; (*aspect*) angle; **en ~, de ~** (*obliquement*) at an angle; **par le ~ de** by means of
bibelot [biblo] *nm* trinket, curio
biberon [bibʀɔ̃] *nm* (feeding) bottle; **nourrir au ~** to bottle-feed
bible [bibl] *nf* bible
biblio... [bibl] *préfixe*: **bibliobus** *nm* mobile library van; **bibliothécaire** *nm/f* librarian; **bibliothèque** *nf* library; (*meuble*) bookcase
bic® [bik] *nm* Biro®
bicarbonate [bikaʀbɔnat] *nm*: **~ (de soude)** bicarbonate of soda
biceps [bisɛps] *nm* biceps
biche [biʃ] *nf* doe
bicolore [bikɔlɔʀ] *adj* two-coloured
bicoque [bikɔk] (*péj*) *nf* shack
bicyclette [bisiklɛt] *nf* bicycle
bidet [bidɛ] *nm* bidet
bidon [bidɔ̃] *nm* can ▷ *adj inv* (*fam*) phoney
bidonville [bidɔ̃vil] *nm* shanty town
bidule [bidyl] (*fam*) *nm* thingumajig

MOT-CLÉ

bien [bjɛ̃] *nm* **1** (*avantage, profit*): **faire du bien à qn** to do sb good; **dire du bien de** to speak well of; **c'est pour son bien** it's for his own good
2 (*possession, patrimoine*) possession, property; **son bien le plus précieux** his most treasured possession; **avoir du bien** to have property; **biens (de consommation** *etc*) (consumer *etc*) goods
3 (*moral*): **le bien** good; **distinguer le bien du mal** to tell good from evil
▷ *adv* **1** (*de façon satisfaisante*) well; **elle travaille/mange bien** she works/eats well; **croyant bien faire, je/il ...** thinking I/he was doing the right thing, I/he ...; **tiens-toi bien!** (*assieds-toi correctement*) sit up straight!; (*debout*) stand up straight!; (*sois sage*) behave yourself!; (*prépare-toi*) wait for it!; **c'est bien fait!** it serves him (*ou* her *etc*) right!
2 (*valeur intensive*) quite; **bien jeune** quite young; **bien assez** quite enough; **bien mieux** (very) much better; **j'espère bien y aller** I do hope to go; **je veux bien le faire** (*concession*) I'm quite willing to do it; **il faut bien le faire** it has to be done; **Paul est bien venu, n'est-ce pas?** Paul did come, didn't he?; **où peut-il bien être passé?** where can he have got to?
3 (*beaucoup*): **bien du temps/des gens** quite a time/a number of people
4 (*au moins*) at least; **cela fait bien deux ans que je ne l'ai pas vu** I haven't seen him for at least *ou* a good two years
▷ *adj inv* **1** (*en bonne forme, à l'aise*): **je me sens bien** I feel fine; **je ne me sens pas bien** I don't feel well; **on est bien dans ce fauteuil** this chair is very comfortable
2 (*joli, beau*) good-looking; **tu es bien dans cette robe** you look good in that dress
3 (*satisfaisant*) good; **elle est bien, cette maison/secrétaire** it's a good house/she's a good secretary; **c'est bien?** is that *ou* it O.K.?; **c'est très bien (comme ça)** it's fine (like that)
4 (*moralement*) right; (*: personne*) good, nice; (*respectable*) respectable; **ce n'est pas bien de ...** it's not right to ...; **elle est bien, cette femme** she's a nice woman, she's a good sort; **des gens bien** respectable people
5 (*en bons termes*): **être bien avec qn** to be on good terms with sb
▷ *préfixe*: **bien-aimé, e** *adj, nm/f* beloved; **bien-être** *nm* well-being; **bienfaisance** *nf* charity; **bienfait** *nm* act of generosity, benefaction; (*de la science etc*) benefit; **bienfaiteur, -trice** *nm/f* benefactor/benefactress; **bien-fondé** *nm* soundness; **bien que** *conj* (al)though; **bien sûr** *adv* certainly

bientôt [bjɛ̃to] *adv* soon; **à ~** see you soon
bienveillant, e [bjɛ̃vɛjɑ̃, ɑ̃t] *adj* kindly
bienvenu, e [bjɛ̃vny] *adj* welcome; **bienvenue** *nf*: **souhaiter la bienvenue à** to welcome; **bienvenue à** welcome to
bière [bjɛʀ] *nf* (*boisson*) beer; (*cercueil*) bier; **bière blonde** lager; **bière brune** brown ale (BRIT), dark beer (US); **bière (à la) pression** draught beer
bifteck [biftɛk] *nm* steak
bigorneau, x [bigɔʀno] *nm* winkle
bigoudi [bigudi] *nm* curler
bijou, x [biʒu] *nm* jewel; **bijouterie** *nf* jeweller's (shop); **bijoutier, -ière** *nm/f* jeweller
bikini [bikini] *nm* bikini
bilan [bilɑ̃] *nm* (*fig*) (net) outcome; (*: de victimes*) toll; (*Comm*) balance sheet(s); **un ~ de santé** a (medical) checkup; **faire le ~ de** to assess, review; **déposer son ~** to file a bankruptcy statement
bile [bil] *nf* bile; **se faire de la ~** (*fam*) to worry o.s. sick
bilieux, -euse [biljø, øz] *adj* bilious; (*fig: colérique*) testy
bilingue [bilɛ̃g] *adj* bilingual
billard [bijaʀ] *nm* (*jeu*) billiards *sg*; (*table*) billiard table
bille [bij] *nf* (*gén*) ball; (*du jeu de billes*) marble
billet [bijɛ] *nm* (*aussi*: **~ de banque**) (bank)note; (*de cinéma, de bus etc*) ticket; (*courte lettre*) note; **billet électronique** e-ticket; **billetterie** *nf* ticket office; (*distributeur*) ticket machine; (*Banque*) cash dispenser
billion [biljɔ̃] *nm* billion (BRIT), trillion (US)
bimensuel, le [bimɑ̃sɥɛl] *adj* bimonthly
bio [bjɔ] *adj inv* organic
bio... [bjɔ] *préfixe* bio...; **biochimie** *nf* biochemistry; **biographie** *nf* biography; **biologie** *nf* biology; **biologique** *adj* biological; (*produits, aliments*) organic; **biométrie** *nf* biometrics; **biotechnologie** *nf* biotechnology; **bioterrorisme** *nm* bioterrorism
Birmanie [biʀmani] *nf* Burma
bis [bis] *adv*: **12 ~** 12a *ou* A ▷ *excl, nm* encore
biscotte [biskɔt] *nf* toasted bread (*sold in packets*)
biscuit [biskɥi] *nm* biscuit (BRIT), cookie (US)
bise [biz] *nf* (*fam: baiser*) kiss; (*vent*) North wind; **grosses ~s (de)** (*sur lettre*) love and kisses (from)
bisexuel, le [bisɛksɥɛl] *adj* bisexual
bisou [bizu] (*fam*) *nm* kiss
bissextile [bisɛkstil] *adj*: **année ~** leap year
bistro(t) [bistʀo] *nm* bistro, café
bitume [bitym] *nm* asphalt
bizarre [bizaʀ] *adj* strange, odd

blague [blag] *nf* (*propos*) joke; (*farce*) trick; **sans ~!** no kidding!; **blaguer** *vi* to joke
blaireau, x [blɛʀo] *nm* (*Zool*) badger; (*brosse*) shaving brush
blâme [blɑm] *nm* blame; (*sanction*) reprimand; **blâmer** *vt* to blame
blanc, blanche [blɑ̃, blɑ̃ʃ] *adj* white; (*non imprimé*) blank ▷ *nm/f* white, white man(-woman) ▷ *nm* (*couleur*) white; (*espace non écrit*) blank; (*aussi*: **~ d'œuf**) (egg-)white; (*aussi*: **~ de poulet**) breast, white meat; (*aussi*: **vin ~**) white wine; **~ cassé** off-white; **chèque en ~** blank cheque; **à ~** (*chauffer*) white-hot; (*tirer, charger*) with blanks; **blanche** *nf* (*Mus*) minim (BRIT), half-note (US); **blancheur** *nf* whiteness
blanchir [blɑ̃ʃiʀ] *vt* (*gén*) to whiten; (*linge*) to launder; (*Culin*) to blanch; (*fig: disculper*) to clear ▷ *vi* (*cheveux*) to go white; **blanchisserie** *nf* laundry
blason [blɑzɔ̃] *nm* coat of arms
blasphème [blasfɛm] *nm* blasphemy
blazer [blazɛʀ] *nm* blazer
blé [ble] *nm* wheat; **blé noir** buckwheat
bled [blɛd] (*péj*) *nm* hole
blême [blɛm] *adj* pale
blessé, e [blese] *adj* injured ▷ *nm/f* injured person, casualty
blesser [blese] *vt* to injure; (*délibérément*) to wound; (*offenser*) to hurt; **se ~** to injure o.s.; **se ~ au pied** to injure one's foot; **blessure** *nf* (*accidentelle*) injury; (*intentionnelle*) wound
bleu, e [blø] *adj* blue; (*bifteck*) very rare ▷ *nm* (*couleur*) blue; (*contusion*) bruise; (*vêtement*: *aussi*: **~s**) overalls *pl*; (*fromage*) blue cheese; **bleu marine** navy blue; **bleuet** *nm* cornflower
bloc [blɔk] *nm* (*de pierre etc*) block; (*de papier à lettres*) pad; (*ensemble*) group, block; **serré à ~** tightened right down; **en ~** as a whole; **bloc opératoire** operating *ou* theatre block; **blocage** *nm* (*des prix*) freezing; (*Psych*) hang-up; **bloc-notes** *nm* note pad
blog, blogue [blɔg] *nm* blog; **bloguer** *vi* to blog
blond, e [blɔ̃, blɔ̃d] *adj* fair, blond; (*sable, blés*) golden
bloquer [blɔke] *vt* (*passage*) to block; (*pièce mobile*) to jam; (*crédits, compte*) to freeze
blottir [blɔtiʀ]: **se ~** *vi* to huddle up
blouse [bluz] *nf* overall
blouson [bluzɔ̃] *nm* blouson jacket; **blouson noir** (*fig*) ≈ rocker
bluff [blœf] *nm* bluff
bobine [bɔbin] *nf* reel; (*Élec*) coil
bobo [bobo] *abr m/f* = **bourgeois bohème**; (*fam*) boho
bocal, -aux [bɔkal, o] *nm* jar
bock [bɔk] *nm* glass of beer
bœuf [bœf] *nm* ox; (*Culin*) beef
bof [bɔf] (*fam*) *excl* don't care!; (*pas terrible*) nothing special
bohémien, ne [bɔemjɛ̃, -ɛn] *nm/f* gipsy
boire [bwaʀ] *vt* to drink; (*s'imprégner de*) to soak up; **~ un coup** (*fam*) to have a drink
bois [bwɑ] *nm* wood; **de ~, en ~** wooden; **boisé, e** *adj* woody, wooded
boisson [bwasɔ̃] *nf* drink
boîte [bwat] *nf* box; (*fam: entreprise*) firm; **aliments en ~** canned *ou* tinned (BRIT) foods; **boîte à gants** glove compartment; **boîte à ordures** dustbin (BRIT), trashcan (US); **boîte aux lettres** letter box; **boîte d'allumettes** box of matches; (*vide*) matchbox; **boîte de conserves** can *ou* tin (BRIT) of food; **boîte (de nuit)** night club; **boîte de vitesses** gear box; **boîte postale** PO Box; **boîte vocale** (*Tél*) voice mail
boiter [bwate] *vi* to limp; (*fig: raisonnement*) to be shaky
boîtier [bwatje] *nm* case
boive *etc* [bwav] *vb voir* **boire**
bol [bɔl] *nm* bowl; **un ~ d'air** a breath of fresh air; **j'en ai ras le ~** (*fam*) I'm fed up with this; **avoir du ~** (*fam*) to be lucky
bombarder [bɔ̃baʀde] *vt* to bomb; **~ qn de** (*cailloux, lettres*) to bombard sb with
bombe [bɔ̃b] *nf* bomb; (*atomiseur*) (aerosol) spray

bon, bonne [bɔ̃, bɔn] *adj* **1** (*agréable, satisfaisant*) good; **un bon repas/restaurant** a good meal/restaurant; **être bon en maths** to be good at maths (BRIT) *ou* math (US)
2 (*charitable*): **être bon (envers)** to be good (to)
3 (*correct*) right; **le bon numéro/moment** the right number/moment
4 (*souhaits*): **bon anniversaire!** happy birthday!; **bon voyage!** have a good trip!; **bonne chance!** good luck!; **bonne année!** happy New Year!; **bonne nuit!** good night!
5 (*approprié, apte*): **bon à/pour** fit to/for; **à quoi bon?** what's the use?
6: **bon enfant** *adj inv* accommodating, easy-going; **bonne femme** (*péj*) woman; **de bonne heure** early; **bon marché** *adj inv, adv* cheap; **bon mot** witticism; **bon sens** common sense; **bon vivant** jovial chap; **bonnes œuvres** charitable works, charities
▷ *nm* **1** (*billet*) voucher; (*aussi*: **bon cadeau**) gift voucher; **bon d'essence** petrol coupon; **bon du Trésor** Treasury bond
2: **avoir du bon** to have its good points; **pour de bon** for good
▷ *adv*: **il fait bon** it's *ou* the weather is fine; **sentir bon** to smell good; **tenir bon** to stand firm
▷ *excl* good!; **ah bon?** really?; **bon, je reste** right then, I'll stay; *voir aussi* **bonne**

bonbon [bɔ̃bɔ̃] *nm* (boiled) sweet
bond [bɔ̃] *nm* leap; **faire un ~** to leap in the air
bondé, e [bɔ̃de] *adj* packed (full)
bondir [bɔ̃diʀ] *vi* to leap
bonheur [bɔnœʀ] *nm* happiness; **porter ~ (à qn)** to bring (sb) luck; **au petit ~** haphazardly; **par ~** fortunately
bonhomme [bɔnɔm] (*pl* **bonshommes**) *nm* fellow; **bonhomme de neige** snowman
bonjour [bɔ̃ʒuʀ] *excl, nm* hello; (*selon l'heure*) good morning/afternoon; **c'est simple comme ~!** it's easy as pie!
bonne [bɔn] *adj voir* **bon** ▷ *nf* (*domestique*) maid
bonnet [bɔnɛ] *nm* hat; (*de soutien-gorge*) cup; **bonnet de bain** bathing cap
bonsoir [bɔ̃swaʀ] *excl* good evening
bonté [bɔ̃te] *nf* kindness *no pl*
bonus [bɔnys] *nm* no-claims bonus; (*de DVD*) extras *pl*
bord [bɔʀ] *nm* (*de table, verre, falaise*) edge; (*de rivière, lac*) bank; (*de route*) side; **(monter) à ~** (to go) on board; **jeter par-dessus ~** to throw overboard; **le commandant de/les hommes du ~** the ship's master/crew; **au ~ de la mer** at the seaside; **au ~ de la route** at the roadside; **être au ~ des larmes** to be

on the verge of tears
bordeaux [bɔʀdo] *nm* Bordeaux (wine) ▷ *adj inv* maroon
bordel [bɔʀdɛl] *nm* brothel; (*fam!*) bloody mess (!)
border [bɔʀde] *vt* (*être le long de*) to line; (*qn dans son lit*) to tuck up; (*garnir*): **~ qch de** to edge sth with
bordure [bɔʀdyʀ] *nf* border; **en ~ de** on the edge of
borne [bɔʀn] *nf* boundary stone; (*aussi*: **~ kilométrique**) kilometre-marker, ≈ milestone; **bornes** *nfpl* (*fig*) limits; **dépasser les ~s** to go too far
borné, e [bɔʀne] *adj* (*personne*) narrow-minded
borner [bɔʀne] *vt*: **se ~ à faire** (*se contenter de*) to content o.s. with doing; (*se limiter à*) to limit o.s. to doing
bosniaque [bɔsnjak] *adj* Bosnian ▷ *nm/f*: **B~** Bosnian
Bosnie-Herzégovine [bɔsniɛʀzegɔvin] *nf* Bosnia-Herzegovina
bosquet [bɔskɛ] *nm* grove
bosse [bɔs] *nf* (*de terrain etc*) bump; (*enflure*) lump; (*du bossu, du chameau*) hump; **avoir la ~ des maths** *etc* (*fam*) to have a gift for maths *etc*; **il a roulé sa ~** (*fam*) he's been around
bosser [bɔse] (*fam*) *vi* (*travailler*) to work; (*travailler dur*) to slave (away)
bossu, e [bɔsy] *nm/f* hunchback
botanique [bɔtanik] *nf* botany ▷ *adj* botanic(al)
botte [bɔt] *nf* (*soulier*) (high) boot; (*gerbe*): **~ de paille** bundle of straw; **botte de radis/d'asperges** bunch of radishes/asparagus; **bottes de caoutchouc** wellington boots
bottin [bɔtɛ̃] *nm* directory
bottine [bɔtin] *nf* ankle boot
bouc [buk] *nm* goat; (*barbe*) goatee; **bouc émissaire** scapegoat
boucan [bukɑ̃] (*fam*) *nm* din, racket
bouche [buʃ] *nf* mouth; **faire du ~ à ~ à qn** to give sb the kiss of life *ou* mouth-to-mouth resuscitation (BRIT); **rester ~ bée** to stand open-mouthed; **bouche d'égout** manhole; **bouche d'incendie** fire hydrant; **bouche de métro** métro entrance
bouché, e [buʃe] *adj* (*flacon etc*) stoppered; (*temps, ciel*) overcast; (*péj fam*: *personne*) thick (*fam*); **c'est un secteur ~** there's no future in that area; **avoir le nez ~** to have a blocked(-up) nose; **l'évier est ~** the sink's blocked
bouchée [buʃe] *nf* mouthful; **bouchées à la reine** chicken vol-au-vents
boucher, -ère [buʃe] *nm/f* butcher ▷ *vt* (*trou*) to fill up; (*obstruer*) to block (up); **se ~** *vi* (*tuyau etc*) to block up, get blocked up; **j'ai le nez bouché** my nose is blocked; **se ~ le nez** to hold one's nose; **boucherie** *nf* butcher's (shop); (*fig*) slaughter
bouchon [buʃɔ̃] *nm* stopper; (*de tube*) top; (*en liège*) cork; (*fig*: *embouteillage*) holdup; (*Pêche*) float
boucle [bukl] *nf* (*forme, figure*) loop; (*objet*) buckle; **boucle (de cheveux)** curl; **boucle d'oreille** earring
bouclé, e [bukle] *adj* (*cheveux*) curly
boucler [bukle] *vt* (*fermer*: *ceinture etc*) to fasten; (*terminer*) to finish off; (*fam*: *enfermer*) to shut away; (*quartier*) to seal off ▷ *vi* to curl
bouder [bude] *vi* to sulk ▷ *vt* to stay away from
boudin [budɛ̃] *nm*: **~ (noir)** black pudding; **boudin blanc** white pudding
boue [bu] *nf* mud
bouée [bwe] *nf* buoy; **bouée (de sauvetage)** lifebuoy
boueux, -euse [bwø, øz] *adj* muddy
bouffe [buf] (*fam*) *nf* grub (*fam*), food
bouffée [bufe] *nf* (*de cigarette*) puff; **une ~ d'air pur** a breath of fresh air; **bouffée de chaleur** hot flush (BRIT) *ou* flash (US)
bouffer [bufe] (*fam*) *vi* to eat
bouffi, e [bufi] *adj* swollen
bouger [buʒe] *vi* to move; (*dent etc*) to be loose; (*s'activer*) to get moving ▷ *vt* to move; **les prix/les couleurs n'ont pas bougé** prices/colours haven't changed
bougie [buʒi] *nf* candle; (*Auto*) spark(ing) plug
bouillabaisse [bujabɛs] *nf type of fish soup*
bouillant, e [bujɑ̃, ɑ̃t] *adj* (*qui bout*) boiling; (*très chaud*) boiling (hot)
bouillie [buji] *nf* (*de bébé*) cereal; **en ~** (*fig*) crushed
bouillir [bujiʀ] *vi, vt* to boil; **~ d'impatience** to seethe with impatience
bouilloire [bujwaʀ] *nf* kettle
bouillon [bujɔ̃] *nm* (*Culin*) stock *no pl*; **bouillonner** *vi* to bubble; (*fig*: *idées*) to bubble up
bouillotte [bujɔt] *nf* hot-water bottle
boulanger, -ère [bulɑ̃ʒe, ɛʀ] *nm/f* baker; **boulangerie** *nf* bakery
boule [bul] *nf* (*gén*) ball; (*de pétanque*) bowl; **boule de neige** snowball
boulette [bulɛt] *nf* (*de viande*) meatball
boulevard [bulvaʀ] *nm* boulevard
bouleversement [bulvɛʀsəmɑ̃] *nm* upheaval
bouleverser [bulvɛʀse] *vt* (*émouvoir*) to overwhelm; (*causer du chagrin*) to distress; (*pays, vie*) to disrupt; (*papiers, objets*) to turn upside down
boulimie [bulimi] *nf* bulimia
boulimique [bulimik] *adj* bulimic
boulon [bulɔ̃] *nm* bolt
boulot, te [bulo, ɔt] *adj* plump, tubby ▷ *nm* (*fam*: *travail*) work
boum [bum] *nm* bang ▷ *nf* (*fam*) party
bouquet [bukɛ] *nm* (*de fleurs*) bunch (of flowers), bouquet; (*de persil etc*) bunch; **c'est le ~!** (*fam*) that takes the biscuit!
bouquin [bukɛ̃] (*fam*) *nm* book; **bouquiner** (*fam*) *vi* to read
bourdon [buʀdɔ̃] *nm* bumblebee
bourg [buʀ] *nm* small market town
bourgeois, e [buʀʒwa, waz] (*péj*) *adj* ≈ (upper) middle class; **bourgeoisie** *nf* ≈ upper middle classes *pl*
bourgeon [buʀʒɔ̃] *nm* bud
Bourgogne [buʀgɔɲ] *nf*: **la ~** Burgundy ▷ *nm*: **bourgogne** burgundy (wine)
bourguignon, ne [buʀgiɲɔ̃, ɔn] *adj* of *ou* from Burgundy, Burgundian
bourrasque [buʀask] *nf* squall
bourratif, -ive [buʀatif, iv] (*fam*) *adj* filling, stodgy (*pej*)
bourré, e [buʀe] *adj* (*fam*: *ivre*) plastered, tanked up (BRIT); (*rempli*): **~ de** crammed full of
bourrer [buʀe] *vt* (*pipe*) to fill; (*poêle*) to pack; (*valise*) to cram (full)
bourru, e [buʀy] *adj* surly, gruff
bourse [buʀs] *nf* (*subvention*) grant; (*porte-monnaie*) purse; **la B~** the Stock Exchange
bous [bu] *vb voir* **bouillir**
bousculade [buskylad] *nf* (*hâte*) rush; (*cohue*) crush; **bousculer** *vt* (*heurter*) to knock into; (*fig*) to push, rush
boussole [busɔl] *nf* compass
bout [bu] *vb voir* **bouillir** ▷ *nm* bit; (*d'un bâton etc*) tip; (*d'une ficelle, table, rue, période*) end; **au ~ de** at the

end of, after; **pousser qn à ~** to push sb to the limit; **venir à ~ de** to manage to finish; **à ~ portant** (at) point-blank (range)
bouteille [butɛj] *nf* bottle; (*de gaz butane*) cylinder
boutique [butik] *nf* shop
bouton [butɔ̃] *nm* button; (*sur la peau*) spot; (*Bot*) bud; **boutonner** *vt* to button up; **boutonnière** *nf* buttonhole; **bouton-pression** *nm* press stud
bovin, e [bɔvɛ̃, in] *adj* bovine; **bovins** *nmpl* cattle *pl*
bowling [buliŋ] *nm* (tenpin) bowling; (*salle*) bowling alley
boxe [bɔks] *nf* boxing
BP *abr* = **boîte postale**
bracelet [bʀaslɛ] *nm* bracelet
braconnier [bʀakɔnje] *nm* poacher
brader [bʀade] *vt* to sell off; **braderie** *nf* cut-price shop/stall
braguette [bʀagɛt] *nf* fly *ou* flies *pl* (BRIT), zipper (US)
braise [bʀɛz] *nf* embers *pl*
brancard [bʀɑ̃kaʀ] *nm* (*civière*) stretcher; **brancardier** *nm* stretcher-bearer
branche [bʀɑ̃ʃ] *nf* branch
branché, e [bʀɑ̃ʃe] (*fam*) *adj* trendy
brancher [bʀɑ̃ʃe] *vt* to connect (up); (*en mettant la prise*) to plug in
brandir [bʀɑ̃diʀ] *vt* to brandish
braquer [bʀake] *vi* (*Auto*) to turn (the wheel) ▷ *vt* (*revolver etc*): **~ qch sur** to aim sth at, point sth at; (*mettre en colère*): **~ qn** to put sb's back up
bras [bʀɑ] *nm* arm; **~ dessus, ~ dessous** arm in arm; **se retrouver avec qch sur les ~** (*fam*) to be landed with sth; **bras droit** (*fig*) right hand man
brassard [bʀasaʀ] *nm* armband
brasse [bʀas] *nf* (*nage*) breast-stroke; **brasse papillon** butterfly (stroke)
brassée [bʀase] *nf* armful
brasser [bʀase] *vt* to mix; **~ l'argent/les affaires** to handle a lot of money/business
brasserie [bʀasʀi] *nf* (*restaurant*) café-restaurant; (*usine*) brewery
brave [bʀav] *adj* (*courageux*) brave; (*bon, gentil*) good, kind
braver [bʀave] *vt* to defy
bravo [bʀavo] *excl* bravo ▷ *nm* cheer
bravoure [bʀavuʀ] *nf* bravery
break [bʀɛk] *nm* (*Auto*) estate car
brebis [bʀəbi] *nf* ewe; **brebis galeuse** black sheep
bredouiller [bʀəduje] *vi, vt* to mumble, stammer
bref, brève [bʀɛf, ɛv] *adj* short, brief ▷ *adv* in short; **d'un ton ~** sharply, curtly; **en ~** in short, in brief
Brésil [bʀezil] *nm* Brazil
Bretagne [bʀətaɲ] *nf* Brittany
bretelle [bʀətɛl] *nf* (*de vêtement, de sac*) strap; (*d'autoroute*) slip road (BRIT), entrance/exit ramp (US); **bretelles** *nfpl* (*pour pantalon*) braces (BRIT), suspenders (US)
breton, ne [bʀətɔ̃, ɔn] *adj* Breton ▷ *nm/f*: **B~, ne** Breton
brève [bʀɛv] *adj voir* **bref**
brevet [bʀəvɛ] *nm* diploma, certificate; **brevet des collèges** *exam taken at the age of 15*; **brevet (d'invention)** patent; **breveté, e** *adj* patented
bricolage [bʀikɔlaʒ] *nm*: **le ~** do-it-yourself
bricoler [bʀikɔle] *vi* (*petits travaux*) to do DIY jobs; (*passe-temps*) to potter about ▷ *vt* (*réparer*) to fix up; **bricoleur, -euse** *nm/f* handyman(-woman), DIY enthusiast
bridge [bʀidʒ] *nm* (*Cartes*) bridge
brièvement [bʀijɛvmɑ̃] *adv* briefly
brigade [bʀigad] *nf* (*Police*) squad; (*Mil*) brigade; **brigadier** *nm* sergeant
brillamment [bʀijamɑ̃] *adv* brilliantly
brillant, e [bʀijɑ̃, ɑ̃t] *adj* (*remarquable*) bright; (*luisant*) shiny, shining
briller [bʀije] *vi* to shine
brin [bʀɛ̃] *nm* (*de laine, ficelle etc*) strand; (*fig*): **un ~ de** a bit of
brindille [bʀɛ̃dij] *nf* twig
brioche [bʀijɔʃ] *nf* brioche (bun); (*fam: ventre*) paunch
brique [bʀik] *nf* brick; (*de lait*) carton
briquet [bʀikɛ] *nm* (cigarette) lighter
brise [bʀiz] *nf* breeze
briser [bʀize] *vt* to break; **se ~** *vi* to break
britannique [bʀitanik] *adj* British ▷ *nm/f*: **B~** British person, Briton; **les B~s** the British
brocante [bʀɔkɑ̃t] *nf* junk, second-hand goods *pl*; **brocanteur, -euse** *nm/f* junkshop owner; junk dealer
broche [bʀɔʃ] *nf* brooch; (*Culin*) spit; (*Méd*) pin; **à la ~** spit-roasted
broché, e [bʀɔʃe] *adj* (*livre*) paper-backed
brochet [bʀɔʃɛ] *nm* pike *inv*
brochette [bʀɔʃɛt] *nf* (*ustensile*) skewer; (*plat*) kebab
brochure [bʀɔʃyʀ] *nf* pamphlet, brochure, booklet
broder [bʀɔde] *vt* to embroider ▷ *vi*: **~ (sur les faits** *ou* **une histoire)** to embroider the facts; **broderie** *nf* embroidery
bronches [bʀɔ̃ʃ] *nfpl* bronchial tubes; **bronchite** *nf* bronchitis
bronze [bʀɔ̃z] *nm* bronze
bronzer [bʀɔ̃ze] *vi* to get a tan; **se ~** to sunbathe
brosse [bʀɔs] *nf* brush; **coiffé en ~** with a crewcut; **brosse à cheveux** hairbrush; **brosse à dents** toothbrush; **brosse à habits** clothesbrush; **brosser** *vt* (*nettoyer*) to brush; (*fig: tableau etc*) to paint; **se brosser les dents** to brush one's teeth
brouette [bʀuɛt] *nf* wheelbarrow
brouillard [bʀujaʀ] *nm* fog
brouiller [bʀuje] *vt* (*œufs, message*) to scramble; (*idées*) to mix up; (*rendre trouble*) to cloud; (*désunir: amis*) to set at odds; **se ~** *vi* (*vue*) to cloud over; (*gens*): **se ~ (avec)** to fall out (with)
brouillon, ne [bʀujɔ̃, ɔn] *adj* (*sans soin*) untidy; (*qui manque d'organisation*) disorganized ▷ *nm* draft; **(papier) ~** rough paper
broussailles [bʀusɑj] *nfpl* undergrowth *sg*; **broussailleux, -euse** *adj* bushy
brousse [bʀus] *nf*: **la ~** the bush
brouter [bʀute] *vi* to graze
brugnon [bʀyɲɔ̃] *nm* (*Bot*) nectarine
bruiner [bʀɥine] *vb impers*: **il bruine** it's drizzling, there's a drizzle
bruit [bʀɥi] *nm*: **un ~** a noise, a sound; (*fig: rumeur*) a rumour; **le ~** noise; **sans ~** without a sound, noiselessly; **bruit de fond** background noise
brûlant, e [bʀylɑ̃, ɑ̃t] *adj* burning; (*liquide*) boiling (hot)
brûlé, e [bʀyle] *adj* (*fig: démasqué*) blown ▷ *nm*: **odeur de ~** smell of burning
brûler [bʀyle] *vt* to burn; (*suj: eau bouillante*) to scald; (*consommer: électricité, essence*) to use; (*feu rouge, signal*) to go through ▷ *vi* to burn; (*jeu*): **tu brûles!** you're getting hot!; **se ~** to burn o.s.; (*s'ébouillanter*) to scald o.s.
brûlure [bʀylyʀ] *nf* (*lésion*) burn; **brûlures d'estomac** heartburn *sg*

brume [bʀym] *nf* mist
brun, e [bʀœ̃, bʀyn] *adj (gén, bière)* brown; *(cheveux, tabac)* dark; **elle est ~e** she's got dark hair
brunch [brœntʃ] *nm* brunch
brushing [bʀœʃiŋ] *nm* blow-dry
brusque [bʀysk] *adj* abrupt
brut, e [bʀyt] *adj (minerai, soie)* raw; *(diamant)* rough; *(Comm)* gross; **(pétrole) ~** crude (oil)
brutal, e, -aux [bʀytal, o] *adj* brutal
Bruxelles [bʀysɛl] *n* Brussels
bruyamment [bʀɥijamɑ̃] *adv* noisily
bruyant, e [bʀɥijɑ̃, ɑ̃t] *adj* noisy
bruyère [bʀyjɛʀ] *nf* heather
BTS *sigle m (= brevet de technicien supérieur) vocational training certificate taken at the end of a higher education course*
bu, e [by] *pp de* **boire**
buccal, e, -aux [bykal, o] *adj*: **par voie ~e** orally
bûche [byʃ] *nf* log; **prendre une ~** *(fig)* to come a cropper; **bûche de Noël** Yule log
bûcher [byʃe] *nm (funéraire)* pyre; *(supplice)* stake ▷ *vi (fam)* to swot (BRIT), slave (away) ▷ *vt (fam)* to swot up (BRIT), slave away at
budget [bydʒɛ] *nm* budget
buée [bɥe] *nf (sur une vitre)* mist
buffet [byfɛ] *nm (meuble)* sideboard; *(de réception)* buffet; **buffet (de gare)** (station) buffet, snack bar
buis [bɥi] *nm* box tree; *(bois)* box(wood)
buisson [bɥisɔ̃] *nm* bush
bulbe [bylb] *nm (Bot, Anat)* bulb
Bulgarie [bylgaʀi] *nf* Bulgaria
bulle [byl] *nf* bubble
bulletin [byltɛ̃] *nm (communiqué, journal)* bulletin; *(Scol)* report; **bulletin d'informations** news bulletin; **bulletin (de vote)** ballot paper; **bulletin météorologique** weather report
bureau, x [byʀo] *nm (meuble)* desk; *(pièce, service)* office; **bureau de change** (foreign) exchange office *ou* bureau; **bureau de poste** post office; **bureau de tabac** tobacconist's (shop); **bureaucratie** [byʀokʀasi] *nf* bureaucracy
bus[1] [by] *vb voir* **boire**
bus[2] [bys] *nm* bus; **à quelle heure part le ~?** what time does the bus leave?
buste [byst] *nm (torse)* chest; *(seins)* bust
but[1] [by] *vb voir* **boire**
but[2] [by(t)] *nm (cible)* target; *(fig)* goal, aim; *(Football etc)* goal; **de ~ en blanc** point-blank; **avoir pour ~ de faire** to aim to do; **dans le ~ de** with the intention of
butane [bytan] *nm (camping)* butane; *(usage domestique)* Calor gas®
butiner [bytine] *vi (abeilles)* to gather nectar
buvais *etc* [byvɛ] *vb voir* **boire**
buvard [byvaʀ] *nm* blotter
buvette [byvɛt] *nf* bar

C

c' [s] *dét voir* **ce**
ça [sa] *pron (pour désigner)* this; *(: plus loin)* that; *(comme sujet indéfini)* it; **ça m'étonne que ...** it surprises me that ...; **comment ça va?** how are you?; **ça va?** *(d'accord?)* O.K.?, all right?; **où ça?** where's that?; **pourquoi ça?** why's that?; **qui ça?** who's that?; **ça alors!** well really!; **ça fait 10 ans (que)** it's 10 years (since); **c'est ça** that's right; **ça y est** that's it
cabane [kaban] *nf* hut, cabin
cabaret [kabaʀɛ] *nm* night club
cabillaud [kabijo] *nm* cod *inv*
cabine [kabin] *nf (de bateau)* cabin; *(de piscine etc)* cubicle; *(de camion, train)* cab; *(d'avion)* cockpit; **cabine d'essayage** fitting room; **cabine (téléphonique)** call *ou* (tele)phone box
cabinet [kabinɛ] *nm (petite pièce)* closet; *(de médecin)* surgery (BRIT), office (US); *(de notaire etc)* office; *(: clientèle)* practice; *(Pol)* Cabinet; **cabinets** *nmpl (w.-c.)* toilet *sg*; **cabinet de toilette** toilet
câble [kɑbl] *nm* cable; **le ~** *(TV)* cable television, cablevision (US)
cacahuète [kakaɥɛt] *nf* peanut
cacao [kakao] *nm* cocoa
cache [kaʃ] *nm* mask, card (for masking)
cache-cache [kaʃkaʃ] *nm*: **jouer à ~** to play hide-and-seek
cachemire [kaʃmiʀ] *nm* cashmere
cacher [kaʃe] *vt* to hide, conceal; **se ~** *vi (volontairement)* to hide; *(être caché)* to be hidden *ou* concealed; **~ qch à qn** to hide *ou* conceal sth from sb
cachet [kaʃɛ] *nm (comprimé)* tablet; *(de la poste)* postmark; *(rétribution)* fee; *(fig)* style, character
cachette [kaʃɛt] *nf* hiding place; **en ~** on the sly, secretly
cactus [kaktys] *nm* cactus
cadavre [kadɑvʀ] *nm* corpse, (dead) body
caddie® [kadi] *nm* (supermarket) trolley (BRIT), (grocery) cart (US)
cadeau, x [kado] *nm* present, gift; **faire un ~ à qn** to give sb a present *ou* gift; **faire ~ de qch à qn** to make a present of sth to sb, give sb sth as a present
cadenas [kadnɑ] *nm* padlock
cadet, te [kadɛ, ɛt] *adj* younger; *(le plus jeune)* youngest ▷ *nm/f* youngest child *ou* one
cadran [kadʀɑ̃] *nm* dial; **cadran solaire** sundial
cadre [kɑdʀ] *nm* frame; *(environnement)* surroundings *pl* ▷ *nm/f (Admin)* managerial employee, executive; **dans le ~ de** *(fig)* within the framework *ou* context of
cafard [kafaʀ] *nm* cockroach; **avoir le ~** *(fam)* to be down in the dumps
café [kafe] *nm* coffee; *(bistro)* café ▷ *adj inv* coffee(-coloured); **café au lait** white coffee; **café noir** black

coffee; **café tabac** *tobacconist's or newsagent's serving coffee and spirits*; **cafetière** *nf* (*pot*) coffee-pot
cage [kaʒ] *nf* cage; **cage (d'escalier)** stairwell; **cage thoracique** rib cage
cageot [kaʒo] *nm* crate
cagoule [kagul] *nf* (*passe-montagne*) balaclava
cahier [kaje] *nm* notebook; **cahier de brouillon** jotter (BRIT), rough notebook; **cahier d'exercices** exercise book
caille [kaj] *nf* quail
caillou, x [kaju] *nm* (little) stone; **caillouteux, -euse** *adj* (*route*) stony
Caire [kɛʀ] *nm*: **le ~** Cairo
caisse [kɛs] *nf* box; (*tiroir où l'on met la recette*) till; (*où l'on paye*) cash desk (BRIT), check-out; (*de banque*) cashier's desk; **caisse d'épargne** savings bank; **caisse de retraite** pension fund; **caisse enregistreuse** cash register; **caissier, -ière** *nm/f* cashier
cake [kɛk] *nm* fruit cake
calandre [kalɑ̃dʀ] *nf* radiator grill
calcaire [kalkɛʀ] *nm* limestone ▷ *adj* (*eau*) hard; (*Géo*) limestone *cpd*
calcul [kalkyl] *nm* calculation; **le ~** (*Scol*) arithmetic; **calcul (biliaire)** (gall)stone; **calculatrice** *nf* calculator; **calculer** *vt* to calculate, work out; **calculette** *nf* pocket calculator
cale [kal] *nf* (*de bateau*) hold; (*en bois*) wedge
calé, e [kale] (*fam*) *adj* clever, bright
caleçon [kalsɔ̃] *nm* (*d'homme*) boxer shorts; (*de femme*) leggings
calendrier [kalɑ̃dʀije] *nm* calendar; (*fig*) timetable
calepin [kalpɛ̃] *nm* notebook
caler [kale] *vt* to wedge ▷ *vi* (*moteur, véhicule*) to stall
calibre [kalibʀ] *nm* calibre
câlin, e [kɑlɛ̃, in] *adj* cuddly, cuddlesome; (*regard, voix*) tender
calmant [kalmɑ̃] *nm* tranquillizer, sedative; (*pour la douleur*) painkiller
calme [kalm] *adj* calm, quiet ▷ *nm* calm(ness), quietness; **sans perdre son ~** without losing one's cool (*inf*) *ou* composure; **calmer** *vt* to calm (down); (*douleur, inquiétude*) to ease, soothe; **se calmer** *vi* to calm down
calorie [kalɔʀi] *nf* calorie
camarade [kamaʀad] *nm/f* friend, pal; (*Pol*) comrade
Cambodge [kɑ̃bɔdʒ] *nm*: **le ~** Cambodia
cambriolage [kɑ̃bʀijɔlaʒ] *nm* burglary; **cambrioler** *vt* to burgle (BRIT), burglarize (US); **cambrioleur, -euse** *nm/f* burglar
camelote [kamlɔt] (*fam*) *nf* rubbish, trash, junk
caméra [kameʀa] *nf* (*Cinéma, TV*) camera; (*d'amateur*) cine-camera
Cameroun [kamʀun] *nm*: **le ~** Cameroon
caméscope® [kameskɔp] *nm* camcorder®
camion [kamjɔ̃] *nm* lorry (BRIT), truck; **camion de dépannage** breakdown (BRIT) *ou* tow (US) truck; **camionnette** *nf* (small) van; **camionneur** *nm* (*chauffeur*) lorry (BRIT) *ou* truck driver; (*entrepreneur*) haulage contractor (BRIT), trucker (US)
camomille [kamɔmij] *nf* camomile; (*boisson*) camomile tea
camp [kɑ̃] *nm* camp; (*fig*) side
campagnard, e [kɑ̃paɲaʀ, aʀd] *adj* country *cpd*
campagne [kɑ̃paɲ] *nf* country, countryside; (*Mil, Pol, Comm*) campaign; **à la ~** in the country
camper [kɑ̃pe] *vi* to camp ▷ *vt* to sketch; **se ~ devant** to plant o.s. in front of; **campeur, -euse** *nm/f* camper
camping [kɑ̃piŋ] *nm* camping; **faire du ~** to go camping; **(terrain de) camping** campsite, camping site; **camping-car** *nm* camper, motorhome (US); **camping-gaz®** *nm inv* camp(ing) stove
Canada [kanada] *nm*: **le ~** Canada; **canadien, ne** *adj* Canadian ▷ *nm/f*: **Canadien, ne** Canadian; **canadienne** *nf* (*veste*) fur-lined jacket
canal, -aux [kanal, o] *nm* canal; (*naturel, TV*) channel; **canalisation** *nf* (*tuyau*) pipe
canapé [kanape] *nm* settee, sofa
canard [kanaʀ] *nm* duck; (*fam: journal*) rag
cancer [kɑ̃sɛʀ] *nm* cancer; (*signe*): **le C~** Cancer
cancre [kɑ̃kʀ] *nm* dunce
candidat, e [kɑ̃dida, at] *nm/f* candidate; (*à un poste*) applicant, candidate; **candidature** *nf* (*Pol*) candidature; (*à poste*) application; **poser sa candidature à un poste** to apply for a job
cane [kan] *nf* (female) duck
canette [kanɛt] *nf* (*de bière*) (flip-top) bottle
canevas [kanvɑ] *nm* (*Couture*) canvas
caniche [kaniʃ] *nm* poodle
canicule [kanikyl] *nf* scorching heat
canif [kanif] *nm* penknife, pocket knife
canne [kan] *nf* (walking) stick; **canne à pêche** fishing rod; **canne à sucre** sugar cane
cannelle [kanɛl] *nf* cinnamon
canoë [kanɔe] *nm* canoe; (*sport*) canoeing; **canoë (kayak)** kayak
canot [kano] *nm* ding(h)y; **canot de sauvetage** lifeboat; **canot pneumatique** inflatable ding(h)y
cantatrice [kɑ̃tatʀis] *nf* (opera) singer
cantine [kɑ̃tin] *nf* canteen
canton [kɑ̃tɔ̃] *nm district consisting of several communes*; (*en Suisse*) canton
caoutchouc [kautʃu] *nm* rubber; **caoutchouc mousse** foam rubber
cap [kap] *nm* (*Géo*) cape; (*promontoire*) headland; (*fig: tournant*) watershed; (*Navig*): **changer de ~** to change course; **mettre le ~ sur** to head *ou* steer for
CAP *sigle m* (= *Certificat d'aptitude professionnelle*) *vocational training certificate taken at secondary school*
capable [kapabl] *adj* able, capable; **~ de qch/faire** capable of sth/doing
capacité [kapasite] *nf* (*compétence*) ability; (*Jur, contenance*) capacity
cape [kap] *nf* cape, cloak; **rire sous ~** to laugh up one's sleeve
CAPES [kapɛs] *sigle m* (= *Certificat d'aptitude pédagogique à l'enseignement secondaire*) *teaching diploma*
capitaine [kapitɛn] *nm* captain
capital, e, -aux [kapital, o] *adj* (*œuvre*) major; (*question, rôle*) fundamental ▷ *nm* capital; (*fig*) stock; **d'une importance ~e** of capital importance; **capitaux** *nmpl* (*fonds*) capital *sg*; **capital (social)** authorized capital; **capitale** *nf* (*ville*) capital; (*lettre*) capital (letter); **capitalisme** *nm* capitalism; **capitaliste** *adj, nm/f* capitalist
caporal, -aux [kapɔʀal, o] *nm* lance corporal
capot [kapo] *nm* (*Auto*) bonnet (BRIT), hood (US)
câpre [kɑpʀ] *nf* caper
caprice [kapʀis] *nm* whim, caprice; **faire des ~s** to make a fuss; **capricieux, -euse** *adj* (*fantasque*) capricious, whimsical; (*enfant*) awkward
Capricorne [kapʀikɔʀn] *nm*: **le ~** Capricorn
capsule [kapsyl] *nf* (*de bouteille*) cap; (*Bot etc, spatiale*) capsule
capter [kapte] *vt* (*ondes radio*) to pick up; (*fig*) to

win, capture
captivant, e [kaptivɑ̃, ɑ̃t] *adj* captivating
capturer [kaptyʀe] *vt* to capture
capuche [kapyʃ] *nf* hood
capuchon [kapyʃɔ̃] *nm* hood; (*de stylo*) cap, top
car [kaʀ] *nm* coach ▷ *conj* because, for
carabine [kaʀabin] *nf* rifle
caractère [kaʀaktɛʀ] *nm* (*gén*) character; **avoir bon/mauvais ~** to be good-/ill-natured; **en ~s gras** in bold type; **en petits ~s** in small print; **~s d'imprimerie** (block) capitals
caractériser [kaʀakteʀize] *vt* to be characteristic of; **se ~ par** to be characterized *ou* distinguished by
caractéristique [kaʀakteʀistik] *adj, nf* characteristic
carafe [kaʀaf] *nf* (*pour eau, vin ordinaire*) carafe
caraïbe [kaʀaib] *adj* Caribbean ▷ *n*: **les C~s** the Caribbean (Islands)
carambolage [kaʀɑ̃bɔlaʒ] *nm* multiple crash, pileup
caramel [kaʀamɛl] *nm* (*bonbon*) caramel, toffee; (*substance*) caramel
caravane [kaʀavan] *nf* caravan; **caravaning** *nm* caravanning
carbone [kaʀbɔn] *nm* carbon; (*double*) carbon (copy)
carbonique [kaʀbɔnik] *adj*: **gaz ~** carbon dioxide; **neige ~** dry ice
carbonisé, e [kaʀbɔnize] *adj* charred
carburant [kaʀbyʀɑ̃] *nm* (motor) fuel
carburateur [kaʀbyʀatœʀ] *nm* carburettor
cardiaque [kaʀdjak] *adj* cardiac, heart *cpd* ▷ *nm/f* heart patient; **être ~** to have heart trouble
cardigan [kaʀdigɑ̃] *nm* cardigan
cardiologue [kaʀdjɔlɔg] *nm/f* cardiologist, heart specialist
carême [kaʀɛm] *nm*: **le C~** Lent
carence [kaʀɑ̃s] *nf* (*manque*) deficiency
caresse [kaʀɛs] *nf* caress
caresser [kaʀese] *vt* to caress; (*animal*) to stroke
cargaison [kaʀgɛzɔ̃] *nf* cargo, freight
cargo [kaʀgo] *nm* cargo boat, freighter
caricature [kaʀikatyʀ] *nf* caricature
carie [kaʀi] *nf*: **la ~ (dentaire)** tooth decay; **une ~** a bad tooth
carnaval [kaʀnaval] *nm* carnival
carnet [kaʀnɛ] *nm* (*calepin*) notebook; (*de tickets, timbres etc*) book; **carnet de chèques** cheque book
carotte [kaʀɔt] *nf* carrot
carré, e [kaʀe] *adj* square; (*fig: franc*) straightforward ▷ *nm* (*Math*) square; **mètre/kilomètre ~** square metre/kilometre
carreau, x [kaʀo] *nm* (*par terre*) (floor) tile; (*au mur*) (wall) tile; (*de fenêtre*) (window) pane; (*motif*) check, square; (*Cartes: couleur*) diamonds *pl*; **tissu à ~x** checked fabric
carrefour [kaʀfuʀ] *nm* crossroads *sg*
carrelage [kaʀlaʒ] *nm* (*sol*) (tiled) floor
carrelet [kaʀlɛ] *nm* (*poisson*) plaice
carrément [kaʀemɑ̃] *adv* (*franchement*) straight out, bluntly; (*sans hésiter*) straight; (*intensif*) completely; **c'est ~ impossible** it's completely impossible
carrière [kaʀjɛʀ] *nf* (*métier*) career; (*de roches*) quarry; **militaire de ~** professional soldier
carrosserie [kaʀɔsʀi] *nf* body, coachwork *no pl*
carrure [kaʀyʀ] *nf* build; (*fig*) stature, calibre
cartable [kaʀtabl] *nm* satchel, (school)bag
carte [kaʀt] *nf* (*de géographie*) map; (*marine, du ciel*) chart; (*d'abonnement, à jouer*) card; (*au restaurant*) menu; (*aussi*: **~ de visite**) (visiting) card; **pouvez-vous me l'indiquer sur la ~?** can you show me (it) on the map?; **à la ~** (*au restaurant*) à la carte; **est-ce qu'on peut voir la ~?** can we see the menu?; **donner ~ blanche à qn** to give sb a free rein; **carte bancaire** cash card; **Carte Bleue®** debit card; **carte à puce** smart card; **carte de crédit** credit card; **carte de fidélité** loyalty card; **carte d'identité** identity card; **carte de séjour** residence permit; **carte grise** (*Auto*) ≈ (car) registration book, logbook; **carte memoire** (*d'appareil-photo numérique*) memory card; **carte postale** postcard; **carte routière** road map
carter [kaʀtɛʀ] *nm* sump
carton [kaʀtɔ̃] *nm* (*matériau*) cardboard; (*boîte*) (cardboard) box; **faire un ~** (*fam*) to score a hit; **carton (à dessin)** portfolio
cartouche [kaʀtuʃ] *nf* cartridge; (*de cigarettes*) carton
cas [kɑ] *nm* case; **ne faire aucun ~ de** to take no notice of; **en aucun ~** on no account; **au ~ où** in case; **en ~ de** in case of, in the event of; **en ~ de besoin** if need be; **en tout ~** in any case, at any rate
cascade [kaskad] *nf* waterfall, cascade
case [kɑz] *nf* (*hutte*) hut; (*compartiment*) compartment; (*sur un formulaire, de mots croisés etc*) box
caser [kɑze] (*fam*) *vt* (*placer*) to put (away); (*loger*) to put up; **se ~** *vi* (*se marier*) to settle down; (*trouver un emploi*) to find a (steady) job
caserne [kazɛʀn] *nf* barracks *pl*
casier [kɑzje] *nm* (*pour courrier*) pigeonhole; (*compartiment*) compartment; (*à clef*) locker; **casier judiciaire** police record
casino [kazino] *nm* casino
casque [kask] *nm* helmet; (*chez le coiffeur*) (hair-)drier; (*pour audition*) (head-)phones *pl*, headset
casquette [kaskɛt] *nf* cap
casse...: **casse-croûte** *nm inv* snack; **casse-noix** *nm inv* nutcrackers *pl*; **casse-pieds** (*fam*) *adj inv*: **il est casse-pieds** he's a pain in the neck
casser [kɑse] *vt* to break; (*Jur*) to quash; **se ~** *vi* to break; **~ les pieds à qn** (*fam: irriter*) to get on sb's nerves; **se ~ la tête** (*fam*) to go to a lot of trouble
casserole [kasʀɔl] *nf* saucepan
casse-tête [kɑstɛt] *nm inv* (*difficultés*) headache (*fig*)
cassette [kasɛt] *nf* (*bande magnétique*) cassette; (*coffret*) casket
cassis [kasis] *nm* blackcurrant
cassoulet [kasulɛ] *nm* *bean and sausage hot-pot*
catalogue [katalɔg] *nm* catalogue
catalytique [katalitik] *adj*: **pot ~** catalytic convertor
catastrophe [katastʀɔf] *nf* catastrophe, disaster
catéchisme [kateʃism] *nm* catechism
catégorie [kategɔʀi] *nf* category; **catégorique** *adj* categorical
cathédrale [katedʀal] *nf* cathedral
catholique [katɔlik] *adj, nm/f* (Roman) Catholic; **pas très ~** a bit shady *ou* fishy
cauchemar [koʃmaʀ] *nm* nightmare
cause [koz] *nf* cause; (*Jur*) lawsuit, case; **à ~ de** because of, owing to; **pour ~ de** on account of; **(et) pour ~** and for (a very) good reason; **être en ~** (*intérêts*) to be at stake; **remettre en ~** to challenge; **causer** *vt* to cause ▷ *vi* to chat, talk
caution [kosjɔ̃] *nf* guarantee, security; (*Jur*) bail

(bond); (*fig*) backing, support; **libéré sous ~** released on bail
cavalier, -ière [kavalje, jɛʀ] *adj* (*désinvolte*) offhand ▷ *nm/f* rider; (*au bal*) partner ▷ *nm* (*Échecs*) knight
cave [kav] *nf* cellar
CD *sigle m* (= *compact disc*) CD
CD-ROM [sedeʀɔm] *sigle m* CD-ROM

MOT-CLÉ

ce, cette [sə, sɛt] (*devant nm* **cet** + *voyelle ou h aspiré*; *pl* **ces**) *dét* (*proximité*) this; these *pl*; (*non-proximité*) that; those *pl*; **cette maison(-ci/là)** this/that house; **cette nuit** (*qui vient*) tonight; (*passée*) last night
▷ *pron* **1**: **c'est** it's *ou* it is; **c'est un peintre** he's *ou* he is a painter; **ce sont des peintres** they're *ou* they are painters; **c'est le facteur** *etc* (*à la porte*) it's the postman; **c'est toi qui lui a parlé** it was you who spoke to him; **qui est-ce?** who is it?; (*en désignant*) who is he/she?; **qu'est-ce?** what is it?
2: **ce qui, ce que**: **ce qui me plaît, c'est sa franchise** what I like about him *ou* her is his *ou* her frankness; **il est bête, ce qui me chagrine** he's stupid, which saddens me; **tout ce qui bouge** everything that *ou* which moves; **tout ce que je sais** all I know; **ce dont j'ai parlé** what I talked about; **ce que c'est grand!** it's so big!; *voir aussi* **-ci**; **est-ce que**; **n'est-ce pas**; **c'est-à-dire**

ceci [səsi] *pron* this
céder [sede] *vt* (*donner*) to give up ▷ *vi* (*chaise, barrage*) to give way; (*personne*) to give in; **~ à** to yield to, give in to
CEDEX [sedɛks] *sigle m* (= *courrier d'entreprise à distribution exceptionnelle*) *postal service for bulk users*
cédille [sedij] *nf* cedilla
ceinture [sɛ̃tyʀ] *nf* belt; (*taille*) waist; **ceinture de sécurité** safety *ou* seat belt
cela [s(ə)la] *pron* that; (*comme sujet indéfini*) it; **~ m'étonne que ...** it surprises me that ...; **quand/où ~?** when/where (was that)?
célèbre [selɛbʀ] *adj* famous; **célébrer** *vt* to celebrate
céleri [sɛlʀi] *nm*: **~(-rave)** celeriac; **céleri en branche** celery
célibataire [selibatɛʀ] *adj* single, unmarried ▷ *nm* bachelor ▷ *nf* unmarried woman
celle, celles [sɛl] *pron voir* **celui**
cellule [selyl] *nf* (*gén*) cell; **~ souche** stem cell
cellulite [selylit] *nf* cellulite

MOT-CLÉ

celui, celle [səlɥi, sɛl] (*mpl* **ceux**, *fpl* **celles**) *pron*
1: **celui-ci/là, celle-ci/là** this one/that one; **ceux-ci, celles-ci** these (ones); **ceux-là, celles-là** those (ones)
2: **celui qui bouge** the one which *ou* that moves; (*personne*) the one who moves; **celui que je vois** the one (which *ou* that) I see; (*personne*) the one (whom) I see; **celui dont je parle** the one I'm talking about; **celui de mon frère** my brother's; **celui du salon/du dessous** the one in (*ou* from) the lounge/below
3 (*valeur indéfinie*): **celui qui veut** whoever wants

cendre [sɑ̃dʀ] *nf* ash; **cendres** *nfpl* (*d'un défunt*) ashes; **sous la ~** (*Culin*) in (the) embers; **cendrier** *nm* ashtray
censé, e [sɑ̃se] *adj*: **être ~ faire** to be supposed to do
censeur [sɑ̃sœʀ] *nm* (*Scol*) deputy-head (BRIT), vice-principal (US)
censure [sɑ̃syʀ] *nf* censorship; **censurer** *vt* (*Cinéma, Presse*) to censor; (*Pol*) to censure
cent [sɑ̃] *num* a hundred, one hundred ▷ *nm* (*US, Canada etc*) cent; (*partie de l'euro*) cent; **centaine** *nf*: **une centaine (de)** about a hundred, a hundred or so; **des centaines (de)** hundreds (of); **centenaire** *adj* hundred-year-old ▷ *nm* (*anniversaire*) centenary; (*monnaie*) cent; **centième** *num* hundredth; **centigrade** *nm* centigrade; **centilitre** *nm* centilitre; **centime** *nm* centime; **centime d'euro** *nm* euro cent; **centimètre** *nm* centimetre; (*ruban*) tape measure, measuring tape
central, e, -aux [sɑ̃tʀal, o] *adj* central ▷ *nm*: **~ (téléphonique)** (telephone) exchange; **centrale** *nf* power station; **centrale électrique/nucléaire** power/nuclear power station
centre [sɑ̃tʀ] *nm* centre; **centre commercial/sportif/culturel** shopping/sports/arts centre; **centre d'appels** call centre; **centre-ville** *nm* town centre, downtown (area) (US)
cèpe [sɛp] *nm* (edible) boletus
cependant [s(ə)pɑ̃dɑ̃] *adv* however
céramique [seʀamik] *nf* ceramics *sg*
cercle [sɛʀkl] *nm* circle; **cercle vicieux** vicious circle
cercueil [sɛʀkœj] *nm* coffin
céréale [seʀeal] *nf* cereal
cérémonie [seʀemɔni] *nf* ceremony; **sans ~** (*inviter, manger*) informally
cerf [sɛʀ] *nm* stag
cerf-volant [sɛʀvɔlɑ̃] *nm* kite
cerise [s(ə)ʀiz] *nf* cherry; **cerisier** *nm* cherry (tree)
cerner [sɛʀne] *vt* (*Mil etc*) to surround; (*fig: problème*) to delimit, define
certain, e [sɛʀtɛ̃, ɛn] *adj* certain ▷ *dét* certain; **d'un ~ âge** past one's prime, not so young; **un ~ temps** (quite) some time; **un ~ Georges** someone called Georges; **~s** *pron* some; **certainement** *adv* (*probablement*) most probably *ou* likely; (*bien sûr*) certainly, of course
certes [sɛʀt] *adv* (*sans doute*) admittedly; (*bien sûr*) of course
certificat [sɛʀtifika] *nm* certificate
certifier [sɛʀtifje] *vt*: **~ qch à qn** to assure sb of sth; **copie certifiée conforme** certified copy of the original
certitude [sɛʀtityd] *nf* certainty
cerveau, x [sɛʀvo] *nm* brain
cervelas [sɛʀvəla] *nm* saveloy
cervelle [sɛʀvɛl] *nf* (*Anat*) brain; (*Culin*) brains
ces [se] *dét voir* **ce**
CES *sigle m* (= *collège d'enseignement secondaire*) ≈ (junior) secondary school (BRIT)
cesse [sɛs]: **sans ~** *adv* (*tout le temps*) continually, constantly; (*sans interruption*) continuously; **il n'a eu de ~ que** he did not rest until; **cesser** *vt* to stop ▷ *vi* to stop, cease; **cesser de faire** to stop doing; **cessez-le-feu** *nm inv* ceasefire
c'est-à-dire [sɛtadiʀ] *adv* that is (to say)
cet, cette [sɛt] *dét voir* **ce**
ceux [sø] *pron voir* **celui**
chacun, e [ʃakœ̃, yn] *pron* each; (*indéfini*) everyone, everybody
chagrin [ʃagʀɛ̃] *nm* grief, sorrow; **avoir du ~** to be grieved
chahut [ʃay] *nm* uproar; **chahuter** *vt* to rag, bait ▷ *vi* to make an uproar

chaîne [ʃɛn] *nf* chain; (*Radio, TV: stations*) channel; **travail à la ~** production line work; **réactions en ~** chain reaction *sg*; **chaîne de montagnes** mountain range; **chaîne (hi-fi)** hi-fi system
chair [ʃɛʀ] *nf* flesh; **avoir la ~ de poule** to have goosepimples *ou* gooseflesh; **bien en ~** plump, well-padded; **en ~ et en os** in the flesh; **~ à saucisse** sausage meat
chaise [ʃɛz] *nf* chair; **chaise longue** deckchair
châle [ʃɑl] *nm* shawl
chaleur [ʃalœʀ] *nf* heat; (*fig: accueil*) warmth; **chaleureux, -euse** *adj* warm
chamailler [ʃamɑje]: **se ~** *vi* to squabble, bicker
chambre [ʃɑ̃bʀ] *nf* bedroom; (*Pol, Comm*) chamber; **faire ~ à part** to sleep in separate rooms; **je voudrais une ~ pour deux personnes** I'd like a double room; **chambre à air** (*de pneu*) (inner) tube; **chambre à coucher** bedroom; **chambre à un lit/à deux lits** (*à l'hôtel*) single-/twin-bedded room; **chambre d'amis** spare *ou* guest room; **chambre d'hôte** ≈ bed and breakfast; **chambre meublée** bedsit(ter) (BRIT), furnished room; **chambre noire** (*Photo*) darkroom
chameau, x [ʃamo] *nm* camel
chamois [ʃamwa] *nm* chamois
champ [ʃɑ̃] *nm* field; **champ de bataille** battlefield; **champ de courses** racecourse
champagne [ʃɑ̃paɲ] *nm* champagne
champignon [ʃɑ̃piɲɔ̃] *nm* mushroom; (*terme générique*) fungus; **champignon de Paris** *ou* **de couche** button mushroom
champion, ne [ʃɑ̃pjɔ̃, jɔn] *adj, nm/f* champion; **championnat** *nm* championship
chance [ʃɑ̃s] *nf*: **la ~** luck; **chances** *nfpl* (*probabilités*) chances; **avoir de la ~** to be lucky; **il a des ~s de réussir** he's got a good chance of passing; **bonne ~!** good luck!
change [ʃɑ̃ʒ] *nm* (*devises*) exchange
changement [ʃɑ̃ʒmɑ̃] *nm* change; **changement de vitesses** gears *pl*
changer [ʃɑ̃ʒe] *vt* (*modifier*) to change, alter; (*remplacer, Comm*) to change ▷ *vi* to change, alter; **se ~** *vi* to change (o.s.); **~ de** (*remplacer: adresse, nom, voiture etc*) to change one's; (*échanger: place, train etc*) to change; **~ d'avis** to change one's mind; **~ de vitesse** to change gear; **il faut ~ à Lyon** you *ou* we *etc* have to change in Lyons; **où est-ce que je peux ~ de l'argent?** where can I change some money?
chanson [ʃɑ̃sɔ̃] *nf* song
chant [ʃɑ̃] *nm* song; (*art vocal*) singing; (*d'église*) hymn
chantage [ʃɑ̃taʒ] *nm* blackmail; **faire du ~** to use blackmail
chanter [ʃɑ̃te] *vt, vi* to sing; **si cela lui chante** (*fam*) if he feels like it; **chanteur, -euse** *nm/f* singer
chantier [ʃɑ̃tje] *nm* (building) site; (*sur une route*) roadworks *pl*; **mettre en ~** to put in hand; **chantier naval** shipyard
chantilly [ʃɑ̃tiji] *nf voir* **crème**
chantonner [ʃɑ̃tɔne] *vi, vt* to sing to oneself, hum
chapeau, x [ʃapo] *nm* hat; **~!** well done!
chapelle [ʃapɛl] *nf* chapel
chapitre [ʃapitʀ] *nm* chapter
chaque [ʃak] *dét* each, every; (*indéfini*) every
char [ʃaʀ] *nm* (*Mil*): **~ (d'assaut)** tank; **~ à voile** sand yacht
charbon [ʃaʀbɔ̃] *nm* coal; **charbon de bois** charcoal
charcuterie [ʃaʀkytʀi] *nf* (*magasin*) pork butcher's shop and delicatessen; (*produits*) cooked pork meats *pl*; **charcutier, -ière** *nm/f* pork butcher
chardon [ʃaʀdɔ̃] *nm* thistle
charge [ʃaʀʒ] *nf* (*fardeau*) load, burden; (*Élec, Mil, Jur*) charge; (*rôle, mission*) responsibility; **charges** *nfpl* (*du loyer*) service charges; **à la ~ de** (*dépendant de*) dependent upon; (*aux frais de*) chargeable to; **prendre en ~** to take charge of; (*suj: véhicule*) to take on; (*dépenses*) to take care of; **charges sociales** social security contributions
chargement [ʃaʀʒəmɑ̃] *nm* (*objets*) load
charger [ʃaʀʒe] *vt* (*voiture, fusil, caméra*) to load; (*batterie*) to charge ▷ *vi* (*Mil etc*) to charge; **se ~ de** to see to, take care of
chariot [ʃaʀjo] *nm* trolley; (*charrette*) waggon
charité [ʃaʀite] *nf* charity; **faire la ~ à** to give (something) to
charmant, e [ʃaʀmɑ̃, ɑ̃t] *adj* charming
charme [ʃaʀm] *nm* charm; **charmer** *vt* to charm
charpente [ʃaʀpɑ̃t] *nf* frame(work); **charpentier** *nm* carpenter
charrette [ʃaʀɛt] *nf* cart
charter [ʃaʀtɛʀ] *nm* (*vol*) charter flight
chasse [ʃas] *nf* hunting; (*au fusil*) shooting; (*poursuite*) chase; (*aussi:* **~ d'eau**) flush; **prendre en ~** to give chase to; **tirer la ~ (d'eau)** to flush the toilet, pull the chain; **~ à courre** hunting; **chasse-neige** *nm inv* snowplough (BRIT), snowplow (US); **chasser** *vt* to hunt; (*expulser*) to chase away *ou* out, drive away *ou* out; **chasseur, -euse** *nm/f* hunter ▷ *nm* (*avion*) fighter
chat¹ [ʃa] *nm* cat
chat² [tʃat] *nm* (*Internet*) chat room
châtaigne [ʃɑtɛɲ] *nf* chestnut
châtain [ʃɑtɛ̃] *adj inv* (*cheveux*) chestnut (brown); (*personne*) chestnut-haired
château, x [ʃɑto] *nm* (*forteresse*) castle; (*résidence royale*) palace; (*manoir*) mansion; **château d'eau** water tower; **château fort** stronghold, fortified castle
châtiment [ʃɑtimɑ̃] *nm* punishment
chaton [ʃatɔ̃] *nm* (*Zool*) kitten
chatouiller [ʃatuje] *vt* to tickle; **chatouilleux, -euse** *adj* ticklish
chatte [ʃat] *nf* (she-)cat
chatter [tʃate] *vi* (*Internet*) to chat
chaud, e [ʃo, ʃod] *adj* (*gén*) warm; (*très chaud*) hot; **il fait ~** it's warm; it's hot; **avoir ~** to be warm; to be hot; **ça me tient ~** it keeps me warm; **rester au ~** to stay in the warm
chaudière [ʃodjɛʀ] *nf* boiler
chauffage [ʃofaʒ] *nm* heating; **chauffage central** central heating
chauffe-eau [ʃofo] *nm inv* water-heater
chauffer [ʃofe] *vt* to heat ▷ *vi* to heat up, warm up; (*trop chauffer: moteur*) to overheat; **se ~** *vi* (*au soleil*) to warm o.s.
chauffeur [ʃofœʀ] *nm* driver; (*privé*) chauffeur
chaumière [ʃomjɛʀ] *nf* (thatched) cottage
chaussée [ʃose] *nf* road(way)
chausser [ʃose] *vt* (*bottes, skis*) to put on; (*enfant*) to put shoes on; **~ du 38/42** to take size 38/42
chaussette [ʃosɛt] *nf* sock
chausson [ʃosɔ̃] *nm* slipper; (*de bébé*) bootee; **chausson (aux pommes)** (apple) turnover
chaussure [ʃosyʀ] *nf* shoe; **chaussures basses** flat shoes; **chaussures montantes** ankle boots; **chaussures de ski** ski boots
chauve [ʃov] *adj* bald; **chauve-souris** *nf* bat
chauvin, e [ʃovɛ̃, in] *adj* chauvinistic

chaux [ʃo] *nf* lime; **blanchi à la ~** whitewashed
chef [ʃɛf] *nm* head, leader; (*de cuisine*) chef; **commandant en ~** commander-in-chief; **chef d'accusation** charge; **chef d'entreprise** company head; **chef d'État** head of state; **chef de famille** head of the family; **chef de file** (*de parti etc*) leader; **chef de gare** station master; **chef d'orchestre** conductor; **chef-d'œuvre** *nm* masterpiece; **chef-lieu** *nm* county town
chemin [ʃ(ə)mɛ̃] *nm* path; (*itinéraire, direction, trajet*) way; **en ~** on the way; **chemin de fer** railway (BRIT), railroad (US)
cheminée [ʃ(ə)mine] *nf* chimney; (*à l'intérieur*) chimney piece, fireplace; (*de bateau*) funnel
chemise [ʃ(ə)miz] *nf* shirt; (*dossier*) folder; **chemise de nuit** nightdress
chemisier [ʃ(ə)mizje] *nm* blouse
chêne [ʃɛn] *nm* oak (tree); (*bois*) oak
chenil [ʃ(ə)nil] *nm* kennels *pl*
chenille [ʃ(ə)nij] *nf* (*Zool*) caterpillar
chèque [ʃɛk] *nm* cheque (BRIT), check (US); **est-ce que je peux payer par ~?** can I pay by cheque?; **chèque sans provision** bad cheque; **chèque de voyage** traveller's cheque; **chéquier** [ʃekje] *nm* cheque book
cher, -ère [ʃɛʀ] *adj* (*aimé*) dear; (*coûteux*) expensive, dear ▷ *adv*: **ça coûte ~** it's expensive
chercher [ʃɛʀʃe] *vt* to look for; (*gloire etc*) to seek; **aller ~** to go for, go and fetch; **~ à faire** to try to do; **chercheur, -euse** *nm/f* researcher, research worker
chéri, e [ʃeʀi] *adj* beloved, dear; **(mon) ~** darling
cheval, -aux [ʃ(ə)val, o] *nm* horse; (*Auto*): **~ (vapeur)** horsepower *no pl*; **faire du ~** to ride; **à ~** on horseback; **à ~ sur** astride; (*fig*) overlapping; **cheval de course** racehorse
chevalier [ʃ(ə)valje] *nm* knight
chevalière [ʃ(ə)valjɛʀ] *nf* signet ring
chevaux [ʃəvo] *nmpl de* **cheval**
chevet [ʃ(ə)vɛ] *nm*: **au ~ de qn** at sb's bedside; **lampe de chevet** bedside lamp
cheveu, x [ʃ(ə)vø] *nm* hair; **cheveux** *nmpl* (*chevelure*) hair *sg*; **avoir les ~x courts** to have short hair
cheville [ʃ(ə)vij] *nf* (*Anat*) ankle; (*de bois*) peg; (*pour une vis*) plug
chèvre [ʃɛvʀ] *nf* (she-)goat
chèvrefeuille [ʃɛvʀəfœj] *nm* honeysuckle
chevreuil [ʃəvʀœj] *nm* roe deer *inv*; (*Culin*) venison

MOT-CLÉ

chez [ʃe] *prép* **1** (*à la demeure de*) at; (: *direction*) to; **chez qn** at/to sb's house *ou* place; **je suis chez moi** I'm at home; **je rentre chez moi** I'm going home; **allons chez Nathalie** let's go to Nathalie's
2 (*+profession*) at; (: *direction*) to; **chez le boulanger/dentiste** at *ou* to the baker's/dentist's
3 (*dans le caractère, l'œuvre de*) in; **chez ce poète** in this poet's work; **c'est ce que je préfère chez lui** that's what I like best about him

chic [ʃik] *adj inv* chic, smart; (*fam: généreux*) nice, decent ▷ *nm* stylishness; **~ (alors)!** (*fam*) great!; **avoir le ~ de** to have the knack of
chicorée [ʃikɔʀe] *nf* (*café*) chicory; (*salade*) endive
chien [ʃjɛ̃] *nm* dog; **chien d'aveugle** guide dog; **chien de garde** guard dog
chienne [ʃjɛn] *nf* dog, bitch
chiffon [ʃifɔ̃] *nm* (piece of) rag; **chiffonner** *vt* to crumple; (*fam: tracasser*) to concern
chiffre [ʃifʀ] *nm* (*représentant un nombre*) figure, numeral; (*montant, total*) total, sum; **en ~s ronds** in round figures; **chiffre d'affaires** turnover; **chiffrer** *vt* (*dépense*) to put a figure to, assess; (*message*) to (en)code, cipher; **se chiffrer à** to add up to, amount to
chignon [ʃiɲɔ̃] *nm* chignon, bun
Chili [ʃili] *nm*: **le ~** Chile; **chilien, ne** *adj* Chilean ▷ *nm/f*: **Chilien, ne** Chilean
chimie [ʃimi] *nf* chemistry; **chimiothérapie** [ʃimjɔteʀapi] *nf* chemotherapy; **chimique** *adj* chemical; **produits chimiques** chemicals
chimpanzé [ʃɛ̃pɑ̃ze] *nm* chimpanzee
Chine [ʃin] *nf*: **la ~** China; **chinois, e** *adj* Chinese ▷ *nm/f*: **Chinois, e** Chinese ▷ *nm* (*Ling*) Chinese
chiot [ʃjo] *nm* pup(py)
chips [ʃips] *nfpl* crisps (BRIT), (potato) chips (US)
chirurgie [ʃiʀyʀʒi] *nf* surgery; **chirurgie esthétique** plastic surgery; **chirurgien, ne** *nm/f* surgeon
chlore [klɔʀ] *nm* chlorine
choc [ʃɔk] *nm* (*heurt*) impact, shock; (*collision*) crash; (*moral*) shock; (*affrontement*) clash
chocolat [ʃɔkɔla] *nm* chocolate; **chocolat au lait** milk chocolate
chœur [kœʀ] *nm* (*chorale*) choir; (*Opéra, Théâtre*) chorus; **en ~** in chorus
choisir [ʃwaziʀ] *vt* to choose, select
choix [ʃwa] *nm* choice, selection; **avoir le ~** to have the choice; **premier ~** (*Comm*) class one; **de ~** choice, selected; **au ~** as you wish
chômage [ʃomaʒ] *nm* unemployment; **mettre au ~** to make redundant, put out of work; **être au ~** to be unemployed *ou* out of work; **chômeur, -euse** *nm/f* unemployed person
choquer [ʃɔke] *vt* (*offenser*) to shock; (*deuil*) to shake
chorale [kɔʀal] *nf* choir
chose [ʃoz] *nf* thing; **c'est peu de ~** it's nothing (really)
chou, x [ʃu] *nm* cabbage; **mon petit ~** (my) sweetheart; **chou à la crème** choux bun; **chou de Bruxelles** Brussels sprout; **choucroute** *nf* sauerkraut
chouette [ʃwɛt] *nf* owl ▷ *adj* (*fam*) great, smashing
chou-fleur [ʃuflœʀ] *nm* cauliflower
chrétien, ne [kʀetjɛ̃, jɛn] *adj, nm/f* Christian
Christ [kʀist] *nm*: **le ~** Christ; **christianisme** *nm* Christianity
chronique [kʀɔnik] *adj* chronic ▷ *nf* (*de journal*) column, page; (*historique*) chronicle; (*Radio, TV*): **la ~ sportive** the sports review
chronologique [kʀɔnɔlɔʒik] *adj* chronological
chronomètre [kʀɔnɔmɛtʀ] *nm* stopwatch; **chronométrer** *vt* to time
chrysanthème [kʀizɑ̃tɛm] *nm* chrysanthemum
chuchotement [ʃyʃɔtmɑ̃] *nm* whisper
chuchoter [ʃyʃɔte] *vt, vi* to whisper
chut [ʃyt] *excl* sh!
chute [ʃyt] *nf* fall; (*déchet*) scrap; **faire une ~ (de 10 m)** to fall (10 m); **chute (d'eau)** waterfall; **chute libre** free fall; **chutes de pluie/neige** rainfall/snowfall
Chypre [ʃipʀ] *nm/f* Cyprus
-ci [si] *adv voir* **par** ▷ *dét*: **ce garçon-~** this boy; **ces femmes-~** these women
cible [sibl] *nf* target
ciboulette [sibulɛt] *nf* (small) chive
cicatrice [sikatʀis] *nf* scar; **cicatriser** *vt* to heal

ci-contre [sikɔ̃tʀ] *adv* opposite
ci-dessous [sidəsu] *adv* below
ci-dessus [sidəsy] *adv* above
cidre [sidʀ] *nm* cider
Cie *abr (= compagnie)* Co.
ciel [sjɛl] *nm* sky; *(Rel)* heaven
cieux [sjø] *nmpl de* **ciel**
cigale [sigal] *nf* cicada
cigare [sigaʀ] *nm* cigar
cigarette [sigaʀɛt] *nf* cigarette
ci-inclus, e [siɛ̃kly, yz] *adj, adv* enclosed
ci-joint, e [siʒwɛ̃, ɛ̃t] *adj, adv* enclosed
cil [sil] *nm* (eye)lash
cime [sim] *nf* top; *(montagne)* peak
ciment [simɑ̃] *nm* cement
cimetière [simtjɛʀ] *nm* cemetery; *(d'église)* churchyard
cinéaste [sineast] *nm/f* film-maker
cinéma [sinema] *nm* cinema
cinq [sɛ̃k] *num* five; **cinquantaine** *nf*: **une cinquantaine (de)** about fifty; **avoir la cinquantaine** *(âge)* to be around fifty; **cinquante** *num* fifty; **cinquantenaire** *adj, nm/f* fifty-year-old; **cinquième** *num* fifth ▷ *nf (Scol)* year 8 (BRIT), seventh grade (US)
cintre [sɛ̃tʀ] *nm* coat-hanger
cintré, e [sɛ̃tʀe] *adj (chemise)* fitted
cirage [siʀaʒ] *nm* (shoe) polish
circonflexe [siʀkɔ̃flɛks] *adj*: **accent ~** circumflex accent
circonstance [siʀkɔ̃stɑ̃s] *nf* circumstance; *(occasion)* occasion; **circonstances atténuantes** mitigating circumstances
circuit [siʀkɥi] *nm (Élec, Tech)* circuit; *(trajet)* tour, (round) trip
circulaire [siʀkylɛʀ] *adj, nf* circular
circulation [siʀkylasjɔ̃] *nf* circulation; *(Auto)*: **la ~** (the) traffic
circuler [siʀkyle] *vi (sang, devises)* to circulate; *(véhicules)* to drive (along); *(passants)* to walk along; *(train, bus)* to run; **faire ~** *(nouvelle)* to spread (about), circulate; *(badauds)* to move on
cire [siʀ] *nf* wax; **ciré** *nm* oilskin; **cirer** *vt* to wax, polish
cirque [siʀk] *nm* circus; *(fig)* chaos, bedlam; **quel ~!** what a carry-on!
ciseau, x [sizo] *nm*: **~ (à bois)** chisel; **ciseaux** *nmpl (paire de ciseaux)* (pair of) scissors
citadin, e [sitadɛ̃, in] *nm/f* city dweller
citation [sitasjɔ̃] *nf (d'auteur)* quotation; *(Jur)* summons *sg*
cité [site] *nf* town; *(plus grande)* city; **cité universitaire** students' residences *pl*
citer [site] *vt (un auteur)* to quote (from); *(nommer)* to name; *(Jur)* to summon
citoyen, ne [sitwajɛ̃, jɛn] *nm/f* citizen
citron [sitʀɔ̃] *nm* lemon; **citron pressé** (fresh) lemon juice; **citron vert** lime; **citronnade** *nf* still lemonade
citrouille [sitʀuj] *nf* pumpkin
civet [sivɛ] *nm*: **~ de lapin** rabbit stew
civière [sivjɛʀ] *nf* stretcher
civil, e [sivil] *adj (mariage, poli)* civil; *(non militaire)* civilian; **en ~** in civilian clothes; **dans le ~** in civilian life
civilisation [sivilizasjɔ̃] *nf* civilization
clair, e [klɛʀ] *adj* light; *(pièce)* light, bright; *(eau, son, fig)* clear ▷ *adv*: **voir ~** to see clearly; **tirer qch au ~** to clear sth up, clarify sth; **mettre au ~** *(notes etc)* to tidy up ▷ *nm*: **~ de lune** moonlight; **clairement** *adv* clearly
clairière [klɛʀjɛʀ] *nf* clearing
clandestin, e [klɑ̃dɛstɛ̃, in] *adj* clandestine, secret; *(mouvement)* underground; *(travailleur, immigration)* illegal; **passager ~** stowaway
claque [klak] *nf (gifle)* slap; **claquer** *vi (porte)* to bang, slam; *(fam: mourir)* to snuff it ▷ *vt (porte)* to slam, bang; *(doigts)* to snap; *(fam: dépenser)* to blow; **il claquait des dents** his teeth were chattering; **être claqué** *(fam)* to be dead tired; **se claquer un muscle** to pull *ou* strain a muscle; **claquettes** *nfpl* tap-dancing *sg*; *(chaussures)* flip-flops
clarinette [klaʀinɛt] *nf* clarinet
classe [klɑs] *nf* class; *(Scol: local)* class(room); *(: leçon, élèves)* class; **aller en ~** to go to school; **classement** *nm (rang: Scol)* place; *(: Sport)* placing; *(liste: Scol)* class list (in order of merit); *(: Sport)* placings *pl*
classer [klɑse] *vt (idées, livres)* to classify; *(papiers)* to file; *(candidat, concurrent)* to grade; *(Jur: affaire)* to close; **se ~ premier/dernier** to come first/last; *(Sport)* to finish first/last; **classeur** *nm (cahier)* file
classique [klasik] *adj* classical; *(sobre: coupe etc)* classic(al); *(habituel)* standard, classic
clavecin [klav(ə)sɛ̃] *nm* harpsichord
clavicule [klavikyl] *nf* collarbone
clavier [klavje] *nm* keyboard
clé [kle] *nf* key; *(Mus)* clef; *(de mécanicien)* spanner (BRIT), wrench (US); **prix ~s en main** *(d'une voiture)* on-the-road price; **clé de contact** ignition key; **clé USB** USB key
clef [kle] *nf* = **clé**
clergé [klɛʀʒe] *nm* clergy
cliché [kliʃe] *nm (fig)* cliché; *(négatif)* negative; *(photo)* print
client, e [klijɑ̃, klijɑ̃t] *nm/f (acheteur)* customer, client; *(d'hôtel)* guest, patron; *(du docteur)* patient; *(de l'avocat)* client; **clientèle** *nf (du magasin)* customers *pl*, clientèle; *(du docteur, de l'avocat)* practice
cligner [kliɲe] *vi*: **~ des yeux** to blink (one's eyes); **~ de l'œil** to wink; **clignotant** *nm (Auto)* indicator; **clignoter** *vi (étoiles etc)* to twinkle; *(lumière)* to flicker
climat [klima] *nm* climate
climatisation [klimatizasjɔ̃] *nf* air conditioning; **climatisé, e** *adj* air-conditioned
clin d'œil [klɛ̃dœj] *nm* wink; **en un clin d'œil** in a flash
clinique [klinik] *nf* private hospital
clip [klip] *nm (boucle d'oreille)* clip-on; **(vidéo) ~** (pop) video
cliquer [klike] *vt* to click; **~ sur** to click on
clochard, e [klɔʃaʀ, aʀd] *nm/f* tramp
cloche [klɔʃ] *nf (d'église)* bell; *(fam)* clot; **clocher** *nm* church tower; *(en pointe)* steeple ▷ *vi (fam)* to be *ou* go wrong; **de clocher** *(péj)* parochial
cloison [klwazɔ̃] *nf* partition (wall)
clonage [klonaʒ] *nm* cloning
cloner [klone] *vt* to clone
cloque [klɔk] *nf* blister
clore [klɔʀ] *vt* to close
clôture [klotyʀ] *nf* closure; *(barrière)* enclosure
clou [klu] *nm* nail; **clous** *nmpl (passage clouté)* pedestrian crossing; **pneus à ~s** studded tyres; **le ~ du spectacle** the highlight of the show; **clou de girofle** clove
clown [klun] *nm* clown

club [klœb] *nm* club
CNRS *sigle m* (= *Centre nationale de la recherche scientifique*) ≈ SERC (BRIT), ≈ NSF (US)
coaguler [kɔagyle] *vt, vi* (*aussi:* **se ~**: *sang*) to coagulate
cobaye [kɔbaj] *nm* guinea-pig
coca [kɔka] *nm* Coke®
cocaïne [kɔkain] *nf* cocaine
coccinelle [kɔksinɛl] *nf* ladybird (BRIT), ladybug (US)
cocher [kɔʃe] *vt* to tick off
cochon, ne [kɔʃɔ̃, ɔn] *nm* pig ▷ *adj* (*fam*) dirty, smutty; **cochon d'Inde** guinea pig; **cochonnerie** (*fam*) *nf* (*saleté*) filth; (*marchandise*) rubbish, trash
cocktail [kɔktɛl] *nm* cocktail; (*réception*) cocktail party
cocorico [kɔkɔʀiko] *excl, nm* cock-a-doodle-do
cocotte [kɔkɔt] *nf* (*en fonte*) casserole; **ma ~** (*fam*) sweetie (pie); **cocotte (minute)®** pressure cooker
code [kɔd] *nm* code ▷ *adj*: **phares ~s** dipped lights; **se mettre en ~(s)** to dip one's (head)lights; **code à barres** bar code; **code civil** Common Law; **code de la route** highway code; **code pénal** penal code; **code postal** (*numéro*) post (BRIT) *ou* zip (US) code
cœur [kœʀ] *nm* heart; (*Cartes: couleur*) hearts *pl*; (*: carte*) heart; **avoir bon ~** to be kind-hearted; **avoir mal au ~** to feel sick; **par ~** by heart; **de bon ~** willingly; **cela lui tient à ~** that's (very) close to his heart
coffre [kɔfʀ] *nm* (*meuble*) chest; (*d'auto*) boot (BRIT), trunk (US); **coffre-fort** *nm* safe; **coffret** *nm* casket
cognac [kɔɲak] *nm* brandy, cognac
cogner [kɔɲe] *vi* to knock; **se ~ contre** to knock *ou* bump into; **se ~ la tête** to bang one's head
cohérent, e [kɔeʀɑ̃, ɑ̃t] *adj* coherent, consistent
coiffé, e [kwafe] *adj*: **bien/mal ~** with tidy/untidy hair; **~ d'un chapeau** wearing a hat
coiffer [kwafe] *vt* (*fig: surmonter*) to cover, top; **se ~** *vi* to do one's hair; **~ qn** to do sb's hair; **coiffeur, -euse** *nm/f* hairdresser; **coiffeuse** *nf* (*table*) dressing table; **coiffure** *nf* (*cheveux*) hairstyle, hairdo; (*art*): **la coiffure** hairdressing
coin [kwɛ̃] *nm* corner; (*pour coincer*) wedge; **l'épicerie du ~** the local grocer; **dans le ~** (*aux alentours*) in the area, around about; (*habiter*) locally; **je ne suis pas du ~** I'm not from here; **au ~ du feu** by the fireside; **regard en ~** sideways glance
coincé, e [kwɛ̃se] *adj* stuck, jammed; (*fig: inhibé*) inhibited, hung up (*fam*)
coïncidence [kɔɛ̃sidɑ̃s] *nf* coincidence
coing [kwɛ̃] *nm* quince
col [kɔl] *nm* (*de chemise*) collar; (*encolure, cou*) neck; (*de montagne*) pass; **col de l'utérus** cervix; **col roulé** polo-neck
colère [kɔlɛʀ] *nf* anger; **une ~** a fit of anger; **(se mettre) en ~ (contre qn)** (to get) angry (with sb); **coléreux, -euse, colérique** *adj* quick-tempered, irascible
colin [kɔlɛ̃] *nm* hake
colique [kɔlik] *nf* diarrhoea
colis [kɔli] *nm* parcel
collaborer [kɔ(l)labɔʀe] *vi* to collaborate; **~ à** to collaborate on; (*revue*) to contribute to
collant, e [kɔlɑ̃, ɑ̃t] *adj* sticky; (*robe etc*) clinging, skintight; (*péj*) clinging ▷ *nm* (*bas*) tights *pl*; (*de danseur*) leotard
colle [kɔl] *nf* glue; (*à papiers peints*) (wallpaper) paste; (*fam: devinette*) teaser, riddle; (*Scol: fam*) detention
collecte [kɔlɛkt] *nf* collection; **collectif, -ive** *adj* collective; (*visite, billet*) group *cpd*
collection [kɔlɛksjɔ̃] *nf* collection; (*Édition*) series; **collectionner** *vt* to collect; **collectionneur, -euse** *nm/f* collector
collectivité [kɔlɛktivite] *nf* group; **collectivités locales** (*Admin*) local authorities
collège [kɔlɛʒ] *nm* (*école*) (secondary) school; (*assemblée*) body; **collégien** *nm* schoolboy
collègue [kɔ(l)lɛg] *nm/f* colleague
coller [kɔle] *vt* (*papier, timbre*) to stick (on); (*affiche*) to stick up; (*enveloppe*) to stick down; (*morceaux*) to stick *ou* glue together; (*Comput*) to paste; (*fam: mettre, fourrer*) to stick, shove; (*Scol: fam*) to keep in ▷ *vi* (*être collant*) to be sticky; (*adhérer*) to stick; **~ à** to stick to; **être collé à un examen** (*fam*) to fail an exam
collier [kɔlje] *nm* (*bijou*) necklace; (*de chien, Tech*) collar
colline [kɔlin] *nf* hill
collision [kɔlizjɔ̃] *nf* collision, crash; **entrer en ~ (avec)** to collide (with)
collyre [kɔliʀ] *nm* eye drops
colombe [kɔlɔ̃b] *nf* dove
Colombie [kɔlɔ̃bi] *nf*: **la ~** Colombia
colonie [kɔlɔni] *nf* colony; **colonie (de vacances)** holiday camp (*for children*)
colonne [kɔlɔn] *nf* column; **se mettre en ~ par deux** to get into twos; **colonne (vertébrale)** spine, spinal column
colorant [kɔlɔʀɑ̃] *nm* colouring
colorer [kɔlɔʀe] *vt* to colour
colorier [kɔlɔʀje] *vt* to colour (in)
coloris [kɔlɔʀi] *nm* colour, shade
colza [kɔlza] *nm* rape(seed)
coma [kɔma] *nm* coma; **être dans le ~** to be in a coma
combat [kɔ̃ba] *nm* fight, fighting *no pl*; **combat de boxe** boxing match; **combattant** *nm*: **ancien combattant** war veteran; **combattre** *vt* to fight; (*épidémie, ignorance*) to combat, fight against
combien [kɔ̃bjɛ̃] *adv* (*quantité*) how much; (*nombre*) how many; **~ de** (*quantité*) how much; (*nombre*) how many; **~ de temps** how long; **~ ça coûte/pèse?** how much does it cost/weigh?; **on est le ~ aujourd'hui?** (*fam*) what's the date today?
combinaison [kɔ̃binɛzɔ̃] *nf* combination; (*astuce*) scheme; (*de femme*) slip; (*de plongée*) wetsuit; (*bleu de travail*) boiler suit (BRIT), coveralls *pl* (US)
combiné [kɔ̃bine] *nm* (*aussi:* **~ téléphonique**) receiver
comble [kɔ̃bl] *adj* (*salle*) packed (full) ▷ *nm* (*du bonheur, plaisir*) height; **combles** *nmpl* (*Constr*) attic *sg*, loft *sg*; **c'est le ~!** that beats everything!
combler [kɔ̃ble] *vt* (*trou*) to fill in; (*besoin, lacune*) to fill; (*déficit*) to make good; (*satisfaire*) to fulfil
comédie [kɔmedi] *nf* comedy; (*fig*) playacting *no pl*; **faire la ~** (*fam*) to make a fuss; **comédie musicale** musical; **comédien, ne** *nm/f* actor(-tress)
comestible [kɔmɛstibl] *adj* edible
comique [kɔmik] *adj* (*drôle*) comical; (*Théâtre*) comic ▷ *nm* (*artiste*) comic, comedian
commandant [kɔmɑ̃dɑ̃] *nm* (*gén*) commander, commandant; (*Navig, Aviat*) captain
commande [kɔmɑ̃d] *nf* (*Comm*) order; **commandes** *nfpl* (*Aviat etc*) controls; **sur ~** to order; **commander** *vt* (*Comm*) to order; (*diriger, ordonner*) to command; **commander à qn de faire** to command *ou* order sb to do; **je peux commander,**

s'il vous plaît? can I order, please?

MOT-CLÉ

comme [kɔm] *prép* **1** (*comparaison*) like; **tout comme son père** just like his father; **fort comme un bœuf** as strong as an ox; **joli comme tout** ever so pretty
2 (*manière*) like; **faites-le comme ça** do it like this, do it this way; **comme ci, comme ça** so-so, middling; **comme il faut** (*correctement*) properly
3 (*en tant que*) as a; **donner comme prix** to give as a prize; **travailler comme secrétaire** to work as a secretary
▷ *conj* **1** (*ainsi que*) as; **elle écrit comme elle parle** she writes as she talks; **comme si** as if
2 (*au moment où, alors que*) as; **il est parti comme j'arrivais** he left as I arrived
3 (*parce que, puisque*) as; **comme il était en retard, il ...** as he was late, he ...
▷ *adv*: **comme il est fort/c'est bon!** he's so strong/ it's so good!

commencement [kɔmɑ̃smɑ̃] *nm* beginning, start
commencer [kɔmɑ̃se] *vt, vi* to begin, start; **~ à** *ou* **de faire** to begin *ou* start doing
comment [kɔmɑ̃] *adv* how; **~?** (*que dites-vous*) pardon?; **et ~!** and how!
commentaire [kɔmɑ̃tɛʀ] *nm* (*remarque*) comment, remark; (*exposé*) commentary
commerçant, e [kɔmɛʀsɑ̃, ɑ̃t] *nm/f* shopkeeper, trader
commerce [kɔmɛʀs] *nm* (*activité*) trade, commerce; (*boutique*) business; **~ électronique** e-commerce; **~ équitable** fair trade; **commercial, e, -aux** *adj* commercial, trading; (*péj*) commercial; **les commerciaux** the sales people; **commercialiser** *vt* to market
commissaire [kɔmisɛʀ] *nm* (*de police*) ≈ (police) superintendent; **commissaire aux comptes** (*Admin*) auditor; **commissariat** *nm* police station
commission [kɔmisjɔ̃] *nf* (*comité, pourcentage*) commission; (*message*) message; (*course*) errand; **commissions** *nfpl* (*achats*) shopping *sg*
commode [kɔmɔd] *adj* (*pratique*) convenient, handy; (*facile*) easy; (*personne*): **pas ~** awkward (to deal with) ▷ *nf* chest of drawers
commun, e [kɔmœ̃, yn] *adj* common; (*pièce*) communal, shared; (*effort*) joint; **ça sort du ~** it's out of the ordinary; **le ~ des mortels** the common run of people; **en ~** (*faire*) jointly; **mettre en ~** to pool, share; **communs** *nmpl* (*bâtiments*) outbuildings; **d'un ~ accord** by mutual agreement
communauté [kɔmynote] *nf* community
commune [kɔmyn] *nf* (*Admin*) commune, ≈ district; (*: urbaine*) ≈ borough
communication [kɔmynikasjɔ̃] *nf* communication
communier [kɔmynje] *vi* (*Rel*) to receive communion
communion [kɔmynjɔ̃] *nf* communion
communiquer [kɔmynike] *vt* (*nouvelle, dossier*) to pass on, convey; (*peur etc*) to communicate ▷ *vi* to communicate; **se ~ à** (*se propager*) to spread to
communisme [kɔmynism] *nm* communism; **communiste** *adj, nm/f* communist
commutateur [kɔmytatœʀ] *nm* (*Élec*) (change-over) switch, commutator
compact, e [kɔ̃pakt] *adj* (*dense*) dense; (*appareil*) compact
compagne [kɔ̃paɲ] *nf* companion
compagnie [kɔ̃paɲi] *nf* (*firme, Mil*) company; **tenir ~ à qn** to keep sb company; **fausser ~ à qn** to give sb the slip, slip *ou* sneak away from sb; **compagnie aérienne** airline (company)
compagnon [kɔ̃paɲɔ̃] *nm* companion
comparable [kɔ̃paʀabl] *adj*: **~ (à)** comparable (to)
comparaison [kɔ̃paʀɛzɔ̃] *nf* comparison
comparer [kɔ̃paʀe] *vt* to compare; **~ qch/qn à** *ou* **et** (*pour choisir*) to compare sth/sb with *ou* and; (*pour établir une similitude*) to compare sth/sb to
compartiment [kɔ̃paʀtimɑ̃] *nm* compartment; **un ~ non-fumeurs** a non-smoking compartment (BRIT) *ou* car (US)
compas [kɔ̃pɑ] *nm* (*Géom*) (pair of) compasses *pl*; (*Navig*) compass
compatible [kɔ̃patibl] *adj* compatible
compatriote [kɔ̃patʀijɔt] *nm/f* compatriot
compensation [kɔ̃pɑ̃sasjɔ̃] *nf* compensation
compenser [kɔ̃pɑ̃se] *vt* to compensate for, make up for
compétence [kɔ̃petɑ̃s] *nf* competence
compétent, e [kɔ̃petɑ̃, ɑ̃t] *adj* (*apte*) competent, capable
compétition [kɔ̃petisjɔ̃] *nf* (*gén*) competition; (*Sport: épreuve*) event; **la ~ automobile** motor racing
complément [kɔ̃plemɑ̃] *nm* complement; (*reste*) remainder; **complément d'information** (*Admin*) supplementary *ou* further information; **complémentaire** *adj* complementary; (*additionnel*) supplementary
complet, -ète [kɔ̃plɛ, ɛt] *adj* complete; (*plein: hôtel etc*) full ▷ *nm* (*aussi*: **~-veston**) suit; **pain complet** wholemeal bread; **complètement** *adv* completely; **compléter** *vt* (*porter à la quantité voulue*) to complete; (*augmenter: connaissances, études*) to complement, supplement; (*: garde-robe*) to add to
complexe [kɔ̃plɛks] *adj, nm* complex; **complexe hospitalier/industriel** hospital/industrial complex; **complexé, e** *adj* mixed-up, hung-up
complication [kɔ̃plikasjɔ̃] *nf* complexity, intricacy; (*difficulté, ennui*) complication; **complications** *nfpl* (*Méd*) complications
complice [kɔ̃plis] *nm* accomplice
compliment [kɔ̃plimɑ̃] *nm* (*louange*) compliment; **compliments** *nmpl* (*félicitations*) congratulations
compliqué, e [kɔ̃plike] *adj* complicated, complex; (*personne*) complicated
comportement [kɔ̃pɔʀtəmɑ̃] *nm* behaviour
comporter [kɔ̃pɔʀte] *vt* (*consister en*) to consist of, comprise; (*inclure*) to have; **se ~** *vi* to behave
composer [kɔ̃poze] *vt* (*musique, texte*) to compose; (*mélange, équipe*) to make up; (*numéro*) to dial; (*constituer*) to make up, form ▷ *vi* (*transiger*) to come to terms; **se ~ de** to be composed of, be made up of; **compositeur, -trice** *nm/f* (*Mus*) composer; **composition** *nf* composition; (*Scol*) test
composter [kɔ̃pɔste] *vt* (*billet*) to punch
compote [kɔ̃pɔt] *nf* stewed fruit *no pl*; **compote de pommes** stewed apples
compréhensible [kɔ̃pʀeɑ̃sibl] *adj* comprehensible; (*attitude*) understandable
compréhensif, -ive [kɔ̃pʀeɑ̃sif, iv] *adj* understanding
comprendre [kɔ̃pʀɑ̃dʀ] *vt* to understand; (*se composer de*) to comprise, consist of
compresse [kɔ̃pʀɛs] *nf* compress

comprimé [kɔ̃pʀime] *nm* tablet
compris, e [kɔ̃pʀi, iz] *pp de* **comprendre** ▷ *adj* (*inclus*) included; **~ entre** (*situé*) contained between; **l'électricité ~e/non ~e, y/non ~ l'électricité** including/excluding electricity; **100 euros tout ~** 100 euros all inclusive *ou* all-in
comptabilité [kɔ̃tabilite] *nf* (*activité*) accounting, accountancy; (*comptes*) accounts *pl*, books *pl*; (*service*) accounts office
comptable [kɔ̃tabl] *nm/f* accountant
comptant [kɔ̃tɑ̃] *adv*: **payer ~** to pay cash; **acheter ~** to buy for cash
compte [kɔ̃t] *nm* count; (*total, montant*) count, (right) number; (*bancaire, facture*) account; **comptes** *nmpl* (*Finance*) accounts, books; (*fig*) explanation *sg*; **en fin de ~** all things considered; **s'en tirer à bon ~** to get off lightly; **pour le ~ de** on behalf of; **pour son propre ~** for one's own benefit; **régler un ~** (*s'acquitter de qch*) to settle an account; (*se venger*) to get one's own back; **rendre des ~s à qn** (*fig*) to be answerable to sb; **tenir ~ de** to take account of; **travailler à son ~** to work for oneself; **rendre ~ (à qn) de qch** to give (sb) an account of sth; *voir aussi* **rendre**; **compte à rebours** countdown; **compte courant** current account; **compte rendu** account, report; (*de film, livre*) review; **compte-gouttes** *nm inv* dropper
compter [kɔ̃te] *vt* to count; (*facturer*) to charge for; (*avoir à son actif, comporter*) to have; (*prévoir*) to allow, reckon; (*penser, espérer*): **~ réussir** to expect to succeed ▷ *vi* to count; (*être économe*) to economize; (*figurer*): **~ parmi** to be *ou* rank among; **~ sur** to count (up)on; **~ avec qch/qn** to reckon with *ou* take account of sth/sb; **sans ~ que** besides which
compteur [kɔ̃tœʀ] *nm* meter; **compteur de vitesse** speedometer
comptine [kɔ̃tin] *nf* nursery rhyme
comptoir [kɔ̃twaʀ] *nm* (*de magasin*) counter; (*bar*) bar
con, ne [kɔ̃, kɔn] (*fam!*) *adj* damned *ou* bloody (BRIT) stupid (*!*)
concentrer [kɔ̃sɑ̃tʀe] *vt* to concentrate; **se ~** *vi* to concentrate
concerner [kɔ̃sɛʀne] *vt* to concern; **en ce qui me concerne** as far as I am concerned
concert [kɔ̃sɛʀ] *nm* concert; **de ~** (*décider*) unanimously
concessionnaire [kɔ̃sesjɔnɛʀ] *nm/f* agent, dealer
concevoir [kɔ̃s(ə)vwaʀ] *vt* (*idée, projet*) to conceive (of); (*comprendre*) to understand; (*enfant*) to conceive; **bien/mal conçu** well-/badly-designed
concierge [kɔ̃sjɛʀʒ] *nm/f* caretaker
concis, e [kɔ̃si, iz] *adj* concise
conclure [kɔ̃klyʀ] *vt* to conclude; **conclusion** *nf* conclusion
conçois *etc* [kɔ̃swa] *vb voir* **concevoir**
concombre [kɔ̃kɔ̃bʀ] *nm* cucumber
concours [kɔ̃kuʀ] *nm* competition; (*Scol*) competitive examination; (*assistance*) aid, help; **concours de circonstances** combination of circumstances; **concours hippique** horse show
concret, -ète [kɔ̃kʀɛ, ɛt] *adj* concrete
conçu, e [kɔ̃sy] *pp de* **concevoir**
concubinage [kɔ̃kybinaʒ] *nm* (*Jur*) cohabitation
concurrence [kɔ̃kyʀɑ̃s] *nf* competition; **faire ~ à** to be in competition with; **jusqu'à ~ de** up to
concurrent, e [kɔ̃kyʀɑ̃, ɑ̃t] *nm/f* (*Sport, Écon etc*) competitor; (*Scol*) candidate
condamner [kɔ̃dɑne] *vt* (*blâmer*) to condemn; (*Jur*) to sentence; (*porte, ouverture*) to fill in, block up; **~ qn à 2 ans de prison** to sentence sb to 2 years' imprisonment
condensation [kɔ̃dɑ̃sasjɔ̃] *nf* condensation
condition [kɔ̃disjɔ̃] *nf* condition; **conditions** *nfpl* (*tarif, prix*) terms; (*circonstances*) conditions; **sans ~s** unconditionally; **à ~ de** *ou* **que** provided that; **conditionnel, le** *nm* conditional (tense)
conditionnement [kɔ̃disjɔnmɑ̃] *nm* (*emballage*) packaging
condoléances [kɔ̃dɔleɑ̃s] *nfpl* condolences
conducteur, -trice [kɔ̃dyktœʀ, tʀis] *nm/f* driver ▷ *nm* (*Élec etc*) conductor
conduire [kɔ̃dɥiʀ] *vt* to drive; (*délégation, troupeau*) to lead; **se ~** *vi* to behave; **~ à** to lead to; **~ qn quelque part** to take sb somewhere; to drive sb somewhere
conduite [kɔ̃dɥit] *nf* (*comportement*) behaviour; (*d'eau, de gaz*) pipe; **sous la ~ de** led by
confection [kɔ̃fɛksjɔ̃] *nf* (*fabrication*) making; (*Couture*): **la ~** the clothing industry
conférence [kɔ̃feʀɑ̃s] *nf* conference; (*exposé*) lecture; **conférence de presse** press conference
confesser [kɔ̃fese] *vt* to confess; **confession** *nf* confession; (*culte: catholique etc*) denomination
confetti [kɔ̃feti] *nm* confetti *no pl*
confiance [kɔ̃fjɑ̃s] *nf* (*en l'honnêteté de qn*) confidence, trust; (*en la valeur de qch*) faith; **avoir ~ en** to have confidence *ou* faith in, trust; **faire ~ à qn** to trust sb; **mettre qn en ~** to win sb's trust; **confiance en soi** self-confidence
confiant, e [kɔ̃fjɑ̃, jɑ̃t] *adj* confident; trusting
confidence [kɔ̃fidɑ̃s] *nf* confidence; **confidentiel, le** *adj* confidential
confier [kɔ̃fje] *vt*: **~ à qn** (*objet, travail*) to entrust to sb; (*secret, pensée*) to confide to sb; **se ~ à qn** to confide in sb
confirmation [kɔ̃fiʀmasjɔ̃] *nf* confirmation
confirmer [kɔ̃fiʀme] *vt* to confirm
confiserie [kɔ̃fizʀi] *nf* (*magasin*) confectioner's *ou* sweet shop; **confiseries** *nfpl* (*bonbons*) confectionery *sg*
confisquer [kɔ̃fiske] *vt* to confiscate
confit, e [kɔ̃fi, it] *adj*: **fruits ~s** crystallized fruits; **confit d'oie** *nm* conserve of goose
confiture [kɔ̃fityʀ] *nf* jam
conflit [kɔ̃fli] *nm* conflict
confondre [kɔ̃fɔ̃dʀ] *vt* (*jumeaux, faits*) to confuse, mix up; (*témoin, menteur*) to confound; **se ~** *vi* to merge; **se ~ en excuses** to apologize profusely
conforme [kɔ̃fɔʀm] *adj*: **~ à** (*loi, règle*) in accordance with; **conformément** *adv*: **conformément à** in accordance with; **conformer** *vt*: **se conformer à** to conform to
confort [kɔ̃fɔʀ] *nm* comfort; **tout ~** (*Comm*) with all modern conveniences; **confortable** *adj* comfortable
confronter [kɔ̃fʀɔ̃te] *vt* to confront
confus, e [kɔ̃fy, yz] *adj* (*vague*) confused; (*embarrassé*) embarrassed; **confusion** *nf* (*voir confus*) confusion; embarrassment; (*voir confondre*) confusion, mixing up
congé [kɔ̃ʒe] *nm* (*vacances*) holiday; **en ~** on holiday; **semaine/jour de ~** week/day off; **prendre ~ de qn** to take one's leave of sb; **donner son ~ à** to give in one's notice to; **congé de maladie** sick leave; **congé de maternité** maternity leave; **congés payés** paid holiday
congédier [kɔ̃ʒedje] *vt* to dismiss

congélateur [kɔ̃ʒelatœʀ] *nm* freezer
congeler [kɔ̃ʒ(ə)le] *vt* to freeze; **les produits congelés** frozen foods
congestion [kɔ̃ʒɛstjɔ̃] *nf* congestion
Congo [kɔ̃o] *nm*: **le ~** Congo, the Democratic Republic of the Congo
congrès [kɔ̃gʀɛ] *nm* congress
conifère [kɔnifɛʀ] *nm* conifer
conjoint, e [kɔ̃ʒwɛ̃, wɛ̃t] *adj* joint ▷ *nm/f* spouse
conjonctivite [kɔ̃ʒɔ̃ktivit] *nf* conjunctivitis
conjoncture [kɔ̃ʒɔ̃ktyʀ] *nf* circumstances *pl*; **la ~ actuelle** the present (economic) situation
conjugaison [kɔ̃ʒygɛzɔ̃] *nf* (*Ling*) conjugation
connaissance [kɔnɛsɑ̃s] *nf* (*savoir*) knowledge *no pl*; (*personne connue*) acquaintance; **être sans ~** to be unconscious; **perdre/reprendre ~** to lose/regain consciousness; **à ma/sa ~** to (the best of) my/his knowledge; **faire la ~ de qn** to meet sb
connaisseur, -euse [kɔnɛsœʀ, øz] *nm/f* connoisseur
connaître [kɔnɛtʀ] *vt* to know; (*éprouver*) to experience; (*avoir: succès*) to have, enjoy; **~ de nom/ vue** to know by name/sight; **ils se sont connus à Genève** they (first) met in Geneva; **s'y ~ en qch** to know a lot about sth
connecter [kɔnɛkte] *vt* to connect; **se ~ à Internet** to log onto the Internet
connerie [kɔnʀi] (*fam!*) *nf* stupid thing (to do/say)
connexion [kɔnɛksjɔ̃] *nf* connection
connu, e [kɔny] *adj* (*célèbre*) well-known
conquérir [kɔ̃keʀiʀ] *vt* to conquer; **conquête** *nf* conquest
consacrer [kɔ̃sakʀe] *vt* (*employer*) to devote, dedicate; (*Rel*) to consecrate; **se ~ à qch** to dedicate *ou* devote o.s. to sth
conscience [kɔ̃sjɑ̃s] *nf* conscience; **avoir/prendre ~ de** to be/become aware of; **perdre ~** to lose consciousness; **avoir bonne/mauvaise ~** to have a clear/guilty conscience; **consciencieux, -euse** *adj* conscientious; **conscient, e** *adj* conscious
consécutif, -ive [kɔ̃sekytif, iv] *adj* consecutive; **~ à** following upon
conseil [kɔ̃sɛj] *nm* (*avis*) piece of advice; (*assemblée*) council; **des ~s** advice; **prendre ~ (auprès de qn)** to take advice (from sb); **conseil d'administration** board (of directors); **conseil des ministres** ≈ the Cabinet; **conseil municipal** town council
conseiller, -ère [kɔ̃seje, ɛʀ] *nm/f* adviser ▷ *vt* (*personne*) to advise; (*méthode, action*) to recommend, advise; **~ à qn de** to advise sb to; **pouvez-vous me ~ un bon restaurant?** can you suggest a good restaurant?
consentement [kɔ̃sɑ̃tmɑ̃] *nm* consent
consentir [kɔ̃sɑ̃tiʀ] *vt* to agree, consent
conséquence [kɔ̃sekɑ̃s] *nf* consequence; **en ~** (*donc*) consequently; (*de façon appropriée*) accordingly; **conséquent, e** *adj* logical, rational; (*fam: important*) substantial; **par conséquent** consequently
conservateur, -trice [kɔ̃sɛʀvatœʀ, tʀis] *nm/f* (*Pol*) conservative; (*de musée*) curator ▷ *nm* (*pour aliments*) preservative
conservatoire [kɔ̃sɛʀvatwaʀ] *nm* academy
conserve [kɔ̃sɛʀv] *nf* (*gén pl*) canned *ou* tinned (BRIT) food; **en ~** canned, tinned (BRIT)
conserver [kɔ̃sɛʀve] *vt* (*faculté*) to retain, keep; (*amis, livres*) to keep; (*préserver, Culin*) to preserve
considérable [kɔ̃sideʀabl] *adj* considerable, significant, extensive
considération [kɔ̃sideʀasjɔ̃] *nf* consideration; (*estime*) esteem
considérer [kɔ̃sideʀe] *vt* to consider; **~ qch comme** to regard sth as
consigne [kɔ̃siɲ] *nf* (*de gare*) left luggage (office) (BRIT), checkroom (US); (*ordre, instruction*) instructions *pl*; **consigne automatique** left-luggage locker
consister [kɔ̃siste] *vi*: **~ en/à faire** to consist of/in doing
consoler [kɔ̃sɔle] *vt* to console
consommateur, -trice [kɔ̃sɔmatœʀ, tʀis] *nm/f* (*Écon*) consumer; (*dans un café*) customer
consommation [kɔ̃sɔmasjɔ̃] *nf* (*boisson*) drink; (*Écon*) consumption; **de ~** (*biens, sociétés*) consumer *cpd*
consommer [kɔ̃sɔme] *vt* (*suj: personne*) to eat *ou* drink, consume; (*: voiture, machine*) to use, consume; (*mariage*) to consummate ▷ *vi* (*dans un café*) to (have a) drink
consonne [kɔ̃sɔn] *nf* consonant
constamment [kɔ̃stamɑ̃] *adv* constantly
constant, e [kɔ̃stɑ̃, ɑ̃t] *adj* constant; (*personne*) steadfast
constat [kɔ̃sta] *nm* (*de police, d'accident*) report; **~ (à l')amiable** *jointly-agreed statement for insurance purposes*; **~ d'échec** acknowledgement of failure
constatation [kɔ̃statasjɔ̃] *nf* (*observation*) (observed) fact, observation
constater [kɔ̃state] *vt* (*remarquer*) to note; (*Admin, Jur: attester*) to certify
consterner [kɔ̃stɛʀne] *vt* to dismay
constipé, e [kɔ̃stipe] *adj* constipated
constitué, e [kɔ̃stitɥe] *adj*: **~ de** made up *ou* composed of
constituer [kɔ̃stitɥe] *vt* (*équipe*) to set up; (*dossier, collection*) to put together; (*suj: éléments: composer*) to make up, constitute; (*représenter, être*) to constitute; **se ~ prisonnier** to give o.s. up
constructeur, -trice [kɔ̃stʀyktœʀ, tʀis] *nm/f* manufacturer, builder
constructif, -ive [kɔ̃stʀyktif, iv] *adj* constructive
construction [kɔ̃stʀyksjɔ̃] *nf* construction, building
construire [kɔ̃stʀɥiʀ] *vt* to build, construct
consul [kɔ̃syl] *nm* consul; **consulat** *nm* consulate
consultant [kɔ̃syltɑ̃] *adj, nm* consultant
consultation [kɔ̃syltasjɔ̃] *nf* consultation; **heures de ~** (*Méd*) surgery (BRIT) *ou* office (US) hours
consulter [kɔ̃sylte] *vt* to consult ▷ *vi* (*médecin*) to hold surgery (BRIT), be in (the office) (US)
contact [kɔ̃takt] *nm* contact; **au ~ de** (*air, peau*) on contact with; (*gens*) through contact with; **mettre/couper le ~** (*Auto*) to switch on/off the ignition; **entrer en** *ou* **prendre ~ avec** to get in touch *ou* contact with; **contacter** *vt* to contact, get in touch with
contagieux, -euse [kɔ̃taʒjø, jøz] *adj* infectious; (*par le contact*) contagious
contaminer [kɔ̃tamine] *vt* to contaminate
conte [kɔ̃t] *nm* tale; **conte de fées** fairy tale
contempler [kɔ̃tɑ̃ple] *vt* to contemplate, gaze at
contemporain, e [kɔ̃tɑ̃pɔʀɛ̃, ɛn] *adj, nm/f* contemporary
contenir [kɔ̃t(ə)niʀ] *vt* to contain; (*avoir une capacité de*) to hold
content, e [kɔ̃tɑ̃, ɑ̃t] *adj* pleased, glad; **~ de** pleased with; **contenter** *vt* to satisfy, please; **se contenter de** to content o.s. with

contenu [kɔ̃t(ə)ny] *nm* (*d'un récipient*) contents *pl*; (*d'un texte*) content
conter [kɔ̃te] *vt* to recount, relate
conteste [kɔ̃tɛst]: **sans ~** *adv* unquestionably, indisputably; **contester** *vt* to question ▷ *vi* (*Pol, gén*) rebel (against established authority)
contexte [kɔ̃tɛkst] *nm* context
continent [kɔ̃tinɑ̃] *nm* continent
continu, e [kɔ̃tiny] *adj* continuous; **faire la journée ~e** to work without taking a full lunch break; **(courant) continu** direct current, DC
continuel, le [kɔ̃tinɥɛl] *adj* (*qui se répète*) constant, continual; (*continu*) continuous
continuer [kɔ̃tinɥe] *vt* (*travail, voyage etc*) to continue (with), carry on (with), go on (with); (*prolonger: alignement, rue*) to continue ▷ *vi* (*vie, bruit*) to continue, go on; **~ à** *ou* **de faire** to go on *ou* continue doing
contourner [kɔ̃tuʀne] *vt* to go round; (*difficulté*) to get round
contraceptif, -ive [kɔ̃tʀasɛptif, iv] *adj, nm* contraceptive; **contraception** *nf* contraception
contracté, e [kɔ̃tʀakte] *adj* tense
contracter [kɔ̃tʀakte] *vt* (*muscle etc*) to tense, contract; (*maladie, dette*) to contract; (*assurance*) to take out; **se ~** *vi* (*muscles*) to contract
contractuel, le [kɔ̃tʀaktɥɛl] *nm/f* (*agent*) traffic warden
contradiction [kɔ̃tʀadiksjɔ̃] *nf* contradiction; **contradictoire** *adj* contradictory, conflicting
contraignant, e [kɔ̃tʀɛɲɑ̃, ɑ̃t] *adj* restricting
contraindre [kɔ̃tʀɛ̃dʀ] *vt*: **~ qn à faire** to compel sb to do; **contrainte** *nf* constraint
contraire [kɔ̃tʀɛʀ] *adj, nm* opposite; **~ à** contrary to; **au ~** on the contrary
contrarier [kɔ̃tʀaʀje] *vt* (*personne: irriter*) to annoy; (*fig: projets*) to thwart, frustrate; **contrariété** *nf* annoyance
contraste [kɔ̃tʀast] *nm* contrast
contrat [kɔ̃tʀa] *nm* contract
contravention [kɔ̃tʀavɑ̃sjɔ̃] *nf* parking ticket
contre [kɔ̃tʀ] *prép* against; (*en échange*) (in exchange) for; **par ~** on the other hand
contrebande [kɔ̃tʀəbɑ̃d] *nf* (*trafic*) contraband, smuggling; (*marchandise*) contraband, smuggled goods *pl*; **faire la ~ de** to smuggle
contrebas [kɔ̃tʀəbɑ]: **en ~** *adv* (down) below
contrebasse [kɔ̃tʀəbɑs] *nf* (double) bass
contre...: **contrecoup** *nm* repercussions *pl*; **contredire** *vt* (*personne*) to contradict; (*faits*) to refute
contrefaçon [kɔ̃tʀəfasɔ̃] *nf* forgery
contre...: **contre-indication** (*pl* **contre-indications**) *nf* (*Méd*) contra-indication; **"contre-indication en cas d'eczéma"** "should not be used by people with eczema"; **contre-indiqué, e** *adj* (*Méd*) contraindicated; (*déconseillé*) unadvisable, ill-advised
contremaître [kɔ̃tʀəmɛtʀ] *nm* foreman
contre-plaqué [kɔ̃tʀəplake] *nm* plywood
contresens [kɔ̃tʀəsɑ̃s] *nm* (*erreur*) misinterpretation; (*de traduction*) mistranslation; **à ~** the wrong way
contretemps [kɔ̃tʀətɑ̃] *nm* hitch; **à ~** (*fig*) at an inopportune moment
contribuer [kɔ̃tʀibɥe]: **~ à** *vt* to contribute towards; **contribution** *nf* contribution; **mettre à contribution** to call upon; **contributions directes/indirectes** direct/indirect taxation

contrôle [kɔ̃tʀol] *nm* checking *no pl*, check; (*des prix*) monitoring, control; (*test*) test, examination; **perdre le ~ de** (*véhicule*) to lose control of; **contrôle continu** (*Scol*) continuous assessment; **contrôle d'identité** identity check
contrôler [kɔ̃tʀole] *vt* (*vérifier*) to check; (*surveiller: opérations*) to supervise; (*: prix*) to monitor, control; (*maîtriser, Comm: firme*) to control; **contrôleur, -euse** *nm/f* (*de train*) (ticket) inspector; (*de bus*) (bus) conductor(-tress)
controversé, e [kɔ̃tʀɔvɛʀse] *adj* (*personnage, question*) controversial
contusion [kɔ̃tyzjɔ̃] *nf* bruise, contusion
convaincre [kɔ̃vɛ̃kʀ] *vt*: **~ qn (de qch)** to convince sb (of sth); **~ qn (de faire)** to persuade sb (to do)
convalescence [kɔ̃valesɑ̃s] *nf* convalescence
convenable [kɔ̃vnabl] *adj* suitable; (*assez bon, respectable*) decent
convenir [kɔ̃vniʀ] *vi* to be suitable; **~ à** to suit; **~ de** (*bien-fondé de qch*) to admit (to), acknowledge; (*date, somme etc*) to agree upon; **~ que** (*admettre*) to admit that; **~ de faire** to agree to do
convention [kɔ̃vɑ̃sjɔ̃] *nf* convention; **conventions** *nfpl* (*convenances*) convention *sg*; **convention collective** (*Écon*) collective agreement; **conventionné, e** *adj* (*Admin*) *applying charges laid down by the state*
convenu, e [kɔ̃vny] *pp de* **convenir** ▷ *adj* agreed
conversation [kɔ̃vɛʀsasjɔ̃] *nf* conversation
convertir [kɔ̃vɛʀtiʀ] *vt*: **~ qn (à)** to convert sb (to); **se ~ (à)** to be converted (to); **~ qch en** to convert sth into
conviction [kɔ̃viksjɔ̃] *nf* conviction
convienne *etc* [kɔ̃vjɛn] *vb voir* **convenir**
convivial, e, -aux [kɔ̃vivjal, jo] *adj* (*Inform*) user-friendly
convocation [kɔ̃vɔkasjɔ̃] *nf* (*document*) notification to attend; (*: Jur*) summons *sg*
convoquer [kɔ̃vɔke] *vt* (*assemblée*) to convene; (*subordonné*) to summon; (*candidat*) to ask to attend
coopération [kɔɔpeʀasjɔ̃] *nf* co-operation; (*Admin*): **la C~** ≈ Voluntary Service Overseas (BRIT), ≈ Peace Corps (US)
coopérer [kɔɔpeʀe] *vi*: **~ (à)** to co-operate (in)
coordonné, e [kɔɔʀdɔne] *adj* coordinated; **coordonnées** *nfpl* (*adresse etc*) address and telephone number
coordonner [kɔɔʀdɔne] *vt* to coordinate
copain [kɔpɛ̃] (*fam*) *nm* mate, pal; (*petit ami*) boyfriend
copie [kɔpi] *nf* copy; (*Scol*) script, paper; **copier** *vt, vi* to copy; **copier coller** (*Comput*) copy and paste; **copier sur** to copy from; **copieur** *nm* (photo)copier
copieux, -euse [kɔpjø, jøz] *adj* copious
copine [kɔpin] (*fam*) *nf* mate, pal; (*petite amie*) girlfriend
coq [kɔk] *nm* cock, rooster
coque [kɔk] *nf* (*de noix, mollusque*) shell; (*de bateau*) hull; **à la ~** (*Culin*) (soft-)boiled
coquelicot [kɔkliko] *nm* poppy
coqueluche [kɔklyʃ] *nf* whooping-cough
coquet, te [kɔkɛ, ɛt] *adj* appearance-conscious; (*logement*) smart, charming
coquetier [kɔk(ə)tje] *nm* egg-cup
coquillage [kɔkijaʒ] *nm* (*mollusque*) shellfish *inv*; (*coquille*) shell
coquille [kɔkij] *nf* shell; (*Typo*) misprint; **coquille St Jacques** scallop
coquin, e [kɔkɛ̃, in] *adj* mischievous, roguish;

(*polisson*) naughty
cor [kɔʀ] *nm* (*Mus*) horn; (*Méd*): **~ (au pied)** corn
corail, -aux [kɔʀaj, o] *nm* coral *no pl*
Coran [kɔʀɑ̃] *nm*: **le ~** the Koran
corbeau, x [kɔʀbo] *nm* crow
corbeille [kɔʀbɛj] *nf* basket; **corbeille à papier** waste paper basket *ou* bin
corde [kɔʀd] *nf* rope; (*de violon, raquette*) string; **usé jusqu'à la ~** threadbare; **corde à linge** washing *ou* clothes line; **corde à sauter** skipping rope; **cordes vocales** vocal cords; **cordée** *nf* (*d'alpinistes*) rope, roped party
cordialement [kɔʀdjalmɑ̃] *adv* (*formule épistolaire*) (kind) regards
cordon [kɔʀdɔ̃] *nm* cord, string; **cordon de police** police cordon; **cordon ombilical** umbilical cord
cordonnerie [kɔʀdɔnʀi] *nf* shoe repairer's (shop); **cordonnier** *nm* shoe repairer
Corée [kɔʀe] *nf*: **la ~ du Sud/du Nord** South/North Korea
coriace [kɔʀjas] *adj* tough
corne [kɔʀn] *nf* horn; (*de cerf*) antler
cornée [kɔʀne] *nf* cornea
corneille [kɔʀnɛj] *nf* crow
cornemuse [kɔʀnəmyz] *nf* bagpipes *pl*
cornet [kɔʀnɛ] *nm* (paper) cone; (*de glace*) cornet, cone
corniche [kɔʀniʃ] *nf* (*route*) coast road
cornichon [kɔʀniʃɔ̃] *nm* gherkin
Cornouailles [kɔʀnwaj] *nf* Cornwall
corporel, le [kɔʀpɔʀɛl] *adj* bodily; (*punition*) corporal
corps [kɔʀ] *nm* body; **à ~ perdu** headlong; **prendre ~** to take shape; **corps électoral** the electorate; **corps enseignant** the teaching profession
correct, e [kɔʀɛkt] *adj* correct; (*fam: acceptable: salaire, hôtel*) reasonable, decent; **correcteur, -trice** *nm/f* (*Scol*) examiner; **correction** *nf* (*voir corriger*) correction; (*voir correct*) correctness; (*coups*) thrashing
correspondance [kɔʀɛspɔ̃dɑ̃s] *nf* correspondence; (*de train, d'avion*) connection; **cours par ~** correspondence course; **vente par ~** mail-order business
correspondant, e [kɔʀɛspɔ̃dɑ̃, ɑ̃t] *nm/f* correspondent; (*Tél*) person phoning (*ou* being phoned)
correspondre [kɔʀɛspɔ̃dʀ] *vi* to correspond, tally; **~ à** to correspond to; **~ avec qn** to correspond with sb
corrida [kɔʀida] *nf* bullfight
corridor [kɔʀidɔʀ] *nm* corridor
corrigé [kɔʀiʒe] *nm* (*Scol: d'exercice*) correct version
corriger [kɔʀiʒe] *vt* (*devoir*) to correct; (*punir*) to thrash; **~ qn de** (*défaut*) to cure sb of
corrompre [kɔʀɔ̃pʀ] *vt* to corrupt; (*acheter: témoin etc*) to bribe
corruption [kɔʀypsjɔ̃] *nf* corruption; (*de témoins*) bribery
corse [kɔʀs] *adj, nm/f* Corsican ▷ *nf*: **la C~** Corsica
corsé, e [kɔʀse] *adj* (*café*) full-flavoured; (*sauce*) spicy; (*problème*) tough
cortège [kɔʀtɛʒ] *nm* procession
cortisone [kɔʀtizɔn] *nf* cortisone
corvée [kɔʀve] *nf* chore, drudgery *no pl*
cosmétique [kɔsmetik] *nm* beauty care product
cosmopolite [kɔsmɔpɔlit] *adj* cosmopolitan
costaud, e [kɔsto, od] (*fam*) *adj* strong, sturdy
costume [kɔstym] *nm* (*d'homme*) suit; (*de théâtre*) costume; **costumé, e** *adj* dressed up; **bal costumé** fancy dress ball
cote [kɔt] *nf* (*en Bourse*) quotation; **cote d'alerte** danger *ou* flood level; **cote de popularité** (popularity) rating
côte [kot] *nf* (*rivage*) coast(line); (*pente*) hill; (*Anat*) rib; (*d'un tricot, tissu*) rib, ribbing *no pl*; **~ à ~** side by side; **la Côte (d'Azur)** the (French) Riviera
côté [kote] *nm* (*gén*) side; (*direction*) way, direction; **de chaque ~ (de)** on each side (of); **de tous les ~s** from all directions; **de quel ~ est-il parti?** which way did he go?; **de ce/de l'autre ~** this/the other way; **du ~ de** (*provenance*) from; (*direction*) towards; (*proximité*) near; **de ~** (*regarder*) sideways; **mettre qch de ~** to put sth aside; **mettre de l'argent de ~** to save some money; **à ~** (right) nearby; (*voisins*) next door; **à ~ de** beside, next to; (*en comparaison*) compared to; **être aux ~s de** to be by the side of
Côte d'Ivoire [kotdivwaʀ] *nf*: **la Côte d'Ivoire** Côte d'Ivoire, the Ivory Coast
côtelette [kotlɛt] *nf* chop
côtier, -ière [kotje, jɛʀ] *adj* coastal
cotisation [kɔtizasjɔ̃] *nf* subscription, dues *pl*; (*pour une pension*) contributions *pl*
cotiser [kɔtize] *vi*: **~ (à)** to pay contributions (to); **se ~** *vi* to club together
coton [kɔtɔ̃] *nm* cotton; **coton hydrophile** cotton wool (BRIT), absorbent cotton (US); **Coton-tige®** *nm* cotton bud
cou [ku] *nm* neck
couchant [kuʃɑ̃] *adj*: **soleil ~** setting sun
couche [kuʃ] *nf* layer; (*de peinture, vernis*) coat; (*de bébé*) nappy (BRIT), diaper (US); **couches sociales** social levels *ou* strata
couché, e [kuʃe] *adj* lying down; (*au lit*) in bed
coucher [kuʃe] *vt* (*personne*) to put to bed; (*: loger*) to put up; (*objet*) to lay on its side ▷ *vi* to sleep; **~ avec qn** to sleep with sb; **se ~** *vi* (*pour dormir*) to go to bed; (*pour se reposer*) to lie down; (*soleil*) to set; **coucher de soleil** sunset
couchette [kuʃɛt] *nf* couchette; (*pour voyageur, sur bateau*) berth
coucou [kuku] *nm* cuckoo
coude [kud] *nm* (*Anat*) elbow; (*de tuyau, de la route*) bend; **~ à ~** shoulder to shoulder, side by side
coudre [kudʀ] *vt* (*bouton*) to sew on ▷ *vi* to sew
couette [kwɛt] *nf* duvet, quilt; **couettes** *nfpl* (*cheveux*) bunches
couffin [kufɛ̃] *nm* Moses basket
couler [kule] *vi* to flow, run; (*fuir: stylo, récipient*) to leak; (*nez*) to run; (*sombrer: bateau*) to sink ▷ *vt* (*cloche, sculpture*) to cast; (*bateau*) to sink; (*faire échouer: personne*) to bring down
couleur [kulœʀ] *nf* colour (BRIT), color (US); (*Cartes*) suit; **film/télévision en ~s** colo(u)r film/television; **de ~** (*homme, femme: vieilli*) colo(u)red
couleuvre [kulœvʀ] *nf* grass snake
coulisses [kulis] *nfpl* (*Théâtre*) wings; (*fig*): **dans les ~** behind the scenes
couloir [kulwaʀ] *nm* corridor, passage; (*d'avion*) aisle; (*de bus*) gangway; **~ aérien/de navigation** air/shipping lane
coup [ku] *nm* (*heurt, choc*) knock; (*affectif*) blow, shock; (*agressif*) blow; (*avec arme à feu*) shot; (*de l'horloge*) stroke; (*tennis, golf*) stroke; (*boxe*) blow; (*fam: fois*) time; **donner un ~ de balai** to give the floor a sweep; **boire un ~** (*fam*) to have a drink; **être dans le ~** (*impliqué*) to be in on it; (*à la page*) to be hip *ou* trendy; **du ~ ...** as a result; **d'un seul**

~ (*subitement*) suddenly; (*à la fois*) at one go; **du premier ~** first time; **du même ~** at the same time; **à tous les ~s** (*fam*) every time; **tenir le ~** to hold out; **après ~** afterwards; **à ~ sûr** definitely, without fail; **~ sur ~** in quick succession; **sur le ~** outright; **sous le ~ de** (*surprise etc*) under the influence of; **coup de chance** stroke of luck; **coup de coude** nudge (with the elbow); **coup de couteau** stab (of a knife); **coup d'envoi** kick-off; **coup d'essai** first attempt; **coup d'État** coup; **coup de feu** shot; **coup de filet** (*Police*) haul; **coup de foudre** (*fig*) love at first sight; **coup de frein** (sharp) braking *no pl*; **coup de grâce** coup de grâce, death blow; **coup de main**: **donner un coup de main à qn** to give sb a (helping) hand; **coup d'œil** glance; **coup de pied** kick; **coup de poing** punch; **coup de soleil** sunburn *no pl*; **coup de sonnette** ring of the bell; **coup de téléphone** phone call; **coup de tête** (*fig*) (sudden) impulse; **coup de théâtre** (*fig*) dramatic turn of events; **coup de tonnerre** clap of thunder; **coup de vent** gust of wind; **en coup de vent** (*rapidement*) in a tearing hurry; **coup franc** free kick

coupable [kupabl] *adj* guilty ▷ *nm/f* (*gén*) culprit; (*Jur*) guilty party

coupe [kup] *nf* (*verre*) goblet; (*à fruits*) dish; (*Sport*) cup; (*de cheveux, de vêtement*) cut; (*graphique, plan*) (cross) section

couper [kupe] *vt* to cut; (*retrancher*) to cut (out); (*route, courant*) to cut off; (*appétit*) to take away; (*vin à table*) to dilute ▷ *vi* to cut; (*prendre un raccourci*) to take a short-cut; **se ~** *vi* (*se blesser*) to cut o.s.; **~ la parole à qn** to cut sb short; **nous avons été coupés** we've been cut off

couple [kupl] *nm* couple

couplet [kuplɛ] *nm* verse

coupole [kupɔl] *nf* dome

coupon [kupɔ̃] *nm* (*ticket*) coupon; (*reste de tissu*) remnant

coupure [kupyʀ] *nf* cut; (*billet de banque*) note; (*de journal*) cutting; **coupure de courant** power cut

cour [kuʀ] *nf* (*de ferme, jardin*) (court)yard; (*d'immeuble*) back yard; (*Jur, royale*) court; **faire la ~ à qn** to court sb; **cour d'assises** court of assizes; **cour de récréation** playground

courage [kuʀaʒ] *nm* courage, bravery; **courageux, -euse** *adj* brave, courageous

couramment [kuʀamɑ̃] *adv* commonly; (*parler*) fluently

courant, e [kuʀɑ̃, ɑ̃t] *adj* (*fréquent*) common; (*Comm, gén: normal*) standard; (*en cours*) current ▷ *nm* current; (*fig*) movement; (*: d'opinion*) trend; **être au ~ (de)** (*fait, nouvelle*) to know (about); **mettre qn au ~ (de)** to tell sb (about); (*nouveau travail etc*) to teach sb the basics (of); **se tenir au ~ (de)** (*techniques etc*) to keep o.s. up-to-date (on); **dans le ~ de** (*pendant*) in the course of; **le 10 ~** (*Comm*) the 10th inst.; **courant d'air** draught; **courant électrique** (electric) current, power

courbature [kuʀbatyʀ] *nf* ache

courbe [kuʀb] *adj* curved ▷ *nf* curve

coureur, -euse [kuʀœʀ, øz] *nm/f* (*Sport*) runner (*ou* driver); (*péj*) womanizer; manhunter

courge [kuʀʒ] *nf* (*Culin*) marrow; **courgette** *nf* courgette (BRIT), zucchini (US)

courir [kuʀiʀ] *vi* to run ▷ *vt* (*Sport: épreuve*) to compete in; (*risque*) to run; (*danger*) to face; **~ les magasins** to go round the shops; **le bruit court que** the rumour is going round that

couronne [kuʀɔn] *nf* crown; (*de fleurs*) wreath, circlet

courons *etc* [kuʀɔ̃] *vb voir* **courir**

courriel [kuʀjɛl] *nm* e-mail

courrier [kuʀje] *nm* mail, post; (*lettres à écrire*) letters *pl*; **est-ce que j'ai du ~?** are there any letters for me?; **courrier électronique** e-mail

courroie [kuʀwa] *nf* strap; (*Tech*) belt

courrons *etc* [kuʀɔ̃] *vb voir* **courir**

cours [kuʀ] *nm* (*leçon*) class; (*: particulier*) lesson; (*série de leçons, cheminement*) course; (*écoulement*) flow; (*Comm: de devises*) rate; (*: de denrées*) price; **donner libre ~ à** to give free expression to; **avoir ~** (*Scol*) to have a class *ou* lecture; **en ~** (*année*) current; (*travaux*) in progress; **en ~ de route** on the way; **au ~ de** in the course of, during; **le ~ de change** the exchange rate; **cours d'eau** waterway; **cours du soir** night school

course [kuʀs] *nf* running; (*Sport: épreuve*) race; (*d'un taxi*) journey, trip; (*commission*) errand; **courses** *nfpl* (*achats*) shopping *sg*; **faire des ~s** to do some shopping

court, e [kuʀ, kuʀt(ə)] *adj* short ▷ *adv* short ▷ *nm*: **~ (de tennis)** (tennis) court; **à ~ de** short of; **prendre qn de ~** to catch sb unawares; **court-circuit** *nm* short-circuit

courtoisie [kuʀtwazi] *nf* courtesy

couru, e [kuʀy] *pp de* **courir**

cousais *etc* [kuzɛ] *vb voir* **coudre**

couscous [kuskus] *nm* couscous

cousin, e [kuzɛ̃, in] *nm/f* cousin

coussin [kusɛ̃] *nm* cushion

cousu, e [kuzy] *pp de* **coudre**

coût [ku] *nm* cost; **le ~ de la vie** the cost of living

couteau, x [kuto] *nm* knife

coûter [kute] *vt, vi* to cost; **combien ça coûte?** how much is it?, what does it cost?; **ça coûte trop cher** it's too expensive; **coûte que coûte** at all costs; **coûteux, -euse** *adj* costly, expensive

coutume [kutym] *nf* custom

couture [kutyʀ] *nf* sewing; (*profession*) dressmaking; (*points*) seam; **couturier** *nm* fashion designer; **couturière** *nf* dressmaker

couvent [kuvɑ̃] *nm* (*de sœurs*) convent; (*de frères*) monastery

couver [kuve] *vt* to hatch; (*maladie*) to be coming down with ▷ *vi* (*feu*) to smoulder; (*révolte*) to be brewing

couvercle [kuvɛʀkl] *nm* lid; (*de bombe aérosol etc, qui se visse*) cap, top

couvert, e [kuvɛʀ, ɛʀt] *pp de* **couvrir** ▷ *adj* (*ciel*) overcast ▷ *nm* place setting; (*place à table*) place; **couverts** *nmpl* (*ustensiles*) cutlery *sg*; **~ de** covered with *ou* in; **mettre le ~** to lay the table

couverture [kuvɛʀtyʀ] *nf* blanket; (*de livre, assurance, fig*) cover; (*presse*) coverage

couvre-lit [kuvʀəli] *nm* bedspread

couvrir [kuvʀiʀ] *vt* to cover; **se ~** *vi* (*s'habiller*) to cover up; (*se coiffer*) to put on one's hat; (*ciel*) to cloud over

cow-boy [kobɔj] *nm* cowboy

crabe [kʀɑb] *nm* crab

cracher [kʀaʃe] *vi, vt* to spit

crachin [kʀaʃɛ̃] *nm* drizzle

craie [kʀɛ] *nf* chalk

craindre [kʀɛ̃dʀ] *vt* to fear, be afraid of; (*être sensible à: chaleur, froid*) to be easily damaged by

crainte [kʀɛ̃t] *nf* fear; **de ~ de/que** for fear of/that; **craintif, -ive** *adj* timid

crampe [kʀɑ̃p] *nf* cramp; **j'ai une ~ à la jambe** I've

got cramp in my leg
cramponner [kʀɑ̃pɔne] *vb*: **se ~ (à)** to hang *ou* cling on (to)
cran [kʀɑ̃] *nm* (*entaille*) notch; (*de courroie*) hole; (*fam: courage*) guts *pl*
crâne [kʀɑn] *nm* skull
crapaud [kʀapo] *nm* toad
craquement [kʀakmɑ̃] *nm* crack, snap; (*du plancher*) creak, creaking *no pl*
craquer [kʀake] *vi* (*bois, plancher*) to creak; (*fil, branche*) to snap; (*couture*) to come apart; (*fig: accusé*) to break down; (*: fam*) to crack up ▷ *vt* (*allumette*) to strike; **j'ai craqué** (*fam*) I couldn't resist it
crasse [kʀas] *nf* grime, filth; **crasseux, -euse** *adj* grimy, filthy
cravache [kʀavaʃ] *nf* (riding) crop
cravate [kʀavat] *nf* tie
crawl [kʀol] *nm* crawl; **dos ~é** backstroke
crayon [kʀɛjɔ̃] *nm* pencil; **crayon à bille** ball-point pen; **crayon de couleur** crayon, colouring pencil; **crayon-feutre** (*pl* **crayons-feutres**) *nm* felt(-tip) pen
création [kʀeasjɔ̃] *nf* creation
crèche [kʀɛʃ] *nf* (*de Noël*) crib; (*garderie*) crèche, day nursery
crédit [kʀedi] *nm* (*gén*) credit; **crédits** *nmpl* (*fonds*) funds; **payer/acheter à ~** to pay/buy on credit *ou* on easy terms; **faire ~ à qn** to give sb credit; **créditer** *vt*: **créditer un compte (de)** to credit an account (with)
créer [kʀee] *vt* to create
crémaillère [kʀemajɛʀ] *nf*: **pendre la ~** to have a house-warming party
crème [kʀɛm] *nf* cream; (*entremets*) cream dessert ▷ *adj inv* cream(-coloured); **un (café) ~** ≈ a white coffee; **crème anglaise** (egg) custard; **crème Chantilly** whipped cream; **crème à raser** shaving cream; **crème solaire** suntan lotion
créneau, x [kʀeno] *nm* (*de fortification*) crenel(le); (*dans marché*) gap, niche; (*Auto*): **faire un ~** to reverse into a parking space (*between two cars alongside the kerb*)
crêpe [kʀɛp] *nf* (*galette*) pancake ▷ *nm* (*tissu*) crêpe; **crêperie** *nf* pancake shop *ou* restaurant
crépuscule [kʀepyskyl] *nm* twilight, dusk
cresson [kʀesɔ̃] *nm* watercress
creuser [kʀøze] *vt* (*trou, tunnel*) to dig; (*sol*) to dig a hole in; (*fig*) to go (deeply) into; **ça creuse** that gives you a real appetite; **se ~ la cervelle** (*fam*) to rack one's brains
creux, -euse [kʀø, kʀøz] *adj* hollow ▷ *nm* hollow; **heures creuses** slack periods; (*électricité, téléphone*) off-peak periods; **avoir un ~** (*fam*) to be hungry
crevaison [kʀəvɛzɔ̃] *nf* puncture
crevé, e [kʀəve] (*fam*) *adj* (*fatigué*) shattered (BRIT), exhausted
crever [kʀəve] *vt* (*ballon*) to burst ▷ *vi* (*pneu*) to burst; (*automobiliste*) to have a puncture (BRIT) *ou* a flat (tire) (US); (*fam*) to die
crevette [kʀəvɛt] *nf*: **~ (rose)** prawn; **crevette grise** shrimp
cri [kʀi] *nm* cry, shout; (*d'animal: spécifique*) cry, call; **c'est le dernier ~** (*fig*) it's the latest fashion
criard, e [kʀijaʀ, kʀijaʀd] *adj* (*couleur*) garish, loud; (*voix*) yelling
cric [kʀik] *nm* (*Auto*) jack
crier [kʀije] *vi* (*pour appeler*) to shout, cry (out); (*de douleur etc*) to scream, yell ▷ *vt* (*injure*) to shout (out), yell (out)
crime [kʀim] *nm* crime; (*meurtre*) murder; **criminel, le** *nm/f* criminal; (*assassin*) murderer
crin [kʀɛ̃] *nm* (*de cheval*) hair *no pl*
crinière [kʀinjɛʀ] *nf* mane
crique [kʀik] *nf* creek, inlet
criquet [kʀikɛ] *nm* grasshopper
crise [kʀiz] *nf* crisis; (*Méd*) attack; (*: d'épilepsie*) fit; **piquer une ~ de nerfs** to go hysterical; **crise cardiaque** heart attack; **crise de foie**: **avoir une crise de foie** to have really bad indigestion
cristal, -aux [kʀistal, o] *nm* crystal
critère [kʀitɛʀ] *nm* criterion
critiquable [kʀitikabl] *adj* open to criticism
critique [kʀitik] *adj* critical ▷ *nm/f* (*de théâtre, musique*) critic ▷ *nf* criticism; (*Théâtre etc: article*) review
critiquer [kʀitike] *vt* (*dénigrer*) to criticize; (*évaluer*) to assess, examine (critically)
croate [kʀɔat] *adj* Croatian ▷ *nm/f*: **C~** Croat, Croatian
Croatie [kʀɔasi] *nf*: **la ~** Croatia
crochet [kʀɔʃɛ] *nm* hook; (*détour*) detour; (*Tricot: aiguille*) crochet hook; (*: technique*) crochet; **vivre aux ~s de qn** to live *ou* sponge off sb
crocodile [kʀɔkɔdil] *nm* crocodile
croire [kʀwaʀ] *vt* to believe; **se ~ fort** to think one is strong; **~ que** to believe *ou* think that; **~ à, ~ en** to believe in
croisade [kʀwazad] *nf* crusade
croisement [kʀwazmɑ̃] *nm* (*carrefour*) crossroads *sg*; (*Bio*) crossing; (*: résultat*) crossbreed
croiser [kʀwaze] *vt* (*personne, voiture*) to pass; (*route*) to cross, cut across; (*Bio*) to cross; **se ~** *vi* (*personnes, véhicules*) to pass each other; (*routes, lettres*) to cross; (*regards*) to meet; **~ les jambes/bras** to cross one's legs/fold one's arms
croisière [kʀwazjɛʀ] *nf* cruise
croissance [kʀwasɑ̃s] *nf* growth
croissant [kʀwasɑ̃] *nm* (*à manger*) croissant; (*motif*) crescent
croître [kʀwatʀ] *vi* to grow
croix [kʀwa] *nf* cross; **la Croix Rouge** the Red Cross
croque-monsieur [kʀɔkməsjø] *nm inv* toasted ham and cheese sandwich
croquer [kʀɔke] *vt* (*manger*) to crunch; (*: fruit*) to munch; (*dessiner*) to sketch; **chocolat à croquer** plain dessert chocolate
croquis [kʀɔki] *nm* sketch
crotte [kʀɔt] *nf* droppings *pl*; **crottin** *nm* dung, manure; (*fromage*) (small round) cheese (*made of goat's milk*)
croustillant, e [kʀustijɑ̃, ɑ̃t] *adj* crisp
croûte [kʀut] *nf* crust; (*du fromage*) rind; (*Méd*) scab; **en ~** (*Culin*) in pastry
croûton [kʀutɔ̃] *nm* (*Culin*) crouton; (*bout du pain*) crust, heel
croyant, e [kʀwajɑ̃, ɑ̃t] *nm/f* believer
CRS *sigle fpl* (*= Compagnies républicaines de sécurité*) *state security police force* ▷ *sigle m* member of the CRS
cru, e [kʀy] *pp de* **croire** ▷ *adj* (*non cuit*) raw; (*lumière, couleur*) harsh; (*paroles*) crude ▷ *nm* (*vignoble*) vineyard; (*vin*) wine; **un grand ~** a great vintage; **jambon ~** Parma ham
crû [kʀy] *pp de* **croître**
cruauté [kʀyote] *nf* cruelty
cruche [kʀyʃ] *nf* pitcher, jug
crucifix [kʀysifi] *nm* crucifix
crudités [kʀydite] *nfpl* (*Culin*) selection of raw vegetables

crue [kʀy] *nf* (*inondation*) flood
cruel, le [kʀyɛl] *adj* cruel
crus *etc* [kʀy] *vb voir* **croire**; **croître**
crûs *etc* [kʀy] *vb voir* **croître**
crustacés [kʀystase] *nmpl* shellfish
Cuba [kyba] *nf* Cuba; **cubain, e** *adj* Cuban ▷ *nm/f*: **Cubain, e** Cuban
cube [kyb] *nm* cube; (*jouet*) brick; **mètre ~** cubic metre; **2 au ~** 2 cubed
cueillette [kœjɛt] *nf* picking; (*quantité*) crop, harvest
cueillir [kœjiʀ] *vt* (*fruits, fleurs*) to pick, gather; (*fig*) to catch
cuiller [kɥijɛʀ], **cuillère** [kɥijɛʀ] *nf* spoon; **cuiller à café** coffee spoon; (*Culin*) ≈ teaspoonful; **cuiller à soupe** soup-spoon; (*Culin*) ≈ tablespoonful; **cuillerée** *nf* spoonful
cuir [kɥiʀ] *nm* leather; **cuir chevelu** scalp
cuire [kɥiʀ] *vt* (*aliments*) to cook; (*au four*) to bake ▷ *vi* to cook; **bien cuit** (*viande*) well done; **trop cuit** overdone
cuisine [kɥizin] *nf* (*pièce*) kitchen; (*art culinaire*) cookery, cooking; (*nourriture*) cooking, food; **faire la ~** to cook; **cuisiné, e** *adj*: **plat cuisiné** ready-made meal *ou* dish; **cuisiner** *vt* to cook; (*fam*) to grill ▷ *vi* to cook; **cuisinier, -ière** *nm/f* cook; **cuisinière** *nf* (*poêle*) cooker
cuisse [kɥis] *nf* thigh; (*Culin*) leg
cuisson [kɥisɔ̃] *nf* cooking
cuit, e [kɥi, kɥit] *pp de* **cuire**
cuivre [kɥivʀ] *nm* copper; **les cuivres** (*Mus*) the brass
cul [ky] (*fam!*) *nm* arse (*!*)
culminant, e [kylminɑ̃, ɑ̃t] *adj*: **point ~** highest point
culot [kylo] (*fam*) *nm* (*effronterie*) cheek
culotte [kylɔt] *nf* (*de femme*) knickers *pl* (BRIT), panties *pl*
culte [kylt] *nm* (*religion*) religion; (*hommage, vénération*) worship; (*protestant*) service
cultivateur, -trice [kyltivatœʀ, tʀis] *nm/f* farmer
cultivé, e [kyltive] *adj* (*personne*) cultured, cultivated
cultiver [kyltive] *vt* to cultivate; (*légumes*) to grow, cultivate
culture [kyltyʀ] *nf* cultivation; (*connaissances etc*) culture; **les ~s intensives** intensive farming; **culture physique** physical training; **culturel, le** *adj* cultural
cumin [kymɛ̃] *nm* cumin
cure [kyʀ] *nf* (*Méd*) course of treatment; **cure d'amaigrissement** slimming (BRIT) *ou* weight-loss (US) course; **cure de repos** rest cure
curé [kyʀe] *nm* parish priest
cure-dent [kyʀdɑ̃] *nm* toothpick
curieux, -euse [kyʀjø, jøz] *adj* (*indiscret*) curious, inquisitive; (*étrange*) strange, curious ▷ *nmpl* (*badauds*) onlookers; **curiosité** *nf* curiosity; (*site*) unusual feature
curriculum vitae [kyʀikylɔmvite] *nm inv* curriculum vitae
cutané, e [kytane] *adj* skin
cuve [kyv] *nf* vat; (*à mazout etc*) tank
cuvée [kyve] *nf* vintage
cuvette [kyvɛt] *nf* (*récipient*) bowl, basin; (*Géo*) basin
CV *sigle m* (*Auto*) = **cheval vapeur**; (*Comm*) = **curriculum vitae**
cybercafé [sibɛʀkafe] *nm* Internet café
cyberespace [sibɛʀɛspas] *nm* cyberspace
cybernaute [sibɛʀnot] *nm/f* Internet user
cyclable [siklabl] *adj*: **piste ~** cycle track
cycle [sikl] *nm* cycle; **cyclisme** *nm* cycling; **cycliste** *nm/f* cyclist ▷ *adj* cycle *cpd*; **coureur cycliste** racing cyclist
cyclomoteur [siklomɔtœʀ] *nm* moped
cyclone [siklon] *nm* hurricane
cygne [siɲ] *nm* swan
cylindre [silɛ̃dʀ] *nm* cylinder; **cylindrée** *nf* (*Auto*) (cubic) capacity; **une (voiture de) grosse cylindrée** a big-engined car
cymbale [sɛ̃bal] *nf* cymbal
cynique [sinik] *adj* cynical
cystite [sistit] *nf* cystitis

d

d' [d] *prép voir* **de**
dactylo [daktilo] *nf* (*aussi*: **~graphe**) typist; (*aussi*: **~graphie**) typing
dada [dada] *nm* hobby-horse
daim [dɛ̃] *nm* (fallow) deer *inv*; (*cuir suédé*) suede
daltonien, ne [daltɔnjɛ̃, jɛn] *adj* colour-blind
dame [dam] *nf* lady; (*Cartes, Échecs*) queen; **dames** *nfpl* (*jeu*) draughts *sg* (BRIT), checkers *sg* (US)
Danemark [danmaʀk] *nm* Denmark
danger [dɑ̃ʒe] *nm* danger; **être en ~** (*personne*) to be in danger; **mettre en ~** (*personne*) to put in danger; (*projet, carrière*) to jeopardize; **dangereux, -euse** *adj* dangerous
danois, e [danwa, waz] *adj* Danish ▷ *nm/f*: **D~, e** Dane ▷ *nm* (*Ling*) Danish

 **MOT-CLÉ**

dans [dɑ̃] *prép* **1** (*position*) in; (*à l'intérieur de*) inside; **c'est dans le tiroir/le salon** it's in the drawer/lounge; **dans la boîte** in *ou* inside the box; **je l'ai lu dans le journal** I read it in the newspaper; **marcher dans la ville** to walk about the town
2 (*direction*) into; **elle a couru dans le salon** she ran into the lounge; **monter dans une voiture/le bus** to get into a car/on to the bus
3 (*provenance*) out of, from; **je l'ai pris dans le tiroir/salon** I took it out of *ou* from the drawer/lounge; **boire dans un verre** to drink out of *ou* from a glass
4 (*temps*) in; **dans 2 mois** in 2 months, in 2 months' time
5 (*approximation*) about; **dans les 20 euros** about 20 euros

danse [dɑ̃s] *nf*: **la ~** dancing; **une ~** a dance; **la ~ classique** ballet; **danser** *vi, vt* to dance; **danseur,**

-euse *nm/f* ballet dancer; (*au bal etc*) dancer; (: *cavalier*) partner
date [dat] *nf* date; **de longue ~** longstanding; **date de naissance** date of birth; **date limite** deadline; **dater** *vt, vi* to date; **dater de** to date from; **à dater de** (as) from
datte [dat] *nf* date
dauphin [dofɛ̃] *nm* (*Zool*) dolphin
davantage [davɑ̃taʒ] *adv* more; (*plus longtemps*) longer; **~ de** more

MOT-CLÉ

de, d' [də] (*de* + *le* = **du**, *de* + *les* = **des**) *prép*
1 (*appartenance*) of; **le toit de la maison** the roof of the house; **la voiture d'Ann/de mes parents** Ann's/my parents' car
2 (*provenance*) from; **il vient de Londres** he comes from London; **elle est sortie du cinéma** she came out of the cinema
3 (*caractérisation, mesure*): **un mur de brique/bureau d'acajou** a brick wall/mahogany desk; **un billet de 50 euros** a 50 euro note; **une pièce de 2 m de large** *ou* **large de 2 m** a room 2m wide, a 2m-wide room; **un bébé de 10 mois** a 10-month-old baby; **12 mois de crédit/travail** 12 months' credit/work; **être payé 20 euros de l'heure** to be paid 20 euros an *ou* per hour; **augmenter de 10 euros** to increase by 10 euros; **de 14 à 18** from 14 to 18
4 (*moyen*) with; **je l'ai fait de mes propres mains** I did it with my own two hands
5 (*cause*): **mourir de faim** to die of hunger; **rouge de colère** red with fury
6 (*devant infinitif*) to; **il m'a dit de rester** he told me to stay
▷ *dét* **1** (*phrases affirmatives*) some (*souvent omis*); **du vin, de l'eau, des pommes** (some) wine, (some) water, (some) apples; **des enfants sont venus** some children carne; **pendant des mois** for months
2 (*phrases interrogatives et négatives*) any; **a-t-il du vin?** has he got any wine?; **il n'a pas de pommes/d'enfants** he hasn't (got) any apples/children, he has no apples/children

dé [de] *nm* (*à jouer*) die *ou* dice; (*aussi*: **dé à coudre**) thimble
déballer [debale] *vt* to unpack
débarcadère [debaʀkadɛʀ] *nm* wharf
débardeur [debaʀdœʀ] *nm* (*maillot*) tank top
débarquer [debaʀke] *vt* to unload, land ▷ *vi* to disembark; (*fig*: *fam*) to turn up
débarras [debaʀɑ] *nm* (*pièce*) lumber room; (*placard*) junk cupboard; **bon ~!** good riddance!; **débarrasser** *vt* to clear; **se débarrasser de** *vt* to get rid of; **débarrasser qn de** (*vêtements, paquets*) to relieve sb of; **débarrasser (la table)** to clear the table
débat [deba] *nm* discussion, debate; **débattre** *vt* to discuss, debate; **se débattre** *vi* to struggle
débit [debi] *nm* (*d'un liquide, fleuve*) flow; (*d'un magasin*) turnover (of goods); (*élocution*) delivery; (*bancaire*) debit; **débit de boissons** drinking establishment; **débit de tabac** tobacconist's
déblayer [debleje] *vt* to clear
débloquer [deblɔke] *vt* (*prix, crédits*) to free
déboîter [debwate] *vt* (*Auto*) to pull out; **se ~ le genou** *etc* to dislocate one's knee *etc*
débordé, e [debɔʀde] *adj*: **être ~ (de)** (*travail, demandes*) to be snowed under (with)
déborder [debɔʀde] *vi* to overflow; (*lait etc*) to boil over; **~ (de) qch** (*dépasser*) to extend beyond sth; **~ de** (*joie, zèle*) to be brimming over with *ou* bursting with
débouché [debuʃe] *nm* (*pour vendre*) outlet; (*perspective d'emploi*) opening
déboucher [debuʃe] *vt* (*évier, tuyau etc*) to unblock; (*bouteille*) to uncork ▷ *vi*: **~ de** to emerge from; **~ sur** (*études*) to lead on to
debout [d(ə)bu] *adv*: **être ~** (*personne*) to be standing, stand; (: *levé, éveillé*) to be up; **se mettre ~** to stand up; **se tenir ~** to stand; **~!** stand up!; (*du lit*) get up!; **cette histoire ne tient pas ~** this story doesn't hold water
déboutonner [debutɔne] *vt* to undo, unbutton
débraillé, e [debʀɑje] *adj* slovenly, untidy
débrancher [debʀɑ̃ʃe] *vt* to disconnect; (*appareil électrique*) to unplug
débrayage [debʀɛjaʒ] *nm* (*Auto*) clutch; **débrayer** *vi* (*Auto*) to declutch; (*cesser le travail*) to stop work
débris [debʀi] *nmpl* fragments; **des ~ de verre** bits of glass
débrouillard, e [debʀujaʀ, aʀd] (*fam*) *adj* smart, resourceful
débrouiller [debʀuje] *vt* to disentangle, untangle; **se ~** *vi* to manage; **débrouillez-vous** you'll have to sort things out yourself
début [deby] *nm* beginning, start; **débuts** *nmpl* (*de carrière*) début *sg*; **~ juin** in early June; **débutant, e** *nm/f* beginner, novice; **débuter** *vi* to begin, start; (*faire ses débuts*) to start out
décaféiné, e [dekafeine] *adj* decaffeinated
décalage [dekalaʒ] *nm* gap; **décalage horaire** time difference
décaler [dekale] *vt* to shift
décapotable [dekapɔtabl] *adj* convertible
décapsuleur [dekapsylœʀ] *nm* bottle-opener
décédé, e [desede] *adj* deceased
décéder [desede] *vi* to die
décembre [desɑ̃bʀ] *nm* December
décennie [deseni] *nf* decade
décent, e [desɑ̃, ɑ̃t] *adj* decent
déception [desɛpsjɔ̃] *nf* disappointment
décès [desɛ] *nm* death
décevoir [des(ə)vwaʀ] *vt* to disappoint
décharge [deʃaʀʒ] *nf* (*dépôt d'ordures*) rubbish tip *ou* dump; (*électrique*) electrical discharge; **décharger** *vt* (*marchandise, véhicule*) to unload; (*tirer*) to discharge; **décharger qn de** (*responsabilité*) to relieve sb of, release sb from
déchausser [deʃose] *vt* (*skis*) to take off; **se ~** *vi* to take off one's shoes; (*dent*) to come *ou* work loose
déchet [deʃɛ] *nm* (*reste*) scrap; **déchets** *nmpl* (*ordures*) refuse *sg*, rubbish *sg*; **~s nucléaires** nuclear waste
déchiffrer [deʃifʀe] *vt* to decipher
déchirant, e [deʃiʀɑ̃, ɑ̃t] *adj* heart-rending
déchirement [deʃiʀmɑ̃] *nm* (*chagrin*) wrench, heartbreak; (*gén pl*: *conflit*) rift, split
déchirer [deʃiʀe] *vt* to tear; (*en morceaux*) to tear up; (*arracher*) to tear out; (*fig*: *conflit*) to tear (apart); **se ~** *vi* to tear, rip; **se ~ un muscle** to tear a muscle
déchirure [deʃiʀyʀ] *nf* (*accroc*) tear, rip; **déchirure musculaire** torn muscle
décidé, e [deside] *adj* (*personne, air*) determined; **c'est ~** it's decided; **décidément** *adv* really
décider [deside] *vt*: **~ qch** to decide on sth; **~ de faire/que** to decide to do/that; **~ qn (à faire qch)** to persuade sb (to do sth); **se ~ (à faire)** to decide

(to do), make up one's mind (to do); **se ~ pour** to decide on *ou* in favour of
décimal, e, -aux [desimal, o] *adj* decimal
décimètre [desimɛtʀ] *nm* decimetre
décisif, -ive [desizif, iv] *adj* decisive
décision [desizjɔ̃] *nf* decision
déclaration [deklaʀasjɔ̃] *nf* declaration; (*discours: Pol etc*) statement; **déclaration d'impôts** *ou* **de revenus** ≈ tax return; **déclaration de vol**: **faire une déclaration de vol** to report a theft
déclarer [deklaʀe] *vt* to declare; (*décès, naissance*) to register; **se ~** *vi* (*feu*) to break out
déclencher [deklɑ̃ʃe] *vt* (*mécanisme etc*) to release; (*sonnerie*) to set off; (*attaque, grève*) to launch; (*provoquer*) to trigger off; **se ~** *vi* (*sonnerie*) to go off
décliner [dekline] *vi* to decline ▷ *vt* (*invitation*) to decline; (*nom, adresse*) to state
décoiffer [dekwafe] *vt*: **~ qn** to mess up sb's hair; **je suis toute décoiffée** my hair is in a real mess
déçois *etc* [deswa] *vb voir* **décevoir**
décollage [dekɔlaʒ] *nm* (*Aviat*) takeoff
décoller [dekɔle] *vt* to unstick ▷ *vi* (*avion*) to take off; **se ~** *vi* to come unstuck
décolleté, e [dekɔlte] *adj* low-cut ▷ *nm* low neck(line); (*plongeant*) cleavage
décolorer [dekɔlɔʀe]: **se ~** *vi* to fade; **se faire ~ les cheveux** to have one's hair bleached
décommander [dekɔmɑ̃de] *vt* to cancel; **se ~** *vi* to cry off
déconcerter [dekɔ̃sɛʀte] *vt* to disconcert, confound
décongeler [dekɔ̃ʒ(ə)le] *vt* to thaw
déconner [dekɔne] (*fam*) *vi* to talk rubbish
déconseiller [dekɔ̃seje] *vt*: **~ qch (à qn)** to advise (sb) against sth; **c'est déconseillé** it's not recommended
décontracté, e [dekɔ̃tʀakte] *adj* relaxed, laid-back (*fam*)
décontracter [dekɔ̃tʀakte]: **se ~** *vi* to relax
décor [dekɔʀ] *nm* décor; (*paysage*) scenery; **décorateur** *nm* (interior) decorator; **décoration** *nf* decoration; **décorer** *vt* to decorate
décortiquer [dekɔʀtike] *vt* to shell; (*fig: texte*) to dissect
découdre [dekudʀ]: **se ~** *vi* to come unstitched
découper [dekupe] *vt* (*papier, tissu etc*) to cut up; (*viande*) to carve; (*article*) to cut out
décourager [dekuʀaʒe] *vt* to discourage; **se ~** *vi* to lose heart, become discouraged
décousu, e [dekuzy] *adj* unstitched; (*fig*) disjointed, disconnected
découvert, e [dekuvɛʀ, ɛʀt] *adj* (*tête*) bare, uncovered; (*lieu*) open, exposed ▷ *nm* (*bancaire*) overdraft; **découverte** *nf* discovery; **faire la découverte de** to discover
découvrir [dekuvʀiʀ] *vt* to discover; (*enlever ce qui couvre*) to uncover; (*dévoiler*) to reveal; **se ~** *vi* (*chapeau*) to take off one's hat; (*vêtement*) to take something off; (*ciel*) to clear
décrire [dekʀiʀ] *vt* to describe
décrocher [dekʀɔʃe] *vt* (*détacher*) to take down; (*téléphone*) to take off the hook; (*: pour répondre*) to lift the receiver; (*fam: contrat etc*) to get, land ▷ *vi* (*fam: abandonner*) to drop out; (*: cesser d'écouter*) to switch off
déçu, e [desy] *pp de* **décevoir**
dédaigner [dedeɲe] *vt* to despise, scorn; (*négliger*) to disregard, spurn; **dédaigneux, -euse** *adj* scornful, disdainful; **dédain** *nm* scorn, disdain
dedans [dədɑ̃] *adv* inside; (*pas en plein air*) indoors, inside ▷ *nm* inside; **au ~** inside
dédicacer [dedikase] *vt*: **~ (à qn)** to sign (for sb), autograph (for sb)
dédier [dedje] *vt*: **~ à** to dedicate to
dédommagement [dedɔmaʒmɑ̃] *nm* compensation
dédommager [dedɔmaʒe] *vt*: **~ qn (de)** to compensate sb (for)
dédouaner [dedwane] *vt* to clear through customs
déduire [dedɥiʀ] *vt*: **~ qch (de)** (*ôter*) to deduct sth (from); (*conclure*) to deduce *ou* infer sth (from)
défaillance [defajɑ̃s] *nf* (*syncope*) blackout; (*fatigue*) (sudden) weakness *no pl*; (*technique*) fault, failure; **défaillance cardiaque** heart failure
défaire [defɛʀ] *vt* to undo; (*installation*) to take down, dismantle; **se ~** *vi* to come undone; **se ~ de** to get rid of
défait, e [defɛ, ɛt] *adj* (*visage*) haggard, ravaged; **défaite** *nf* defeat
défaut [defo] *nm* (*moral*) fault, failing, defect; (*tissus*) fault, flaw; (*manque, carence*): **~ de** shortage of; **prendre qn en ~** to catch sb out; **faire ~** (*manquer*) to be lacking; **à ~ de** for lack *ou* want of
défavorable [defavɔʀabl] *adj* unfavourable (BRIT), unfavorable (US)
défavoriser [defavɔʀize] *vt* to put at a disadvantage
défectueux, -euse [defɛktɥø, øz] *adj* faulty, defective
défendre [defɑ̃dʀ] *vt* to defend; (*interdire*) to forbid; **se ~** *vi* to defend o.s.; **~ à qn qch/de faire** to forbid sb sth/to do; **il se défend** (*fam: se débrouille*) he can hold his own; **se ~ de/contre** (*se protéger*) to protect o.s. from/against; **se ~ de** (*se garder de*) to refrain from
défense [defɑ̃s] *nf* defence; (*d'éléphant etc*) tusk; **ministre de la ~** Minister of Defence (BRIT), Defence Secretary (US); **"~ de fumer"** "no smoking"
défi [defi] *nm* challenge; **lancer un ~ à qn** to challenge sb; **sur un ton de ~** defiantly
déficit [defisit] *nm* (*Comm*) deficit
défier [defje] *vt* (*provoquer*) to challenge; (*mort, autorité*) to defy; **~ qn de faire qch** to challenge *ou* defy sb to do sth
défigurer [defigyʀe] *vt* to disfigure
défilé [defile] *nm* (*Géo*) (narrow) gorge *ou* pass; (*soldats*) parade; (*manifestants*) procession, march
défiler [defile] *vi* (*troupes*) to march past; (*sportifs*) to parade; (*manifestants*) to march; (*visiteurs*) to pour, stream; **faire ~ un document** (*Comput*) to scroll a document; **se ~** *vi*: **il s'est défilé** (*fam*) he wriggled out of it
définir [definiʀ] *vt* to define
définitif, -ive [definitif, iv] *adj* (*final*) final, definitive; (*pour longtemps*) permanent, definitive; (*refus*) definite; **définitive** *nf*: **en définitive** eventually; (*somme toute*) in fact; **définitivement** *adv* (*partir, s'installer*) for good
déformer [defɔʀme] *vt* to put out of shape; (*pensée, fait*) to distort; **se ~** *vi* to lose its shape
défouler [defule]: **se ~** *vi* to unwind, let off steam
défunt, e [defœ̃, œ̃t] *adj* (*mort*) late *before n* ▷ *nm/f* deceased
dégagé, e [degaʒe] *adj* (*route, ciel*) clear; **sur un ton ~** casually
dégager [degaʒe] *vt* (*exhaler*) to give off; (*délivrer*) to free, extricate; (*désencombrer*) to clear; (*isoler: idée, aspect*) to bring out; **~ qn de** (*engagement, parole*

etc) to release *ou* free sb from; **se ~** *vi* (*passage, ciel*) to clear
dégâts [degɑ] *nmpl* damage *sg*; **faire des ~** to cause damage
dégel [deʒɛl] *nm* thaw; **dégeler** *vt* to thaw (out)
dégivrer [deʒivʀe] *vt* (*frigo*) to defrost; (*vitres*) to de-ice
dégonflé, e [degɔ̃fle] *adj* (*pneu*) flat
dégonfler [degɔ̃fle] *vt* (*pneu, ballon*) to let down, deflate; **se ~** *vi* (*fam*) to chicken out
dégouliner [deguline] *vi* to trickle, drip
dégourdi, e [deguʀdi] *adj* smart, resourceful
dégourdir [deguʀdiʀ] *vt*: **se ~ les jambes** to stretch one's legs (*fig*)
dégoût [degu] *nm* disgust, distaste; **dégoûtant, e** *adj* disgusting; **dégoûté, e** *adj* disgusted; **dégoûté de** sick of; **dégoûter** *vt* to disgust; **dégoûter qn de qch** to put sb off sth
dégrader [degʀade] *vt* (*Mil: officier*) to degrade; (*abîmer*) to damage, deface; **se ~** *vi* (*relations, situation*) to deteriorate
degré [dəgʀe] *nm* degree
dégressif, -ive [degʀesif, iv] *adj* on a decreasing scale
dégringoler [degʀɛ̃gɔle] *vi* to tumble (down)
déguisement [degizmɑ̃] *nm* (*pour s'amuser*) fancy dress
déguiser [degize]: **se ~ (en)** *vi* (*se costumer*) to dress up (as); (*pour tromper*) to disguise o.s. (as)
dégustation [degystasjɔ̃] *nf* (*de fromages etc*) sampling; **~ de vins** wine-tasting session
déguster [degyste] *vt* (*vins*) to taste; (*fromages etc*) to sample; (*savourer*) to enjoy, savour
dehors [dəɔʀ] *adv* outside; (*en plein air*) outdoors ▷ *nm* outside ▷ *nmpl* (*apparences*) appearances; **mettre** *ou* **jeter ~** (*expulser*) to throw out; **au ~** outside; **au ~ de** outside; **en ~ de** (*hormis*) apart from
déjà [deʒa] *adv* already; (*auparavant*) before, already
déjeuner [deʒœne] *vi* to (have) lunch; (*le matin*) to have breakfast ▷ *nm* lunch
delà [dəla] *adv*: **en ~ (de), au ~ (de)** beyond
délacer [delase] *vt* (*chaussures*) to undo
délai [delɛ] *nm* (*attente*) waiting period; (*sursis*) extension (of time); (*temps accordé*) time limit; **sans ~** without delay; **dans les ~s** within the time limit
délaisser [delese] *vt* to abandon, desert
délasser [delɑse] *vt* to relax; **se ~** *vi* to relax
délavé, e [delave] *adj* faded
délayer [deleje] *vt* (*Culin*) to mix (with water *etc*); (*peinture*) to thin down
delco(r) [dɛlko] *nm* (*Auto*) distributor
délégué, e [delege] *nm/f* representative
déléguer [delege] *vt* to delegate
délibéré, e [delibeʀe] *adj* (*conscient*) deliberate
délicat, e [delika, at] *adj* delicate; (*plein de tact*) tactful; (*attention*) thoughtful; **délicatement** *adv* delicately; (*avec douceur*) gently
délice [delis] *nm* delight
délicieux, -euse [delisjø, jøz] *adj* (*au goût*) delicious; (*sensation*) delightful
délimiter [delimite] *vt* (*terrain*) to delimit, demarcate
délinquant, e [delɛ̃kɑ̃, -ɑ̃t] *adj, nm/f* delinquent
délirer [deliʀe] *vi* to be delirious; **tu délires!** (*fam*) you're crazy!
délit [deli] *nm* (criminal) offence
délivrer [delivʀe] *vt* (*prisonnier*) to (set) free, release; (*passeport*) to issue
deltaplane(r) [dɛltaplan] *nm* hang-glider
déluge [delyʒ] *nm* (*pluie*) downpour; (*biblique*) Flood
demain [d(ə)mɛ̃] *adv* tomorrow; **~ matin/soir** tomorrow morning/evening
demande [d(ə)mɑ̃d] *nf* (*requête*) request; (*revendication*) demand; (*d'emploi*) application; (*Écon*): **la ~** demand; **"~s d'emploi"** (*annonces*) "situations wanted"
demandé, e [d(ə)mɑ̃de] *adj* (*article etc*): **très ~** (very) much in demand
demander [d(ə)mɑ̃de] *vt* to ask for; (*chemin, heure etc*) to ask; (*nécessiter*) to require, demand; **~ qch à qn** to ask sb for sth; **~ un service à qn** to ask sb a favour; **~ à qn de faire qch** to ask sb to do sth; **je ne demande pas mieux que de ...** I'll be only too pleased to ...; **se ~ si/pourquoi** *etc* to wonder whether/why *etc*; **demandeur, -euse** *nm/f*: **demandeur d'emploi** job-seeker; **demandeur d'asile** asylum-seeker
démangeaison [demɑ̃ʒɛzɔ̃] *nf* itching; **avoir des ~s** to be itching
démanger [demɑ̃ʒe] *vi* to itch
démaquillant [demakijɑ̃] *nm* make-up remover
démaquiller [demakije] *vt*: **se ~** to remove one's make-up
démarche [demaʀʃ] *nf* (*allure*) gait, walk; (*intervention*) step; (*fig: intellectuelle*) thought processes *pl*; **faire les ~s nécessaires (pour obtenir qch)** to take the necessary steps (to obtain sth)
démarrage [demaʀaʒ] *nm* start
démarrer [demaʀe] *vi* (*conducteur*) to start (up); (*véhicule*) to move off; (*travaux*) to get moving; **démarreur** *nm* (*Auto*) starter
démêlant [demɛlɑ̃] *nm* conditioner
démêler [demele] *vt* to untangle; **démêlés** *nmpl* problems
déménagement [demenaʒmɑ̃] *nm* move; **camion de déménagement** removal van
déménager [demenaʒe] *vt* (*meubles*) to (re)move ▷ *vi* to move (house); **déménageur** *nm* removal man
démerder [demɛʀde] (*fam*): **se ~** *vi* to sort things out for o.s.
démettre [demɛtʀ] *vt*: **~ qn de** (*fonction, poste*) to dismiss sb from; **se ~ l'épaule** *etc* to dislocate one's shoulder *etc*
demeurer [d(ə)mœʀe] *vi* (*habiter*) to live; (*rester*) to remain
demi, e [dəmi] *adj* half ▷ *nm* (*bière*) ≈ half-pint (*0,25 litres*) ▷ *préfixe*: **~...** half-, semi..., demi-; **trois heures/bouteilles et ~es** three and a half hours/bottles, three hours/bottles and a half; **il est 2 heures et ~e/midi et ~** it's half past 2/half past 12; **à ~** half-; **à la ~e** (*heure*) on the half-hour; **demi-douzaine** *nf* half-dozen, half a dozen; **demi-finale** *nf* semifinal; **demi-frère** *nm* half-brother; **demi-heure** *nf* half-hour, half an hour; **demi-journée** *nf* half-day, half a day; **demi-litre** *nm* half-litre, half a litre; **demi-livre** *nf* half-pound, half a pound; **demi-pension** *nf* (*à l'hôtel*) half-board; **demi-pensionnaire** *nm/f*: **être demi-pensionnaire** to take school lunches
démis, e [demi, iz] *adj* (*épaule etc*) dislocated
demi-sœur [dəmisœʀ] *nf* half-sister
démission [demisjɔ̃] *nf* resignation; **donner sa ~** to give *ou* hand in one's notice; **démissionner** *vi* to resign
demi-tarif [dəmitaʀif] *nm* half-price; **voyager à ~**

to travel half-fare
demi-tour [dəmituʀ] *nm* about-turn; **faire ~** to turn (and go) back
démocratie [demɔkʀasi] *nf* democracy; **démocratique** *adj* democratic
démodé, e [demɔde] *adj* old-fashioned
demoiselle [d(ə)mwazɛl] *nf* (*jeune fille*) young lady; (*célibataire*) single lady, maiden lady; **demoiselle d'honneur** bridesmaid
démolir [demɔliʀ] *vt* to demolish
démon [demɔ̃] *nm* (*enfant turbulent*) devil, demon; **le D~** the Devil
démonstration [demɔ̃stʀasjɔ̃] *nf* demonstration
démonter [demɔ̃te] *vt* (*machine etc*) to take down, dismantle; **se ~** (*meuble*) to be dismantled, be taken to pieces; (*personne*) to lose countenance
démontrer [demɔ̃tʀe] *vt* to demonstrate
démouler [demule] *vt* to turn out
démuni, e [demyni] *adj* (*sans argent*) impoverished; **~ de** without
dénicher [deniʃe] (*fam*) *vt* (*objet*) to unearth; (*restaurant etc*) to discover
dénier [denje] *vt* to deny
dénivellation [denivelasjɔ̃] *nf* (*pente*) slope
dénombrer [denɔ̃bʀe] *vt* to count
dénomination [denɔminasjɔ̃] *nf* designation, appellation
dénoncer [denɔ̃se] *vt* to denounce; **se ~** to give o.s. up, come forward
dénouement [denumɑ̃] *nm* outcome
dénouer [denwe] *vt* to unknot, undo
denrée [dɑ̃ʀe] *nf*: **denrées alimentaires** foodstuffs
dense [dɑ̃s] *adj* dense; **densité** *nf* density
dent [dɑ̃] *nf* tooth; **dent de lait/de sagesse** milk/wisdom tooth; **dentaire** *adj* dental; **cabinet dentaire** dental surgery (BRIT), dentist's office (US)
dentelle [dɑ̃tɛl] *nf* lace *no pl*
dentier [dɑ̃tje] *nm* denture
dentifrice [dɑ̃tifʀis] *nm* toothpaste
dentiste [dɑ̃tist] *nm/f* dentist
dentition [dɑ̃tisjɔ̃] *nf* teeth
dénué, e [denɥe] *adj*: **~ de** devoid of
déodorant [deɔdɔʀɑ̃] *nm* deodorant
déontologie [deɔ̃tɔlɔʒi] *nf* code of practice
dépannage [depanaʒ] *nm*: **service de ~** (*Auto*) breakdown service
dépanner [depane] *vt* (*voiture, télévision*) to fix, repair; (*fig*) to bail out, help out; **dépanneuse** *nf* breakdown lorry (BRIT), tow truck (US)
dépareillé, e [depaʀeje] *adj* (*collection, service*) incomplete; (*objet*) odd
départ [depaʀ] *nm* departure; (*Sport*) start; **au ~** at the start; **la veille de son ~** the day before he leaves/left
département [depaʀtəmɑ̃] *nm* department
dépassé, e [depɑse] *adj* superseded, outmoded; **il est complètement ~** he's completely out of his depth, he can't cope
dépasser [depɑse] *vt* (*véhicule, concurrent*) to overtake; (*endroit*) to pass, go past; (*somme, limite*) to exceed; (*fig: en beauté etc*) to surpass, outshine ▷ *vi* (*jupon etc*) to show; **se ~** to excel o.s.
dépaysé, e [depeize] *adj* disoriented
dépaysement [depeizmɑ̃] *nm* (*changement*) change of scenery
dépêcher [depeʃe]: **se ~** *vi* to hurry
dépendance [depɑ̃dɑ̃s] *nf* dependence; (*bâtiment*) outbuilding
dépendre [depɑ̃dʀ]: **~ de** *vt* to depend on; (*financièrement etc*) to be dependent on; **ça dépend** it depends
dépens [depɑ̃] *nmpl*: **aux ~ de** at the expense of
dépense [depɑ̃s] *nf* spending *no pl*, expense, expenditure *no pl*; **dépenser** *vt* to spend; (*énergie*) to expend, use up; **se dépenser** *vi* to exert o.s.
dépeupler [depœple]: **se ~** *vi* to become depopulated
dépilatoire [depilatwaʀ] *adj*: **crème ~** hair-removing *ou* depilatory cream
dépister [depiste] *vt* to detect; (*voleur*) to track down
dépit [depi] *nm* vexation, frustration; **en ~ de** in spite of; **en ~ du bon sens** contrary to all good sense; **dépité, e** *adj* vexed, frustrated
déplacé, e [deplase] *adj* (*propos*) out of place, uncalled-for
déplacement [deplasmɑ̃] *nm* (*voyage*) trip, travelling *no pl*; **en ~** away
déplacer [deplase] *vt* (*table, voiture*) to move, shift; **se ~** *vi* to move; (*voyager*) to travel; **se ~ une vertèbre** to slip a disc
déplaire [deplɛʀ] *vt*: **ça me déplaît** I don't like this, I dislike this; **se ~** *vi* to be unhappy; **déplaisant, e** *adj* disagreeable
dépliant [deplijɑ̃] *nm* leaflet
déplier [deplije] *vt* to unfold
déposer [depoze] *vt* (*gén: mettre, poser*) to lay *ou* put down; (*à la banque, à la consigne*) to deposit; (*passager*) to drop (off), set down; (*roi*) to depose; (*plainte*) to lodge; (*marque*) to register; **se ~** *vi* to settle; **dépositaire** *nm/f* (*Comm*) agent; **déposition** *nf* statement
dépôt [depo] *nm* (*à la banque, sédiment*) deposit; (*entrepôt*) warehouse, store
dépourvu, e [depuʀvy] *adj*: **~ de** lacking in, without; **prendre qn au ~** to catch sb unprepared
dépression [depʀesjɔ̃] *nf* depression; **dépression (nerveuse)** (nervous) breakdown
déprimant, e [depʀimɑ̃, ɑ̃t] *adj* depressing
déprimer [depʀime] *vi* to be/get depressed

MOT-CLÉ

depuis [dəpɥi] *prép* **1** (*point de départ dans le temps*) since; **il habite Paris depuis 1983/l'an dernier** he has been living in Paris since 1983/last year; **depuis quand?** since when?; **depuis quand le connaissez-vous?** how long have you known him?
2 (*temps écoulé*) for; **il habite Paris depuis 5 ans** he has been living in Paris for 5 years; **je le connais depuis 3 ans** I've known him for 3 years
3 (*lieu*): **il a plu depuis Metz** it's been raining since Metz; **elle a téléphoné depuis Valence** she rang from Valence
4 (*quantité, rang*) from; **depuis les plus petits jusqu'aux plus grands** from the youngest to the oldest
▷ *adv* (*temps*) since (then); **je ne lui ai pas parlé depuis** I haven't spoken to him since (then); **depuis que** *conj* (ever) since; **depuis qu'il m'a dit ça** (ever) since he said that to me

député, e [depyte] *nm/f* (*Pol*) ≈ Member of Parliament (BRIT), ≈ Member of Congress (US)
dérangement [deʀɑ̃ʒmɑ̃] *nm* (*gêne*) trouble; (*gastrique etc*) disorder; **en ~** (*téléphone, machine*) out of order
déranger [deʀɑ̃ʒe] *vt* (*personne*) to trouble, bother;

(*projets*) to disrupt, upset; (*objets, vêtements*) to disarrange; **se ~** *vi*: **surtout ne vous dérangez pas pour moi** please don't put yourself out on my account; **est-ce que cela vous dérange si ...?** do you mind if ...?
déraper [deʀape] *vi* (*voiture*) to skid; (*personne, semelles*) to slip
dérégler [deʀegle] *vt* (*mécanisme*) to put out of order; (*estomac*) to upset
dérisoire [deʀizwaʀ] *adj* derisory
dérive [deʀiv] *nf*: **aller à la ~** (*Navig, fig*) to drift
dérivé, e [deʀive] *nm* (*Tech*) by-product
dermatologue [dɛʀmatɔlɔg] *nm/f* dermatologist
dernier, -ière [dɛʀnje, jɛʀ] *adj* last; (*le plus récent*) latest, last; **lundi/le mois ~** last Monday/month; **c'est le ~ cri** it's the very latest thing; **en ~** last; **ce ~** the latter; **dernièrement** *adv* recently
dérogation [deʀɔgasjɔ̃] *nf* (special) dispensation
dérouiller [deʀuje] *vt*: **se ~ les jambes** to stretch one's legs (*fig*)
déroulement [deʀulmɑ̃] *nm* (*d'une opération etc*) progress
dérouler [deʀule] *vt* (*ficelle*) to unwind; **se ~** *vi* (*avoir lieu*) to take place; (*se passer*) to go (off); **tout s'est déroulé comme prévu** everything went as planned
dérouter [deʀute] *vt* (*avion, train*) to reroute, divert; (*étonner*) to disconcert, throw (out)
derrière [dɛʀjɛʀ] *adv, prép* behind ▷ *nm* (*d'une maison*) back; (*postérieur*) behind, bottom; **les pattes de ~** the back *ou* hind legs; **par ~** from behind; (*fig*) behind one's back
des [de] *dét voir* **de** ▷ *prép +dét* = **de +les**
dès [dɛ] *prép* from; **~ que** as soon as; **~ son retour** as soon as he was (*ou* is) back
désaccord [dezakɔʀ] *nm* disagreement
désagréable [dezagʀeabl] *adj* unpleasant
désagrément [dezagʀemɑ̃] *nm* annoyance, trouble *no pl*
désaltérer [dezalteʀe] *vt*: **se ~** to quench one's thirst
désapprobateur, -trice [dezapʀɔbatœʀ, tʀis] *adj* disapproving
désapprouver [dezapʀuve] *vt* to disapprove of
désarmant, e [dezaʀmɑ̃, ɑ̃t] *adj* disarming
désastre [dezastʀ] *nm* disaster; **désastreux, -euse** *adj* disastrous
désavantage [dezavɑ̃taʒ] *nm* disadvantage; **désavantager** *vt* to put at a disadvantage
descendre [desɑ̃dʀ] *vt* (*escalier, montagne*) to go (*ou* come) down; (*valise, paquet*) to take *ou* get down; (*étagère etc*) to lower; (*fam: abattre*) to shoot down ▷ *vi* to go (*ou* come) down; (*passager: s'arrêter*) to get out, alight; **~ à pied/en voiture** to walk/drive down; **~ de** (*famille*) to be descended from; **~ du train** to get out of *ou* get off the train; **~ de cheval** to dismount; **~ d'un arbre** to climb down from a tree; **~ à l'hôtel** to stay at a hotel
descente [desɑ̃t] *nf* descent, going down; (*chemin*) way down; (*Ski*) downhill (race); **au milieu de la ~** halfway down; **descente de lit** bedside rug; **descente (de police)** (police) raid
description [dɛskʀipsjɔ̃] *nf* description
déséquilibre [dezekilibʀ] *nm* (*position*): **en ~** unsteady; (*fig: des forces, du budget*) imbalance
désert, e [dezɛʀ, ɛʀt] *adj* deserted ▷ *nm* desert; **désertique** *adj* desert *cpd*
désespéré, e [dezɛspeʀe] *adj* desperate
désespérer [dezɛspeʀe] *vi*: **~ (de)** to despair (of); **désespoir** *nm* despair; **en désespoir de cause** in desperation
déshabiller [dezabije] *vt* to undress; **se ~** *vi* to undress (o.s.)
déshydraté, e [dezidʀate] *adj* dehydrated
désigner [deziɲe] *vt* (*montrer*) to point out, indicate; (*dénommer*) to denote; (*candidat etc*) to name
désinfectant, e [dezɛ̃fɛktɑ̃, ɑ̃t] *adj, nm* disinfectant
désinfecter [dezɛ̃fɛkte] *vt* to disinfect
désintéressé, e [dezɛ̃teʀese] *adj* disinterested, unselfish
désintéresser [dezɛ̃teʀese] *vt*: **se ~ (de)** to lose interest (in)
désintoxication [dezɛ̃tɔksikasjɔ̃] *nf*: **faire une cure de ~** to undergo treatment for alcoholism (*ou* drug addiction)
désinvolte [dezɛ̃vɔlt] *adj* casual, off-hand
désir [deziʀ] *nm* wish; (*sensuel*) desire; **désirer** *vt* to want, wish for; (*sexuellement*) to desire; **je désire ...** (*formule de politesse*) I would like ...
désister [deziste]: **se ~** *vi* to stand down, withdraw
désobéir [dezɔbeiʀ] *vi*: **~ (à qn/qch)** to disobey (sb/sth); **désobéissant, e** *adj* disobedient
désodorisant [dezɔdɔʀizɑ̃] *nm* air freshener, deodorizer
désolé, e [dezɔle] *adj* (*paysage*) desolate; **je suis ~** I'm sorry
désordonné, e [dezɔʀdɔne] *adj* untidy
désordre [dezɔʀdʀ] *nm* disorder(liness), untidiness; (*anarchie*) disorder; **en ~** in a mess, untidy
désormais [dezɔʀmɛ] *adv* from now on
desquelles [dekɛl] *prép +pron* = **de +lesquelles**
desquels [dekɛl] *prép +pron* = **de +lesquels**
dessécher [deseʃe]: **se ~** *vi* to dry out
desserrer [deseʀe] *vt* to loosen; (*frein*) to release
dessert [desɛʀ] *nm* dessert, pudding
desservir [desɛʀviʀ] *vt* (*ville, quartier*) to serve; (*débarrasser*): **~ (la table)** to clear the table
dessin [desɛ̃] *nm* (*œuvre, art*) drawing; (*motif*) pattern, design; **dessin animé** cartoon (film); **dessin humoristique** cartoon; **dessinateur, -trice** *nm/f* drawer; (*de bandes dessinées*) cartoonist; (*industriel*) draughtsman(-woman) (BRIT), draftsman(-woman) (US); **dessiner** *vt* to draw; (*concevoir*) to design; **se dessiner** *vi* (*forme*) to be outlined; (*fig: solution*) to emerge
dessous [d(ə)su] *adv* underneath, beneath ▷ *nm* underside ▷ *nmpl* (*sous-vêtements*) underwear *sg*; **en ~, par ~** underneath; **au-~ (de)** below; (*peu digne de*) beneath; **avoir le ~** to get the worst of it; **les voisins du ~** the downstairs neighbours; **dessous-de-plat** *nm inv* tablemat
dessus [d(ə)sy] *adv* on top; (*collé, écrit*) on it ▷ *nm* top; **en ~** above; **par ~** *adv* over it ▷ *prép* over; **au-~ (de)** above; **les voisins de ~** the upstairs neighbours; **avoir le ~** to get the upper hand; **sens ~ dessous** upside down; **dessus-de-lit** *nm inv* bedspread
destin [dɛstɛ̃] *nm* fate; (*avenir*) destiny
destinataire [dɛstinatɛʀ] *nm/f* (*Postes*) addressee; (*d'un colis*) consignee
destination [dɛstinasjɔ̃] *nf* (*lieu*) destination; (*usage*) purpose; **à ~ de** bound for, travelling to
destiner [dɛstine] *vt*: **~ qch à qn** (*envisager de donner*) to intend sb to have sth; (*adresser*) to intend sth for sb; **être destiné à** (*usage*) to be meant for; **se ~ à l'enseignement** to intend to become a teacher
détachant [detaʃɑ̃] *nm* stain remover
détacher [detaʃe] *vt* (*enlever*) to detach, remove;

(*délier*) to untie; (*Admin*): **~ qn (auprès de** *ou* **à)** to post sb (to); **se ~** *vi* (*se séparer*) to come off; (*: page*) to come out; (*se défaire*) to come undone; **se ~ sur** to stand out against; **se ~ de** (*se désintéresser*) to grow away from
détail [detaj] *nm* detail; (*Comm*): **le ~** retail; **en ~** in detail; **au ~** (*Comm*) retail; **détaillant** *nm* retailer; **détaillé, e** *adj* (*plan, explications*) detailed; (*facture*) itemized; **détailler** *vt* (*expliquer*) to explain in detail
détecter [detɛkte] *vt* to detect
détective [detɛktiv] *nm*: **détective (privé)** private detective
déteindre [detɛ̃dʀ] *vi* (*au lavage*) to run, lose its colour; **~ sur** (*vêtement*) to run into; (*fig*) to rub off on
détendre [detɑ̃dʀ] *vt* (*corps, esprit*) to relax; **se ~** *vi* (*ressort*) to lose its tension; (*personne*) to relax
détenir [det(ə)niʀ] *vt* (*record, pouvoir, secret*) to hold; (*prisonnier*) to detain, hold
détente [detɑ̃t] *nf* relaxation
détention [detɑ̃sjɔ̃] *nf* (*d'armes*) possession; (*captivité*) detention; **détention préventive** custody
détenu, e [det(ə)ny] *nm/f* prisoner
détergent [detɛʀʒɑ̃] *nm* detergent
détériorer [deteʀjɔʀe] *vt* to damage; **se ~** *vi* to deteriorate
déterminé, e [detɛʀmine] *adj* (*résolu*) determined; (*précis*) specific, definite
déterminer [detɛʀmine] *vt* (*fixer*) to determine; **~ qn à faire qch** to decide sb to do sth; **se ~ à faire qch** to make up one's mind to do sth
détester [detɛste] *vt* to hate, detest
détour [detuʀ] *nm* detour; (*tournant*) bend, curve; **ça vaut le ~** it's worth the trip; **sans ~** (*fig*) plainly
détourné, e [detuʀne] *adj* (*moyen*) roundabout
détourner [detuʀne] *vt* to divert; (*par la force*) to hijack; (*yeux, tête*) to turn away; (*de l'argent*) to embezzle; **se ~** *vi* to turn away
détraquer [detʀake] *vt* to put out of order; (*estomac*) to upset; **se ~** *vi* (*machine*) to go wrong
détriment [detʀimɑ̃] *nm*: **au ~ de** to the detriment of
détroit [detʀwa] *nm* strait
détruire [detʀɥiʀ] *vt* to destroy
dette [dɛt] *nf* debt
DEUG *sigle m* (*= diplôme d'études universitaires générales*) *diploma taken after 2 years at university*
deuil [dœj] *nm* (*perte*) bereavement; (*période*) mourning; **être en ~** to be in mourning
deux [dø] *num* two; **tous les ~** both; **ses ~ mains** both his hands, his two hands; **~ fois** twice; **deuxième** *num* second; **deuxièmement** *adv* secondly; **deux-pièces** *nm inv* (*tailleur*) two-piece suit; (*de bain*) two-piece (swimsuit); (*appartement*) two-roomed flat (BRIT) *ou* apartment (US); **deux-points** *nm inv* colon *sg*; **deux-roues** *nm inv* two-wheeled vehicle
devais [dəvɛ] *vb voir* **devoir**
dévaluation [devalɥasjɔ̃] *nf* devaluation
devancer [d(ə)vɑ̃se] *vt* (*coureur, rival*) to get ahead of; (*arriver*) to arrive before; (*prévenir: questions, désirs*) to anticipate
devant [d(ə)vɑ̃] *adv* in front; (*à distance: en avant*) ahead ▷ *prép* in front of; (*en avant*) ahead of; (*avec mouvement: passer*) past; (*en présence de*) before, in front of; (*étant donné*) in view of ▷ *nm* front; **prendre les ~s** to make the first move; **les pattes de ~** the front legs, the forelegs; **par ~** (*boutonner*) at the front; (*entrer*) the front way; **aller au-~ de qn** to go out to meet sb; **aller au-~ de** (*désirs de qn*) to anticipate
devanture [d(ə)vɑ̃tyʀ] *nf* (*étalage*) display; (*vitrine*) (shop) window
développement [dev(ə)lɔpmɑ̃] *nm* development; **pays en voie de ~** developing countries
développer [dev(ə)lɔpe] *vt* to develop; **se ~** *vi* to develop
devenir [dəv(ə)niʀ] *vb +attrib* to become; **que sont-ils devenus?** what has become of them?
devez [dəve] *vb voir* **devoir**
déviation [devjasjɔ̃] *nf* (*Auto*) diversion (BRIT), detour (US)
devienne *etc* [dəvjɛn] *vb voir* **devenir**
deviner [d(ə)vine] *vt* to guess; (*apercevoir*) to distinguish; **devinette** *nf* riddle
devis [d(ə)vi] *nm* estimate, quotation
devise [dəviz] *nf* (*formule*) motto, watchword; **devises** *nfpl* (*argent*) currency *sg*
dévisser [devise] *vt* to unscrew, undo; **se ~** *vi* to come unscrewed
devoir [d(ə)vwaʀ] *nm* duty; (*Scol*) homework *no pl*; (*: en classe*) exercise ▷ *vt* (*argent, respect*): **~ qch (à qn)** to owe (sb) sth; (*+infin: obligation*): **il doit le faire** he has to do it, he must do it; (*: intention*): **le nouveau centre commercial doit ouvrir en mai** the new shopping centre is due to open in May; (*: probabilité*): **il doit être tard** it must be late; (*: fatalité*): **cela devait arriver** it was bound to happen; **combien est-ce que je vous dois?** how much do I owe you?
dévorer [devɔʀe] *vt* to devour
dévoué, e [devwe] *adj* devoted
dévouer [devwe]: **se ~** *vi* (*se sacrifier*): **se ~ (pour)** to sacrifice o.s. (for); (*se consacrer*): **se ~ à** to devote *ou* dedicate o.s. to
devrai [dəvʀe] *vb voir* **devoir**
dézipper [dezipe] *vt* to unzip
diabète [djabɛt] *nm* diabetes *sg*; **diabétique** *nm/f* diabetic
diable [djɑbl] *nm* devil
diabolo [djabɔlo] *nm* (*boisson*) *lemonade with fruit cordial*
diagnostic [djagnɔstik] *nm* diagnosis *sg*; **diagnostiquer** *vt* to diagnose
diagonal, e, -aux [djagɔnal, o] *adj* diagonal; **diagonale** *nf* diagonal; **en diagonale** diagonally
diagramme [djagʀam] *nm* chart, graph
dialecte [djalɛkt] *nm* dialect
dialogue [djalɔg] *nm* dialogue
diamant [djamɑ̃] *nm* diamond
diamètre [djamɛtʀ] *nm* diameter
diapositive [djapozitiv] *nf* transparency, slide
diarrhée [djaʀe] *nf* diarrhoea
dictateur [diktatœʀ] *nm* dictator; **dictature** *nf* dictatorship
dictée [dikte] *nf* dictation
dicter [dikte] *vt* to dictate
dictionnaire [diksjɔnɛʀ] *nm* dictionary
dièse [djɛz] *nm* sharp
diesel [djezɛl] *nm* diesel ▷ *adj inv* diesel
diète [djɛt] *nf* (*jeûne*) starvation diet; (*régime*) diet; **diététique** *adj*: **magasin diététique** health food shop (BRIT) *ou* store (US)
dieu, x [djø] *nm* god; **D~** God; **mon D~!** good heavens!
différemment [difeʀamɑ̃] *adv* differently
différence [difeʀɑ̃s] *nf* difference; **à la ~ de** unlike; **différencier** *vt* to differentiate
différent, e [difeʀɑ̃, ɑ̃t] *adj* (*dissemblable*) different;

~ de different from; (*divers*) different, various
différer [difeʀe] *vt* to postpone, put off ▷ *vi*: **~ (de)** to differ (from)
difficile [difisil] *adj* difficult; (*exigeant*) hard to please; **difficilement** *adv* with difficulty
difficulté [difikylte] *nf* difficulty; **en ~** (*bateau, alpiniste*) in difficulties
diffuser [difyze] *vt* (*chaleur*) to diffuse; (*émission, musique*) to broadcast; (*nouvelle*) to circulate; (*Comm*) to distribute
digérer [diʒeʀe] *vt* to digest; (*fam: accepter*) to stomach, put up with; **digestif** *nm* (after-dinner) liqueur; **digestion** *nf* digestion
digne [diɲ] *adj* dignified; **~ de** worthy of; **~ de foi** trustworthy; **dignité** *nf* dignity
digue [dig] *nf* dike, dyke
dilemme [dilɛm] *nm* dilemma
diligence [diliʒɑ̃s] *nf* stagecoach
diluer [dilɥe] *vt* to dilute
dimanche [dimɑ̃ʃ] *nm* Sunday
dimension [dimɑ̃sjɔ̃] *nf* (*grandeur*) size; (*dimensions*) dimensions
diminuer [diminɥe] *vt* to reduce, decrease; (*ardeur etc*) to lessen; (*dénigrer*) to belittle ▷ *vi* to decrease, diminish; **diminutif** *nm* (*surnom*) pet name
dinde [dɛ̃d] *nf* turkey
dindon [dɛ̃dɔ̃] *nm* turkey
dîner [dine] *nm* dinner ▷ *vi* to have dinner
dingue [dɛ̃g] (*fam*) *adj* crazy
dinosaure [dinɔzɔʀ] *nm* dinosaur
diplomate [diplɔmat] *adj* diplomatic ▷ *nm* diplomat; (*fig*) diplomatist; **diplomatie** *nf* diplomacy
diplôme [diplom] *nm* diploma; **avoir des ~s** to have qualifications; **diplômé, e** *adj* qualified
dire [diʀ] *nm*: **au ~ de** according to ▷ *vt* to say; (*secret, mensonge, heure*) to tell; **~ qch à qn** to tell sb sth; **~ à qn qu'il fasse** *ou* **de faire** to tell sb to do; **on dit que** they say that; **ceci** *ou* **cela dit** that being said; **si cela lui dit** (*plaire*) if he fancies it; **que dites-vous de** (*penser*) what do you think of; **on dirait que** it looks (*ou* sounds *etc*) as if; **dis/dites (donc)!** I say!; **se ~ (à soi-même)** to say to o.s.; **se ~ malade** (*se prétendre*) to claim one is ill; **ça ne se dit pas** (*impoli*) you shouldn't say that; (*pas en usage*) you don't say that
direct, e [diʀɛkt] *adj* direct ▷ *nm* (*TV*): **en ~** live; **directement** *adv* directly
directeur, -trice [diʀɛktœʀ, tʀis] *nm/f* (*d'entreprise*) director; (*de service*) manager(-eress); (*d'école*) head(teacher) (BRIT), principal (US)
direction [diʀɛksjɔ̃] *nf* (*sens*) direction; (*d'entreprise*) management; (*Auto*) steering; **"toutes ~s"** "all routes"
dirent [diʀ] *vb voir* **dire**
dirigeant, e [diʀiʒɑ̃, ɑ̃t] *adj* (*classe*) ruling ▷ *nm/f* (*d'un parti etc*) leader
diriger [diʀiʒe] *vt* (*entreprise*) to manage, run; (*véhicule*) to steer; (*orchestre*) to conduct; (*recherches, travaux*) to supervise; **~ sur** (*arme*) to point *ou* level *ou* aim at; **~ son regard sur** to look in the direction of; **se ~** *vi* (*s'orienter*) to find one's way; **se ~ vers** *ou* **sur** to make *ou* head for
dis [di] *vb voir* **dire**
discerner [disɛʀne] *vt* to discern, make out
discipline [disiplin] *nf* discipline; **discipliner** *vt* to discipline
discontinu, e [diskɔ̃tiny] *adj* intermittent
discontinuer [diskɔ̃tinɥe] *vi*: **sans ~** without stopping, without a break
discothèque [diskɔtɛk] *nf* (*boîte de nuit*) disco(thèque)
discours [diskuʀ] *nm* speech
discret, -ète [diskʀɛ, ɛt] *adj* discreet; (*parfum, maquillage*) unobtrusive; **discrétion** *nf* discretion; **à discrétion** as much as one wants
discrimination [diskʀiminasjɔ̃] *nf* discrimination; **sans ~** indiscriminately
discussion [diskysjɔ̃] *nf* discussion
discutable [diskytabl] *adj* debatable
discuter [diskyte] *vt* (*débattre*) to discuss; (*contester*) to question, dispute ▷ *vi* to talk; (*protester*) to argue; **~ de** to discuss
dise [diz] *vb voir* **dire**
disjoncteur [disʒɔ̃ktœʀ] *nm* (*Élec*) circuit breaker
disloquer [dislɔke]: **se ~** *vi* (*parti, empire*) to break up; (*meuble*) to come apart; (*épaule*) to be dislocated
disons [dizɔ̃] *vb voir* **dire**
disparaître [dispaʀɛtʀ] *vi* to disappear; (*se perdre: traditions etc*) to die out; **faire ~** (*tache*) to remove; (*douleur*) to get rid of
disparition [dispaʀisjɔ̃] *nf* disappearance; **espèce en voie de ~** endangered species
disparu, e [dispaʀy] *nm/f* missing person ▷ *adj*: **être porté ~** to be reported missing
dispensaire [dispɑ̃sɛʀ] *nm* community clinic
dispenser [dispɑ̃se] *vt*: **~ qn de** to exempt sb from
disperser [dispɛʀse] *vt* to scatter; **se ~** *vi* to break up
disponible [dispɔnibl(ə)] *adj* available
disposé, e [dispoze] *adj*: **bien/mal ~** (*humeur*) in a good/bad mood; **~ à** (*prêt à*) willing *ou* prepared to
disposer [dispoze] *vt* to arrange ▷ *vi*: **vous pouvez ~** you may leave; **~ de** to have (at one's disposal); **se ~ à faire** to prepare to do, be about to do
dispositif [dispozitif] *nm* device; (*fig*) system, plan of action
disposition [dispozisjɔ̃] *nf* (*arrangement*) arrangement, layout; (*humeur*) mood; **prendre ses ~s** to make arrangements; **avoir des ~s pour la musique** *etc* to have a special aptitude for music *etc*; **à la ~ de qn** at sb's disposal; **je suis à votre ~** I am at your service
disproportionné, e [dispʀɔpɔʀsjɔne] *adj* disproportionate, out of all proportion
dispute [dispyt] *nf* quarrel, argument; **disputer** *vt* (*match*) to play; (*combat*) to fight; **se disputer** *vi* to quarrel
disqualifier [diskalifje] *vt* to disqualify
disque [disk] *nm* (*Mus*) record; (*forme, pièce*) disc; (*Sport*) discus; **disque compact** compact disc; **disque dur** hard disk; **disquette** *nf* floppy disk, diskette
dissertation [disɛʀtasjɔ̃] *nf* (*Scol*) essay
dissimuler [disimyle] *vt* to conceal
dissipé, e [disipe] *adj* (*élève*) undisciplined, unruly
dissolvant [disɔlvɑ̃] *nm* nail polish remover
dissuader [disɥade] *vt*: **~ qn de faire** to dissuade sb from doing
distance [distɑ̃s] *nf* distance; (*fig: écart*) gap; **à ~** at *ou* from a distance; **distancer** *vt* to outdistance
distant, e [distɑ̃, ɑ̃t] *adj* (*réservé*) distant; **~ de** (*lieu*) far away from
distillerie [distilʀi] *nf* distillery
distinct, e [distɛ̃(kt), ɛ̃kt] *adj* distinct; **distinctement** *adv* distinctly, clearly; **distinctif, -ive** *adj* distinctive
distingué, e [distɛ̃ge] *adj* distinguished

distinguer [distɛ̃ge] *vt* to distinguish; **se ~ de** to be distinguished by
distraction [distʀaksjɔ̃] *nf* (*inattention*) absent-mindedness; (*passe-temps*) distraction, entertainment
distraire [distʀɛʀ] *vt* (*divertir*) to entertain, divert; (*déranger*) to distract; **se ~** *vi* to amuse *ou* enjoy o.s.; **distrait, e** *adj* absent-minded
distrayant, e [distʀɛjɑ̃, ɑ̃t] *adj* entertaining
distribuer [distʀibɥe] *vt* to distribute, hand out; (*Cartes*) to deal (out); (*courrier*) to deliver; **distributeur** *nm* (*Comm*) distributor; **distributeur (automatique)** (vending) machine; **distributeur de billets** (cash) dispenser
dit, e [di, dit] *pp de* **dire** ▷ *adj* (*fixé*): **le jour ~** the arranged day; (*surnommé*): **X, ~ Pierrot** X, known as Pierrot
dites [dit] *vb voir* **dire**
divan [divɑ̃] *nm* divan
divers, e [divɛʀ, ɛʀs] *adj* (*varié*) diverse, varied; (*différent*) different, various; **~es personnes** various *ou* several people
diversité [divɛʀsite] *nf* (*variété*) diversity
divertir [divɛʀtiʀ]: **se ~** *vi* to amuse *ou* enjoy o.s.; **divertissement** *nm* distraction, entertainment
diviser [divize] *vt* to divide; **division** *nf* division
divorce [divɔʀs] *nm* divorce; **divorcé, e** *nm/f* divorcee; **divorcer** *vi* to get a divorce, get divorced; **divorcer de** *ou* **d'avec qn** to divorce sb
divulguer [divylge] *vt* to disclose
dix [dis] *num* ten; **dix-huit** *num* eighteen; **dix-huitième** *num* eighteenth; **dixième** *num* tenth; **dix-neuf** *num* nineteen; **dix-neuvième** *num* nineteenth; **dix-sept** *num* seventeen; **dix-septième** *num* seventeenth
dizaine [dizɛn] *nf*: **une ~ (de)** about ten, ten or so
do [do] *nm* (*note*) C; (*en chantant la gamme*) do(h)
docile [dɔsil] *adj* docile
dock [dɔk] *nm* dock; **docker** *nm* docker
docteur [dɔktœʀ] *nm* doctor; **doctorat** *nm* doctorate
doctrine [dɔktʀin] *nf* doctrine
document [dɔkymɑ̃] *nm* document; **documentaire** *adj, nm* documentary; **documentation** *nf* documentation, literature; **documenter** *vt*: **se documenter (sur)** to gather information (on)
dodo [dodo] *nm* (*langage enfantin*): **aller faire ~** to go to beddy-byes
dogue [dɔg] *nm* mastiff
doigt [dwa] *nm* finger; **à deux ~s de** within an inch of; **un ~ de lait/whiskey** a drop of milk/whisky; **doigt de pied** toe
doit *etc* [dwa] *vb voir* **devoir**
dollar [dɔlaʀ] *nm* dollar
domaine [dɔmɛn] *nm* estate, property; (*fig*) domain, field
domestique [dɔmɛstik] *adj* domestic ▷ *nm/f* servant, domestic
domicile [dɔmisil] *nm* home, place of residence; **à ~** at home; **livrer à ~** to deliver; **domicilié, e** *adj*: **"domicilié à ..."** "address ..."
dominant, e [dɔminɑ̃, ɑ̃t] *adj* (*opinion*) predominant
dominer [dɔmine] *vt* to dominate; (*sujet*) to master; (*surpasser*) to outclass, surpass; (*surplomber*) to tower above, dominate ▷ *vi* to be in the dominant position; **se ~** *vi* to control o.s.
domino [dɔmino] *nm* domino; **dominos** *nmpl* (*jeu*) dominoes *sg*
dommage [dɔmaʒ] *nm*: **~s** (*dégâts*) damage *no pl*; **c'est ~!** what a shame!; **c'est ~ que** it's a shame *ou* pity that
dompter [dɔ̃(p)te] *vt* to tame; **dompteur, -euse** *nm/f* trainer
DOM-ROM [dɔmʀɔm] *sigle m* (*= départements et régions d'outre-mer*) *French overseas departments and regions*
don [dɔ̃] *nm* gift; (*charité*) donation; **avoir des ~s pour** to have a gift *ou* talent for; **elle a le ~ de m'énerver** she's got a knack of getting on my nerves
donc [dɔ̃k] *conj* therefore, so; (*après une digression*) so, then
donné, e [dɔne] *adj* (*convenu: lieu, heure*) given; (*pas cher: fam*): **c'est ~** it's a gift; **étant ~ que ...** given that ...; **données** *nfpl* data
donner [dɔne] *vt* to give; (*vieux habits etc*) to give away; (*spectacle*) to put on; **~ qch à qn** to give sb sth, give sth to sb; **~ sur** (*suj: fenêtre, chambre*) to look (out) onto; **ça donne soif/faim** it makes you (feel) thirsty/hungry; **se ~ à fond** to give one's all; **se ~ du mal** to take (great) trouble; **s'en ~ à cœur joie** (*fam*) to have a great time

MOT-CLÉ

dont [dɔ̃] *pron relatif* **1** (*appartenance: objets*) whose, of which; (*appartenance: êtres animés*) whose; **la maison dont le toit est rouge** the house the roof of which is red, the house whose roof is red; **l'homme dont je connais la sœur** the man whose sister I know
2 (*parmi lesquel(le)s*): **2 livres, dont l'un est ...** 2 books, one of which is ...; **il y avait plusieurs personnes, dont Gabrielle** there were several people, among them Gabrielle; **10 blessés, dont 2 grièvement** 10 injured, 2 of them seriously
3 (*complément d'adjectif, de verbe*): **le fils dont il est si fier** the son he's so proud of; **le pays dont il est originaire** the country he's from; **la façon dont il l'a fait** the way he did it; **ce dont je parle** what I'm talking about

dopage [dɔpaʒ] *nm* (*Sport*) drug use; (*de cheval*) doping
doré, e [dɔʀe] *adj* golden; (*avec dorure*) gilt, gilded
dorénavant [dɔʀenavɑ̃] *adv* henceforth
dorer [dɔʀe] *vt* to gild; **(faire) ~** (*Culin*) to brown
dorloter [dɔʀlɔte] *vt* to pamper
dormir [dɔʀmiʀ] *vi* to sleep; (*être endormi*) to be asleep
dortoir [dɔʀtwaʀ] *nm* dormitory
dos [do] *nm* back; (*de livre*) spine; **"voir au ~"** "see over"; **de ~** from the back
dosage [dozaʒ] *nm* mixture
dose [doz] *nf* dose; **doser** *vt* to measure out; **il faut savoir doser ses efforts** you have to be able to pace yourself
dossier [dosje] *nm* (*documents*) file; (*de chaise*) back; (*Presse*) feature; (*Comput*) folder; **un ~ scolaire** a school report
douane [dwan] *nf* customs *pl*; **douanier, -ière** *adj* customs *cpd* ▷ *nm* customs officer
double [dubl] *adj, adv* double ▷ *nm* (*2 fois plus*): **le ~ (de)** twice as much (*ou* many) (as); (*autre exemplaire*) duplicate, copy; (*sosie*) double; (*Tennis*) doubles *sg*; **en ~ (exemplaire)** in duplicate; **faire ~ emploi**

to be redundant; **double-cliquer** *vi* (*Inform*) to double-click
doubler [duble] *vt* (*multiplier par 2*) to double; (*vêtement*) to line; (*dépasser*) to overtake, pass; (*film*) to dub; (*acteur*) to stand in for ▷ *vi* to double
doublure [dublyʀ] *nf* lining; (*Cinéma*) stand-in
douce [dus] *adj voir* **doux**; **douceâtre** *adj* sickly sweet; **doucement** *adv* gently; (*lentement*) slowly; **douceur** *nf* softness; (*de quelqu'un*) gentleness; (*de climat*) mildness
douche [duʃ] *nf* shower; **prendre une ~** to have *ou* take a shower; **doucher**: **se doucher** *vi* to have *ou* take a shower
doué, e [dwe] *adj* gifted, talented; **être ~ pour** to have a gift for
douille [duj] *nf* (*Élec*) socket
douillet, te [dujɛ, ɛt] *adj* cosy; (*péj*: *à la douleur*) soft
douleur [dulœʀ] *nf* pain; (*chagrin*) grief, distress; **douloureux, -euse** *adj* painful
doute [dut] *nm* doubt; **sans ~** no doubt; (*probablement*) probably; **sans aucun ~** without a doubt; **douter** *vt* to doubt; **douter de** (*sincérité de qn*) to have (one's) doubts about; (*réussite*) to be doubtful of; **douter que** to doubt if *ou* whether; **se douter de qch/que** to suspect sth/that; **je m'en doutais** I suspected as much; **douteux, -euse** *adj* (*incertain*) doubtful; (*péj*) dubious-looking
Douvres [duvʀ] *n* Dover
doux, douce [du, dus] *adj* soft; (*sucré*) sweet; (*peu fort*: *moutarde, clément*: *climat*) mild; (*pas brusque*) gentle
douzaine [duzɛn] *nf* (12) dozen; (*environ 12*): **une ~ (de)** a dozen or so
douze [duz] *num* twelve; **douzième** *num* twelfth
dragée [dʀaʒe] *nf* sugared almond
draguer [dʀage] *vt* (*rivière*) to dredge; (*fam*) to try to pick up
dramatique [dʀamatik] *adj* dramatic; (*tragique*) tragic ▷ *nf* (*TV*) (television) drama
drame [dʀam] *nm* drama
drap [dʀa] *nm* (*de lit*) sheet; (*tissu*) woollen fabric
drapeau, x [dʀapo] *nm* flag
drap-housse [dʀaus] *nm* fitted sheet
dresser [dʀese] *vt* (*mettre vertical, monter*) to put up, erect; (*liste*) to draw up; (*animal*) to train; **se ~** *vi* (*obstacle*) to stand; (*personne*) to draw o.s. up; **~ qn contre qn** to set sb against sb; **~ l'oreille** to prick up one's ears
drogue [dʀɔg] *nf* drug; **la ~** drugs *pl*; **drogué, e** *nm/f* drug addict; **droguer** *vt* (*victime*) to drug; **se droguer** *vi* (*aux stupéfiants*) to take drugs; (*péj*: *de médicaments*) to dose o.s. up; **droguerie** *nf* hardware shop; **droguiste** *nm* keeper/owner of a hardware shop
droit, e [dʀwa, dʀwat] *adj* (*non courbe*) straight; (*vertical*) upright, straight; (*fig*: *loyal*) upright, straight(forward); (*opposé à gauche*) right, right-hand ▷ *adv* straight ▷ *nm* (*prérogative*) right; (*taxe*) duty, tax; (: *d'inscription*) fee; (*Jur*): **le ~** law; **avoir le ~ de** to be allowed to; **avoir ~ à** to be entitled to; **être dans son ~** to be within one's rights; **à ~e** on the right; (*direction*) (to the) right; **droits d'auteur** royalties; **droits d'inscription** enrolment fee; **droite** *nf* (*Pol*): **la droite** the right (wing); **droitier, -ière** *adj* right-handed
drôle [dʀol] *adj* funny; **une ~ d'idée** a funny idea
dromadaire [dʀɔmadɛʀ] *nm* dromedary
du [dy] *dét voir* **de** ▷ *prép + dét* = **de + le**
dû, due [dy] *vb voir* **devoir** ▷ *adj* (*somme*) owing, owed; (*causé par*): **dû à** due to ▷ *nm* due
dune [dyn] *nf* dune
duplex [dyplɛks] *nm* (*appartement*) split-level apartment, duplex
duquel [dykɛl] *prép + pron* = **de + lequel**
dur, e [dyʀ] *adj* (*pierre, siège, travail, problème*) hard; (*voix, climat*) harsh; (*sévère*) hard, harsh; (*cruel*) hard(-hearted); (*porte, col*) stiff; (*viande*) tough ▷ *adv* hard ▷ *nm* (*fam*: *meneur*) tough nut; **~ d'oreille** hard of hearing
durant [dyʀɑ̃] *prép* (*au cours de*) during; (*pendant*) for; **des mois ~** for months
durcir [dyʀsiʀ] *vt, vi* to harden; **se ~** *vi* to harden
durée [dyʀe] *nf* length; (*d'une pile etc*) life; **de courte ~** (*séjour*) short
durement [dyʀmɑ̃] *adv* harshly
durer [dyʀe] *vi* to last
dureté [dyʀte] *nf* hardness; harshness; stiffness; toughness
durit(r) [dyʀit] *nf* (car radiator) hose
duvet [dyvɛ] *nm* down; (*sac de couchage*) down-filled sleeping bag
DVD *sigle m* (= *digital versatile disc*) DVD
dynamique [dinamik] *adj* dynamic; **dynamisme** *nm* dynamism
dynamo [dinamo] *nf* dynamo
dyslexie [dislɛksi] *nf* dyslexia, word-blindness

e

eau, x [o] *nf* water; **eaux** *nfpl* (*Méd*) waters; **prendre l'~** to leak, let in water; **tomber à l'~** (*fig*) to fall through; **eau de Cologne** eau de Cologne; **eau courante** running water; **eau de javel** bleach; **eau de toilette** toilet water; **eau douce** fresh water; **eau gazeuse** sparkling (mineral) water; **eau minérale** mineral water; **eau plate** still water; **eau salée** salt water; **eau-de-vie** *nf* brandy
ébène [ebɛn] *nf* ebony; **ébéniste** *nm* cabinetmaker
éblouir [ebluiʀ] *vt* to dazzle
éboueur [ebwœʀ] *nm* dustman (BRIT), garbageman (US)
ébouillanter [ebujɑ̃te] *vt* to scald; (*Culin*) to blanch
éboulement [ebulmɑ̃] *nm* rock fall
ébranler [ebʀɑ̃le] *vt* to shake; (*affaiblir*) to weaken; **s'~** *vi* (*partir*) to move off
ébullition [ebylisjɔ̃] *nf* boiling point; **en ~** boiling
écaille [ekɑj] *nf* (*de poisson*) scale; (*matière*) tortoiseshell; **écailler** *vt* (*poisson*) to scale; **s'écailler** *vi* to flake *ou* peel (off)
écart [ekaʀ] *nm* gap; **à l'~** out of the way; **à l'~ de** away from; **faire un ~** (*voiture*) to swerve
écarté, e [ekaʀte] *adj* (*lieu*) out-of-the-way, remote; (*ouvert*): **les jambes ~es** legs apart; **les bras ~s**

arms outstretched
écarter [ekaʀte] *vt* (*séparer*) to move apart, separate; (*éloigner*) to push back, move away; (*ouvrir: bras, jambes*) to spread, open; (*: rideau*) to draw (back); (*éliminer: candidat, possibilité*) to dismiss; **s'~** *vi* to part; (*s'éloigner*) to move away; **s'~ de** to wander from
échafaudage [eʃafodaʒ] *nm* scaffolding
échalote [eʃalɔt] *nf* shallot
échange [eʃɑ̃ʒ] *nm* exchange; **en ~ de** in exchange *ou* return for; **échanger** *vt*: **échanger qch (contre)** to exchange sth (for)
échantillon [eʃɑ̃tijɔ̃] *nm* sample
échapper [eʃape]: **~ à** *vt* (*gardien*) to escape (from); (*punition, péril*) to escape; **s'~** *vi* to escape; **~ à qn** (*détail, sens*) to escape sb; (*objet qu'on tient*) to slip out of sb's hands; **laisser ~** (*cri etc*) to let out; **l'~ belle** to have a narrow escape
écharde [eʃaʀd] *nf* splinter (of wood)
écharpe [eʃaʀp] *nf* scarf; **avoir le bras en ~** to have one's arm in a sling
échauffer [eʃofe] *vt* (*moteur*) to overheat; **s'~** *vi* (*Sport*) to warm up; (*dans la discussion*) to become heated
échéance [eʃeɑ̃s] *nf* (*d'un paiement: date*) settlement date; (*fig*) deadline; **à brève ~** in the short term; **à longue ~** in the long run
échéant [eʃeɑ̃]: **le cas ~** *adv* if the case arises
échec [eʃɛk] *nm* failure; (*Échecs*): **~ et mat/au roi** checkmate/check; **échecs** *nmpl* (*jeu*) chess *sg*; **tenir en ~** to hold in check
échelle [eʃɛl] *nf* ladder; (*fig, d'une carte*) scale
échelon [eʃ(ə)lɔ̃] *nm* (*d'échelle*) rung; (*Admin*) grade; **échelonner** *vt* to space out
échiquier [eʃikje] *nm* chessboard
écho [eko] *nm* echo; **échographie** *nf*: **passer une échographie** to have a scan
échouer [eʃwe] *vi* to fail; **s'~** *vi* to run aground
éclabousser [eklabuse] *vt* to splash
éclair [eklɛʀ] *nm* (*d'orage*) flash of lightning, lightning *no pl*; (*gâteau*) éclair
éclairage [eklɛʀaʒ] *nm* lighting
éclaircie [eklɛʀsi] *nf* bright interval
éclaircir [eklɛʀsiʀ] *vt* to lighten; (*fig: mystère*) to clear up; (*: point*) to clarify; **s'~** *vi* (*ciel*) to clear; **s'~ la voix** to clear one's throat; **éclaircissement** *nm* (*sur un point*) clarification
éclairer [ekleʀe] *vt* (*lieu*) to light (up); (*personne: avec une lampe etc*) to light the way for; (*fig: problème*) to shed light on ▷ *vi*: **~ mal/bien** to give a poor/good light; **s'~ à la bougie** to use candlelight
éclat [ekla] *nm* (*de bombe, de verre*) fragment; (*du soleil, d'une couleur etc*) brightness, brilliance; (*d'une cérémonie*) splendour; (*scandale*): **faire un ~** to cause a commotion; **éclats de voix** shouts; **éclat de rire** roar of laughter
éclatant, e [eklatɑ̃, ɑ̃t] *adj* brilliant
éclater [eklate] *vi* (*pneu*) to burst; (*bombe*) to explode; (*guerre*) to break out; (*groupe, parti*) to break up; **~ en sanglots/de rire** to burst out sobbing/laughing
écluse [eklyz] *nf* lock
écœurant, e [ekœʀɑ̃, ɑ̃t] *adj* (*gâteau etc*) sickly; (*fig*) sickening
écœurer [ekœʀe] *vt*: **~ qn** (*nourriture*) to make sb feel sick; (*conduite, personne*) to disgust sb
école [ekɔl] *nf* school; **aller à l'~** to go to school; **école maternelle** nursery school; **école primaire** primary (BRIT) *ou* grade (US) school; **école secondaire** secondary (BRIT) *ou* high (US) school; **écolier, -ière** *nm/f* schoolboy(-girl)
écologie [ekɔlɔʒi] *nf* ecology; **écologique** *adj* environment-friendly; **écologiste** *nm/f* ecologist
économe [ekɔnɔm] *adj* thrifty ▷ *nm/f* (*de lycée etc*) bursar (BRIT), treasurer (US)
économie [ekɔnɔmi] *nf* economy; (*gain: d'argent, de temps etc*) saving; (*science*) economics *sg*; **économies** *nfpl* (*pécule*) savings; **économique** *adj* (*avantageux*) economical; (*Écon*) economic; **économiser** *vt, vi* to save
écorce [ekɔʀs] *nf* bark; (*de fruit*) peel
écorcher [ekɔʀʃe] *vt*: **s'~ le genou/la main** to graze one's knee/one's hand; **écorchure** *nf* graze
écossais, e [ekɔsɛ, ɛz] *adj* Scottish ▷ *nm/f*: **É~, e** Scot
Écosse [ekɔs] *nf*: **l'~** Scotland
écouter [ekute] *vt* to listen to; **s'~** (*malade*) to be a bit of a hypochondriac; **si je m'écoutais** if I followed my instincts; **écouteur** *nm* (*Tél*) receiver; **écouteurs** *nmpl* (*casque*) headphones *pl*, headset
écran [ekʀɑ̃] *nm* screen; **petit ~** television; **~ total** sunblock
écrasant, e [ekʀɑzɑ̃, ɑ̃t] *adj* overwhelming
écraser [ekʀɑze] *vt* to crush; (*piéton*) to run over; **s'~** *vi* to crash; **s'~ contre** to crash into
écrémé, e [ekʀeme] *adj* (*lait*) skimmed
écrevisse [ekʀəvis] *nf* crayfish *inv*
écrire [ekʀiʀ] *vt* to write; **s'~** to write to each other; **ça s'écrit comment?** how is it spelt?; **écrit** *nm* (*examen*) written paper; **par écrit** in writing
écriteau, x [ekʀito] *nm* notice, sign
écriture [ekʀityʀ] *nf* writing; **écritures** *nfpl* (*Comm*) accounts, books; **l'É~ (sainte), les É~s** the Scriptures
écrivain [ekʀivɛ̃] *nm* writer
écrou [ekʀu] *nm* nut
écrouler [ekʀule]: **s'~** *vi* to collapse
écru, e [ekʀy] *adj* (*couleur*) off-white, écru
écume [ekym] *nf* foam
écureuil [ekyʀœj] *nm* squirrel
écurie [ekyʀi] *nf* stable
eczéma [ɛgzema] *nm* eczema
EDF *sigle f* (*= Électricité de France*) *national electricity company*
Édimbourg [edɛ̃buʀ] *n* Edinburgh
éditer [edite] *vt* (*publier*) to publish; (*annoter*) to edit; **éditeur, -trice** *nm/f* publisher; **édition** *nf* edition; (*industrie du livre*) publishing
édredon [edʀədɔ̃] *nm* eiderdown
éducateur, -trice [edykatœʀ, tʀis] *nm/f* teacher; (*en école spécialisée*) instructor
éducatif, -ive [edykatif, iv] *adj* educational
éducation [edykasjɔ̃] *nf* education; (*familiale*) upbringing; (*manières*) (good) manners *pl*; **éducation physique** physical education
éduquer [edyke] *vt* to educate; (*élever*) to bring up
effacer [efase] *vt* to erase, rub out; **s'~** *vi* (*inscription etc*) to wear off; (*pour laisser passer*) to step aside
effarant, e [efaʀɑ̃, ɑ̃t] *adj* alarming
effectif, -ive [efɛktif, iv] *adj* real ▷ *nm* (*Scol*) (pupil) numbers *pl*; (*entreprise*) staff, workforce; **effectivement** *adv* (*réellement*) actually, really; (*en effet*) indeed
effectuer [efɛktɥe] *vt* (*opération*) to carry out; (*trajet*) to make
effervescent, e [efɛʀvesɑ̃, ɑ̃t] *adj* effervescent
effet [efɛ] *nm* effect; (*impression*) impression; **effets** *nmpl* (*vêtements etc*) things; **faire ~** (*médicament*) to

take effect; **faire de l'~** (*impressionner*) to make an impression; **faire bon/mauvais ~ sur qn** to make a good/bad impression on sb; **en ~** indeed; **effet de serre** greenhouse effect
efficace [efikas] *adj* (*personne*) efficient; (*action, médicament*) effective; **efficacité** *nf* efficiency; effectiveness
effondrer [efɔ̃dʀe]: **s'~** *vi* to collapse
efforcer [efɔʀse]: **s'~ de** *vt*: **s'~ de faire** to try hard to do
effort [efɔʀ] *nm* effort
effrayant, e [efʀɛjɑ̃, ɑ̃t] *adj* frightening
effrayer [efʀeje] *vt* to frighten, scare; **s'~ (de)** to be frightened *ou* scared (by)
effréné, e [efʀene] *adj* wild
effronté, e [efʀɔ̃te] *adj* cheeky
effroyable [efʀwajabl] *adj* horrifying, appalling
égal, e, -aux [egal, o] *adj* equal; (*constant: vitesse*) steady ▷ *nm/f* equal; **être ~ à** (*prix, nombre*) to be equal to; **ça lui est ~** it's all the same to him, he doesn't mind; **sans ~** matchless, unequalled; **d'~ à ~** as equals; **également** *adv* equally; (*aussi*) too, as well; **égaler** *vt* to equal; **égaliser** *vt* (*sol, salaires*) to level (out); (*chances*) to equalize ▷ *vi* (*Sport*) to equalize; **égalité** *nf* equality; **être à égalité** to be level
égard [egaʀ] *nm*: **~s** *mpl* consideration *sg*; **à cet ~** in this respect; **par ~ pour** out of consideration for; **à l'~ de** towards
égarer [egaʀe] *vt* to mislay; **s'~** *vi* to get lost, lose one's way; (*objet*) to go astray
églefin [egləfɛ̃] *nm* haddock
église [egliz] *nf* church; **aller à l'~** to go to church
égoïsme [egɔism] *nm* selfishness; **égoïste** *adj* selfish
égout [egu] *nm* sewer
égoutter [egute] *vi* to drip; **s'~** *vi* to drip; **égouttoir** *nm* draining board; (*mobile*) draining rack
égratignure [egʀatiɲyʀ] *nf* scratch
Égypte [eʒipt] *nf*: **l'~** Egypt; **égyptien, ne** *adj* Egyptian ▷ *nm/f*: **Égyptien, ne** Egyptian
eh [e] *excl* hey!; **eh bien!** well!
élaborer [elabɔʀe] *vt* to elaborate; (*projet, stratégie*) to work out; (*rapport*) to draft
élan [elɑ̃] *nm* (*Zool*) elk, moose; (*Sport*) run up; (*fig: de tendresse etc*) surge; **prendre de l'~** to gather speed
élancer [elɑ̃se]: **s'~** *vi* to dash, hurl o.s.
élargir [elaʀʒiʀ] *vt* to widen; **s'~** *vi* to widen; (*vêtement*) to stretch
élastique [elastik] *adj* elastic ▷ *nm* (*de bureau*) rubber band; (*pour la couture*) elastic *no pl*
élection [elɛksjɔ̃] *nf* election
électricien, ne [elɛktʀisjɛ̃, jɛn] *nm/f* electrician
électricité [elɛktʀisite] *nf* electricity; **allumer/éteindre l'~** to put on/off the light
électrique [elɛktʀik] *adj* electric(al)
électrocuter [elɛktʀɔkyte] *vt* to electrocute
électroménager [elɛktʀomenaʒe] *adj, nm*: **appareils ~s, l'~** domestic (electrical) appliances
électronique [elɛktʀɔnik] *adj* electronic ▷ *nf* electronics *sg*
élégance [elegɑ̃s] *nf* elegance
élégant, e [elegɑ̃, ɑ̃t] *adj* elegant
élément [elemɑ̃] *nm* element; (*pièce*) component, part; **élémentaire** *adj* elementary
éléphant [elefɑ̃] *nm* elephant
élevage [el(ə)vaʒ] *nm* breeding; (*de bovins*) cattle rearing; **truite d'~** farmed trout
élevé, e [el(ə)ve] *adj* high; **bien/mal ~** well-/ill-mannered
élève [elɛv] *nm/f* pupil
élever [el(ə)ve] *vt* (*enfant*) to bring up, raise; (*animaux*) to breed; (*hausser: taux, niveau*) to raise; (*édifier: monument*) to put up, erect; **s'~** *vi* (*avion*) to go up; (*niveau, température*) to rise; **s'~ à** (*suj: frais, dégâts*) to amount to, add up to; **s'~ contre qch** to rise up against sth; **~ la voix** to raise one's voice; **éleveur, -euse** *nm/f* breeder
éliminatoire [eliminatwaʀ] *nf* (*Sport*) heat
éliminer [elimine] *vt* to eliminate
élire [eliʀ] *vt* to elect
elle [ɛl] *pron* (*sujet*) she; (*: chose*) it; (*complément*) her; it; **~s** (*sujet*) they; (*complément*) them; **~-même** herself; itself; **~s-mêmes** themselves; *voir aussi* **il**
éloigné, e [elwaɲe] *adj* distant, far-off; (*parent*) distant
éloigner [elwaɲe] *vt* (*échéance*) to put off, postpone; (*soupçons, danger*) to ward off; (*objet*): **~ qch (de)** to move *ou* take sth away (from); (*personne*): **~ qn (de)** to take sb away *ou* remove sb (from); **s'~ (de)** (*personne*) to go away (from); (*véhicule*) to move away (from); (*affectivement*) to grow away (from)
élu, e [ely] *pp de* **élire** ▷ *nm/f* (*Pol*) elected representative
Élysée [elize] *nm*: **(le palais de) l'~** the Élysee Palace (*the French president's residence*)
émail, -aux [emaj, o] *nm* enamel
e-mail [imɛl] *nm* e-mail; **envoyer qch par ~** to e-mail sth
émanciper [emɑ̃sipe]: **s'~** *vi* (*fig*) to become emancipated *ou* liberated
emballage [ɑ̃balaʒ] *nm* (*papier*) wrapping; (*boîte*) packaging
emballer [ɑ̃bale] *vt* to wrap (up); (*dans un carton*) to pack (up); (*fig: fam*) to thrill (to bits); **s'~** *vi* (*moteur*) to race; (*cheval*) to bolt; (*fig: personne*) to get carried away
embarcadère [ɑ̃baʀkadɛʀ] *nm* wharf, pier
embarquement [ɑ̃baʀkəmɑ̃] *nm* (*de passagers*) boarding; (*de marchandises*) loading
embarquer [ɑ̃baʀke] *vt* (*personne*) to embark; (*marchandise*) to load; (*fam*) to cart off ▷ *vi* (*passager*) to board; **s'~** *vi* to board; **s'~ dans** (*affaire, aventure*) to embark upon
embarras [ɑ̃baʀa] *nm* (*gêne*) embarrassment; **mettre qn dans l'~** to put sb in an awkward position; **vous n'avez que l'~ du choix** the only problem is choosing
embarrassant, e [ɑ̃baʀasɑ̃, ɑ̃t] *adj* embarrassing
embarrasser [ɑ̃baʀase] *vt* (*encombrer*) to clutter (up); (*gêner*) to hinder, hamper; **~ qn** to put sb in an awkward position; **s'~ de** to burden o.s. with
embaucher [ɑ̃boʃe] *vt* to take on, hire
embêter [ɑ̃bete] *vt* to bother; **s'~** *vi* (*s'ennuyer*) to be bored
emblée [ɑ̃ble]: **d'~** *adv* straightaway
embouchure [ɑ̃buʃyʀ] *nf* (*Géo*) mouth
embourber [ɑ̃buʀbe]: **s'~** *vi* to get stuck in the mud
embouteillage [ɑ̃butɛjaʒ] *nm* traffic jam
embranchement [ɑ̃bʀɑ̃ʃmɑ̃] *nm* (*routier*) junction
embrasser [ɑ̃bʀase] *vt* to kiss; (*sujet, période*) to embrace, encompass
embrayage [ɑ̃bʀejaʒ] *nm* clutch
embrouiller [ɑ̃bʀuje] *vt* to muddle up; (*fils*) to tangle (up); **s'~** *vi* (*personne*) to get in a muddle
embruns [ɑ̃bʀœ̃] *nmpl* sea spray *sg*
embué, e [ɑ̃bɥe] *adj* misted up
émeraude [em(ə)ʀod] *nf* emerald

émerger [emɛʀʒe] *vi* to emerge; (*faire saillie, aussi fig*) to stand out
émeri [em(ə)ʀi] *nm*: **toile** *ou* **papier ~** emery paper
émerveiller [emɛʀveje] *vt* to fill with wonder; **s'~ de** to marvel at
émettre [emɛtʀ] *vt* (*son, lumière*) to give out, emit; (*message etc: Radio*) to transmit; (*billet, timbre, emprunt*) to issue; (*hypothèse, avis*) to voice, put forward ▷ *vi* to broadcast
émeus *etc* [emø] *vb voir* **émouvoir**
émeute [emøt] *nf* riot
émigrer [emigʀe] *vi* to emigrate
émincer [emɛ̃se] *vt* to cut into thin slices
émission [emisjɔ̃] *nf* (*Radio, TV*) programme, broadcast; (*d'un message*) transmission; (*de timbre*) issue
emmêler [ɑ̃mele] *vt* to tangle (up); (*fig*) to muddle up; **s'~** *vi* to get in a tangle
emménager [ɑ̃menaʒe] *vi* to move in; **~ dans** to move into
emmener [ɑ̃m(ə)ne] *vt* to take (with one); (*comme otage, capture*) to take away; **~ qn au cinéma** to take sb to the cinema
emmerder [ɑ̃mɛʀde] (*fam!*) *vt* to bug, bother; **s'~** *vi* to be bored stiff
émoticone [emɔticon] *nm* smiley
émotif, -ive [emɔtif, iv] *adj* emotional
émotion [emosjɔ̃] *nf* emotion
émouvoir [emuvwaʀ] *vt* to move; **s'~** *vi* to be moved; (*s'indigner*) to be roused
empaqueter [ɑ̃pakte] *vt* to parcel up
emparer [ɑ̃paʀe]: **s'~ de** *vt* (*objet*) to seize, grab; (*comme otage, MIL*) to seize; (*suj: peur etc*) to take hold of
empêchement [ɑ̃pɛʃmɑ̃] *nm* (unexpected) obstacle, hitch
empêcher [ɑ̃peʃe] *vt* to prevent; **~ qn de faire** to prevent *ou* stop sb (from) doing; **il n'empêche que** nevertheless; **il n'a pas pu s'~ de rire** he couldn't help laughing
empereur [ɑ̃pʀœʀ] *nm* emperor
empiffrer [ɑ̃pifʀe]: **s'~** (*fam*) *vi* to stuff o.s.
empiler [ɑ̃pile] *vt* to pile (up)
empire [ɑ̃piʀ] *nm* empire; (*fig*) influence
empirer [ɑ̃piʀe] *vi* to worsen, deteriorate
emplacement [ɑ̃plasmɑ̃] *nm* site
emploi [ɑ̃plwa] *nm* (*utilisation*) use; (*Comm, Écon*) employment; (*poste*) job, situation; **mode d'~** directions for use; **emploi du temps** timetable, schedule
employé, e [ɑ̃plwaje] *nm/f* employee; **employé de bureau** office employee *ou* clerk
employer [ɑ̃plwaje] *vt* to use; (*ouvrier, main-d'œuvre*) to employ; **s'~ à faire** to apply *ou* devote o.s. to doing; **employeur, -euse** *nm/f* employer
empoigner [ɑ̃pwaɲe] *vt* to grab
empoisonner [ɑ̃pwazɔne] *vt* to poison; (*empester: air, pièce*) to stink out; (*fam*): **~ qn** to drive sb mad
emporter [ɑ̃pɔʀte] *vt* to take (with one); (*en dérobant ou enlevant, emmener: blessés, voyageurs*) to take away; (*entraîner*) to carry away; **s'~** *vi* (*de colère*) to lose one's temper; **l'~ (sur)** to get the upper hand (of); **plats à ~** take-away meals
empreinte [ɑ̃pʀɛ̃t] *nf*: **~ (de pas)** footprint; **empreintes (digitales)** fingerprints
empressé, e [ɑ̃pʀese] *adj* attentive
empresser [ɑ̃pʀese]: **s'~** *vi*: **s'~ auprès de qn** to surround sb with attentions; **s'~ de faire** (*se hâter*) to hasten to do
emprisonner [ɑ̃pʀizɔne] *vt* to imprison
emprunt [ɑ̃pʀœ̃] *nm* loan
emprunter [ɑ̃pʀœ̃te] *vt* to borrow; (*itinéraire*) to take, follow
ému, e [emy] *pp de* **émouvoir** ▷ *adj* (*gratitude*) touched; (*compassion*) moved

 **MOT-CLÉ**

en [ɑ̃] *prép* **1** (*endroit, pays*) in; (*direction*) to; **habiter en France/ville** to live in France/town; **aller en France/ville** to go to France/town
2 (*moment, temps*) in; **en été/juin** in summer/June; **en 3 jours** in 3 days
3 (*moyen*) by; **en avion/taxi** by plane/taxi
4 (*composition*) made of; **c'est en verre** it's (made of) glass; **un collier en argent** a silver necklace
5 (*description, état*): **une femme (habillée) en rouge** a woman (dressed) in red; **peindre qch en rouge** to paint sth red; **en T/étoile** T/star-shaped; **en chemise/chaussettes** in one's shirt-sleeves/socks; **en soldat** as a soldier; **cassé en plusieurs morceaux** broken into several pieces; **en réparation** being repaired, under repair; **en vacances** on holiday; **en deuil** in mourning; **le même en plus grand** the same but *ou* only bigger
6 (*avec gérondif*) while, on, by; **en dormant** while sleeping, as one sleeps; **en sortant** on going out, as he *etc* went out; **sortir en courant** to run out
7 (*comme*) as; **je te parle en ami** I'm talking to you as a friend
▷ *pron* **1** (*indéfini*): **j'en ai/veux** I have/want some; **en as-tu?** have you got any?; **je n'en veux pas** I don't want any; **j'en ai 2** I've got 2; **combien y en a-t-il?** how many (of them) are there?; **j'en ai assez** I've got enough (of it *ou* them); (*j'en ai marre*) I've had enough
2 (*provenance*) from there; **j'en viens** I've come from there
3 (*cause*): **il en est malade/perd le sommeil** he is ill/can't sleep because of it
4 (*complément de nom, d'adjectif, de verbe*): **j'en connais les dangers** I know its *ou* the dangers; **j'en suis fier** I am proud of it *ou* him *ou* her *ou* them; **j'en ai besoin** I need it *ou* them

encadrer [ɑ̃kɑdʀe] *vt* (*tableau, image*) to frame; (*fig: entourer*) to surround; (*personnel, soldats etc*) to train
encaisser [ɑ̃kese] *vt* (*chèque*) to cash; (*argent*) to collect; (*fam: coup, défaite*) to take
en-cas [ɑ̃kɑ] *nm* snack
enceinte [ɑ̃sɛ̃t] *adj f*: **~ (de 6 mois)** (6 months) pregnant ▷ *nf* (*mur*) wall; (*espace*) enclosure; **enceinte (acoustique)** (loud)speaker
encens [ɑ̃sɑ̃] *nm* incense
enchaîner [ɑ̃ʃene] *vt* to chain up; (*mouvements, séquences*) to link (together) ▷ *vi* to carry on
enchanté, e [ɑ̃ʃɑ̃te] *adj* (*ravi*) delighted; (*magique*) enchanted; **~ (de faire votre connaissance)** pleased to meet you
enchère [ɑ̃ʃɛʀ] *nf* bid; **mettre/vendre aux ~s** to put up for (sale by)/sell by auction
enclencher [ɑ̃klɑ̃ʃe] *vt* (*mécanisme*) to engage; **s'~** *vi* to engage
encombrant, e [ɑ̃kɔ̃bʀɑ̃, ɑ̃t] *adj* cumbersome, bulky
encombrement [ɑ̃kɔ̃bʀəmɑ̃] *nm*: **être pris dans un ~** to be stuck in a traffic jam
encombrer [ɑ̃kɔ̃bʀe] *vt* to clutter (up); (*gêner*) to

hamper; **s'~ de** (*bagages etc*) to load *ou* burden o.s. with

 **MOT-CLÉ**

encore [ɑ̃kɔʀ] *adv* **1** (*continuation*) still; **il y travaille encore** he's still working on it; **pas encore** not yet
2 (*de nouveau*) again; **j'irai encore demain** I'll go again tomorrow; **encore une fois** (once) again; **(et puis) quoi encore?** what next?
3 (*en plus*) more; **encore un peu de viande?** a little more meat?; **encore deux jours** two more days
4 (*intensif*) even, still; **encore plus fort/mieux** even louder/better, louder/better still
5 (*restriction*) even so *ou* then, only; **encore pourrais-je le faire si ...** even so, I might be able to do it if ...; **si encore** if only

encourager [ɑ̃kuʀaʒe] *vt* to encourage; **~ qn à faire qch** to encourage sb to do sth
encourir [ɑ̃kuʀiʀ] *vt* to incur
encre [ɑ̃kʀ] *nf* ink; **encre de Chine** Indian ink
encyclopédie [ɑ̃siklɔpedi] *nf* encyclopaedia
endetter [ɑ̃dete]: **s'~** *vi* to get into debt
endive [ɑ̃div] *nf* chicory *no pl*
endormi, e [ɑ̃dɔʀmi] *adj* asleep
endormir [ɑ̃dɔʀmiʀ] *vt* to put to sleep; (*suj: chaleur etc*) to send to sleep; (*Méd: dent, nerf*) to anaesthetize; (*fig: soupçons*) to allay; **s'~** *vi* to fall asleep, go to sleep
endroit [ɑ̃dʀwa] *nm* place; (*opposé à l'envers*) right side; **à l'~** (*vêtement*) the right way out; (*objet posé*) the right way round
endurance [ɑ̃dyʀɑ̃s] *nf* endurance
endurant, e [ɑ̃dyʀɑ̃, ɑ̃t] *adj* tough, hardy
endurcir [ɑ̃dyʀsiʀ]: **s'~** *vi* (*physiquement*) to become tougher; (*moralement*) to become hardened
endurer [ɑ̃dyʀe] *vt* to endure, bear
énergétique [enɛʀʒetik] *adj* (*aliment*) energy-giving
énergie [enɛʀʒi] *nf* (*Physique*) energy; (*Tech*) power; (*morale*) vigour, spirit; **énergique** *adj* energetic, vigorous; (*mesures*) drastic, stringent
énervant, e [enɛʀvɑ̃, ɑ̃t] *adj* irritating, annoying
énerver [enɛʀve] *vt* to irritate, annoy; **s'~** *vi* to get excited, get worked up
enfance [ɑ̃fɑ̃s] *nf* childhood
enfant [ɑ̃fɑ̃] *nm/f* child; **enfantin, e** *adj* (*puéril*) childlike; (*langage, jeu etc*) children's *cpd*
enfer [ɑ̃fɛʀ] *nm* hell
enfermer [ɑ̃fɛʀme] *vt* to shut up; (*à clef, interner*) to lock up; **s'~** to shut o.s. away
enfiler [ɑ̃file] *vt* (*vêtement*) to slip on, slip into; (*perles*) to string; (*aiguille*) to thread
enfin [ɑ̃fɛ̃] *adv* at last; (*en énumérant*) lastly; (*toutefois*) still; (*pour conclure*) in a word; (*somme toute*) after all
enflammer [ɑ̃flame]: **s'~** *vi* to catch fire; (*Méd*) to become inflamed
enflé, e [ɑ̃fle] *adj* swollen
enfler [ɑ̃fle] *vi* to swell (up)
enfoncer [ɑ̃fɔ̃se] *vt* (*clou*) to drive in; (*faire pénétrer*): **~ qch dans** to push (*ou* drive) sth into; (*forcer: porte*) to break open; **s'~** *vi* to sink; **s'~ dans** to sink into; (*forêt, ville*) to disappear into
enfouir [ɑ̃fwiʀ] *vt* (*dans le sol*) to bury; (*dans un tiroir etc*) to tuck away
enfuir [ɑ̃fɥiʀ]: **s'~** *vi* to run away *ou* off
engagement [ɑ̃gaʒmɑ̃] *nm* commitment; **sans ~** without obligation
engager [ɑ̃gaʒe] *vt* (*embaucher*) to take on; (*: artiste*) to engage; (*commencer*) to start; (*lier*) to bind, commit; (*impliquer*) to involve; (*investir*) to invest, lay out; (*inciter*) to urge; (*introduire: clé*) to insert; **s'~** *vi* (*promettre*) to commit o.s.; (*Mil*) to enlist; (*débuter: conversation etc*) to start (up); **s'~ à faire** to undertake to do; **s'~ dans** (*rue, passage*) to turn into; (*fig: affaire, discussion*) to enter into, embark on
engelures [ɑ̃ʒlyʀ] *nfpl* chilblains
engin [ɑ̃ʒɛ̃] *nm* machine; (*outil*) instrument; (*Auto*) vehicle; (*Aviat*) aircraft *inv*
engloutir [ɑ̃glutiʀ] *vt* to swallow up
engouement [ɑ̃gumɑ̃] *nm* (sudden) passion
engouffrer [ɑ̃gufʀe] *vt* to swallow up, devour; **s'~ dans** to rush into
engourdir [ɑ̃guʀdiʀ] *vt* to numb; (*fig*) to dull, blunt; **s'~** *vi* to go numb
engrais [ɑ̃gʀɛ] *nm* manure; **engrais chimique** chemical fertilizer
engraisser [ɑ̃gʀese] *vt* to fatten (up)
engrenage [ɑ̃gʀənaʒ] *nm* gears *pl*, gearing; (*fig*) chain
engueuler [ɑ̃gœle] (*fam*) *vt* to bawl at
enhardir [ɑ̃aʀdiʀ]: **s'~** *vi* to grow bolder
énigme [enigm] *nf* riddle
enivrer [ɑ̃nivʀe] *vt*: **s'~** to get drunk
enjamber [ɑ̃ʒɑ̃be] *vt* to stride over
enjeu, x [ɑ̃ʒø] *nm* stakes *pl*
enjoué, e [ɑ̃ʒwe] *adj* playful
enlaidir [ɑ̃lediʀ] *vt* to make ugly ▷ *vi* to become ugly
enlèvement [ɑ̃lɛvmɑ̃] *nm* (*rapt*) abduction, kidnapping
enlever [ɑ̃l(ə)ve] *vt* (*ôter: gén*) to remove; (*: vêtement, lunettes*) to take off; (*emporter: ordures etc*) to take away; (*kidnapper*) to abduct, kidnap; (*obtenir: prix, contrat*) to win; (*prendre*): **~ qch à qn** to take sth (away) from sb
enliser [ɑ̃lize]: **s'~** *vi* to sink, get stuck
enneigé, e [ɑ̃neʒe] *adj* (*route, maison*) snowed-up; (*paysage*) snowy
ennemi, e [ɛnmi] *adj* hostile; (*Mil*) enemy *cpd* ▷ *nm/f* enemy
ennui [ɑ̃nɥi] *nm* (*lassitude*) boredom; (*difficulté*) trouble *no pl*; **avoir des ~s** to have problems; **ennuyer** *vt* to bother; (*lasser*) to bore; **s'ennuyer** *vi* to be bored; **si cela ne vous ennuie pas** if it's no trouble (to you); **ennuyeux, -euse** *adj* boring, tedious; (*embêtant*) annoying
énorme [enɔʀm] *adj* enormous, huge; **énormément** *adv* enormously; **énormément de neige/gens** an enormous amount of snow/number of people
enquête [ɑ̃kɛt] *nf* (*de journaliste, de police*) investigation; (*judiciaire, administrative*) inquiry; (*sondage d'opinion*) survey; **enquêter** *vi*: **enquêter (sur)** to investigate
enragé, e [ɑ̃ʀaʒe] *adj* (*Méd*) rabid, with rabies; (*fig*) fanatical
enrageant, e [ɑ̃ʀaʒɑ̃, ɑ̃t] *adj* infuriating
enrager [ɑ̃ʀaʒe] *vi* to be in a rage
enregistrement [ɑ̃ʀ(ə)ʒistʀəmɑ̃] *nm* recording; **enregistrement des bagages** baggage check-in
enregistrer [ɑ̃ʀ(ə)ʒistʀe] *vt* (*Mus etc*) to record; (*fig: mémoriser*) to make a mental note of; (*bagages: à l'aéroport*) to check in
enrhumer [ɑ̃ʀyme] *vt*: **s'~, être enrhumé** to catch a cold

enrichir [ɑ̃ʀiʃiʀ] *vt* to make rich(er); (*fig*) to enrich; **s'~** *vi* to get rich(er)
enrouer [ɑ̃ʀwe]: **s'~** *vi* to go hoarse
enrouler [ɑ̃ʀule] *vt* (*fil, corde*) to wind (up); **s'~ (autour de qch)** to wind (around sth)
enseignant, e [ɑ̃sɛɲɑ̃, ɑ̃t] *nm/f* teacher
enseignement [ɑ̃sɛɲ(ə)mɑ̃] *nm* teaching; (*Admin*) education
enseigner [ɑ̃seɲe] *vt, vi* to teach; **~ qch à qn** to teach sb sth
ensemble [ɑ̃sɑ̃bl] *adv* together ▷ *nm* (*groupement*) set; (*vêtements*) outfit; (*totalité*): **l'~ du/de la** the whole *ou* entire; (*unité, harmonie*) unity; **impression/idée d'~** overall *ou* general impression/idea; **dans l'~** (*en gros*) on the whole
ensoleillé, e [ɑ̃sɔleje] *adj* sunny
ensuite [ɑ̃sɥit] *adv* then, next; (*plus tard*) afterwards, later
entamer [ɑ̃tame] *vt* (*pain, bouteille*) to start; (*hostilités, pourparlers*) to open
entasser [ɑ̃tɑse] *vt* (*empiler*) to pile up, heap up; **s'~** *vi* (*s'amonceler*) to pile up; **s'~ dans** (*personnes*) to cram into
entendre [ɑ̃tɑ̃dʀ] *vt* to hear; (*comprendre*) to understand; (*vouloir dire*) to mean; **s'~** *vi* (*sympathiser*) to get on; (*se mettre d'accord*) to agree; **j'ai entendu dire que** I've heard (it said) that; **~ parler de** to hear of
entendu, e [ɑ̃tɑ̃dy] *adj* (*réglé*) agreed; (*au courant: air*) knowing; **(c'est) ~** all right, agreed; **bien ~** of course
entente [ɑ̃tɑ̃t] *nf* understanding; (*accord, traité*) agreement; **à double ~** (*sens*) with a double meaning
enterrement [ɑ̃tɛʀmɑ̃] *nm* (*cérémonie*) funeral, burial
enterrer [ɑ̃teʀe] *vt* to bury
entêtant, e [ɑ̃tɛtɑ̃, ɑ̃t] *adj* heady
en-tête [ɑ̃tɛt] *nm* heading; **papier à ~** headed notepaper
entêté, e [ɑ̃tete] *adj* stubborn
entêter [ɑ̃tete]: **s'~** *vi*: **s'~ (à faire)** to persist (in doing)
enthousiasme [ɑ̃tuzjasm] *nm* enthusiasm; **enthousiasmer** *vt* to fill with enthusiasm; **s'enthousiasmer (pour qch)** to get enthusiastic (about sth); **enthousiaste** *adj* enthusiastic
entier, -ère [ɑ̃tje, jɛʀ] *adj* whole; (*total: satisfaction etc*) complete; (*fig: caractère*) unbending ▷ *nm* (*Math*) whole; **en ~** totally; **lait ~** full-cream milk; **entièrement** *adv* entirely, wholly
entonnoir [ɑ̃tɔnwaʀ] *nm* funnel
entorse [ɑ̃tɔʀs] *nf* (*Méd*) sprain; (*fig*): **~ au règlement** infringement of the rule
entourage [ɑ̃tuʀaʒ] *nm* circle; (*famille*) circle of family/friends; (*ce qui enclôt*) surround
entourer [ɑ̃tuʀe] *vt* to surround; (*apporter son soutien à*) to rally round; **~ de** to surround with; **s'~ de** to surround o.s. with
entracte [ɑ̃tʀakt] *nm* interval
entraide [ɑ̃tʀɛd] *nf* mutual aid
entrain [ɑ̃tʀɛ̃] *nm* spirit; **avec/sans ~** spiritedly/half-heartedly
entraînement [ɑ̃tʀɛnmɑ̃] *nm* training
entraîner [ɑ̃tʀene] *vt* (*charrier*) to carry *ou* drag along; (*Tech*) to drive; (*emmener: personne*) to take (off); (*influencer*) to lead; (*Sport*) to train; (*impliquer*) to entail; **s'~** *vi* (*Sport*) to train; **s'~ à qch/à faire** to train o.s. for sth/to do; **~ qn à faire** (*inciter*) to lead sb to do; **entraîneur, -euse** *nm/f* (*Sport*) coach, trainer ▷ *nm* (*Hippisme*) trainer
entre [ɑ̃tʀ] *prép* between; (*parmi*) among(st); **l'un d'~ eux/nous** one of them/us; **ils se battent ~ eux** they are fighting among(st) themselves; **~ autres (choses)** among other things; **entrecôte** *nf* entrecôte *ou* rib steak
entrée [ɑ̃tʀe] *nf* entrance; (*accès: au cinéma etc*) admission; (*billet*) (admission) ticket; (*Culin*) first course
entre...: **entrefilet** *nm* paragraph (*short article*); **entremets** *nm* (cream) dessert
entrepôt [ɑ̃tʀəpo] *nm* warehouse
entreprendre [ɑ̃tʀəpʀɑ̃dʀ] *vt* (*se lancer dans*) to undertake; (*commencer*) to begin *ou* start (upon)
entrepreneur, -euse [ɑ̃tʀəpʀənœʀ, øz] *nm/f*: **entrepreneur (en bâtiment)** (building) contractor
entreprise [ɑ̃tʀəpʀiz] *nf* (*société*) firm, concern; (*action*) undertaking, venture
entrer [ɑ̃tʀe] *vi* to go (*ou* come) in, enter ▷ *vt* (*Inform*) to enter, input; **(faire) ~ qch dans** to get sth into; **~ dans** (*gén*) to enter; (*pièce*) to go (*ou* come) into, enter; (*club*) to join; (*heurter*) to run into; **~ à l'hôpital** to go into hospital; **faire ~** (*visiteur*) to show in
entre-temps [ɑ̃tʀətɑ̃] *adv* meanwhile
entretenir [ɑ̃tʀət(ə)niʀ] *vt* to maintain; (*famille, maîtresse*) to support, keep; **~ qn (de)** to speak to sb (about)
entretien [ɑ̃tʀətjɛ̃] *nm* maintenance; (*discussion*) discussion, talk; (*pour un emploi*) interview
entrevoir [ɑ̃tʀəvwaʀ] *vt* (*à peine*) to make out; (*brièvement*) to catch a glimpse of
entrevue [ɑ̃tʀəvy] *nf* (*audience*) interview
entrouvert, e [ɑ̃tʀuvɛʀ, ɛʀt] *adj* half-open
énumérer [enymeʀe] *vt* to list
envahir [ɑ̃vaiʀ] *vt* to invade; (*suj: inquiétude, peur*) to come over; **envahissant, e** (*péj*) *adj* (*personne*) intrusive
enveloppe [ɑ̃v(ə)lɔp] *nf* (*de lettre*) envelope; (*crédits*) budget; **envelopper** *vt* to wrap; (*fig*) to envelop, shroud
enverrai *etc* [ɑ̃veʀɛ] *vb voir* **envoyer**
envers [ɑ̃vɛʀ] *prép* towards, to ▷ *nm* other side; (*d'une étoffe*) wrong side; **à l'~** (*verticalement*) upside down; (*pull*) back to front; (*chaussettes*) inside out
envie [ɑ̃vi] *nf* (*sentiment*) envy; (*souhait*) desire, wish; **avoir ~ de (faire)** to feel like (doing); (*plus fort*) to want (to do); **avoir ~ que** to wish that; **cette glace me fait ~** I fancy some of that ice cream; **envier** *vt* to envy; **envieux, -euse** *adj* envious
environ [ɑ̃viʀɔ̃] *adv*: **~ 3 h/2 km** (around) about 3 o'clock/2 km; *voir aussi* **environs**
environnant, e [ɑ̃viʀɔnɑ̃, ɑ̃t] *adj* surrounding
environnement [ɑ̃viʀɔnmɑ̃] *nm* environment
environs [ɑ̃viʀɔ̃] *nmpl* surroundings; **aux ~ de** (round) about
envisager [ɑ̃vizaʒe] *vt* to contemplate, envisage; **~ de faire** to consider doing
envoler [ɑ̃vɔle]: **s'~** *vi* (*oiseau*) to fly away *ou* off; (*avion*) to take off; (*papier, feuille*) to blow away; (*fig*) to vanish (into thin air)
envoyé, e [ɑ̃vwaje] *nm/f* (*Pol*) envoy; (*Presse*) correspondent; **envoyé spécial** special correspondent
envoyer [ɑ̃vwaje] *vt* to send; (*lancer*) to hurl, throw; **~ chercher** to send for; **~ promener qn** (*fam*) to send sb packing
épagneul, e [epaɲœl] *nm/f* spaniel

épais, se [epɛ, ɛs] *adj* thick; **épaisseur** *nf* thickness
épanouir [epanwiʀ]: **s'~** *vi* (*fleur*) to bloom, open out; (*visage*) to light up; (*personne*) to blossom
épargne [epaʀɲ] *nf* saving
épargner [epaʀɲe] *vt* to save; (*ne pas tuer ou endommager*) to spare ▷ *vi* to save; **~ qch à qn** to spare sb sth
éparpiller [epaʀpije] *vt* to scatter; **s'~** *vi* to scatter; (*fig*) to dissipate one's efforts
épatant, e [epatɑ̃, ɑ̃t] (*fam*) *adj* super
épater [epate] (*fam*) *vt* (*étonner*) to amaze; (*impressionner*) to impress
épaule [epol] *nf* shoulder
épave [epav] *nf* wreck
épée [epe] *nf* sword
épeler [ep(ə)le] *vt* to spell
éperon [epʀɔ̃] *nm* spur
épervier [epɛʀvje] *nm* sparrowhawk
épi [epi] *nm* (*de blé, d'orge*) ear; (*de maïs*) cob
épice [epis] *nf* spice
épicé, e [epise] *adj* spicy
épicer [epise] *vt* to spice
épicerie [episʀi] *nf* grocer's shop; (*denrées*) groceries *pl*; **épicerie fine** delicatessen; **épicier, -ière** *nm/f* grocer
épidémie [epidemi] *nf* epidemic
épiderme [epidɛʀm] *nm* skin
épier [epje] *vt* to spy on, watch closely
épilepsie [epilɛpsi] *nf* epilepsy
épiler [epile] *vt* (*jambes*) to remove the hair from; (*sourcils*) to pluck
épinards [epinaʀ] *nmpl* spinach *sg*
épine [epin] *nf* thorn, prickle; (*d'oursin etc*) spine
épingle [epɛ̃gl] *nf* pin; **épingle de nourrice** *ou* **de sûreté** safety pin
épisode [epizɔd] *nm* episode; **film/roman à ~s** serial; **épisodique** *adj* occasional
épluche-légumes [eplyʃlegym] *nm inv* (potato) peeler
éplucher [eplyʃe] *vt* (*fruit, légumes*) to peel; (*fig*) to go over with a fine-tooth comb; **épluchures** *nfpl* peelings
éponge [epɔ̃ʒ] *nf* sponge; **éponger** *vt* (*liquide*) to mop up; (*surface*) to sponge; (*fig: déficit*) to soak up
époque [epɔk] *nf* (*de l'histoire*) age, era; (*de l'année, la vie*) time; **d'~** (*meuble*) period *cpd*
épouse [epuz] *nf* wife; **épouser** *vt* to marry
épousseter [epuste] *vt* to dust
épouvantable [epuvɑ̃tabl] *adj* appalling, dreadful
épouvantail [epuvɑ̃taj] *nm* scarecrow
épouvante [epuvɑ̃t] *nf* terror; **film d'~** horror film; **épouvanter** *vt* to terrify
époux [epu] *nm* husband ▷ *nmpl* (married) couple
épreuve [epʀœv] *nf* (*d'examen*) test; (*malheur, difficulté*) trial, ordeal; (*Photo*) print; (*Typo*) proof; (*Sport*) event; **à toute ~** unfailing; **mettre à l'~** to put to the test
éprouver [epʀuve] *vt* (*tester*) to test; (*marquer, faire souffrir*) to afflict, distress; (*ressentir*) to experience
épuisé, e [epɥize] *adj* exhausted; (*livre*) out of print; **épuisement** *nm* exhaustion
épuiser [epɥize] *vt* (*fatiguer*) to exhaust, wear *ou* tire out; (*stock, sujet*) to exhaust; **s'~** *vi* to wear *ou* tire o.s. out, exhaust o.s.
épuisette [epɥizɛt] *nf* shrimping net
équateur [ekwatœʀ] *nm* equator; **(la république de) l'É~** Ecuador
équation [ekwasjɔ̃] *nf* equation
équerre [ekɛʀ] *nf* (*à dessin*) (set) square
équilibre [ekilibʀ] *nm* balance; **garder/perdre l'~** to keep/lose one's balance; **être en ~** to be balanced; **équilibré, e** *adj* well-balanced; **équilibrer** *vt* to balance
équipage [ekipaʒ] *nm* crew
équipe [ekip] *nf* team; **travailler en ~** to work as a team
équipé, e [ekipe] *adj*: **bien/mal ~** well-/poorly-equipped
équipement [ekipmɑ̃] *nm* equipment
équiper [ekipe] *vt* to equip; **~ qn/qch de** to equip sb/sth with
équipier, -ière [ekipje, jɛʀ] *nm/f* team member
équitation [ekitasjɔ̃] *nf* (horse-)riding; **faire de l'~** to go riding
équivalent, e [ekivalɑ̃, ɑ̃t] *adj, nm* equivalent
équivaloir [ekivalwaʀ]: **~ à** *vt* to be equivalent to
érable [eʀabl] *nm* maple
érafler [eʀɑfle] *vt* to scratch; **éraflure** *nf* scratch
ère [ɛʀ] *nf* era; **en l'an 1050 de notre ~** in the year 1050 A.D.
érection [eʀɛksjɔ̃] *nf* erection
éroder [eʀɔde] *vt* to erode
érotique [eʀɔtik] *adj* erotic
errer [eʀe] *vi* to wander
erreur [eʀœʀ] *nf* mistake, error; **faire ~** to be mistaken; **par ~** by mistake
éruption [eʀypsjɔ̃] *nf* eruption; (*Méd*) rash
es [ɛ] *vb voir* **être**
ès [ɛs] *prép*: **licencié ès lettres/sciences** ≈ Bachelor of Arts/Science
ESB *sigle f* (= *encéphalopathie spongiforme bovine*) BSE
escabeau, x [ɛskabo] *nm* (*tabouret*) stool; (*échelle*) stepladder
escalade [ɛskalad] *nf* climbing *no pl*; (*Pol etc*) escalation; **escalader** *vt* to climb
escale [ɛskal] *nf* (*Navig: durée*) call; (*endroit*) port of call; (*Aviat*) stop(over); **faire ~ à** (*Navig*) to put in at; (*Aviat*) to stop over at; **vol sans ~** nonstop flight
escalier [ɛskalje] *nm* stairs *pl*; **dans l'~** *ou* **les ~s** on the stairs; **escalier mécanique** *ou* **roulant** escalator
escapade [ɛskapad] *nf*: **faire une ~** to go on a jaunt; (*s'enfuir*) to run away *ou* off
escargot [ɛskaʀgo] *nm* snail
escarpé, e [ɛskaʀpe] *adj* steep
esclavage [ɛsklavaʒ] *nm* slavery
esclave [ɛsklav] *nm/f* slave
escompte [ɛskɔ̃t] *nm* discount
escrime [ɛskʀim] *nf* fencing
escroc [ɛskʀo] *nm* swindler, conman; **escroquer** *vt*: **escroquer qch (à qn)** to swindle sth (out of sb); **escroquerie** *nf* swindle
espace [ɛspas] *nm* space; **espacer** *vt* to space out; **s'espacer** *vi* (*visites etc*) to become less frequent
espadon [ɛspadɔ̃] *nm* swordfish *inv*
espadrille [ɛspadʀij] *nf* rope-soled sandal
Espagne [ɛspaɲ] *nf*: **l'~** Spain; **espagnol, e** *adj* Spanish ▷ *nm/f*: **Espagnol, e** Spaniard ▷ *nm* (*Ling*) Spanish
espèce [ɛspɛs] *nf* (*Bio, Bot, Zool*) species *inv*; (*gén: sorte*) sort, kind, type; (*péj*): **~ de maladroit/de brute!** you clumsy oaf/you brute!; **espèces** *nfpl* (*Comm*) cash *sg*; **payer en ~** to pay (in) cash
espérance [ɛspeʀɑ̃s] *nf* hope; **espérance de vie** life expectancy
espérer [ɛspeʀe] *vt* to hope for; **j'espère (bien)** I hope so; **~ que/faire** to hope that/to do
espiègle [ɛspjɛgl] *adj* mischievous

espion, ne [ɛspjɔ̃, jɔn] *nm/f* spy; **espionnage** *nm* espionage, spying; **espionner** *vt* to spy (up)on
espoir [ɛspwaʀ] *nm* hope; **dans l'~ de/que** in the hope of/that; **reprendre ~** not to lose hope
esprit [ɛspʀi] *nm* (*intellect*) mind; (*humour*) wit; (*mentalité, d'une loi etc, fantôme etc*) spirit; **faire de l'~** to try to be witty; **reprendre ses ~s** to come to; **perdre l'~** to lose one's mind
esquimau, de, -x [ɛskimo, od] *adj* Eskimo ▷ *nm/f*: **E~, de** Eskimo ▷ *nm*: **E~®** ice lolly (BRIT), popsicle (US)
essai [esɛ] *nm* (*tentative*) attempt, try; (*de produit*) testing; (*Rugby*) try; (*Littérature*) essay; **à l'~** on a trial basis; **mettre à l'~** to put to the test
essaim [esɛ̃] *nm* swarm
essayer [eseje] *vt* to try; (*vêtement, chaussures*) to try (on); (*méthode, voiture*) to try (out) ▷ *vi* to try; **~ de faire** to try *ou* attempt to do
essence [esɑ̃s] *nf* (*de voiture*) petrol (BRIT), gas(oline) (US); (*extrait de plante*) essence; (*espèce: d'arbre*) species *inv*
essentiel, le [esɑ̃sjɛl] *adj* essential; **c'est l'~** (*ce qui importe*) that's the main thing; **l'~ de** the main part of
essieu, x [esjø] *nm* axle
essor [esɔʀ] *nm* (*de l'économie etc*) rapid expansion
essorer [esɔʀe] *vt* (*en tordant*) to wring (out); (*par la force centrifuge*) to spin-dry; **essoreuse** *nf* spin-dryer
essouffler [esufle]: **s'~** *vi* to get out of breath
essuie-glace [esɥiglas] *nm inv* windscreen (BRIT) *ou* windshield (US) wiper
essuyer [esɥije] *vt* to wipe; (*fig: échec*) to suffer; **s'~** *vi* (*après le bain*) to dry o.s.; **~ la vaisselle** to dry up
est[1] [ɛ] *vb voir* **être**
est[2] [ɛst] *nm* east ▷ *adj inv* east; (*région*) east(ern); **à l'~** in the east; (*direction*) to the east, east(wards); **à l'~ de** (to the) east of
est-ce que [ɛskə] *adv*: **~ c'est cher/c'était bon?** is it expensive/was it good?; **quand est-ce qu'il part?** when does he leave?, when is he leaving?; *voir aussi* **que**
esthéticienne [ɛstetisjɛn] *nf* beautician
esthétique [ɛstetik] *adj* attractive
estimation [ɛstimasjɔ̃] *nf* valuation; (*chiffre*) estimate
estime [ɛstim] *nf* esteem, regard; **estimer** *vt* (*respecter*) to esteem; (*expertiser: bijou etc*) to value; (*évaluer: coût etc*) to assess, estimate; (*penser*): **estimer que/être** to consider that/o.s. to be
estival, e, -aux [ɛstival, o] *adj* summer *cpd*
estivant, e [ɛstivɑ̃, ɑ̃t] *nm/f* (summer) holiday-maker
estomac [ɛstɔma] *nm* stomach
estragon [ɛstʀagɔ̃] *nm* tarragon
estuaire [ɛstɥɛʀ] *nm* estuary
et [e] *conj* and; **et lui?** what about him?; **et alors!** so what!
étable [etabl] *nf* cowshed
établi [etabli] *nm* (work)bench
établir [etabliʀ] *vt* (*papiers d'identité, facture*) to make out; (*liste, programme*) to draw up; (*entreprise*) to set up; (*réputation, usage, fait, culpabilité*) to establish; **s'~** *vi* to be established; **s'~ (à son compte)** to set up in business; **s'~ à/près de** to settle in/near
établissement [etablismɑ̃] *nm* (*entreprise, institution*) establishment; **établissement scolaire** school, educational establishment
étage [etaʒ] *nm* (*d'immeuble*) storey, floor; **à l'~** upstairs; **au 2ème ~** on the 2nd (BRIT) *ou* 3rd (US) floor; **c'est à quel ~?** what floor is it on?
étagère [etaʒɛʀ] *nf* (*rayon*) shelf; (*meuble*) shelves *pl*
étai [etɛ] *nm* stay, prop
étain [etɛ̃] *nm* pewter *no pl*
étais *etc* [etɛ] *vb voir* **être**
étaler [etale] *vt* (*carte, nappe*) to spread (out); (*peinture*) to spread; (*échelonner: paiements, vacances*) to spread, stagger; (*marchandises*) to display; (*connaissances*) to parade; **s'~** *vi* (*liquide*) to spread out; (*fam*) to fall flat on one's face; **s'~ sur** (*suj: paiements etc*) to be spread out over
étalon [etalɔ̃] *nm* (*cheval*) stallion
étanche [etɑ̃ʃ] *adj* (*récipient*) watertight; (*montre, vêtement*) waterproof
étang [etɑ̃] *nm* pond
étant [etɑ̃] *vb voir* **être**; **donné**
étape [etap] *nf* stage; (*lieu d'arrivée*) stopping place; (*: Cyclisme*) staging point
état [eta] *nm* (*Pol, condition*) state; **en mauvais ~** in poor condition; **en ~ (de marche)** in (working) order; **remettre en ~** to repair; **hors d'~** out of order; **être en ~/hors d'~ de faire** to be in a/in no fit state to do; **être dans tous ses ~s** to be in a state; **faire ~ de** (*alléguer*) to put forward; **l'É~** the State; **état civil** civil status; **état des lieux** inventory of fixtures; **États-Unis** *nmpl*: **les États-Unis** the United States
etc. [ɛtseteʀa] *adv* etc
et c(a)etera [ɛtseteʀa] *adv* et cetera, and so on
été [ete] *pp de* **être** ▷ *nm* summer
éteindre [etɛ̃dʀ] *vt* (*lampe, lumière, radio*) to turn *ou* switch off; (*cigarette, feu*) to put out, extinguish; **s'~** *vi* (*feu, lumière*) to go out; (*mourir*) to pass away; **éteint, e** *adj* (*fig*) lacklustre, dull; (*volcan*) extinct
étendre [etɑ̃dʀ] *vt* (*pâte, liquide*) to spread; (*carte etc*) to spread out; (*linge*) to hang up; (*bras, jambes*) to stretch out; (*fig: agrandir*) to extend; **s'~** *vi* (*augmenter, se propager*) to spread; (*terrain, forêt etc*) to stretch; (*s'allonger*) to stretch out; (*se coucher*) to lie down; (*fig: expliquer*) to elaborate
étendu, e [etɑ̃dy] *adj* extensive
éternel, le [etɛʀnɛl] *adj* eternal
éternité [etɛʀnite] *nf* eternity; **ça a duré une ~** it lasted for ages
éternuement [etɛʀnymɑ̃] *nm* sneeze
éternuer [etɛʀnɥe] *vi* to sneeze
êtes [ɛt(z)] *vb voir* **être**
Éthiopie [etjɔpi] *nf*: **l'~** Ethiopia
étiez [etjɛ] *vb voir* **être**
étinceler [etɛ̃s(ə)le] *vi* to sparkle
étincelle [etɛ̃sɛl] *nf* spark
étiquette [etikɛt] *nf* label; (*protocole*): **l'~** etiquette
étirer [etiʀe]: **s'~** *vi* (*personne*) to stretch; (*convoi, route*): **s'~ sur** to stretch out over
étoile [etwal] *nf* star; **à la belle ~** in the open; **étoile de mer** starfish; **étoile filante** shooting star; **étoilé, e** *adj* starry
étonnant, e [etɔnɑ̃, ɑ̃t] *adj* amazing
étonnement [etɔnmɑ̃] *nm* surprise, amazement
étonner [etɔne] *vt* to surprise, amaze; **s'~ que/de** to be amazed that/at; **cela m'~ait (que)** (*j'en doute*) I'd be very surprised (if)
étouffer [etufe] *vt* to suffocate; (*bruit*) to muffle; (*scandale*) to hush up ▷ *vi* to suffocate; **s'~** *vi* (*en mangeant etc*) to choke; **on étouffe** it's stifling
étourderie [etuʀdəʀi] *nf* (*caractère*) absent-mindedness *no pl*; (*faute*) thoughtless blunder
étourdi, e [etuʀdi] *adj* (*distrait*) scatterbrained,

heedless
étourdir [etuʀdiʀ] *vt* (*assommer*) to stun, daze; (*griser*) to make dizzy *ou* giddy; **étourdissement** *nm* dizzy spell
étrange [etʀɑ̃ʒ] *adj* strange
étranger, -ère [etʀɑ̃ʒe, ɛʀ] *adj* foreign; (*pas de la famille, non familier*) strange ▷ *nm/f* foreigner; stranger ▷ *nm*: **à l'~** abroad
étrangler [etʀɑ̃gle] *vt* to strangle; **s'~** *vi* (*en mangeant etc*) to choke

 **MOT-CLÉ**

être [ɛtʀ] *nm* being; **être humain** human being
▷ *vb +attrib* **1** (*état, description*) to be; **il est instituteur** he is *ou* he's a teacher; **vous êtes grand/intelligent/fatigué** you are *ou* you're tall/clever/tired
2 (*+à: appartenir*) to be; **le livre est à Paul** the book is Paul's *ou* belongs to Paul; **c'est à moi/eux** it is *ou* it's mine/theirs
3 (*+de: provenance*): **il est de Paris** he is from Paris; (: *appartenance*): **il est des nôtres** he is one of us
4 (*date*): **nous sommes le 10 janvier** it's the 10th of January (today)
▷ *vi* to be; **je ne serai pas ici demain** I won't be here tomorrow
▷ *vb aux* **1** to have; to be; **être arrivé/allé** to have arrived/gone; **il est parti** he has left, he has gone
2 (*forme passive*) to be; **être fait par** to be made by; **il a été promu** he has been promoted
3 (*+à: obligation*): **c'est à réparer** it needs repairing; **c'est à essayer** it should be tried; **il est à espérer que ...** it is *ou* it's to be hoped that ...
▷ *vb impers* **1**: **il est** *+adjectif* it is *+adjective*; **il est impossible de le faire** it's impossible to do it
2 (*heure, date*): **il est 10 heures** it is *ou* it's 10 o'clock
3 (*emphatique*): **c'est moi** it's me; **c'est à lui de le faire** it's up to him to do it

étrennes [etʀɛn] *nfpl* Christmas box *sg*
étrier [etʀije] *nm* stirrup
étroit, e [etʀwa, wat] *adj* narrow; (*vêtement*) tight; (*fig: liens, collaboration*) close; **à l'~** cramped; **~ d'esprit** narrow-minded
étude [etyd] *nf* studying; (*ouvrage, rapport*) study; (*Scol: salle de travail*) study room; **études** *nfpl* (*Scol*) studies; **être à l'~** (*projet etc*) to be under consideration; **faire des ~s (de droit/médecine)** to study (law/medicine)
étudiant, e [etydjɑ̃, jɑ̃t] *nm/f* student
étudier [etydje] *vt, vi* to study
étui [etɥi] *nm* case
eu, eue [y] *pp de* **avoir**
euh [ø] *excl* er
euro [øʀo] *nm* euro
Europe [øʀɔp] *nf*: **l'~** Europe; **européen, ne** *adj* European ▷ *nm/f*: **Européen, ne** European
eus *etc* [y] *vb voir* **avoir**
eux [ø] *pron* (*sujet*) they; (*objet*) them
évacuer [evakɥe] *vt* to evacuate
évader [evade]: **s'~** *vi* to escape
évaluer [evalɥe] *vt* (*expertiser*) to appraise, evaluate; (*juger approximativement*) to estimate
évangile [evɑ̃ʒil] *nm* gospel; **É~** Gospel
évanouir [evanwiʀ]: **s'~** *vi* to faint; (*disparaître*) to vanish, disappear; **évanouissement** *nm* (*syncope*) fainting fit
évaporer [evapɔʀe]: **s'~** *vi* to evaporate
évasion [evazjɔ̃] *nf* escape
éveillé, e [eveje] *adj* awake; (*vif*) alert, sharp; **éveiller** *vt* to (a)waken; (*soupçons etc*) to arouse; **s'éveiller** *vi* to (a)waken; (*fig*) to be aroused
événement [evɛnmɑ̃] *nm* event
éventail [evɑ̃taj] *nm* fan; (*choix*) range
éventualité [evɑ̃tɥalite] *nf* eventuality; possibility; **dans l'~ de** in the event of
éventuel, le [evɑ̃tɥɛl] *adj* possible
éventuellement [evɑ̃tɥɛlmɑ̃] *adv* possibly
évêque [evɛk] *nm* bishop
évidemment [evidamɑ̃] *adv* (*bien sûr*) of course; (*certainement*) obviously
évidence [evidɑ̃s] *nf* obviousness; (*fait*) obvious fact; **de toute ~** quite obviously *ou* evidently; **être en ~** to be clearly visible; **mettre en ~** (*fait*) to highlight; **évident, e** *adj* obvious, evident; **ce n'est pas évident!** (*fam*) it's not that easy!
évier [evje] *nm* (kitchen) sink
éviter [evite] *vt* to avoid; **~ de faire** to avoid doing; **~ qch à qn** to spare sb sth
évoluer [evɔlɥe] *vi* (*enfant, maladie*) to develop; (*situation, moralement*) to evolve, develop; (*aller et venir*) to move about; **évolution** *nf* development, evolution
évoquer [evɔke] *vt* to call to mind, evoke; (*mentionner*) to mention
ex- [ɛks] *préfixe* ex-; **son ~mari** her ex-husband; **son ~femme** his ex-wife
exact, e [ɛgza(kt), ɛgzakt] *adj* exact; (*correct*) correct; (*ponctuel*) punctual; **l'heure ~e** the right *ou* exact time; **exactement** *adv* exactly
ex aequo [ɛgzeko] *adj* equally placed; **arriver ~** to finish neck and neck
exagéré, e [ɛgzaʒeʀe] *adj* (*prix etc*) excessive
exagérer [ɛgzaʒeʀe] *vt* to exaggerate ▷ *vi* to exaggerate; (*abuser*) to go too far
examen [ɛgzamɛ̃] *nm* examination; (*Scol*) exam, examination; **à l'~** under consideration; **examen médical** (medical) examination; (*analyse*) test
examinateur, -trice [ɛgzaminatœʀ, tʀis] *nm/f* examiner
examiner [ɛgzamine] *vt* to examine
exaspérant, e [ɛgzaspeʀɑ̃, ɑ̃t] *adj* exasperating
exaspérer [ɛgzaspeʀe] *vt* to exasperate
exaucer [egzose] *vt* (*vœu*) to grant
excéder [ɛksede] *vt* (*dépasser*) to exceed; (*agacer*) to exasperate
excellent, e [ɛkselɑ̃, ɑ̃t] *adj* excellent
excentrique [ɛksɑ̃tʀik] *adj* eccentric
excepté, e [ɛksɛpte] *adj, prép*: **les élèves ~s, ~ les élèves** except for the pupils
exception [ɛksɛpsjɔ̃] *nf* exception; **à l'~ de** except for, with the exception of; **d'~** (*mesure, loi*) special, exceptional; **exceptionnel, le** *adj* exceptional; **exceptionnellement** *adv* exceptionally
excès [ɛksɛ] *nm* surplus ▷ *nmpl* excesses; **faire des ~** to overindulge; **excès de vitesse** speeding *no pl*; **excessif, -ive** *adj* excessive
excitant, e [ɛksitɑ̃, ɑ̃t] *adj* exciting ▷ *nm* stimulant; **excitation** *nf* (*état*) excitement
exciter [ɛksite] *vt* to excite; (*suj: café etc*) to stimulate; **s'~** *vi* to get excited
exclamer [ɛksklame]: **s'~** *vi* to exclaim
exclure [ɛksklyʀ] *vt* (*faire sortir*) to expel; (*ne pas compter*) to exclude, leave out; (*rendre impossible*) to exclude, rule out; **il est exclu que** it's out of the question that ...; **il n'est pas exclu que ...** it's not impossible that ...; **exclusif, -ive** *adj* exclusive;

exclusion *nf* exclusion; **à l'exclusion de** with the exclusion *ou* exception of; **exclusivité** *nf* (*Comm*) exclusive rights *pl*; **film passant en exclusivité à** film showing only at
excursion [ɛkskyʀsjɔ̃] *nf* (*en autocar*) excursion, trip; (*à pied*) walk, hike
excuse [ɛkskyz] *nf* excuse; **excuses** *nfpl* (*regret*) apology *sg*, apologies; **excuser** *vt* to excuse; **s'excuser (de)** to apologize (for); **excusez-moi** I'm sorry; (*pour attirer l'attention*) excuse me
exécuter [ɛgzekyte] *vt* (*tuer*) to execute; (*tâche etc*) to execute, carry out; (*Mus: jouer*) to perform, execute; **s'~** *vi* to comply
exemplaire [ɛgzɑ̃plɛʀ] *nm* copy
exemple [ɛgzɑ̃pl] *nm* example; **par ~** for instance, for example; **donner l'~** to set an example
exercer [ɛgzɛʀse] *vt* (*pratiquer*) to exercise, practise; (*influence, contrôle*) to exert; (*former*) to exercise, train; **s'~** *vi* (*sportif, musicien*) to practise
exercice [ɛgzɛʀsis] *nm* exercise
exhiber [ɛgzibe] *vt* (*montrer: papiers, certificat*) to present, produce; (*péj*) to display, flaunt; **s'~** *vi* to parade; (*suj: exhibitionniste*) to expose o.s; **exhibitionniste** *nm/f* flasher
exigeant, e [ɛgziʒɑ̃, ɑ̃t] *adj* demanding; (*péj*) hard to please
exiger [ɛgziʒe] *vt* to demand, require
exil [ɛgzil] *nm* exile; **exiler** *vt* to exile; **s'exiler** *vi* to go into exile
existence [ɛgzistɑ̃s] *nf* existence
exister [ɛgziste] *vi* to exist; **il existe un/des** there is a/are (some)
exorbitant, e [ɛgzɔʀbitɑ̃, ɑ̃t] *adj* exorbitant
exotique [ɛgzɔtik] *adj* exotic; **yaourt aux fruits ~s** tropical fruit yoghurt
expédier [ɛkspedje] *vt* (*lettre, paquet*) to send; (*troupes*) to dispatch; (*fam: travail etc*) to dispose of, dispatch; **expéditeur, -trice** *nm/f* sender; **expédition** *nf* sending; (*scientifique, sportive, Mil*) expedition
expérience [ɛkspeʀjɑ̃s] *nf* (*de la vie*) experience; (*scientifique*) experiment
expérimenté, e [ɛkspeʀimɑ̃te] *adj* experienced
expérimenter [ɛkspeʀimɑ̃te] *vt* to test out, experiment with
expert, e [ɛkspɛʀ, ɛʀt] *adj, nm* expert; **~ en objets d'art** art appraiser; **expert-comptable** *nm* ≈ chartered accountant (BRIT), ≈ certified public accountant (US)
expirer [ɛkspiʀe] *vi* (*prendre fin, mourir*) to expire; (*respirer*) to breathe out
explication [ɛksplikasjɔ̃] *nf* explanation; (*discussion*) discussion; (*dispute*) argument
explicite [ɛksplisit] *adj* explicit
expliquer [ɛksplike] *vt* to explain; **s'~** to explain (o.s.); **s'~ avec qn** (*discuter*) to explain o.s. to sb; **son erreur s'explique** one can understand his mistake
exploit [ɛksplwa] *nm* exploit, feat; **exploitant, e** *nm/f*: **exploitant (agricole)** farmer; **exploitation** *nf* exploitation; (*d'une entreprise*) running; **exploitation agricole** farming concern; **exploiter** *vt* (*personne, don*) to exploit; (*entreprise, ferme*) to run, operate; (*mine*) to exploit, work
explorer [ɛksplɔʀe] *vt* to explore
exploser [ɛksploze] *vi* to explode, blow up; (*engin explosif*) to go off; (*personne: de colère*) to flare up; **explosif, -ive** *adj, nm* explosive; **explosion** *nf* explosion; (*de joie, colère*) outburst
exportateur, -trice [ɛkspɔʀtatœʀ, tʀis] *adj* export *cpd*, exporting ▷ *nm* exporter
exportation [ɛkspɔʀtasjɔ̃] *nf* (*action*) exportation; (*produit*) export
exporter [ɛkspɔʀte] *vt* to export
exposant [ɛkspozɑ̃] *nm* exhibitor
exposé, e [ɛkspoze] *nm* talk ▷ *adj*: **~ au sud** facing south
exposer [ɛkspoze] *vt* (*marchandise*) to display; (*peinture*) to exhibit, show; (*parler de*) to explain, set out; (*mettre en danger, orienter, Photo*) to expose; **s'~ à** (*soleil, danger*) to expose o.s. to; **exposition** *nf* (*manifestation*) exhibition; (*Photo*) exposure
exprès[1] [ɛkspʀɛ] *adv* (*délibérément*) on purpose; (*spécialement*) specially; **faire ~ de faire qch** to do sth on purpose
exprès[2], -esse [ɛkspʀɛs] *adj inv* (*lettre, colis*) express
express [ɛkspʀɛs] *adj, nm*: **(café) ~** espresso (coffee); **(train) ~** fast train
expressif, -ive [ɛkspʀesif, iv] *adj* expressive
expression [ɛkspʀesjɔ̃] *nf* expression
exprimer [ɛkspʀime] *vt* (*sentiment, idée*) to express; (*jus, liquide*) to press out; **s'~** *vi* (*personne*) to express o.s.
expulser [ɛkspylse] *vt* to expel; (*locataire*) to evict; (*Sport*) to send off
exquis, e [ɛkski, iz] *adj* exquisite
extasier [ɛkstɑzje]: **s'~ sur** *vt* to go into raptures over
exténuer [ɛkstenɥe] *vt* to exhaust
extérieur, e [ɛksteʀjœʀ] *adj* (*porte, mur etc*) outer, outside; (*au dehors: escalier, w.-c.*) outside; (*commerce*) foreign; (*influences*) external; (*apparent: calme, gaieté etc*) surface *cpd* ▷ *nm* (*d'une maison, d'un récipient etc*) outside, exterior; (*apparence*) exterior; **à l'~** outside; (*à l'étranger*) abroad
externat [ɛkstɛʀna] *nm* day school
externe [ɛkstɛʀn] *adj* external, outer ▷ *nm/f* (*Méd*) non-resident medical student (BRIT), extern (US); (*Scol*) day pupil
extincteur [ɛkstɛ̃ktœʀ] *nm* (fire) extinguisher
extinction [ɛkstɛ̃ksjɔ̃] *nf*: **extinction de voix** loss of voice
extra [ɛkstʀa] *adj inv* first-rate; (*fam*) fantastic ▷ *nm inv* extra help
extraire [ɛkstʀɛʀ] *vt* to extract; **~ qch de** to extract sth from; **extrait** *nm* extract; **extrait de naissance** birth certificate
extraordinaire [ɛkstʀaɔʀdinɛʀ] *adj* extraordinary; (*Pol: mesures etc*) special
extravagant, e [ɛkstʀavagɑ̃, ɑ̃t] *adj* extravagant
extraverti, e [ɛkstʀavɛʀti] *adj* extrovert
extrême [ɛkstʀɛm] *adj, nm* extreme; **d'un ~ à l'autre** from one extreme to another; **extrêmement** *adv* extremely; **Extrême-Orient** *nm* Far East
extrémité [ɛkstʀemite] *nf* end; (*situation*) straits *pl*, plight; (*geste désespéré*) extreme action; **extrémités** *nfpl* (*pieds et mains*) extremities
exubérant, e [ɛgzybeʀɑ̃, ɑ̃t] *adj* exuberant

f

F *abr* = **franc**; (*appartement*): **un F2/F3** a one-/two-bedroom flat (BRIT) *ou* apartment (US)
fa [fa] *nm inv* (*Mus*) F; (*en chantant la gamme*) fa
fabricant, e [fabʀikɑ̃, ɑ̃t] *nm/f* manufacturer
fabrication [fabʀikasjɔ̃] *nf* manufacture
fabrique [fabʀik] *nf* factory; **fabriquer** *vt* to make; (*industriellement*) to manufacture; (*fig*): **qu'est-ce qu'il fabrique?** (*fam*) what is he doing?
fac [fak] (*fam*) *abr f* (*Scol*) = **faculté**
façade [fasad] *nf* front, façade
face [fas] *nf* face; (*fig: aspect*) side ▷ *adj*: **le côté ~** heads; **en ~ de** opposite; (*fig*) in front of; **de ~** (*voir*) face on; **~ à** facing; (*fig*) faced with, in the face of; **faire ~ à** to face; **~ à ~** *adv* facing each other ▷ *nm inv* encounter
fâché, e [faʃe] *adj* angry; (*désolé*) sorry
fâcher [faʃe] *vt* to anger; **se ~ (contre qn)** *vi* to get angry (with sb); **se ~ avec** (*se brouiller*) to fall out with
facile [fasil] *adj* easy; (*caractère*) easy-going; **facilement** *adv* easily; **facilité** *nf* easiness; (*disposition, don*) aptitude; **facilités** (*possibilités*) facilities; (*Comm*) terms; **faciliter** *vt* to make easier
façon [fasɔ̃] *nf* (*manière*) way; (*d'une robe etc*) making-up, cut; **façons** *nfpl* (*péj*) fuss *sg*; **de ~ à/à ce que** so as to/that; **de toute ~** anyway, in any case; **sans ~** (*accepter*) without fuss; **non merci, sans ~** no thanks, honestly
facteur, -trice [faktœʀ] *nm/f* postman(-woman) (BRIT), mailman(-woman) (US) ▷ *nm* (*Math, fig: élément*) factor
facture [faktyʀ] *nf* (*à payer: gén*) bill; (*Comm*) invoice
facultatif, -ive [fakyltatif, iv] *adj* optional
faculté [fakylte] *nf* (*intellectuelle, d'université*) faculty; (*pouvoir, possibilité*) power
fade [fad] *adj* insipid
faible [fɛbl] *adj* weak; (*voix, lumière, vent*) faint; (*rendement, revenu*) low ▷ *nm* (*pour quelqu'un*) weakness, soft spot; **faiblesse** *nf* weakness; **faiblir** *vi* to weaken; (*lumière*) to dim; (*vent*) to drop
faïence [fajɑ̃s] *nf* earthenware *no pl*
faillir [fajiʀ] *vi*: **j'ai failli tomber** I almost *ou* very nearly fell
faillite [fajit] *nf* bankruptcy; **faire ~** to go bankrupt
faim [fɛ̃] *nf* hunger; **avoir ~** to be hungry; **rester sur sa ~** (*aussi fig*) to be left wanting more
fainéant, e [fɛneɑ̃, ɑ̃t] *nm/f* idler, loafer

MOT-CLÉ

faire [fɛʀ] *vt* **1** (*fabriquer, être l'auteur de*) to make; **faire du vin/une offre/un film** to make wine/an offer/a film; **faire du bruit** to make a noise
2 (*effectuer: travail, opération*) to do; **que faites-vous?** (*quel métier etc*) what do you do?; (*quelle activité: au moment de la question*) what are you doing?; **faire la lessive** to do the washing
3 (*études*) to do; (*sport, musique*) to play; **faire du droit/du français** to do law/French; **faire du rugby/piano** to play rugby/the piano
4 (*simuler*): **faire le malade/l'innocent** to act the invalid/the innocent
5 (*transformer, avoir un effet sur*): **faire de qn un frustré/avocat** to make sb frustrated/a lawyer; **ça ne me fait rien** (*m'est égal*) I don't care *ou* mind; (*me laisse froid*) it has no effect on me; **ça ne fait rien** it doesn't matter; **faire que** (*impliquer*) to mean that
6 (*calculs, prix, mesures*): **2 et 2 font 4** 2 and 2 are *ou* make 4; **ça fait 10 m/15 euros** it's 10 m/15 euros; **je vous le fais 10 euros** I'll let you have it for 10 euros; **je fais du 40** I take a size 40
7 (*distance*): **faire du 50 (à l'heure)** to do 50 (km an hour); **nous avons fait 1000 km en 2 jours** we did *ou* covered 1000 km in 2 days; **faire l'Europe** to tour *ou* do Europe; **faire les magasins** to go shopping
8: **qu'a-t-il fait de sa valise?** what has he done with his case?
9: **ne faire que**: **il ne fait que critiquer** (*sans cesse*) all he (ever) does is criticize; (*seulement*) he's only criticizing
10 (*dire*) to say; **"vraiment?" fit-il** "really?" he said
11 (*maladie*) to have; **faire du diabète** to have diabetes *sg*
▷ *vi* **1** (*agir, s'y prendre*) to act, do; **il faut faire vite** we (*ou* you *etc*) must act quickly; **comment a-t-il fait pour?** how did he manage to?; **faites comme chez vous** make yourself at home
2 (*paraître*) to look; **faire vieux/démodé** to look old/old-fashioned; **ça fait bien** it looks good
▷ *vb substitut* to do; **ne le casse pas comme je l'ai fait** don't break it as I did; **je peux le voir? - faites!** can I see it? - please do!
▷ *vb impers* **1**: **il fait beau** *etc* the weather is fine *etc*; *voir aussi* **jour**; **froid** *etc*
2 (*temps écoulé, durée*): **ça fait 2 ans qu'il est parti** it's 2 years since he left; **ça fait 2 ans qu'il y est** he's been there for 2 years
▷ *vb semi-aux* **1**: **faire** (*+infinitif: action directe*) to make; **faire tomber/bouger qch** to make sth fall/move; **faire démarrer un moteur/chauffer de l'eau** to start up an engine/heat some water; **cela fait dormir** it makes you sleep; **faire travailler les enfants** to make the children work *ou* get the children to work; **il m'a fait traverser la rue** he helped me to cross the street
2 (*indirectement, par un intermédiaire*): **faire réparer qch** to get *ou* have sth repaired; **faire punir les enfants** to have the children punished
se faire *vi* **1** (*être convenable*): **cela se fait beaucoup/ne se fait pas** it's done a lot/not done
2: **se faire** *+nom ou pron*: **se faire une jupe** to make o.s. a skirt; **se faire des amis** to make friends; **se faire du souci** to worry; **il ne s'en fait pas** he doesn't worry
3: **se faire** *+adj* (*devenir*): **se faire vieux** to be getting old; **se faire beau** to do o.s. up
4: **se faire à** (*s'habituer*) to get used to; **je n'arrive pas à me faire à la nourriture/au climat** I can't get used to the food/climate
5: **se faire** *+infinitif*: **se faire examiner la vue/opérer** to have one's eyes tested/have an operation; **se faire couper les cheveux** to get one's hair cut; **il va se faire tuer/punir** he's going to

get himself killed/get punished; **il s'est fait aider** he got somebody to help him; **il s'est fait aider par Simon** he got Simon to help him; **se faire faire un vêtement** to get a garment made for o.s.
6 (*impersonnel*): **comment se fait-il/faisait-il que?** how is it/was it that?

faire-part [fɛʀpaʀ] *nm inv* announcement (*of birth, marriage etc*)
faisan, e [fəzɑ̃, an] *nm/f* pheasant
faisons [fəzɔ̃] *vb voir* **faire**
fait, e [fɛ, fɛt] *adj* (*mûr: fromage, melon*) ripe ▷ *nm* (*événement*) event, occurrence; (*réalité, donnée*) fact; **être au ~ (de)** to be informed (of); **au ~** (*à propos*) by the way; **en venir au ~** to get to the point; **du ~ de ceci/qu'il a menti** because of *ou* on account of this/his having lied; **de ce ~** for this reason; **en ~** in fact; **prendre qn sur le ~** to catch sb in the act; **c'est bien ~ pour lui (*ou* eux *etc*)** it serves him (*ou* them *etc*) right; **fait divers** news item
faites [fɛt] *vb voir* **faire**
falaise [falɛz] *nf* cliff
falloir [falwaʀ] *vb impers*: **il faut qu'il parte/a fallu qu'il parte** (*obligation*) he has to *ou* must leave/had to leave; **il a fallu le faire** it had to be done; **il faudrait qu'elle rentre** she should come *ou* go back, she ought to come *ou* go back; **il faut faire attention** you have to be careful; **il me faudrait 100 euros** I would need 100 euros; **il vous faut tourner à gauche après l'église** you have to turn left past the church; **nous avons ce qu'il (nous) faut** we have what we need; **il ne fallait pas** you shouldn't have (done); **comme il faut** (*personne*) proper; (*agir*) properly; **s'en ~** *vr*: **il s'en est fallu de 100 euros/5 minutes** we/they *etc* were 100 euros short/5 minutes late (*ou* early); **il s'en faut de beaucoup qu'il soit** he is far from being; **il s'en est fallu de peu que cela n'arrive** it very nearly happened
famé, e [fame] *adj*: **mal ~** disreputable, of ill repute
fameux, -euse [famø, øz] *adj* (*illustre*) famous; (*bon: repas, plat etc*) first-rate, first-class; (*valeur intensive*) real, downright
familial, e, -aux [familjal, jo] *adj* family *cpd*
familiarité [familjaʀite] *nf* familiarity
familier, -ère [familje, jɛʀ] *adj* (*connu*) familiar; (*atmosphère*) informal, friendly; (*Ling*) informal, colloquial ▷ *nm* regular (visitor)
famille [famij] *nf* family; **il a de la ~ à Paris** he has relatives in Paris
famine [famin] *nf* famine
fanatique [fanatik] *adj* fanatical ▷ *nm/f* fanatic
faner [fane]: **se ~** *vi* to fade
fanfare [fɑ̃faʀ] *nf* (*orchestre*) brass band; (*musique*) fanfare
fantaisie [fɑ̃tezi] *nf* (*spontanéité*) fancy, imagination; (*caprice*) whim ▷ *adj*: **bijou ~** costume jewellery
fantasme [fɑ̃tasm] *nm* fantasy
fantastique [fɑ̃tastik] *adj* fantastic
fantôme [fɑ̃tom] *nm* ghost, phantom
faon [fɑ̃] *nm* fawn
FAQ *sigle f* (*= foire aux questions*) FAQ
farce [faʀs] *nf* (*viande*) stuffing; (*blague*) (practical) joke; (*Théâtre*) farce; **farcir** *vt* (*viande*) to stuff
farder [faʀde]: **se ~** *vi* to make (o.s.) up
farine [faʀin] *nf* flour
farouche [faʀuʃ] *adj* (*timide*) shy, timid
fart [faʀt] *nm* (ski) wax
fascination [fasinasjɔ̃] *nf* fascination
fasciner [fasine] *vt* to fascinate
fascisme [faʃism] *nm* fascism
fasse *etc* [fas] *vb voir* **faire**
fastidieux, -euse [fastidjø, jøz] *adj* tedious, tiresome
fatal, e [fatal] *adj* fatal; (*inévitable*) inevitable; **fatalité** *nf* (*destin*) fate; (*coïncidence*) fateful coincidence
fatidique [fatidik] *adj* fateful
fatigant, e [fatigɑ̃, ɑ̃t] *adj* tiring; (*agaçant*) tiresome
fatigue [fatig] *nf* tiredness, fatigue; **fatigué, e** *adj* tired; **fatiguer** *vt* to tire, make tired; (*fig: agacer*) to annoy ▷ *vi* (*moteur*) to labour, strain; **se fatiguer** to get tired
fauché, e [foʃe] (*fam*) *adj* broke
faucher [foʃe] *vt* (*herbe*) to cut; (*champs, blés*) to reap; (*fig: véhicule*) to mow down; (*fam: voler*) to pinch
faucon [fokɔ̃] *nm* falcon, hawk
faudra [fodʀa] *vb voir* **falloir**
faufiler [fofile]: **se ~** *vi*: **se ~ dans** to edge one's way into; **se ~ parmi/entre** to thread one's way among/between
faune [fon] *nf* (*Zool*) wildlife, fauna
fausse [fos] *adj voir* **faux**; **faussement** *adv* (*accuser*) wrongly, wrongfully; (*croire*) falsely
fausser [fose] *vt* (*objet*) to bend, buckle; (*fig*) to distort; **~ compagnie à qn** to give sb the slip
faut [fo] *vb voir* **falloir**
faute [fot] *nf* (*erreur*) mistake, error; (*mauvaise action*) misdemeanour; (*Football etc*) offence; (*Tennis*) fault; **c'est de sa/ma ~** it's his *ou* her/my fault; **être en ~** to be in the wrong; **~ de** (*temps, argent*) for *ou* through lack of; **sans ~** without fail; **faute de frappe** typing error; **faute professionnelle** professional misconduct *no pl*
fauteuil [fotœj] *nm* armchair; (*au théâtre*) seat; **fauteuil roulant** wheelchair
fautif, -ive [fotif, iv] *adj* (*responsable*) at fault, in the wrong; (*incorrect*) incorrect, inaccurate; **il se sentait ~** he felt guilty
fauve [fov] *nm* wildcat ▷ *adj* (*couleur*) fawn
faux[1] [fo] *nf* scythe
faux[2], **fausse** [fo, fos] *adj* (*inexact*) wrong; (*voix*) out of tune; (*billet*) fake, forged; (*sournois, postiche*) false ▷ *adv* (*Mus*) out of tune ▷ *nm* (*copie*) fake, forgery; **faire ~ bond à qn** to let sb down; **faire un ~ pas** to trip; (*fig*) to make a faux pas; **fausse alerte** false alarm; **fausse couche** miscarriage; **faux frais** *nmpl* extras, incidental expenses; **faux mouvement** awkward movement; **fausse note** wrong note; **faux témoignage** (*délit*) perjury; **faux-filet** *nm* sirloin
faveur [favœʀ] *nf* favour; **traitement de ~** preferential treatment; **en ~ de** in favour of
favorable [favɔʀabl] *adj* favourable
favori, te [favɔʀi, it] *adj, nm/f* favourite
favoriser [favɔʀize] *vt* to favour
fax [faks] *nm* fax
fécond, e [fekɔ̃, ɔ̃d] *adj* fertile; **féconder** *vt* to fertilize
féculent [fekylɑ̃] *nm* starchy food
fédéral, e, -aux [fedeʀal, o] *adj* federal
fée [fe] *nf* fairy
feignant, e [fɛɲɑ̃, ɑ̃t] *nm/f* = **fainéant, e**
feindre [fɛ̃dʀ] *vt* to feign; **~ de faire** to pretend to do
fêler [fele] *vt* to crack; **se ~** to crack
félicitations [felisitasjɔ̃] *nfpl* congratulations
féliciter [felisite] *vt*: **~ qn (de)** to congratulate sb

(on)
félin, e [felɛ̃, in] *nm* (big) cat
femelle [fəmɛl] *adj, nf* female
féminin, e [feminɛ̃, in] *adj* feminine; (*sexe*) female; (*équipe, vêtements etc*) women's ▷ *nm* (*Ling*) feminine; **féministe** *adj* feminist
femme [fam] *nf* woman; (*épouse*) wife; **femme au foyer** housewife; **femme de chambre** chambermaid; **femme de ménage** cleaning lady
fémur [femyʀ] *nm* femur, thighbone
fendre [fɑ̃dʀ] *vt* (*couper en deux*) to split; (*fissurer*) to crack; (*traverser: foule, air*) to cleave through; **se ~** *vi* to crack
fenêtre [f(ə)nɛtʀ] *nf* window
fenouil [fənuj] *nm* fennel
fente [fɑ̃t] *nf* (*fissure*) crack; (*de boîte à lettres etc*) slit
fer [fɛʀ] *nm* iron; **fer à cheval** horseshoe; **fer à friser** curling tongs *pl*; **fer (à repasser)** iron; **fer forgé** wrought iron
ferai *etc* [fəʀe] *vb voir* **faire**
fer-blanc [fɛʀblɑ̃] *nm* tin(plate)
férié, e [feʀje] *adj*: **jour ~** public holiday
ferions *etc* [fərjɔ̃] *vb voir* **faire**
ferme [fɛʀm] *adj* firm ▷ *adv* (*travailler etc*) hard ▷ *nf* (*exploitation*) farm; (*maison*) farmhouse
fermé, e [fɛʀme] *adj* closed, shut; (*gaz, eau etc*) off; (*fig: milieu*) exclusive
fermenter [fɛʀmɑ̃te] *vi* to ferment
fermer [fɛʀme] *vt* to close, shut; (*cesser l'exploitation de*) to close down, shut down; (*eau, électricité, robinet*) to turn off; (*aéroport, route*) to close ▷ *vi* to close, shut; (*magasin: definitivement*) to close down, shut down; **~ à clef** to lock; **se ~** *vi* to close, shut
fermeté [fɛʀməte] *nf* firmness
fermeture [fɛʀmətyʀ] *nf* closing; (*dispositif*) catch; **heures de ~** closing times; **fermeture éclair®** *ou* **à glissière** zip (fastener) (BRIT), zipper (US)
fermier [fɛʀmje] *nm* farmer
féroce [feʀɔs] *adj* ferocious, fierce
ferons [fəʀɔ̃] *vb voir* **faire**
ferrer [feʀe] *vt* (*cheval*) to shoe
ferroviaire [feʀɔvjɛʀ] *adj* rail(way) *cpd* (BRIT), rail(road) *cpd* (US)
ferry(-boat) [fɛʀe(-bot)] *nm* ferry
fertile [fɛʀtil] *adj* fertile; **~ en incidents** eventful, packed with incidents
fervent, e [fɛʀvɑ̃, ɑ̃t] *adj* fervent
fesse [fɛs] *nf* buttock; **fessée** *nf* spanking
festin [fɛstɛ̃] *nm* feast
festival [fɛstival] *nm* festival
festivités [fɛstivite] *nfpl* festivities
fêtard, e [fɛtaʀ, aʀd] (*fam*) *nm/f* high liver, merry-maker
fête [fɛt] *nf* (*religieuse*) feast; (*publique*) holiday; (*réception*) party; (*kermesse*) fête, fair; (*du nom*) feast day, name day; **faire la ~** to live it up; **faire ~ à qn** to give sb a warm welcome; **les ~s (de fin d'année)** the festive season; **la salle des ~s** the village hall; **la ~ des Mères/Pères** Mother's/Father's Day; **fête foraine** (fun) fair; **fêter** *vt* to celebrate; (*personne*) to have a celebration for
feu, x [fø] *nm* (*gén*) fire; (*signal lumineux*) light; (*de cuisinière*) ring; **feux** *nmpl* (*Auto*) (traffic) lights; **au ~!** (*incendie*) fire!; **à ~ doux/vif** over a slow/brisk heat; **à petit ~** (*Culin*) over a gentle heat; (*fig*) slowly; **faire ~** to fire; **ne pas faire long ~** not to last long; **prendre ~** to catch fire; **mettre le ~ à** to set fire to; **faire du ~** to make a fire; **avez-vous du ~?** (*pour cigarette*) have you (got) a light?; **feu arrière** rear light; **feu d'artifice** (*spectacle*) fireworks *pl*; **feu de joie** bonfire; **feu orange/rouge/vert** amber (BRIT) *ou* yellow (US)/red/green light; **feux de brouillard** fog lights *ou* lamps; **feux de croisement** dipped (BRIT) *ou* dimmed (US) headlights; **feux de position** sidelights; **feux de route** headlights
feuillage [fœjaʒ] *nm* foliage, leaves *pl*
feuille [fœj] *nf* (*d'arbre*) leaf; (*de papier*) sheet; **feuille de calcul** spreadsheet; **feuille d'impôts** tax form; **feuille de maladie** *medical expenses claim form*; **feuille de paie** pay slip
feuillet [fœjɛ] *nm* leaf
feuilleté, e [fœjte] *adj*: **pâte ~** flaky pastry
feuilleter [fœjte] *vt* (*livre*) to leaf through
feuilleton [fœjtɔ̃] *nm* serial
feutre [føtʀ] *nm* felt; (*chapeau*) felt hat; (*aussi*: **stylo-~**) felt-tip pen; **feutré, e** *adj* (*atmosphère*) muffled
fève [fɛv] *nf* broad bean
février [fevʀije] *nm* February
fiable [fjabl] *adj* reliable
fiançailles [fjɑ̃sɑj] *nfpl* engagement *sg*
fiancé, e [fjɑ̃se] *nm/f* fiancé(e) ▷ *adj*: **être ~ (à)** to be engaged (to)
fiancer [fjɑ̃se]: **se ~ (avec)** *vi* to become engaged (to)
fibre [fibʀ] *nf* fibre; **fibre de verre** fibreglass, glass fibre
ficeler [fis(ə)le] *vt* to tie up
ficelle [fisɛl] *nf* string *no pl*; (*morceau*) piece *ou* length of string
fiche [fiʃ] *nf* (*pour fichier*) (index) card; (*formulaire*) form; (*Élec*) plug; **fiche de paye** pay slip
ficher [fiʃe] *vt* (*dans un fichier*) to file; (*Police*) to put on file; (*fam: faire*) to do; (*: donner*) to give; (*: mettre*) to stick *ou* shove; **fiche-(moi) le camp!** (*fam*) clear off!; **fiche-moi la paix!** (*fam*) leave me alone!; **se ~ de** (*fam: rire de*) to make fun of; (*être indifférent à*) not to care about
fichier [fiʃje] *nm* file; **~ joint** (*Comput*) attachment
fichu, e [fiʃy] *pp de* **ficher (*fam*)** ▷ *adj* (*fam: fini, inutilisable*) bust, done for; (*: intensif*) wretched, darned ▷ *nm* (*foulard*) (head)scarf; **mal ~** (*fam*) feeling lousy
fictif, -ive [fiktif, iv] *adj* fictitious
fiction [fiksjɔ̃] *nf* fiction; (*fait imaginé*) invention
fidèle [fidɛl] *adj* faithful ▷ *nm/f* (*Rel*): **les ~s** (*à l'église*) the congregation *sg*; **fidélité** *nf* (*d'un conjoint*) fidelity, faithfulness; (*d'un ami, client*) loyalty
fier[1] [fje]: **se ~ à** *vt* to trust
fier[2], **fière** [fjɛʀ] *adj* proud; **~ de** proud of; **fierté** *nf* pride
fièvre [fjɛvʀ] *nf* fever; **avoir de la ~/39 de ~** to have a high temperature/a temperature of 39°C; **fiévreux, -euse** *adj* feverish
figer [fiʒe]: **se ~** *vi* (*huile*) to congeal; (*personne*) to freeze
fignoler [fiɲɔle] (*fam*) *vt* to polish up
figue [fig] *nf* fig; **figuier** *nm* fig tree
figurant, e [figyʀɑ̃, ɑ̃t] *nm/f* (*Théâtre*) walk-on; (*Cinéma*) extra
figure [figyʀ] *nf* (*visage*) face; (*forme, personnage*) figure; (*illustration*) picture, diagram
figuré, e [figyʀe] *adj* (*sens*) figurative
figurer [figyʀe] *vi* to appear ▷ *vt* to represent; **se ~ que** to imagine that
fil [fil] *nm* (*brin, fig: d'une histoire*) thread; (*électrique*) wire; (*d'un couteau*) edge; **au ~ des années** with the passing of the years; **au ~ de l'eau** with the stream *ou* current; **coup de ~** (*fam*) phone call; **donner/**

recevoir un coup de ~ to make/get *ou* receive a phone call; **fil de fer** wire; **fil de fer barbelé** barbed wire

file [fil] *nf* line; (*Auto*) lane; **en ~ indienne** in single file; **à la ~** (*d'affilée*) in succession; **file (d'attente)** queue (BRIT), line (US)

filer [file] *vt* (*tissu, toile*) to spin; (*prendre en filature*) to shadow, tail; (*fam: donner*): **~ qch à qn** to slip sb sth ▷ *vi* (*bas*) to run; (*aller vite*) to fly past; (*fam: partir*) to make *ou* be off; **~ doux** to toe the line

filet [filɛ] *nm* net; (*Culin*) fillet; (*d'eau, de sang*) trickle; **filet (à provisions)** string bag

filiale [filjal] *nf* (*Comm*) subsidiary

filière [filjɛʀ] *nf* (*carrière*) path; **suivre la ~** (*dans sa carrière*) to work one's way up (through the hierarchy)

fille [fij] *nf* girl; (*opposé à fils*) daughter; **vieille ~** old maid; **fillette** *nf* (little) girl

filleul, e [fijœl] *nm/f* godchild, godson/daughter

film [film] *nm* (*pour photo*) (roll of) film; (*œuvre*) film, picture, movie

fils [fis] *nm* son; **fils à papa** daddy's boy

filtre [filtʀ] *nm* filter; **filtrer** *vt* to filter; (*fig: candidats, visiteurs*) to screen

fin[1] [fɛ̃] *nf* end; **fins** *nfpl* (*but*) ends; **prendre ~** to come to an end; **mettre ~ à** to put an end to; **à la ~** in the end, eventually; **en ~ de compte** in the end; **sans ~** endless; **~ juin** at the end of June; **fin prêt** quite ready

fin[2]**, e** [fɛ̃, fin] *adj* (*papier, couche, fil*) thin; (*cheveux, visage*) fine; (*taille*) neat, slim; (*esprit, remarque*) subtle ▷ *adv* (*couper*) finely; **fines herbes** mixed herbs; **avoir la vue/l'ouïe fine** to have keen eyesight/hearing; **repas/vin fin** gourmet meal/fine wine

final, e [final, o] *adj* final ▷ *nm* (*Mus*) finale; **finale** *nf* final; **quarts de finale** quarter finals; **finalement** *adv* finally, in the end; (*après tout*) after all

finance [finɑ̃s]: **finances** *nfpl* (*situation*) finances; (*activités*) finance *sg*; **moyennant ~** for a fee; **financer** *vt* to finance; **financier, -ière** *adj* financial

finesse [finɛs] *nf* thinness; (*raffinement*) fineness; (*subtilité*) subtlety

fini, e [fini] *adj* finished; (*Math*) finite ▷ *nm* (*d'un objet manufacturé*) finish

finir [finiʀ] *vt* to finish ▷ *vi* to finish, end; **~ par faire** to end up *ou* finish up doing; **~ de faire** to finish doing; (*cesser*) to stop doing; **il finit par m'agacer** he's beginning to get on my nerves; **en ~ avec** to be *ou* have done with; **il va mal ~** he will come to a bad end

finition [finisjɔ̃] *nf* (*résultat*) finish

finlandais, e [fɛ̃lɑ̃dɛ, ɛz] *adj* Finnish ▷ *nm/f*: **F~, e** Finn

Finlande [fɛ̃lɑ̃d] *nf*: **la ~** Finland

finnois, e [finwa, waz] *adj* Finnish ▷ *nm* (*Ling*) Finnish

fioul [fjul] *nm* fuel oil

firme [fiʀm] *nf* firm

fis [fi] *vb voir* **faire**

fisc [fisk] *nm* tax authorities *pl*; **fiscal, e, -aux** *adj* tax *cpd*, fiscal; **fiscalité** *nf* tax system

fissure [fisyʀ] *nf* crack; **fissurer** *vt* to crack; **se fissurer** *vi* to crack

fit [fi] *vb voir* **faire**

fixation [fiksasjɔ̃] *nf* (*attache*) fastening; (*Psych*) fixation

fixe [fiks] *adj* fixed; (*emploi*) steady, regular ▷ *nm* (*salaire*) basic salary; (*téléphone*) landline; **à heure ~** at a set time; **menu à prix ~** set menu

fixé, e [fikse] *adj*: **être ~ (sur)** (*savoir à quoi s'en tenir*) to have made up one's mind (about)

fixer [fikse] *vt* (*attacher*): **~ qch (à/sur)** to fix *ou* fasten sth (to/onto); (*déterminer*) to fix, set; (*regarder*) to stare at; **se ~** *vi* (*s'établir*) to settle down; **se ~ sur** (*suj: attention*) to focus on

flacon [flakɔ̃] *nm* bottle

flageolet [flaʒɔlɛ] *nm* (*Culin*) dwarf kidney bean

flagrant, e [flagʀɑ̃, ɑ̃t] *adj* flagrant, blatant; **en ~ délit** in the act

flair [flɛʀ] *nm* sense of smell; (*fig*) intuition; **flairer** *vt* (*humer*) to sniff (at); (*détecter*) to scent

flamand, e [flamɑ̃, ɑ̃d] *adj* Flemish ▷ *nm* (*Ling*) Flemish ▷ *nm/f*: **F~, e** Fleming

flamant [flamɑ̃] *nm* flamingo

flambant, e [flɑ̃bɑ̃, ɑ̃t] *adv*: **~ neuf** brand new

flambé, e [flɑ̃be] *adj* (*Culin*) flambé

flambée [flɑ̃be] *nf* blaze; (*fig: des prix*) explosion

flamber [flɑ̃be] *vi* to blaze (up)

flamboyer [flɑ̃bwaje] *vi* to blaze (up)

flamme [flɑm] *nf* flame; (*fig*) fire, fervour; **en ~s** on fire, ablaze

flan [flɑ̃] *nm* (*Culin*) custard tart *ou* pie

flanc [flɑ̃] *nm* side; (*Mil*) flank

flancher [flɑ̃ʃe] (*fam*) *vi* to fail, pack up

flanelle [flanɛl] *nf* flannel

flâner [flɑne] *vi* to stroll

flanquer [flɑ̃ke] *vt* to flank; (*fam: mettre*) to chuck, shove; (*: jeter*): **~ par terre/à la porte** to fling to the ground/chuck out

flaque [flak] *nf* (*d'eau*) puddle; (*d'huile, de sang etc*) pool

flash [flaʃ] (*pl* **~es**) *nm* (*Photo*) flash; **flash d'information** newsflash

flatter [flate] *vt* to flatter; **se ~ de qch** to pride o.s. on sth; **flatteur, -euse** *adj* flattering

flèche [flɛʃ] *nf* arrow; (*de clocher*) spire; **monter en ~** (*fig*) to soar, rocket; **partir en ~** to be off like a shot; **fléchette** *nf* dart

flétrir [fletʀiʀ]: **se ~** *vi* to wither

fleur [flœʀ] *nf* flower; (*d'un arbre*) blossom; **en ~** (*arbre*) in blossom; **à ~s** flowery

fleuri, e [flœʀi] *adj* (*jardin*) in flower *ou* bloom; (*tissu, papier*) flowery

fleurir [flœʀiʀ] *vi* (*rose*) to flower; (*arbre*) to blossom; (*fig*) to flourish ▷ *vt* (*tombe*) to put flowers on; (*chambre*) to decorate with flowers

fleuriste [flœʀist] *nm/f* florist

fleuve [flœv] *nm* river

flexible [flɛksibl] *adj* flexible

flic [flik] (*fam: péj*) *nm* cop

flipper [flipœʀ] *nm* pinball (machine)

flirter [flœʀte] *vi* to flirt

flocon [flɔkɔ̃] *nm* flake

flore [flɔʀ] *nf* flora

florissant, e [flɔʀisɑ̃, ɑ̃t] *adj* (*économie*) flourishing

flot [flo] *nm* flood, stream; **flots** *nmpl* (*de la mer*) waves; **être à ~** (*Navig*) to be afloat; **entrer à ~s** to stream *ou* pour in

flottant, e [flɔtɑ̃, ɑ̃t] *adj* (*vêtement*) loose

flotte [flɔt] *nf* (*Navig*) fleet; (*fam: eau*) water; (*: pluie*) rain

flotter [flɔte] *vi* to float; (*nuage, odeur*) to drift; (*drapeau*) to fly; (*vêtements*) to hang loose; (*fam: pleuvoir*) to rain; **faire ~** to float; **flotteur** *nm* float

flou, e [flu] *adj* fuzzy, blurred; (*fig*) woolly, vague

fluide [flɥid] *adj* fluid; (*circulation etc*) flowing freely ▷ *nm* fluid
fluor [flyɔʀ] *nm*: **dentifrice au ~** fluoride toothpaste
fluorescent, e [flyɔʀesɑ̃, ɑ̃t] *adj* fluorescent
flûte [flyt] *nf* flute; (*verre*) flute (glass); (*pain*) (thin) French stick; **~!** drat it!; **flûte traversière/à bec** flute/recorder
flux [fly] *nm* incoming tide; (*écoulement*) flow; **le ~ et le reflux** the ebb and flow
foc [fɔk] *nm* jib
foi [fwa] *nf* faith; **digne de ~** reliable; **être de bonne/mauvaise ~** to be sincere/insincere; **ma ~ ...** well ...
foie [fwa] *nm* liver; **crise de ~** stomach upset
foin [fwɛ̃] *nm* hay; **faire du ~** (*fig: fam*) to kick up a row
foire [fwaʀ] *nf* fair; (*fête foraine*) (fun) fair; **faire la ~** (*fig: fam*) to whoop it up; **~ aux questions** (*Internet*) FAQs; **foire (exposition)** trade fair
fois [fwa] *nf* time; **une/deux ~** once/twice; **2 ~ 2** 2 times 2; **une ~** (*passé*) once; (*futur*) sometime; **une ~ pour toutes** once and for all; **une ~ que** once; **des ~** (*parfois*) sometimes; **à la ~** (*ensemble*) at once
fol [fɔl] *adj voir* **fou**
folie [fɔli] *nf* (*d'une décision, d'un acte*) madness, folly; (*état*) madness, insanity; **la ~ des grandeurs** delusions of grandeur; **faire des ~s** (*en dépenses*) to be extravagant
folklorique [fɔlklɔʀik] *adj* folk *cpd*; (*fam*) weird
folle [fɔl] *adj, nf voir* **fou**; **follement** *adv* (*très*) madly, wildly
foncé, e [fɔ̃se] *adj* dark
foncer [fɔ̃se] *vi* to go darker; (*fam: aller vite*) to tear *ou* belt along; **~ sur** to charge at
fonction [fɔ̃ksjɔ̃] *nf* function; (*emploi, poste*) post, position; **fonctions** *nfpl* (*professionnelles*) duties; **voiture de ~** company car; **en ~ de** (*par rapport à*) according to; **faire ~ de** to serve as; **la ~ publique** the state *ou* civil (BRIT) service; **fonctionnaire** *nm/f* state employee, local authority employee; (*dans l'administration*) ≈ civil servant; **fonctionner** *vi* to work, function
fond [fɔ̃] *nm* (*d'un récipient, trou*) bottom; (*d'une salle, scène*) back; (*d'un tableau, décor*) background; (*opposé à la forme*) content; (*Sport*): **le ~** long distance (running); **au ~ de** at the bottom of; at the back of; **à ~** (*connaître, soutenir*) thoroughly; (*appuyer, visser*) right down *ou* home; **à ~ (de train)** (*fam*) full tilt; **dans le ~, au ~** (*en somme*) basically, really; **de ~ en comble** from top to bottom; **fond de teint** foundation (cream); *voir aussi* **fonds**
fondamental, e, -aux [fɔ̃damɑ̃tal, o] *adj* fundamental
fondant, e [fɔ̃dɑ̃, ɑ̃t] *adj* (*neige*) melting; (*poire*) that melts in the mouth
fondation [fɔ̃dasjɔ̃] *nf* founding; (*établissement*) foundation; **fondations** *nfpl* (*d'une maison*) foundations
fondé, e [fɔ̃de] *adj* (*accusation etc*) well-founded; **être ~ à** to have grounds for *ou* good reason to
fondement [fɔ̃dmɑ̃] *nm*: **sans ~** (*rumeur etc*) groundless, unfounded
fonder [fɔ̃de] *vt* to found; (*fig*) to base; **se ~ sur** (*suj: personne*) to base o.s. on
fonderie [fɔ̃dʀi] *nf* smelting works *sg*
fondre [fɔ̃dʀ] *vt* (*aussi*: **faire ~**) to melt; (*dans l'eau*) to dissolve; (*fig: mélanger*) to merge, blend ▷ *vi* (*à la chaleur*) to melt; (*dans l'eau*) to dissolve; (*fig*) to melt away; (*se précipiter*): **~ sur** to swoop down on; **~ en larmes** to burst into tears
fonds [fɔ̃] *nm* (*Comm*): **~ (de commerce)** business ▷ *nmpl* (*argent*) funds
fondu, e [fɔ̃dy] *adj* (*beurre, neige*) melted; (*métal*) molten; **fondue** *nf* (*Culin*) fondue
font [fɔ̃] *vb voir* **faire**
fontaine [fɔ̃tɛn] *nf* fountain; (*source*) spring
fonte [fɔ̃t] *nf* melting; (*métal*) cast iron; **la ~ des neiges** the (spring) thaw
foot [fut] (*fam*) *nm* football
football [futbol] *nm* football, soccer; **footballeur** *nm* footballer
footing [futiŋ] *nm* jogging; **faire du ~** to go jogging
forain, e [fɔʀɛ̃, ɛn] *adj* fairground *cpd* ▷ *nm* (*marchand*) stallholder; (*acteur*) fairground entertainer
forçat [fɔʀsa] *nm* convict
force [fɔʀs] *nf* strength; (*Physique, Mécanique*) force; **forces** *nfpl* (*physiques*) strength *sg*; (*Mil*) forces; **à ~ d'insister** by dint of insisting; as he (*ou* I *etc*) kept on insisting; **de ~** forcibly, by force; **dans la ~ de l'âge** in the prime of life; **les forces de l'ordre** the police *no pl*
forcé, e [fɔʀse] *adj* forced; **c'est ~** (*fam*) it's inevitable; **forcément** *adv* inevitably; **pas forcément** not necessarily
forcer [fɔʀse] *vt* to force; (*voix*) to strain ▷ *vi* (*Sport*) to overtax o.s.; **~ la dose** (*fam*) to overdo it; **se ~ (à faire)** to force o.s. (to do)
forestier, -ère [fɔʀɛstje, jɛʀ] *adj* forest *cpd*
forêt [fɔʀɛ] *nf* forest
forfait [fɔʀfɛ] *nm* (*Comm*) all-in deal *ou* price; **déclarer ~** to withdraw; **forfaitaire** *adj* inclusive
forge [fɔʀʒ] *nf* forge, smithy; **forgeron** *nm* (black)smith
formaliser [fɔʀmalize]: **se ~** *vi*: **se ~ (de)** to take offence (at)
formalité [fɔʀmalite] *nf* formality; **simple ~** mere formality
format [fɔʀma] *nm* size; **formater** *vt* (*disque*) to format
formation [fɔʀmasjɔ̃] *nf* (*développement*) forming; (*apprentissage*) training; **formation permanente** *ou* **continue** continuing education
forme [fɔʀm] *nf* (*gén*) form; (*d'un objet*) shape, form; **formes** *nfpl* (*bonnes manières*) proprieties; (*d'une femme*) figure *sg*; **en ~ de poire** pear-shaped, in the shape of a pear; **être en ~** (*Sport etc*) to be on form; **en bonne et due ~** in due form
formel, le [fɔʀmɛl] *adj* (*catégorique*) definite, positive; **formellement** *adv* (*absolument*) positively; **formellement interdit** strictly forbidden
former [fɔʀme] *vt* to form; (*éduquer*) to train; **se ~** *vi* to form
formidable [fɔʀmidabl] *adj* tremendous
formulaire [fɔʀmylɛʀ] *nm* form
formule [fɔʀmyl] *nf* (*gén*) formula; (*expression*) phrase; **formule de politesse** polite phrase; (*en fin de lettre*) letter ending
fort, e [fɔʀ, fɔʀt] *adj* strong; (*intensité, rendement*) high, great; (*corpulent*) stout; (*doué*) good, able ▷ *adv* (*serrer, frapper*) hard; (*parler*) loud(ly); (*beaucoup*) greatly, very much; (*très*) very ▷ *nm* (*édifice*) fort; (*point fort*) strong point, forte; **forte tête** rebel; **forteresse** *nf* stronghold
fortifiant [fɔʀtifjɑ̃] *nm* tonic
fortune [fɔʀtyn] *nf* fortune; **faire ~** to make one's fortune; **de ~** makeshift; **fortuné, e** *adj* wealthy
forum [fɔʀɔm] *nm* forum; **~ de discussion** (*Internet*)

message board
fosse [fos] *nf* (*grand trou*) pit; (*tombe*) grave
fossé [fose] *nm* ditch; (*fig*) gulf, gap
fossette [fosɛt] *nf* dimple
fossile [fosil] *nm* fossil
fou (fol), folle [fu, fɔl] *adj* mad; (*déréglé etc*) wild, erratic; (*fam: extrême, très grand*) terrific, tremendous ▷ *nm/f* madman(-woman) ▷ *nm* (*du roi*) jester; **être fou de** to be mad *ou* crazy about; **avoir le fou rire** to have the giggles
foudre [fudʀ] *nf*: **la ~** lightning
foudroyant, e [fudʀwajɑ̃, ɑ̃t] *adj* (*progrès*) lightning *cpd*; (*succès*) stunning; (*maladie, poison*) violent
fouet [fwɛ] *nm* whip; (*Culin*) whisk; **de plein ~** (*se heurter*) head on; **fouetter** *vt* to whip; (*crème*) to whisk
fougère [fuʒɛʀ] *nf* fern
fougue [fug] *nf* ardour, spirit; **fougueux, -euse** *adj* fiery
fouille [fuj] *nf* search; **fouilles** *nfpl* (*archéologiques*) excavations; **fouiller** *vt* to search; (*creuser*) to dig ▷ *vi* to rummage; **fouillis** *nm* jumble, muddle
foulard [fulaʀ] *nm* scarf
foule [ful] *nf* crowd; **la ~** crowds *pl*; **une ~ de** masses of
foulée [fule] *nf* stride
fouler [fule] *vt* to press; (*sol*) to tread upon; **se ~ la cheville** to sprain one's ankle; **ne pas se ~** not to overexert o.s.; **il ne se foule pas** he doesn't put himself out; **foulure** *nf* sprain
four [fuʀ] *nm* oven; (*de potier*) kiln; (*Théâtre: échec*) flop
fourche [fuʀʃ] *nf* pitchfork
fourchette [fuʀʃɛt] *nf* fork; (*Statistique*) bracket, margin
fourgon [fuʀgɔ̃] *nm* van; (*Rail*) wag(g)on; **fourgonnette** *nf* (small) van
fourmi [fuʀmi] *nf* ant; **avoir des ~s dans les jambes/mains** to have pins and needles in one's legs/hands; **fourmilière** *nf* ant-hill; **fourmiller** *vi* to swarm
fourneau, x [fuʀno] *nm* stove
fourni, e [fuʀni] *adj* (*barbe, cheveux*) thick; (*magasin*): **bien ~ (en)** well stocked (with)
fournir [fuʀniʀ] *vt* to supply; (*preuve, exemple*) to provide, supply; (*effort*) to put in; **~ qch à qn** to supply sth to sb, supply *ou* provide sb with sth; **fournisseur, -euse** *nm/f* supplier; **fournisseur d'accès à Internet** (Internet) service provider, ISP; **fourniture** *nf* supply(ing); **fournitures scolaires** school stationery
fourrage [fuʀaʒ] *nm* fodder
fourré, e [fuʀe] *adj* (*bonbon etc*) filled; (*manteau etc*) fur-lined ▷ *nm* thicket
fourrer [fuʀe] (*fam*) *vt* to stick, shove; **se ~ dans/sous** to get into/under
fourrière [fuʀjɛʀ] *nf* pound
fourrure [fuʀyʀ] *nf* fur; (*sur l'animal*) coat
foutre [futʀ] (*fam!*) *vt* = **ficher**; **foutu, e** (*fam!*) *adj* = **fichu, e**
foyer [fwaje] *nm* (*maison*) home; (*famille*) family; (*de cheminée*) hearth; (*de jeunes etc*) (social) club; (*résidence*) hostel; (*salon*) foyer; **lunettes à double ~** bi-focals
fracassant, e [fʀakasɑ̃, ɑ̃t] *adj* (*succès*) thundering
fraction [fʀaksjɔ̃] *nf* fraction
fracture [fʀaktyʀ] *nf* fracture; **fracture du crâne** fractured skull; **fracturer** *vt* (*coffre, serrure*) to break open; (*os, membre*) to fracture; **se fracturer le crâne** to fracture one's skull
fragile [fʀaʒil] *adj* fragile, delicate; (*fig*) frail; **fragilité** *nf* fragility
fragment [fʀagmɑ̃] *nm* (*d'un objet*) fragment, piece
fraîche [fʀɛʃ] *adj voir* **frais**; **fraîcheur** *nf* coolness; (*d'un aliment*) freshness; **fraîchir** *vi* to get cooler; (*vent*) to freshen
frais, fraîche [fʀɛ, fʀɛʃ] *adj* fresh; (*froid*) cool ▷ *adv* (*récemment*) newly, fresh(ly) ▷ *nm*: **mettre au ~** to put in a cool place ▷ *nmpl* (*gén*) expenses; (*Comm*) costs; **il fait ~** it's cool; **servir ~** serve chilled; **prendre le ~** to take a breath of cool air; **faire des ~** to go to a lot of expense; **frais de scolarité** school fees (BRIT), tuition (US); **frais généraux** overheads
fraise [fʀɛz] *nf* strawberry; **fraise des bois** wild strawberry
framboise [fʀɑ̃bwaz] *nf* raspberry
franc, franche [fʀɑ̃, fʀɑ̃ʃ] *adj* (*personne*) frank, straightforward; (*visage*) open; (*net: refus*) clear; (*: coupure*) clean; (*intensif*) downright ▷ *nm* franc
français, e [fʀɑ̃sɛ, ɛz] *adj* French ▷ *nm/f*: **F~, e** Frenchman(-woman) ▷ *nm* (*Ling*) French
France [fʀɑ̃s] *nf*: **la ~** France; **~ 2, ~ 3** *public-sector television channels*
franche [fʀɑ̃ʃ] *adj voir* **franc**; **franchement** *adv* frankly; (*nettement*) definitely; (*tout à fait: mauvais etc*) downright
franchir [fʀɑ̃ʃiʀ] *vt* (*obstacle*) to clear, get over; (*seuil, ligne, rivière*) to cross; (*distance*) to cover
franchise [fʀɑ̃ʃiz] *nf* frankness; (*douanière*) exemption; (*Assurances*) excess
franc-maçon [fʀɑ̃masɔ̃] *nm* freemason
franco [fʀɑ̃ko] *adv* (*Comm*): **~ (de port)** postage paid
francophone [fʀɑ̃kɔfɔn] *adj* French-speaking
franc-parler [fʀɑ̃paʀle] *nm inv* outspokenness; **avoir son ~** to speak one's mind
frange [fʀɑ̃ʒ] *nf* fringe
frangipane [fʀɑ̃ʒipan] *nf* almond paste
frappant, e [fʀapɑ̃, ɑ̃t] *adj* striking
frappé, e [fʀape] *adj* iced
frapper [fʀape] *vt* to hit, strike; (*étonner*) to strike; **~ dans ses mains** to clap one's hands; **frappé de stupeur** dumbfounded
fraternel, le [fʀatɛʀnɛl] *adj* brotherly, fraternal; **fraternité** *nf* brotherhood
fraude [fʀod] *nf* fraud; (*Scol*) cheating; **passer qch en ~** to smuggle sth in (*ou* out); **fraude fiscale** tax evasion
frayeur [fʀɛjœʀ] *nf* fright
fredonner [fʀədɔne] *vt* to hum
freezer [fʀizœʀ] *nm* freezing compartment
frein [fʀɛ̃] *nm* brake; **mettre un ~ à** (*fig*) to curb, check; **frein à main** handbrake; **freiner** *vi* to brake ▷ *vt* (*progrès etc*) to check
frêle [fʀɛl] *adj* frail, fragile
frelon [fʀəlɔ̃] *nm* hornet
frémir [fʀemiʀ] *vi* (*de peur, d'horreur*) to shudder; (*de colère*) to shake; (*feuillage*) to quiver
frêne [fʀɛn] *nm* ash
fréquemment [fʀekamɑ̃] *adv* frequently
fréquent, e [fʀekɑ̃, ɑ̃t] *adj* frequent
fréquentation [fʀekɑ̃tasjɔ̃] *nf* frequenting; **fréquentations** *nfpl* (*relations*) company *sg*; **avoir de mauvaises ~s** to be in with the wrong crowd, keep bad company
fréquenté, e [fʀekɑ̃te] *adj*: **très ~** (very) busy; **mal ~** patronized by disreputable elements

fréquenter [fʀekɑ̃te] *vt* (*lieu*) to frequent; (*personne*) to see; **se ~** to see each other
frère [fʀɛʀ] *nm* brother
fresque [fʀɛsk] *nf* (*Art*) fresco
fret [fʀɛ(t)] *nm* freight
friand, e [fʀijɑ̃, fʀijɑ̃d] *adj*: **~ de** very fond of ▷ *nm*: **~ au fromage** cheese puff
friandise [fʀijɑ̃diz] *nf* sweet
fric [fʀik] (*fam*) *nm* cash, bread
friche [fʀiʃ]: **en ~** *adj, adv* (lying) fallow
friction [fʀiksjɔ̃] *nf* (*massage*) rub, rub-down; (*Tech, fig*) friction
frigidaire® [fʀiʒidɛʀ] *nm* refrigerator
frigo [fʀigo] (*fam*) *nm* fridge
frigorifique [fʀigɔʀifik] *adj* refrigerating
frileux, -euse [fʀilø, øz] *adj* sensitive to (the) cold
frimer [fʀime] (*fam*) *vi* to show off
fringale [fʀɛ̃gal] (*fam*) *nf*: **avoir la ~** to be ravenous
fringues [fʀɛ̃g] (*fam*) *nfpl* clothes
fripé, e [fʀipe] *adj* crumpled
frire [fʀiʀ] *vt, vi*: **faire ~** to fry
frisé, e [fʀize] *adj* (*cheveux*) curly; (*personne*) curly-haired
frisson [fʀisɔ̃] *nm* (*de froid*) shiver; (*de peur*) shudder; **frissonner** *vi* (*de fièvre, froid*) to shiver; (*d'horreur*) to shudder
frit, e [fʀi, fʀit] *pp de* **frire**; **frite** *nf*: **(pommes) frites** chips (BRIT), French fries; **friteuse** *nf* chip pan; **friteuse électrique** deep fat fryer; **friture** *nf* (*huile*) (deep) fat; (*plat*): **friture (de poissons)** fried fish
froid, e [fʀwa, fʀwad] *adj, nm* cold; **il fait ~** it's cold; **avoir/prendre ~** to be/catch cold; **être en ~ avec** to be on bad terms with; **froidement** *adv* (*accueillir*) coldly; (*décider*) coolly
froisser [fʀwase] *vt* to crumple (up), crease; (*fig*) to hurt, offend; **se ~** *vi* to crumple, crease; (*personne*) to take offence; **se ~ un muscle** to strain a muscle
frôler [fʀole] *vt* to brush against; (*suj: projectile*) to skim past; (*fig*) to come very close to
fromage [fʀɔmaʒ] *nm* cheese; **fromage blanc** soft white cheese
froment [fʀɔmɑ̃] *nm* wheat
froncer [fʀɔ̃se] *vt* to gather; **~ les sourcils** to frown
front [fʀɔ̃] *nm* forehead, brow; (*Mil*) front; **de ~** (*se heurter*) head-on; (*rouler*) together (*i.e. 2 or 3 abreast*); (*simultanément*) at once; **faire ~ à** to face up to
frontalier, -ère [fʀɔ̃talje, jɛʀ] *adj* border *cpd*, frontier *cpd*; **(travailleurs) ~s** *people who commute across the border*
frontière [fʀɔ̃tjɛʀ] *nf* frontier, border
frotter [fʀɔte] *vi* to rub, scrape ▷ *vt* to rub; (*pommes de terre, plancher*) to scrub; **~ une allumette** to strike a match
fruit [fʀɥi] *nm* fruit *gen no pl*; **fruits de mer** seafood(s); **fruits secs** dried fruit *sg*; **fruité, e** *adj* fruity; **fruitier, -ère** *adj*: **arbre fruitier** fruit tree
frustrer [fʀystʀe] *vt* to frustrate
fuel(-oil) [fjul(ɔjl)] *nm* fuel oil; (*domestique*) heating oil
fugace [fygas] *adj* fleeting
fugitif, -ive [fyʒitif, iv] *adj* (*fugace*) fleeting ▷ *nm/f* fugitive
fugue [fyg] *nf*: **faire une ~** to run away, abscond
fuir [fɥiʀ] *vt* to flee from; (*éviter*) to shun ▷ *vi* to run away; (*gaz, robinet*) to leak
fuite [fɥit] *nf* flight; (*écoulement, divulgation*) leak; **être en ~** to be on the run; **mettre en ~** to put to flight
fulgurant, e [fylgyʀɑ̃, ɑ̃t] *adj* lightning *cpd*, dazzling
fumé, e [fyme] *adj* (*Culin*) smoked; (*verre*) tinted; **fumée** *nf* smoke
fumer [fyme] *vi* to smoke; (*soupe*) to steam ▷ *vt* to smoke
fûmes [fym] *vb voir* **être**
fumeur, -euse [fymœʀ, øz] *nm/f* smoker
fumier [fymje] *nm* manure
funérailles [fyneʀɑj] *nfpl* funeral *sg*
fur [fyʀ]: **au ~ et à mesure** *adv* as one goes along; **au ~ et à mesure que** as
furet [fyʀɛ] *nm* ferret
fureter [fyʀ(ə)te] (*péj*) *vi* to nose about
fureur [fyʀœʀ] *nf* fury; **être en ~** to be infuriated; **faire ~** to be all the rage
furie [fyʀi] *nf* fury; (*femme*) shrew, vixen; **en ~** (*mer*) raging; **furieux, -euse** *adj* furious
furoncle [fyʀɔ̃kl] *nm* boil
furtif, -ive [fyʀtif, iv] *adj* furtive
fus [fy] *vb voir* **être**
fusain [fyzɛ̃] *nm* (*Art*) charcoal
fuseau, x [fyzo] *nm* (*pour filer*) spindle; (*pantalon*) (ski) pants; **fuseau horaire** time zone
fusée [fyze] *nf* rocket
fusible [fyzibl] *nm* (*Élec: fil*) fuse wire; (*: fiche*) fuse
fusil [fyzi] *nm* (*de guerre, à canon rayé*) rifle, gun; (*de chasse, à canon lisse*) shotgun, gun; **fusillade** *nf* gunfire *no pl*, shooting *no pl*; **fusiller** *vt* to shoot; **fusiller qn du regard** to look daggers at sb
fusionner [fyzjɔne] *vi* to merge
fût [fy] *vb voir* **être** ▷ *nm* (*tonneau*) barrel, cask
futé, e [fyte] *adj* crafty; **Bison ~®** *TV and radio traffic monitoring service*
futile [fytil] *adj* futile; frivolous
futur, e [fytyʀ] *adj, nm* future
fuyard, e [fɥijaʀ, aʀd] *nm/f* runaway

g

Gabon [gabɔ̃] *nm*: **le ~** Gabon
gâcher [gɑʃe] *vt* (*gâter*) to spoil; (*gaspiller*) to waste; **gâchis** *nm* waste *no pl*
gaffe [gaf] *nf* blunder; **faire ~** (*fam*) to be careful
gage [gaʒ] *nm* (*dans un jeu*) forfeit; (*fig: de fidélité, d'amour*) token; **gages** *nmpl* (*salaire*) wages; **mettre en ~** to pawn
gagnant, e [gaɲɑ̃, ɑ̃t] *adj*: **billet/numéro ~** winning ticket/number ▷ *nm/f* winner
gagne-pain [gaɲpɛ̃] *nm inv* job
gagner [gaɲe] *vt* to win; (*somme d'argent, revenu*) to earn; (*aller vers, atteindre*) to reach; (*envahir: sommeil, peur*) to overcome; (*: mal*) to spread to ▷ *vi* to win; (*fig*) to gain; **~ du temps/de la place** to gain time/

save space; **~ sa vie** to earn one's living

gai, e [ge] *adj* cheerful; (*un peu ivre*) merry; **gaiement** *adv* cheerfully; **gaieté** *nf* cheerfulness; **de gaieté de cœur** with a light heart

gain [gɛ̃] *nm* (*revenu*) earnings *pl*; (*bénéfice: gén pl*) profits *pl*

gala [gala] *nm* official reception; **de ~** (*soirée etc*) gala

galant, e [galɑ̃, ɑ̃t] *adj* (*courtois*) courteous, gentlemanly; (*entreprenant*) flirtatious, gallant; (*scène, rendez-vous*) romantic

galerie [galʀi] *nf* gallery; (*Théâtre*) circle; (*de voiture*) roof rack; (*fig: spectateurs*) audience; **galerie de peinture** (private) art gallery; **galerie marchande** shopping arcade

galet [galɛ] *nm* pebble

galette [galɛt] *nf* flat cake; **galette des Rois** *cake eaten on Twelfth Night*

galipette [galipɛt] *nf* somersault

Galles [gal] *nfpl*: **le pays de ~** Wales; **gallois, e** *adj* Welsh ▷ *nm/f*: **Gallois, e** Welshman(-woman) ▷ *nm* (*Ling*) Welsh

galon [galɔ̃] *nm* (*Mil*) stripe; (*décoratif*) piece of braid

galop [galo] *nm* gallop; **galoper** *vi* to gallop

gambader [gɑ̃bade] *vi* (*animal, enfant*) to leap about

gamin, e [gamɛ̃, in] *nm/f* kid ▷ *adj* childish

gamme [gam] *nf* (*Mus*) scale; (*fig*) range

gang [gɑ̃g] *nm* (*de criminels*) gang

gant [gɑ̃] *nm* glove; **gant de toilette** face flannel (BRIT), face cloth

garage [gaʀaʒ] *nm* garage; **garagiste** *nm/f* garage owner; (*employé*) garage mechanic

garantie [gaʀɑ̃ti] *nf* guarantee; **(bon de) ~** guarantee *ou* warranty slip

garantir [gaʀɑ̃tiʀ] *vt* to guarantee; **~ à qn que** to assure sb that

garçon [gaʀsɔ̃] *nm* boy; (*célibataire*): **vieux ~** bachelor; **garçon (de café)** (*serveur*) waiter; **garçon de courses** messenger

garde [gaʀd(ə)] *nm* (*de prisonnier*) guard; (*de domaine etc*) warden; (*soldat, sentinelle*) guardsman ▷ *nf* (*soldats*) guard; **de ~** on duty; **monter la ~** to stand guard; **mettre en ~** to warn; **prendre ~ (à)** to be careful (of); **garde champêtre** *nm* rural policeman; **garde du corps** *nm* bodyguard; **garde à vue** *nf* (*Jur*) ≈ police custody; **garde-boue** *nm inv* mudguard; **garde-chasse** *nm* gamekeeper

garder [gaʀde] *vt* (*conserver*) to keep; (*surveiller: enfants*) to look after; (*: immeuble, lieu, prisonnier*) to guard; **se ~** *vi* (*aliment: se conserver*) to keep; **se ~ de faire** to be careful not to do; **~ le lit/la chambre** to stay in bed/indoors; **pêche/chasse gardée** private fishing/hunting (ground)

garderie [gaʀdəʀi] *nf* day nursery, crèche

garde-robe [gaʀdəʀɔb] *nf* wardrobe

gardien, ne [gaʀdjɛ̃, jɛn] *nm/f* (*garde*) guard; (*de prison*) warder; (*de domaine, réserve*) warden; (*de musée etc*) attendant; (*de phare, cimetière*) keeper; (*d'immeuble*) caretaker; (*fig*) guardian; **gardien de but** goalkeeper; **gardien de la paix** policeman; **gardien de nuit** night watchman

gare¹ [gaʀ] *nf* station; **gare routière** bus station

gare² [gaʀ] *excl*: **~ à ...!** mind ...!; **~ à toi!** watch out!

garer [gaʀe] *vt* to park; **se ~** *vi* to park

garni, e [gaʀni] *adj* (*plat*) served with vegetables (*and chips or rice etc*)

garniture [gaʀnityʀ] *nf* (*Culin*) vegetables *pl*; **garniture de frein** brake lining

gars [ga] (*fam*) *nm* guy

Gascogne [gaskɔɲ] *nf* Gascony; **le golfe de ~** the Bay of Biscay

gas-oil [gazɔjl] *nm* diesel (oil)

gaspiller [gaspije] *vt* to waste

gastronome [gastʀɔnɔm] *nm/f* gourmet; **gastronomique** *adj* gastronomic

gâteau, x [gato] *nm* cake; **gâteau sec** biscuit

gâter [gate] *vt* to spoil; **se ~** *vi* (*dent, fruit*) to go bad; (*temps, situation*) to change for the worse

gâteux, -euse [gatø, øz] *adj* senile

gauche [goʃ] *adj* left, left-hand; (*maladroit*) awkward, clumsy ▷ *nf* (*Pol*) left (wing); **le bras ~** the left arm; **le côté ~** the left-hand side; **à ~** on the left; (*direction*) (to the) left; **gaucher, -ère** *adj* left-handed; **gauchiste** *nm/f* leftist

gaufre [gofʀ] *nf* waffle

gaufrette [gofʀɛt] *nf* wafer

gaulois, e [golwa, waz] *adj* Gallic ▷ *nm/f*: **G~, e** Gaul

gaz [gaz] *nm inv* gas; **ça sent le ~** I can smell gas, there's a smell of gas

gaze [gaz] *nf* gauze

gazette [gazɛt] *nf* news sheet

gazeux, -euse [gazø, øz] *adj* (*boisson*) fizzy; (*eau*) sparkling

gazoduc [gazodyk] *nm* gas pipeline

gazon [gazɔ̃] *nm* (*herbe*) grass; (*pelouse*) lawn

geai [ʒɛ] *nm* jay

géant, e [ʒeɑ̃, ɑ̃t] *adj* gigantic; (*Comm*) giant-size ▷ *nm/f* giant

geindre [ʒɛ̃dʀ] *vi* to groan, moan

gel [ʒɛl] *nm* frost

gélatine [ʒelatin] *nf* gelatine

gelée [ʒ(ə)le] *nf* jelly; (*gel*) frost

geler [ʒ(ə)le] *vt, vi* to freeze; **il gèle** it's freezing

gélule [ʒelyl] *nf* (*Méd*) capsule

Gémeaux [ʒemo] *nmpl*: **les ~** Gemini

gémir [ʒemiʀ] *vi* to groan, moan

gênant, e [ʒɛnɑ̃, ɑ̃t] *adj* (*irritant*) annoying; (*embarrassant*) embarrassing

gencive [ʒɑ̃siv] *nf* gum

gendarme [ʒɑ̃daʀm] *nm* gendarme; **gendarmerie** *nf military police force in countryside and small towns; their police station or barracks*

gendre [ʒɑ̃dʀ] *nm* son-in-law

gêné, e [ʒene] *adj* embarrassed

gêner [ʒene] *vt* (*incommoder*) to bother; (*encombrer*) to be in the way; (*embarrasser*): **~ qn** to make sb feel ill-at-ease; **se ~** to put o.s. out; **ne vous gênez pas!** don't mind me!

général, e, -aux [ʒeneʀal, o] *adj, nm* general; **en ~** usually, in general; **généralement** *adv* generally; **généraliser** *vt, vi* to generalize; **se généraliser** *vi* to become widespread; **généraliste** *nm/f* general practitioner, G.P.

génération [ʒeneʀasjɔ̃] *nf* generation

généreux, -euse [ʒeneʀø, øz] *adj* generous

générique [ʒeneʀik] *nm* (*Cinéma*) credits *pl*

générosité [ʒeneʀozite] *nf* generosity

genêt [ʒ(ə)nɛ] *nm* broom *no pl* (*shrub*)

génétique [ʒenetik] *adj* genetic

Genève [ʒ(ə)nɛv] *n* Geneva

génial, e, -aux [ʒenjal, jo] *adj* of genius; (*fam: formidable*) fantastic, brilliant

génie [ʒeni] *nm* genius; (*Mil*): **le ~** the Engineers *pl*; **génie civil** civil engineering

genièvre [ʒənjɛvʀ] *nm* juniper

génisse [ʒenis] *nf* heifer

génital, e, -aux [ʒenital, o] *adj* genital; **les parties ~es** the genitals

génoise [ʒenwaz] *nf* sponge cake

genou, x [ʒ(ə)nu] *nm* knee; **à ~x** on one's knees; **se mettre à ~x** to kneel down
genre [ʒɑ̃ʀ] *nm* kind, type, sort; (*Ling*) gender; **avoir bon ~** to look a nice sort; **avoir mauvais ~** to be coarse-looking; **ce n'est pas son ~** it's not like him
gens [ʒɑ̃] *nmpl* (*f in some phrases*) people *pl*
gentil, le [ʒɑ̃ti, ij] *adj* kind; (*enfant: sage*) good; (*endroit etc*) nice; **gentillesse** *nf* kindness; **gentiment** *adv* kindly
géographie [ʒeɔgʀafi] *nf* geography
géologie [ʒeɔlɔʒi] *nf* geology
géomètre [ʒeɔmɛtʀ] *nm/f* (*arpenteur*) (land) surveyor
géométrie [ʒeɔmetʀi] *nf* geometry; **géométrique** *adj* geometric
géranium [ʒeʀanjɔm] *nm* geranium
gérant, e [ʒeʀɑ̃, ɑ̃t] *nm/f* manager(-eress); **gérant d'immeuble** (managing) agent
gerbe [ʒɛʀb] *nf* (*de fleurs*) spray; (*de blé*) sheaf
gercé, e [ʒɛʀse] *adj* chapped
gerçure [ʒɛʀsyʀ] *nf* crack
gérer [ʒeʀe] *vt* to manage
germain, e [ʒɛʀmɛ̃, ɛn] *adj*: **cousin ~** first cousin
germe [ʒɛʀm] *nm* germ; **germer** *vi* to sprout; (*semence*) to germinate
geste [ʒɛst] *nm* gesture
gestion [ʒɛstjɔ̃] *nf* management
Ghana [gana] *nm*: **le ~** Ghana
gibier [ʒibje] *nm* (*animaux*) game
gicler [ʒikle] *vi* to spurt, squirt
gifle [ʒifl] *nf* slap (in the face); **gifler** *vt* to slap (in the face)
gigantesque [ʒigɑ̃tɛsk] *adj* gigantic
gigot [ʒigo] *nm* leg (of mutton *ou* lamb)
gigoter [ʒigɔte] *vi* to wriggle (about)
gilet [ʒilɛ] *nm* waistcoat; (*pull*) cardigan; **gilet de sauvetage** life jacket
gin [dʒin] *nm* gin; **~-tonic** gin and tonic
gingembre [ʒɛ̃ʒɑ̃bʀ] *nm* ginger
girafe [ʒiʀaf] *nf* giraffe
giratoire [ʒiʀatwaʀ] *adj*: **sens ~** roundabout
girofle [ʒiʀɔfl] *nf*: **clou de ~** clove
girouette [ʒiʀwɛt] *nf* weather vane *ou* cock
gitan, e [ʒitɑ̃, an] *nm/f* gipsy
gîte [ʒit] *nm* (*maison*) home; (*abri*) shelter; **gîte (rural)** (country) holiday cottage (BRIT), gîte (*self-catering accommodation in the country*)
givre [ʒivʀ] *nm* (hoar) frost; **givré, e** *adj* covered in frost; (*fam: fou*) nuts; **orange givrée** orange sorbet (*served in peel*)
glace [glas] *nf* ice; (*crème glacée*) ice cream; (*miroir*) mirror; (*de voiture*) window
glacé, e [glase] *adj* (*mains, vent, pluie*) freezing; (*lac*) frozen; (*boisson*) iced
glacer [glase] *vt* to freeze; (*gâteau*) to ice; (*fig*): **~ qn** (*intimider*) to chill sb; (*paralyser*) to make sb's blood run cold
glacial, e [glasjal, jo] *adj* icy
glacier [glasje] *nm* (*Géo*) glacier; (*marchand*) ice-cream maker
glacière [glasjɛʀ] *nf* icebox
glaçon [glasɔ̃] *nm* icicle; (*pour boisson*) ice cube
glaïeul [glajœl] *nm* gladiolus
glaise [glɛz] *nf* clay
gland [glɑ̃] *nm* acorn; (*décoration*) tassel
glande [glɑ̃d] *nf* gland
glissade [glisad] *nf* (*par jeu*) slide; (*chute*) slip; **faire des ~s sur la glace** to slide on the ice
glissant, e [glisɑ̃, ɑ̃t] *adj* slippery
glissement [glismɑ̃] *nm*: **glissement de terrain** landslide
glisser [glise] *vi* (*avancer*) to glide *ou* slide along; (*coulisser, tomber*) to slide; (*déraper*) to slip; (*être glissant*) to be slippery ▷ *vt* to slip; **se ~ dans/entre** to slip into/between
global, e, -aux [glɔbal, o] *adj* overall
globe [glɔb] *nm* globe
globule [glɔbyl] *nm* (*du sang*): **~ blanc/rouge** white/red corpuscle
gloire [glwaʀ] *nf* glory
glousser [gluse] *vi* to cluck; (*rire*) to chuckle
glouton, ne [glutɔ̃, ɔn] *adj* gluttonous
gluant, e [glyɑ̃, ɑ̃t] *adj* sticky, gummy
glucose [glykoz] *nm* glucose
glycine [glisin] *nf* wisteria
GO *sigle* (= *grandes ondes*) LW
goal [gol] *nm* goalkeeper
gobelet [gɔblɛ] *nm* (*en étain, verre, argent*) tumbler; (*d'enfant, de pique-nique*) beaker; (*à dés*) cup
goéland [gɔelɑ̃] *nm* (sea)gull
goélette [gɔelɛt] *nf* schooner
goinfre [gwɛ̃fʀ] *nm* glutton
golf [gɔlf] *nm* golf; (*terrain*) golf course; **golf miniature** crazy (BRIT) *ou* miniature golf
golfe [gɔlf] *nm* gulf; (*petit*) bay
gomme [gɔm] *nf* (*à effacer*) rubber (BRIT), eraser; **gommer** *vt* to rub out (BRIT), erase
gonflé, e [gɔ̃fle] *adj* swollen; **il est ~** (*fam: courageux*) he's got some nerve; (*impertinent*) he's got a nerve
gonfler [gɔ̃fle] *vt* (*pneu, ballon: en soufflant*) to blow up; (: *avec une pompe*) to pump up; (*nombre, importance*) to inflate ▷ *vi* to swell (up); (*Culin: pâte*) to rise
gonzesse [gɔ̃zɛs] (*fam*) *nf* chick, bird (BRIT)
gorge [gɔʀʒ] *nf* (*Anat*) throat; (*vallée*) gorge; **gorgée** *nf* (*petite*) sip; (*grande*) gulp
gorille [gɔʀij] *nm* gorilla; (*fam*) bodyguard
gosse [gɔs] (*fam*) *nm/f* kid
goudron [gudʀɔ̃] *nm* tar; **goudronner** *vt* to tar(mac) (BRIT), asphalt (US)
gouffre [gufʀ] *nm* abyss, gulf
goulot [gulo] *nm* neck; **boire au ~** to drink from the bottle
goulu, e [guly] *adj* greedy
gourde [guʀd] *nf* (*récipient*) flask; (*fam*) (clumsy) clot *ou* oaf ▷ *adj* oafish
gourdin [guʀdɛ̃] *nm* club, bludgeon
gourmand, e [guʀmɑ̃, ɑ̃d] *adj* greedy; **gourmandise** *nf* greed; (*bonbon*) sweet
gousse [gus] *nf*: **gousse d'ail** clove of garlic
goût [gu] *nm* taste; **avoir bon ~** to taste good; **de bon ~** tasteful; **de mauvais ~** tasteless; **prendre ~ à** to develop a taste *ou* a liking for
goûter [gute] *vt* (*essayer*) to taste; (*apprécier*) to enjoy ▷ *vi* to have (afternoon) tea ▷ *nm* (afternoon) tea; **je peux ~?** can I have a taste?
goutte [gut] *nf* drop; (*Méd*) gout; (*alcool*) brandy; **tomber ~ à ~** to drip; **une ~ de whisky** a drop of whisky; **goutte-à-goutte** *nm* (*Méd*) drip
gouttière [gutjɛʀ] *nf* gutter
gouvernail [guvɛʀnaj] *nm* rudder; (*barre*) helm, tiller
gouvernement [guvɛʀnəmɑ̃] *nm* government
gouverner [guvɛʀne] *vt* to govern
grâce [gʀɑs] *nf* (*charme, Rel*) grace; (*faveur*) favour; (*Jur*) pardon; **faire ~ à qn de qch** to spare sb sth; **demander ~** to beg for mercy; **~ à** thanks to; **gracieux, -euse** *adj* graceful

grade [gʀad] *nm* rank; **monter en ~** to be promoted
gradin [gʀadɛ̃] *nm* tier; step; **gradins** *nmpl* (*de stade*) terracing *sg*
gradué, e [gʀadɥe] *adj*: **verre ~** measuring jug
graduel, le [gʀadɥɛl] *adj* gradual
graduer [gʀadɥe] *vt* (*effort etc*) to increase gradually; (*règle, verre*) to graduate
graffiti [gʀafiti] *nmpl* graffiti
grain [gʀɛ̃] *nm* (*gén*) grain; (*Navig*) squall; **grain de beauté** beauty spot; **grain de café** coffee bean; **grain de poivre** peppercorn
graine [gʀɛn] *nf* seed
graissage [gʀɛsaʒ] *nm* lubrication, greasing
graisse [gʀɛs] *nf* fat; (*lubrifiant*) grease; **graisser** *vt* to lubricate, grease; (*tacher*) to make greasy; **graisseux, -euse** *adj* greasy
grammaire [gʀa(m)mɛʀ] *nf* grammar
gramme [gʀam] *nm* gramme
grand, e [gʀɑ̃, gʀɑ̃d] *adj* (*haut*) tall; (*gros, vaste, large*) big, large; (*long*) long; (*plus âgé*) big; (*adulte*) grown-up; (*important, brillant*) great ▷ *adv*: **~ ouvert** wide open; **au ~ air** in the open (air); **les grands blessés** the severely injured; **grand ensemble** housing scheme; **grand magasin** department store; **grande personne** grown-up; **grande surface** hypermarket; **grandes écoles** *prestigious schools at university level*; **grandes lignes** (*Rail*) main lines; **grandes vacances** summer holidays (BRIT) *ou* vacation (US); **grand-chose** *nm/f inv*: **pas grand-chose** not much; **Grande-Bretagne** *nf* (Great) Britain; **grandeur** *nf* (*dimension*) size; **grandeur nature** life-size; **grandiose** *adj* imposing; **grandir** *vi* to grow ▷ *vt*: **grandir qn** (*suj*: *vêtement, chaussure*) to make sb look taller; **grand-mère** *nf* grandmother; **grand-peine**: **à grand-peine** *adv* with difficulty; **grand-père** *nm* grandfather; **grands-parents** *nmpl* grandparents
grange [gʀɑ̃ʒ] *nf* barn
granit [gʀanit] *nm* granite
graphique [gʀafik] *adj* graphic ▷ *nm* graph
grappe [gʀap] *nf* cluster; **grappe de raisin** bunch of grapes
gras, se [gʀɑ, gʀɑs] *adj* (*viande, soupe*) fatty; (*personne*) fat; (*surface, main*) greasy; (*plaisanterie*) coarse; (*Typo*) bold ▷ *nm* (*Culin*) fat; **faire la ~se matinée** to have a lie-in (BRIT), sleep late (US); **grassement** *adv*: **grassement payé** handsomely paid
gratifiant, e [gʀatifjɑ̃, jɑ̃t] *adj* gratifying, rewarding
gratin [gʀatɛ̃] *nm* (*plat*) cheese-topped dish; (*croûte*) cheese topping; (*fam*: *élite*) upper crust; **gratiné, e** *adj* (*Culin*) au gratin
gratis [gʀatis] *adv* free
gratitude [gʀatityd] *nf* gratitude
gratte-ciel [gʀatsjɛl] *nm inv* skyscraper
gratter [gʀate] *vt* (*avec un outil*) to scrape; (*enlever*: *avec un outil*) to scrape off; (: *avec un ongle*) to scratch; (*enlever avec un ongle*) to scratch off ▷ *vi* (*irriter*) to be scratchy; (*démanger*) to itch; **se ~** to scratch (o.s.)
gratuit, e [gʀatɥi, ɥit] *adj* (*entrée, billet*) free; (*fig*) gratuitous
grave [gʀav] *adj* (*maladie, accident*) serious, bad; (*sujet, problème*) serious, grave; (*air*) grave, solemn; (*voix, son*) deep, low-pitched; **gravement** *adv* seriously; (*parler, regarder*) gravely
graver [gʀave] *vt* (*plaque, nom*) to engrave; (*CD, DVD*) to burn
graveur [gʀavœʀ] *nm* engraver; **graveur de CD/DVD** CD/DVD writer
gravier [gʀavje] *nm* gravel *no pl*; **gravillons** *nmpl* loose chippings *ou* gravel *sg*
gravir [gʀaviʀ] *vt* to climb (up)
gravité [gʀavite] *nf* (*de maladie, d'accident*) seriousness; (*de sujet, problème*) gravity
graviter [gʀavite] *vi* to revolve
gravure [gʀavyʀ] *nf* engraving; (*reproduction*) print
gré [gʀe] *nm*: **à son ~** to one's liking; **de bon ~** willingly; **contre le ~ de qn** against sb's will; **de son (plein) ~** of one's own free will; **bon ~ mal ~** like it or not; **de ~ ou de force** whether one likes it or not; **savoir ~ à qn de qch** to be grateful to sb for sth
grec, grecque [gʀɛk] *adj* Greek; (*classique*: *vase etc*) Grecian ▷ *nm/f*: **G~, Grecque** Greek ▷ *nm* (*Ling*) Greek
Grèce [gʀɛs] *nf*: **la ~** Greece
greffe [gʀɛf] *nf* (*Bot, Méd*: *de tissu*) graft; (*Méd*: *d'organe*) transplant; **greffer** *vt* (*Bot, Méd*: *tissu*) to graft; (*Méd*: *organe*) to transplant
grêle [gʀɛl] *adj* (very) thin ▷ *nf* hail; **grêler** *vb impers*: **il grêle** it's hailing; **grêlon** *nm* hailstone
grelot [gʀəlo] *nm* little bell
grelotter [gʀəlɔte] *vi* to shiver
grenade [gʀənad] *nf* (*explosive*) grenade; (*Bot*) pomegranate; **grenadine** *nf* grenadine
grenier [gʀənje] *nm* attic; (*de ferme*) loft
grenouille [gʀənuj] *nf* frog
grès [gʀɛ] *nm* sandstone; (*poterie*) stoneware
grève [gʀɛv] *nf* (*d'ouvriers*) strike; (*plage*) shore; **se mettre en/faire ~** to go on/be on strike; **grève de la faim** hunger strike; **grève sauvage** wildcat strike
gréviste [gʀevist] *nm/f* striker
grièvement [gʀijɛvmɑ̃] *adv* seriously
griffe [gʀif] *nf* claw; (*de couturier*) label; **griffer** *vt* to scratch
grignoter [gʀiɲɔte] *vt* (*personne*) to nibble at; (*souris*) to gnaw at ▷ *vi* to nibble
gril [gʀil] *nm* steak *ou* grill pan; **faire cuire au ~** to grill; **grillade** *nf* (*viande etc*) grill
grillage [gʀijaʒ] *nm* (*treillis*) wire netting; (*clôture*) wire fencing
grille [gʀij] *nf* (*clôture*) wire fence; (*portail*) (metal) gate; (*d'égout*) (metal) grate; (*fig*) grid
grille-pain [gʀijpɛ̃] *nm inv* toaster
griller [gʀije] *vt* (*pain*) to toast; (*viande*) to grill; (*fig*: *ampoule etc*) to blow; **faire ~** to toast; to grill; (*châtaignes*) to roast; **~ un feu rouge** to jump the lights
grillon [gʀijɔ̃] *nm* cricket
grimace [gʀimas] *nf* grimace; (*pour faire rire*): **faire des ~s** to pull *ou* make faces
grimper [gʀɛ̃pe] *vi, vt* to climb
grincer [gʀɛ̃se] *vi* (*objet métallique*) to grate; (*plancher, porte*) to creak; **~ des dents** to grind one's teeth
grincheux, -euse [gʀɛ̃ʃø, øz] *adj* grumpy
grippe [gʀip] *nf* flu, influenza; **grippe aviaire** bird flu; **grippé, e** *adj*: **être grippé** to have flu
gris, e [gʀi, gʀiz] *adj* grey; (*ivre*) tipsy
grisaille [gʀizɑj] *nf* greyness, dullness
griser [gʀize] *vt* to intoxicate
grive [gʀiv] *nf* thrush
Groenland [gʀɔɛnlɑ̃d] *nm* Greenland
grogner [gʀɔɲe] *vi* to growl; (*fig*) to grumble; **grognon, ne** *adj* grumpy
grommeler [gʀɔm(ə)le] *vi* to mutter to o.s.
gronder [gʀɔ̃de] *vi* to rumble; (*fig*: *révolte*) to be

brewing ▷ *vt* to scold; **se faire ~** to get a telling-off
gros, se [gʀo, gʀos] *adj* big, large; (*obèse*) fat; (*travaux, dégâts*) extensive; (*épais*) thick; (*rhume, averse*) heavy ▷ *adv*: **risquer/gagner ~** to risk/win a lot ▷ *nm/f* fat man/woman ▷ *nm* (*Comm*): **le ~** the wholesale business; **le ~ de** the bulk of; **prix de gros** wholesale price; **par ~ temps/grosse mer** in rough weather/heavy seas; **en ~** roughly; (*Comm*) wholesale; **gros lot** jackpot; **gros mot** swearword; **gros plan** (*Photo*) close-up; **gros sel** cooking salt; **gros titre** headline; **grosse caisse** big drum
groseille [gʀozɛj] *nf*: **~ (rouge/blanche)** red/white currant; **groseille à maquereau** gooseberry
grosse [gʀos] *adj voir* **gros**; **grossesse** *nf* pregnancy; **grosseur** *nf* size; (*tumeur*) lump
grossier, -ière [gʀosje, jɛʀ] *adj* coarse; (*insolent*) rude; (*dessin*) rough; (*travail*) roughly done; (*imitation, instrument*) crude; (*évident*: *erreur*) gross; **grossièrement** *adv* (*sommairement*) roughly; (*vulgairement*) coarsely; **grossièreté** *nf* rudeness; (*mot*): **dire des grossièretés** to use coarse language
grossir [gʀosiʀ] *vi* (*personne*) to put on weight ▷ *vt* (*exagérer*) to exaggerate; (*au microscope*) to magnify; (*suj*: *vêtement*): **~ qn** to make sb look fatter
grossiste [gʀosist] *nm/f* wholesaler
grotesque [gʀɔtɛsk] *adj* (*extravagant*) grotesque; (*ridicule*) ludicrous
grotte [gʀɔt] *nf* cave
groupe [gʀup] *nm* group; **groupe de parole** support group; **groupe sanguin** blood group; **groupe scolaire** school complex; **grouper** *vt* to group; **se grouper** *vi* to gather
grue [gʀy] *nf* crane
GSM [ʒeɛsɛm] *nm, adj* GSM
guenon [gənɔ̃] *nf* female monkey
guépard [gepaʀ] *nm* cheetah
guêpe [gɛp] *nf* wasp
guère [gɛʀ] *adv* (*avec adjectif, adverbe*): **ne ... ~** hardly; (*avec verbe*: *pas beaucoup*): **ne ... ~** *tournure négative* +*much*; (*pas souvent*) hardly ever; (*pas longtemps*) *tournure négative* +(*very*) *long*; **il n'y a ~ que/de** there's hardly anybody (*ou* anything) but/hardly any; **ce n'est ~ difficile** it's hardly difficult; **nous n'avons ~ de temps** we have hardly any time
guérilla [geʀija] *nf* guerrilla warfare
guérillero [geʀijeʀo] *nm* guerrilla
guérir [geʀiʀ] *vt* (*personne, maladie*) to cure; (*membre, plaie*) to heal ▷ *vi* (*malade, maladie*) to be cured; (*blessure*) to heal; **guérison** *nf* (*de maladie*) curing; (*de membre, plaie*) healing; (*de malade*) recovery; **guérisseur, -euse** *nm/f* healer
guerre [gɛʀ] *nf* war; **en ~** at war; **faire la ~ à** to wage war against; **guerre civile/mondiale** civil/world war; **guerrier, -ière** *adj* warlike ▷ *nm/f* warrior
guet [gɛ] *nm*: **faire le ~** to be on the watch *ou* look-out; **guet-apens** [gɛtapɑ̃] *nm* ambush; **guetter** *vt* (*épier*) to watch (intently); (*attendre*) to watch (out) for; (*hostilement*) to be lying in wait for
gueule [gœl] *nf* (*d'animal*) mouth; (*fam*: *figure*) face; (: *bouche*) mouth; **ta ~!** (*fam*) shut up!; **avoir la ~ de bois** (*fam*) to have a hangover, be hung over; **gueuler** (*fam*) *vi* to bawl
gui [gi] *nm* mistletoe
guichet [giʃɛ] *nm* (*de bureau, banque*) counter; **les ~s** (*à la gare, au théâtre*) the ticket office *sg*
guide [gid] *nm* (*personne*) guide; (*livre*) guide (book) ▷ *nf* (*éclaireuse*) girl guide; **guider** *vt* to guide
guidon [gidɔ̃] *nm* handlebars *pl*
guignol [giɲɔl] *nm* ≈ Punch and Judy show; (*fig*) clown
guillemets [gijmɛ] *nmpl*: **entre ~** in inverted commas
guindé, e [gɛ̃de] *adj* (*personne, air*) stiff, starchy; (*style*) stilted
Guinée [gine] *nf* Guinea
guirlande [giʀlɑ̃d] *nf* (*fleurs*) garland; **guirlande de Noël** tinsel garland
guise [giz] *nf*: **à votre ~** as you wish *ou* please; **en ~ de** by way of
guitare [gitaʀ] *nf* guitar
Guyane [gɥijan] *nf*: **la ~ (française)** French Guiana
gym [ʒim] *nf* (*exercices*) gym; **gymnase** *nm* gym(nasium); **gymnaste** *nm/f* gymnast; **gymnastique** *nf* gymnastics *sg*; (*au réveil etc*) keep-fit exercises *pl*
gynécologie [ʒinekɔlɔʒi] *nf* gynaecology; **gynécologique** *adj* gynaecological; **gynécologue** *nm/f* gynaecologist

h

habile [abil] *adj* skilful; (*malin*) clever; **habileté** [abilte] *nf* skill, skilfulness; cleverness
habillé, e [abije] *adj* dressed; (*chic*) dressy
habiller [abije] *vt* to dress; (*fournir en vêtements*) to clothe; (*couvrir*) to cover; **s'~** *vi* to dress (o.s.); (*se déguiser, mettre des vêtements chic*) to dress up
habit [abi] *nm* outfit; **habits** *nmpl* (*vêtements*) clothes; **habit (de soirée)** evening dress; (*pour homme*) tails *pl*
habitant, e [abitɑ̃, ɑ̃t] *nm/f* inhabitant; (*d'une maison*) occupant; **loger chez l'~** to stay with the locals
habitation [abitasjɔ̃] *nf* house; **habitations à loyer modéré** (block of) council flats
habiter [abite] *vt* to live in ▷ *vi*: **~ à/dans** to live in; **où habitez-vous?** where do you live?
habitude [abityd] *nf* habit; **avoir l'~ de qch** to be used to sth; **avoir l'~ de faire** to be in the habit of doing; (*expérience*) to be used to doing; **d'~** usually; **comme d'~** as usual
habitué, e [abitɥe] *nm/f* (*de maison*) regular visitor; (*de café*) regular (customer)
habituel, le [abitɥɛl] *adj* usual
habituer [abitɥe] *vt*: **~ qn à** to get sb used to; **s'~ à** to get used to
'hache ['aʃ] *nf* axe
'hacher ['aʃe] *vt* (*viande*) to mince; (*persil*) to chop; **'hachis** *nm* mince *no pl*; **hachis Parmentier** ≈ shepherd's pie
'haie ['ɛ] *nf* hedge; (*Sport*) hurdle
'haillons ['ɑjɔ̃] *nmpl* rags

'haine ['ɛn] *nf* hatred
'haïr ['aiʀ] *vt* to detest, hate
'hâlé, e ['ɑle] *adj* (sun)tanned, sunburnt
haleine [alɛn] *nf* breath; **hors d'~** out of breath; **tenir en ~** (*attention*) to hold spellbound; (*incertitude*) to keep in suspense; **de longue ~** long-term
'haleter ['alte] *vt* to pant
'hall ['ɔl] *nm* hall
'halle ['al] *nf* (covered) market; **halles** *nfpl* (*d'une grande ville*) central food market *sg*
hallucination [alysinasjɔ̃] *nf* hallucination
'halte ['alt] *nf* stop, break; (*endroit*) stopping place ▷ *excl* stop!; **faire halte** to stop
haltère [altɛʀ] *nm* dumbbell, barbell; **haltères** *nmpl*: **(poids et) ~s** (*activité*) weightlifting *sg*; **haltérophilie** *nf* weightlifting
'hamac ['amak] *nm* hammock
'hameau, x ['amo] *nm* hamlet
hameçon [amsɔ̃] *nm* (fish) hook
'hanche ['ɑ̃ʃ] *nf* hip
'handball ['ɑ̃dbal] *nm* handball
'handicapé, e ['ɑ̃dikape] *adj* disabled, handicapped ▷ *nm/f* handicapped person; **handicapé mental/physique** mentally/physically handicapped person; **'handicapé moteur** person with a movement disorder
'hangar ['ɑ̃gaʀ] *nm* shed; (*Aviat*) hangar
'hanneton ['antɔ̃] *nm* cockchafer
'hanter ['ɑ̃te] *vt* to haunt
'hantise ['ɑ̃tiz] *nf* obsessive fear
'harceler ['aʀsəle] *vt* to harass; **harceler qn de questions** to plague sb with questions
'hardi, e ['aʀdi] *adj* bold, daring
'hareng ['aʀɑ̃] *nm* herring; **hareng saur** kipper, smoked herring
'hargne ['aʀɲ] *nf* aggressiveness; **'hargneux, -euse** *adj* aggressive
'haricot ['aʀiko] *nm* bean; **'haricot blanc** haricot bean; **'haricot vert** green bean; **'haricot rouge** kidney bean
harmonica [aʀmɔnika] *nm* mouth organ
harmonie [aʀmɔni] *nf* harmony; **harmonieux, -euse** *adj* harmonious; (*couleurs, couple*) well-matched
'harpe ['aʀp] *nf* harp
'hasard ['azaʀ] *nm*: **le hasard** chance, fate; **un hasard** a coincidence; **au hasard** (*aller*) aimlessly; (*choisir*) at random; **par hasard** by chance; **à tout hasard** (*en cas de besoin*) just in case; (*en espérant trouver ce qu'on cherche*) on the off chance (BRIT)
'hâte ['ɑt] *nf* haste; **à la hâte** hurriedly, hastily; **en hâte** posthaste, with all possible speed; **avoir hâte de** to be eager *ou* anxious to; **'hâter** *vt* to hasten; **se hâter** *vi* to hurry; **'hâtif, -ive** *adj* (*travail*) hurried; (*décision, jugement*) hasty
'hausse ['os] *nf* rise, increase; **être en hausse** to be going up; **'hausser** *vt* to raise; **hausser les épaules** to shrug (one's shoulders)
'haut, e ['o, 'ot] *adj* high; (*grand*) tall ▷ *adv* high ▷ *nm* top (part); **de 3 m de haut** 3 m high, 3 m in height; **des hauts et des bas** ups and downs; **en haut lieu** in high places; **à haute voix, (tout) haut** aloud, out loud; **du haut de** from the top of; **de haut en bas** from top to bottom; **plus haut** higher up, further up; (*dans un texte*) above; (*parler*) louder; **en haut** (*être/aller*) at/to the top; (*dans une maison*) upstairs; **en haut de** at the top of; **'haut débit** broadband
'hautain, e ['otɛ̃, ɛn] *adj* haughty
'hautbois ['obwɑ] *nm* oboe
'hauteur ['otœʀ] *nf* height; **à la hauteur de** (*accident*) near; (*fig: tâche, situation*) equal to; **à la hauteur** (*fig*) up to it
'haut-parleur *nm* (loud)speaker
Hawaï [awai] *n*: **les îles ~** Hawaii
'Haye ['ɛ] *n*: **la Haye** the Hague
hebdomadaire [ɛbdɔmadɛʀ] *adj, nm* weekly
hébergement [ebɛʀʒəmɑ̃] *nm* accommodation
héberger [ebɛʀʒe] *vt* (*touristes*) to accommodate, lodge; (*amis*) to put up; (*réfugiés*) to take in
hébergeur [ebɛʀʒœʀ] *nm* (*Internet*) host
hébreu, x [ebʀø] *adj m, nm* Hebrew
Hébrides [ebʀid] *nf*: **les ~** the Hebrides
hectare [ɛktaʀ] *nm* hectare
'hein ['ɛ̃] *excl* eh?
'hélas ['elɑs] *excl* alas! ▷ *adv* unfortunately
'héler ['ele] *vt* to hail
hélice [elis] *nf* propeller
hélicoptère [elikɔptɛʀ] *nm* helicopter
helvétique [ɛlvetik] *adj* Swiss
hématome [ematom] *nm* nasty bruise
hémisphère [emisfɛʀ] *nm*: **l'~ nord/sud** the northern/southern hemisphere
hémorragie [emɔʀaʒi] *nf* bleeding *no pl*, haemorrhage
hémorroïdes *nfpl* piles, haemorrhoids
'hennir ['eniʀ] *vi* to neigh, whinny
hépatite [epatit] *nf* hepatitis
herbe [ɛʀb] *nf* grass; (*Culin, Méd*) herb; **~s de Provence** mixed herbs; **en ~** unripe; (*fig*) budding; **herbicide** *nm* weed-killer; **herboriste** *nm/f* herbalist
héréditaire [eʀeditɛʀ] *adj* hereditary
'hérisson ['eʀisɔ̃] *nm* hedgehog
héritage [eʀitaʒ] *nm* inheritance; (*coutumes, système*) heritage, legacy
hériter [eʀite] *vi*: **~ de qch (de qn)** to inherit sth (from sb); **héritier, -ière** *nm/f* heir(-ess)
hermétique [ɛʀmetik] *adj* airtight; watertight; (*fig: obscur*) abstruse; (*: impénétrable*) impenetrable
hermine [ɛʀmin] *nf* ermine
'hernie ['ɛʀni] *nf* hernia
héroïne [eʀɔin] *nf* heroine; (*drogue*) heroin
héroïque [eʀɔik] *adj* heroic
'héron ['eʀɔ̃] *nm* heron
'héros ['eʀo] *nm* hero
hésitant, e [ezitɑ̃, ɑ̃t] *adj* hesitant
hésitation [ezitasjɔ̃] *nf* hesitation
hésiter [ezite] *vi*: **~ (à faire)** to hesitate (to do)
hétérosexuel, le [eteʀɔsɛksɥɛl] *adj* heterosexual
'hêtre ['ɛtʀ] *nm* beech
heure [œʀ] *nf* hour; (*Scol*) period; (*moment*) time; **c'est l'~** it's time; **quelle ~ est-il?** what time is it?; **2 ~s (du matin)** 2 o'clock (in the morning); **être à l'~** to be on time; (*montre*) to be right; **mettre à l'~** to set right; **à une ~ avancée (de la nuit)** at a late hour (of the night); **de bonne ~** early; **à toute ~** at any time; **24 ~s sur 24** round the clock, 24 hours a day; **à l'~ qu'il est** at this time (of day); by now; **sur l'~** at once; **à quelle ~ ouvre le musée/magasin?** what time does the museum/shop open?; **heures de bureau** office hours; **heure de pointe** rush hour; (*téléphone*) peak period; **heures supplémentaires** overtime *sg*
heureusement [œʀøzmɑ̃] *adv* (*par bonheur*) fortunately, luckily
heureux, -euse [œʀø, øz] *adj* happy; (*chanceux*)

lucky, fortunate
'heurt ['œʀ] *nm* (*choc*) collision; (*conflit*) clash
'heurter ['œʀte] *vt* (*mur*) to strike, hit; (*personne*) to collide with
hexagone [ɛgzagɔn] *nm* hexagon; **l'H~** (*la France*) France (*because of its shape*)
hiberner [ibɛʀne] *vi* to hibernate
'hibou, x ['ibu] *nm* owl
'hideux, -euse ['idø, øz] *adj* hideous
hier [jɛʀ] *adv* yesterday; **~ matin/midi** yesterday morning/lunchtime; **~ soir** last night, yesterday evening; **toute la journée d'~** all day yesterday; **toute la matinée d'~** all yesterday morning
'hiérarchie ['jeʀaʀʃi] *nf* hierarchy
hindou, e [ɛ̃du] *adj* Hindu ▷ *nm/f*: **H~, e** Hindu
hippique [ipik] *adj* equestrian, horse *cpd*; **un club ~** a riding centre; **un concours ~** a horse show; **hippisme** *nm* (horse)riding
hippodrome [ipɔdʀom] *nm* racecourse
hippopotame [ipɔpɔtam] *nm* hippopotamus
hirondelle [iʀɔ̃dɛl] *nf* swallow
'hisser ['ise] *vt* to hoist, haul up
histoire [istwaʀ] *nf* (*science, événements*) history; (*anecdote, récit, mensonge*) story; (*affaire*) business *no pl*; **histoires** *nfpl* (*chichis*) fuss *no pl*; (*ennuis*) trouble *sg*; **historique** *adj* historical; (*important*) historic ▷ *nm*: **faire l'historique de** to give the background to
'hit-parade ['itpaʀad] *nm*: **le hit-parade** the charts
hiver [ivɛʀ] *nm* winter; **hivernal, e, -aux** *adj* winter *cpd*; (*glacial*) wintry; **hiverner** *vi* to winter
HLM *nm ou f* (*= habitation à loyer modéré*) council flat; **des ~** council housing
'hobby ['ɔbi] *nm* hobby
'hocher ['ɔʃe] *vt*: **hocher la tête** to nod; (*signe négatif ou dubitatif*) to shake one's head
'hockey ['ɔkɛ] *nm*: **hockey (sur glace/gazon)** (ice/field) hockey
'hold-up ['ɔldœp] *nm inv* hold-up
'hollandais, e ['ɔlɑ̃dɛ, ɛz] *adj* Dutch ▷ *nm* (*Ling*) Dutch ▷ *nm/f*: **Hollandais, e** Dutchman(-woman)
'Hollande ['ɔlɑ̃d] *nf*: **la Hollande** Holland
'homard ['ɔmaʀ] *nm* lobster
homéopathique [ɔmeɔpatik] *adj* homoeopathic
homicide [ɔmisid] *nm* murder; **homicide involontaire** manslaughter
hommage [ɔmaʒ] *nm* tribute; **rendre ~ à** to pay tribute to
homme [ɔm] *nm* man; **homme d'affaires** businessman; **homme d'État** statesman; **homme de main** hired man; **homme de paille** stooge; **l'homme de la rue** the man on the street
homo...: **homogène** *adj* homogeneous; **homologue** *nm/f* counterpart; **homologué, e** *adj* (*Sport*) ratified; (*tarif*) authorized; **homonyme** *nm* (*Ling*) homonym; (*d'une personne*) namesake; **homosexuel, le** *adj* homosexual
'Hong Kong ['ɔ̃gkɔ̃g] *n* Hong Kong
'Hongrie ['ɔ̃gʀi] *nf*: **la Hongrie** Hungary; **'hongrois, e** *adj* Hungarian ▷ *nm/f*: **Hongrois, e** Hungarian ▷ *nm* (*Ling*) Hungarian
honnête [ɔnɛt] *adj* (*intègre*) honest; (*juste, satisfaisant*) fair; **honnêtement** *adv* honestly; **honnêteté** *nf* honesty
honneur [ɔnœʀ] *nm* honour; (*mérite*) credit; **en l'~ de** in honour of; (*événement*) on the occasion of; **faire ~ à** (*engagements*) to honour; (*famille*) to be a credit to; (*fig: repas etc*) to do justice to
honorable [ɔnɔʀabl] *adj* worthy, honourable; (*suffisant*) decent
honoraire [ɔnɔʀɛʀ] *adj* honorary; **professeur ~** professor emeritus; **honoraires** *nmpl* fees
honorer [ɔnɔʀe] *vt* to honour; (*estimer*) to hold in high regard; (*faire honneur à*) to do credit to
'honte ['ɔ̃t] *nf* shame; **avoir honte de** to be ashamed of; **faire honte à qn** to make sb (feel) ashamed; **'honteux, -euse** *adj* ashamed; (*conduite, acte*) shameful, disgraceful
hôpital, -aux [ɔpital, o] *nm* hospital; **où est l'~ le plus proche?** where is the nearest hospital?
'hoquet ['ɔkɛ] *nm*: **avoir le hoquet** to have (the) hiccoughs
horaire [ɔʀɛʀ] *adj* hourly ▷ *nm* timetable, schedule; **horaires** *nmpl* (*d'employé*) hours; **horaire souple** flexitime
horizon [ɔʀizɔ̃] *nm* horizon
horizontal, e, -aux [ɔʀizɔ̃tal, o] *adj* horizontal
horloge [ɔʀlɔʒ] *nf* clock; **l'~ parlante** the speaking clock; **horloger, -ère** *nm/f* watchmaker; clockmaker
'hormis ['ɔʀmi] *prép* save
horoscope [`skɔp] *nm* horoscope
horreur [ɔʀœʀ] *nf* horror; **quelle ~!** how awful!; **avoir ~ de** to loathe *ou* detest; **horrible** *adj* horrible; **horrifier** *vt* to horrify
'hors ['ɔʀ] *prép*: **hors de** out of; **hors pair** outstanding; **hors de propos** inopportune; **être hors de soi** to be beside o.s.; **'hors d'usage** out of service; **'hors-bord** *nm inv* speedboat (*with outboard motor*); **'hors-d'œuvre** *nm inv* hors d'œuvre; **'hors-la-loi** *nm inv* outlaw; **'hors-service** *adj inv* out of order; **'hors-taxe** *adj* (*boutique, articles*) duty-free
hortensia [ɔʀtɑ̃sja] *nm* hydrangea
hospice [ɔspis] *nm* (*de vieillards*) home
hospitalier, -ière [ɔspitalje, jɛʀ] *adj* (*accueillant*) hospitable; (*Méd: service, centre*) hospital *cpd*
hospitaliser [ɔspitalize] *vt* to take/send to hospital, hospitalize
hospitalité [ɔspitalite] *nf* hospitality
hostie [ɔsti] *nf* host (*Rel*)
hostile [ɔstil] *adj* hostile; **hostilité** *nf* hostility
hôte [ot] *nm* (*maître de maison*) host; (*invité*) guest
hôtel [otɛl] *nm* hotel; **aller à l'~** to stay in a hotel; **hôtel de ville** town hall; **hôtel (particulier)** (private) mansion; **hôtellerie** *nf* hotel business
hôtesse [otɛs] *nf* hostess; **hôtesse (de l'air)** stewardess, air hostess (BRIT)
'houblon ['ublɔ̃] *nm* (*Bot*) hop; (*pour la bière*) hops *pl*
'houille ['uj] *nf* coal; **'houille blanche** hydroelectric power
'houle ['ul] *nf* swell; **'houleux, -euse** *adj* stormy
'hourra ['uʀa] *excl* hurrah!
'housse ['us] *nf* cover
'houx ['u] *nm* holly
'hublot ['yblo] *nm* porthole
'huche ['yʃ] *nf*: **huche à pain** bread bin
'huer ['ɥe] *vt* to boo
huile [ɥil] *nf* oil
huissier [ɥisje] *nm* usher; (*Jur*) ≈ bailiff
'huit ['ɥi(t)] *num* eight; **samedi en huit** a week on Saturday; **dans huit jours** in a week; **'huitaine** *nf*: **une huitaine (de jours)** a week or so; **'huitième** *num* eighth
huître [ɥitʀ] *nf* oyster
humain, e [ymɛ̃, ɛn] *adj* human; (*compatissant*) humane ▷ *nm* human (being); **humanitaire** *adj*

humanitarian; **humanité** *nf* humanity
humble [œ̃bl] *adj* humble
'humer ['yme] *vt* (*plat*) to smell; (*parfum*) to inhale
humeur [ymœʀ] *nf* mood; **de bonne/mauvaise ~** in a good/bad mood
humide [ymid] *adj* damp; (*main, yeux*) moist; (*climat, chaleur*) humid; (*saison, route*) wet
humilier [ymilje] *vt* to humiliate
humilité [ymilite] *nf* humility, humbleness
humoristique [ymɔʀistik] *adj* humorous
humour [ymuʀ] *nm* humour; **avoir de l'~** to have a sense of humour; **humour noir** black humour
'huppé, e ['ype] (*fam*) *adj* posh
'hurlement ['yʀləmɑ̃] *nm* howling *no pl*, howl, yelling *no pl*, yell
'hurler ['yʀle] *vi* to howl, yell
'hutte ['yt] *nf* hut
hydratant, e [idʀatɑ̃, ɑ̃t] *adj* (*crème*) moisturizing
hydraulique [idʀolik] *adj* hydraulic
hydravion [idʀavjɔ̃] *nm* seaplane
hydrogène [idʀɔʒɛn] *nm* hydrogen
hydroglisseur [idʀɔglisœʀ] *nm* hydroplane
hyène [jɛn] *nf* hyena
hygiène [iʒjɛn] *nf* hygiene
hygiénique [iʒenik] *adj* hygienic
hymne [imn] *nm* hymn
hyperlien [ipɛʀljɛ̃] *nm* hyperlink
hypermarché [ipɛʀmaʀʃe] *nm* hypermarket
hypermétrope [ipɛʀmetʀɔp] *adj* long-sighted
hypertension [ipɛʀtɑ̃sjɔ̃] *nf* high blood pressure
hypnose [ipnoz] *nf* hypnosis; **hypnotiser** *vt* to hypnotize
hypocrisie [ipɔkʀizi] *nf* hypocrisy; **hypocrite** *adj* hypocritical
hypothèque [ipɔtɛk] *nf* mortgage
hypothèse [ipɔtɛz] *nf* hypothesis
hystérique [isteʀik] *adj* hysterical

iceberg [ajsbɛʀg] *nm* iceberg
ici [isi] *adv* here; **jusqu'~** as far as this; (*temps*) so far; **d'~ demain** by tomorrow; **d'~ là** by then, in the meantime; **d'~ peu** before long
icône [ikon] *nf* icon
idéal, e, -aux [ideal, o] *adj* ideal ▷ *nm* ideal; **idéaliste** *adj* idealistic ▷ *nm/f* idealist
idée [ide] *nf* idea; **avoir dans l'~ que** to have an idea that; **se faire des ~s** to imagine things, get ideas into one's head; **avoir des ~s noires** to have black *ou* dark thoughts; **idées reçues** received wisdom *sg*
identifier [idɑ̃tifje] *vt* to identify; **s'~** *vi*: **s'~ avec** *ou* **à qn/qch** (*héros etc*) to identify with sb/sth
identique [idɑ̃tik] *adj*: **~ (à)** identical (to)
identité [idɑ̃tite] *nf* identity
idiot, e [idjo, idjɔt] *adj* idiotic ▷ *nm/f* idiot
idole [idɔl] *nf* idol
if [if] *nm* yew
ignoble [iɲɔbl] *adj* vile
ignorant, e [iɲɔʀɑ̃, ɑ̃t] *adj* ignorant; **~ de** ignorant of, not aware of
ignorer [iɲɔʀe] *vt* not to know; (*personne*) to ignore
il [il] *pron* he; (*animal, chose, en tournure impersonnelle*) it; **il fait froid** it's cold; **Pierre est-il arrivé?** has Pierre arrived?; **il a gagné** he won; *voir* **avoir**
île [il] *nf* island; **l'île Maurice** Mauritius; **les îles anglo-normandes** the Channel Islands; **les îles britanniques** the British Isles
illégal, e, -aux [i(l)legal, o] *adj* illegal
illimité, e [i(l)limite] *adj* unlimited
illisible [i(l)lizibl] *adj* illegible; (*roman*) unreadable
illogique [i(l)lɔʒik] *adj* illogical
illuminer [i(l)lymine] *vt* to light up; (*monument, rue: pour une fête*) to illuminate; (*: au moyen de projecteurs*) to floodlight
illusion [i(l)lyzjɔ̃] *nf* illusion; **se faire des ~s** to delude o.s.; **faire ~** to delude *ou* fool people
illustration [i(l)lystʀasjɔ̃] *nf* illustration
illustré, e [i(l)lystʀe] *adj* illustrated ▷ *nm* comic
illustrer [i(l)lystʀe] *vt* to illustrate; **s'~** to become famous, win fame
ils [il] *pron* they
image [imaʒ] *nf* (*gén*) picture; (*métaphore*) image; **image de marque** brand image; (*fig*) public image; **imagé, e** *adj* (*texte*) full of imagery; (*langage*) colourful
imaginaire [imaʒinɛʀ] *adj* imaginary
imagination [imaʒinasjɔ̃] *nf* imagination; **avoir de l'~** to be imaginative
imaginer [imaʒine] *vt* to imagine; (*inventer: expédient*) to devise, think up; **s'~** *vt* (*se figurer: scène etc*) to imagine, picture; **s'~ que** to imagine that
imbécile [ɛ̃besil] *adj* idiotic ▷ *nm/f* idiot
imbu, e [ɛ̃by] *adj*: **~ de** full of
imitateur, -trice [imitatœʀ, tʀis] *nm/f* (*gén*) imitator; (*Music-Hall*) impersonator
imitation [imitasjɔ̃] *nf* imitation; (*de personnalité*) impersonation
imiter [imite] *vt* to imitate; (*contrefaire*) to forge; (*ressembler à*) to look like
immangeable [ɛ̃mɑ̃ʒabl] *adj* inedible
immatriculation [imatʀikylasjɔ̃] *nf* registration
immatriculer [imatʀikyle] *vt* to register; **faire/se faire ~** to register
immédiat, e [imedja, jat] *adj* immediate ▷ *nm*: **dans l'~** for the time being; **immédiatement** *adv* immediately
immense [i(m)mɑ̃s] *adj* immense
immerger [imɛʀʒe] *vt* to immerse, submerge
immeuble [imœbl] *nm* building; (*à usage d'habitation*) block of flats
immigration [imigʀasjɔ̃] *nf* immigration
immigré, e [imigʀe] *nm/f* immigrant
imminent, e [iminɑ̃, ɑ̃t] *adj* imminent
immobile [i(m)mɔbil] *adj* still, motionless
immobilier, -ière [imɔbilje, jɛʀ] *adj* property *cpd* ▷ *nm*: **l'~** the property business
immobiliser [imɔbilize] *vt* (*gén*) to immobilize; (*circulation, véhicule, affaires*) to bring to a standstill; **s'~** (*personne*) to stand still; (*machine, véhicule*) to come to a halt
immoral, e, -aux [i(m)mɔʀal, o] *adj* immoral
immortel, le [imɔʀtɛl] *adj* immortal

immunisé, e [im(m)ynize] *adj*: **~ contre** immune to
immunité [imynite] *nf* immunity
impact [ɛ̃pakt] *nm* impact
impair, e [ɛ̃pɛʀ] *adj* odd ▷ *nm* faux pas, blunder
impardonnable [ɛ̃paʀdɔnabl] *adj* unpardonable, unforgivable
imparfait, e [ɛ̃paʀfɛ, ɛt] *adj* imperfect
impartial, e, -aux [ɛ̃paʀsjal, jo] *adj* impartial, unbiased
impasse [ɛ̃pɑs] *nf* dead end, cul-de-sac; (*fig*) deadlock
impassible [ɛ̃pasibl] *adj* impassive
impatience [ɛ̃pasjɑ̃s] *nf* impatience
impatient, e [ɛ̃pasjɑ̃, jɑ̃t] *adj* impatient; **impatienter**: **s'impatienter** *vi* to get impatient
impeccable [ɛ̃pekabl] *adj* (*parfait*) perfect; (*propre*) impeccable; (*fam*) smashing
impensable [ɛ̃pɑ̃sabl] *adj* (*événement hypothétique*) unthinkable; (*événement qui a eu lieu*) unbelievable
impératif, -ive [ɛ̃peʀatif, iv] *adj* imperative ▷ *nm* (*Ling*) imperative; **impératifs** *nmpl* (*exigences*: *d'une fonction, d'une charge*) requirements; (: *de la mode*) demands
impératrice [ɛ̃peʀatʀis] *nf* empress
imperceptible [ɛ̃pɛʀsɛptibl] *adj* imperceptible
impérial, e, -aux [ɛ̃peʀjal, jo] *adj* imperial
impérieux, -euse [ɛ̃peʀjø, jøz] *adj* (*caractère, ton*) imperious; (*obligation, besoin*) pressing, urgent
impérissable [ɛ̃peʀisabl] *adj* undying
imperméable [ɛ̃pɛʀmeabl] *adj* waterproof; (*fig*): **~ à** impervious to ▷ *nm* raincoat
impertinent, e [ɛ̃pɛʀtinɑ̃, ɑ̃t] *adj* impertinent
impitoyable [ɛ̃pitwajabl] *adj* pitiless, merciless
implanter [ɛ̃plɑ̃te]: **s'~** *vi* to be set up
impliquer [ɛ̃plike] *vt* to imply; **~ qn (dans)** to implicate sb (in)
impoli, e [ɛ̃pɔli] *adj* impolite, rude
impopulaire [ɛ̃pɔpylɛʀ] *adj* unpopular
importance [ɛ̃pɔʀtɑ̃s] *nf* importance; (*de somme*) size; (*de retard, dégâts*) extent; **sans ~** unimportant
important, e [ɛ̃pɔʀtɑ̃, ɑ̃t] *adj* important; (*en quantité*: *somme, retard*) considerable, sizeable; (: *dégâts*) extensive; (*péj*: *airs, ton*) self-important ▷ *nm*: **l'~** the important thing
importateur, -trice [ɛ̃pɔʀtatœʀ, tʀis] *nm/f* importer
importation [ɛ̃pɔʀtasjɔ̃] *nf* importation; (*produit*) import
importer [ɛ̃pɔʀte] *vt* (*Comm*) to import; (*maladies, plantes*) to introduce ▷ *vi* (*être important*) to matter; **il importe qu'il fasse** it is important that he should do; **peu m'importe** (*je n'ai pas de préférence*) I don't mind; (*je m'en moque*) I don't care; **peu importe (que)** it doesn't matter (if); *voir aussi* **n'importe**
importun, e [ɛ̃pɔʀtœ̃, yn] *adj* irksome, importunate; (*arrivée, visite*) inopportune, ill-timed ▷ *nm* intruder; **importuner** *vt* to bother
imposant, e [ɛ̃pozɑ̃, ɑ̃t] *adj* imposing
imposer [ɛ̃poze] *vt* (*taxer*) to tax; **s'~** (*être nécessaire*) to be imperative; **~ qch à qn** to impose sth on sb; **en ~ à** to impress; **s'~ comme** to emerge as; **s'~ par** to win recognition through
impossible [ɛ̃pɔsibl] *adj* impossible; **il m'est ~ de le faire** it is impossible for me to do it, I can't possibly do it; **faire l'~** to do one's utmost
imposteur [ɛ̃pɔstœʀ] *nm* impostor
impôt [ɛ̃po] *nm* tax; **impôt foncier** land tax; **impôt sur le chiffre d'affaires** corporation (BRIT) *ou* corporate (*US*) tax; **impôt sur le revenu** income tax; **impôts locaux** rates, local taxes (*US*), ≈ council tax (BRIT)
impotent, e [ɛ̃pɔtɑ̃, ɑ̃t] *adj* disabled
impraticable [ɛ̃pʀatikabl] *adj* (*projet*) impracticable, unworkable; (*piste*) impassable
imprécis, e [ɛ̃pʀesi, iz] *adj* imprecise
imprégner [ɛ̃pʀeɲe] *vt* (*tissu*) to impregnate; (*lieu, air*) to fill; **s'~ de** (*fig*) to absorb
imprenable [ɛ̃pʀənabl] *adj* (*forteresse*) impregnable; **vue ~** unimpeded outlook
impression [ɛ̃pʀesjɔ̃] *nf* impression; (*d'un ouvrage, tissu*) printing; **faire bonne/mauvaise ~** to make a good/bad impression; **impressionnant, e** *adj* (*imposant*) impressive; (*bouleversant*) upsetting; **impressionner** *vt* (*frapper*) to impress; (*bouleverser*) to upset
imprévisible [ɛ̃pʀevizibl] *adj* unforeseeable
imprévu, e [ɛ̃pʀevy] *adj* unforeseen, unexpected ▷ *nm* (*incident*) unexpected incident; **des vacances pleines d'~** holidays full of surprises; **en cas d'~** if anything unexpected happens; **sauf ~** unless anything unexpected crops up
imprimante [ɛ̃pʀimɑ̃t] *nf* printer; **imprimante (à) laser** laser printer
imprimé [ɛ̃pʀime] *nm* (*formulaire*) printed form; (*Postes*) printed matter *no pl*; (*tissu*) printed fabric; **~ à fleur** floral print
imprimer [ɛ̃pʀime] *vt* to print; (*publier*) to publish; **imprimerie** *nf* printing; (*établissement*) printing works *sg*; **imprimeur** *nm* printer
impropre [ɛ̃pʀɔpʀ] *adj* inappropriate; **~ à** unfit for
improviser [ɛ̃pʀɔvize] *vt, vi* to improvise
improviste [ɛ̃pʀɔvist]: **à l'~** *adv* unexpectedly, without warning
imprudence [ɛ̃pʀydɑ̃s] *nf* (*d'une personne, d'une action*) carelessness *no pl*; (*d'une remarque*) imprudence *no pl*; **commettre une ~** to do something foolish
imprudent, e [ɛ̃pʀydɑ̃, ɑ̃t] *adj* (*conducteur, geste, action*) careless; (*remarque*) unwise, imprudent; (*projet*) foolhardy
impuissant, e [ɛ̃pɥisɑ̃, ɑ̃t] *adj* helpless; (*sans effet*) ineffectual; (*sexuellement*) impotent
impulsif, -ive [ɛ̃pylsif, iv] *adj* impulsive
impulsion [ɛ̃pylsjɔ̃] *nf* (*Élec, instinct*) impulse; (*élan, influence*) impetus
inabordable [inabɔʀdabl] *adj* (*cher*) prohibitive
inacceptable [inaksɛptabl] *adj* unacceptable
inaccessible [inaksesibl] *adj* inaccessible; **~ à** impervious to
inachevé, e [inaʃ(ə)ve] *adj* unfinished
inactif, -ive [inaktif, iv] *adj* inactive; (*remède*) ineffective; (*Bourse*: *marché*) slack
inadapté, e [inadapte] *adj* (*gén*): **~ à** not adapted to, unsuited to; (*Psych*) maladjusted
inadéquat, e [inadekwa(t), kwat] *adj* inadequate
inadmissible [inadmisibl] *adj* inadmissible
inadvertance [inadvɛʀtɑ̃s]: **par ~** *adv* inadvertently
inanimé, e [inanime] *adj* (*matière*) inanimate; (*évanoui*) unconscious; (*sans vie*) lifeless
inanition [inanisjɔ̃] *nf*: **tomber d'~** to faint with hunger (and exhaustion)
inaperçu, e [inapɛʀsy] *adj*: **passer ~** to go unnoticed
inapte [inapt] *adj*: **~ à** incapable of; (*Mil*) unfit for
inattendu, e [inatɑ̃dy] *adj* unexpected
inattentif, -ive [inatɑ̃tif, iv] *adj* inattentive; **~ à**

(*dangers, détails*) heedless of; **inattention** *nf* lack of attention; **une faute** *ou* **une erreur d'inattention** a careless mistake
inaugurer [inogyʀe] *vt* (*monument*) to unveil; (*exposition, usine*) to open; (*fig*) to inaugurate
inavouable [inavwabl] *adj* shameful; (*bénéfices*) undisclosable
incalculable [ɛ̃kalkylabl] *adj* incalculable
incapable [ɛ̃kapabl] *adj* incapable; **~ de faire** incapable of doing; (*empêché*) unable to do
incapacité [ɛ̃kapasite] *nf* (*incompétence*) incapability; (*impossibilité*) incapacity; **dans l'~ de faire** unable to do
incarcérer [ɛ̃kaʀseʀe] *vt* to incarcerate, imprison
incassable [ɛ̃kɑsabl] *adj* unbreakable
incendie [ɛ̃sɑ̃di] *nm* fire; **incendie criminel** arson *no pl*; **incendie de forêt** forest fire; **incendier** *vt* (*mettre le feu à*) to set fire to, set alight; (*brûler complètement*) to burn down
incertain, e [ɛ̃sɛʀtɛ̃, ɛn] *adj* uncertain; (*temps*) unsettled; (*imprécis: contours*) indistinct, blurred; **incertitude** *nf* uncertainty
incessamment [ɛ̃sesamɑ̃] *adv* very shortly
incident [ɛ̃sidɑ̃] *nm* incident; **incident de parcours** minor hitch *ou* setback; **incident technique** technical difficulties *pl*
incinérer [ɛ̃sineʀe] *vt* (*ordures*) to incinerate; (*mort*) to cremate
incisive [ɛ̃siziv] *nf* incisor
inciter [ɛ̃site] *vt*: **~ qn à (faire) qch** to encourage sb to do sth; (*à la révolte etc*) to incite sb to do sth
incivilité [ɛ̃sivilite] *nf* (*grossièreté*) incivility; **incivilités** *nfpl* antisocial behaviour *sg*
inclinable [ɛ̃klinabl] *adj*: **siège à dossier ~** reclining seat
inclination [ɛ̃klinasjɔ̃] *nf* (*penchant*) inclination
incliner [ɛ̃kline] *vt* (*pencher*) to tilt ▷ *vi*: **~ à qch/à faire** to incline towards sth/doing; **s'~** *vr* (*se pencher*) to bow; **s'~ devant** (*par respect*) to pay one's respects
inclure [ɛ̃klyʀ] *vt* to include; (*joindre à un envoi*) to enclose
inclus, e [ɛ̃kly, -yz] *pp de* **inclure** ▷ *adj* included; (*joint à un envoi*) enclosed ▷ *adv*: **est-ce que le service est ~?** is service included?; **jusqu'au 10 mars ~** until 10th March inclusive
incognito [ɛ̃kɔɲito] *adv* incognito ▷ *nm*: **garder l'~** to remain incognito
incohérent, e [ɛ̃kɔeʀɑ̃, ɑ̃t] *adj* (*comportement*) inconsistent; (*geste, langage, texte*) incoherent
incollable [ɛ̃kɔlabl] *adj* (*riz*) non-stick; **il est ~** (*fam*) he's got all the answers
incolore [ɛ̃kɔlɔʀ] *adj* colourless
incommoder [ɛ̃kɔmɔde] *vt* (*chaleur, odeur*): **~ qn** to bother sb
incomparable [ɛ̃kɔ̃paʀabl] *adj* incomparable
incompatible [ɛ̃kɔ̃patibl] *adj* incompatible
incompétent, e [ɛ̃kɔ̃petɑ̃, ɑ̃t] *adj* incompetent
incomplet, -ète [ɛ̃kɔ̃plɛ, ɛt] *adj* incomplete
incompréhensible [ɛ̃kɔ̃pʀeɑ̃sibl] *adj* incomprehensible
incompris, e [ɛ̃kɔ̃pʀi, iz] *adj* misunderstood
inconcevable [ɛ̃kɔ̃s(ə)vabl] *adj* inconceivable
inconfortable [ɛ̃kɔ̃fɔʀtabl(ə)] *adj* uncomfortable
incongru, e [ɛ̃kɔ̃gʀy] *adj* unseemly
inconnu, e [ɛ̃kɔny] *adj* unknown ▷ *nm/f* stranger ▷ *nm*: **l'~** the unknown; **inconnue** *nf* unknown factor
inconsciemment [ɛ̃kɔ̃sjamɑ̃] *adv* unconsciously
inconscient, e [ɛ̃kɔ̃sjɑ̃, jɑ̃t] *adj* unconscious; (*irréfléchi*) thoughtless, reckless; (*sentiment*) subconscious ▷ *nm* (*Psych*): **l'~** the unconscious; **~ de** unaware of
inconsidéré, e [ɛ̃kɔ̃sideʀe] *adj* ill-considered
inconsistant, e [ɛ̃kɔ̃sistɑ̃, ɑ̃t] *adj* (*fig*) flimsy, weak
inconsolable [ɛ̃kɔ̃sɔlabl] *adj* inconsolable
incontestable [ɛ̃kɔ̃tɛstabl] *adj* indisputable
incontinent, e [ɛ̃kɔ̃tinɑ̃, ɑ̃t] *adj* incontinent
incontournable [ɛ̃kɔ̃tuʀnabl] *adj* unavoidable
incontrôlable [ɛ̃kɔ̃tʀolabl] *adj* unverifiable; (*irrépressible*) uncontrollable
inconvénient [ɛ̃kɔ̃venjɑ̃] *nm* disadvantage, drawback; **si vous n'y voyez pas d'~** if you have no objections
incorporer [ɛ̃kɔʀpɔʀe] *vt*: **~ (à)** to mix in (with); **~ (dans)** (*paragraphe etc*) to incorporate (in); (*Mil: appeler*) to recruit (into); **il a très bien su s'~ à notre groupe** he was very easily incorporated into our group
incorrect, e [ɛ̃kɔʀɛkt] *adj* (*impropre, inconvenant*) improper; (*défectueux*) faulty; (*inexact*) incorrect; (*impoli*) impolite; (*déloyal*) underhand
incorrigible [ɛ̃kɔʀiʒibl] *adj* incorrigible
incrédule [ɛ̃kʀedyl] *adj* incredulous; (*Rel*) unbelieving
incroyable [ɛ̃kʀwajabl] *adj* incredible
incruster [ɛ̃kʀyste] *vt* (*Art*) to inlay; **s'~** *vi* (*invité*) to take root
inculpé, e [ɛ̃kylpe] *nm/f* accused
inculper [ɛ̃kylpe] *vt*: **~ (de)** to charge (with)
inculquer [ɛ̃kylke] *vt*: **~ qch à** to inculcate sth in *ou* instil sth into
Inde [ɛ̃d] *nf*: **l'~** India
indécent, e [ɛ̃desɑ̃, ɑ̃t] *adj* indecent
indécis, e [ɛ̃desi, iz] *adj* (*par nature*) indecisive; (*temporairement*) undecided
indéfendable [ɛ̃defɑ̃dabl] *adj* indefensible
indéfini, e [ɛ̃defini] *adj* (*imprécis, incertain*) undefined; (*illimité, Ling*) indefinite; **indéfiniment** *adv* indefinitely; **indéfinissable** *adj* indefinable
indélébile [ɛ̃delebil] *adj* indelible
indélicat, e [ɛ̃delika, at] *adj* tactless
indemne [ɛ̃dɛmn] *adj* unharmed; **indemniser** *vt*: **indemniser qn (de)** to compensate sb (for)
indemnité [ɛ̃dɛmnite] *nf* (*dédommagement*) compensation *no pl*; (*allocation*) allowance; **indemnité de licenciement** redundancy payment
indépendamment [ɛ̃depɑ̃damɑ̃] *adv* independently; **~ de** (*abstraction faite de*) irrespective of; (*en plus de*) over and above
indépendance [ɛ̃depɑ̃dɑ̃s] *nf* independence
indépendant, e [ɛ̃depɑ̃dɑ̃, ɑ̃t] *adj* independent; **~ de** independent of; **travailleur ~** self-employed worker
indescriptible [ɛ̃dɛskʀiptibl] *adj* indescribable
indésirable [ɛ̃deziʀabl] *adj* undesirable
indestructible [ɛ̃dɛstʀyktibl] *adj* indestructible
indéterminé, e [ɛ̃detɛʀmine] *adj* (*date, cause, nature*) unspecified; (*forme, longueur, quantité*) indeterminate
index [ɛ̃dɛks] *nm* (*doigt*) index finger; (*d'un livre etc*) index; **mettre à l'~** to blacklist
indicateur [ɛ̃dikatœʀ] *nm* (*Police*) informer; (*Tech*) gauge, indicator ▷ *adj*: **panneau ~** signpost; **indicateur des chemins de fer** railway timetable; **indicateur de rues** street directory
indicatif, -ive [ɛ̃dikatif, iv] *adj*: **à titre ~** for (your) information ▷ *nm* (*Ling*) indicative; (*Radio*) theme *ou*

signature tune; (*Tél*) dialling code (BRIT), area code (US); **quel est l'~ de ...** what's the code for ...?
indication [ɛ̃dikasjɔ̃] *nf* indication; (*renseignement*) information *no pl*; **indications** *nfpl* (*directives*) instructions
indice [ɛ̃dis] *nm* (*marque, signe*) indication, sign; (*Police: lors d'une enquête*) clue; (*Jur: présomption*) piece of evidence; (*Science, Écon, Tech*) index; **~ de protection** (sun protection) factor
indicible [ɛ̃disibl] *adj* inexpressible
indien, ne [ɛ̃djɛ̃, jɛn] *adj* Indian ▷ *nm/f*: **I~, ne** Indian
indifféremment [ɛ̃difeʀamɑ̃] *adv* (*sans distinction*) equally (well)
indifférence [ɛ̃difeʀɑ̃s] *nf* indifference
indifférent, e [ɛ̃difeʀɑ̃, ɑ̃t] *adj* (*peu intéressé*) indifferent; **ça m'est ~** it doesn't matter to me; **elle m'est ~e** I am indifferent to her
indigène [ɛ̃diʒɛn] *adj* native, indigenous; (*des gens du pays*) local ▷ *nm/f* native
indigeste [ɛ̃diʒɛst] *adj* indigestible
indigestion [ɛ̃diʒɛstjɔ̃] *nf* indigestion *no pl*; **avoir une ~** to have indigestion
indigne [ɛ̃diɲ] *adj* unworthy
indigner [ɛ̃diɲe] *vt*: **s'~ de qch** to get annoyed about sth; **s'~ contre qn** to get annoyed with sb
indiqué, e [ɛ̃dike] *adj* (*date, lieu*) agreed; (*traitement*) appropriate; (*conseillé*) advisable
indiquer [ɛ̃dike] *vt* (*suj: pendule, aiguille*) to show; (*: étiquette, panneau*) to show, indicate; (*renseigner sur*) to point out, tell; (*déterminer: date, lieu*) to give, state; (*signaler, dénoter*) to indicate, point to; **~ qch/qn à qn** (*montrer du doigt*) to point sth/sb out to sb; (*faire connaître: médecin, restaurant*) to tell sb of sth/sb; **pourriez-vous m'~ les toilettes/l'heure?** could you direct me to the toilets/tell me the time?
indiscipliné, e [ɛ̃disipline] *adj* undisciplined
indiscret, -ète [ɛ̃diskʀɛ, ɛt] *adj* indiscreet
indiscutable [ɛ̃diskytabl] *adj* indisputable
indispensable [ɛ̃dispɑ̃sabl] *adj* indispensable, essential
indisposé, e [ɛ̃dispoze] *adj* indisposed
indistinct, e [ɛ̃distɛ̃(kt), ɛ̃kt] *adj* indistinct; **indistinctement** *adv* (*voir, prononcer*) indistinctly; (*sans distinction*) indiscriminately
individu [ɛ̃dividy] *nm* individual; **individuel, le** *adj* (*gén*) individual; (*responsabilité, propriété, liberté*) personal; **chambre individuelle** single room; **maison individuelle** detached house
indolore [ɛ̃dɔlɔʀ] *adj* painless
Indonésie [ɛ̃dɔnezi] *nf* Indonesia
indu, e [ɛ̃dy] *adj*: **à une heure ~e** at some ungodly hour
indulgent, e [ɛ̃dylʒɑ̃, ɑ̃t] *adj* (*parent, regard*) indulgent; (*juge, examinateur*) lenient
industrialisé, e [ɛ̃dystʀijalize] *adj* industrialized
industrie [ɛ̃dystʀi] *nf* industry; **industriel, le** *adj* industrial ▷ *nm* industrialist
inébranlable [inebʀɑ̃labl] *adj* (*masse, colonne*) solid; (*personne, certitude, foi*) unshakeable
inédit, e [inedi, it] *adj* (*correspondance, livre*) hitherto unpublished; (*spectacle, moyen*) novel, original; (*film*) unreleased
inefficace [inefikas] *adj* (*remède, moyen*) ineffective; (*machine, employé*) inefficient
inégal, e, -aux [inegal, o] *adj* unequal; (*irrégulier*) uneven; **inégalable** *adj* matchless; **inégalé, e** *adj* (*record*) unequalled; (*beauté*) unrivalled; **inégalité** *nf* inequality
inépuisable [inepɥizabl] *adj* inexhaustible
inerte [inɛʀt] *adj* (*immobile*) lifeless; (*sans réaction*) passive
inespéré, e [inɛspeʀe] *adj* unexpected, unhoped-for
inestimable [inɛstimabl] *adj* priceless; (*fig: bienfait*) invaluable
inévitable [inevitabl] *adj* unavoidable; (*fatal, habituel*) inevitable
inexact, e [inɛgza(kt), akt] *adj* inaccurate
inexcusable [inɛkskyzabl] *adj* unforgivable
inexplicable [inɛksplikabl] *adj* inexplicable
in extremis [inɛkstʀemis] *adv* at the last minute ▷ *adj* last-minute
infaillible [ɛ̃fajibl] *adj* infallible
infarctus [ɛ̃faʀktys] *nm*: **~ (du myocarde)** coronary (thrombosis)
infatigable [ɛ̃fatigabl] *adj* tireless
infect, e [ɛ̃fɛkt] *adj* revolting; (*personne*) obnoxious; (*temps*) foul
infecter [ɛ̃fɛkte] *vt* (*atmosphère, eau*) to contaminate; (*Méd*) to infect; **s'~** to become infected *ou* septic; **infection** *nf* infection; (*puanteur*) stench
inférieur, e [ɛ̃feʀjœʀ] *adj* lower; (*en qualité, intelligence*) inferior; **~ à** (*somme, quantité*) less *ou* smaller than; (*moins bon que*) inferior to
infernal, e, -aux [ɛ̃fɛʀnal, o] *adj* (*insupportable: chaleur, rythme*) infernal; (*: enfant*) horrid; (*satanique, effrayant*) diabolical
infidèle [ɛ̃fidɛl] *adj* unfaithful
infiltrer [ɛ̃filtʀe]: **s'~** *vr*: **s'~ dans** to get into; (*liquide*) to seep through; (*fig: groupe, ennemi*) to infiltrate
infime [ɛ̃fim] *adj* minute, tiny
infini, e [ɛ̃fini] *adj* infinite ▷ *nm* infinity; **à l'~** endlessly; **infiniment** *adv* infinitely; **infinité** *nf*: **une infinité de** an infinite number of
infinitif [ɛ̃finitif] *nm* infinitive
infirme [ɛ̃fiʀm] *adj* disabled ▷ *nm/f* disabled person
infirmerie [ɛ̃fiʀməʀi] *nf* medical room
infirmier, -ière [ɛ̃fiʀmje] *nm/f* nurse; **infirmière chef** sister
infirmité [ɛ̃fiʀmite] *nf* disability
inflammable [ɛ̃flamabl] *adj* (in)flammable
inflation [ɛ̃flasjɔ̃] *nf* inflation
influençable [ɛ̃flyɑ̃sabl] *adj* easily influenced
influence [ɛ̃flyɑ̃s] *nf* influence; **influencer** *vt* to influence; **influent, e** *adj* influential
informaticien, ne [ɛ̃fɔʀmatisjɛ̃, jɛn] *nm/f* computer scientist
information [ɛ̃fɔʀmasjɔ̃] *nf* (*renseignement*) piece of information; (*Presse, TV: nouvelle*) item of news; (*diffusion de renseignements, Inform*) information; (*Jur*) inquiry, investigation; **informations** *nfpl* (*TV*) news *sg*
informatique [ɛ̃fɔʀmatik] *nf* (*technique*) data processing; (*science*) computer science ▷ *adj* computer *cpd*; **informatiser** *vt* to computerize
informer [ɛ̃fɔʀme] *vt*: **~ qn (de)** to inform sb (of); **s'~** *vr*: **s'~ (de/si)** to inquire *ou* find out (about/whether); **s'~ sur** to inform o.s. about
infos [ɛ̃fo] *nfpl*: **les ~** the news *sg*
infraction [ɛ̃fʀaksjɔ̃] *nf* offence; **~ à** violation *ou* breach of; **être en ~** to be in breach of the law
infranchissable [ɛ̃fʀɑ̃ʃisabl] *adj* impassable; (*fig*) insuperable
infrarouge [ɛ̃fʀaʀuʒ] *adj* infrared
infrastructure [ɛ̃fʀastʀyktyʀ] *nf* (*Aviat, Mil*)

ground installations *pl*; (*Écon: touristique etc*) infrastructure
infuser [ɛ̃fyze] *vt, vi* (*thé*) to brew; (*tisane*) to infuse; **infusion** *nf* (*tisane*) herb tea
ingénier [ɛ̃ʒenje]: **s'~** *vi*: **s'~ à faire** to strive to do
ingénierie [ɛ̃ʒeniʀi] *nf* engineering
ingénieur [ɛ̃ʒenjœʀ] *nm* engineer; **ingénieur du son** sound engineer
ingénieux, -euse [ɛ̃ʒenjø, jøz] *adj* ingenious, clever
ingrat, e [ɛ̃gʀa, at] *adj* (*personne*) ungrateful; (*travail, sujet*) thankless; (*visage*) unprepossessing
ingrédient [ɛ̃gʀedjɑ̃] *nm* ingredient
inhabité, e [inabite] *adj* uninhabited
inhabituel, le [inabitɥɛl] *adj* unusual
inhibition [inibisjɔ̃] *nf* inhibition
inhumain, e [inymɛ̃, ɛn] *adj* inhuman
inimaginable [inimaʒinabl] *adj* unimaginable
ininterrompu, e [inɛ̃teʀɔ̃py] *adj* (*file, série*) unbroken; (*flot, vacarme*) uninterrupted, non-stop; (*effort*) unremitting, continuous; (*suite, ligne*) unbroken
initial, e, -aux [inisjal, jo] *adj* initial; **initiales** *nfpl* (*d'un nom, sigle etc*) initials
initiation [inisjasjɔ̃] *nf*: **~ à** introduction to
initiative [inisjativ] *nf* initiative
initier [inisje] *vt*: **~ qn à** to initiate sb into; (*faire découvrir: art, jeu*) to introduce sb to
injecter [ɛ̃ʒɛkte] *vt* to inject; **injection** *nf* injection; **à injection** (*Auto*) fuel injection *cpd*
injure [ɛ̃ʒyʀ] *nf* insult, abuse *no pl*; **injurier** *vt* to insult, abuse; **injurieux, -euse** *adj* abusive, insulting
injuste [ɛ̃ʒyst] *adj* unjust, unfair; **injustice** *nf* injustice
inlassable [ɛ̃lɑsabl] *adj* tireless
inné, e [i(n)ne] *adj* innate, inborn
innocent, e [inɔsɑ̃, ɑ̃t] *adj* innocent; **innocenter** *vt* to clear, prove innocent
innombrable [i(n)nɔ̃bʀabl] *adj* innumerable
innover [inɔve] *vi* to break new ground
inoccupé, e [inɔkype] *adj* unoccupied
inodore [inɔdɔʀ] *adj* (*gaz*) odourless; (*fleur*) scentless
inoffensif, -ive [inɔfɑ̃sif, iv] *adj* harmless, innocuous
inondation [inɔ̃dasjɔ̃] *nf* flood
inonder [inɔ̃de] *vt* to flood; **~ de** to flood with
inopportun, e [inɔpɔʀtœ̃, yn] *adj* ill-timed, untimely
inoubliable [inublijabl] *adj* unforgettable
inouï, e [inwi] *adj* unheard-of, extraordinary
inox [inɔks] *nm* stainless steel
inquiet, -ète [ɛ̃kjɛ, ɛ̃kjɛt] *adj* anxious; **inquiétant, e** *adj* worrying, disturbing; **inquiéter** *vt* to worry; **s'inquiéter** to worry; **s'inquiéter de** to worry about; (*s'enquérir de*) to inquire about; **inquiétude** *nf* anxiety
insaisissable [ɛ̃sezisabl] *adj* (*fugitif, ennemi*) elusive; (*différence, nuance*) imperceptible
insalubre [ɛ̃salybʀ] *adj* insalubrious
insatisfait, e [ɛ̃satisfɛ, ɛt] *adj* (*non comblé*) unsatisfied; (*mécontent*) dissatisfied
inscription [ɛ̃skʀipsjɔ̃] *nf* inscription; (*immatriculation*) enrolment
inscrire [ɛ̃skʀiʀ] *vt* (*marquer: sur son calepin etc*) to note *ou* write down; (*: sur un mur, une affiche etc*) to write; (*: dans la pierre, le métal*) to inscribe; (*mettre: sur une liste, un budget etc*) to put down; **s'~** (*pour une excursion etc*) to put one's name down; **s'~ (à)** (*club, parti*) to join; (*université*) to register *ou* enrol (at); (*examen, concours*) to register (for); **~ qn à** (*club, parti*) to enrol sb at
insecte [ɛ̃sɛkt] *nm* insect; **insecticide** *nm* insecticide
insensé, e [ɛ̃sɑ̃se] *adj* mad
insensible [ɛ̃sɑ̃sibl] *adj* (*nerf, membre*) numb; (*dur, indifférent*) insensitive
inséparable [ɛ̃sepaʀabl] *adj* inseparable ▷ *nm*: **~s** (*oiseaux*) lovebirds
insigne [ɛ̃siɲ] *nm* (*d'un parti, club*) badge; (*d'une fonction*) insignia ▷ *adj* distinguished
insignifiant, e [ɛ̃siɲifjɑ̃, jɑ̃t] *adj* insignificant; trivial
insinuer [ɛ̃sinɥe] *vt* to insinuate; **s'~ dans** (*fig*) to worm one's way into
insipide [ɛ̃sipid] *adj* insipid
insister [ɛ̃siste] *vi* to insist; (*continuer à sonner*) to keep on trying; **~ sur** (*détail, sujet*) to lay stress on
insolation [ɛ̃sɔlasjɔ̃] *nf* (*Méd*) sunstroke *no pl*
insolent, e [ɛ̃sɔlɑ̃, ɑ̃t] *adj* insolent
insolite [ɛ̃sɔlit] *adj* strange, unusual
insomnie [ɛ̃sɔmni] *nf* insomnia *no pl*; **avoir des ~s** to sleep badly, not be able to sleep
insouciant, e [ɛ̃susjɑ̃, jɑ̃t] *adj* carefree; **~ du danger** heedless of (the) danger
insoupçonnable [ɛ̃supsɔnabl] *adj* unsuspected; (*personne*) above suspicion
insoupçonné, e [ɛ̃supsɔne] *adj* unsuspected
insoutenable [ɛ̃sut(ə)nabl] *adj* (*argument*) untenable; (*chaleur*) unbearable
inspecter [ɛ̃spɛkte] *vt* to inspect; **inspecteur, -trice** *nm/f* inspector; **inspecteur d'Académie** (regional) director of education; **inspecteur des finances** ≈ tax inspector (BRIT), ≈ Internal Revenue Service agent (US); **inspecteur (de police)** (police) inspector; **inspection** *nf* inspection
inspirer [ɛ̃spiʀe] *vt* (*gén*) to inspire ▷ *vi* (*aspirer*) to breathe in; **s'~** *vr*: **s'~ de** to be inspired by
instable [ɛ̃stabl] *adj* unstable; (*meuble, équilibre*) unsteady; (*temps*) unsettled
installation [ɛ̃stalasjɔ̃] *nf* (*mise en place*) installation; **installations** *nfpl* (*de sport, dans un camping*) facilities; **l'installation électrique** wiring
installer [ɛ̃stale] *vt* (*loger, placer*) to put; (*meuble, gaz, électricité*) to put in; (*rideau, étagère, tente*) to put up; (*appartement*) to fit out; **s'~** (*s'établir: artisan, dentiste etc*) to set o.s. up; (*se loger*) to settle; (*emménager*) to settle in; (*sur un siège, à un emplacement*) to settle (down); (*fig: maladie, grève*) to take a firm hold
instance [ɛ̃stɑ̃s] *nf* (*Admin: autorité*) authority; **affaire en ~** matter pending; **être en ~ de divorce** to be awaiting a divorce
instant [ɛ̃stɑ̃] *nm* moment, instant; **dans un ~** in a moment; **à l'~** this instant; **je l'ai vu à l'~** I've just this minute seen him, I saw him a moment ago; **pour l'~** for the moment, for the time being
instantané, e [ɛ̃stɑ̃tane] *adj* (*lait, café*) instant; (*explosion, mort*) instantaneous ▷ *nm* snapshot
instar [ɛ̃staʀ]: **à l'~ de** *prép* following the example of, like
instaurer [ɛ̃stɔʀe] *vt* to institute; (*couvre-feu*) to impose; **s'~** *vr* (*paix*) to be established; (*doute*) to set in
instinct [ɛ̃stɛ̃] *nm* instinct; **instinctivement** *adv* instinctively
instituer [ɛ̃stitɥe] *vt* to establish
institut [ɛ̃stity] *nm* institute; **institut de**

beauté beauty salon; **Institut universitaire de technologie** ≈ polytechnic
instituteur, -trice [ɛ̃stitytœʀ, tʀis] *nm/f* (primary school) teacher
institution [ɛ̃stitysjɔ̃] *nf* institution; (*collège*) private school; **institutions** *nfpl* (*structures politiques et sociales*) institutions
instructif, -ive [ɛ̃stʀyktif, iv] *adj* instructive
instruction [ɛ̃stʀyksjɔ̃] *nf* (*enseignement, savoir*) education; (*Jur*) (preliminary) investigation and hearing; **instructions** *nfpl* (*ordres, mode d'emploi*) instructions; **instruction civique** civics *sg*
instruire [ɛ̃stʀɥiʀ] *vt* (*élèves*) to teach; (*recrues*) to train; (*Jur: affaire*) to conduct the investigation for; **s'~** to educate o.s.; **instruit, e** *adj* educated
instrument [ɛ̃stʀymɑ̃] *nm* instrument; **instrument à cordes/à vent** stringed/wind instrument; **instrument de mesure** measuring instrument; **instrument de musique** musical instrument; **instrument de travail** (working) tool
insu [ɛ̃sy] *nm*: **à l'~ de qn** without sb knowing (it)
insuffisant, e [ɛ̃syfizɑ̃, ɑ̃t] *adj* (*en quantité*) insufficient; (*en qualité*) inadequate; (*sur une copie*) poor
insulaire [ɛ̃sylɛʀ] *adj* island *cpd*; (*attitude*) insular
insuline [ɛ̃sylin] *nf* insulin
insulte [ɛ̃sylt] *nf* insult; **insulter** *vt* to insult
insupportable [ɛ̃sypɔʀtabl] *adj* unbearable
insurmontable [ɛ̃syʀmɔ̃tabl] *adj* (*difficulté*) insuperable; (*aversion*) unconquerable
intact, e [ɛ̃takt] *adj* intact
intarissable [ɛ̃taʀisabl] *adj* inexhaustible
intégral, e, -aux [ɛ̃tegʀal, o] *adj* complete; **texte ~** unabridged version; **bronzage ~** all-over suntan; **intégralement** *adv* in full; **intégralité** *nf* whole; **dans son intégralité** in full; **intégrant, e** *adj*: **faire partie intégrante de** to be an integral part of
intègre [ɛ̃tɛgʀ] *adj* upright
intégrer [ɛ̃tegʀe]: **s'~** *vr*: **s'~ à** *ou* **dans qch** to become integrated into sth; **bien s'~** to fit in
intégrisme [ɛ̃tegʀism] *nm* fundamentalism
intellectuel, le [ɛ̃telɛktɥɛl] *adj* intellectual ▷ *nm/f* intellectual; (*péj*) highbrow
intelligence [ɛ̃teliʒɑ̃s] *nf* intelligence; (*compréhension*): **l'~ de** the understanding of; (*complicité*): **regard d'~** glance of complicity; (*accord*): **vivre en bonne ~ avec qn** to be on good terms with sb
intelligent, e [ɛ̃teliʒɑ̃, ɑ̃t] *adj* intelligent
intelligible [ɛ̃teliʒibl] *adj* intelligible
intempéries [ɛ̃tɑ̃peʀi] *nfpl* bad weather *sg*
intenable [ɛ̃t(ə)nabl] *adj* (*chaleur*) unbearable
intendant, e [ɛ̃tɑ̃dɑ̃] *nm/f* (*Mil*) quartermaster; (*Scol*) bursar
intense [ɛ̃tɑ̃s] *adj* intense; **intensif, -ive** *adj* intensive; **un cours intensif** a crash course
intenter [ɛ̃tɑ̃te] *vt*: **~ un procès contre** *ou* **à** to start proceedings against
intention [ɛ̃tɑ̃sjɔ̃] *nf* intention; (*Jur*) intent; **avoir l'~ de faire** to intend to do; **à l'~ de** for; (*renseignement*) for the benefit of; (*film, ouvrage*) aimed at; **à cette ~** with this aim in view; **intentionné, e** *adj*: **bien intentionné** well-meaning *ou* -intentioned; **mal intentionné** ill-intentioned
interactif, -ive [ɛ̃tɛʀaktif, iv] *adj* (*Comput*) interactive
intercepter [ɛ̃tɛʀsɛpte] *vt* to intercept; (*lumière, chaleur*) to cut off
interchangeable [ɛ̃tɛʀʃɑ̃ʒabl] *adj* interchangeable
interdiction [ɛ̃tɛʀdiksjɔ̃] *nf* ban; **interdiction de fumer** no smoking
interdire [ɛ̃tɛʀdiʀ] *vt* to forbid; (*Admin*) to ban, prohibit; (*: journal, livre*) to ban; **~ à qn de faire** to forbid sb to do; (*suj: empêchement*) to prevent sb from doing
interdit, e [ɛ̃tɛʀdi, it] *pp de* **interdire** ▷ *adj* (*stupéfait*) taken aback; **film ~ aux moins de 18/12 ans** ≈ 18-/12A-rated film; **"stationnement ~"** "no parking"
intéressant, e [ɛ̃teʀesɑ̃, ɑ̃t] *adj* interesting; (*avantageux*) attractive
intéressé, e [ɛ̃teʀese] *adj* (*parties*) involved, concerned; (*amitié, motifs*) self-interested
intéresser [ɛ̃teʀese] *vt* (*captiver*) to interest; (*toucher*) to be of interest to; (*Admin: concerner*) to affect, concern; **s'~** *vr*: **s'~ à** to be interested in
intérêt [ɛ̃teʀɛ] *nm* interest; (*égoïsme*) self-interest; **tu as ~ à accepter** it's in your interest to accept; **tu as ~ à te dépêcher** you'd better hurry
intérieur, e [ɛ̃teʀjœʀ] *adj* (*mur, escalier, poche*) inside; (*commerce, politique*) domestic; (*cour, calme, vie*) inner; (*navigation*) inland ▷ *nm*: **l'~** (*d'une maison, d'un récipient etc*) the inside; (*d'un pays, aussi: décor, mobilier*) the interior; **à l'~ (de)** inside; **ministère de l'I~e** ≈ Home Office (BRIT), ≈ Department of the Interior (US); **intérieurement** *adv* inwardly
intérim [ɛ̃teʀim] *nm* interim period; **faire de l'~** to temp; **assurer l'~ (de)** to deputize (for); **par ~** interim
intérimaire [ɛ̃teʀimɛʀ] *adj* (*directeur, ministre*) acting; (*secrétaire, personnel*) temporary ▷ *nm/f* (*secrétaire*) temporary secretary, temp (BRIT)
interlocuteur, -trice [ɛ̃tɛʀlɔkytœʀ, tʀis] *nm/f* speaker; **son ~** the person he was speaking to
intermédiaire [ɛ̃tɛʀmedjɛʀ] *adj* intermediate; (*solution*) temporary ▷ *nm/f* intermediary; (*Comm*) middleman; **sans ~** directly; **par l'~ de** through
interminable [ɛ̃tɛʀminabl] *adj* endless
intermittence [ɛ̃tɛʀmitɑ̃s] *nf*: **par ~** sporadically, intermittently
internat [ɛ̃tɛʀna] *nm* boarding school
international, e, -aux [ɛ̃tɛʀnasjɔnal, o] *adj, nm/f* international
internaute [ɛ̃tɛʀnot] *nm/f* Internet user
interne [ɛ̃tɛʀn] *adj* internal ▷ *nm/f* (*Scol*) boarder; (*Méd*) houseman
Internet [ɛ̃tɛʀnɛt] *nm*: **l'~** the Internet
interpeller [ɛ̃tɛʀpəle] *vt* (*appeler*) to call out to; (*apostropher*) to shout at; (*Police, Pol*) to question; (*concerner*) to concern
interphone [ɛ̃tɛʀfɔn] *nm* intercom; (*d'immeuble*) entry phone
interposer [ɛ̃tɛʀpoze] *vt*: **s'~** to intervene; **par personnes interposées** through a third party
interprète [ɛ̃tɛʀpʀɛt] *nm/f* interpreter; (*porte-parole*) spokesperson; **pourriez-vous nous servir d' ~?** could you act as our interpreter?
interpréter [ɛ̃tɛʀpʀete] *vt* to interpret; (*jouer*) to play; (*chanter*) to sing
interrogatif, -ive [ɛ̃teʀɔgatif, iv] *adj* (*Ling*) interrogative
interrogation [ɛ̃teʀɔgasjɔ̃] *nf* question; (*action*) questioning; **~ écrite/orale** (*Scol*) written/oral test
interrogatoire [ɛ̃teʀɔgatwaʀ] *nm* (*Police*) questioning *no pl*; (*Jur, aussi fig*) cross-examination
interroger [ɛ̃teʀɔʒe] *vt* to question; (*Inform*) to consult; (*Scol*) to test
interrompre [ɛ̃teʀɔ̃pʀ] *vt* (*gén*) to interrupt;

(*négociations*) to break off; (*match*) to stop; **s'~** to break off; **interrupteur** *nm* switch; **interruption** *nf* interruption; (*pause*) break; **sans interruption** without stopping; **interruption (volontaire) de grossesse** termination (of pregnancy)
intersection [ɛ̃tɛʀsɛksjɔ̃] *nf* intersection
intervalle [ɛ̃tɛʀval] *nm* (*espace*) space; (*de temps*) interval; **dans l'~** in the meantime; **à deux jours d'~** two days apart
intervenir [ɛ̃tɛʀvəniʀ] *vi* (*gén*) to intervene; **~ auprès de qn** to intervene with sb; **intervention** *nf* intervention; (*discours*) speech; **intervention chirurgicale** (*Méd*) (surgical) operation
interview [ɛ̃tɛʀvju] *nf* interview
intestin [ɛ̃tɛstɛ̃] *nm* intestine
intime [ɛ̃tim] *adj* intimate; (*vie*) private; (*conviction*) inmost; (*dîner, cérémonie*) quiet ▷ *nm/f* close friend; **un journal ~** a diary
intimider [ɛ̃timide] *vt* to intimidate
intimité [ɛ̃timite] *nf*: **dans l'~** in private; (*sans formalités*) with only a few friends, quietly
intolérable [ɛ̃tɔleʀabl] *adj* intolerable
intox [ɛ̃tɔks] (*fam*) *nf* brainwashing
intoxication [ɛ̃tɔksikasjɔ̃] *nf*: **intoxication alimentaire** food poisoning
intoxiquer [ɛ̃tɔksike] *vt* to poison; (*fig*) to brainwash
intraitable [ɛ̃tʀɛtabl] *adj* inflexible, uncompromising
intransigeant, e [ɛ̃tʀɑ̃ziʒɑ̃, ɑ̃t] *adj* intransigent
intrépide [ɛ̃tʀepid] *adj* dauntless
intrigue [ɛ̃tʀig] *nf* (*scénario*) plot; **intriguer** *vt* to puzzle, intrigue
introduction [ɛ̃tʀɔdyksjɔ̃] *nf* introduction
introduire [ɛ̃tʀɔdɥiʀ] *vt* to introduce; (*visiteur*) to show in; (*aiguille, clef*): **~ qch dans** to insert *ou* introduce sth into; **s'~** *vr* (*techniques, usages*) to be introduced; **s'~ (dans)** to get in(to); (*dans un groupe*) to get o.s. accepted (into)
introuvable [ɛ̃tʀuvabl] *adj* which cannot be found; (*Comm*) unobtainable
intrus, e [ɛ̃tʀy, yz] *nm/f* intruder
intuition [ɛ̃tɥisjɔ̃] *nf* intuition
inusable [inyzabl] *adj* hard-wearing
inutile [inytil] *adj* useless; (*superflu*) unnecessary; **inutilement** *adv* unnecessarily; **inutilisable** *adj* unusable
invalide [ɛ̃valid] *adj* disabled ▷ *nm*: **~ de guerre** disabled ex-serviceman
invariable [ɛ̃vaʀjabl] *adj* invariable
invasion [ɛ̃vazjɔ̃] *nf* invasion
inventaire [ɛ̃vɑ̃tɛʀ] *nm* inventory; (*Comm: liste*) stocklist; (*: opération*) stocktaking *no pl*
inventer [ɛ̃vɑ̃te] *vt* to invent; (*subterfuge*) to devise, invent; (*histoire, excuse*) to make up, invent; **inventeur** *nm* inventor; **inventif, -ive** *adj* inventive; **invention** *nf* invention
inverse [ɛ̃vɛʀs] *adj* opposite ▷ *nm*: **l'~** the opposite; **dans l'ordre ~** in the reverse order; **en sens ~** in (*ou* from) the opposite direction; **dans le sens ~ des aiguilles d'une montre** anticlockwise; **tu t'es trompé, c'est l'~** you've got it wrong, it's the other way round; **inversement** *adv* conversely; **inverser** *vt* to invert, reverse; (*Élec*) to reverse
investir [ɛ̃vɛstiʀ] *vt* to invest; **~ qn de** (*d'une fonction, d'un pouvoir*) to vest *ou* invest sb with; **s'~** *vr*: **s'~ dans** (*Psych*) to put a lot into; **investissement** *nm* investment
invisible [ɛ̃vizibl] *adj* invisible
invitation [ɛ̃vitasjɔ̃] *nf* invitation
invité, e [ɛ̃vite] *nm/f* guest
inviter [ɛ̃vite] *vt* to invite; **~ qn à faire qch** to invite sb to do sth
invivable [ɛ̃vivabl] *adj* unbearable
involontaire [ɛ̃vɔlɔ̃tɛʀ] *adj* (*mouvement*) involuntary; (*insulte*) unintentional; (*complice*) unwitting
invoquer [ɛ̃vɔke] *vt* (*Dieu, muse*) to call upon, invoke; (*prétexte*) to put forward (as an excuse); (*loi, texte*) to refer to
invraisemblable [ɛ̃vʀɛsɑ̃blabl] *adj* (*fait, nouvelle*) unlikely, improbable; (*insolence, habit*) incredible
iode [jɔd] *nm* iodine
irai *etc* [iʀe] *vb voir* **aller**
Irak [iʀak] *nm* Iraq; **irakien, ne** *adj* Iraqi ▷ *nm/f*: **Irakien, ne** Iraqi
Iran [iʀɑ̃] *nm* Iran; **iranien, ne** *adj* Iranian ▷ *nm/f*: **Iranien, ne** Iranian
irions *etc* [iʀjɔ̃] *vb voir* **aller**
iris [iʀis] *nm* iris
irlandais, e [iʀlɑ̃dɛ, ɛz] *adj* Irish ▷ *nm/f*: **I~, e** Irishman(-woman)
Irlande [iʀlɑ̃d] *nf* Ireland; **la République d'~** the Irish Republic; **la mer d'~** the Irish Sea; **Irlande du Nord** Northern Ireland
ironie [iʀɔni] *nf* irony; **ironique** *adj* ironical; **ironiser** *vi* to be ironical
irons *etc* [iʀɔ̃] *vb voir* **aller**
irradier [iʀadje] *vt* to irradiate
irraisonné, e [iʀɛzɔne] *adj* irrational
irrationnel, le [iʀasjɔnɛl] *adj* irrational
irréalisable [iʀealizabl] *adj* unrealizable; (*projet*) impracticable
irrécupérable [iʀekypeʀabl] *adj* beyond repair; (*personne*) beyond redemption
irréel, le [iʀeɛl] *adj* unreal
irréfléchi, e [iʀefleʃi] *adj* thoughtless
irrégularité [iʀegylaʀite] *nf* irregularity; (*de travail, d'effort, de qualité*) unevenness *no pl*
irrégulier, -ière [iʀegylje, jɛʀ] *adj* irregular; (*travail, effort, qualité*) uneven; (*élève, athlète*) erratic
irrémédiable [iʀemedjabl] *adj* irreparable
irremplaçable [iʀɑ̃plasabl] *adj* irreplaceable
irréparable [iʀepaʀabl] *adj* (*objet*) beyond repair; (*dommage etc*) irreparable
irréprochable [iʀepʀɔʃabl] *adj* irreproachable, beyond reproach; (*tenue*) impeccable
irrésistible [iʀezistibl] *adj* irresistible; (*besoin, désir, preuve, logique*) compelling; (*amusant*) hilarious
irrésolu, e [iʀezɔly] *adj* (*personne*) irresolute; (*problème*) unresolved
irrespectueux, -euse [iʀɛspɛktɥø, øz] *adj* disrespectful
irresponsable [iʀɛspɔ̃sabl] *adj* irresponsible
irriguer [iʀige] *vt* to irrigate
irritable [iʀitabl] *adj* irritable
irriter [iʀite] *vt* to irritate
irruption [iʀypsjɔ̃] *nf*: **faire ~ (chez qn)** to burst in (on sb)
Islam [islam] *nm*: **l'~** Islam; **islamique** *adj* Islamic; **islamophobie** *nf* Islamophobia
Islande [islɑ̃d] *nf* Iceland
isolant, e [izɔlɑ̃, ɑ̃t] *adj* insulating; (*insonorisant*) soundproofing
isolation [izɔlasjɔ̃] *nf* insulation; **~ acoustique** soundproofing
isolé, e [izɔle] *adj* isolated; (*contre le froid*) insulated
isoler [izɔle] *vt* to isolate; (*prisonnier*) to put in

solitary confinement; (*ville*) to cut off, isolate; (*contre le froid*) to insulate; **s'~** *vi* to isolate o.s.
Israël [isʀaɛl] *nm* Israel; **israélien, ne** *adj* Israeli ▷ *nm/f*: **Israélien, ne** Israeli; **israélite** *adj* Jewish ▷ *nm/f*: **Israélite** Jew (Jewess)
issu, e [isy] *adj*: **~ de** (*né de*) descended from; (*résultant de*) stemming from; **issue** *nf* (*ouverture, sortie*) exit; (*solution*) way out, solution; (*dénouement*) outcome; **à l'issue de** at the conclusion *ou* close of; **voie sans issue** dead end; **issue de secours** emergency exit
Italie [itali] *nf* Italy; **italien, ne** *adj* Italian ▷ *nm/f*: **Italien, ne** Italian ▷ *nm* (*Ling*) Italian
italique [italik] *nm*: **en ~** in italics
itinéraire [itineʀɛʀ] *nm* itinerary, route; **itinéraire bis** alternative route
IUT *sigle m* = **Institut universitaire de technologie**
IVG *sigle f* (= *interruption volontaire de grossesse*) abortion
ivoire [ivwaʀ] *nm* ivory
ivre [ivʀ] *adj* drunk; **~ de** (*colère, bonheur*) wild with; **ivrogne** *nm/f* drunkard

j' [ʒ] *pron voir* **je**
jacinthe [ʒasɛ̃t] *nf* hyacinth
jadis [ʒɑdis] *adv* long ago
jaillir [ʒajiʀ] *vi* (*liquide*) to spurt out; (*cris, réponses*) to burst forth
jais [ʒɛ] *nm* jet; **(d'un noir) de ~** jet-black
jalousie [ʒaluzi] *nf* jealousy; (*store*) slatted blind
jaloux, -ouse [ʒalu, uz] *adj* jealous; **être ~ de** to be jealous of
jamaïquain, e [ʒamaikɛ̃, -ɛn] *adj* Jamaican ▷ *nm/f*: **J~, e** Jamaican
Jamaïque [ʒamaik] *nf*: **la ~** Jamaica
jamais [ʒamɛ] *adv* never; (*sans négation*) ever; **ne ... ~** never; **je ne suis ~ allé en Espagne** I've never been to Spain; **si ~ vous passez dans la région, venez nous voir** if you happen to be/if you're ever in this area, come and see us; **à ~** for ever
jambe [ʒɑ̃b] *nf* leg
jambon [ʒɑ̃bɔ̃] *nm* ham
jante [ʒɑ̃t] *nf* (wheel) rim
janvier [ʒɑ̃vje] *nm* January
Japon [ʒapɔ̃] *nm* Japan; **japonais, e** *adj* Japanese ▷ *nm/f*: **Japonais, e** Japanese ▷ *nm* (*Ling*) Japanese
jardin [ʒaʀdɛ̃] *nm* garden; **jardin d'enfants** nursery school; **jardinage** *nm* gardening; **jardiner** *vi* to do some gardening; **jardinier, -ière** *nm/f* gardener; **jardinière** *nf* planter; (*de fenêtre*) window box; **jardinière de légumes** (*Culin*) mixed vegetables
jargon [ʒaʀgɔ̃] *nm* (*baragouin*) gibberish; (*langue professionnelle*) jargon
jarret [ʒaʀɛ] *nm* back of knee; (*Culin*) knuckle, shin
jauge [ʒoʒ] *nf* (*instrument*) gauge; **jauge (de niveau) d'huile** (*Auto*) dipstick
jaune [ʒon] *adj, nm* yellow ▷ *adv* (*fam*): **rire ~** to laugh on the other side of one's face; **jaune d'œuf** (egg) yolk; **jaunir** *vi, vt* to turn yellow; **jaunisse** *nf* jaundice
Javel [ʒavɛl] *nf voir* **eau**
javelot [ʒavlo] *nm* javelin
je, j' [ʒə] *pron* I
jean [dʒin] *nm* jeans *pl*
Jésus-Christ [ʒezykʀi(st)] *n* Jesus Christ; **600 avant/après ~** *ou* **J.-C.** 600 B.C./A.D.
jet [ʒɛ] *nm* (*lancer: action*) throwing *no pl*; (*: résultat*) throw; (*jaillissement: d'eaux*) jet; (*: de sang*) spurt; **jet d'eau** spray
jetable [ʒ(ə)tabl] *adj* disposable
jetée [ʒəte] *nf* jetty; (*grande*) pier
jeter [ʒ(ə)te] *vt* (*gén*) to throw; (*se défaire de*) to throw away *ou* out; **~ qch à qn** to throw sth to sb; (*de façon agressive*) to throw sth at sb; **~ un coup d'œil (à)** to take a look (at); **~ un sort à qn** to cast a spell on sb; **se ~ sur qn** to rush at sb; **se ~ dans** (*suj: fleuve*) to flow into
jeton [ʒ(ə)tɔ̃] *nm* (*au jeu*) counter
jette *etc* [ʒɛt] *vb voir* **jeter**
jeu, x [ʒø] *nm* (*divertissement, Tech: d'une pièce*) play; (*Tennis: partie, Football etc: façon de jouer*) game; (*Théâtre etc*) acting; (*série d'objets, jouet*) set; (*Cartes*) hand; (*au casino*): **le ~** gambling; **remettre en ~** (*Football*) to throw in; **être en ~** (*fig*) to be at stake; **entrer/mettre en ~** (*fig*) to come/bring into play; **jeu de cartes** pack of cards; **jeu d'échecs** chess set; **jeu de hasard** game of chance; **jeu de mots** pun; **jeu de société** board game; **jeu télévisé** television quiz; **jeu vidéo** video game
jeudi [ʒødi] *nm* Thursday
jeun [ʒœ̃]: **à ~** *adv* on an empty stomach; **être à ~** to have eaten nothing; **rester à ~** not to eat anything
jeune [ʒœn] *adj* young; **jeunes** *nmpl*: **les ~s** young people; **jeune fille** girl; **jeune homme** young man; **jeunes gens** young people
jeûne [ʒøn] *nm* fast
jeunesse [ʒœnɛs] *nf* youth; (*aspect*) youthfulness
joaillier, -ière [ʒɔaje, -jɛʀ] *nm/f* jeweller
jogging [dʒɔgiŋ] *nm* jogging; (*survêtement*) tracksuit; **faire du ~** to go jogging
joie [ʒwa] *nf* joy
joindre [ʒwɛ̃dʀ] *vt* to join; (*à une lettre*): **~ qch à** to enclose sth with; (*contacter*) to contact, get in touch with; **se ~ à qn** to join sb; **se ~ à qch** to join in sth
joint, e [ʒwɛ̃, ɛ̃t] *adj*: **pièce ~e** (*de lettre*) enclosure; (*de mail*) attachment ▷ *nm* joint; (*ligne*) join; **joint de culasse** cylinder head gasket
joli, e [ʒɔli] *adj* pretty, attractive; **une ~e somme/situation** a tidy sum/a nice little job; **c'est du ~!** (*ironique*) that's very nice!; **c'est bien ~, mais ...** that's all very well but ...
jonc [ʒɔ̃] *nm* (bul)rush
jonction [ʒɔ̃ksjɔ̃] *nf* junction
jongleur, -euse [ʒɔ̃glœʀ, øz] *nm/f* juggler
jonquille [ʒɔ̃kij] *nf* daffodil
Jordanie [ʒɔʀdani] *nf*: **la ~** Jordan
joue [ʒu] *nf* cheek
jouer [ʒwe] *vt* to play; (*somme d'argent, réputation*) to stake, wager; (*simuler: sentiment*) to affect, feign ▷ *vi* to play; (*Théâtre, Cinéma*) to act; (*au casino*) to gamble; (*bois, porte: se voiler*) to warp; (*clef, pièce:*

avoir du jeu) to be loose; **~ sur** (*miser*) to gamble on; **~ de** (*Mus*) to play; **~ à** (*jeu, sport, roulette*) to play; **~ un tour à qn** to play a trick on sb; **~ serré** to play a close game; **~ la comédie** to put on an act; **à toi/nous de ~** it's your/our go *ou* turn; **bien joué!** well done!; **on joue Hamlet au théâtre X** Hamlet is on at the X theatre
jouet [ʒwɛ] *nm* toy; **être le ~ de** (*illusion etc*) to be the victim of
joueur, -euse [ʒwœʀ, øz] *nm/f* player; **être beau/mauvais ~** to be a good/bad loser
jouir [ʒwiʀ] *vi* (*sexe: fam*) to come ▷ *vt*: **~ de** to enjoy
jour [ʒuʀ] *nm* day; (*opposé à la nuit*) day, daytime; (*clarté*) daylight; (*fig: aspect*) light; (*ouverture*) gap; **de ~** (*crème, service*) day *cpd*; **travailler de ~** to work during the day; **voyager de ~** to travel by day; **au ~ le ~** from day to day; **de nos ~s** these days; **du ~ au lendemain** overnight; **il fait ~** it's daylight; **au grand ~** (*fig*) in the open; **mettre au ~** to disclose; **mettre à ~** to update; **donner le ~ à** to give birth to; **voir le ~** to be born; **le ~ J** D-day; **jour férié** public holiday; **jour ouvrable** working day
journal, -aux [ʒuʀnal, o] *nm* (news)paper; (*spécialisé*) journal; (*intime*) diary; **journal de bord** log; **journal parlé/télévisé** radio/television news *sg*
journalier, -ière [ʒuʀnalje, jɛʀ] *adj* daily; (*banal*) everyday
journalisme [ʒuʀnalism] *nm* journalism; **journaliste** *nm/f* journalist
journée [ʒuʀne] *nf* day; **faire la ~ continue** to work over lunch
joyau, x [ʒwajo] *nm* gem, jewel
joyeux, -euse [ʒwajø, øz] *adj* joyful, merry; **~ Noël!** merry Christmas!; **~ anniversaire!** happy birthday!
jubiler [ʒybile] *vi* to be jubilant, exult
judas [ʒyda] *nm* (*trou*) spy-hole
judiciaire [ʒydisjɛʀ] *adj* judicial
judicieux, -euse [ʒydisjø, jøz] *adj* judicious
judo [ʒydo] *nm* judo
juge [ʒyʒ] *nm* judge; **juge d'instruction** examining (BRIT) *ou* committing (US) magistrate; **juge de paix** justice of the peace
jugé [ʒyʒe]: **au ~** *adv* by guesswork
jugement [ʒyʒmɑ̃] *nm* judgment; (*Jur: au pénal*) sentence; (*: au civil*) decision
juger [ʒyʒe] *vt* to judge; (*estimer*) to consider; **~ qn/qch satisfaisant** to consider sb/sth (to be) satisfactory; **~ bon de faire** to see fit to do
juif, -ive [ʒɥif, ʒɥiv] *adj* Jewish ▷ *nm/f*: **J~, ive** Jew (Jewess)
juillet [ʒɥijɛ] *nm* July
juin [ʒɥɛ̃] *nm* June
jumeau, -elle, x [ʒymo, ɛl] *adj, nm/f* twin
jumeler [ʒym(ə)le] *vt* to twin
jumelle [ʒymɛl] *adj, nf voir* **jumeau**; **jumelles** *nfpl* (*appareil*) binoculars
jument [ʒymɑ̃] *nf* mare
jungle *nf* jungle
jupe [ʒyp] *nf* skirt
jupon [ʒypɔ̃] *nm* waist slip
juré, e [ʒyʀe] *nm/f* juror ▷ *adj*: **ennemi ~** sworn enemy
jurer [ʒyʀe] *vt* (*obéissance etc*) to swear, vow ▷ *vi* (*dire des jurons*) to swear, curse; (*dissoner*): **~ (avec)** to clash (with); **~ de faire/que** to swear to do/that; **~ de qch** (*s'en porter garant*) to swear to sth
juridique [ʒyʀidik] *adj* legal
juron [ʒyʀɔ̃] *nm* curse, swearword
jury [ʒyʀi] *nm* jury; (*Art, Sport*) panel of judges; (*Scol*) board of examiners
jus [ʒy] *nm* juice; (*de viande*) gravy, (meat) juice; **jus de fruit** fruit juice
jusque [ʒysk]: **jusqu'à** *prép* (*endroit*) as far as, (up) to; (*moment*) until, till; (*limite*) up to; **~ sur/dans** up to; (*y compris*) even on/in; **jusqu'à ce que** until; **jusqu'à présent** *ou* **maintenant** so far; **jusqu'où?** how far?
justaucorps [ʒystokɔʀ] *nm* leotard
juste [ʒyst] *adj* (*équitable*) just, fair; (*légitime*) just; (*exact*) right; (*pertinent*) apt; (*étroit*) tight; (*insuffisant*) on the short side ▷ *adv* rightly, correctly; (*chanter*) in tune; (*exactement, seulement*) just; **~ assez/au-dessus** just enough/above; **au ~** exactly; **le ~ milieu** the happy medium; **c'était ~** it was a close thing; **pouvoir tout ~ faire** to be only just able to do; **justement** *adv* justly; (*précisément*) just, precisely; **justesse** *nf* (*précision*) accuracy; (*d'une remarque*) aptness; (*d'une opinion*) soundness; **de justesse** only just
justice [ʒystis] *nf* (*équité*) fairness, justice; (*Admin*) justice; **rendre ~ à qn** to do sb justice
justificatif, -ive [ʒystifikatif, iv] *adj* (*document*) supporting; **pièce justificative** written proof
justifier [ʒystifje] *vt* to justify; **~ de** to prove
juteux, -euse [ʒytø, øz] *adj* juicy
juvénile [ʒyvenil] *adj* youthful

K [kɑ] *nm* (*Inform*) K
kaki [kaki] *adj inv* khaki
kangourou [kɑ̃guʀu] *nm* kangaroo
karaté [kaʀate] *nm* karate
kascher [kaʃɛʀ] *adj* kosher
kayak [kajak] *nm* canoe, kayak; **faire du ~** to go canoeing
képi [kepi] *nm* kepi
kermesse [kɛʀmɛs] *nf* fair; (*fête de charité*) bazaar, (charity) fête
kidnapper [kidnape] *vt* to kidnap
kilo [kilo] *nm* = **kilogramme**
kilo...: **kilogramme** *nm* kilogramme; **kilométrage** *nm* number of kilometres travelled, ≈ mileage; **kilomètre** *nm* kilometre; **kilométrique** *adj* (*distance*) in kilometres
kinésithérapeute [kineziteʀapøt] *nm/f* physiotherapist
kiosque [kjɔsk] *nm* kiosk, stall
kir [kiʀ] *nm* kir (*white wine with blackcurrant liqueur*)
kit [kit] *nm* kit; **~ piéton** *ou* **mains libres** hands-free kit; **en ~** in kit form
kiwi [kiwi] *nm* kiwi

klaxon [klaksɔn] *nm* horn; **klaxonner** *vi, vt* to hoot (BRIT), honk (US)
km *abr* = **kilomètre**
km/h *abr* (= *kilomètres/heure*) ≈ mph
K.-O. (*fam*) *adj inv* shattered, knackered
Kosovo [kɔsɔvo] *nm* Kosovo
Koweit, Kuweit [kɔwɛt] *nm*: **le ~** Kuwait
k-way® [kawɛ] *nm* (lightweight nylon) cagoule
kyste [kist] *nm* cyst

l

l' [l] *art déf voir* **le**
la [la] *art déf voir* **le** ▷ *nm* (*Mus*) A; (*en chantant la gamme*) la
là [la] *adv* there; (*ici*) here; (*dans le temps*) then; **elle n'est pas là** she isn't here; **c'est là que** this is where; **là où** where; **de là** (*fig*) hence; **par là** (*fig*) by that; *voir aussi* **-ci**; **ce**; **celui**; **là-bas** *adv* there
laboratoire [labɔʀatwaʀ] *nm* laboratory; **laboratoire de langues** language laboratory
laborieux, -euse [labɔʀjø, jøz] *adj* (*tâche*) laborious
labourer *vt* to plough
labyrinthe [labiʀɛ̃t] *nm* labyrinth, maze
lac [lak] *nm* lake
lacet [lasɛ] *nm* (*de chaussure*) lace; (*de route*) sharp bend; (*piège*) snare
lâche [lɑʃ] *adj* (*poltron*) cowardly; (*desserré*) loose, slack ▷ *nm/f* coward
lâcher [lɑʃe] *vt* to let go of; (*ce qui tombe, abandonner*) to drop; (*oiseau, animal: libérer*) to release, set free; (*fig: mot, remarque*) to let slip, come out with ▷ *vi* (*freins*) to fail; **~ les amarres** (*Navig*) to cast off (the moorings); **~ prise** to let go
lacrymogène [lakʀimɔʒɛn] *adj*: **gaz ~** teargas
lacune [lakyn] *nf* gap
là-dedans [ladədɑ̃] *adv* inside (there), in it; (*fig*) in that
là-dessous [ladsu] *adv* underneath, under there; (*fig*) behind that
là-dessus [ladsy] *adv* on there; (*fig: sur ces mots*) at that point; (*: à ce sujet*) about that
lagune [lagyn] *nf* lagoon
là-haut [lao] *adv* up there
laid, e [lɛ, lɛd] *adj* ugly; **laideur** *nf* ugliness *no pl*
lainage [lɛnaʒ] *nm* (*vêtement*) woollen garment; (*étoffe*) woollen material
laine [lɛn] *nf* wool
laïque [laik] *adj* lay, civil; (*Scol*) state *cpd* ▷ *nm/f* layman(-woman)
laisse [lɛs] *nf* (*de chien*) lead, leash; **tenir en ~** to keep on a lead *ou* leash
laisser [lese] *vt* to leave ▷ *vb aux*: **~ qn faire** to let sb do; **se ~ aller** to let o.s. go; **laisse-toi faire** let me (*ou* him *etc*) do it; **laisser-aller** *nm* carelessness, slovenliness; **laissez-passer** *nm inv* pass
lait [lɛ] *nm* milk; **frère/sœur de ~** foster brother/sister; **lait concentré/condensé** condensed/evaporated milk; **lait écrémé/entier** skimmed/full-cream (BRIT) *ou* whole milk; **laitage** *nm* dairy product; **laiterie** *nf* dairy; **laitier, -ière** *adj* dairy *cpd* ▷ *nm/f* milkman (dairywoman)
laiton [lɛtɔ̃] *nm* brass
laitue [lety] *nf* lettuce
lambeau, x [lɑ̃bo] *nm* scrap; **en ~x** in tatters, tattered
lame [lam] *nf* blade; (*vague*) wave; (*lamelle*) strip; **lame de fond** ground swell *no pl*; **lame de rasoir** razor blade; **lamelle** *nf* thin strip *ou* blade
lamentable [lamɑ̃tabl] *adj* appalling
lamenter [lamɑ̃te] *vb*: **se ~ (sur)** to moan (over)
lampadaire [lɑ̃padɛʀ] *nm* (*de salon*) standard lamp; (*dans la rue*) street lamp
lampe [lɑ̃p] *nf* lamp; (*Tech*) valve; **lampe à bronzer** sun lamp; **lampe à pétrole** oil lamp; **lampe de poche** torch (BRIT), flashlight (US); **lampe halogène** halogen lamp
lance [lɑ̃s] *nf* spear; **lance d'incendie** fire hose
lancée [lɑ̃se] *nf*: **être/continuer sur sa ~** to be under way/keep going
lancement [lɑ̃smɑ̃] *nm* launching
lance-pierres [lɑ̃spjɛʀ] *nm inv* catapult
lancer [lɑ̃se] *nm* (*Sport*) throwing *no pl*, throw ▷ *vt* to throw; (*émettre, projeter*) to throw out, send out; (*produit, fusée, bateau, artiste*) to launch; (*injure*) to hurl, fling; **se ~** *vi* (*prendre de l'élan*) to build up speed; (*se précipiter*): **se ~ sur** *ou* **contre** to rush at; **se ~ dans** (*discussion*) to launch into; (*aventure*) to embark on; **~ qch à qn** to throw sth to sb; (*de façon agressive*) to throw sth at sb; **~ un cri** *ou* **un appel** to shout *ou* call out; **lancer du poids** putting the shot
landau [lɑ̃do] *nm* pram (BRIT), baby carriage (US)
lande [lɑ̃d] *nf* moor
langage [lɑ̃gaʒ] *nm* language
langouste [lɑ̃gust] *nf* crayfish *inv*; **langoustine** *nf* Dublin Bay prawn
langue [lɑ̃g] *nf* (*Anat, Culin*) tongue; (*Ling*) language; **tirer la ~ (à)** to stick out one's tongue (at); **de ~ française** French-speaking; **quelles ~s parlez-vous?** what languages do you speak?; **langue maternelle** native language, mother tongue; **langues vivantes** modern languages
langueur [lɑ̃gœʀ] *nf* languidness
languir [lɑ̃giʀ] *vi* to languish; (*conversation*) to flag; **faire ~ qn** to keep sb waiting
lanière [lanjɛʀ] *nf* (*de fouet*) lash; (*de sac, bretelle*) strap
lanterne [lɑ̃tɛʀn] *nf* (*portable*) lantern; (*électrique*) light, lamp; (*de voiture*) (side)light
laper [lape] *vt* to lap up
lapidaire [lapidɛʀ] *adj* (*fig*) terse
lapin [lapɛ̃] *nm* rabbit; (*peau*) rabbitskin; (*fourrure*) cony; **poser un ~ à qn** (*fam*) to stand sb up
Laponie [lapɔni] *nf* Lapland
laps [laps] *nm*: **~ de temps** space of time, time *no pl*
laque [lak] *nf* (*vernis*) lacquer; (*pour cheveux*) hair spray
laquelle [lakɛl] *pron voir* **lequel**
larcin [laʀsɛ̃] *nm* theft
lard [laʀ] *nm* (*bacon*) (streaky) bacon; (*graisse*) fat
lardon [laʀdɔ̃] *nm*: **~s** chopped bacon
large [laʀʒ] *adj* wide, broad; (*fig*) generous ▷ *adv*:

calculer/voir ~ to allow extra/think big ▷ *nm* (*largeur*): **5 m de ~** 5 m wide *ou* in width; (*mer*): **le ~** the open sea; **au ~ de** off; **large d'esprit** broad-minded; **largement** *adv* widely; (*de loin*) greatly; (*au moins*) easily; (*généreusement*) generously; **c'est largement suffisant** that's ample; **largesse** *nf* generosity; **largesses** *nfpl* (*dons*) liberalities; **largeur** *nf* (*qu'on mesure*) width; (*impression visuelle*) wideness, width; (*d'esprit*) broadness

larguer [laʀge] *vt* to drop; **~ les amarres** to cast off (the moorings)

larme [laʀm] *nf* tear; (*fam: goutte*) drop; **en ~s** in tears; **larmoyer** *vi* (*yeux*) to water; (*se plaindre*) to whimper

larvé, e [laʀve] *adj* (*fig*) latent

laryngite [laʀɛ̃ʒit] *nf* laryngitis

las, lasse [lɑ, lɑs] *adj* weary

laser [lazɛʀ] *nm*: **(rayon) ~** laser (beam); **chaîne** *ou* **platine ~** laser disc (player); **disque ~** laser disc

lasse [lɑs] *adj voir* **las**

lasser [lɑse] *vt* to weary, tire; **se ~ de** *vt* to grow weary *ou* tired of

latéral, e, -aux [lateʀal, o] *adj* side *cpd*, lateral

latin, e [latɛ̃, in] *adj* Latin ▷ *nm/f*: **L~, e** Latin ▷ *nm* (*Ling*) Latin

latitude [latityd] *nf* latitude

lauréat, e [lɔʀea, at] *nm/f* winner

laurier [lɔʀje] *nm* (*Bot*) laurel; **feuille de ~** (*Culin*) bay leaf

lavable [lavabl] *adj* washable

lavabo [lavabo] *nm* washbasin; **lavabos** *nmpl* (*toilettes*) toilet *sg*

lavage [lavaʒ] *nm* washing *no pl*, wash; **lavage de cerveau** brainwashing *no pl*

lavande [lavɑ̃d] *nf* lavender

lave [lav] *nf* lava *no pl*

lave-linge [lavlɛ̃ʒ] *nm inv* washing machine

laver [lave] *vt* to wash; (*tache*) to wash off; **se ~** *vi* to have a wash, wash; **se ~ les mains/dents** to wash one's hands/clean one's teeth; **~ la vaisselle/le linge** to wash the dishes/clothes; **~ qn de** (*accusation*) to clear sb of; **laverie** *nf*: **laverie (automatique)** launderette; **lavette** *nf* dish cloth; (*fam*) drip; **laveur, -euse** *nm/f* cleaner; **lave-vaisselle** *nm inv* dishwasher; **lavoir** *nm* wash house; (*évier*) sink

laxatif, -ive [laksatif, iv] *adj, nm* laxative

layette [lɛjɛt] *nf* baby clothes

MOT-CLÉ

le [lə], **la, l'** (*pl* **les**) *art déf* **1** the; **le livre/la pomme/l'arbre** the book/the apple/the tree; **les étudiants** the students

2 (*noms abstraits*): **le courage/l'amour/la jeunesse** courage/love/youth

3 (*indiquant la possession*): **se casser la jambe** *etc* to break one's leg *etc*; **levez la main** put your hand up; **avoir les yeux gris/le nez rouge** to have grey eyes/a red nose

4 (*temps*): **le matin/soir** in the morning/evening; mornings/evenings; **le jeudi** *etc* (*d'habitude*) on Thursdays *etc*; (*ce jeudi-là etc*) on (the) Thursday

5 (*distribution, évaluation*) a, an; **10 euros le mètre/kilo** 10 euros a *ou* per metre/kilo; **le tiers/quart de** a third/quarter of

▷ *pron* **1** (*personne: mâle*) him; (*: femelle*) her; (*: pluriel*) them; **je le/la/les vois** I can see him/her/them

2 (*animal, chose: singulier*) it; (*: pluriel*) them; **je le (ou la) vois** I can see it; **je les vois** I can see them

3 (*remplaçant une phrase*): **je ne le savais pas** I didn't know (about it); **il était riche et ne l'est plus** he was once rich but no longer is

lécher [leʃe] *vt* to lick; (*laper: lait, eau*) to lick *ou* lap up; **se ~ les doigts/lèvres** to lick one's fingers/lips; **lèche-vitrines** *nm*: **faire du lèche-vitrines** to go window-shopping

leçon [l(ə)sɔ̃] *nf* lesson; **faire la ~ à** (*fig*) to give a lecture to; **leçons de conduite** driving lessons; **leçons particulières** private lessons *ou* tuition *sg* (BRIT)

lecteur, -trice [lɛktœʀ, tʀis] *nm/f* reader; (*d'université*) foreign language assistant ▷ *nm* (*Tech*): **~ de cassettes/CD/DVD** cassette/CD/DVD player; **lecteur de disquette(s)** disk drive; **lecteur MP3** MP3 player

lecture [lɛktyʀ] *nf* reading

ledit [lədi], **ladite** (*mpl* **lesdits**, *fpl* **lesdites**) *dét* the aforesaid

légal, e, -aux [legal, o] *adj* legal; **légaliser** *vt* to legalize; **légalité** *nf* law

légendaire [leʒɑ̃dɛʀ] *adj* legendary

légende [leʒɑ̃d] *nf* (*mythe*) legend; (*de carte, plan*) key; (*de dessin*) caption

léger, -ère [leʒe, ɛʀ] *adj* light; (*bruit, retard*) slight; (*personne: superficiel*) thoughtless; (*: volage*) free and easy; **à la légère** (*parler, agir*) rashly, thoughtlessly; **légèrement** *adv* (*s'habiller, bouger*) lightly; (*un peu*) slightly; **manger légèrement** to eat a light meal; **légèreté** *nf* lightness; (*d'une remarque*) flippancy

législatif, -ive [leʒislatif, iv] *adj* legislative; **législatives** *nfpl* general election *sg*

légitime [leʒitim] *adj* (*Jur*) lawful, legitimate; (*fig*) rightful, legitimate; **en état de ~ défense** in self-defence

legs [lɛg] *nm* legacy

léguer [lege] *vt*: **~ qch à qn** (*Jur*) to bequeath sth to sb

légume [legym] *nm* vegetable; **légumes secs** pulses; **légumes verts** green vegetables, greens

lendemain [lɑ̃dmɛ̃] *nm*: **le ~** the next *ou* following day; **le ~ matin/soir** the next *ou* following morning/evening; **le ~ de** the day after

lent, e [lɑ̃, lɑ̃t] *adj* slow; **lentement** *adv* slowly; **lenteur** *nf* slowness *no pl*

lentille [lɑ̃tij] *nf* (*Optique*) lens *sg*; (*Culin*) lentil; **lentilles de contact** contact lenses

léopard [leɔpaʀ] *nm* leopard

lèpre [lɛpʀ] *nf* leprosy

MOT-CLÉ

lequel, laquelle [ləkɛl, lakɛl] (*mpl* **lesquels**, *fpl* **lesquelles**) (*à + lequel =* **auquel**, *de + lequel =* **duquel** *etc*) *pron* **1** (*interrogatif*) which, which one; **lequel des deux?** which one?

2 (*relatif: personne: sujet*) who; (*: objet, après préposition*) whom; (*: chose*) which

▷ *adj*: **auquel cas** in which case

les [le] *dét voir* **le**

lesbienne [lɛsbjɛn] *nf* lesbian

léser [leze] *vt* to wrong

lésiner [lezine] *vi*: **ne pas ~ sur les moyens** (*pour mariage etc*) to push the boat out

lésion [lezjɔ̃] *nf* lesion, damage *no pl*

lessive [lesiv] *nf* (*poudre*) washing powder; (*linge*)

washing *no pl*, wash; **lessiver** *vt* to wash; (*fam: fatiguer*) to tire out, exhaust
lest [lɛst] *nm* ballast
leste [lɛst] *adj* sprightly, nimble
lettre [lɛtʀ] *nf* letter; **lettres** *nfpl* (*littérature*) literature *sg*; (*Scol*) arts (subjects); **à la ~** literally; **en toutes ~s** in full; **lettre piégée** letter bomb
leucémie [løsemi] *nf* leukaemia

 **MOT-CLÉ**

leur [lœʀ] *adj possessif* their; **leur maison** their house; **leurs amis** their friends
▷ *pron* **1** (*objet indirect*) (to) them; **je leur ai dit la vérité** I told them the truth; **je le leur ai donné** I gave it to them, I gave them it
2 (*possessif*): **le(la) leur, les leurs** theirs

levain [ləvɛ̃] *nm* leaven
levé, e [ləve] *adj*: **être ~** to be up; **levée** *nf* (*Postes*) collection
lever [l(ə)ve] *vt* (*vitre, bras etc*) to raise; (*soulever de terre, supprimer: interdiction, siège*) to lift; (*impôts, armée*) to levy ▷ *vi* to rise ▷ *nm*: **au ~** on getting up; **se ~** *vi* to get up; (*soleil*) to rise; (*jour*) to break; (*brouillard*) to lift; **ça va se ~** (*temps*) it's going to clear up; **lever de soleil** sunrise; **lever du jour** daybreak
levier [ləvje] *nm* lever
lèvre [lɛvʀ] *nf* lip
lévrier [levʀije] *nm* greyhound
levure [l(ə)vyʀ] *nf* yeast; **levure chimique** baking powder
lexique [lɛksik] *nm* vocabulary; (*glossaire*) lexicon
lézard [lezaʀ] *nm* lizard
lézarde [lezaʀd] *nf* crack
liaison [ljɛzɔ̃] *nf* (*rapport*) connection; (*transport*) link; (*amoureuse*) affair; (*Phonétique*) liaison; **entrer/être en ~ avec** to get/be in contact with
liane [ljan] *nf* creeper
liasse [ljas] *nf* wad, bundle
Liban [libɑ̃] *nm*: **le ~** (the) Lebanon
libeller [libele] *vt* (*chèque, mandat*): **~ (au nom de)** to make out (to); (*lettre*) to word
libellule [libelyl] *nf* dragonfly
libéral, e, -aux [libeʀal, o] *adj, nm/f* liberal; **profession ~e** (liberal) profession
libérer [libeʀe] *vt* (*délivrer*) to free, liberate; (*relâcher: prisonnier*) to discharge, release; (*: d'inhibitions*) to liberate; (*gaz*) to release; **se ~** *vi* (*de rendez-vous*) to get out of previous engagements
liberté [libɛʀte] *nf* freedom; (*loisir*) free time; **libertés** *nfpl* (*privautés*) liberties; **mettre/être en ~** to set/be free; **en ~ provisoire/surveillée/conditionnelle** on bail/probation/parole
libraire [libʀɛʀ] *nm/f* bookseller
librairie [libʀeʀi] *nf* bookshop
libre [libʀ] *adj* free; (*route, voie*) clear; (*place, salle*) free; (*ligne*) not engaged; (*Scol*) non-state; **~ de qch/de faire** free from sth/to do; **la place est ~?** is this seat free?; **libre arbitre** free will; **libre-échange** *nm* free trade; **libre-service** *nm* self-service store
Libye [libi] *nf*: **la ~** Libya
licence [lisɑ̃s] *nf* (*permis*) permit; (*diplôme*) degree; (*liberté*) liberty; **licencié, e** *nm/f* (*Scol*): **licencié ès lettres/en droit** ≈ Bachelor of Arts/Law
licenciement [lisɑ̃simɑ̃] *nm* redundancy
licencier [lisɑ̃sje] *vt* (*débaucher*) to make redundant, lay off; (*renvoyer*) to dismiss
licite [lisit] *adj* lawful
lie [li] *nf* dregs *pl*, sediment
lié, e [lje] *adj*: **très ~ avec** very friendly with *ou* close to
Liechtenstein [liʃtɛnʃtain] *nm*: **le ~** Liechtenstein
liège [ljɛʒ] *nm* cork
lien [ljɛ̃] *nm* (*corde, fig: affectif*) bond; (*rapport*) link, connection; **lien de parenté** family tie; **lien hypertexte** hyperlink
lier [lje] *vt* (*attacher*) to tie up; (*joindre*) to link up; (*fig: unir, engager*) to bind; **~ conversation (avec)** to strike up a conversation (with); **~ connaissance avec** to get to know
lierre [ljɛʀ] *nm* ivy
lieu, x [ljø] *nm* place; **lieux** *nmpl* (*locaux*) premises; (*endroit: d'un accident etc*) scene *sg*; **en ~ sûr** in a safe place; **en premier ~** in the first place; **en dernier ~** lastly; **avoir ~** to take place; **tenir ~ de** to serve as; **donner ~ à** to give rise to; **au ~ de** instead of; **arriver/être sur les ~x** to arrive at/be on the scene; **lieu commun** cliché; **lieu-dit** (*pl* **lieux-dits**) *nm* locality
lieutenant [ljøt(ə)nɑ̃] *nm* lieutenant
lièvre [ljɛvʀ] *nm* hare
ligament [ligamɑ̃] *nm* ligament
ligne [liɲ] *nf* (*gén*) line; (*Transports: liaison*) service; (*: trajet*) route; (*silhouette*) figure; **garder la ~** to keep one's figure; **entrer en ~ de compte** to come into it; **en ~** (*Inform*) online; **~ fixe** (*Tél*) land line (phone)
lignée [liɲe] *nf* line, lineage
ligoter [ligɔte] *vt* to tie up
ligue [lig] *nf* league
lilas [lila] *nm* lilac
limace [limas] *nf* slug
limande [limɑ̃d] *nf* dab
lime [lim] *nf* file; **lime à ongles** nail file; **limer** *vt* to file
limitation [limitasjɔ̃] *nf*: **limitation de vitesse** speed limit
limite [limit] *nf* (*de terrain*) boundary; (*partie ou point extrême*) limit; **à la ~** (*au pire*) if the worst comes (*ou* came) to the worst; **vitesse/charge ~** maximum speed/load; **cas ~** borderline case; **date ~** deadline; **date ~ de vente/consommation** sell-by/best-before date; **limiter** *vt* (*restreindre*) to limit, restrict; (*délimiter*) to border; **limitrophe** *adj* border *cpd*
limoger [limɔʒe] *vt* to dismiss
limon [limɔ̃] *nm* silt
limonade [limɔnad] *nf* lemonade
lin [lɛ̃] *nm* (*tissu*) linen
linceul [lɛ̃sœl] *nm* shroud
linge [lɛ̃ʒ] *nm* (*serviettes etc*) linen; (*lessive*) washing; (*aussi*: **~ de corps**) underwear; **lingerie** *nf* lingerie, underwear
lingot [lɛ̃go] *nm* ingot
linguistique [lɛ̃gɥistik] *adj* linguistic ▷ *nf* linguistics *sg*
lion, ne [ljɔ̃, ljɔn] *nm/f* lion (lioness); (*signe*): **le L~** Leo; **lionceau, x** *nm* lion cub
liqueur [likœʀ] *nf* liqueur
liquidation [likidasjɔ̃] *nf* (*vente*) sale
liquide [likid] *adj* liquid ▷ *nm* liquid; (*Comm*): **en ~** in ready money *ou* cash; **je n'ai pas de ~** I haven't got any cash; **liquider** *vt* to liquidate; (*Comm: articles*) to clear, sell off
lire [liʀ] *nf* (*monnaie*) lira ▷ *vt, vi* to read
lis [lis] *nm* = **lys**
Lisbonne [lizbɔn] *n* Lisbon
lisible [lizibl] *adj* legible

lisière [lizjɛʀ] *nf (de forêt)* edge
lisons [lizɔ̃] *vb voir* **lire**
lisse [lis] *adj* smooth
liste [list] *nf* list; **faire la ~ de** to list; **liste de mariage** wedding (present) list; **liste électorale** electoral roll; **listing** *nm (Inform)* printout
lit [li] *nm* bed; **petit ~, ~ à une place** single bed; **grand ~, ~ à deux places** double bed; **faire son ~** to make one's bed; **aller/se mettre au ~** to go to/get into bed; **lit de camp** campbed; **lit d'enfant** cot (BRIT), crib (US)
literie [litʀi] *nf* bedding, bedclothes *pl*
litige [litiʒ] *nm* dispute
litre [litʀ] *nm* litre
littéraire [liteʀɛʀ] *adj* literary ▷ *nm/f* arts student; **elle est très ~** she's very literary
littéral, e, -aux [liteʀal, o] *adj* literal
littérature [liteʀatyʀ] *nf* literature
littoral, -aux [litɔʀal, o] *nm* coast
livide [livid] *adj* livid, pallid
livraison [livʀɛzɔ̃] *nf* delivery
livre [livʀ] *nm* book ▷ *nf (monnaie)* pound; *(poids)* half a kilo, ≈ pound; **livre de poche** paperback
livré, e [livʀe] *adj*: **~ à soi-même** left to o.s. *ou* one's own devices
livrer [livʀe] *vt (Comm)* to deliver; *(otage, coupable)* to hand over; *(secret, information)* to give away; **se ~ à** *(se confier)* to confide in; *(se rendre, s'abandonner)* to give o.s. up to; *(faire: pratiques, actes)* to indulge in; *(enquête)* to carry out
livret [livʀɛ] *nm* booklet; *(d'opéra)* libretto; **livret de caisse d'épargne** (savings) bank-book; **livret de famille** (official) family record book; **livret scolaire** (school) report book
livreur, -euse [livʀœʀ, øz] *nm/f* delivery boy *ou* man/girl *ou* woman
local, e, -aux [lɔkal] *adj* local ▷ *nm (salle)* premises *pl*; *voir aussi* **locaux**; **localité** *nf* locality
locataire [lɔkatɛʀ] *nm/f* tenant; *(de chambre)* lodger
location [lɔkasjɔ̃] *nf (par le locataire, le loueur)* renting; *(par le propriétaire)* renting out, letting; *(Théâtre)* booking office; **"~ de voitures"** "car rental"; **habiter en ~** to live in rented accommodation; **prendre une ~ (pour les vacances)** to rent a house *etc* (for the holidays)
locomotive [lɔkɔmɔtiv] *nf* locomotive, engine
locution [lɔkysjɔ̃] *nf* phrase
loge [lɔʒ] *nf (Théâtre: d'artiste)* dressing room; *(: de spectateurs)* box; *(de concierge, franc-maçon)* lodge
logement [lɔʒmɑ̃] *nm* accommodation *no pl* (BRIT), accommodations *pl* (US); *(appartement)* flat (BRIT), apartment (US); *(Pol, Admin)*: **le ~** housing *no pl*
loger [lɔʒe] *vt* to accommodate ▷ *vi* to live; **être logé, nourri** to have board and lodging; **se ~** *vr*: **trouver à se ~** to find somewhere to live; **se ~ dans** *(suj: balle, flèche)* to lodge itself in; **logeur, -euse** *nm/f* landlord(-lady)
logiciel [lɔʒisjɛl] *nm* software
logique [lɔʒik] *adj* logical ▷ *nf* logic
logo [lɔgo] *nm* logo
loi [lwa] *nf* law; **faire la ~** to lay down the law
loin [lwɛ̃] *adv* far; *(dans le temps: futur)* a long way off; *(: passé)* a long time ago; **plus ~** further; **~ de** far from; **c'est ~ d'ici?** is it far from here?; **au ~** far off; **de ~** from a distance; *(fig: de beaucoup)* by far
lointain, e [lwɛ̃tɛ̃, ɛn] *adj* faraway, distant; *(dans le futur, passé)* distant; *(cause, parent)* remote, distant ▷ *nm*: **dans le ~** in the distance
loir [lwaʀ] *nm* dormouse
Loire [lwar] *nf*: **la ~** the (River) Loire
loisir [lwaziʀ] *nm*: **heures de ~** spare time; **loisirs** *nmpl (temps libre)* leisure *sg*; *(activités)* leisure activities; **avoir le ~ de faire** to have the time *ou* opportunity to do; **à ~** at leisure
londonien, ne [lɔ̃dɔnjɛ̃, jɛn] *adj* London *cpd*, of London ▷ *nm/f*: **L~, ne** Londoner
Londres [lɔ̃dʀ] *n* London
long, longue [lɔ̃, lɔ̃g] *adj* long ▷ *adv*: **en savoir ~** to know a great deal ▷ *nm*: **de 3 m de ~** 3 m long, 3 m in length; **ne pas faire ~ feu** not to last long; **(tout) le ~ de** (all) along; **tout au ~ de** *(année, vie)* throughout; **de ~ en large** *(marcher)* to and fro, up and down; *voir aussi* **longue**
longer [lɔ̃ʒe] *vt* to go *(ou* walk *ou* drive) along(side); *(suj: mur, route)* to border
longiligne [lɔ̃ʒiliɲ] *adj* long-limbed
longitude [lɔ̃ʒityd] *nf* longitude
longtemps [lɔ̃tɑ̃] *adv* (for) a long time, (for) long; **avant ~** before long; **pour** *ou* **pendant ~** for a long time; **mettre ~ à faire** to take a long time to do; **il en a pour ~?** will he be long?
longue [lɔ̃g] *adj voir* **long** ▷ *nf*: **à la ~** in the end; **longuement** *adv (longtemps)* for a long time; *(en détail)* at length
longueur [lɔ̃gœʀ] *nf* length; **longueurs** *nfpl (fig: d'un film etc)* tedious parts; **en ~** lengthwise; **tirer en ~** to drag on; **à ~ de journée** all day long
loquet [lɔkɛ] *nm* latch
lorgner [lɔʀɲe] *vt* to eye; *(fig)* to have one's eye on
lors [lɔʀ]: **~ de** *prép* at the time of; during
lorsque [lɔʀsk] *conj* when, as
losange [lɔzɑ̃ʒ] *nm* diamond
lot [lo] *nm (part)* share; *(de loterie)* prize; *(fig: destin)* fate, lot; *(Comm, Inform)* batch; **le gros ~** the jackpot
loterie [lɔtʀi] *nf* lottery
lotion [losjɔ̃] *nf* lotion; **lotion après rasage** aftershave (lotion)
lotissement [lɔtismɑ̃] *nm* housing development; *(parcelle)* plot, lot
loto [lɔto] *nm* lotto
lotte [lɔt] *nf* monkfish
louanges [lwɑ̃ʒ] *nfpl* praise *sg*
loubard [lubaʀ] *(fam) nm* lout
louche [luʃ] *adj* shady, fishy, dubious ▷ *nf* ladle; **loucher** *vi* to squint
louer [lwe] *vt (maison: suj: propriétaire)* to let, rent (out); *(: locataire)* to rent; *(voiture etc: entreprise)* to hire out (BRIT), rent (out); *(: locataire)* to hire, rent; *(réserver)* to book; *(faire l'éloge de)* to praise; **"à ~"** "to let" (BRIT), "for rent" (US); **je voudrais ~ une voiture** I'd like to hire (BRIT) *ou* rent (US) a car
loup [lu] *nm* wolf; **jeune ~** young go-getter
loupe [lup] *nf* magnifying glass; **à la ~** in minute detail
louper [lupe] *(fam) vt (manquer)* to miss; *(examen)* to flunk
lourd, e [luʀ, luʀd] *adj, adv* heavy; **c'est trop ~** it's too heavy; **~ de** *(conséquences, menaces)* charged with; **il fait ~** the weather is close, it's sultry; **lourdaud, e** *(péj) adj* clumsy; **lourdement** *adv* heavily
loutre [lutʀ] *nf* otter
louveteau, x [luv(ə)to] *nm* wolf-cub; *(scout)* cub (scout)
louvoyer [luvwaje] *vi (fig)* to hedge, evade the issue
loyal, e, -aux [lwajal, o] *adj (fidèle)* loyal, faithful; *(fair-play)* fair; **loyauté** *nf* loyalty, faithfulness; fairness

loyer [lwaje] *nm* rent
lu, e [ly] *pp de* **lire**
lubie [lybi] *nf* whim, craze
lubrifiant [lybʀifjɑ̃] *nm* lubricant
lubrifier [lybʀifje] *vt* to lubricate
lubrique [lybʀik] *adj* lecherous
lucarne [lykaʀn] *nf* skylight
lucide [lysid] *adj* lucid; (*accidenté*) conscious
lucratif, -ive [lykʀatif, iv] *adj* lucrative, profitable; **à but non ~** non profit-making
lueur [lɥœʀ] *nf* (*pâle*) (faint) light; (*chatoyante*) glimmer *no pl*; (*fig*) glimmer; gleam
luge [lyʒ] *nf* sledge (BRIT), sled (US)
lugubre [lygybʀ] *adj* gloomy, dismal

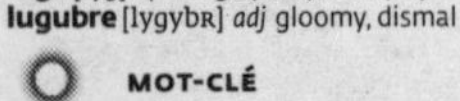
MOT-CLÉ

lui [lɥi] *pron* **1** (*objet indirect: mâle*) (to) him; (: *femelle*) (to) her; (: *chose, animal*) (to) it; **je lui ai parlé** I have spoken to him (*ou* to her); **il lui a offert un cadeau** he gave him (*ou* her) a present
2 (*après préposition, comparatif: personne*) him; (: *chose, animal*) it; **elle est contente de lui** she is pleased with him; **je la connais mieux que lui** I know her better than he does; I know her better than him; **ce livre est à lui** this book is his, this is his book; **c'est à lui de jouer** it's his turn *ou* go
3 (*sujet, forme emphatique*) he; **lui, il est à Paris** HE is in Paris; **c'est lui qui l'a fait** HE did it
4 (*objet, forme emphatique*) him; **c'est lui que j'attends** I'm waiting for HIM
5: **lui-même** himself; itself

luire [lɥiʀ] *vi* to shine; (*en rougeoyant*) to glow
lumière [lymjɛʀ] *nf* light; **mettre en ~** (*fig*) to highlight; **lumière du jour** daylight
luminaire [lyminɛʀ] *nm* lamp, light
lumineux, -euse [lyminø, øz] *adj* luminous; (*éclairé*) illuminated; (*ciel, couleur*) bright; (*rayon*) of light, light *cpd*; (*fig: regard*) radiant
lunatique [lynatik] *adj* whimsical, temperamental
lundi [lœ̃di] *nm* Monday; **on est ~** it's Monday; **le(s) ~(s)** on Mondays; **"à ~"** "see you on Monday"; **lundi de Pâques** Easter Monday
lune [lyn] *nf* moon; **lune de miel** honeymoon
lunette [lynɛt] *nf*: **~s** *nfpl* glasses, spectacles; (*protectrices*) goggles; **lunette arrière** (*Auto*) rear window; **lunettes de soleil** sunglasses; **lunettes noires** dark glasses
lustre [lystʀ] *nm* (*de plafond*) chandelier; (*fig: éclat*) lustre; **lustrer** *vt* to shine
luth [lyt] *nm* lute
lutin [lytɛ̃] *nm* imp, goblin
lutte [lyt] *nf* (*conflit*) struggle; (*sport*) wrestling; **lutter** *vi* to fight, struggle
luxe [lyks] *nm* luxury; **de ~** luxury *cpd*
Luxembourg [lyksɑ̃buʀ] *nm*: **le ~** Luxembourg
luxer [lykse] *vt*: **se ~ l'épaule** to dislocate one's shoulder
luxueux, -euse [lyksɥø, øz] *adj* luxurious
lycée [lise] *nm* ≈ secondary school; **lycéen, ne** *nm/f* secondary school pupil
Lyon [ljɔ̃] *n* Lyons
lyophilisé, e [ljɔfilize] *adj* (*café*) freeze-dried
lyrique [liʀik] *adj* lyrical; (*Opéra*) lyric; **artiste ~** opera singer
lys [lis] *nm* lily

M *abr* = **Monsieur**
m' [m] *pron voir* **me**
ma [ma] *adj voir* **mon**
macaron [makaʀɔ̃] *nm* (*gâteau*) macaroon; (*insigne*) (round) badge
macaronis [makaʀɔni] *nmpl* macaroni *sg*; **~ au fromage** *ou* **en gratin** macaroni cheese (BRIT), macaroni and cheese (US)
macédoine [masedwan] *nf*: **~ de fruits** fruit salad; **~ de légumes** mixed vegetables; **la M~** Macedonia
macérer [maseʀe] *vi, vt* to macerate; (*dans du vinaigre*) to pickle
mâcher [mɑʃe] *vt* to chew; **ne pas ~ ses mots** not to mince one's words
machin [maʃɛ̃] (*fam*) *nm* thing(umajig); (*personne*): **M~(e)** *nm(f)* what's-his(*ou* her)-name
machinal, e, -aux [maʃinal, o] *adj* mechanical, automatic
machination [maʃinasjɔ̃] *nf* frame-up
machine [maʃin] *nf* machine; (*locomotive*) engine; **machine à laver/coudre** washing/sewing machine; **machine à sous** fruit machine
mâchoire [mɑʃwaʀ] *nf* jaw
mâchonner [mɑʃɔne] *vt* to chew (at)
maçon [masɔ̃] *nm* builder; (*poseur de briques*) bricklayer; **maçonnerie** *nf* (*murs*) brickwork; (*pierres*) masonry, stonework
Madagascar [madagaskaʀ] *nf* Madagascar
Madame [madam] (*pl* **Mesdames**) *nf*: **~ Dupont** Mrs Dupont; **occupez-vous de ~/Monsieur/Mademoiselle** please serve this lady/gentleman/(young) lady; **bonjour ~/Monsieur/Mademoiselle** good morning; (*ton déférent*) good morning Madam/Sir/Madam; (*le nom est connu*) good morning Mrs/Mr/Miss X; **~/Monsieur/Mademoiselle!** (*pour appeler*) Madam/Sir/Miss!; **~/Monsieur/Mademoiselle** (*sur lettre*) Dear Madam/Sir/Madam; **chère ~/cher Monsieur/chère Mademoiselle** Dear Mrs/Mr/Miss X; **Mesdames** Ladies; **mesdames, mesdemoiselles, messieurs** ladies and gentlemen
madeleine [madlɛn] *nf* madeleine, *small sponge cake*
Mademoiselle [madmwazɛl] (*pl* **Mesdemoiselles**) *nf* Miss; *voir aussi* **Madame**
madère [madɛʀ] *nm* Madeira (wine)
Madrid [madʀid] *n* Madrid
magasin [magazɛ̃] *nm* (*boutique*) shop; (*entrepôt*) warehouse; **en ~** (*Comm*) in stock
magazine [magazin] *nm* magazine
Maghreb [magʀɛb] *nm*: **le ~** North Africa; **maghrébin, e** *adj* North African ▷ *nm/f*: **Maghrébin, e** North African
magicien, ne [maʒisjɛ̃, jɛn] *nm/f* magician

magie [maʒi] *nf* magic; **magique** *adj* magic; (*enchanteur*) magical
magistral, e, -aux [maʒistʀal, o] *adj* (*œuvre, adresse*) masterly; (*ton*) authoritative; **cours ~** lecture
magistrat [maʒistʀa] *nm* magistrate
magnétique [maɲetik] *adj* magnetic
magnétophone [maɲetɔfɔn] *nm* tape recorder; **magnétophone à cassettes** cassette recorder
magnétoscope [maɲetɔskɔp] *nm* video-tape recorder
magnifique [maɲifik] *adj* magnificent
magret [magʀɛ] *nm*: **~ de canard** duck steaklet
mai [mɛ] *nm* May
maigre [mɛgʀ] *adj* (very) thin, skinny; (*viande*) lean; (*fromage*) low-fat; (*végétation*) thin, sparse; (*fig*) poor, meagre, skimpy; **jours ~s** days of abstinence, fish days; **maigreur** *nf* thinness; **maigrir** *vi* to get thinner, lose weight; **maigrir de 2 kilos** to lose 2 kilos
mail [mɛl] *nm* e-mail
maille [mɑj] *nf* stitch; **maille à l'endroit/l'envers** plain/purl stitch
maillet [majɛ] *nm* mallet
maillon [mɑjɔ̃] *nm* link
maillot [majo] *nm* (*aussi*: **~ de corps**) vest; (*de sportif*) jersey; **maillot de bain** swimming *ou* bathing (BRIT) costume, swimsuit; (*d'homme*) (swimming *ou* bathing (BRIT)) trunks *pl*
main [mɛ̃] *nf* hand; **à la ~** (*tenir, avoir*) in one's hand; (*faire, tricoter etc*) by hand; **se donner la ~** to hold hands; **donner** *ou* **tendre la ~ à qn** to hold out one's hand to sb; **se serrer la ~** to shake hands; **serrer la ~ à qn** to shake hands with sb; **sous la ~** to *ou* at hand; **haut les ~s!** hands up!; **attaque à ~ armée** armed attack; **à remettre en ~s propres** to be delivered personally; **mettre la dernière ~ à** to put the finishing touches to; **se faire/perdre la ~** to get one's hand in/lose one's touch; **avoir qch bien en ~** to have (got) the hang of sth; **main-d'œuvre** *nf* manpower, labour; **mainmise** *nf* (*fig*): **mainmise sur** complete hold on; **mains libres** *adj inv* (*téléphone, kit*) hands-free
maint, e [mɛ̃, mɛ̃t] *adj* many a; **~s** many; **à ~es reprises** time and (time) again
maintenant [mɛ̃t(ə)nɑ̃] *adv* now; (*actuellement*) nowadays
maintenir [mɛ̃t(ə)niʀ] *vt* (*retenir, soutenir*) to support; (*contenir: foule etc*) to hold back; (*conserver, affirmer*) to maintain; **se ~** *vi* (*prix*) to keep steady; (*amélioration*) to persist
maintien [mɛ̃tjɛ̃] *nm* (*sauvegarde*) maintenance; (*attitude*) bearing
maire [mɛʀ] *nm* mayor; **mairie** *nf* (*bâtiment*) town hall; (*administration*) town council
mais [mɛ] *conj* but; **~ non!** of course not!; **~ enfin** but after all; (*indignation*) look here!
maïs [mais] *nm* maize (BRIT), corn (US)
maison [mɛzɔ̃] *nf* house; (*chez-soi*) home; (*Comm*) firm ▷ *adj inv* (*Culin*) home-made; (*fig*) in-house, own; **à la ~** at home; (*direction*) home; **maison de repos** convalescent home; **maison de retraite** old people's home; **maison close** *ou* **de passe** brothel; **maison de santé** mental home; **maison des jeunes** ≈ youth club; **maison mère** parent company
maître, -esse [mɛtʀ, mɛtʀɛs] *nm/f* master (mistress); (*Scol*) teacher, schoolmaster(-mistress) ▷ *nm* (*peintre etc*) master; (*titre*): **M~** Maître, *term of address gen for a barrister* ▷ *adj* (*principal, essentiel*) main; **être ~ de** (*soi, situation*) to be in control of; **une ~sse femme** a managing woman; **maître chanteur** blackmailer; **maître d'école** schoolmaster; **maître d'hôtel** (*domestique*) butler; (*d'hôtel*) head waiter; **maître nageur** lifeguard; **maîtresse** *nf* (*amante*) mistress; **maîtresse (d'école)** teacher, (school)mistress; **maîtresse de maison** hostess; (*ménagère*) housewife
maîtrise [metʀiz] *nf* (*aussi*: **~ de soi**) self-control, self-possession; (*habileté*) skill, mastery; (*suprématie*) mastery, command; (*diplôme*) ≈ master's degree; **maîtriser** *vt* (*cheval, incendie*) to (bring under) control; (*sujet*) to master; (*émotion*) to control, master; **se maîtriser** to control o.s.
majestueux, -euse [maʒɛstɥø, øz] *adj* majestic
majeur, e [maʒœʀ] *adj* (*important*) major; (*Jur*) of age ▷ *nm* (*doigt*) middle finger; **en ~e partie** for the most part; **la ~e partie de** most of
majorer [maʒɔʀe] *vt* to increase
majoritaire [maʒɔʀitɛʀ] *adj* majority *cpd*
majorité [maʒɔʀite] *nf* (*gén*) majority; (*parti*) party in power; **en ~** mainly; **avoir la ~** to have the majority
majuscule [maʒyskyl] *adj, nf*: **(lettre) ~** capital (letter)
mal [mal, mo] (*pl* **maux**) *nm* (*opposé au bien*) evil; (*tort, dommage*) harm; (*douleur physique*) pain, ache; (*maladie*) illness, sickness *no pl* ▷ *adv* badly ▷ *adj* bad, wrong; **être ~ à l'aise** to be uncomfortable; **être ~ avec qn** to be on bad terms with sb; **il a ~ compris** he misunderstood; **se sentir** *ou* **se trouver ~** to feel ill *ou* unwell; **dire/penser du ~ de** to speak/think ill of; **ne voir aucun ~ à** to see no harm in, see nothing wrong in; **faire ~ à qn** to hurt sb; **se faire ~** to hurt o.s.; **avoir du ~ à faire qch** to have trouble doing sth; **se donner du ~ pour faire qch** to go to a lot of trouble to do sth; **ça fait ~** it hurts; **j'ai ~ au dos** my back hurts; **avoir ~ à la tête/à la gorge/aux dents** to have a headache/a sore throat/toothache; **avoir le ~ du pays** to be homesick; *voir aussi* **cœur**; **maux**; **mal de mer** seasickness; **mal en point** in a bad state
malade [malad] *adj* ill, sick; (*poitrine, jambe*) bad; (*plante*) diseased ▷ *nm/f* invalid, sick person; (*à l'hôpital etc*) patient; **tomber ~** to fall ill; **être ~ du cœur** to have heart trouble *ou* a bad heart; **malade mental** mentally ill person; **maladie** *nf* (*spécifique*) disease, illness; (*mauvaise santé*) illness, sickness; **maladif, -ive** *adj* sickly; (*curiosité, besoin*) pathological
maladresse [maladʀɛs] *nf* clumsiness *no pl*; (*gaffe*) blunder
maladroit, e [maladʀwa, wat] *adj* clumsy
malaise [malɛz] *nm* (*Méd*) feeling of faintness; (*fig*) uneasiness, malaise; **avoir un ~** to feel faint
Malaisie [malɛzi] *nf*: **la ~** Malaysia
malaria [malaʀja] *nf* malaria
malaxer [malakse] *vt* (*pétrir*) to knead; (*mélanger*) to mix
malbouffe [malbuf] (*fam*) *nf*: **la ~** junk food
malchance [malʃɑ̃s] *nf* misfortune, ill luck *no pl*; **par ~** unfortunately; **malchanceux, -euse** *adj* unlucky
mâle [mɑl] *adj* (*aussi Élec, Tech*) male; (*viril: voix, traits*) manly ▷ *nm* male
malédiction [malediksjɔ̃] *nf* curse
mal...: malentendant, e *nm/f*: **les malentendants** the hard of hearing; **malentendu** *nm*

misunderstanding; **il y a eu un malentendu** there's been a misunderstanding; **malfaçon** *nf* fault; **malfaisant, e** *adj* evil, harmful; **malfaiteur** *nm* lawbreaker, criminal; (*voleur*) burglar, thief; **malfamé, e** *adj* disreputable

malgache [malgaʃ] *adj* Madagascan, Malagasy ▷ *nm/f*: **M~** Madagascan, Malagasy ▷ *nm* (*Ling*) Malagasy

malgré [malgʀe] *prép* in spite of, despite; **~ tout** all the same

malheur [malœʀ] *nm* (*situation*) adversity, misfortune; (*événement*) misfortune; (*: très grave*) disaster, tragedy; **faire un ~** to be a smash hit; **malheureusement** *adv* unfortunately; **malheureux, -euse** *adj* (*triste*) unhappy, miserable; (*infortuné, regrettable*) unfortunate; (*malchanceux*) unlucky; (*insignifiant*) wretched ▷ *nm/f* poor soul

malhonnête [malɔnɛt] *adj* dishonest; **malhonnêteté** *nf* dishonesty

malice [malis] *nf* mischievousness; (*méchanceté*): **par ~** out of malice *ou* spite; **sans ~** guileless; **malicieux, -euse** *adj* mischievous

malin, -igne [malɛ̃, maliɲ] *adj* (*futé: f gén: aussi*: **maline**) smart, shrewd; (*Méd*) malignant

malingre [malɛ̃gʀ] *adj* puny

malle [mal] *nf* trunk; **mallette** *nf* (small) suitcase; (*porte-documents*) attaché case

malmener [malməne] *vt* to manhandle; (*fig*) to give a rough handling to

malodorant, e [malɔdɔʀɑ̃, ɑ̃t] *adj* foul- *ou* ill-smelling

malpoli, e [malpɔli] *adj* impolite

malsain, e [malsɛ̃, ɛn] *adj* unhealthy

malt [malt] *nm* malt

Malte [malt] *nf* Malta

maltraiter [maltʀete] *vt* to manhandle, ill-treat

malveillance [malvɛjɑ̃s] *nf* (*animosité*) ill will; (*intention de nuire*) malevolence

malversation [malvɛʀsasjɔ̃] *nf* embezzlement

maman [mamɑ̃] *nf* mum(my), mother

mamelle [mamɛl] *nf* teat

mamelon [mam(ə)lɔ̃] *nm* (*Anat*) nipple

mamie [mami] (*fam*) *nf* granny

mammifère [mamifɛʀ] *nm* mammal

mammouth [mamut] *nm* mammoth

manche [mɑ̃ʃ] *nf* (*de vêtement*) sleeve; (*d'un jeu, tournoi*) round; (*Géo*): **la M~** the Channel ▷ *nm* (*d'outil, casserole*) handle; (*de pelle, pioche etc*) shaft; **à ~s courtes/longues** short-/long-sleeved; **manche à balai** broomstick; (*Inform, Aviat*) joystick *m inv*

manchette [mɑ̃ʃɛt] *nf* (*de chemise*) cuff; (*coup*) forearm blow; (*titre*) headline

manchot [mɑ̃ʃo] *nm* one-armed man; armless man; (*Zool*) penguin

mandarine [mɑ̃daʀin] *nf* mandarin (orange), tangerine

mandat [mɑ̃da] *nm* (*postal*) postal *ou* money order; (*d'un député etc*) mandate; (*procuration*) power of attorney, proxy; (*Police*) warrant; **mandat d'arrêt** warrant for arrest; **mandat de perquisition** search warrant; **mandataire** *nm/f* (*représentant*) representative; (*Jur*) proxy

manège [manɛʒ] *nm* riding school; (*à la foire*) roundabout, merry-go-round; (*fig*) game, ploy

manette [manɛt] *nf* lever, tap; **manette de jeu** joystick

mangeable [mɑ̃ʒabl] *adj* edible, eatable

mangeoire [mɑ̃ʒwaʀ] *nf* trough, manger

manger [mɑ̃ʒe] *vt* to eat; (*ronger: suj: rouille etc*) to eat into *ou* away ▷ *vi* to eat; **donner à ~ à** (*enfant*) to feed; **est-ce qu'on peut ~ quelque chose?** can we have something to eat?

mangue [mɑ̃g] *nf* mango

maniable [manjabl] *adj* (*outil*) handy; (*voiture, voilier*) easy to handle

maniaque [manjak] *adj* finicky, fussy ▷ *nm/f* (*méticuleux*) fusspot; (*fou*) maniac

manie [mani] *nf* (*tic*) odd habit; (*obsession*) mania; **avoir la ~ de** to be obsessive about

manier [manje] *vt* to handle

manière [manjɛʀ] *nf* (*façon*) way, manner; **manières** *nfpl* (*attitude*) manners; (*chichis*) fuss *sg*; **de ~ à** so as to; **de cette ~** in this way *ou* manner; **d'une certaine ~** in a way; **de toute ~** in any case; **d'une ~ générale** generally speaking, as a general rule

maniéré, e [manjeʀe] *adj* affected

manifestant, e [manifɛstɑ̃, ɑ̃t] *nm/f* demonstrator

manifestation [manifɛstasjɔ̃] *nf* (*de joie, mécontentement*) expression, demonstration; (*symptôme*) outward sign; (*culturelle etc*) event; (*Pol*) demonstration

manifeste [manifɛst] *adj* obvious, evident ▷ *nm* manifesto; **manifester** *vt* (*volonté, intentions*) to show, indicate; (*joie, peur*) to express, show ▷ *vi* to demonstrate; **se manifester** *vi* (*émotion*) to show *ou* express itself; (*difficultés*) to arise; (*symptômes*) to appear

manigancer [manigɑ̃se] *vt* to plot

manipulation [manipylasjɔ̃] *nf* handling; (*Pol, génétique*) manipulation

manipuler [manipyle] *vt* to handle; (*fig*) to manipulate

manivelle [manivɛl] *nf* crank

mannequin [mankɛ̃] *nm* (*Couture*) dummy; (*Mode*) model

manœuvre [manœvʀ] *nf* (*gén*) manoeuvre (BRIT), maneuver (US) ▷ *nm* labourer; **manœuvrer** *vt* to manoeuvre (BRIT), maneuver (US); (*levier, machine*) to operate ▷ *vi* to manoeuvre

manoir [manwaʀ] *nm* manor *ou* country house

manque [mɑ̃k] *nm* (*insuffisance*): **~ de** lack of; (*vide*) emptiness, gap; (*Méd*) withdrawal; **être en état de ~** to suffer withdrawal symptoms

manqué, e [mɑ̃ke] *adj* failed; **garçon ~** tomboy

manquer [mɑ̃ke] *vi* (*faire défaut*) to be lacking; (*être absent*) to be missing; (*échouer*) to fail ▷ *vt* to miss ▷ *vb impers*: **il (nous) manque encore 10 euros** we are still 10 euros short; **il manque des pages (au livre)** there are some pages missing (from the book); **il/cela me manque** I miss him/this; **~ à** (*règles etc*) to be in breach of, fail to observe; **~ de** to lack; **je ne ~ai pas de le lui dire** I'll be sure to tell him; **il a manqué (de) se tuer** he very nearly got killed

mansarde [mɑ̃saʀd] *nf* attic; **mansardé, e** *adj*: **chambre mansardée** attic room

manteau, x [mɑ̃to] *nm* coat

manucure [manykyʀ] *nf* manicurist

manuel, le [manɥɛl] *adj* manual ▷ *nm* (*ouvrage*) manual, handbook

manufacture [manyfaktyʀ] *nf* factory; **manufacturé, e** *adj* manufactured

manuscrit, e [manyskʀi, it] *adj* handwritten ▷ *nm* manuscript

manutention [manytɑ̃sjɔ̃] *nf* (*Comm*) handling

mappemonde [mapmɔ̃d] *nf* (*plane*) map of the

world; (*sphère*) globe
maquereau, x [makʀo] *nm* (*Zool*) mackerel *inv*; (*fam*) pimp
maquette [makɛt] *nf* (*à échelle réduite*) (scale) model; (*d'une page illustrée*) paste-up
maquillage [makijaʒ] *nm* making up; (*crème etc*) make-up
maquiller [makije] *vt* (*personne, visage*) to make up; (*truquer: passeport, statistique*) to fake; (*: voiture volée*) to do over (*respray etc*); **se ~** *vi* to make up (one's face)
maquis [maki] *nm* (*Géo*) scrub; (*Mil*) maquis, underground fighting *no pl*
maraîcher, -ère [maʀeʃe, ɛʀ] *adj*: **cultures maraîchères** market gardening *sg* ▷ *nm/f* market gardener
marais [maʀɛ] *nm* marsh, swamp
marasme [maʀasm] *nm* stagnation, slump
marathon [maʀatɔ̃] *nm* marathon
marbre [maʀbʀ] *nm* marble
marc [maʀ] *nm* (*de raisin, pommes*) marc
marchand, e [maʀʃɑ̃, ɑ̃d] *nm/f* shopkeeper, tradesman(-woman); (*au marché*) stallholder; (*de vins, charbon*) merchant ▷ *adj*: **prix/valeur ~(e)** market price/value; **marchand de fruits** fruiterer (BRIT), fruit seller (US); **marchand de journaux** newsagent; **marchand de légumes** greengrocer (BRIT), produce dealer (US); **marchand de poissons** fishmonger (BRIT), fish seller (US); **marchander** *vi* to bargain, haggle; **marchandise** *nf* goods *pl*, merchandise *no pl*
marche [maʀʃ] *nf* (*d'escalier*) step; (*activité*) walking; (*promenade, trajet, allure*) walk; (*démarche*) walk, gait; (*Mil etc, Mus*) march; (*fonctionnement*) running; (*des événements*) course; **dans le sens de la ~** (*Rail*) facing the engine; **en ~** (*monter etc*) while the vehicle is moving *ou* in motion; **mettre en ~** to start; **se mettre en ~** (*personne*) to get moving; (*machine*) to start; **être en état de ~** to be in working order; **marche à suivre** (correct) procedure; **marche arrière** reverse (gear); **faire marche arrière** to reverse; (*fig*) to backtrack, back-pedal
marché [maʀʃe] *nm* market; (*transaction*) bargain, deal; **faire du ~ noir** to buy and sell on the black market; **marché aux puces** flea market
marcher [maʀʃe] *vi* to walk; (*Mil*) to march; (*aller: voiture, train, affaires*) to go; (*prospérer*) to go well; (*fonctionner*) to work, run; (*fam: consentir*) to go along, agree; (*: croire naïvement*) to be taken in; **faire ~ qn** (*taquiner*) to pull sb's leg; (*tromper*) to lead sb up the garden path; **comment est-ce que ça marche?** how does this work?; **marcheur, -euse** *nm/f* walker
mardi [maʀdi] *nm* Tuesday; **Mardi gras** Shrove Tuesday
mare [maʀ] *nf* pond; (*flaque*) pool
marécage [maʀekaʒ] *nm* marsh, swamp; **marécageux, -euse** *adj* marshy
maréchal, -aux [maʀeʃal, o] *nm* marshal
marée [maʀe] *nf* tide; (*poissons*) fresh (sea) fish; **marée haute/basse** high/low tide; **marée noire** oil slick
marelle [maʀɛl] *nf*: **(jouer à) la ~** (to play) hopscotch
margarine [maʀgaʀin] *nf* margarine
marge [maʀʒ] *nf* margin; **en ~ de** (*fig*) on the fringe of; **marge bénéficiaire** profit margin
marginal, e, -aux [maʀʒinal, o] *nm/f* (*original*) eccentric; (*déshérité*) dropout
marguerite [maʀgəʀit] *nf* marguerite, (oxeye) daisy; (*d'imprimante*) daisy-wheel
mari [maʀi] *nm* husband
mariage [maʀjaʒ] *nm* marriage; (*noce*) wedding; **mariage civil/religieux** registry office (BRIT) *ou* civil wedding/church wedding
marié, e [maʀje] *adj* married ▷ *nm* (bride)groom; **les ~s** the bride and groom; **les (jeunes) ~s** the newly-weds
marier [maʀje] *vt* to marry; (*fig*) to blend; **se ~ (avec)** to marry, get married (to)
marin, e [maʀɛ̃, in] *adj* sea *cpd*, marine ▷ *nm* sailor
marine [maʀin] *adj voir* **marin** ▷ *adj inv* navy (blue) ▷ *nm* (*Mil*) marine ▷ *nf* navy; **marine marchande** merchant navy
mariner [maʀine] *vt*: **faire ~** to marinade
marionnette [maʀjɔnɛt] *nf* puppet
maritalement [maʀitalmɑ̃] *adv*: **vivre ~** to live as husband and wife
maritime [maʀitim] *adj* sea *cpd*, maritime
mark [maʀk] *nm* mark
marmelade [maʀməlad] *nf* stewed fruit, compote; **marmelade d'oranges** marmalade
marmite [maʀmit] *nf* (cooking-)pot
marmonner [maʀmɔne] *vt, vi* to mumble, mutter
marmotter [maʀmɔte] *vt* to mumble
Maroc [maʀɔk] *nm*: **le ~** Morocco; **marocain, e** [maʀɔkɛ̃, ɛn] *adj* Moroccan ▷ *nm/f*: **Marocain, e** Moroccan
maroquinerie [maʀɔkinʀi] *nf* (*articles*) fine leather goods *pl*; (*boutique*) shop selling fine leather goods
marquant, e [maʀkɑ̃, ɑ̃t] *adj* outstanding
marque [maʀk] *nf* mark; (*Comm: de nourriture*) brand; (*: de voiture, produits manufacturés*) make; (*de disques*) label; **de ~** (*produits*) high-class; (*visiteur etc*) distinguished, well-known; **une grande ~ de vin** a well-known brand of wine; **marque de fabrique** trademark; **marque déposée** registered trademark
marquer [maʀke] *vt* to mark; (*inscrire*) to write down; (*bétail*) to brand; (*Sport: but etc*) to score; (*: joueur*) to mark; (*accentuer: taille etc*) to emphasize; (*manifester: refus, intérêt*) to show ▷ *vi* (*événement*) to stand out, be outstanding; (*Sport*) to score; **~ les points** to keep the score
marqueterie [maʀkɛtʀi] *nf* inlaid work, marquetry
marquis [maʀki] *nm* marquis, marquess
marraine [maʀɛn] *nf* godmother
marrant, e [maʀɑ̃, ɑ̃t] (*fam*) *adj* funny
marre [maʀ] (*fam*) *adv*: **en avoir ~ de** to be fed up with
marrer [maʀe]: **se ~** (*fam*) *vi* to have a (good) laugh
marron [maʀɔ̃] *nm* (*fruit*) chestnut ▷ *adj inv* brown; **marrons glacés** candied chestnuts; **marronnier** *nm* chestnut (tree)
mars [maʀs] *nm* March
Marseille [maʀsɛj] *n* Marseilles
marteau, x [maʀto] *nm* hammer; **être ~** (*fam*) to be nuts; **marteau-piqueur** *nm* pneumatic drill
marteler [maʀtəle] *vt* to hammer
martien, ne [maʀsjɛ̃, jɛn] *adj* Martian, of *ou* from Mars
martyr, e [maʀtiʀ] *nm/f* martyr ▷ *adj*: **enfants ~s** battered children; **martyre** *nm* martyrdom; (*fig: sens affaibli*) agony, torture; **martyriser** *vt* (*Rel*) to martyr; (*fig*) to bully; (*enfant*) to batter, beat
marxiste [maʀksist] *adj, nm/f* Marxist
mascara [maskaʀa] *nm* mascara
masculin, e [maskylɛ̃, in] *adj* masculine; (*sexe, population*) male; (*équipe, vêtements*) men's; (*viril*)

manly ▷ *nm* masculine
masochiste [mazɔʃist] *adj* masochistic
masque [mask] *nm* mask; **masque de beauté** face pack *ou* mask; **masque de plongée** diving mask; **masquer** *vt* (*cacher: paysage, porte*) to hide, conceal; (*dissimuler: vérité, projet*) to mask, obscure
massacre [masakʀ] *nm* massacre, slaughter; **massacrer** *vt* to massacre, slaughter; (*fam: texte etc*) to murder
massage [masaʒ] *nm* massage
masse [mas] *nf* mass; (*Élec*) earth; (*maillet*) sledgehammer; (*péj*): **la ~** the masses *pl*; **une ~ de** (*fam*) masses *ou* loads of; **en ~** *adv* (*acheter*) in bulk; (*en foule*) en masse ▷ *adj* (*exécutions, production*) mass *cpd*
masser [mase] *vt* (*assembler: gens*) to gather; (*pétrir*) to massage; **se ~** *vi* (*foule*) to gather; **masseur, -euse** *nm/f* masseur(-euse)
massif, -ive [masif, iv] *adj* (*porte*) solid, massive; (*visage*) heavy, large; (*bois, or*) solid; (*dose*) massive; (*déportations etc*) mass *cpd* ▷ *nm* (*montagneux*) massif; (*de fleurs*) clump, bank; **le M~ Central** the Massif Central
massue [masy] *nf* club, bludgeon
mastic [mastik] *nm* (*pour vitres*) putty; (*pour fentes*) filler
mastiquer [mastike] *vt* (*aliment*) to chew, masticate
mat, e [mat] *adj* (*couleur, métal*) mat(t); (*bruit, son*) dull ▷ *adj inv* (*Échecs*): **être ~** to be checkmate
mât [mɑ] *nm* (*Navig*) mast; (*poteau*) pole, post
match [matʃ] *nm* match; **faire ~ nul** to draw; **match aller** first leg; **match retour** second leg, return match
matelas [mat(ə)lɑ] *nm* mattress; **matelas pneumatique** air bed *ou* mattress
matelot [mat(ə)lo] *nm* sailor, seaman
mater [mate] *vt* (*personne*) to bring to heel, subdue; (*révolte*) to put down
matérialiser [mateʀjalize]: **se ~** *vi* to materialize
matérialiste [mateʀjalist] *adj* materialistic
matériau [mateʀjo] *nm* material; **matériaux** *nmpl* material(s)
matériel, le [mateʀjɛl] *adj* material ▷ *nm* equipment *no pl*; (*de camping etc*) gear *no pl*; (*Inform*) hardware
maternel, le [matɛʀnɛl] *adj* (*amour, geste*) motherly, maternal; (*grand-père, oncle*) maternal; **maternelle** *nf* (*aussi*: **école maternelle**) (state) nursery school
maternité [matɛʀnite] *nf* (*établissement*) maternity hospital; (*état de mère*) motherhood, maternity; (*grossesse*) pregnancy; **congé de ~** maternity leave
mathématique [matematik] *adj* mathematical; **mathématiques** *nfpl* (*science*) mathematics *sg*
maths [mat] (*fam*) *nfpl* maths
matière [matjɛʀ] *nf* matter; (*Comm, Tech*) material, matter *no pl*; (*fig: d'un livre etc*) subject matter, material; (*Scol*) subject; **en ~ de** as regards; **matières grasses** fat content *sg*; **matières premières** raw materials
Matignon [matiɲɔ̃] *nm*: **(l'hôtel) ~** *the French Prime Minister's residence*
matin [matɛ̃] *nm, adv* morning; **le ~** (*pendant le matin*) in the morning; **demain/hier/dimanche ~** tomorrow/yesterday/Sunday morning; **tous les ~s** every morning; **une heure du ~** one o'clock in the morning; **du ~ au soir** from morning till night; **de bon** *ou* **grand ~** early in the morning;
matinal, e, -aux *adj* (*toilette, gymnastique*) morning *cpd*; **être matinal** (*personne*) to be up early; to be an early riser; **matinée** *nf* morning; (*spectacle*) matinée
matou [matu] *nm* tom(cat)
matraque [matʀak] *nf* (*de policier*) truncheon (BRIT), billy (US)
matricule [matʀikyl] *nm* (*Mil*) regimental number; (*Admin*) reference number
matrimonial, e, -aux [matʀimɔnjal, jo] *adj* marital, marriage *cpd*
maudit, e [modi, -it] (*fam*) *adj* (*satané*) blasted, confounded
maugréer [mogʀee] *vi* to grumble
maussade [mosad] *adj* sullen; (*temps*) gloomy
mauvais, e [mɔvɛ, ɛz] *adj* bad; (*faux*): **le ~ numéro/moment** the wrong number/moment; (*méchant, malveillant*) malicious, spiteful ▷ *adv*: **il fait ~** the weather is bad; **sentir ~** to have a nasty smell, smell nasty; **la mer est ~e** the sea is rough; **mauvais joueur** bad loser; **mauvaise herbe** weed; **mauvaise langue** gossip, scandalmonger (BRIT); **mauvaise plaisanterie** nasty trick
mauve [mov] *adj* mauve
maux [mo] *nmpl de* **mal**
maximum [maksimɔm] *adj, nm* maximum; **au ~** (*le plus possible*) as much as one can; (*tout au plus*) at the (very) most *ou* maximum; **faire le ~** to do one's level best
mayonnaise [majɔnɛz] *nf* mayonnaise
mazout [mazut] *nm* (fuel) oil
me, m' [m(ə)] *pron* (*direct: téléphoner, attendre etc*) me; (*indirect: parler, donner etc*) (to) me; (*réfléchi*) myself
mec [mɛk] (*fam*) *nm* bloke, guy
mécanicien, ne [mekanisjɛ̃, jɛn] *nm/f* mechanic; (*Rail*) (train *ou* engine) driver; **pouvez-vous nous envoyer un ~?** can you send a mechanic?
mécanique [mekanik] *adj* mechanical ▷ *nf* (*science*) mechanics *sg*; (*mécanisme*) mechanism; **ennui ~** engine trouble *no pl*
mécanisme [mekanism] *nm* mechanism
méchamment [meʃamɑ̃] *adv* nastily, maliciously, spitefully
méchanceté [meʃɑ̃ste] *nf* nastiness, maliciousness; **dire des ~s à qn** to say spiteful things to sb
méchant, e [meʃɑ̃, ɑ̃t] *adj* nasty, malicious, spiteful; (*enfant: pas sage*) naughty; (*animal*) vicious
mèche [mɛʃ] *nf* (*de cheveux*) lock; (*de lampe, bougie*) wick; (*d'un explosif*) fuse; **se faire faire des ~s** to have highlights put in one's hair; **de ~ avec** in league with
méchoui [meʃwi] *nm* barbecue of a whole roast sheep
méconnaissable [mekɔnɛsabl] *adj* unrecognizable
méconnaître [mekɔnɛtʀ] *vt* (*ignorer*) to be unaware of; (*mésestimer*) to misjudge
mécontent, e [mekɔ̃tɑ̃, ɑ̃t] *adj*: **~ (de)** discontented *ou* dissatisfied *ou* displeased (with); (*contrarié*) annoyed (at); **mécontentement** *nm* dissatisfaction, discontent, displeasure; (*irritation*) annoyance
Mecque [mɛk] *nf*: **la ~** Mecca
médaille [medaj] *nf* medal
médaillon [medajɔ̃] *nm* (*bijou*) locket
médecin [med(ə)sɛ̃] *nm* doctor

médecine [med(ə)sin] *nf* medicine
média [medja] *nmpl*: **les ~** the media; **médiatique** *adj* media *cpd*
médical, e, -aux [medikal, o] *adj* medical; **passer une visite ~e** to have a medical
médicament [medikamɑ̃] *nm* medicine, drug
médiéval, e, -aux [medjeval, o] *adj* medieval
médiocre [medjɔkʀ] *adj* mediocre, poor
méditer [medite] *vi* to meditate
Méditerranée [mediteʀane] *nf*: **la (mer) ~** the Mediterranean (Sea); **méditerranéen, ne** *adj* Mediterranean ▷ *nm/f*: **Méditerranéen, ne** native *ou* inhabitant of a Mediterranean country
méduse [medyz] *nf* jellyfish
méfait [mefɛ] *nm* (*faute*) misdemeanour, wrongdoing; **méfaits** *nmpl* (*ravages*) ravages, damage *sg*
méfiance [mefjɑ̃s] *nf* mistrust, distrust
méfiant, e [mefjɑ̃, jɑ̃t] *adj* mistrustful, distrustful
méfier [mefje]: **se ~** *vi* to be wary; to be careful; **se ~ de** to mistrust, distrust, be wary of
mégaoctet [megaɔktɛ] *nm* megabyte
mégarde [megaʀd] *nf*: **par ~** (*accidentellement*) accidentally; (*par erreur*) by mistake
mégère [meʒɛʀ] *nf* shrew
mégot [mego] (*fam*) *nm* cigarette end
meilleur, e [mɛjœʀ] *adj, adv* better ▷ *nm*: **le ~** the best; **le ~ des deux** the better of the two; **il fait ~ qu'hier** it's better weather than yesterday; **meilleur marché** (*inv*) cheaper
mél [mɛl] *nm* e-mail
mélancolie [melɑ̃kɔli] *nf* melancholy, gloom; **mélancolique** *adj* melancholic, melancholy
mélange [melɑ̃ʒ] *nm* mixture; **mélanger** *vt* to mix; (*vins, couleurs*) to blend; (*mettre en désordre*) to mix up, muddle (up)
mêlée [mele] *nf* mêlée, scramble; (*Rugby*) scrum(mage)
mêler [mele] *vt* (*unir*) to mix; (*embrouiller*) to muddle (up), mix up; **se ~** *vi* to mix, mingle; **se ~ à** (*personne*: *se joindre*) to join; (: *s'associer à*) to mix with; **se ~ de** (*suj*: *personne*) to meddle with, interfere in; **mêle-toi de ce qui te regarde** *ou* **de tes affaires!** mind your own business!
mélodie [melɔdi] *nf* melody; **mélodieux, -euse** *adj* melodious
melon [m(ə)lɔ̃] *nm* (*Bot*) (honeydew) melon; (*aussi*: **chapeau ~**) bowler (hat)
membre [mɑ̃bʀ] *nm* (*Anat*) limb; (*personne, pays, élément*) member ▷ *adj* member *cpd*
mémé [meme] (*fam*) *nf* granny

MOT-CLÉ

même [mɛm] *adj* **1** (*avant le nom*) same; **en même temps** at the same time; **ils ont les mêmes goûts** they have the same *ou* similar tastes
2 (*après le nom*: *renforcement*): **il est la loyauté même** he is loyalty itself; **ce sont ses paroles mêmes** they are his very words
▷ *pron*: **le(la) même** the same one
▷ *adv* **1** (*renforcement*): **il n'a même pas pleuré** he didn't even cry; **même lui l'a dit** even HE said it; **ici même** at this very place; **même si** even if
2: **à même**: **à même la bouteille** straight from the bottle; **à même la peau** next to the skin; **être à même de faire** to be in a position to do, be able to do
3: **de même**: **faire de même** to do likewise; **lui de même** so does (*ou* did *ou* is) he; **de même que** just as; **il en va de même pour** the same goes for

mémoire [memwaʀ] *nf* memory ▷ *nm* (*Scol*) dissertation, paper; **mémoires** *nmpl* (*souvenirs*) memoirs; **à la ~ de** to the *ou* in memory of; **de ~** from memory; **mémoire morte** read-only memory, ROM; **mémoire vive** random access memory, RAM
mémorable [memɔʀabl] *adj* memorable, unforgettable
menace [mənas] *nf* threat; **menacer** *vt* to threaten
ménage [menaʒ] *nm* (*travail*) housework; (*couple*) (married) couple; (*famille, Admin*) household; **faire le ~** to do the housework; **ménagement** *nm* care and attention; **ménager, -ère** *adj* household *cpd*, domestic ▷ *vt* (*traiter*: *personne*) to handle with tact; (*utiliser*) to use sparingly; (*prendre soin de*) to take (great) care of, look after; (*organiser*) to arrange; **ménagère** *nf* housewife
mendiant, e [mɑ̃djɑ̃, jɑ̃t] *nm/f* beggar
mendier [mɑ̃dje] *vi* to beg ▷ *vt* to beg (for)
mener [m(ə)ne] *vt* to lead; (*enquête*) to conduct; (*affaires*) to manage ▷ *vi*: **~ à/dans** (*emmener*) to take to/into; **~ qch à bien** to see sth through (to a successful conclusion), complete sth successfully
meneur, -euse [mənœʀ, øz] *nm/f* leader; (*péj*) agitator
méningite [menɛ̃ʒit] *nf* meningitis *no pl*
ménopause [menopoz] *nf* menopause
menottes [mənɔt] *nfpl* handcuffs
mensonge [mɑ̃sɔ̃ʒ] *nm* lie; (*action*) lying *no pl*; **mensonger, -ère** *adj* false
mensualité [mɑ̃sɥalite] *nf* (*traite*) monthly payment
mensuel, le [mɑ̃sɥɛl] *adj* monthly
mensurations [mɑ̃syʀasjɔ̃] *nfpl* measurements
mental, e, -aux [mɑ̃tal, o] *adj* mental; **mentalité** *nf* mentality
menteur, -euse [mɑ̃tœʀ, øz] *nm/f* liar
menthe [mɑ̃t] *nf* mint
mention [mɑ̃sjɔ̃] *nf* (*annotation*) note, comment; (*Scol*) grade; **~ bien** ≈ grade B, ≈ good pass; (*Université*) ≈ upper 2nd class pass (BRIT), ≈ pass with (high) honors (US); (*Admin*): **"rayer les ~s inutiles"** "delete as appropriate"; **mentionner** *vt* to mention
mentir [mɑ̃tiʀ] *vi* to lie
menton [mɑ̃tɔ̃] *nm* chin
menu, e [məny] *adj* (*personne*) slim, slight; (*frais, difficulté*) minor ▷ *adv* (*couper, hacher*) very fine ▷ *nm* menu; **~ touristique/gastronomique** economy/ gourmet's menu
menuiserie [mənɥizʀi] *nf* (*métier*) joinery, carpentry; (*passe-temps*) woodwork; **menuisier** *nm* joiner, carpenter
méprendre [mepʀɑ̃dʀ]: **se ~** *vi*: **se ~ sur** to be mistaken (about)
mépris [mepʀi] *nm* (*dédain*) contempt, scorn; **au ~ de** regardless of, in defiance of; **méprisable** *adj* contemptible, despicable; **méprisant, e** *adj* scornful; **méprise** *nf* mistake, error; **mépriser** *vt* to scorn, despise; (*gloire, danger*) to scorn, spurn
mer [mɛʀ] *nf* sea; (*marée*) tide; **en ~** at sea; **en haute** *ou* **pleine ~** off shore, on the open sea; **la ~ du Nord/Rouge/Noire/Morte** the North/Red/ Black/Dead Sea
mercenaire [mɛʀsənɛʀ] *nm* mercenary, hired soldier
mercerie [mɛʀsəʀi] *nf* (*boutique*) haberdasher's

shop (BRIT), notions store (US)
merci [mɛʀsi] *excl* thank you ▷ *nf*: **à la ~ de qn/qch** at sb's mercy/the mercy of sth; **~ beaucoup** thank you very much; **~ de** thank you for; **sans ~** merciless(ly)
mercredi [mɛʀkʀədi] *nm* Wednesday; **~ des Cendres** Ash Wednesday; *voir aussi* **lundi**
mercure [mɛʀkyʀ] *nm* mercury
merde [mɛʀd] (*fam!*) *nf* shit (*!*) ▷ *excl* (bloody) hell (*!*)
mère [mɛʀ] *nf* mother; **mère célibataire** single parent, unmarried mother; **mère de famille** housewife, mother
merguez [mɛʀgɛz] *nf* merguez sausage (*type of spicy sausage from N Africa*)
méridional, e, -aux [meʀidjɔnal, o] *adj* southern ▷ *nm/f* Southerner
meringue [məʀɛ̃g] *nf* meringue
mérite [meʀit] *nm* merit; **avoir du ~ (à faire qch)** to deserve credit (for doing sth); **mériter** *vt* to deserve
merle [mɛʀl] *nm* blackbird
merveille [mɛʀvɛj] *nf* marvel, wonder; **faire ~** to work wonders; **à ~** perfectly, wonderfully; **merveilleux, -euse** *adj* marvellous, wonderful
mes [me] *adj voir* **mon**
mésange [mezɑ̃ʒ] *nf* tit(mouse)
mésaventure [mezavɑ̃tyʀ] *nf* misadventure, misfortune
Mesdames [medam] *nfpl de* **Madame**
Mesdemoiselles [medmwazɛl] *nfpl de* **Mademoiselle**
mesquin, e [mɛskɛ̃, in] *adj* mean, petty; **mesquinerie** *nf* meanness; (*procédé*) mean trick
message [mesaʒ] *nm* message; **est-ce que je peux laisser un ~?** can I leave a message?; **~ SMS** text message; **messager, -ère** *nm/f* messenger; **messagerie** *nf* (*Internet*): **messagerie électronique** e-mail; **messagerie vocale** (*service*) voice mail; **messagerie instantanée** instant messenger
messe [mɛs] *nf* mass; **aller à la ~** to go to mass
Messieurs [mesjø] *nmpl de* **Monsieur**
mesure [m(ə)zyʀ] *nf* (*évaluation, dimension*) measurement; (*récipient*) measure; (*Mus: cadence*) time, tempo; (*: division*) bar; (*retenue*) moderation; (*disposition*) measure, step; **sur ~** (*costume*) made-to-measure; **dans la ~ où** insofar as, inasmuch as; **à ~ que** as; **être en ~ de** to be in a position to; **dans une certaine ~** to a certain extent
mesurer [məzyʀe] *vt* to measure; (*juger*) to weigh up, assess; (*modérer: ses paroles etc*) to moderate
métal, -aux [metal, o] *nm* metal; **métallique** *adj* metallic
météo [meteo] *nf* (*bulletin*) weather report
météorologie [meteˈɔlɔʒi] *nf* meteorology
méthode [metɔd] *nf* method; (*livre, ouvrage*) manual, tutor
méticuleux, -euse [metikylø, øz] *adj* meticulous
métier [metje] *nm* (*profession: gén*) job; (*: manuel*) trade; (*artisanal*) craft; (*technique, expérience*) (acquired) skill *ou* technique; (*aussi*: **~ à tisser**) (weaving) loom
métis, se [metis] *adj, nm/f* half-caste, half-breed
métrage [metʀaʒ] *nm*: **long/moyen/court ~** full-length/medium-length/short film
mètre [mɛtʀ] *nm* metre; (*règle*) (metre) rule; (*ruban*) tape measure; **métrique** *adj* metric
métro [metʀo] *nm* underground (BRIT), subway
métropole [metʀɔpɔl] *nf* (*capitale*) metropolis; (*pays*) home country
mets [mɛ] *nm* dish
metteur [metœʀ] *nm*: **~ en scène** (*Théâtre*) producer; (*Cinéma*) director

 **MOT-CLÉ**

mettre [mɛtʀ] *vt* **1** (*placer*) to put; **mettre en bouteille/en sac** to bottle/put in bags *ou* sacks
2 (*vêtements: revêtir*) to put on; (*: porter*) to wear; **mets ton gilet** put your cardigan on; **je ne mets plus mon manteau** I no longer wear my coat
3 (*faire fonctionner: chauffage, électricité*) to put on; (*: réveil, minuteur*) to set; (*installer: gaz, eau*) to put in, lay on; **mettre en marche** to start up
4 (*consacrer*): **mettre du temps à faire qch** to take time to do sth *ou* over sth
5 (*noter, écrire*) to say, put (down); **qu'est-ce qu'il a mis sur la carte?** what did he say *ou* write on the card?; **mettez au pluriel ...** put ... into the plural
6 (*supposer*): **mettons que ...** let's suppose *ou* say that ...
7: **y mettre du sien** to pull one's weight
se mettre *vi* **1** (*se placer*): **vous pouvez vous mettre là** you can sit (*ou* stand) there; **où ça se met?** where does it go?; **se mettre au lit** to get into bed; **se mettre au piano** to sit down at the piano; **se mettre de l'encre sur les doigts** to get ink on one's fingers
2 (*s'habiller*): **se mettre en maillot de bain** to get into *ou* put on a swimsuit; **n'avoir rien à se mettre** to have nothing to wear
3: **se mettre à** to begin, start; **se mettre à faire** to begin *ou* start doing *ou* to do; **se mettre au piano** to start learning the piano; **se mettre au régime** to go on a diet; **se mettre au travail/à l'étude** to get down to work/one's studies

meuble [mœbl] *nm* piece of furniture; **des ~s** furniture; **meublé** *nm* furnished flatlet (BRIT) *ou* room; **meubler** *vt* to furnish
meuf [mœf] *nf* (*fam*) woman
meugler [møgle] *vi* to low, moo
meule [møl] *nf* (*de foin, blé*) stack; (*de fromage*) round; (*à broyer*) millstone
meunier [mønje] *nm* miller
meurs *etc* [mœʀ] *vb voir* **mourir**
meurtre [mœʀtʀ] *nm* murder; **meurtrier, -ière** *adj* (*arme etc*) deadly; (*fureur, instincts*) murderous ▷ *nm/f* murderer(-eress)
meurtrir [mœʀtʀiʀ] *vt* to bruise; (*fig*) to wound
meus *etc* [mœ] *vb voir* **mouvoir**
meute [møt] *nf* pack
mexicain, e [mɛksikɛ̃, ɛn] *adj* Mexican ▷ *nm/f*: **M~, e** Mexican
Mexico [mɛksiko] *n* Mexico City
Mexique [mɛksik] *nm*: **le ~** Mexico
mi [mi] *nm* (*Mus*) E; (*en chantant la gamme*) mi ▷ *préfixe*: **mi...** half(-); mid-; **à la mi-janvier** in mid-January; **à mi-jambes/corps** (up *ou* down) to the knees/waist; **à mi-hauteur** halfway up
miauler [mjole] *vi* to mew
miche [miʃ] *nf* round *ou* cob loaf
mi-chemin [miʃmɛ̃]: **à ~** *adv* halfway, midway
mi-clos, e [miklo, kloz] *adj* half-closed
micro [mikʀo] *nm* mike, microphone; (*Inform*) micro
microbe [mikʀɔb] *nm* germ, microbe
micro...: **micro-onde** *nf*: **four à micro-ondes** microwave oven; **micro-ordinateur** *nm*

microcomputer; **microscope** *nm* microscope; **microscopique** *adj* microscopic
midi [midi] *nm* midday, noon; (*moment du déjeuner*) lunchtime; (*sud*) south; **à ~** at 12 (o'clock) *ou* midday *ou* noon; **le M~** the South (of France), the Midi
mie [mi] *nf* crumb (of the loaf)
miel [mjɛl] *nm* honey; **mielleux, -euse** *adj* (*personne*) unctuous, syrupy
mien, ne [mjɛ̃, mjɛn] *pron*: **le(la) ~(ne), les ~(ne)s** mine; **les ~s** my family
miette [mjɛt] *nf* (*de pain, gâteau*) crumb; (*fig: de la conversation etc*) scrap; **en ~s** in pieces *ou* bits

 **MOT-CLÉ**

mieux [mjø] *adv* **1** (*d'une meilleure façon*): **mieux (que)** better (than); **elle travaille/mange mieux** she works/eats better; **aimer mieux** to prefer; **elle va mieux** she is better; **de mieux en mieux** better and better
2 (*de la meilleure façon*) best; **ce que je connais le mieux** what I know best; **les livres les mieux faits** the best-made books
▷ *adj* **1** (*plus à l'aise, en meilleure forme*) better; **se sentir mieux** to feel better
2 (*plus satisfaisant*) better; **c'est mieux ainsi** it's better like this; **c'est le mieux des deux** it's the better of the two; **le(la) mieux, les mieux** the best; **demandez-lui, c'est le mieux** ask him, it's the best thing
3 (*plus joli*) better-looking; **il est mieux que son frère** (*plus beau*) he's better-looking than his brother; (*plus gentil*) he's nicer than his brother; **il est mieux sans moustache** he looks better without a moustache
4: **au mieux** at best; **au mieux avec** on the best of terms with; **pour le mieux** for the best
▷ *nm* **1** (*progrès*) improvement
2: **de mon/ton mieux** as best I/you can (*ou* could); **faire de son mieux** to do one's best

mignon, ne [miɲɔ̃, ɔn] *adj* sweet, cute
migraine [migʀɛn] *nf* headache; (*Méd*) migraine
mijoter [miʒɔte] *vt* to simmer; (*préparer avec soin*) to cook lovingly; (*fam: tramer*) to plot, cook up ▷ *vi* to simmer
milieu, x [miljø] *nm* (*centre*) middle; (*Bio, Géo*) environment; (*entourage social*) milieu; (*provenance*) background; (*pègre*): **le ~** the underworld; **au ~ de** in the middle of; **au beau** *ou* **en plein ~ (de)** right in the middle (of); **un juste ~** a happy medium
militaire [militɛʀ] *adj* military, army *cpd* ▷ *nm* serviceman
militant, e [militɑ̃, ɑ̃t] *adj, nm/f* militant
militer [milite] *vi* to be a militant
mille [mil] *num* a *ou* one thousand ▷ *nm* (*mesure*): **~ (marin)** nautical mile; **mettre dans le ~** (*fig*) to be bang on target; **millefeuille** *nm* cream *ou* vanilla slice; **millénaire** *nm* millennium ▷ *adj* thousand-year-old; (*fig*) ancient; **mille-pattes** *nm inv* centipede
millet [mijɛ] *nm* millet
milliard [miljaʀ] *nm* milliard, thousand million (BRIT), billion (US); **milliardaire** *nm/f* multimillionaire (BRIT), billionaire (US)
millier [milje] *nm* thousand; **un ~ (de)** a thousand or so, about a thousand; **par ~s** in (their) thousands, by the thousand
milligramme [miligʀam] *nm* milligramme
millimètre [milimɛtʀ] *nm* millimetre
million [miljɔ̃] *nm* million; **deux ~s de** two million; **millionnaire** *nm/f* millionaire
mime [mim] *nm/f* (*acteur*) mime(r) ▷ *nm* (*art*) mime, miming; **mimer** *vt* to mime; (*singer*) to mimic, take off
minable [minabl] *adj* (*décrépit*) shabby(-looking); (*médiocre*) pathetic
mince [mɛ̃s] *adj* thin; (*personne, taille*) slim, slender; (*fig: profit, connaissances*) slight, small, weak ▷ *excl*: **~ alors!** drat it!, darn it! (US); **minceur** *nf* thinness; (*d'une personne*) slimness, slenderness; **mincir** *vi* to get slimmer
mine [min] *nf* (*physionomie*) expression, look; (*allure*) exterior, appearance; (*de crayon*) lead; (*gisement, explosif, fig: source*) mine; **avoir bonne ~** (*personne*) to look well; (*ironique*) to look an utter idiot; **avoir mauvaise ~** to look unwell *ou* poorly; **faire ~ de faire** to make a pretence of doing; **~ de rien** although you wouldn't think so
miner [mine] *vt* (*saper*) to undermine, erode; (*Mil*) to mine
minerai [minʀɛ] *nm* ore
minéral, e, -aux [mineʀal, o] *adj, nm* mineral
minéralogique [mineʀalɔʒik] *adj*: **plaque ~** number (BRIT) *ou* license (US) plate; **numéro ~** registration (BRIT) *ou* license (US) number
minet, te [minɛ, ɛt] *nm/f* (*chat*) pussy-cat; (*péj*) young trendy
mineur, e [minœʀ] *adj* minor ▷ *nm/f* (*Jur*) minor, person under age ▷ *nm* (*travailleur*) miner
miniature [minjatyʀ] *adj, nf* miniature
minibus [minibys] *nm* minibus
minier, -ière [minje, jɛʀ] *adj* mining
mini-jupe [miniʒyp] *nf* mini-skirt
minime [minim] *adj* minor, minimal
minimessage [minimesaʒ] *nm* text message
minimiser [minimize] *vt* to minimize; (*fig*) to play down
minimum [minimɔm] *adj, nm* minimum; **au ~** (*au moins*) at the very least
ministère [ministɛʀ] *nm* (*aussi Rel*) ministry; (*cabinet*) government
ministre [ministʀ] *nm* (*aussi Rel*) minister; **ministre d'État** senior minister *ou* secretary
Minitel® [minitɛl] *nm videotext terminal and service*
minoritaire [minɔʀitɛʀ] *adj* minority
minorité [minɔʀite] *nf* minority; **être en ~** to be in the *ou* a minority
minuit [minɥi] *nm* midnight
minuscule [minyskyl] *adj* minute, tiny ▷ *nf*: **(lettre) ~** small letter
minute [minyt] *nf* minute; **à la ~** (just) this instant; (*faire*) there and then; **minuter** *vt* to time; **minuterie** *nf* time switch
minutieux, -euse [minysjø, jøz] *adj* (*personne*) meticulous; (*travail*) minutely detailed
mirabelle [miʀabɛl] *nf* (cherry) plum
miracle [miʀɑkl] *nm* miracle
mirage [miʀaʒ] *nm* mirage
mire [miʀ] *nf*: **point de ~** (*fig*) focal point
miroir [miʀwaʀ] *nm* mirror
miroiter [miʀwate] *vi* to sparkle, shimmer; **faire ~ qch à qn** to paint sth in glowing colours for sb, dangle sth in front of sb's eyes
mis, e [mi, miz] *pp de* **mettre** ▷ *adj*: **bien ~** well-dressed
mise [miz] *nf* (*argent: au jeu*) stake; (*tenue*) clothing, attire; **être de ~** to be acceptable *ou* in season; **mise**

à jour updating; **mise au point** (*fig*) clarification; **mise de fonds** capital outlay; **mise en plis** set; **mise en scène** production

miser [mize] *vt* (*enjeu*) to stake, bet; **~ sur** (*cheval, numéro*) to bet on; (*fig*) to bank *ou* count on

misérable [mizeʀabl] *adj* (*lamentable, malheureux*) pitiful, wretched; (*pauvre*) poverty-stricken; (*insignifiant, mesquin*) miserable ▷ *nm/f* wretch

misère [mizɛʀ] *nf* (extreme) poverty, destitution; **misères** *nfpl* (*malheurs*) woes, miseries; (*ennuis*) little troubles; **salaire de ~** starvation wage

missile [misil] *nm* missile

mission [misjɔ̃] *nf* mission; **partir en ~** (*Admin, Pol*) to go on an assignment; **missionnaire** *nm/f* missionary

mité, e [mite] *adj* moth-eaten

mi-temps [mitɑ̃] *nf inv* (*Sport: période*) half; (*: pause*) half-time; **à ~** part-time

miteux, -euse [mitø, øz] *adj* (*lieu*) seedy

mitigé, e [mitiʒe] *adj*: **sentiments ~s** mixed feelings

mitoyen, ne [mitwajɛ̃, jɛn] *adj* (*mur*) common, party *cpd*; **maisons ~nes** semi-detached houses; (*plus de deux*) terraced (BRIT) *ou* row (US) houses

mitrailler [mitʀɑje] *vt* to machine-gun; (*fig*) to pelt, bombard; (*: photographier*) to take shot after shot of; **mitraillette** *nf* submachine gun; **mitrailleuse** *nf* machine gun

mi-voix [mivwa]: **à ~** *adv* in a low *ou* hushed voice

mixage [miksaʒ] *nm* (*Cinéma*) (sound) mixing

mixer [miksœʀ] *nm* (food) mixer

mixte [mikst] *adj* (*gén*) mixed; (*Scol*) mixed, coeducational; **cuisinière ~** combined gas and electric cooker (BRIT) *ou* stove (US)

mixture [mikstyʀ] *nf* mixture; (*fig*) concoction

Mlle (*pl* **~s**) *abr* = **Mademoiselle**

MM *abr* = **Messieurs**

Mme (*pl* **~s**) *abr* = **Madame**

mobile [mɔbil] *adj* mobile; (*pièce de machine*) moving ▷ *nm* (*motif*) motive; (*œuvre d'art*) mobile; **(téléphone) ~** mobile (phone)

mobilier, -ière [mɔbilje, jɛʀ] *nm* furniture

mobiliser [mɔbilize] *vt* to mobilize

mocassin [mɔkasɛ̃] *nm* moccasin

moche [mɔʃ] (*fam*) *adj* (*laid*) ugly; (*mauvais*) rotten

modalité [mɔdalite] *nf* form, mode

mode [mɔd] *nf* fashion ▷ *nm* (*manière*) form, mode; (*Ling*) mood; (*Mus, Inform*) mode; **à la ~** fashionable, in fashion; **mode d'emploi** directions *pl* (for use); **mode de paiement** method of payment; **mode de vie** lifestyle

modèle [mɔdɛl] *adj, nm* model; (*qui pose: de peintre*) sitter; **modèle déposé** registered design; **modèle réduit** small-scale model; **modeler** *vt* to model

modem [mɔdɛm] *nm* modem

modéré, e [mɔdeʀe] *adj, nm/f* moderate

modérer [mɔdeʀe] *vt* to moderate; **se ~** *vi* to restrain o.s.

moderne [mɔdɛʀn] *adj* modern ▷ *nm* (*style*) modern style; (*meubles*) modern furniture; **moderniser** *vt* to modernize

modeste [mɔdɛst] *adj* modest; **modestie** *nf* modesty

modifier [mɔdifje] *vt* to modify, alter; **se ~** *vi* to alter

modique [mɔdik] *adj* modest

module [mɔdyl] *nm* module

moelle [mwal] *nf* marrow

moelleux, -euse [mwalø, øz] *adj* soft; (*gâteau*) light and moist

mœurs [mœʀ] *nfpl* (*conduite*) morals; (*manières*) manners; (*pratiques sociales, mode de vie*) habits

moi [mwa] *pron* me; (*emphatique*): **~, je ...** for my part, I ..., I myself ...; **c'est ~ qui l'ai fait** I did it, it was me who did it; **apporte-le-~** bring it to me; **à ~** mine; (*dans un jeu*) my turn; **moi-même** *pron* myself; (*emphatique*) I myself

moindre [mwɛ̃dʀ] *adj* lesser; lower; **le(la) ~, les ~s** the least, the slightest; **merci - c'est la ~ des choses!** thank you - it's a pleasure!

moine [mwan] *nm* monk, friar

moineau, x [mwano] *nm* sparrow

 **MOT-CLÉ**

moins [mwɛ̃] *adv* **1** (*comparatif*): **moins (que)** less (than); **moins grand que** less tall than, not as tall as; **il a 3 ans de moins que moi** he's 3 years younger than me; **moins je travaille, mieux je me porte** the less I work, the better I feel

2 (*superlatif*): **le moins** (the) least; **c'est ce que j'aime le moins** it's what I like (the) least; **le(la) moins doué(e)** the least gifted; **au moins, du moins** at least; **pour le moins** at the very least

3: **moins de** (*quantité*) less (than); (*nombre*) fewer (than); **moins de sable/d'eau** less sand/water; **moins de livres/gens** fewer books/people; **moins de 2 ans** less than 2 years; **moins de midi** not yet midday

4: **de moins, en moins**: **100 euros/3 jours de moins** 100 euros/3 days less; **3 livres en moins** 3 books fewer; 3 books too few; **de l'argent en moins** less money; **le soleil en moins** but for the sun, minus the sun; **de moins en moins** less and less

5: **à moins de, à moins que** unless; **à moins de faire** unless we do (*ou* he does *etc*); **à moins que tu ne fasses** unless you do; **à moins d'un accident** barring any accident

▷ *prép*: **4 moins 2** 4 minus 2; **il est moins 5** it's 5 to; **il fait moins 5** it's 5 (degrees) below (freezing), it's minus 5

mois [mwa] *nm* month

moisi [mwazi] *nm* mould, mildew; **odeur de ~** musty smell; **moisir** *vi* to go mouldy; **moisissure** *nf* mould *no pl*

moisson [mwasɔ̃] *nf* harvest; **moissonner** *vt* to harvest, reap; **moissonneuse** *nf* (*machine*) harvester

moite [mwat] *adj* sweaty, sticky

moitié [mwatje] *nf* half; **la ~** half; **la ~ de** half (of); **la ~ du temps** half the time; **à la ~ de** halfway through; **à ~** (*avant le verbe*) half; (*avant l'adjectif*) half-; **à ~ prix** (at) half-price

molaire [mɔlɛʀ] *nf* molar

molester [mɔlɛste] *vt* to manhandle, maul (about)

molle [mɔl] *adj voir* **mou**; **mollement** *adv* (*péj: travailler*) sluggishly; (*protester*) feebly

mollet [mɔlɛ] *nm* calf ▷ *adj m*: **œuf ~** soft-boiled egg

molletonné, e [mɔltɔne] *adj* fleece-lined

mollir [mɔliʀ] *vi* (*fléchir*) to relent; (*substance*) to go soft

mollusque [mɔlysk] *nm* mollusc

môme [mom] (*fam*) *nm/f* (*enfant*) brat

moment [mɔmɑ̃] *nm* moment; **ce n'est pas le ~** this is not the (right) time; **au même ~** at the same time; (*instant*) at the same moment; **pour un bon ~** for a good while; **pour le ~** for the moment, for the time being; **au ~ de** at the time of; **au ~ où** just as; **à tout ~** (*peut arriver etc*) at any time *ou* moment; (*constamment*) constantly, continually; **en ce ~** at the moment; at present; **sur le ~** at the time; **par ~s** now and then, at times; **d'un ~ à l'autre** any time (now); **du ~ où** *ou* **que** seeing that, since; **momentané, e** *adj* temporary, momentary; **momentanément** *adv* (*court instant*) for a short while

momie [mɔmi] *nf* mummy

mon, ma [mɔ̃, ma] (*pl* **mes**) *adj* my

Monaco [mɔnako] *nm* Monaco

monarchie [mɔnaʀʃi] *nf* monarchy

monastère [mɔnastɛʀ] *nm* monastery

mondain, e [mɔ̃dɛ̃, ɛn] *adj* (*vie*) society *cpd*

monde [mɔ̃d] *nm* world; (*haute société*): **le ~** (high) society; **il y a du ~** (*beaucoup de gens*) there are a lot of people; (*quelques personnes*) there are some people; **beaucoup/peu de ~** many/few people; **mettre au ~** to bring into the world; **pas le moins du ~** not in the least; **mondial, e, -aux** *adj* (*population*) world *cpd*; (*influence*) world-wide; **mondialement** *adv* throughout the world; **mondialisation** *nf* globalization

monégasque [mɔnegask] *adj* Monegasque, of *ou* from Monaco ▷ *nm/f*: **M~** Monegasque, person from *ou* inhabitant of Monaco

monétaire [mɔnetɛʀ] *adj* monetary

moniteur, -trice [mɔnitœʀ, tʀis] *nm/f* (*Sport*) instructor(-tress); (*de colonie de vacances*) supervisor ▷ *nm* (*écran*) monitor

monnaie [mɔnɛ] *nf* (*Écon, gén: moyen d'échange*) currency; (*petites pièces*): **avoir de la ~** to have (some) change; **une pièce de ~** a coin; **faire de la ~** to get (some) change; **avoir/faire la ~ de 20 euros** to have change of/get change for 20 euros; **rendre à qn la ~ (sur 20 euros)** to give sb the change (out of *ou* from 20 euros); **gardez la ~** keep the change; **désolé, je n'ai pas de ~** sorry, I don't have any change; **avez-vous de la ~?** do you have any change?

monologue [mɔnɔlɔg] *nm* monologue, soliloquy; **monologuer** *vi* to soliloquize

monopole [mɔnɔpɔl] *nm* monopoly

monotone [mɔnɔtɔn] *adj* monotonous

Monsieur [məsjø] (*pl* **Messieurs**) *titre* Mr ▷ *nm* (*homme quelconque*): **un/le monsieur** a/the gentleman; **~, ...** (*en tête de lettre*) Dear Sir, ...; *voir aussi* **Madame**

monstre [mɔ̃stʀ] *nm* monster ▷ *adj* (*fam: colossal*) monstrous; **un travail ~** a fantastic amount of work; **monstrueux, -euse** *adj* monstrous

mont [mɔ̃] *nm*: **par ~s et par vaux** up hill and down dale; **le Mont Blanc** Mont Blanc

montage [mɔ̃taʒ] *nm* (*assemblage: d'appareil*) assembly; (*Photo*) photomontage; (*Cinéma*) editing

montagnard, e [mɔ̃taɲaʀ, aʀd] *adj* mountain *cpd* ▷ *nm/f* mountain-dweller

montagne [mɔ̃taɲ] *nf* (*cime*) mountain; (*région*): **la ~** the mountains *pl*; **montagnes russes** big dipper *sg*, switchback *sg*; **montagneux, -euse** *adj* mountainous; (*basse montagne*) hilly

montant, e [mɔ̃tɑ̃, ɑ̃t] *adj* rising; **pull à col ~** high-necked jumper ▷ *nm* (*somme, total*) (sum) total, (total) amount; (*de fenêtre*) upright; (*de lit*) post

monte-charge [mɔ̃tʃaʀʒ] *nm inv* goods lift, hoist

montée [mɔ̃te] *nf* (*des prix, hostilités*) rise; (*escalade*) climb; (*côte*) hill; **au milieu de la ~** halfway up

monter [mɔ̃te] *vt* (*escalier, côte*) to go (*ou* come) up; (*valise, paquet*) to take (*ou* bring) up; (*étagère*) to raise; (*tente, échafaudage*) to put up; (*machine*) to assemble; (*Cinéma*) to edit; (*Théâtre*) to put on, stage; (*société etc*) to set up ▷ *vi* to go (*ou* come) up; (*prix, niveau, température*) to go up, rise; (*passager*) to get on; **~ à cheval** (*faire du cheval*) to ride (a horse); **~ sur** to climb up onto; **~ sur** *ou* **à un arbre/une échelle** to climb (up) a tree/ladder; **se ~ à** (*frais etc*) to add up to, come to

montgolfière [mɔ̃gɔlfjɛʀ] *nf* hot-air balloon

montre [mɔ̃tʀ] *nf* watch; **contre la ~** (*Sport*) against the clock

Montréal [mɔ̃ʀeal] *n* Montreal

montrer [mɔ̃tʀe] *vt* to show; **~ qch à qn** to show sb sth; **pouvez-vous me ~ où c'est?** can you show me where it is?

monture [mɔ̃tyʀ] *nf* (*cheval*) mount; (*de lunettes*) frame; (*d'une bague*) setting

monument [mɔnymɑ̃] *nm* monument; **monument aux morts** war memorial

moquer [mɔke]: **se ~ de** *vt* to make fun of, laugh at; (*fam: se désintéresser de*) not to care about; (*tromper*): **se ~ de qn** to take sb for a ride

moquette [mɔkɛt] *nf* fitted carpet

moqueur, -euse [mɔkœʀ, øz] *adj* mocking

moral, e, -aux [mɔʀal, o] *adj* moral ▷ *nm* morale; **avoir le ~** (*fam*) to be in good spirits; **avoir le ~ à zéro** (*fam*) to be really down; **morale** *nf* (*mœurs*) morals *pl*; (*valeurs*) moral standards *pl*, morality; (*d'une fable etc*) moral; **faire la morale à** to lecture, preach at; **moralité** *nf* morality; (*de fable*) moral

morceau, x [mɔʀso] *nm* piece, bit; (*d'une œuvre*) passage, extract; (*Mus*) piece; (*Culin: de viande*) cut; (*de sucre*) lump; **mettre en ~x** to pull to pieces *ou* bits; **manger un ~** to have a bite (to eat)

morceler [mɔʀsəle] *vt* to break up, divide up

mordant, e [mɔʀdɑ̃, ɑ̃t] *adj* (*ton, remarque*) scathing, cutting; (*ironie, froid*) biting ▷ *nm* (*style*) bite, punch

mordiller [mɔʀdije] *vt* to nibble at, chew at

mordre [mɔʀdʀ] *vt* to bite ▷ *vi* (*poisson*) to bite; **~ sur** (*fig*) to go over into, overlap into; **~ à l'hameçon** to bite, rise to the bait

mordu, e [mɔʀdy] (*fam*) *nm/f* enthusiast; **un ~ de jazz** a jazz fanatic

morfondre [mɔʀfɔ̃dʀ]: **se ~** *vi* to mope

morgue [mɔʀg] *nf* (*arrogance*) haughtiness; (*lieu: de la police*) morgue; (*: à l'hôpital*) mortuary

morne [mɔʀn] *adj* dismal, dreary

morose [mɔʀoz] *adj* sullen, morose

mors [mɔʀ] *nm* bit

morse [mɔʀs] *nm* (*Zool*) walrus; (*Tél*) Morse (code)

morsure [mɔʀsyʀ] *nf* bite

mort[1] [mɔʀ] *nf* death

mort[2], e [mɔʀ, mɔʀt] *pp de* **mourir** ▷ *adj* dead ▷ *nm/f* (*défunt*) dead man *ou* woman; (*victime*): **il y a eu plusieurs ~s** several people were killed, there were several killed; **~ de peur/fatigue** frightened to death/dead tired

mortalité [mɔʀtalite] *nf* mortality, death rate

mortel, le [mɔʀtɛl] *adj* (*poison etc*) deadly, lethal; (*accident, blessure*) fatal; (*silence, ennemi*) deadly; (*péché*) mortal; (*fam: ennuyeux*) deadly boring

mort-né, e [mɔʀne] *adj* (*enfant*) stillborn

mortuaire [mɔʀtɥɛʀ] *adj*: **avis ~** death announcement

morue [mɔʀy] *nf* (*Zool*) cod *inv*

mosaïque [mɔzaik] *nf* mosaic

Moscou [mɔsku] *n* Moscow

mosquée [mɔske] *nf* mosque
mot [mo] *nm* word; (*message*) line, note; **~ à ~** word for word; **mot de passe** password; **mots croisés** crossword (puzzle) *sg*
motard [mɔtaʀ] *nm* biker; (*policier*) motorcycle cop
motel [mɔtɛl] *nm* motel
moteur, -trice [mɔtœʀ, tʀis] *adj* (*Anat, Physiol*) motor; (*Tech*) driving; (*Auto*): **à 4 roues motrices** 4-wheel drive ▷ *nm* engine, motor; **à ~** power-driven, motor *cpd*; **moteur de recherche** search engine
motif [mɔtif] *nm* (*cause*) motive; (*décoratif*) design, pattern, motif; **sans ~** groundless
motivation [mɔtivasjɔ̃] *nf* motivation
motiver [mɔtive] *vt* to motivate; (*justifier*) to justify, account for
moto [moto] *nf* (motor)bike; **motocycliste** *nm/f* motorcyclist
motorisé, e [mɔtɔʀize] *adj* (*personne*) having transport *ou* a car
motrice [mɔtʀis] *adj voir* **moteur**
motte [mɔt] *nf*: **~ de terre** lump of earth, clod (of earth); **motte de beurre** lump of butter
mou (mol), molle [mu, mɔl] *adj* soft; (*personne*) lethargic; (*protestations*) weak ▷ *nm*: **avoir du mou** to be slack
mouche [muʃ] *nf* fly
moucher [muʃe]: **se ~** *vi* to blow one's nose
moucheron [muʃʀɔ̃] *nm* midge
mouchoir [muʃwaʀ] *nm* handkerchief, hanky; **mouchoir en papier** tissue, paper hanky
moudre [mudʀ] *vt* to grind
moue [mu] *nf* pout; **faire la ~** to pout; (*fig*) to pull a face
mouette [mwɛt] *nf* (sea)gull
moufle [mufl] *nf* (*gant*) mitt(en)
mouillé, e [muje] *adj* wet
mouiller [muje] *vt* (*humecter*) to wet, moisten; (*tremper*): **~ qn/qch** to make sb/sth wet ▷ *vi* (*Navig*) to lie *ou* be at anchor; **se ~** to get wet; (*fam*: *prendre des risques*) to commit o.s.
moulant, e [mulɑ̃, ɑ̃t] *adj* figure-hugging
moule [mul] *nf* mussel ▷ *nm* (*Culin*) mould; **moule à gâteaux** *nm* cake tin (BRIT) *ou* pan (US)
mouler [mule] *vt* (*suj*: *vêtement*) to hug, fit closely round
moulin [mulɛ̃] *nm* mill; **moulin à café** coffee mill; **moulin à eau** watermill; **moulin à légumes** (vegetable) shredder; **moulin à paroles** (*fig*) chatterbox; **moulin à poivre** pepper mill; **moulin à vent** windmill
moulinet [mulinɛ] *nm* (*de canne à pêche*) reel; (*mouvement*): **faire des ~s avec qch** to whirl sth around
moulinette® [mulinɛt] *nf* (vegetable) shredder
moulu, e [muly] *pp de* **moudre**
mourant, e [muʀɑ̃, ɑ̃t] *adj* dying
mourir [muʀiʀ] *vi* to die; (*civilisation*) to die out; **~ de froid/faim** to die of exposure/hunger; **~ de faim/d'ennui** (*fig*) to be starving/be bored to death; **~ d'envie de faire** to be dying to do
mousse [mus] *nf* (*Bot*) moss; (*de savon*) lather; (*écume*: *sur eau, bière*) froth, foam; (*Culin*) mousse ▷ *nm* (*Navig*) ship's boy; **mousse à raser** shaving foam
mousseline [muslin] *nf* muslin; **pommes ~** mashed potatoes
mousser [muse] *vi* (*bière, détergent*) to foam; (*savon*) to lather; **mousseux, -euse** *adj* frothy ▷ *nm*: **(vin) mousseux** sparkling wine
mousson [musɔ̃] *nf* monsoon
moustache [mustaʃ] *nf* moustache; **moustaches** *nfpl* (*du chat*) whiskers *pl*; **moustachu, e** *adj* with a moustache
moustiquaire [mustikɛʀ] *nf* mosquito net
moustique [mustik] *nm* mosquito
moutarde [mutaʀd] *nf* mustard
mouton [mutɔ̃] *nm* sheep *inv*; (*peau*) sheepskin; (*Culin*) mutton
mouvement [muvmɑ̃] *nm* movement; (*fig*: *impulsion*) gesture; **avoir un bon ~** to make a nice gesture; **en ~** in motion; on the move; **mouvementé, e** *adj* (*vie, poursuite*) eventful; (*réunion*) turbulent
mouvoir [muvwaʀ]: **se ~** *vi* to move
moyen, ne [mwajɛ̃, jɛn] *adj* average; (*tailles, prix*) medium; (*de grandeur moyenne*) medium-sized ▷ *nm* (*façon*) means *sg*, way; **moyens** *nmpl* (*capacités*) means; **très ~** (*résultats*) pretty poor; **je n'en ai pas les ~s** I can't afford it; **au ~ de** by means of; **par tous les ~s** by every possible means, every possible way; **par ses propres ~s** all by oneself; **moyen âge** Middle Ages *pl*; **moyen de transport** means of transport
moyennant [mwajɛnɑ̃] *prép* (*somme*) for; (*service, conditions*) in return for; (*travail, effort*) with
moyenne [mwajɛn] *nf* average; (*Math*) mean; (*Scol*) pass mark; **en ~** on (an) average; **moyenne d'âge** average age
Moyen-Orient [mwajɛnɔʀjɑ̃] *nm*: **le ~** the Middle East
moyeu, x [mwajø] *nm* hub
MST *sigle f* (= *maladie sexuellement transmissible*) STD
mû, mue [my] *pp de* **mouvoir**
muer [mɥe] *vi* (*oiseau, mammifère*) to moult; (*serpent*) to slough; (*jeune garçon*): **il mue** his voice is breaking
muet, te [mɥɛ, mɥɛt] *adj* dumb; (*fig*): **~ d'admiration** *etc* speechless with admiration *etc*; (*Cinéma*) silent ▷ *nm/f* mute
mufle [myfl] *nm* muzzle; (*fam*: *goujat*) boor
mugir [myʒiʀ] *vi* (*taureau*) to bellow; (*vache*) to low; (*fig*) to howl
muguet [mygɛ] *nm* lily of the valley
mule [myl] *nf* (*Zool*) (she-)mule
mulet [mylɛ] *nm* (*Zool*) (he-)mule
multinationale [myltinasjɔnal] *nf* multinational
multiple [myltipl] *adj* multiple, numerous; (*varié*) many, manifold; **multiplication** *nf* multiplication; **multiplier** *vt* to multiply; **se multiplier** *vi* to multiply
municipal, e, -aux [mynisipal, o] *adj* (*élections, stade*) municipal; (*conseil*) town *cpd*; **piscine/bibliothèque ~e** public swimming pool/library; **municipalité** *nf* (*ville*) municipality; (*conseil*) town council
munir [myniʀ] *vt*: **~ qch de** to equip sth with; **se ~ de** to arm o.s. with
munitions [mynisjɔ̃] *nfpl* ammunition *sg*
mur [myʀ] *nm* wall; **mur du son** sound barrier
mûr, e [myʀ] *adj* ripe; (*personne*) mature
muraille [myʀɑj] *nf* (high) wall
mural, e, -aux [myʀal, o] *adj* wall *cpd*; (*art*) mural
mûre [myʀ] *nf* blackberry
muret [myʀɛ] *nm* low wall
mûrir [myʀiʀ] *vi* (*fruit, blé*) to ripen; (*abcès*) to come to a head; (*fig*: *idée, personne*) to mature ▷ *vt* (*projet*) to nurture; (*personne*) to (make) mature
murmure [myʀmyʀ] *nm* murmur; **murmurer** *vi* to murmur

muscade [myskad] *nf* (*aussi*: **noix (de) ~**) nutmeg
muscat [myska] *nm* (*raisins*) muscat grape; (*vin*) muscatel (wine)
muscle [myskl] *nm* muscle; **musclé, e** *adj* muscular; (*fig*) strong-arm
museau, x [myzo] *nm* muzzle; (*Culin*) brawn
musée [myze] *nm* museum; (*de peinture*) art gallery
museler [myz(ə)le] *vt* to muzzle; **muselière** *nf* muzzle
musette [myzɛt] *nf* (*sac*) lunchbag
musical, e, -aux [myzikal, o] *adj* musical
music-hall [myzikol] *nm* (*salle*) variety theatre; (*genre*) variety
musicien, ne [myzisjɛ̃, jɛn] *adj* musical ▷ *nm/f* musician
musique [myzik] *nf* music
musulman, e [myzylmɑ̃, an] *adj, nm/f* Moslem, Muslim
mutation [mytasjɔ̃] *nf* (*Admin*) transfer
muter [myte] *vt* to transfer, move
mutilé, e [mytile] *nm/f* disabled person (*through loss of limbs*)
mutiler [mytile] *vt* to mutilate, maim
mutin, e [mytɛ̃, in] *adj* (*air, ton*) mischievous, impish ▷ *nm/f* (*Mil, Navig*) mutineer; **mutinerie** *nf* mutiny
mutisme [mytism] *nm* silence
mutuel, le [mytɥɛl] *adj* mutual; **mutuelle** *nf* *voluntary insurance premiums for back-up health cover*
myope [mjɔp] *adj* short-sighted
myosotis [mjɔzɔtis] *nm* forget-me-not
myrtille [miʀtij] *nf* bilberry
mystère [mistɛʀ] *nm* mystery; **mystérieux, -euse** *adj* mysterious
mystifier [mistifje] *vt* to fool
mythe [mit] *nm* myth
mythologie [mitɔlɔʒi] *nf* mythology

n

n' [n] *adv voir* **ne**
nacre [nakʀ] *nf* mother of pearl
nage [naʒ] *nf* swimming; (*manière*) style of swimming, stroke; **traverser/s'éloigner à la ~** to swim across/away; **en ~** bathed in sweat; **nageoire** *nf* fin; **nager** *vi* to swim; **nageur, -euse** *nm/f* swimmer
naïf, -ïve [naif, naiv] *adj* naïve
nain, e [nɛ̃, nɛn] *nm/f* dwarf
naissance [nɛsɑ̃s] *nf* birth; **donner ~ à** to give birth to; (*fig*) to give rise to; **lieu de ~** place of birth
naître [nɛtʀ] *vi* to be born; (*fig*): **~ de** to arise from, be born out of; **il est né en 1960** he was born in 1960; **faire ~** (*fig*) to give rise to, arouse
naïveté [naivte] *nf* naïvety
nana [nana] (*fam*) *nf* (*fille*) chick, bird (BRIT)
nappe [nap] *nf* tablecloth; (*de pétrole, gaz*) layer; **napperon** *nm* table-mat
naquit *etc* [naki] *vb voir* **naître**
narguer [naʀge] *vt* to taunt
narine [naʀin] *nf* nostril
natal, e [natal] *adj* native; **natalité** *nf* birth rate
natation [natasjɔ̃] *nf* swimming
natif, -ive [natif, iv] *adj* native
nation [nasjɔ̃] *nf* nation; **national, e, -aux** *adj* national; **nationale** *nf*: **(route) nationale** ≈ A road (BRIT), ≈ state highway (US); **nationaliser** *vt* to nationalize; **nationalisme** *nm* nationalism; **nationalité** *nf* nationality
natte [nat] *nf* (*cheveux*) plait; (*tapis*) mat
naturaliser [natyʀalize] *vt* to naturalize
nature [natyʀ] *nf* nature ▷ *adj, adv* (*Culin*) plain, without seasoning or sweetening; (*café, thé*) black, without sugar; (*yaourt*) natural; **payer en ~** to pay in kind; **nature morte** still life; **naturel, le** *adj* (*gén, aussi enfant*) natural ▷ *nm* (*absence d'affectation*) naturalness; (*caractère*) disposition, nature; **naturellement** *adv* naturally; (*bien sûr*) of course
naufrage [nofʀaʒ] *nm* (ship)wreck; **faire ~** to be shipwrecked
nausée [noze] *nf* nausea; **avoir la ~** to feel sick
nautique [notik] *adj* nautical, water *cpd*; **sports ~s** water sports
naval, e [naval] *adj* naval; (*industrie*) shipbuilding
navet [navɛ] *nm* turnip; (*péj: film*) rubbishy film
navette [navɛt] *nf* shuttle; **faire la ~ (entre)** to go to and fro *ou* shuttle (between)
navigateur [navigatœʀ] *nm* (*Navig*) seafarer; (*Inform*) browser
navigation [navigasjɔ̃] *nf* navigation, sailing
naviguer [navige] *vi* to navigate, sail; **~ sur Internet** to browse the Internet
navire [naviʀ] *nm* ship
navrer [navʀe] *vt* to upset, distress; **je suis navré** I'm so sorry
ne, n' [n(ə)] *adv voir* **pas**; **plus**; **jamais** *etc*; (*sans valeur négative: non traduit*): **c'est plus loin que je ne le croyais** it's further than I thought
né, e [ne] *pp* (*voir naître*): **né en 1960** born in 1960; **née Scott** née Scott
néanmoins [neɑ̃mwɛ̃] *adv* nevertheless
néant [neɑ̃] *nm* nothingness; **réduire à ~** to bring to nought; (*espoir*) to dash
nécessaire [nesesɛʀ] *adj* necessary ▷ *nm* necessary; (*sac*) kit; **je vais faire le ~** I'll see to it; **nécessaire de couture** sewing kit; **nécessaire de toilette** toilet bag; **nécessité** *nf* necessity; **nécessiter** *vt* to require
nectar [nɛktaʀ] *nm* nectar
néerlandais, e [neɛʀlɑ̃dɛ, ɛz] *adj* Dutch
nef [nɛf] *nf* (*d'église*) nave
néfaste [nefast] *adj* (*nuisible*) harmful; (*funeste*) ill-fated
négatif, -ive [negatif, iv] *adj* negative ▷ *nm* (*Photo*) negative
négligé, e [negliʒe] *adj* (*en désordre*) slovenly ▷ *nm* (*tenue*) negligee
négligeable [negliʒabl] *adj* negligible
négligent, e [negliʒɑ̃, ɑ̃t] *adj* careless, negligent
négliger [negliʒe] *vt* (*tenue*) to be careless about; (*avis, précautions*) to disregard; (*épouse, jardin*) to neglect; **~ de faire** to fail to do, not bother to do
négociant, e [negɔsjɑ̃, jɑ̃t] *nm/f* merchant

négociation [negɔsjasjɔ̃] *nf* negotiation
négocier [negɔsje] *vi, vt* to negotiate
nègre [nɛɡʀ] (*péj*) *nm* (*écrivain*) ghost (writer)
neige [nɛʒ] *nf* snow; **neiger** *vi* to snow
nénuphar [nenyfaʀ] *nm* water-lily
néon [neɔ̃] *nm* neon
néo-zélandais, e [neoʒelɑ̃dɛ, ɛz] *adj* New Zealand *cpd* ▷ *nm/f*: **Néo-Zélandais, e** New Zealander
Népal [nepɑl] *nm*: **le ~** Nepal
nerf [nɛʀ] *nm* nerve; **être sur les ~s** to be all keyed up; **nerveux, -euse** *adj* nervous; (*irritable*) touchy, nervy; (*voiture*) nippy, responsive; **nervosité** *nf* excitability, tenseness; (*irritabilité passagère*) irritability, nerviness
n'est-ce pas? [nɛspɑ] *adv* isn't it?, won't you? *etc, selon le verbe qui précède*
Net [nɛt] *nm* (*Internet*): **le ~** the Net
net, nette [nɛt] *adj* (*sans équivoque, distinct*) clear; (*évident: amélioration, différence*) marked, distinct; (*propre*) neat, clean; (*Comm: prix, salaire*) net ▷ *adv* (*refuser*) flatly ▷ *nm*: **mettre au ~** to copy out; **s'arrêter ~** to stop dead; **nettement** *adv* clearly, distinctly; (*incontestablement*) decidedly; **netteté** *nf* clearness
nettoyage [netwajaʒ] *nm* cleaning; **nettoyage à sec** dry cleaning
nettoyer [netwaje] *vt* to clean
neuf[1] [nœf] *num* nine
neuf[2]**, neuve** [nœf, nœv] *adj* new; **remettre à ~** to do up (as good as new), refurbish; **quoi de ~?** what's new?
neutre [nøtʀ] *adj* neutral; (*Ling*) neuter
neuve [nœv] *adj voir* **neuf**[2]
neuvième [nœvjɛm] *num* ninth
neveu, x [n(ə)vø] *nm* nephew
New York [njujɔʀk] *n* New York
nez [ne] *nm* nose; **~ à ~ avec** face to face with; **avoir du ~** to have flair
ni [ni] *conj*: **ni ... ni** neither ... nor; **je n'aime ni les lentilles ni les épinards** I like neither lentils nor spinach; **il n'a dit ni oui ni non** he didn't say either yes or no; **elles ne sont venues ni l'une ni l'autre** neither of them came; **il n'a rien vu ni entendu** he didn't see or hear anything
niche [niʃ] *nf* (*du chien*) kennel; (*de mur*) recess, niche; **nicher** *vi* to nest
nid [ni] *nm* nest; **nid de poule** pothole
nièce [njɛs] *nf* niece
nier [nje] *vt* to deny
Nil [nil] *nm*: **le ~** the Nile
n'importe [nɛ̃pɔʀt] *adv*: **n'importe qui/quoi/où** anybody/anything/anywhere; **n'importe quand** any time; **n'importe quel/quelle** any; **n'importe lequel/laquelle** any (one); **n'importe comment** (*sans soin*) carelessly
niveau, x [nivo] *nm* level; (*des élèves, études*) standard; **niveau de vie** standard of living
niveler [niv(ə)le] *vt* to level
noble [nɔbl] *adj* noble; **noblesse** *nf* nobility; (*d'une action etc*) nobleness
noce [nɔs] *nf* wedding; (*gens*) wedding party (*ou* guests *pl*); **faire la ~** (*fam*) to go on a binge; **noces d'argent/d'or/de diamant** silver/golden/diamond wedding (anniversary)
nocif, -ive [nɔsif, iv] *adj* harmful
nocturne [nɔktyʀn] *adj* nocturnal ▷ *nf* late-night opening
Noël [nɔɛl] *nm* Christmas
nœud [nø] *nm* knot; (*ruban*) bow; **nœud papillon** bow tie
noir, e [nwaʀ] *adj* black; (*obscur, sombre*) dark ▷ *nm/f* black man/woman ▷ *nm*: **dans le ~** in the dark; **travail au ~** moonlighting; **travailler au ~** to work on the side; **noircir** *vt, vi* to blacken; **noire** *nf* (*Mus*) crotchet (BRIT), quarter note (US)
noisette [nwazɛt] *nf* hazelnut
noix [nwa] *nf* walnut; (*Culin*): **une ~ de beurre** a knob of butter; **à la ~** (*fam*) worthless; **noix de cajou** cashew nut; **noix de coco** coconut; **noix muscade** nutmeg
nom [nɔ̃] *nm* name; (*Ling*) noun; **nom de famille** surname; **nom de jeune fille** maiden name
nomade [nɔmad] *nm/f* nomad
nombre [nɔ̃bʀ] *nm* number; **venir en ~** to come in large numbers; **depuis ~ d'années** for many years; **au ~ de mes amis** among my friends; **nombreux, -euse** *adj* many, numerous; (*avec nom sg: foule etc*) large; **peu nombreux** few; **de nombreux cas** many cases
nombril [nɔ̃bʀi(l)] *nm* navel
nommer [nɔme] *vt* to name; (*élire*) to appoint, nominate; **se ~**; **il se nomme Pascal** his name's Pascal, he's called Pascal
non [nɔ̃] *adv* (*réponse*) no; (*avec loin, sans, seulement*) not; **~ (pas) que** not that; **moi ~ plus** neither do I, I don't either; **c'est bon ~?** (*exprimant le doute*) it's good, isn't it?; **je pense que ~** I don't think so
non alcoolisé, e [nɔ̃alkɔlize] *adj* non alcoholic
nonchalant, e [nɔ̃ʃalɑ̃, ɑ̃t] *adj* nonchalant
non-fumeur, -euse [nɔ̃fymœʀ, øz] *nm/f* non-smoker
non-sens [nɔ̃sɑ̃s] *nm* absurdity
nord [nɔʀ] *nm* North ▷ *adj* northern; north; **au ~** (*situation*) in the north; (*direction*) to the north; **au ~ de** (to the) north of; **nord-africain, e** *adj* North-African ▷ *nm/f*: **Nord-Africain, e** North African; **nord-est** *nm* North-East; **nord-ouest** *nm* North-West
normal, e, -aux [nɔʀmal, o] *adj* normal; **c'est tout à fait ~** it's perfectly natural; **vous trouvez ça ~?** does it seem right to you?; **normale** *nf*: **la normale** the norm, the average; **normalement** *adv* (*en général*) normally
normand, e [nɔʀmɑ̃, ɑ̃d] *adj* of Normandy ▷ *nm/f*: **N~, e** (*de Normandie*) Norman
Normandie [nɔʀmɑ̃di] *nf* Normandy
norme [nɔʀm] *nf* norm; (*Tech*) standard
Norvège [nɔʀvɛʒ] *nf* Norway; **norvégien, ne** *adj* Norwegian ▷ *nm/f*: **Norvégien, ne** Norwegian ▷ *nm* (*Ling*) Norwegian
nos [no] *adj voir* **notre**
nostalgie [nɔstalʒi] *nf* nostalgia; **nostalgique** *adj* nostalgic
notable [nɔtabl] *adj* (*fait*) notable, noteworthy; (*marqué*) noticeable, marked ▷ *nm* prominent citizen
notaire [nɔtɛʀ] *nm* solicitor
notamment [nɔtamɑ̃] *adv* in particular, among others
note [nɔt] *nf* (*écrite, Mus*) note; (*Scol*) mark (BRIT), grade; (*facture*) bill; **note de service** memorandum
noter [nɔte] *vt* (*écrire*) to write down; (*remarquer*) to note, notice; (*devoir*) to mark, grade
notice [nɔtis] *nf* summary, short article; (*brochure*) leaflet, instruction book
notifier [nɔtifje] *vt*: **~ qch à qn** to notify sb of sth, notify sth to sb
notion [nosjɔ̃] *nf* notion, idea

notoire [nɔtwaʀ] *adj* widely known; (*en mal*) notorious
notre [nɔtʀ] (*pl* **nos**) *adj* our
nôtre [notʀ] *pron*: **le ~, la ~, les ~s** ours ▷ *adj* ours; **les ~s** ours; (*alliés etc*) our own people; **soyez des ~s** join us
nouer [nwe] *vt* to tie, knot; (*fig*: *alliance etc*) to strike up
noueux, -euse [nwø, øz] *adj* gnarled
nourrice [nuʀis] *nf* (*gardienne*) child-minder
nourrir [nuʀiʀ] *vt* to feed; (*fig*: *espoir*) to harbour, nurse; **nourrissant, e** *adj* nourishing, nutritious; **nourrisson** *nm* (unweaned) infant; **nourriture** *nf* food
nous [nu] *pron* (*sujet*) we; (*objet*) us; **nous-mêmes** *pron* ourselves
nouveau (nouvel), -elle, x [nuvo, nuvɛl] *adj* new ▷ *nm*: **y a-t-il du nouveau?** is there anything new on this? ▷ *nm/f* new pupil (*ou* employee); **de nouveau, à nouveau** again; **nouveau venu, nouvelle venue** newcomer; **nouveaux mariés** newly-weds; **nouveau-né, e** *nm/f* newborn baby; **nouveauté** *nf* novelty; (*objet*) new thing *ou* article
nouvel [nuvɛl] *adj voir* **nouveau**; **Nouvel An** New Year
nouvelle [nuvɛl] *adj voir* **nouveau** ▷ *nf* (piece of) news *sg*; (*Littérature*) short story; **les ~s** (*Presse, TV*) the news; **je suis sans ~s de lui** I haven't heard from him; **Nouvelle-Calédonie** *nf* New Caledonia; **Nouvelle-Zélande** *nf* New Zealand
novembre [nɔvɑ̃bʀ] *nm* November
noyade [nwajad] *nf* drowning *no pl*
noyau, x [nwajo] *nm* (*de fruit*) stone; (*Bio, Physique*) nucleus; (*fig*: *centre*) core
noyer [nwaje] *nm* walnut (tree); (*bois*) walnut ▷ *vt* to drown; (*moteur*) to flood; **se ~** *vi* to be drowned, drown; (*suicide*) to drown o.s.
nu, e [ny] *adj* naked; (*membres*) naked, bare; (*pieds, mains, chambre, fil électrique*) bare ▷ *nm* (*Art*) nude; **tout nu** stark naked; **se mettre nu** to strip
nuage [nɥaʒ] *nm* cloud; **nuageux, -euse** *adj* cloudy
nuance [nɥɑ̃s] *nf* (*de couleur, sens*) shade; **il y a une ~ (entre)** there's a slight difference (between); **nuancer** *vt* (*opinion*) to bring some reservations *ou* qualifications to
nucléaire [nykleɛʀ] *adj* nuclear ▷ *nm*: **le ~** nuclear energy
nudiste [nydist] *nm/f* nudist
nuée [nɥe] *nf*: **une ~ de** a cloud *ou* host *ou* swarm of
nuire [nɥiʀ] *vi* to be harmful; **~ à** to harm, do damage to; **nuisible** *adj* harmful; **animal nuisible** pest
nuit [nɥi] *nf* night; **il fait ~** it's dark; **cette ~** (*hier*) last night; (*aujourd'hui*) tonight; **de ~** (*vol, service*) night *cpd*; **nuit blanche** sleepless night
nul, nulle [nyl] *adj* (*aucun*) no; (*minime*) nil, non-existent; (*non valable*) null; (*péj*): **être ~ (en)** to be useless *ou* hopeless (at) ▷ *pron* none, no one; **match** *ou* **résultat ~** draw; **~le part** nowhere; **nullement** *adv* by no means
numérique [nymeʀik] *adj* numerical; (*affichage, son, télévision*) digital
numéro [nymeʀo] *nm* number; (*spectacle*) act, turn; (*Presse*) issue, number; **numéro de téléphone** (tele)phone number; **numéro vert** ≈ freefone® number (BRIT), ≈ toll-free number (US); **numéroter** *vt* to number
nuque [nyk] *nf* nape of the neck
nu-tête [nytɛt] *adj inv, adv* bareheaded
nutritif, -ive [nytʀitif, iv] *adj* (*besoins, valeur*) nutritional; (*nourrissant*) nutritious
nylon [nilɔ̃] *nm* nylon

oasis [ɔazis] *nf* oasis
obéir [ɔbeiʀ] *vi* to obey; **~ à** to obey; **obéissance** *nf* obedience; **obéissant, e** *adj* obedient
obèse [ɔbɛz] *adj* obese; **obésité** *nf* obesity
objecter [ɔbʒɛkte] *vt*: **~ que** to object that; **objecteur** *nm*: **objecteur de conscience** conscientious objector
objectif, -ive [ɔbʒɛktif, iv] *adj* objective ▷ *nm* objective; (*Photo*) lens *sg*, objective
objection [ɔbʒɛksjɔ̃] *nf* objection
objectivité [ɔbʒɛktivite] *nf* objectivity
objet [ɔbʒɛ] *nm* object; (*d'une discussion, recherche*) subject; **être** *ou* **faire l'~ de** (*discussion*) to be the subject of; (*soins*) to be given *ou* shown; **sans ~** purposeless; (*craintes*) groundless; **(bureau des) ~s trouvés** lost property *sg* (BRIT), lost-and-found *sg* (US); **objet d'art** objet d'art; **objets de valeur** valuables; **objets personnels** personal items
obligation [ɔbligasjɔ̃] *nf* obligation; (*Comm*) bond, debenture; **obligatoire** *adj* compulsory, obligatory; **obligatoirement** *adv* necessarily; (*fam*: *sans aucun doute*) inevitably
obliger [ɔbliʒe] *vt* (*contraindre*): **~ qn à faire** to force *ou* oblige sb to do; **je suis bien obligé (de le faire)** I have to (do it)
oblique [ɔblik] *adj* oblique; **en ~** diagonally
oblitérer [ɔbliteʀe] *vt* (*timbre-poste*) to cancel
obnubiler [ɔbnybile] *vt* to obsess
obscène [ɔpsɛn] *adj* obscene
obscur, e [ɔpskyʀ] *adj* dark; (*méconnu*) obscure; **obscurcir** *vt* to darken; (*fig*) to obscure; **s'obscurcir** *vi* to grow dark; **obscurité** *nf* darkness; **dans l'obscurité** in the dark, in darkness
obsédé, e [ɔpsede] *nm/f*: **un ~ de jazz** a jazz fanatic; **obsédé sexuel** sex maniac
obséder [ɔpsede] *vt* to obsess, haunt
obsèques [ɔpsɛk] *nfpl* funeral *sg*
observateur, -trice [ɔpsɛʀvatœʀ, tʀis] *adj* observant, perceptive ▷ *nm/f* observer
observation [ɔpsɛʀvasjɔ̃] *nf* observation; (*d'un règlement etc*) observance; (*reproche*) reproof; **être en ~** (*Méd*) to be under observation
observatoire [ɔpsɛʀvatwaʀ] *nm* observatory
observer [ɔpsɛʀve] *vt* (*regarder*) to observe, watch; (*scientifiquement; aussi règlement etc*) to observe; (*surveiller*) to watch; (*remarquer*) to observe, notice; **faire ~ qch à qn** (*dire*) to point out sth to sb
obsession [ɔpsesjɔ̃] *nf* obsession

obstacle [ɔpstakl] *nm* obstacle; (*Équitation*) jump, hurdle; **faire ~ à** (*projet*) to hinder, put obstacles in the path of
obstiné, e [ɔpstine] *adj* obstinate
obstiner [ɔpstine]: **s'~** *vi* to insist, dig one's heels in; **s'~ à faire** to persist (obstinately) in doing
obstruer [ɔpstʀye] *vt* to block, obstruct
obtenir [ɔptəniʀ] *vt* to obtain, get; (*résultat*) to achieve, obtain; **~ de pouvoir faire** to obtain permission to do
obturateur [ɔptyʀatœʀ] *nm* (*Photo*) shutter
obus [ɔby] *nm* shell
occasion [ɔkazjɔ̃] *nf* (*aubaine, possibilité*) opportunity; (*circonstance*) occasion; (*Comm: article non neuf*) secondhand buy; (*: acquisition avantageuse*) bargain; **à plusieurs ~s** on several occasions; **à l'~** sometimes, on occasions; **d'~** secondhand; **occasionnel, le** *adj* (*non régulier*) occasional
occasionner [ɔkazjɔne] *vt* to cause
occident [ɔksidɑ̃] *nm*: **l'O~** the West; **occidental, e, -aux** *adj* western; (*Pol*) Western ▷ *nm/f* Westerner
occupation [ɔkypasjɔ̃] *nf* occupation
occupé, e [ɔkype] *adj* (*personne*) busy; (*place, sièges*) taken; (*toilettes*) engaged; (*Mil, Pol*) occupied; **la ligne est ~e** the line's engaged (BRIT) *ou* busy (US)
occuper [ɔkype] *vt* to occupy; (*poste*) to hold; **s'~ de** (*être responsable de*) to be in charge of; (*se charger de: affaire*) to take charge of, deal with; (*: clients etc*) to attend to; **s'~ (à qch)** to occupy o.s. *ou* keep o.s. busy (with sth)
occurrence [ɔkyʀɑ̃s] *nf*: **en l'~** in this case
océan [ɔseɑ̃] *nm* ocean
octet [ɔktɛ] *nm* byte
octobre [ɔktɔbʀ] *nm* October
oculiste [ɔkylist] *nm/f* eye specialist
odeur [ɔdœʀ] *nf* smell
odieux, -euse [ɔdjø, jøz] *adj* hateful
odorant, e [ɔdɔʀɑ̃, ɑ̃t] *adj* sweet-smelling, fragrant
odorat [ɔdɔʀa] *nm* (sense of) smell
œil [œj] (*pl* **yeux**) *nm* eye; **avoir un ~ au beurre noir** *ou* **poché** to have a black eye; **à l'~** (*fam*) for free; **à l'~ nu** with the naked eye; **ouvrir l'~** (*fig*) to keep one's eyes open *ou* an eye out; **fermer les yeux (sur)** (*fig*) to turn a blind eye (to); **les yeux fermés** (*aussi fig*) with one's eyes shut
œillères [œjɛʀ] *nfpl* blinkers (BRIT), blinders (US)
œillet [œjɛ] *nm* (*Bot*) carnation
œuf [œf, *pl* ø] *nm* egg; **œuf à la coque** boiled egg; **œuf au plat** fried egg; **œuf dur** hard-boiled egg; **œuf de Pâques** Easter egg; **œufs brouillés** scrambled eggs
œuvre [œvʀ] *nf* (*tâche*) task, undertaking; (*livre, tableau etc*) work; (*ensemble de la production artistique*) works *pl* ▷ *nm* (*Constr*): **le gros ~** the shell; **mettre en ~** (*moyens*) to make use of; **œuvre de bienfaisance** charity; **œuvre d'art** work of art
offense [ɔfɑ̃s] *nf* insult; **offenser** *vt* to offend, hurt; **s'offenser de qch** to take offence (BRIT) *ou* offense (US) at sth
offert, e [ɔfɛʀ, ɛʀt] *pp de* **offrir**
office [ɔfis] *nm* (*agence*) bureau, agency; (*Rel*) service ▷ *nm ou nf* (*pièce*) pantry; **faire ~ de** to act as; **d'~** automatically; **office du tourisme** tourist bureau
officiel, le [ɔfisjɛl] *adj, nm/f* official
officier [ɔfisje] *nm* officer
officieux, -euse [ɔfisjø, jøz] *adj* unofficial
offrande [ɔfʀɑ̃d] *nf* offering
offre [ɔfʀ] *nf* offer; (*aux enchères*) bid; (*Admin: soumission*) tender; (*Écon*): **l'~ et la demande** supply and demand; **"~s d'emploi"** "situations vacant"; **offre d'emploi** job advertised; **offre publique d'achat** takeover bid
offrir [ɔfʀiʀ] *vt*: **~ (à qn)** to offer (to sb); (*faire cadeau de*) to give (to sb); **s'~** *vt* (*vacances, voiture*) to treat o.s. to; **~ (à qn) de faire qch** to offer to do sth (for sb); **~ à boire à qn** (*chez soi*) to offer sb a drink; **je vous offre un verre** I'll buy you a drink
OGM *sigle m* (= *organisme génétiquement modifié*) GMO
oie [wa] *nf* (*Zool*) goose
oignon [ɔɲɔ̃] *nm* onion; (*de tulipe etc*) bulb
oiseau, x [wazo] *nm* bird; **oiseau de proie** bird of prey
oisif, -ive [wazif, iv] *adj* idle
oléoduc [ɔleɔdyk] *nm* (oil) pipeline
olive [ɔliv] *nf* (*Bot*) olive; **olivier** *nm* olive (tree)
OLP *sigle f* (= *Organisation de libération de la Palestine*) PLO
olympique [ɔlɛ̃pik] *adj* Olympic
ombragé, e [ɔ̃bʀaʒe] *adj* shaded, shady
ombre [ɔ̃bʀ] *nf* (*espace non ensoleillé*) shade; (*ombre portée, tache*) shadow; **à l'~** in the shade; **dans l'~** (*fig*) in the dark; **ombre à paupières** eyeshadow
omelette [ɔmlɛt] *nf* omelette; **omelette norvégienne** baked Alaska
omettre [ɔmɛtʀ] *vt* to omit, leave out
omoplate [ɔmɔplat] *nf* shoulder blade

 **MOT-CLÉ**

on [ɔ̃] *pron* **1** (*indéterminé*) you, one; **on peut le faire ainsi** you *ou* one can do it like this, it can be done like this
2 (*quelqu'un*): **on les a attaqués** they were attacked; **on vous demande au téléphone** there's a phone call for you, you're wanted on the phone
3 (*nous*) we; **on va y aller demain** we're going tomorrow
4 (*les gens*) they; **autrefois, on croyait ...** they used to believe ...
5: **on ne peut plus** *adv*: **on ne peut plus stupide** as stupid as can be

oncle [ɔ̃kl] *nm* uncle
onctueux, -euse [ɔ̃ktɥø, øz] *adj* creamy, smooth
onde [ɔ̃d] *nf* wave; **~s courtes/moyennes** short/medium wave *sg*; **grandes ~s** long wave *sg*
ondée [ɔ̃de] *nf* shower
on-dit [ɔ̃di] *nm inv* rumour
onduler [ɔ̃dyle] *vi* to undulate; (*cheveux*) to wave
onéreux, -euse [ɔneʀø, øz] *adj* costly
ongle [ɔ̃gl] *nm* nail
ont [ɔ̃] *vb voir* **avoir**
ONU *sigle f* (= *Organisation des Nations Unies*) UN
onze ['ɔ̃z] *num* eleven; **onzième** *num* eleventh
OPA *sigle f* = **offre publique d'achat**
opaque [ɔpak] *adj* opaque
opéra [ɔpeʀa] *nm* opera; (*édifice*) opera house
opérateur, -trice [ɔpeʀatœʀ, tʀis] *nm/f* operator; **opérateur (de prise de vues)** cameraman
opération [ɔpeʀasjɔ̃] *nf* operation; (*Comm*) dealing
opératoire [ɔpeʀatwaʀ] *adj* (*choc etc*) post-operative
opérer [ɔpeʀe] *vt* (*personne*) to operate on; (*faire, exécuter*) to carry out, make ▷ *vi* (*remède: faire effet*) to act, work; (*Méd*) to operate; **s'~** *vi* (*avoir lieu*) to occur, take place; **se faire ~** to have an operation
opérette [ɔpeʀɛt] *nf* operetta, light opera

opinion [ɔpinjɔ̃] *nf* opinion; **l'opinion (publique)** public opinion
opportun, e [ɔpɔʀtœ̃, yn] *adj* timely, opportune; **opportuniste** *nm/f* opportunist
opposant, e [ɔpozɑ̃, ɑ̃t] *nm/f* opponent
opposé, e [ɔpoze] *adj* (*direction*) opposite; (*faction*) opposing; (*opinions, intérêts*) conflicting; (*contre*): **~ à** opposed to, against ▷ *nm*: **l'~** the other *ou* opposite side (*ou* direction); (*contraire*) the opposite; **à l'~** (*fig*) on the other hand; **à l'~ de** (*fig*) contrary to, unlike
opposer [ɔpoze] *vt* (*personnes, équipes*) to oppose; (*couleurs*) to contrast; **s'~** *vi* (*équipes*) to confront each other; (*opinions*) to conflict; (*couleurs, styles*) to contrast; **s'~ à** (*interdire*) to oppose; **~ qch à** (*comme obstacle, défense*) to set sth against; (*comme objection*) to put sth forward against
opposition [ɔpozisjɔ̃] *nf* opposition; **par ~ à** as opposed to; **entrer en ~ avec** to come into conflict with; **faire ~ à un chèque** to stop a cheque
oppressant, e [ɔpʀesɑ̃, ɑ̃t] *adj* oppressive
oppresser [ɔpʀese] *vt* to oppress; **oppression** *nf* oppression
opprimer [ɔpʀime] *vt* to oppress
opter [ɔpte] *vi*: **~ pour** to opt for
opticien, ne [ɔptisjɛ̃, jɛn] *nm/f* optician
optimisme [ɔptimism] *nm* optimism; **optimiste** *nm/f* optimist ▷ *adj* optimistic
option [ɔpsjɔ̃] *nf* option; **matière à ~** (*Scol*) optional subject
optique [ɔptik] *adj* (*nerf*) optic; (*verres*) optical ▷ *nf* (*fig: manière de voir*) perspective
or [ɔʀ] *nm* gold ▷ *conj* now, but; **en or** (*objet*) gold *cpd*; **une affaire en or** a real bargain; **il croyait gagner or il a perdu** he was sure he would win and yet he lost
orage [ɔʀaʒ] *nm* (thunder)storm; **orageux, -euse** *adj* stormy
oral, e, -aux [ɔʀal, o] *adj, nm* oral; **par voie ~e** (*Méd*) orally
orange [ɔʀɑ̃ʒ] *nf* orange ▷ *adj inv* orange; **orangé, e** *adj* orangey, orange-coloured; **orangeade** *nf* orangeade; **oranger** *nm* orange tree
orateur [ɔʀatœʀ] *nm* speaker
orbite [ɔʀbit] *nf* (*Anat*) (eye-)socket; (*Physique*) orbit
Orcades [ɔʀkad] *nfpl*: **les ~** the Orkneys, the Orkney Islands
orchestre [ɔʀkɛstʀ] *nm* orchestra; (*de jazz*) band; (*places*) stalls *pl* (BRIT), orchestra (US)
orchidée [ɔʀkide] *nf* orchid
ordinaire [ɔʀdinɛʀ] *adj* ordinary; (*qualité*) standard; (*péj: commun*) common ▷ *nm* ordinary; (*menus*) everyday fare ▷ *nf* (*essence*) ≈ two-star (petrol) (BRIT), ≈ regular gas (US); **d'~** usually, normally; **comme à l'~** as usual
ordinateur [ɔʀdinatœʀ] *nm* computer; **ordinateur individuel** *ou* **personnel** personal computer; **ordinateur portable** laptop (computer)
ordonnance [ɔʀdɔnɑ̃s] *nf* (*Méd*) prescription; (*Mil*) orderly, batman (BRIT); **pouvez-vous me faire une ~?** can you write me a prescription?
ordonné, e [ɔʀdɔne] *adj* tidy, orderly
ordonner [ɔʀdɔne] *vt* (*agencer*) to organize, arrange; (*donner un ordre*): **~ à qn de faire** to order sb to do; (*Rel*) to ordain; (*Méd*) to prescribe
ordre [ɔʀdʀ] *nm* order; (*propreté et soin*) orderliness, tidiness; (*nature*): **d'~ pratique** of a practical nature; **ordres** *nmpl* (*Rel*) holy orders; **mettre en ~** to tidy (up), put in order; **par ~ alphabétique/d'importance** in alphabetical order/in order of importance; **à l'~ de qn** payable to sb; **être aux ~s de qn/sous les ~s de qn** to be at sb's disposal/under sb's command; **jusqu'à nouvel ~** until further notice; **de premier ~** first-rate; **ordre du jour** (*d'une réunion*) agenda; **à l'ordre du jour** (*fig*) topical; **ordre publique** law and order
ordure [ɔʀdyʀ] *nf* filth *no pl*; **ordures** *nfpl* (*balayures, déchets*) rubbish *sg*, refuse *sg*; **ordures ménagères** household refuse
oreille [ɔʀɛj] *nf* ear; **avoir de l'~** to have a good ear (for music)
oreiller [ɔʀeje] *nm* pillow
oreillons [ɔʀɛjɔ̃] *nmpl* mumps *sg*
ores [ɔʀ]: **d'~ et déjà** *adv* already
orfèvrerie [ɔʀfɛvʀəʀi] *nf* goldsmith's (*ou* silversmith's) trade; (*ouvrage*) gold (*ou* silver) plate
organe [ɔʀgan] *nm* organ; (*porte-parole*) representative, mouthpiece
organigramme [ɔʀganigʀam] *nm* (*tableau hiérarchique*) organization chart; (*schéma*) flow chart
organique [ɔʀganik] *adj* organic
organisateur, -trice [ɔʀganizatœʀ, tʀis] *nm/f* organizer
organisation [ɔʀganizasjɔ̃] *nf* organization; **Organisation des Nations Unies** United Nations (Organization)
organiser [ɔʀganize] *vt* to organize; (*mettre sur pied: service etc*) to set up; **s'~** to get organized
organisme [ɔʀganism] *nm* (*Bio*) organism; (*corps, Admin*) body
organiste [ɔʀganist] *nm/f* organist
orgasme [ɔʀgasm] *nm* orgasm, climax
orge [ɔʀʒ] *nf* barley
orgue [ɔʀg] *nm* organ
orgueil [ɔʀgœj] *nm* pride; **orgueilleux, -euse** *adj* proud
oriental, e, -aux [ɔʀjɑ̃tal, -o] *adj* (*langue, produit*) oriental; (*frontière*) eastern
orientation [ɔʀjɑ̃tasjɔ̃] *nf* (*de recherches*) orientation; (*d'une maison etc*) aspect; (*d'un journal*) leanings *pl*; **avoir le sens de l'~** to have a (good) sense of direction; **orientation professionnelle** careers advisory service
orienté, e [ɔʀjɑ̃te] *adj* (*fig: article, journal*) slanted; **bien/mal ~** (*appartement*) well/badly positioned; **~ au sud** facing south, with a southern aspect
orienter [ɔʀjɑ̃te] *vt* (*tourner: antenne*) to direct, turn; (*personne, recherches*) to direct; (*fig: élève*) to orientate; **s'~** (*se repérer*) to find one's bearings; **s'~ vers** (*fig*) to turn towards
origan [ɔʀigɑ̃] *nm* oregano
originaire [ɔʀiʒinɛʀ] *adj*: **être ~ de** to be a native of
original, e, -aux [ɔʀiʒinal, o] *adj* original; (*bizarre*) eccentric ▷ *nm/f* eccentric ▷ *nm* (*document etc, Art*) original
origine [ɔʀiʒin] *nf* origin; **origines** *nfpl* (*d'une personne*) origins; **d'~** (*pays*) of origin; **d'~ suédoise** of Swedish origin; (*pneus etc*) original; **à l'~** originally; **originel, le** *adj* original
orme [ɔʀm] *nm* elm
ornement [ɔʀnəmɑ̃] *nm* ornament
orner [ɔʀne] *vt* to decorate, adorn
ornière [ɔʀnjɛʀ] *nf* rut
orphelin, e [ɔʀfəlɛ̃, in] *adj* orphan(ed) ▷ *nm/f* orphan; **orphelin de mère/de père** motherless/fatherless; **orphelinat** *nm* orphanage
orteil [ɔʀtɛj] *nm* toe; **gros ~** big toe
orthographe [ɔʀtɔgʀaf] *nf* spelling
ortie [ɔʀti] *nf* (stinging) nettle

os [ɔs] *nm* bone; **os à moelle** marrowbone
osciller [ɔsile] *vi* (*au vent etc*) to rock; (*fig*): **~ entre** to waver *ou* fluctuate between
osé, e [oze] *adj* daring, bold
oseille [ozɛj] *nf* sorrel
oser [oze] *vi, vt* to dare; **~ faire** to dare (to) do
osier [ozje] *nm* willow; **d'~, en ~** wicker(work)
osseux, -euse [ɔsø, øz] *adj* bony; (*tissu, maladie, greffe*) bone *cpd*
otage [ɔtaʒ] *nm* hostage; **prendre qn comme ~** to take sb hostage
OTAN *sigle f* (= *Organisation du traité de l'Atlantique Nord*) NATO
otarie [ɔtaʀi] *nf* sea-lion
ôter [ote] *vt* to remove; (*soustraire*) to take away; **~ qch à qn** to take sth (away) from sb; **~ qch de** to remove sth from
otite [ɔtit] *nf* ear infection
ou [u] *conj* or; **ou ... ou** either ... or; **ou bien** or (else)

 **MOT-CLÉ**

où [u] *pron relatif* **1** (*position, situation*) where, that (*souvent omis*); **la chambre où il était** the room (that) he was in, the room where he was; **la ville où je l'ai rencontré** the town where I met him; **la pièce d'où il est sorti** the room he came out of; **le village d'où je viens** the village I come from; **les villes par où il est passé** the towns he went through
2 (*temps, état*) that (*souvent omis*); **le jour où il est parti** the day (that) he left; **au prix où c'est** at the price it is
▷ *adv* **1** (*interrogation*) where; **où est-il/va-t-il?** where is he/is he going?; **par où?** which way?; **d'où vient que ...?** how come ...?
2 (*position*) where; **je sais où il est** I know where he is; **où que l'on aille** wherever you go

ouate ['wat] *nf* cotton wool (BRIT), cotton (US)
oubli [ubli] *nm* (*acte*): **l'~ de** forgetting; (*trou de mémoire*) lapse of memory; (*négligence*) omission, oversight; **tomber dans l'~** to sink into oblivion
oublier [ublije] *vt* to forget; (*laisser quelque part: chapeau etc*) to leave behind; (*ne pas voir: erreurs etc*) to miss; **j'ai oublié ma clé/mon passeport** I've forgotten my key/passport
ouest [wɛst] *nm* west ▷ *adj inv* west; (*région*) western; **à l'~** in the west; (*direction*) (to the) west, westwards; **à l'~ de** (to the) west of
ouf ['uf] *excl* phew!
oui ['wi] *adv* yes
ouï-dire ['widiʀ]: **par ~** *adv* by hearsay
ouïe [wi] *nf* hearing; **ouïes** *nfpl* (*de poisson*) gills
ouragan [uʀagɑ̃] *nm* hurricane
ourlet [uʀlɛ] *nm* hem
ours [uʀs] *nm* bear; **ours blanc/brun** polar/brown bear; **ours (en peluche)** teddy (bear)
oursin [uʀsɛ̃] *nm* sea urchin
ourson [uʀsɔ̃] *nm* (bear-)cub
ouste [ust] *excl* hop it!
outil [uti] *nm* tool; **outiller** *vt* to equip
outrage [utʀaʒ] *nm* insult; **outrage à la pudeur** indecent conduct *no pl*
outrance [utʀɑ̃s]: **à ~** *adv* excessively, to excess
outre [utʀ] *prép* besides ▷ *adv*: **passer ~ à** to disregard, take no notice of; **en ~** besides, moreover; **~ mesure** to excess; (*manger, boire*) immoderately; **outre-Atlantique** *adv* across the Atlantic; **outre-mer** *adv* overseas
ouvert, e [uvɛʀ, ɛʀt] *pp de* **ouvrir** ▷ *adj* open; (*robinet, gaz etc*) on; **ouvertement** *adv* openly; **ouverture** *nf* opening; (*Mus*) overture; **heures d'ouverture** (*Comm*) opening hours; **ouverture d'esprit** open-mindedness
ouvrable [uvʀabl] *adj*: **jour ~** working day, weekday
ouvrage [uvʀaʒ] *nm* (*tâche, de tricot etc*) work *no pl*; (*texte, livre*) work
ouvre-boîte(s) [uvʀəbwat] *nm inv* tin (BRIT) *ou* can opener
ouvre-bouteille(s) [uvʀəbutɛj] *nm inv* bottle-opener
ouvreuse [uvʀøz] *nf* usherette
ouvrier, -ière [uvʀije, ijɛʀ] *nm/f* worker ▷ *adj* working-class; (*conflit*) industrial; (*mouvement*) labour *cpd*; **classe ouvrière** working class
ouvrir [uvʀiʀ] *vt* (*gén*) to open; (*brèche, passage, Méd: abcès*) to open up; (*commencer l'exploitation de, créer*) to open (up); (*eau, électricité, chauffage, robinet*) to turn on ▷ *vi* to open; to open up; **s'~** *vi* to open; **s'~ à qn** to open one's heart to sb; **est-ce ouvert au public?** is it open to the public?; **quand est-ce que le musée est ouvert?** when is the museum open?; **à quelle heure ouvrez-vous?** what time do you open?; **~ l'appétit à qn** to whet sb's appetite
ovaire [ɔvɛʀ] *nm* ovary
ovale [ɔval] *adj* oval
OVNI [ɔvni] *sigle m* (= *objet volant non identifié*) UFO
oxyder [ɔkside]: **s'~** *vi* to become oxidized
oxygène [ɔksiʒɛn] *nm* oxygen
oxygéné, e [ɔksiʒene] *adj*: **eau ~e** hydrogen peroxide
ozone [ozon] *nf* ozone; **la couche d'~** the ozone layer

p

pacifique [pasifik] *adj* peaceful ▷ *nm*: **le P~, l'océan P~** the Pacific (Ocean)
pack [pak] *nm* pack
pacotille [pakɔtij] *nf* cheap junk
PACS *sigle m* (= *pacte civil de solidarité*) contract of civil partnership; **pacser**: **se pacser** *vi* to sign a contract of civil partnership
pacte [pakt] *nm* pact, treaty
pagaille [pagaj] *nf* mess, shambles *sg*
page [paʒ] *nf* page ▷ *nm* page (boy); **à la ~** (*fig*) up-to-date; **page d'accueil** (*Inform*) home page; **page Web** (*Inform*) web page
paiement [pɛmɑ̃] *nm* payment
païen, ne [pajɛ̃, pajɛn] *adj, nm/f* pagan, heathen
paillasson [pajasɔ̃] *nm* doormat
paille [pɑj] *nf* straw

pain [pɛ̃] *nm* (*substance*) bread; (*unité*) loaf (of bread); (*morceau*): **~ de savon** *etc* bar of soap *etc*; **pain au chocolat** chocolate-filled pastry; **pain aux raisins** currant bun; **pain bis/complet** brown/wholemeal (BRIT) *ou* wholewheat (US) bread; **pain d'épice** ≈ gingerbread; **pain de mie** sandwich loaf; **pain grillé** toast
pair, e [pɛʀ] *adj* (*nombre*) even ▷ *nm* peer; **aller de ~** to go hand in hand *ou* together; **jeune fille au ~** au pair; **paire** *nf* pair
paisible [pezibl] *adj* peaceful, quiet
paix [pɛ] *nf* peace; **faire/avoir la ~** to make/have peace; **fiche-lui la ~!** (*fam*) leave him alone!
Pakistan [pakistɑ̃] *nm*: **le ~** Pakistan
palais [palɛ] *nm* palace; (*Anat*) palate
pâle [pɑl] *adj* pale; **bleu ~** pale blue
Palestine [palɛstin] *nf*: **la ~** Palestine
palette [palɛt] *nf* (*de peintre*) palette; (*produits*) range
pâleur [pɑlœʀ] *nf* paleness
palier [palje] *nm* (*d'escalier*) landing; (*fig*) level, plateau; **par ~s** in stages
pâlir [pɑliʀ] *vi* to turn *ou* go pale; (*couleur*) to fade
pallier [palje] *vt* to offset, make up for
palme [palm] *nf* (*de plongeur*) flipper; **palmé, e** *adj* (*pattes*) webbed
palmier [palmje] *nm* palm tree; (*gâteau*) *heart-shaped biscuit made of flaky pastry*
pâlot, te [pɑlo, ɔt] *adj* pale, peaky
palourde [paluʀd] *nf* clam
palper [palpe] *vt* to feel, finger
palpitant, e [palpitɑ̃, ɑ̃t] *adj* thrilling
palpiter [palpite] *vi* (*cœur, pouls*) to beat; (*: plus fort*) to pound, throb
paludisme [palydism] *nm* malaria
pamphlet [pɑ̃flɛ] *nm* lampoon, satirical tract
pamplemousse [pɑ̃pləmus] *nm* grapefruit
pan [pɑ̃] *nm* section, piece ▷ *excl* bang!
panache [panaʃ] *nm* plume; (*fig*) spirit, panache
panaché, e [panaʃe] *adj*: **glace ~e** mixed-flavour ice cream ▷ *nm* (*bière*) shandy
pancarte [pɑ̃kaʀt] *nf* sign, notice
pancréas [pɑ̃kʀeɑs] *nm* pancreas
pané, e [pane] *adj* fried in breadcrumbs
panier [panje] *nm* basket; **mettre au ~** to chuck away; **panier à provisions** shopping basket; **panier-repas** *nm* packed lunch
panique [panik] *nf, adj* panic; **paniquer** *vi* to panic
panne [pan] *nf* breakdown; **être/tomber en ~** to have broken down/break down; **être en ~ d'essence** *ou* **sèche** to have run out of petrol (BRIT) *ou* gas (US); **ma voiture est en ~** my car has broken down; **panne d'électricité** *ou* **de courant** power cut *ou* failure
panneau, x [pano] *nm* (*écriteau*) sign, notice; **panneau d'affichage** notice board; **panneau de signalisation** roadsign; **panneau indicateur** signpost
panoplie [panɔpli] *nf* (*jouet*) outfit; (*fig*) array
panorama [panɔʀama] *nm* panorama
panse [pɑ̃s] *nf* paunch
pansement [pɑ̃smɑ̃] *nm* dressing, bandage; **pansement adhésif** sticking plaster
pantacourt [pɑ̃takuʀ] *nm* three-quarter length trousers *pl*
pantalon [pɑ̃talɔ̃] *nm* trousers *pl*, pair of trousers; **pantalon de ski** ski pants *pl*
panthère [pɑ̃tɛʀ] *nf* panther
pantin [pɑ̃tɛ̃] *nm* puppet
pantoufle [pɑ̃tufl] *nf* slipper
paon [pɑ̃] *nm* peacock
papa [papa] *nm* dad(dy)
pape [pap] *nm* pope
paperasse [papʀas] (*péj*) *nf* bumf *no pl*, papers *pl*; **paperasserie** (*péj*) *nf* paperwork *no pl*; (*tracasserie*) red tape *no pl*
papeterie [papɛtʀi] *nf* (*magasin*) stationer's (shop)
papi *nm* (*fam*) granddad
papier [papje] *nm* paper; (*article*) article; **papiers** *nmpl* (*aussi*: **~s d'identité**) (identity) papers; **papier à lettres** writing paper, notepaper; **papier (d')aluminium** aluminium (BRIT) *ou* aluminum (US) foil, tinfoil; **papier calque** tracing paper; **papier de verre** sandpaper; **papier hygiénique** *ou* **(de) toilette** toilet paper; **papier journal** newspaper; **papier peint** wallpaper
papillon [papijɔ̃] *nm* butterfly; (*fam: contravention*) (parking) ticket; **papillon de nuit** moth
papillote [papijɔt] *nf*: **en ~** cooked in tinfoil
papoter [papɔte] *vi* to chatter
paquebot [pak(ə)bo] *nm* liner
pâquerette [pɑkʀɛt] *nf* daisy
Pâques [pɑk] *nm, nfpl* Easter
paquet [pakɛ] *nm* packet; (*colis*) parcel; (*fig: tas*): **~ de** pile *ou* heap of; **un ~ de cigarettes, s'il vous plaît** a packet of cigarettes, please; **paquet-cadeau** *nm*: **pouvez-vous me faire un paquet-cadeau, s'il vous plaît?** can you gift-wrap it for me, please?
par [paʀ] *prép* by; **finir** *etc* **~** to end *etc* with; **~ amour** out of love; **passer ~ Lyon/la côte** to go via *ou* through Lyons/along the coast; **~ la fenêtre** (*jeter, regarder*) out of the window; **3 ~ jour/personne** 3 a *ou* per day/person; **2 ~ 2** in twos; **~ ici** this way; (*dans le coin*) round here; **~-ci, ~-là** here and there; **~ temps de pluie** in wet weather
parabolique [paʀabɔlik] *adj*: **antenne ~** parabolic *ou* dish aerial
parachute [paʀaʃyt] *nm* parachute; **parachutiste** *nm/f* parachutist; (*Mil*) paratrooper
parade [paʀad] *nf* (*spectacle, défilé*) parade; (*Escrime, Boxe*) parry
paradis [paʀadi] *nm* heaven, paradise
paradoxe [paʀadɔks] *nm* paradox
paraffine [paʀafin] *nf* paraffin
parages [paʀaʒ] *nmpl*: **dans les ~ (de)** in the area *ou* vicinity (of)
paragraphe [paʀagʀaf] *nm* paragraph
paraître [paʀɛtʀ] *vb +attrib* to seem, look, appear ▷ *vi* to appear; (*être visible*) to show; (*Presse, Édition*) to be published, come out, appear ▷ *vb impers*: **il paraît que** it seems *ou* appears that, they say that
parallèle [paʀalɛl] *adj* parallel; (*non officiel*) unofficial ▷ *nm* (*comparaison*): **faire un ~ entre** to draw a parallel between ▷ *nf* parallel (line)
paralyser [paʀalize] *vt* to paralyse
paramédical, e, -aux [paʀamedikal, o] *adj*: **personnel ~** paramedics *pl*, paramedical workers *pl*
paraphrase [paʀafʀɑz] *nf* paraphrase
parapluie [paʀaplɥi] *nm* umbrella
parasite [paʀazit] *nm* parasite; **parasites** *nmpl* (*Tél*) interference *sg*
parasol [paʀasɔl] *nm* parasol, sunshade
paratonnerre [paʀatɔnɛʀ] *nm* lightning conductor
parc [paʀk] *nm* (public) park, gardens *pl*; (*de château etc*) grounds *pl*; (*d'enfant*) playpen; **parc à thème** theme park; **parc d'attractions** amusement park;

parc de stationnement car park
parcelle [parsɛl] *nf* fragment, scrap; (*de terrain*) plot, parcel
parce que [parsk(ə)] *conj* because
parchemin [parʃəmɛ̃] *nm* parchment
parc(o)mètre [parkmɛtr] *nm* parking meter
parcourir [parkurir] *vt* (*trajet, distance*) to cover; (*article, livre*) to skim *ou* glance through; (*lieu*) to go all over, travel up and down; (*suj: frisson*) to run through
parcours [parkur] *nm* (*trajet*) journey; (*itinéraire*) route
par-dessous [pard(ə)su] *prép, adv* under(neath)
pardessus [pardəsy] *nm* overcoat
par-dessus [pard(ə)sy] *prép* over (the top of) ▷ *adv* over (the top); **~ le marché** on top of all that; **~ tout** above all; **en avoir ~ la tête** to have had enough
par-devant [pard(ə)vɑ̃] *adv* (*passer*) round the front
pardon [pardɔ̃] *nm* forgiveness *no pl* ▷ *excl* sorry!; (*pour interpeller etc*) excuse me!; **demander ~ à qn (de)** to apologize to sb (for); **je vous demande ~** I'm sorry; (*pour interpeller*) excuse me; **pardonner** *vt* to forgive; **pardonner qch à qn** to forgive sb for sth
pare...: **pare-brise** *nm inv* windscreen (BRIT), windshield (US); **pare-chocs** *nm inv* bumper; **pare-feu** *nm inv* (*de foyer*) fireguard; (*Inform*) firewall
pareil, le [parɛj] *adj* (*identique*) the same, alike; (*similaire*) similar; (*tel*): **un courage/livre ~** such courage/a book, courage/a book like this; **de ~s livres** such books; **faire ~** to do the same (thing); **~ à** the same as; (*similaire*) similar to; **sans ~** unparalleled, unequalled
parent, e [parɑ̃, ɑ̃t] *nm/f*: **un(e) ~(e)** a relative *ou* relation; **parents** *nmpl* (*père et mère*) parents; **parenté** *nf* (*lien*) relationship
parenthèse [parɑ̃tɛz] *nf* (*ponctuation*) bracket, parenthesis; (*digression*) parenthesis, digression; **entre ~s** in brackets; (*fig*) incidentally
paresse [parɛs] *nf* laziness; **paresseux, -euse** *adj* lazy
parfait, e [parfɛ, ɛt] *adj* perfect ▷ *nm* (*Ling*) perfect (tense); **parfaitement** *adv* perfectly ▷ *excl* (most) certainly
parfois [parfwa] *adv* sometimes
parfum [parfœ̃] *nm* (*produit*) perfume, scent; (*odeur: de fleur*) scent, fragrance; (*goût*) flavour; **quels ~s avez-vous?** what flavours do you have?; **parfumé, e** *adj* (*fleur, fruit*) fragrant; (*femme*) perfumed; **parfumé au café** coffee-flavoured; **parfumer** *vt* (*suj: odeur, bouquet*) to perfume; (*crème, gâteau*) to flavour; **parfumerie** *nf* (*produits*) perfumes *pl*; (*boutique*) perfume shop
pari [pari] *nm* bet; **parier** *vt* to bet
Paris [pari] *n* Paris; **parisien, ne** *adj* Parisian; (*Géo, Admin*) Paris *cpd* ▷ *nm/f*: **Parisien, ne** Parisian
parité [parite] *nf* (*Pol*): **~ hommes-femmes** balanced representation of men and women
parjure [parʒyr] *nm* perjury
parking [parkiŋ] *nm* (*lieu*) car park
parlant, e [parlɑ̃, ɑ̃t] *adj* (*regard*) eloquent; (*Cinéma*) talking
parlement [parləmɑ̃] *nm* parliament; **parlementaire** *adj* parliamentary ▷ *nm/f* member of parliament
parler [parle] *vi* to speak, talk; (*avouer*) to talk; **~ (à qn) de** to talk *ou* speak (to sb) about; **~ le/en français** to speak French/in French; **~ affaires** to talk business; **sans ~ de** (*fig*) not to mention, to say nothing of; **tu parles!** (*fam: bien sûr*) you bet!; **parlez-vous français?** do you speak French?; **je ne parle pas anglais** I don't speak English; **est-ce que je peux ~ à ...?** can I speak to ...?
parloir [parlwar] *nm* (*de prison, d'hôpital*) visiting room
parmi [parmi] *prép* among(st)
paroi [parwa] *nf* wall; (*cloison*) partition
paroisse [parwas] *nf* parish
parole [parɔl] *nf* (*faculté*): **la ~** speech; (*mot, promesse*) word; **paroles** *nfpl* (*Mus*) words, lyrics; **tenir ~** to keep one's word; **prendre la ~** to speak; **demander la ~** to ask for permission to speak; **je te crois sur ~** I'll take your word for it
parquet [parkɛ] *nm* (parquet) floor; (*Jur*): **le ~** the Public Prosecutor's department
parrain [parɛ̃] *nm* godfather; **parrainer** *vt* (*suj: entreprise*) to sponsor
pars [par] *vb voir* **partir**
parsemer [parsəme] *vt* (*suj: feuilles, papiers*) to be scattered over; **~ qch de** to scatter sth with
part [par] *nf* (*qui revient à qn*) share; (*fraction, partie*) part; **à ~** *adv* (*séparément*) separately; (*de côté*) aside ▷ *prép* apart from, except for; **prendre ~ à** (*débat etc*) to take part in; (*soucis, douleur de qn*) to share in; **faire ~ de qch à qn** to announce sth to sb, inform sb of sth; **pour ma ~** as for me, as far as I'm concerned; **à ~ entière** full; **de la ~ de** (*au nom de*) on behalf of; (*donné par*) from; **de toute(s) ~(s)** from all sides *ou* quarters; **de ~ et d'autre** on both sides, on either side; **d'une ~ ... d'autre ~** on the one hand ... on the other hand; **d'autre ~** (*de plus*) moreover; **faire la ~ des choses** to make allowances
partage [partaʒ] *nm* (*fractionnement*) dividing up; (*répartition*) sharing (out) *no pl*, share-out
partager [partaʒe] *vt* to share; (*distribuer, répartir*) to share (out); (*morceler, diviser*) to divide (up); **se ~** *vt* (*héritage etc*) to share between themselves (*ou* ourselves)
partenaire [partənɛr] *nm/f* partner
parterre [partɛr] *nm* (*de fleurs*) (flower) bed; (*Théâtre*) stalls *pl*
parti [parti] *nm* (*Pol*) party; (*décision*) course of action; (*personne à marier*) match; **tirer ~ de** to take advantage of, turn to good account; **prendre ~ (pour/contre)** to take sides *ou* a stand (for/against); **parti pris** bias
partial, e, -aux [parsjal, jo] *adj* biased, partial
participant, e [partisipɑ̃, ɑ̃t] *nm/f* participant; (*à un concours*) entrant
participation [partisipasjɔ̃] *nf* participation; (*financière*) contribution
participer [partisipe]: **~ à** *vt* (*course, réunion*) to take part in; (*frais etc*) to contribute to; (*chagrin, succès de qn*) to share (in)
particularité [partikylarite] *nf* (distinctive) characteristic
particulier, -ière [partikylje, jɛr] *adj* (*spécifique*) particular; (*spécial*) special, particular; (*personnel, privé*) private; (*étrange*) peculiar, odd ▷ *nm* (*individu: Admin*) private individual; **~ à** peculiar to; **en ~** (*surtout*) in particular, particularly; (*en privé*) in private; **particulièrement** *adv* particularly
partie [parti] *nf* (*gén*) part; (*Jur etc: protagonistes*) party; (*de cartes, tennis etc*) game; **une ~ de pêche** a fishing party *ou* trip; **en ~** partly, in part; **faire ~ de** (*suj: chose*) to be part of; **prendre qn à ~** to take sb to task; **en grande ~** largely, in the main; **partie civile** (*Jur*) *party claiming damages in a criminal case*
partiel, le [parsjɛl] *adj* partial ▷ *nm* (*Scol*) class

exam

partir [paRtiR] *vi* (*gén*) to go; (*quitter*) to go, leave; (*tache*) to go, come out; **~ de** (*lieu: quitter*) to leave; (*: commencer à*) to start from; **~ pour/à** (*lieu, pays etc*) to leave for/go off to; **à ~ de** from; **le train/le bus part à quelle heure?** what time does the train/bus leave?

partisan, e [paRtizɑ̃, an] *nm/f* partisan ▷ *adj*: **être ~ de qch/de faire** to be in favour of sth/doing

partition [paRtisjɔ̃] *nf* (*Mus*) score

partout [paRtu] *adv* everywhere; **~ où il allait** everywhere *ou* wherever he went

paru [paRy] *pp de* **paraître**

parution [paRysjɔ̃] *nf* publication

parvenir [paRvəniR]: **~ à** *vt* (*atteindre*) to reach; (*réussir*): **~ à faire** to manage to do, succeed in doing; **faire ~ qch à qn** to have sth sent to sb

pas[1] [pɑ] *nm* (*enjambée, Danse*) step; (*allure, mesure*) pace; (*bruit*) (foot)step; (*trace*) footprint; **~ à ~** step by step; **au ~** at walking pace; **marcher à grands ~** to stride along; **à ~ de loup** stealthily; **faire les cent ~** to pace up and down; **faire le premier ~** to make the first move; **sur le ~ de la porte** on the doorstep

 **MOT-CLÉ**

pas[2] [pɑ] *adv* **1** (*en corrélation avec ne, non etc*) not; **il ne pleure pas** (*habituellement*) he does not *ou* doesn't cry; (*maintenant*) he's not *ou* isn't crying; **il n'a pas pleuré/ne pleurera pas** he did not *ou* didn't/will not *ou* won't cry; **ils n'ont pas de voiture/d'enfants** they don't have *ou* haven't got a car/any children; **il m'a dit de ne pas le faire** he told me not to do it; **non pas que ...** not that ...

2 (*employé sans ne etc*): **pas moi** not me, I don't (*ou* can't *etc*); **elle travaille, (mais) lui pas** *ou* **pas lui** she works but he doesn't *ou* does not; **une pomme pas mûre** an unripe apple; **pas du tout** not at all; **pas de sucre, merci** no sugar, thanks; **ceci est à vous ou pas?** is this yours or not?, is this yours or isn't it?

3: **pas mal** (*joli: personne, maison*) not bad; **pas mal fait** not badly done *ou* made; **comment ça va? — pas mal** how are things? — not bad; **pas mal de** quite a lot of

passage [pɑsaʒ] *nm* (*fait de passer*) *voir* **passer**; (*lieu, prix de la traversée, extrait*) passage; (*chemin*) way; **de ~** (*touristes*) passing through; **passage à niveau** level crossing; **passage clouté** pedestrian crossing; **passage interdit** no entry; **passage souterrain** subway (BRIT), underpass

passager, -ère [pɑsaʒe, ɛR] *adj* passing ▷ *nm/f* passenger

passant, e [pɑsɑ̃, ɑ̃t] *adj* (*rue, endroit*) busy ▷ *nm/f* passer-by; **en ~** in passing

passe [pɑs] *nf* (*Sport, Navig*) pass; **être en ~ de faire** to be on the way to doing; **être dans une mauvaise ~** to be going through a rough patch

passé, e [pɑse] *adj* (*révolu*) past; (*dernier: semaine etc*) last; (*couleur*) faded ▷ *prép* after ▷ *nm* past; (*Ling*) past (tense); **~ de mode** out of fashion; **passé composé** perfect (tense); **passé simple** past historic (tense)

passe-partout [pɑspaRtu] *nm inv* master *ou* skeleton key ▷ *adj inv* all-purpose

passeport [pɑspɔR] *nm* passport

passer [pɑse] *vi* (*aller*) to go; (*voiture, piétons: défiler*) to pass (by), go by; (*facteur, laitier etc*) to come, call; (*pour rendre visite*) to call *ou* drop in; (*film, émission*) to be on; (*temps, jours*) to pass, go by; (*couleur*) to fade; (*mode*) to die out; (*douleur*) to pass, go away; (*Scol*): **~ dans la classe supérieure** to go up to the next class ▷ *vt* (*frontière, rivière etc*) to cross; (*douane*) to go through; (*examen*) to sit, take; (*visite médicale etc*) to have; (*journée, temps*) to spend; (*enfiler: vêtement*) to slip on; (*film, pièce*) to show, put on; (*disque*) to play, put on; (*commande*) to place; (*marché, accord*) to agree on; **se ~** *vi* (*avoir lieu: scène, action*) to take place; (*se dérouler: entretien etc*) to go; (*s'écouler: semaine etc*) to pass, go by; (*arriver*): **que s'est-il passé?** what happened?; **~ qch à qn** (*sel etc*) to pass sth to sb; (*prêter*) to lend sb sth; (*lettre, message*) to pass sth on to sb; (*tolérer*) to let sb get away with sth; **~ par** to go through; **~ avant qch/qn** (*fig*) to come before sth/sb; **~ un coup de fil à qn** (*fam*) to give sb a ring; **laisser ~** (*air, lumière, personne*) to let through; (*occasion*) to let slip, miss; (*erreur*) to overlook; **~ à la radio/télévision** to be on the radio/on television; **~ à table** to sit down to eat; **~ au salon** to go into the sitting-room; **~ son tour** to miss one's turn; **~ la seconde** (*Auto*) to change into second; **~ le balai/l'aspirateur** to sweep up/hoover; **je vous passe M. Dupont** (*je vous mets en communication avec lui*) I'm putting you through to Mr Dupont; (*je lui passe l'appareil*) here is Mr Dupont, I'll hand you over to Mr Dupont; **se ~ de** to go *ou* do without

passerelle [pɑsRɛl] *nf* footbridge; (*de navire, avion*) gangway

passe-temps [pɑstɑ̃] *nm inv* pastime

passif, -ive [pasif, iv] *adj* passive

passion [pasjɔ̃] *nf* passion; **passionnant, e** *adj* fascinating; **passionné, e** *adj* (*personne*) passionate; (*récit*) impassioned; **être passionné de** to have a passion for; **passionner** *vt* (*personne*) to fascinate, grip

passoire [pɑswaR] *nf* sieve; (*à légumes*) colander; (*à thé*) strainer

pastèque [pastɛk] *nf* watermelon

pasteur [pastœR] *nm* (*protestant*) minister, pastor

pastille [pastij] *nf* (*à sucer*) lozenge, pastille

patate [patat] *nf* (*fam: pomme de terre*) spud; **patate douce** sweet potato

patauger [patoʒe] *vi* to splash about

pâte [pɑt] *nf* (*à tarte*) pastry; (*à pain*) dough; (*à frire*) batter; **pâtes** *nfpl* (*macaroni etc*) pasta *sg*; **pâte à modeler** modelling clay, Plasticine® (BRIT); **pâte brisée** shortcrust pastry; **pâte d'amandes** almond paste, marzipan; **pâte de fruits** crystallized fruit *no pl*; **pâte feuilletée** puff *ou* flaky pastry

pâté [pɑte] *nm* (*charcuterie*) pâté; (*tache*) ink blot; **pâté de maisons** block (of houses); **pâté (de sable)** sandpie; **pâté en croûte** ≈ pork pie

pâtée [pɑte] *nf* mash, feed

patente [patɑ̃t] *nf* (*Comm*) trading licence

paternel, le [patɛRnɛl] *adj* (*amour, soins*) fatherly; (*ligne, autorité*) paternal

pâteux, -euse [pɑtø, øz] *adj* pasty; (*langue*) coated

pathétique [patetik] *adj* moving

patience [pasjɑ̃s] *nf* patience

patient, e [pasjɑ̃, jɑ̃t] *adj, nm/f* patient; **patienter** *vi* to wait

patin [patɛ̃] *nm* skate; (*sport*) skating; **patins (à glace)** (ice) skates; **patins à roulettes** roller skates

patinage [patinaʒ] *nm* skating

patiner [patine] *vi* to skate; (*roue, voiture*) to spin; **se ~** *vi* (*meuble, cuir*) to acquire a sheen; **patineur, -euse** *nm/f* skater; **patinoire** *nf* skating rink,

(ice) rink
pâtir [patiʀ]: **~ de** *vt* to suffer because of
pâtisserie [patisʀi] *nf* (*boutique*) cake shop; (*gâteau*) cake, pastry; (*à la maison*) pastry- *ou* cake-making, baking; **pâtissier, -ière** *nm/f* pastrycook
patois [patwa] *nm* dialect, patois
patrie [patʀi] *nf* homeland
patrimoine [patʀimwan] *nm* (*culture*) heritage
patriotique [patʀijɔtik] *adj* patriotic
patron, ne [patʀɔ̃, ɔn] *nm/f* boss; (*Rel*) patron saint ▷ *nm* (*Couture*) pattern; **patronat** *nm* employers *pl*; **patronner** *vt* to sponsor, support
patrouille [patʀuj] *nf* patrol
patte [pat] *nf* (*jambe*) leg; (*pied: de chien, chat*) paw; (*: d'oiseau*) foot
pâturage [pɑtyʀaʒ] *nm* pasture
paume [pom] *nf* palm
paumé, e [pome] (*fam*) *nm/f* drop-out
paupière [popjɛʀ] *nf* eyelid
pause [poz] *nf* (*arrêt*) break; (*en parlant, Mus*) pause
pauvre [povʀ] *adj* poor; **les pauvres** *nmpl* the poor; **pauvreté** *nf* (*état*) poverty
pavé, e [pave] *adj* (*cour*) paved; (*chaussée*) cobbled ▷ *nm* (*bloc*) paving stone; cobblestone
pavillon [pavijɔ̃] *nm* (*de banlieue*) small (detached) house; pavilion; (*drapeau*) flag
payant, e [pɛjɑ̃, ɑ̃t] *adj* (*spectateurs etc*) paying; (*fig: entreprise*) profitable; (*effort*) which pays off; **c'est ~** you have to pay, there is a charge
paye [pɛj] *nf* pay, wages *pl*
payer [peje] *vt* (*créancier, employé, loyer*) to pay; (*achat, réparations, fig: faute*) to pay for ▷ *vi* to pay; (*métier*) to be well-paid; (*tactique etc*) to pay off; **il me l'a fait ~ 10 euros** he charged me 10 euros for it; **~ qch à qn** to buy sth for sb, buy sb sth; **se ~ la tête de qn** (*fam*) to take the mickey out of sb; **est-ce que je peux ~ par carte de crédit?** can I pay by credit card?
pays [pei] *nm* country; (*région*) region; **du ~** local
paysage [peizaʒ] *nm* landscape
paysan, ne [peizɑ̃, an] *nm/f* farmer; (*péj*) peasant ▷ *adj* (*agricole*) farming; (*rural*) country
Pays-Bas [peiba] *nmpl*: **les ~** the Netherlands
PC *nm* (*Inform*) PC
PDA *sigle m* (= *personal digital assistant*) PDA
PDG *sigle m* = **président directeur général**
péage [peaʒ] *nm* toll; (*endroit*) tollgate
peau, x [po] *nf* skin; **gants de ~** fine leather gloves; **être bien/mal dans sa ~** to be quite at ease/ill-at-ease; **peau de chamois** (*chiffon*) chamois leather, shammy
pêche [pɛʃ] *nf* (*fruit*) peach; (*sport, activité*) fishing; (*poissons pêchés*) catch; **pêche à la ligne** (*en rivière*) angling
péché [peʃe] *nm* sin
pécher [peʃe] *vi* (*Rel*) to sin
pêcher [peʃe] *nm* peach tree ▷ *vi* to go fishing ▷ *vt* (*attraper*) to catch; (*être pêcheur de*) to fish for
pécheur, -eresse [peʃœʀ, peʃʀɛs] *nm/f* sinner
pêcheur [pɛʃœʀ] *nm* fisherman; (*à la ligne*) angler
pédagogie [pedagɔʒi] *nf* educational methods *pl*, pedagogy; **pédagogique** *adj* educational
pédale [pedal] *nf* pedal
pédalo [pedalo] *nm* pedal-boat
pédant, e [pedɑ̃, ɑ̃t] (*péj*) *adj* pedantic
pédestre [pedɛstʀ] *adj*: **randonnée ~** ramble; **sentier ~** pedestrian footpath
pédiatre [pedjatʀ] *nm/f* paediatrician, child specialist
pédicure [pedikyʀ] *nm/f* chiropodist
pègre [pɛgʀ] *nf* underworld
peigne [pɛɲ] *nm* comb; **peigner** *vt* to comb (the hair of); **se peigner** *vi* to comb one's hair; **peignoir** *nm* dressing gown; **peignoir de bain** bathrobe
peindre [pɛ̃dʀ] *vt* to paint; (*fig*) to portray, depict
peine [pɛn] *nf* (*affliction*) sorrow, sadness *no pl*; (*mal, effort*) trouble *no pl*, effort; (*difficulté*) difficulty; (*Jur*) sentence; **avoir de la ~** to be sad; **faire de la ~ à qn** to distress *ou* upset sb; **prendre la ~ de faire** to go to the trouble of doing; **se donner de la ~** to make an effort; **ce n'est pas la ~ de faire** there's no point in doing, it's not worth doing; **à ~** scarcely, barely; **à ~ ... que** hardly ... than, no sooner ... than; **peine capitale** capital punishment; **peine de mort** death sentence *ou* penalty; **peiner** *vi* (*personne*) to work hard; (*moteur, voiture*) to labour ▷ *vt* to grieve, sadden
peintre [pɛ̃tʀ] *nm* painter; **peintre en bâtiment** painter (and decorator)
peinture [pɛ̃tyʀ] *nf* painting; (*matière*) paint; (*surfaces peintes: aussi: ~s*) paintwork; **"~ fraîche"** "wet paint"
péjoratif, -ive [peʒɔʀatif, iv] *adj* pejorative, derogatory
Pékin [pekɛ̃] *n* Beijing
pêle-mêle [pɛlmɛl] *adv* higgledy-piggledy
peler [pəle] *vt, vi* to peel
pèlerin [pɛlʀɛ̃] *nm* pilgrim
pèlerinage [pɛlʀinaʒ] *nm* pilgrimage
pelle [pɛl] *nf* shovel; (*d'enfant, de terrassier*) spade
pellicule [pelikyl] *nf* film; **pellicules** *nfpl* (*Méd*) dandruff *sg*; **je voudrais une ~ de 36 poses** I'd like a 36-exposure film
pelote [p(ə)lɔt] *nf* (*de fil, laine*) ball; **pelote basque** pelota
peloton [p(ə)lɔtɔ̃] *nm* group, squad; (*Cyclisme*) pack
pelotonner [p(ə)lɔtɔne]: **se ~** *vi* to curl (o.s.) up
pelouse [p(ə)luz] *nf* lawn
peluche [p(ə)lyʃ] *nf*: **(animal en) ~** fluffy animal, soft toy; **chien/lapin en ~** fluffy dog/rabbit
pelure [p(ə)lyʀ] *nf* peeling, peel *no pl*
pénal, e, -aux [penal, o] *adj* penal; **pénalité** *nf* penalty
penchant [pɑ̃ʃɑ̃] *nm* (*tendance*) tendency, propensity; (*faible*) liking, fondness
pencher [pɑ̃ʃe] *vi* to tilt, lean over ▷ *vt* to tilt; **se ~** *vi* to lean over; (*se baisser*) to bend down; **se ~ sur** (*fig: problème*) to look into; **~ pour** to be inclined to favour
pendant [pɑ̃dɑ̃] *prép* (*au cours de*) during; (*indique la durée*) for; **~ que** while
pendentif [pɑ̃dɑ̃tif] *nm* pendant
penderie [pɑ̃dʀi] *nf* wardrobe
pendre [pɑ̃dʀ] *vt, vi* to hang; **se ~** (*se suicider*) to hang o.s.; **~ qch à** (*mur*) to hang sth (up) on; (*plafond*) to hang sth (up) from
pendule [pɑ̃dyl] *nf* clock ▷ *nm* pendulum
pénétrer [penetʀe] *vi, vt* to penetrate; **~ dans** to enter
pénible [penibl] *adj* (*travail*) hard; (*sujet*) painful; (*personne*) tiresome; **péniblement** *adv* with difficulty
péniche [peniʃ] *nf* barge
pénicilline [penisilin] *nf* penicillin
péninsule [penɛ̃syl] *nf* peninsula
pénis [penis] *nm* penis
pénitence [penitɑ̃s] *nf* (*peine*) penance; (*repentir*) penitence; **pénitencier** *nm* penitentiary
pénombre [penɔ̃bʀ] *nf* (*faible clarté*) half-light;

(*obscurité*) darkness
pensée [pɑ̃se] *nf* thought; (*démarche, doctrine*) thinking *no pl*; (*fleur*) pansy; **en ~** in one's mind
penser [pɑ̃se] *vi, vt* to think; **~ à** (*ami, vacances*) to think of *ou* about; (*réfléchir à: problème, offre*) to think about *ou* over; (*prévoir*) to think of; **faire ~ à** to remind one of; **~ faire qch** to be thinking of doing sth, intend to do sth; **pensif, -ive** *adj* pensive, thoughtful
pension [pɑ̃sjɔ̃] *nf* (*allocation*) pension; (*prix du logement*) board and lodgings, bed and board; (*école*) boarding school; **pension alimentaire** (*de divorcée*) maintenance allowance, alimony; **pension complète** full board; **pension de famille** boarding house, guesthouse; **pensionnaire** *nm/f* (*Scol*) boarder; **pensionnat** *nm* boarding school
pente [pɑ̃t] *nf* slope; **en ~** sloping
Pentecôte [pɑ̃tkot] *nf*: **la ~** Whitsun (BRIT), Pentecost
pénurie [penyʀi] *nf* shortage
pépé [pepe] (*fam*) *nm* grandad
pépin [pepɛ̃] *nm* (*Bot: graine*) pip; (*ennui*) snag, hitch
pépinière [pepinjɛʀ] *nf* nursery
perçant, e [pɛʀsɑ̃, ɑ̃t] *adj* (*cri*) piercing, shrill; (*regard*) piercing
percepteur, -trice [pɛʀsɛptœʀ, tʀis] *nm/f* tax collector
perception [pɛʀsɛpsjɔ̃] *nf* perception; (*bureau*) tax office
percer [pɛʀse] *vt* to pierce; (*ouverture etc*) to make; (*mystère, énigme*) to penetrate ▷ *vi* to break through; **perceuse** *nf* drill
percevoir [pɛʀsəvwaʀ] *vt* (*distinguer*) to perceive, detect; (*taxe, impôt*) to collect; (*revenu, indemnité*) to receive
perche [pɛʀʃ] *nf* (*bâton*) pole
percher [pɛʀʃe] *vt, vi* to perch; **se ~** *vi* to perch; **perchoir** *nm* perch
perçois *etc* [pɛʀswa] *vb voir* **percevoir**
perçu, e [pɛʀsy] *pp de* **percevoir**
percussion [pɛʀkysjɔ̃] *nf* percussion
percuter [pɛʀkyte] *vt* to strike; (*suj: véhicule*) to crash into
perdant, e [pɛʀdɑ̃, ɑ̃t] *nm/f* loser
perdre [pɛʀdʀ] *vt* to lose; (*gaspiller: temps, argent*) to waste; (*personne: moralement etc*) to ruin ▷ *vi* to lose; (*sur une vente etc*) to lose out; **se ~** *vi* (*s'égarer*) to get lost, lose one's way; (*denrées*) to go to waste; **j'ai perdu mon portefeuille/passeport** I've lost my wallet/passport; **je me suis perdu** (*et je le suis encore*) I'm lost; (*et je ne le suis plus*) I got lost
perdrix [pɛʀdʀi] *nf* partridge
perdu, e [pɛʀdy] *pp de* **perdre** ▷ *adj* (*isolé*) out-of-the-way; (*Comm: emballage*) non-returnable; (*malade*): **il est ~** there's no hope left for him; **à vos moments ~s** in your spare time
père [pɛʀ] *nm* father; **père de famille** father; **le père Noël** Father Christmas
perfection [pɛʀfɛksjɔ̃] *nf* perfection; **à la ~** to perfection; **perfectionné, e** *adj* sophisticated; **perfectionner** *vt* to improve, perfect; **se perfectionner en anglais** to improve one's English
perforer [pɛʀfɔʀe] *vt* (*poinçonner*) to punch
performant, e [pɛʀfɔʀmɑ̃, ɑ̃t] *adj*: **très ~** high-performance *cpd*
perfusion [pɛʀfyzjɔ̃] *nf*: **faire une ~ à qn** to put sb on a drip
péril [peʀil] *nm* peril
périmé, e [peʀime] *adj* (*Admin*) out-of-date, expired
périmètre [peʀimɛtʀ] *nm* perimeter
période [peʀjɔd] *nf* period; **périodique** *adj* periodic ▷ *nm* periodical; **garniture** *ou* **serviette périodique** sanitary towel (BRIT) *ou* napkin (US)
périphérique [peʀifeʀik] *adj* (*quartiers*) outlying ▷ *nm* (*Auto*): **boulevard ~** ring road (BRIT), beltway (US)
périr [peʀiʀ] *vi* to die, perish
périssable [peʀisabl] *adj* perishable
perle [pɛʀl] *nf* pearl; (*de plastique, métal, sueur*) bead
permanence [pɛʀmanɑ̃s] *nf* permanence; (*local*) (duty) office; **assurer une ~** (*service public, bureaux*) to operate *ou* maintain a basic service; **être de ~** to be on call *ou* duty; **en ~** continuously
permanent, e [pɛʀmanɑ̃, ɑ̃t] *adj* permanent; (*spectacle*) continuous; **permanente** *nf* perm
perméable [pɛʀmeabl] *adj* (*terrain*) permeable; **~ à** (*fig*) receptive *ou* open to
permettre [pɛʀmɛtʀ] *vt* to allow, permit; **~ à qn de faire/qch** to allow sb to do/sth; **se ~ de faire** to take the liberty of doing
permis [pɛʀmi] *nm* permit, licence; **permis de conduire** driving licence (BRIT), driver's license (US); **permis de construire** planning permission (BRIT), building permit (US); **permis de séjour** residence permit; **permis de travail** work permit
permission [pɛʀmisjɔ̃] *nf* permission; (*Mil*) leave; **avoir la ~ de faire** to have permission to do; **en ~** on leave
Pérou [peʀu] *nm* Peru
perpétuel, le [pɛʀpetɥɛl] *adj* perpetual; **perpétuité** *nf*: **à perpétuité** for life; **être condamné à perpétuité** to receive a life sentence
perplexe [pɛʀplɛks] *adj* perplexed, puzzled
perquisitionner [pɛʀkizisjɔne] *vi* to carry out a search
perron [peʀɔ̃] *nm* steps *pl* (*leading to entrance*)
perroquet [peʀɔkɛ] *nm* parrot
perruche [peʀyʃ] *nf* budgerigar (BRIT), budgie (BRIT), parakeet (US)
perruque [peʀyk] *nf* wig
persécuter [pɛʀsekyte] *vt* to persecute
persévérer [pɛʀsevеʀe] *vi* to persevere
persil [pɛʀsi] *nm* parsley
Persique [pɛʀsik] *adj*: **le golfe ~** the (Persian) Gulf
persistant, e [pɛʀsistɑ̃, ɑ̃t] *adj* persistent
persister [pɛʀsiste] *vi* to persist; **~ à faire qch** to persist in doing sth
personnage [pɛʀsɔnaʒ] *nm* (*individu*) character, individual; (*célébrité*) important person; (*de roman, film*) character; (*Peinture*) figure
personnalité [pɛʀsɔnalite] *nf* personality; (*personnage*) prominent figure
personne [pɛʀsɔn] *nf* person ▷ *pron* nobody, no one; (*avec négation en anglais*) anybody, anyone; **personne âgée** elderly person; **personnel, le** *adj* personal; (*égoïste*) selfish ▷ *nm* staff, personnel; **personnellement** *adv* personally
perspective [pɛʀspɛktiv] *nf* (*Art*) perspective; (*vue*) view; (*point de vue*) viewpoint, angle; (*chose envisagée*) prospect; **en ~** in prospect
perspicace [pɛʀspikas] *adj* clear-sighted, gifted with (*ou* showing) insight; **perspicacité** *nf* clear-sightedness
persuader [pɛʀsɥade] *vt*: **~ qn (de faire)** to persuade sb (to do); **persuasif, -ive** *adj* persuasive
perte [pɛʀt] *nf* loss; (*de temps*) waste; (*fig: morale*) ruin; **à ~ de vue** as far as the eye can (*ou* could) see; **pertes blanches** (vaginal) discharge *sg*

pertinent, e [pɛʀtinɑ̃, ɑ̃t] *adj* apt, relevant
perturbation [pɛʀtyʀbasjɔ̃] *nf*: **perturbation (atmosphérique)** atmospheric disturbance
perturber [pɛʀtyʀbe] *vt* to disrupt; (*Psych*) to perturb, disturb
pervers, e [pɛʀvɛʀ, ɛʀs] *adj* perverted
pervertir [pɛʀvɛʀtiʀ] *vt* to pervert
pesant, e [pəzɑ̃, ɑ̃t] *adj* heavy; (*fig: présence*) burdensome
pèse-personne [pɛzpɛʀsɔn] *nm* (bathroom) scales *pl*
peser [pəze] *vt* to weigh ▷ *vi* to weigh; (*fig: avoir de l'importance*) to carry weight; **~ lourd** to be heavy
pessimiste [pesimist] *adj* pessimistic ▷ *nm/f* pessimist
peste [pɛst] *nf* plague
pétale [petal] *nm* petal
pétanque [petɑ̃k] *nf type of bowls*
pétard [petaʀ] *nm* banger (BRIT), firecracker
péter [pete] *vi* (*fam: casser*) to bust; (*fam!*) to fart (*!*)
pétillant, e [petijɑ̃, ɑ̃t] *adj* (*eau etc*) sparkling
pétiller [petije] *vi* (*feu*) to crackle; (*champagne*) to bubble; (*yeux*) to sparkle
petit, e [p(ə)ti, it] *adj* small; (*avec nuance affective*) little; (*voyage*) short, little; (*bruit etc*) faint, slight ▷ *nm/f* (*petit enfant*) little boy/girl, child; **petits** *nmpl* (*d'un animal*) young *no pl*; **faire des ~s** to have kittens (*ou* puppies *etc*); **la classe des ~s** the infant class; **les tout-~s** the little ones, the tiny tots (*fam*); **~ à ~** bit by bit, gradually; **petit(e) ami(e)** boyfriend/girlfriend; **petit déjeuner** breakfast; **le petit déjeuner est à quelle heure?** what time is breakfast?; **petit four** petit four; **petit pain** (bread) roll; **les petites annonces** the small ads; **petits pois** (garden) peas; **petite-fille** *nf* granddaughter; **petit-fils** *nm* grandson
pétition [petisjɔ̃] *nf* petition
petits-enfants [pətizɑ̃fɑ̃] *nmpl* grandchildren
pétrin [petʀɛ̃] *nm* (*fig*): **dans le ~** (*fam*) in a jam *ou* fix
pétrir [petʀiʀ] *vt* to knead
pétrole [petʀɔl] *nm* oil; (*pour lampe, réchaud etc*) paraffin (oil); **pétrolier, -ière** *nm* oil tanker

 **MOT-CLÉ**

peu [pø] *adv* **1** (*modifiant verbe, adjectif, adverbe*): **il boit peu** he doesn't drink (very) much; **il est peu bavard** he's not very talkative; **peu avant/après** shortly before/afterwards
2 (*modifiant nom*): **peu de**: **peu de gens/d'arbres** few *ou* not (very) many people/trees; **il a peu d'espoir** he hasn't (got) much hope, he has little hope; **pour peu de temps** for (only) a short while
3: **peu à peu** little by little; **à peu près** just about, more or less; **à peu près 10 kg/10 euros** approximately 10 kg/10 euros
▷ *nm* **1**: **le peu de gens qui** the few people who; **le peu de sable qui** what little sand, the little sand which
2: **un peu** a little; **un petit peu** a little bit; **un peu d'espoir** a little hope; **elle est un peu bavarde** she's quite *ou* rather talkative; **un peu plus de** slightly more than; **un peu moins de** slightly less than; (*avec pluriel*) slightly fewer than
▷ *pron*: **peu le savent** few know (it); **de peu** (only) just

peuple [pœpl] *nm* people; **peupler** *vt* (*pays, région*) to populate; (*étang*) to stock; (*suj: hommes, poissons*) to inhabit
peuplier [pøplije] *nm* poplar (tree)
peur [pœʀ] *nf* fear; **avoir ~ (de/de faire/que)** to be frightened *ou* afraid (of/of doing/that); **faire ~ à** to frighten; **de ~ de/que** for fear of/that; **peureux, -euse** *adj* fearful, timorous
peut [pø] *vb voir* **pouvoir**
peut-être [pøtɛtʀ] *adv* perhaps, maybe; **~ que** perhaps, maybe; **~ bien qu'il fera/est** he may well do/be
phare [faʀ] *nm* (*en mer*) lighthouse; (*de véhicule*) headlight
pharmacie [faʀmasi] *nf* (*magasin*) chemist's (BRIT), pharmacy; (*de salle de bain*) medicine cabinet; **pharmacien, ne** *nm/f* pharmacist, chemist (BRIT)
phénomène [fenɔmɛn] *nm* phenomenon
philosophe [filɔzɔf] *nm/f* philosopher ▷ *adj* philosophical
philosophie [filɔzɔfi] *nf* philosophy
phobie [fɔbi] *nf* phobia
phoque [fɔk] *nm* seal
phosphorescent, e [fɔsfɔʀesɑ̃, ɑ̃t] *adj* luminous
photo [fɔto] *nf* photo(graph); **prendre en ~** to take a photo of; **pourriez-vous nous prendre en ~, s'il vous plaît?** would you take a picture of us, please?; **faire de la ~** to take photos; **photo d'identité** passport photograph; **photocopie** *nf* photocopy; **photocopier** *vt* to photocopy; **photocopieuse** *nf* photocopier; **photographe** *nm/f* photographer; **photographie** *nf* (*technique*) photography; (*cliché*) photograph; **photographier** *vt* to photograph
phrase [fʀɑz] *nf* sentence
physicien, ne [fizisjɛ̃, jɛn] *nm/f* physicist
physique [fizik] *adj* physical ▷ *nm* physique ▷ *nf* physics *sg*; **au ~** physically; **physiquement** *adv* physically
pianiste [pjanist] *nm/f* pianist
piano [pjano] *nm* piano; **pianoter** *vi* to tinkle away (at the piano)
pic [pik] *nm* (*instrument*) pick(axe); (*montagne*) peak; (*Zool*) woodpecker; **à ~** vertically; (*fig: tomber, arriver*) just at the right time
pichet [piʃɛ] *nm* jug
picorer [pikɔʀe] *vt* to peck
pie [pi] *nf* magpie
pièce [pjɛs] *nf* (*d'un logement*) room; (*Théâtre*) play; (*de machine*) part; (*de monnaie*) coin; (*document*) document; (*fragment, de collection*) piece; **dix euros ~** ten euros each; **vendre à la ~** to sell separately; **travailler à la ~** to do piecework; **un maillot une ~** a one-piece swimsuit; **un deux-~s cuisine** a two-room(ed) flat (BRIT) *ou* apartment (US) with kitchen; **pièce à conviction** exhibit; **pièce d'eau** ornamental lake *ou* pond; **pièce de rechange** spare (part); **pièce d'identité**: **avez-vous une pièce d'identité?** have you got any (means of) identification?; **pièce jointe** (*Comput*) attachment; **pièce montée** tiered cake; **pièces détachées** spares, (spare) parts; **pièces justificatives** supporting documents
pied [pje] *nm* foot; (*de table*) leg; (*de lampe*) base; **~s nus** *ou* **nus-~s** barefoot; **à ~** on foot; **au ~ de la lettre** literally; **avoir ~** to be able to touch the bottom, not to be out of one's depth; **avoir le ~ marin** to be a good sailor; **sur ~** (*debout, rétabli*) up and about; **mettre sur ~** (*entreprise*) to set up; **c'est le ~** (*fam*) it's brilliant; **mettre les ~s dans le plat** (*fam*) to put one's foot in it; **il se débrouille comme un ~** (*fam*) he's completely useless; **pied-noir** *nm*

Algerian-born Frenchman
piège [pjɛʒ] *nm* trap; **prendre au ~** to trap; **piéger** *vt* (*avec une bombe*) to booby-trap; **lettre/voiture piégée** letter-/car-bomb
piercing [pjɛʀsiŋ] *nm* body piercing
pierre [pjɛʀ] *nf* stone; **pierre tombale** tombstone; **pierreries** *nfpl* gems, precious stones
piétiner [pjetine] *vi* (*trépigner*) to stamp (one's foot); (*fig*) to be at a standstill ▷ *vt* to trample on
piéton, ne [pjetɔ̃, ɔn] *nm/f* pedestrian; **piétonnier, -ière** *adj*: **rue** *ou* **zone piétonnière** pedestrian precinct
pieu, x [pjø] *nm* post; (*pointu*) stake
pieuvre [pjœvʀ] *nf* octopus
pieux, -euse [pjø, pjøz] *adj* pious
pigeon [piʒɔ̃] *nm* pigeon
piger [piʒe] (*fam*) *vi, vt* to understand
pigiste [piʒist] *nm/f* freelance(r)
pignon [piɲɔ̃] *nm* (*de mur*) gable
pile [pil] *nf* (*tas*) pile; (*Élec*) battery ▷ *adv* (*fam: s'arrêter etc*) dead; **à deux heures ~** at two on the dot; **jouer à ~ ou face** to toss up (for it); **~ ou face?** heads or tails?
piler [pile] *vt* to crush, pound
pilier [pilje] *nm* pillar
piller [pije] *vt* to pillage, plunder, loot
pilote [pilɔt] *nm* pilot; (*de voiture*) driver ▷ *adj* pilot *cpd*; **pilote de course** racing driver; **pilote de ligne** airline pilot; **piloter** *vt* (*avion*) to pilot, fly; (*voiture*) to drive
pilule [pilyl] *nf* pill; **prendre la ~** to be on the pill
piment [pimɑ̃] *nm* (*aussi*: **~ rouge**) chilli; (*fig*) spice, piquancy; **~ doux** pepper, capsicum; **pimenté, e** *adj* (*plat*) hot, spicy
pin [pɛ̃] *nm* pine
pinard [pinaʀ] (*fam*) *nm* (cheap) wine, plonk (BRIT)
pince [pɛ̃s] *nf* (*outil*) pliers *pl*; (*de homard, crabe*) pincer, claw; (*Couture: pli*) dart; **pince à épiler** tweezers *pl*; **pince à linge** clothes peg (BRIT) *ou* pin (US)
pincé, e [pɛ̃se] *adj* (*air*) stiff
pinceau, x [pɛ̃so] *nm* (paint)brush
pincer [pɛ̃se] *vt* to pinch; (*fam*) to nab
pinède [pinɛd] *nf* pinewood, pine forest
pingouin [pɛ̃gwɛ̃] *nm* penguin
ping-pong® [piŋpɔ̃g] *nm* table tennis
pinson [pɛ̃sɔ̃] *nm* chaffinch
pintade [pɛ̃tad] *nf* guinea-fowl
pion [pjɔ̃] *nm* (*Échecs*) pawn; (*Dames*) piece; (*Scol*) supervisor
pionnier [pjɔnje] *nm* pioneer
pipe [pip] *nf* pipe; **fumer la ~** to smoke a pipe
piquant, e [pikɑ̃, ɑ̃t] *adj* (*barbe, rosier etc*) prickly; (*saveur, sauce*) hot, pungent; (*détail*) titillating; (*froid*) biting ▷ *nm* (*épine*) thorn, prickle; (*fig*) spiciness, spice
pique [pik] *nf* pike; (*fig*) cutting remark ▷ *nm* (*Cartes*) spades *pl*
pique-nique [piknik] *nm* picnic; **pique-niquer** *vi* to have a picnic
piquer [pike] *vt* (*suj: guêpe, fumée, orties*) to sting; (*: moustique*) to bite; (*: barbe*) to prick; (*: froid*) to bite; (*Méd*) to give a jab to; (*: chien, chat*) to put to sleep; (*intérêt*) to arouse; (*fam: voler*) to pinch ▷ *vi* (*avion*) to go into a dive
piquet [pikɛ] *nm* (*pieu*) post, stake; (*de tente*) peg
piqûre [pikyʀ] *nf* (*d'épingle*) prick; (*d'ortie*) sting; (*de moustique*) bite; (*Méd*) injection, shot (US); **faire une ~ à qn** to give sb an injection
pirate [piʀat] *nm, adj* pirate; **pirate de l'air** hijacker
pire [piʀ] *adj* worse; (*superlatif*): **le(la) ~ ...** the worst ... ▷ *nm*: **le ~ (de)** the worst (of); **au ~** at (the very) worst
pis [pi] *nm* (*de vache*) udder ▷ *adj, adv* worse; **de mal en ~** from bad to worse
piscine [pisin] *nf* (swimming) pool; **piscine couverte** indoor (swimming) pool
pissenlit [pisɑ̃li] *nm* dandelion
pistache [pistaʃ] *nf* pistachio (nut)
piste [pist] *nf* (*d'un animal, sentier*) track, trail; (*indice*) lead; (*de stade*) track; (*de cirque*) ring; (*de danse*) floor; (*de patinage*) rink; (*de ski*) run; (*Aviat*) runway; **piste cyclable** cycle track
pistolet [pistɔlɛ] *nm* (*arme*) pistol, gun; (*à peinture*) spray gun; **pistolet-mitrailleur** *nm* submachine gun
piston [pistɔ̃] *nm* (*Tech*) piston; **avoir du ~** (*fam*) to have friends in the right places; **pistonner** *vt* (*candidat*) to pull strings for
piteux, -euse [pitø, øz] *adj* pitiful, sorry (*avant le nom*); **en ~ état** in a sorry state
pitié [pitje] *nf* pity; **il me fait ~** I feel sorry for him; **avoir ~ de** (*compassion*) to pity, feel sorry for; (*merci*) to have pity *ou* mercy on
pitoyable [pitwajabl] *adj* pitiful
pittoresque [pitɔʀɛsk] *adj* picturesque
PJ *sigle f* (= *police judiciaire*) ≈ CID (BRIT), ≈ FBI (US)
placard [plakaʀ] *nm* (*armoire*) cupboard; (*affiche*) poster, notice
place [plas] *nf* (*emplacement, classement*) place; (*de ville, village*) square; (*espace libre*) room, space; (*de parking*) space; (*siège: de train, cinéma, voiture*) seat; (*emploi*) job; **en ~** (*mettre*) in its place; **sur ~** on the spot; **faire ~ à** to give way to; **ça prend de la ~** it takes up a lot of room *ou* space; **à la ~ de** in place of, instead of; **à votre ~ ...** if I were you ...; **je voudrais réserver deux ~s** I'd like to book two seats; **la ~ est prise?** is this seat taken?; **se mettre à la ~ de qn** to put o.s. in sb's place *ou* in sb's shoes
placé, e [plase] *adj*: **haut ~** (*fig*) high-ranking; **être bien/mal ~** (*spectateur*) to have a good/a poor seat; (*concurrent*) to be in a good/bad position; **il est bien ~ pour le savoir** he is in a position to know
placement [plasmɑ̃] *nm* (*Finance*) investment; **agence** *ou* **bureau de ~** employment agency
placer [plase] *vt* to place; (*convive, spectateur*) to seat; (*argent*) to place, invest; **se ~ au premier rang** to go and stand (*ou* sit) in the first row
plafond [plafɔ̃] *nm* ceiling
plage [plaʒ] *nf* beach; **plage arrière** (*Auto*) parcel *ou* back shelf
plaider [plede] *vi* (*avocat*) to plead ▷ *vt* to plead; **~ pour** (*fig*) to speak for; **plaidoyer** *nm* (*Jur*) speech for the defence; (*fig*) plea
plaie [plɛ] *nf* wound
plaignant, e [plɛɲɑ̃, ɑ̃t] *nm/f* plaintiff
plaindre [plɛ̃dʀ] *vt* to pity, feel sorry for; **se ~** *vi* (*gémir*) to moan; (*protester*): **se ~ (à qn) (de)** to complain (to sb) (about); (*souffrir*): **se ~ de** to complain of
plaine [plɛn] *nf* plain
plain-pied [plɛ̃pje] *adv*: **de ~ (avec)** on the same level (as)
plainte [plɛ̃t] *nf* (*gémissement*) moan, groan; (*doléance*) complaint; **porter ~** to lodge a complaint
plaire [plɛʀ] *vi* to be a success, be successful; **ça plaît beaucoup aux jeunes** it's very popular with young people; **~ à**: **cela me plaît** I like it; **se**

~ quelque part to like being somewhere *ou* like it somewhere; **s'il vous plaît** please
plaisance [plɛzɑ̃s] *nf* (*aussi*: **navigation de ~**) (pleasure) sailing, yachting
plaisant, e [plɛzɑ̃, ɑ̃t] *adj* pleasant; (*histoire, anecdote*) amusing
plaisanter [plɛzɑ̃te] *vi* to joke; **plaisanterie** *nf* joke
plaisir [pleziʀ] *nm* pleasure; **faire ~ à qn** (*délibérément*) to be nice to sb, please sb; **ça me fait ~** I like (doing) it; **j'espère que ça te fera ~** I hope you'll like it; **pour le ~** for pleasure
plaît [plɛ] *vb voir* **plaire**
plan, e [plɑ̃, an] *adj* flat ▷ *nm* plan; (*fig*) level, plane; (*Cinéma*) shot; **au premier/second ~** in the foreground/middle distance; **à l'arrière ~** in the background; **plan d'eau** lake
planche [plɑ̃ʃ] *nf* (*pièce de bois*) plank, (wooden) board; (*illustration*) plate; **planche à repasser** ironing board; **planche (à roulettes)** skateboard; **planche (à voile)** (*sport*) windsurfing
plancher [plɑ̃ʃe] *nm* floor; floorboards *pl* ▷ *vi* (*fam*) to work hard
planer [plane] *vi* to glide; (*fam*: *rêveur*) to have one's head in the clouds; **~ sur** (*fig*: *danger*) to hang over
planète [planɛt] *nf* planet
planeur [planœʀ] *nm* glider
planifier [planifje] *vt* to plan
planning [planiŋ] *nm* programme, schedule; **planning familial** family planning
plant [plɑ̃] *nm* seedling, young plant
plante [plɑ̃t] *nf* plant; **la plante du pied** the sole (of the foot); **plante verte** *ou* **d'appartement** house plant
planter [plɑ̃te] *vt* (*plante*) to plant; (*enfoncer*) to hammer *ou* drive in; (*tente*) to put up, pitch; (*fam*: *personne*) to dump; **se ~** (*fam*: *se tromper*) to get it wrong
plaque [plak] *nf* plate; (*de verglas, d'eczéma*) patch; (*avec inscription*) plaque; **plaque chauffante** hotplate; **plaque de chocolat** bar of chocolate; **plaque tournante** (*fig*) centre
plaqué, e [plake] *adj*: **~ or/argent** gold-/silver-plated
plaquer [plake] *vt* (*Rugby*) to bring down; (*fam*: *laisser tomber*) to drop
plaquette [plakɛt] *nf* (*de chocolat*) bar; (*beurre*) pack(et); **plaquette de frein** brake pad
plastique [plastik] *adj, nm* plastic; **plastiquer** *vt* to blow up (*with a plastic bomb*)
plat, e [pla, -at] *adj* flat; (*cheveux*) straight; (*style*) flat, dull ▷ *nm* (*récipient, Culin*) dish; (*d'un repas*) course; **à ~ ventre** face down; **à ~** (*pneu, batterie*) flat; (*fam*: *personne*) dead beat; **plat cuisiné** pre-cooked meal; **plat de résistance** main course; **plat du jour** dish of the day
platane [platan] *nm* plane tree
plateau, x [plato] *nm* (*support*) tray; (*Géo*) plateau; (*Cinéma*) set; **plateau à fromages** cheese board
plate-bande [platbɑ̃d] *nf* flower bed
plate-forme [platfɔʀm] *nf* platform; **plate-forme de forage/pétrolière** drilling/oil rig
platine [platin] *nm* platinum ▷ *nf* (*d'un tourne-disque*) turntable; **platine laser** compact disc *ou* CD player
plâtre [plɑtʀ] *nm* (*matériau*) plaster; (*statue*) plaster statue; (*Méd*) (plaster) cast; **avoir un bras dans le ~** to have an arm in plaster
plein, e [plɛ̃, plɛn] *adj* full ▷ *nm*: **faire le ~ (d'essence)** to fill up (with petrol); **à ~es mains** (*ramasser*) in handfuls; **à ~ temps** full-time; **en ~ air** in the open air; **en ~ soleil** in direct sunlight; **en ~e nuit/rue** in the middle of the night/street; **en ~ jour** in broad daylight; **le ~, s'il vous plaît** fill it up, please
pleurer [plœʀe] *vi* to cry; (*yeux*) to water ▷ *vt* to mourn (for); **~ sur** to lament (over), to bemoan
pleurnicher [plœʀniʃe] *vi* to snivel, whine
pleurs [plœʀ] *nmpl*: **en ~** in tears
pleut [plø] *vb voir* **pleuvoir**
pleuvoir [pløvwaʀ] *vb impers* to rain ▷ *vi* (*coups*) to rain down; (*critiques, invitations*) to shower down; **il pleut** it's raining; **il pleut des cordes** it's pouring (down), it's raining cats and dogs
pli [pli] *nm* fold; (*de jupe*) pleat; (*de pantalon*) crease
pliant, e [plijɑ̃, plijɑ̃t] *adj* folding
plier [plije] *vt* to fold; (*pour ranger*) to fold up; (*genou, bras*) to bend ▷ *vi* to bend; (*fig*) to yield; **se ~ à** to submit to
plisser [plise] *vt* (*jupe*) to put pleats in; (*yeux*) to screw up; (*front*) to crease
plomb [plɔ̃] *nm* (*métal*) lead; (*d'une cartouche*) (lead) shot; (*Pêche*) sinker; (*Élec*) fuse; **sans ~** (*essence etc*) unleaded
plomberie [plɔ̃bʀi] *nf* plumbing
plombier [plɔ̃bje] *nm* plumber
plonge [plɔ̃ʒ] *nf* washing-up
plongeant, e [plɔ̃ʒɑ̃, ɑ̃t] *adj* (*vue*) from above; (*décolleté*) plunging
plongée [plɔ̃ʒe] *nf* (*Sport*) diving *no pl*; (*sans scaphandre*) skin diving; **~ sous-marine** diving
plongeoir [plɔ̃ʒwaʀ] *nm* diving board
plongeon [plɔ̃ʒɔ̃] *nm* dive
plonger [plɔ̃ʒe] *vi* to dive ▷ *vt*: **~ qch dans** to plunge sth into; **se ~ dans** (*études, lecture*) to bury *ou* immerse o.s. in; **plongeur** *nm* diver
plu [ply] *pp de* **plaire**; *de* **pleuvoir**
pluie [plɥi] *nf* rain
plume [plym] *nf* feather; (*pour écrire*) (pen) nib; (*fig*) pen
plupart [plypaʀ]: **la ~** *pron* the majority, most (of them); **la ~ des** most, the majority of; **la ~ du temps/d'entre nous** most of the time/of us; **pour la ~** for the most part, mostly
pluriel [plyʀjɛl] *nm* plural
plus¹ [ply] *vb voir* **plaire**

MOT-CLÉ

plus² [ply] *adv* **1** (*forme négative*): **ne ... plus** no more, no longer; **je n'ai plus d'argent** I've got no more money *ou* no money left; **il ne travaille plus** he's no longer working, he doesn't work any more
2 [ply, plyz ʷ voyelle] (*comparatif*) more, ...+er; (*superlatif*): **le plus** the most, the ...+est; **plus grand/intelligent (que)** bigger/more intelligent (than); **le plus grand/intelligent** the biggest/most intelligent; **tout au plus** at the very most
3 [plys, plyz ʷ voyelle] (*davantage*) more; **il travaille plus (que)** he works more (than); **plus il travaille, plus il est heureux** the more he works, the happier he is; **plus de 10 personnes/3 heures** more than *ou* over 10 people/3 hours; **3 heures de plus que** 3 hours more than; **de plus** what's more, moreover; **il a 3 ans de plus que moi** he's 3 years older than me; **3 kilos en plus** 3 kilos more; **en plus de** in addition to; **de plus en plus** more and more; **plus ou moins** more or less; **ni plus ni moins** no

more, no less
▷ *prép* [plys]: **4 plus 2** 4 plus 2

plusieurs [plyzjœʀ] *dét, pron* several; **ils sont ~** there are several of them
plus-value [plyvaly] *nf* (*bénéfice*) surplus
plutôt [plyto] *adv* rather; **je préfère ~ celui-ci** I'd rather have this one; **~ que (de) faire** rather than *ou* instead of doing
pluvieux, -euse [plyvjø, jøz] *adj* rainy, wet
PME *sigle f* (= *petite(s) et moyenne(s) entreprise(s)*) small business(es)
PMU *sigle m* (= *Pari mutuel urbain*) *system of betting on horses*; (*café*) betting agency
PNB *sigle m* (= *produit national brut*) GNP
pneu [pnø] *nm* tyre (BRIT), tire (US); **j'ai un ~ crevé** I've got a flat tyre
pneumonie [pnømɔni] *nf* pneumonia
poche [pɔʃ] *nf* pocket; (*sous les yeux*) bag, pouch; **argent de ~** pocket money
pochette [pɔʃɛt] *nf* (*d'aiguilles etc*) case; (*mouchoir*) breast pocket handkerchief; (*sac à main*) clutch bag; **pochette de disque** record sleeve
poêle [pwal] *nm* stove ▷ *nf*: **~ (à frire)** frying pan
poème [pɔɛm] *nm* poem
poésie [pɔezi] *nf* (*poème*) poem; (*art*): **la ~** poetry
poète [pɔɛt] *nm* poet
poids [pwa] *nm* weight; (*Sport*) shot; **vendre au ~** to sell by weight; **perdre/prendre du ~** to lose/put on weight; **poids lourd** (*camion*) lorry (BRIT), truck (US)
poignant, e [pwaɲɑ̃, ɑ̃t] *adj* poignant
poignard [pwaɲaʀ] *nm* dagger; **poignarder** *vt* to stab, knife
poigne [pwaɲ] *nf* grip; **avoir de la ~** (*fig*) to rule with a firm hand
poignée [pwaɲe] *nf* (*de sel etc, fig*) handful; (*de couvercle, porte*) handle; **poignée de main** handshake
poignet [pwaɲɛ] *nm* (*Anat*) wrist; (*de chemise*) cuff
poil [pwal] *nm* (*Anat*) hair; (*de pinceau, brosse*) bristle; (*de tapis*) strand; (*pelage*) coat; **à ~** (*fam*) starkers; **au ~** (*fam*) hunky-dory; **poilu, e** *adj* hairy
poinçonner [pwɛ̃sɔne] *vt* (*bijou*) to hallmark; (*billet*) to punch
poing [pwɛ̃] *nm* fist; **coup de ~** punch
point [pwɛ̃] *nm* point; (*endroit*) spot; (*marque, signe*) dot; (: *de ponctuation*) full stop, period (US); (*Couture, Tricot*) stitch ▷ *adv* = **pas²**; **faire le ~** (*fig*) to take stock (of the situation); **sur le ~ de faire** (just) about to do; **à tel ~ que** so much so that; **mettre au ~** (*procédé*) to develop; (*affaire*) to settle; **à ~** (*Culin*: *viande*) medium; **à ~ (nommé)** just at the right time; **deux ~s** colon; **point de côté** stitch (*pain*); **point d'exclamation/d'interrogation** exclamation/question mark; **point de repère** landmark; (*dans le temps*) point of reference; **point de vente** retail outlet; **point de vue** viewpoint; (*fig*: *opinion*) point of view; **point faible** weak spot; **point final** full stop, period (US); **point mort**: **au point mort** (*Auto*) in neutral; **points de suspension** suspension points
pointe [pwɛ̃t] *nf* point; (*clou*) tack; (*fig*): **une ~ de** a hint of; **être à la ~ de** (*fig*) to be in the forefront of; **sur la ~ des pieds** on tiptoe; **en ~** pointed, tapered; **de ~** (*technique etc*) leading; **heures de ~** peak hours
pointer [pwɛ̃te] *vt* (*diriger*: *canon, doigt*): **~ sur qch** to point at sth ▷ *vi* (*employé*) to clock in
pointillé [pwɛ̃tije] *nm* (*trait*) dotted line
pointilleux, -euse [pwɛ̃tijø, øz] *adj* particular, pernickety
pointu, e [pwɛ̃ty] *adj* pointed; (*voix*) shrill; (*analyse*) precise
pointure [pwɛ̃tyʀ] *nf* size
point-virgule [pwɛ̃viʀgyl] *nm* semi-colon
poire [pwaʀ] *nf* pear; (*fam*: *péj*) mug
poireau, x [pwaʀo] *nm* leek
poirier [pwaʀje] *nm* pear tree
pois [pwa] *nm* (*Bot*) pea; (*sur une étoffe*) dot, spot; **~ chiche** chickpea; **à ~** (*cravate etc*) spotted, polka-dot *cpd*
poison [pwazɔ̃] *nm* poison
poisseux, -euse [pwasø, øz] *adj* sticky
poisson [pwasɔ̃] *nm* fish *gén inv*; (*Astrol*): **P~s** Pisces; **~ d'avril** April fool; (*blague*) April Fool's Day trick; **poisson rouge** goldfish; **poissonnerie** *nf* fish-shop; **poissonnier, -ière** *nm/f* fishmonger (BRIT), fish merchant (US)
poitrine [pwatʀin] *nf* chest; (*seins*) bust, bosom; (*Culin*) breast
poivre [pwavʀ] *nm* pepper
poivron [pwavʀɔ̃] *nm* pepper, capsicum
polaire [pɔlɛʀ] *adj* polar
pôle [pol] *nm* (*Géo, Élec*) pole; **le ~ Nord/Sud** the North/South Pole
poli, e [pɔli] *adj* polite; (*lisse*) smooth
police [pɔlis] *nf* police; **police judiciaire** ≈ Criminal Investigation Department (BRIT), ≈ Federal Bureau of Investigation (US); **police secours** ≈ emergency services *pl* (BRIT), ≈ paramedics *pl* (US); **policier, -ière** *adj* police *cpd* ▷ *nm* policeman; (*aussi*: **roman policier**) detective novel
polir [pɔliʀ] *vt* to polish
politesse [pɔlitɛs] *nf* politeness
politicien, ne [pɔlitisjɛ̃, jɛn] (*péj*) *nm/f* politician
politique [pɔlitik] *adj* political ▷ *nf* politics *sg*; (*mesures, méthode*) policies *pl*
politiquement [pɔlitikmɑ̃] *adv* politically; **~ correct** politically correct
pollen [pɔlɛn] *nm* pollen
polluant, e [pɔlɥɑ̃, ɑ̃t] *adj* polluting ▷ *nm* (*produit*): ~ pollutant; **non ~** non-polluting
polluer [pɔlɥe] *vt* to pollute; **pollution** *nf* pollution
polo [pɔlo] *nm* (*chemise*) polo shirt
Pologne [pɔlɔɲ] *nf*: **la ~** Poland; **polonais, e** *adj* Polish ▷ *nm/f*: **Polonais, e** Pole ▷ *nm* (*Ling*) Polish
poltron, ne [pɔltʀɔ̃, ɔn] *adj* cowardly
polycopier [pɔlikɔpje] *vt* to duplicate
Polynésie [pɔlinezi] *nf*: **la ~** Polynesia; **la ~ française** French Polynesia
polyvalent, e [pɔlivalɑ̃, ɑ̃t] *adj* (*rôle*) varied; (*salle*) multi-purpose
pommade [pɔmad] *nf* ointment, cream
pomme [pɔm] *nf* apple; **tomber dans les ~s** (*fam*) to pass out; **pomme d'Adam** Adam's apple; **pomme de pin** pine *ou* fir cone; **pomme de terre** potato
pommette [pɔmɛt] *nf* cheekbone
pommier [pɔmje] *nm* apple tree
pompe [pɔ̃p] *nf* pump; (*faste*) pomp (and ceremony); **pompe (à essence)** petrol pump; **pompes funèbres** funeral parlour *sg*, undertaker's *sg*; **pomper** *vt* to pump; (*aspirer*) to pump up; (*absorber*) to soak up
pompeux, -euse [pɔ̃pø, øz] *adj* pompous
pompier [pɔ̃pje] *nm* fireman
pompiste [pɔ̃pist] *nm/f* petrol (BRIT) *ou* gas (US) pump attendant
poncer [pɔ̃se] *vt* to sand (down)

ponctuation [pɔ̃ktɥasjɔ̃] *nf* punctuation
ponctuel, le [pɔ̃ktɥɛl] *adj* punctual
pondéré, e [pɔ̃deʀe] *adj* level-headed, composed
pondre [pɔ̃dʀ] *vt* to lay
poney [pɔnɛ] *nm* pony
pont [pɔ̃] *nm* bridge; (*Navig*) deck; **faire le ~** to take the extra day off; **pont suspendu** suspension bridge; **pont-levis** *nm* drawbridge
pop [pɔp] *adj inv* pop
populaire [pɔpylɛʀ] *adj* popular; (*manifestation*) mass *cpd*; (*milieux, quartier*) working-class; (*expression*) vernacular
popularité [pɔpylaʀite] *nf* popularity
population [pɔpylasjɔ̃] *nf* population
populeux, -euse [pɔpylø, øz] *adj* densely populated
porc [pɔʀ] *nm* pig; (*Culin*) pork
porcelaine [pɔʀsəlɛn] *nf* porcelain, china; piece of china(ware)
porc-épic [pɔʀkepik] *nm* porcupine
porche [pɔʀʃ] *nm* porch
porcherie [pɔʀʃəʀi] *nf* pigsty
pore [pɔʀ] *nm* pore
porno [pɔʀno] *adj* porno ▷ *nm* porn
port [pɔʀ] *nm* harbour, port; (*ville*) port; (*de l'uniforme etc*) wearing; (*pour lettre*) postage; (*pour colis, aussi: posture*) carriage; **port d'arme** (*Jur*) carrying of a firearm; **port payé** postage paid
portable [pɔʀtabl] *adj* (*portatif*) portable; (*téléphone*) mobile ▷ *nm* (*Comput*) laptop (computer); (*téléphone*) mobile (phone)
portail [pɔʀtaj] *nm* gate
portant, e [pɔʀtɑ̃, ɑ̃t] *adj*: **bien/mal ~** in good/poor health
portatif, -ive [pɔʀtatif, iv] *adj* portable
porte [pɔʀt] *nf* door; (*de ville, jardin*) gate; **mettre à la ~** to throw out; **porte-avions** *nm inv* aircraft carrier; **porte-bagages** *nm inv* luggage rack; **porte-bonheur** *nm inv* lucky charm; **porte-clefs** *nm inv* key ring; **porte-documents** *nm inv* attaché *ou* document case
porté, e [pɔʀte] *adj*: **être ~ à faire** to be inclined to do; **être ~ sur qch** to be keen on sth; **portée** *nf* (*d'une arme*) range; (*fig: effet*) impact, import; (: *capacité*) scope, capability; (*de chatte etc*) litter; (*Mus*) stave, staff; **à/hors de portée (de)** within/out of reach (of); **à portée de (la) main** within (arm's) reach; **à la portée de qn** (*fig*) at sb's level, within sb's capabilities
porte...: **portefeuille** *nm* wallet; **portemanteau, x** *nm* (*cintre*) coat hanger; (*au mur*) coat rack; **porte-monnaie** *nm inv* purse; **porte-parole** *nm inv* spokesman
porter [pɔʀte] *vt* to carry; (*sur soi: vêtement, barbe, bague*) to wear; (*fig: responsabilité etc*) to bear, carry; (*inscription, nom, fruits*) to bear; (*coup*) to deal; (*attention*) to turn; (*apporter*): **~ qch à qn** to take sth to sb ▷ *vi* (*voix*) to carry; (*coup, argument*) to hit home; **se ~** *vi* (*se sentir*): **se ~ bien/mal** to be well/unwell; **~ sur** (*recherches*) to be concerned with; **se faire ~ malade** to report sick
porteur, -euse [pɔʀtœʀ, øz] *nm/f* (*de bagages*) porter; (*de chèque*) bearer
porte-voix [pɔʀtəvwa] *nm inv* megaphone
portier [pɔʀtje] *nm* doorman
portière [pɔʀtjɛʀ] *nf* door
portion [pɔʀsjɔ̃] *nf* (*part*) portion, share; (*partie*) portion, section
porto [pɔʀto] *nm* port (wine)
portrait [pɔʀtʀɛ] *nm* (*peinture*) portrait; (*photo*) photograph; **portrait-robot** *nm* Identikit® *ou* photo-fit® picture
portuaire [pɔʀtɥɛʀ] *adj* port *cpd*, harbour *cpd*
portugais, e [pɔʀtygɛ, ɛz] *adj* Portuguese ▷ *nm/f*: **P~, e** Portuguese ▷ *nm* (*Ling*) Portuguese
Portugal [pɔʀtygal] *nm*: **le ~** Portugal
pose [poz] *nf* (*de moquette*) laying; (*attitude, d'un modèle*) pose; (*Photo*) exposure
posé, e [poze] *adj* serious
poser [poze] *vt* to put; (*installer: moquette, carrelage*) to lay; (*rideaux, papier peint*) to hang; (*question*) to ask; (*principe, conditions*) to lay *ou* set down; (*difficulté*) to pose; (*formuler: problème*) to formulate ▷ *vi* (*modèle*) to pose; **se ~** *vi* (*oiseau, avion*) to land; (*question*) to arise; **~ qch (sur)** (*déposer*) to put sth down (on); **~ qch sur/quelque part** (*placer*) to put sth on/somewhere; **~ sa candidature à un poste** to apply for a post
positif, -ive [pozitif, iv] *adj* positive
position [pozisjɔ̃] *nf* position; **prendre ~** (*fig*) to take a stand
posologie [pozɔlɔʒi] *nf* dosage
posséder [pɔsede] *vt* to own, possess; (*qualité, talent*) to have, possess; (*sexuellement*) to possess; **possession** *nf* ownership *no pl*, possession; **prendre possession de qch** to take possession of sth
possibilité [pɔsibilite] *nf* possibility; **possibilités** *nfpl* (*potentiel*) potential *sg*
possible [pɔsibl] *adj* possible; (*projet, entreprise*) feasible ▷ *nm*: **faire son ~** to do all one can, do one's utmost; **le plus/moins de livres ~** as many/few books as possible; **le plus vite ~** as quickly as possible; **aussitôt/dès que ~** as soon as possible
postal, e, -aux [pɔstal, o] *adj* postal
poste[1] [pɔst] *nf* (*service*) post, postal service; (*administration, bureau*) post office; **mettre à la ~** to post; **poste restante** poste restante (BRIT), general delivery (US)
poste[2] [pɔst] *nm* (*fonction, Mil*) post; (*Tél*) extension; (*de radio etc*) set; **poste (de police)** police station; **poste de secours** first-aid post; **poste d'essence** filling station; **poste d'incendie** fire point; **poste de pilotage** cockpit, flight deck
poster [pɔste] *vt* to post; **où est-ce que je peux ~ ces cartes postales?** where can I post these cards?
postérieur, e [pɔsteʀjœʀ] *adj* (*date*) later; (*partie*) back ▷ *nm* (*fam*) behind
postuler [pɔstyle] *vi*: **~ à** *ou* **pour un emploi** to apply for a job
pot [po] *nm* (*en verre*) jar; (*en terre*) pot; (*en plastique, carton*) carton; (*en métal*) tin; (*fam: chance*) luck; **avoir du ~** (*fam*) to be lucky; **boire** *ou* **prendre un ~** (*fam*) to have a drink; **petit ~ (pour bébé)** (jar of) baby food; **~ catalytique** catalytic converter; **pot d'échappement** exhaust pipe
potable [pɔtabl] *adj*: **eau (non) ~** (non-)drinking water
potage [pɔtaʒ] *nm* soup; **potager, -ère** *adj*: **(jardin) potager** kitchen *ou* vegetable garden
pot-au-feu [pɔtofø] *nm inv* (beef) stew
pot-de-vin [podvɛ̃] *nm* bribe
pote [pɔt] (*fam*) *nm* pal
poteau, x [pɔto] *nm* post; **poteau indicateur** signpost
potelé, e [pɔt(ə)le] *adj* plump, chubby
potentiel, le [pɔtɑ̃sjɛl] *adj, nm* potential
poterie [pɔtʀi] *nf* pottery; (*objet*) piece of pottery

potier, -ière [pɔtje, jɛʀ] *nm/f* potter
potiron [pɔtiʀɔ̃] *nm* pumpkin
pou, x [pu] *nm* louse
poubelle [pubɛl] *nf* (dust)bin
pouce [pus] *nm* thumb
poudre [pudʀ] *nf* powder; (*fard*) (face) powder; (*explosif*) gunpowder; **en ~**: **café en ~** instant coffee; **lait en ~** dried *ou* powdered milk; **poudreuse** *nf* powder snow; **poudrier** *nm* (powder) compact
pouffer [pufe] *vi*: **~ (de rire)** to burst out laughing
poulailler [pulaje] *nm* henhouse
poulain [pulɛ̃] *nm* foal; (*fig*) protégé
poule [pul] *nf* hen; (*Culin*) (boiling) fowl; **poule mouillée** coward
poulet [pulɛ] *nm* chicken; (*fam*) cop
poulie [puli] *nf* pulley
pouls [pu] *nm* pulse; **prendre le ~ de qn** to feel sb's pulse
poumon [pumɔ̃] *nm* lung
poupée [pupe] *nf* doll
pour [puʀ] *prép* for ▷ *nm*: **le ~ et le contre** the pros and cons; **~ faire** (so as) to do, in order to do; **~ avoir fait** for having done; **~ que** so that, in order that; **fermé ~ (cause de) travaux** closed for refurbishment *ou* alterations; **c'est ~ ça que ...** that's why ...; **~ quoi faire?** what for?; **~ 20 euros d'essence** 20 euros' worth of petrol; **~ cent** per cent; **~ ce qui est de** as for
pourboire [puʀbwaʀ] *nm* tip; **combien de ~ est-ce qu'il faut laisser?** how much should I tip?
pourcentage [puʀsɑ̃taʒ] *nm* percentage
pourchasser [puʀʃase] *vt* to pursue
pourparlers [puʀpaʀle] *nmpl* talks, negotiations
pourpre [puʀpʀ] *adj* crimson
pourquoi [puʀkwa] *adv, conj* why ▷ *nm inv*: **le ~ (de)** the reason (for)
pourrai *etc* [puʀe] *vb voir* **pouvoir**
pourri, e [puʀi] *adj* rotten
pourrir [puʀiʀ] *vi* to rot; (*fruit*) to go rotten *ou* bad ▷ *vt* to rot; (*fig*) to spoil thoroughly; **pourriture** *nf* rot
poursuite [puʀsɥit] *nf* pursuit, chase; **poursuites** *nfpl* (*Jur*) legal proceedings
poursuivre [puʀsɥivʀ] *vt* to pursue, chase (after); (*obséder*) to haunt; (*Jur*) to bring proceedings against, prosecute; (: *au civil*) to sue; (*but*) to strive towards; (*continuer*: *études etc*) to carry on with, continue; **se ~** *vi* to go on, continue
pourtant [puʀtɑ̃] *adv* yet; **c'est ~ facile** (and) yet it's easy
pourtour [puʀtuʀ] *nm* perimeter
pourvoir [puʀvwaʀ] *vt*: **~ qch/qn de** to equip sth/sb with ▷ *vi*: **~ à** to provide for; **pourvu, e** *adj*: **pourvu de** equipped with; **pourvu que** (*si*) provided that, so long as; (*espérons que*) let's hope (that)
pousse [pus] *nf* growth; (*bourgeon*) shoot
poussée [puse] *nf* thrust; (*d'acné*) eruption; (*fig*: *prix*) upsurge
pousser [puse] *vt* to push; (*émettre*: *cri, soupir*) to give; (*stimuler*: *élève*) to urge on; (*poursuivre*: *études, discussion*) to carry on (further) ▷ *vi* to push; (*croître*) to grow; **se ~** *vi* to move over; **~ qn à** (*inciter*) to urge *ou* press sb to; (*acculer*) to drive sb to; **faire ~** (*plante*) to grow
poussette [pusɛt] *nf* push chair (BRIT), stroller (US)
poussière [pusjɛʀ] *nf* dust; **poussiéreux, -euse** *adj* dusty
poussin [pusɛ̃] *nm* chick
poutre [putʀ] *nf* beam

MOT-CLÉ

pouvoir [puvwaʀ] *nm* power; (*Pol*: *dirigeants*): **le pouvoir** those in power; **les pouvoirs publics** the authorities; **pouvoir d'achat** purchasing power
▷ *vb semi-aux* **1** (*être en état de*) can, be able to; **je ne peux pas le réparer** I can't *ou* I am not able to repair it; **déçu de ne pas pouvoir le faire** disappointed not to be able to do it
2 (*avoir la permission*) can, may, be allowed to; **vous pouvez aller au cinéma** you can *ou* may go to the pictures
3 (*probabilité, hypothèse*) may, might, could; **il a pu avoir un accident** he may *ou* might *ou* could have had an accident; **il aurait pu le dire!** he might *ou* could have said (so)!
▷ *vb impers* may, might, could; **il peut arriver que** it may *ou* might *ou* could happen that; **il pourrait pleuvoir** it might rain
▷ *vt* can, be able to; **j'ai fait tout ce que j'ai pu** I did all I could; **je n'en peux plus** (*épuisé*) I'm exhausted; (*à bout*) I can't take any more
▷ *vi*: **se pouvoir**: **il se peut que** it may *ou* might be that; **cela se pourrait** that's quite possible

prairie [pʀeʀi] *nf* meadow
praline [pʀalin] *nf* sugared almond
praticable [pʀatikabl] *adj* passable, practicable
pratiquant, e [pʀatikɑ̃, ɑ̃t] *nm/f* (regular) churchgoer
pratique [pʀatik] *nf* practice ▷ *adj* practical; **pratiquement** *adv* (*pour ainsi dire*) practically, virtually; **pratiquer** *vt* to practise; (*l'équitation, la pêche*) to go in for; (*le golf, football*) to play; (*intervention, opération*) to carry out
pré [pʀe] *nm* meadow
préalable [pʀealabl] *adj* preliminary; **au ~** beforehand
préambule [pʀeɑ̃byl] *nm* preamble; (*fig*) prelude; **sans ~** straight away
préau [pʀeo] *nm* (*Scol*) covered playground
préavis [pʀeavi] *nm* notice
précaution [pʀekosjɔ̃] *nf* precaution; **avec ~** cautiously; **par ~** as a precaution
précédemment [pʀesedamɑ̃] *adv* before, previously
précédent, e [pʀesedɑ̃, ɑ̃t] *adj* previous ▷ *nm* precedent; **sans ~** unprecedented; **le jour ~** the day before, the previous day
précéder [pʀesede] *vt* to precede
prêcher [pʀeʃe] *vt* to preach
précieux, -euse [pʀesjø, jøz] *adj* precious; (*aide, conseil*) invaluable
précipice [pʀesipis] *nm* drop, chasm
précipitamment [pʀesipitamɑ̃] *adv* hurriedly, hastily
précipitation [pʀesipitasjɔ̃] *nf* (*hâte*) haste
précipité, e [pʀesipite] *adj* hurried, hasty
précipiter [pʀesipite] *vt* (*hâter*: *départ*) to hasten; (*faire tomber*): **~ qn/qch du haut de** to throw *ou* hurl sb/sth off *ou* from; **se ~** *vi* to speed up; **se ~ sur/vers** to rush at/towards
précis, e [pʀesi, iz] *adj* precise; (*mesures*) accurate, precise; **à 4 heures ~es** at 4 o'clock sharp; **précisément** *adv* precisely; **préciser** *vt* (*expliquer*) to be more specific about, clarify; (*spécifier*) to state, specify; **se préciser** *vi* to become clear(er);

précision *nf* precision; (*détail*) point *ou* detail; **demander des précisions** to ask for further explanation
précoce [pʀekɔs] *adj* early; (*enfant*) precocious
préconçu, e [pʀekɔ̃sy] *adj* preconceived
préconiser [pʀekɔnize] *vt* to advocate
prédécesseur [pʀedesesœʀ] *nm* predecessor
prédilection [pʀedilɛksjɔ̃] *nf*: **avoir une ~ pour** to be partial to
prédire [pʀediʀ] *vt* to predict
prédominer [pʀedɔmine] *vi* to predominate
préface [pʀefas] *nf* preface
préfecture [pʀefɛktyʀ] *nf* prefecture; **préfecture de police** police headquarters *pl*
préférable [pʀefeʀabl] *adj* preferable
préféré, e [pʀefeʀe] *adj, nm/f* favourite
préférence [pʀefeʀɑ̃s] *nf* preference; **de ~** preferably
préférer [pʀefeʀe] *vt*: **~ qn/qch (à)** to prefer sb/sth (to), like sb/sth better (than); **~ faire** to prefer to do; **je préférerais du thé** I would rather have tea, I'd prefer tea
préfet [pʀefɛ] *nm* prefect
préhistorique [pʀeistɔʀik] *adj* prehistoric
préjudice [pʀeʒydis] *nm* (*matériel*) loss; (*moral*) harm *no pl*; **porter ~ à** to harm, be detrimental to; **au ~ de** at the expense of
préjugé [pʀeʒyʒe] *nm* prejudice; **avoir un ~ contre** to be prejudiced *ou* biased against
prélasser [pʀelɑse]: **se ~** *vi* to lounge
prélèvement [pʀelɛvmɑ̃] *nm* (*montant*) deduction; **faire un ~ de sang** to take a blood sample
prélever [pʀel(ə)ve] *vt* (*échantillon*) to take; **~ (sur)** (*montant*) to deduct (from); (*argent*: *sur son compte*) to withdraw (from)
prématuré, e [pʀematyʀe] *adj* premature ▷ *nm* premature baby
premier, -ière [pʀəmje, jɛʀ] *adj* first; (*rang*) front; (*fig*: *objectif*) basic; **le ~ venu** the first person to come along; **de ~ ordre** first-rate; **Premier ministre** Prime Minister; **première** *nf* (*Scol*) year 12 (BRIT), eleventh grade (US); (*Aviat, Rail etc*) first class; **premièrement** *adv* firstly
prémonition [pʀemɔnisjɔ̃] *nf* premonition
prenant, e [pʀənɑ̃, ɑ̃t] *adj* absorbing, engrossing
prénatal, e [pʀenatal] *adj* (*Méd*) antenatal
prendre [pʀɑ̃dʀ] *vt* to take; (*repas*) to have; (*se procurer*) to get; (*malfaiteur, poisson*) to catch; (*passager*) to pick up; (*personnel*) to take on; (*traiter*: *personne*) to handle; (*voix, ton*) to put on; (*ôter*): **~ qch à** to take sth from; (*coincer*): **se ~ les doigts dans** to get one's fingers caught in ▷ *vi* (*liquide, ciment*) to set; (*greffe, vaccin*) to take; (*feu*: *foyer*) to go; (*se diriger*): **~ à gauche** to turn (to the) left; **~ froid** to catch cold; **se ~ pour** to think one is; **s'en ~ à** to attack; **se ~ d'amitié pour** to befriend; **s'y ~** (*procéder*) to set about it
preneur [pʀənœʀ] *nm*: **être/trouver ~** to be willing to buy/find a buyer
prénom [pʀenɔ̃] *nm* first *ou* Christian name
préoccupation [pʀeɔkypasjɔ̃] *nf* (*souci*) concern; (*idée fixe*) preoccupation
préoccuper [pʀeɔkype] *vt* (*inquiéter*) to worry; (*absorber*) to preoccupy; **se ~ de** to be concerned with
préparatifs [pʀepaʀatif] *nmpl* preparations
préparation [pʀepaʀasjɔ̃] *nf* preparation
préparer [pʀepaʀe] *vt* to prepare; (*café, thé*) to make; (*examen*) to prepare for; (*voyage, entreprise*) to plan; **se ~** *vi* (*orage, tragédie*) to brew, be in the air; **~ qch à qn** (*surprise etc*) to have sth in store for sb; **se ~ (à qch/faire)** to prepare (o.s.) *ou* get ready (for sth/to do)
prépondérant, e [pʀepɔ̃deʀɑ̃, ɑ̃t] *adj* major, dominating
préposé, e [pʀepoze] *nm/f* employee; (*facteur*) postman
préposition [pʀepozisjɔ̃] *nf* preposition
près [pʀɛ] *adv* near, close; **~ de** near (to), close to; (*environ*) nearly, almost; **de ~** closely; **à 5 kg ~** to within about 5 kg; **il n'est pas à 10 minutes ~** he can spare 10 minutes; **est-ce qu'il y a une banque ~ d'ici?** is there a bank nearby?
présage [pʀezaʒ] *nm* omen
presbyte [pʀɛsbit] *adj* long-sighted
presbytère [pʀɛsbitɛʀ] *nm* presbytery
prescription [pʀɛskʀipsjɔ̃] *nf* prescription
prescrire [pʀɛskʀiʀ] *vt* to prescribe
présence [pʀezɑ̃s] *nf* presence; (*au bureau, à l'école*) attendance
présent, e [pʀezɑ̃, ɑ̃t] *adj, nm* present; **à ~ (que)** now (that)
présentation [pʀezɑ̃tasjɔ̃] *nf* presentation; (*de nouveau venu*) introduction; (*allure*) appearance; **faire les ~s** to do the introductions
présenter [pʀezɑ̃te] *vt* to present; (*excuses, condoléances*) to offer; (*invité, conférencier*): **~ qn (à)** to introduce sb (to) ▷ *vi*: **~ bien** to have a pleasing appearance; **se ~** *vi* (*occasion*) to arise; **se ~ à** (*examen*) to sit; (*élection*) to stand at, run for; **je vous présente Nadine** this is Nadine, could I introduce you to Nadine?
préservatif [pʀezɛʀvatif] *nm* condom, sheath
préserver [pʀezɛʀve] *vt*: **~ de** (*protéger*) to protect from
président [pʀezidɑ̃] *nm* (*Pol*) president; (*d'une assemblée, Comm*) chairman; **président directeur général** chairman and managing director; **présidentielles** *nfpl* presidential elections
présider [pʀezide] *vt* to preside over; (*dîner*) to be the guest of honour at
presque [pʀɛsk] *adv* almost, nearly; **~ personne** hardly anyone; **~ rien** hardly anything; **~ pas** hardly (at all); **~ pas (de)** hardly any
presqu'île [pʀɛskil] *nf* peninsula
pressant, e [pʀesɑ̃, ɑ̃t] *adj* urgent
presse [pʀɛs] *nf* press; (*affluence*): **heures de ~** busy times
pressé, e [pʀese] *adj* in a hurry; (*travail*) urgent; **orange ~e** freshly-squeezed orange juice
pressentiment [pʀesɑ̃timɑ̃] *nm* foreboding, premonition
pressentir [pʀesɑ̃tiʀ] *vt* to sense
presse-papiers [pʀɛspapje] *nm inv* paperweight
presser [pʀese] *vt* (*fruit, éponge*) to squeeze; (*bouton*) to press; (*allure*) to speed up; (*inciter*): **~ qn de faire** to urge *ou* press sb to do ▷ *vi* to be urgent; **se ~** *vi* (*se hâter*) to hurry (up); **se ~ contre qn** to squeeze up against sb; **le temps presse** there's not much time; **rien ne presse** there's no hurry
pressing [pʀesiŋ] *nm* (*magasin*) dry-cleaner's
pression [pʀesjɔ̃] *nf* pressure; (*bouton*) press stud; (*fam*: *bière*) draught beer; **faire ~ sur** to put pressure on; **sous ~** pressurized, under pressure; (*fig*) under pressure; **pression artérielle** blood pressure
prestataire [pʀɛstatɛʀ] *nm/f* supplier
prestation [pʀɛstasjɔ̃] *nf* (*allocation*) benefit; (*d'une entreprise*) service provided; (*d'un artiste*)

performance
prestidigitateur, -trice [pʀɛstidiʒitatœʀ, tʀis] *nm/f* conjurer
prestige [pʀɛstiʒ] *nm* prestige; **prestigieux, -euse** *adj* prestigious
présumer [pʀezyme] *vt*: **~ que** to presume *ou* assume that
prêt, e [pʀɛ, pʀɛt] *adj* ready ▷ *nm* (*somme*) loan; **quand est-ce que mes photos seront ~es?** when will my photos be ready?; **prêt-à-porter** *nm* ready-to-wear *ou* off-the-peg (BRIT) clothes *pl*
prétendre [pʀetɑ̃dʀ] *vt* (*affirmer*): **~ que** to claim that; (*avoir l'intention de*): **~ faire qch** to mean *ou* intend to do sth; **prétendu, e** *adj* (*supposé*) so-called
prétentieux, -euse [pʀetɑ̃sjø, jøz] *adj* pretentious
prétention [pʀetɑ̃sjɔ̃] *nf* claim; (*vanité*) pretentiousness
prêter [pʀete] *vt* (*livres, argent*): **~ qch (à)** to lend sth (to); (*supposer*): **~ à qn** (*caractère, propos*) to attribute to sb; **pouvez-vous me ~ de l'argent?** can you lend me some money?
prétexte [pʀetɛkst] *nm* pretext, excuse; **sous aucun ~** on no account; **prétexter** *vt* to give as a pretext *ou* an excuse
prêtre [pʀɛtʀ] *nm* priest
preuve [pʀœv] *nf* proof; (*indice*) proof, evidence *no pl*; **faire ~ de** to show; **faire ses ~s** to prove o.s. (*ou* itself)
prévaloir [pʀevalwaʀ] *vi* to prevail
prévenant, e [pʀev(ə)nɑ̃, ɑ̃t] *adj* thoughtful, kind
prévenir [pʀev(ə)niʀ] *vt* (*éviter: catastrophe etc*) to avoid, prevent; (*anticiper: désirs, besoins*) to anticipate; **~ qn (de)** (*avertir*) to warn sb (about); (*informer*) to tell *ou* inform sb (about)
préventif, -ive [pʀevɑ̃tif, iv] *adj* preventive
prévention [pʀevɑ̃sjɔ̃] *nf* prevention; **prévention routière** road safety
prévenu, e [pʀev(ə)ny] *nm/f* (*Jur*) defendant, accused
prévision [pʀevizjɔ̃] *nf*: **~s** predictions; (*Écon*) forecast *sg*; **en ~ de** in anticipation of; **prévisions météorologiques** weather forecast *sg*
prévoir [pʀevwaʀ] *vt* (*anticiper*) to foresee; (*s'attendre à*) to expect, reckon on; (*organiser: voyage etc*) to plan; (*envisager*) to allow; **comme prévu** as planned; **prévoyant, e** *adj* gifted with (*ou* showing) foresight; **prévu, e** *pp de* **prévoir**
prier [pʀije] *vi* to pray ▷ *vt* (*Dieu*) to pray to; (*implorer*) to beg; (*demander*): **~ qn de faire** to ask sb to do; **se faire ~** to need coaxing *ou* persuading; **je vous en prie** (*allez-y*) please do; (*de rien*) don't mention it; **prière** *nf* prayer; **"prière de ..."** "please ..."
primaire [pʀimɛʀ] *adj* primary ▷ *nm* (*Scol*) primary education
prime [pʀim] *nf* (*bonus*) bonus; (*subvention*) premium; (*Comm: cadeau*) free gift; (*Assurances, Bourse*) premium ▷ *adj*: **de ~ abord** at first glance; **primer** *vt* (*récompenser*) to award a prize to ▷ *vi* to dominate; to be most important
primevère [pʀimvɛʀ] *nf* primrose
primitif, -ive [pʀimitif, iv] *adj* primitive; (*originel*) original
prince [pʀɛ̃s] *nm* prince; **princesse** *nf* princess
principal, e, -aux [pʀɛ̃sipal, o] *adj* principal, main ▷ *nm* (*Scol*) principal, head(master); (*essentiel*) main thing
principe [pʀɛ̃sip] *nm* principle; **par ~** on principle; **en ~** (*habituellement*) as a rule; (*théoriquement*) in principle
printemps [pʀɛ̃tɑ̃] *nm* spring
priorité [pʀijɔʀite] *nf* priority; (*Auto*) right of way; **priorité à droite** right of way to vehicles coming from the right
pris, e [pʀi, pʀiz] *pp de* **prendre** ▷ *adj* (*place*) taken; (*mains*) full; (*personne*) busy; **avoir le nez/la gorge ~(e)** to have a stuffy nose/a hoarse throat; **être ~ de panique** to be panic-stricken
prise [pʀiz] *nf* (*d'une ville*) capture; (*Pêche, Chasse*) catch; (*point d'appui ou pour empoigner*) hold; (*Élec: fiche*) plug; (*: femelle*) socket; **être aux ~s avec** to be grappling with; **prise de courant** power point; **prise de sang** blood test; **prise multiple** adaptor
priser [pʀize] *vt* (*estimer*) to prize, value
prison [pʀizɔ̃] *nf* prison; **aller/être en ~** to go to/be in prison *ou* jail; **prisonnier, -ière** *nm/f* prisoner ▷ *adj* captive
privé, e [pʀive] *adj* private; (*en punition*): **tu es ~ de télé!** no TV for you! ▷ *nm* (*Comm*) private sector; **en ~** in private
priver [pʀive] *vt*: **~ qn de** to deprive sb of; **se ~ de** to go *ou* do without
privilège [pʀivilɛʒ] *nm* privilege
prix [pʀi] *nm* price; (*récompense, Scol*) prize; **hors de ~** exorbitantly priced; **à aucun ~** not at any price; **à tout ~** at all costs
probable [pʀɔbabl] *adj* likely, probable; **probablement** *adv* probably
problème [pʀɔblɛm] *nm* problem
procédé [pʀɔsede] *nm* (*méthode*) process; (*comportement*) behaviour *no pl*
procéder [pʀɔsede] *vi* to proceed; (*moralement*) to behave; **~ à** to carry out
procès [pʀɔsɛ] *nm* trial; (*poursuites*) proceedings *pl*; **être en ~ avec** to be involved in a lawsuit with
processus [pʀɔsesys] *nm* process
procès-verbal, -aux [pʀɔsɛvɛʀbal, o] *nm* (*de réunion*) minutes *pl*; (*aussi*: **P.-V.**) parking ticket
prochain, e [pʀɔʃɛ̃, ɛn] *adj* next; (*proche: départ, arrivée*) impending ▷ *nm* fellow man; **la ~e fois/semaine ~e** next time/week; **prochainement** *adv* soon, shortly
proche [pʀɔʃ] *adj* nearby; (*dans le temps*) imminent; (*parent, ami*) close; **proches** *nmpl* (*parents*) close relatives; **être ~ (de)** to be near, be close (to)
proclamer [pʀɔklame] *vt* to proclaim
procuration [pʀɔkyʀasjɔ̃] *nf* proxy
procurer [pʀɔkyʀe] *vt*: **~ qch à qn** (*fournir*) to obtain sth for sb; (*causer: plaisir etc*) to bring sb sth; **se ~** *vt* to get; **procureur** *nm* public prosecutor
prodige [pʀɔdiʒ] *nm* marvel, wonder; (*personne*) prodigy; **prodiguer** *vt* (*soins, attentions*): **prodiguer qch à qn** to give sb sth
producteur, -trice [pʀɔdyktœʀ, tʀis] *nm/f* producer
productif, -ive [pʀɔdyktif, iv] *adj* productive
production [pʀɔdyksjɔ̃] *nf* production; (*rendement*) output
productivité [pʀɔdyktivite] *nf* productivity
produire [pʀɔdɥiʀ] *vt* to produce; **se ~** *vi* (*événement*) to happen, occur; (*acteur*) to perform, appear
produit [pʀɔdɥi] *nm* product; **produit chimique** chemical; **produits agricoles** farm produce *sg*; **produits de beauté** beauty products, cosmetics; **produits d'entretien** cleaning products
prof [pʀɔf] (*fam*) *nm* teacher
proférer [pʀɔfeʀe] *vt* to utter

professeur, e [pʀɔfesœʀ] *nm/f* teacher; (*de faculté*) (university) lecturer; (*: titulaire d'une chaire*) professor
profession [pʀɔfesjɔ̃] *nf* occupation; **~ libérale** (liberal) profession; **sans ~** unemployed; **professionnel, le** *adj, nm/f* professional
profil [pʀɔfil] *nm* profile; **de ~** in profile
profit [pʀɔfi] *nm* (*avantage*) benefit, advantage; (*Comm, Finance*) profit; **au ~ de** in aid of; **tirer ~ de** to profit from; **profitable** *adj* (*utile*) beneficial; (*lucratif*) profitable; **profiter** *vi*: **profiter de** (*situation, occasion*) to take advantage of; (*vacances, jeunesse etc*) to make the most of
profond, e [pʀɔfɔ̃, ɔ̃d] *adj* deep; (*sentiment, intérêt*) profound; **profondément** *adv* deeply; **il dort profondément** he is sound asleep; **profondeur** *nf* depth; **l'eau a quelle profondeur?** how deep is the water?
programme [pʀɔgʀam] *nm* programme; (*Scol*) syllabus, curriculum; (*Inform*) program; **programmer** *vt* (*émission*) to schedule; (*Inform*) to program; **programmeur, -euse** *nm/f* programmer
progrès [pʀɔgʀɛ] *nm* progress *no pl*; **faire des ~** to make progress; **progresser** *vi* to progress; **progressif, -ive** *adj* progressive
proie [pʀwa] *nf* prey *no pl*
projecteur [pʀɔʒɛktœʀ] *nm* (*pour film*) projector; (*de théâtre, cirque*) spotlight
projectile [pʀɔʒɛktil] *nm* missile
projection [pʀɔʒɛksjɔ̃] *nf* projection; (*séance*) showing
projet [pʀɔʒɛ] *nm* plan; (*ébauche*) draft; **projet de loi** bill; **projeter** *vt* (*envisager*) to plan; (*film, photos*) to project; (*ombre, lueur*) to throw, cast; (*jeter*) to throw up (*ou* off *ou* out)
prolétaire [pʀɔletɛʀ] *adj, nmf* proletarian
prolongement [pʀɔlɔ̃ʒmɑ̃] *nm* extension; **dans le ~ de** running on from
prolonger [pʀɔlɔ̃ʒe] *vt* (*débat, séjour*) to prolong; (*délai, billet, rue*) to extend; **se ~** *vi* to go on
promenade [pʀɔm(ə)nad] *nf* walk (*ou* drive *ou* ride); **faire une ~** to go for a walk; **une ~ en voiture/à vélo** a drive/(bicycle) ride
promener [pʀɔm(ə)ne] *vt* (*chien*) to take out for a walk; (*doigts, regard*): **~ qch sur** to run sth over; **se ~** *vi* to go for (*ou* be out for) a walk
promesse [pʀɔmɛs] *nf* promise
promettre [pʀɔmɛtʀ] *vt* to promise ▷ *vi* to be *ou* look promising; **~ à qn de faire** to promise sb that one will do
promiscuité [pʀɔmiskɥite] *nf* (*chambre*) lack of privacy
promontoire [pʀɔmɔ̃twaʀ] *nm* headland
promoteur, -trice [pʀɔmɔtœʀ, tʀis] *nm/f*: **promoteur (immobilier)** property developer (BRIT), real estate promoter (US)
promotion [pʀɔmosjɔ̃] *nf* promotion; **en ~** on special offer
promouvoir [pʀɔmuvwaʀ] *vt* to promote
prompt, e [pʀɔ̃(pt), pʀɔ̃(p)t] *adj* swift, rapid
prôner [pʀone] *vt* (*préconiser*) to advocate
pronom [pʀɔnɔ̃] *nm* pronoun
prononcer [pʀɔnɔ̃se] *vt* to pronounce; (*dire*) to utter; (*discours*) to deliver; **se ~** *vi* to be pronounced; **comment est-ce que ça se prononce?** how do you pronounce *ou* say it?; **se ~ (sur)** (*se décider*) to reach a decision (on *ou* about), give a verdict (on); **prononciation** *nf* pronunciation
pronostic [pʀɔnɔstik] *nm* (*Méd*) prognosis; (*fig: aussi*: **~s**) forecast
propagande [pʀɔpagɑ̃d] *nf* propaganda
propager [pʀɔpaʒe] *vt* to spread; **se ~** *vi* to spread
prophète [pʀɔfɛt] *nm* prophet
prophétie [pʀɔfesi] *nf* prophecy
propice [pʀɔpis] *adj* favourable
proportion [pʀɔpɔʀsjɔ̃] *nf* proportion; **toute(s) ~(s) gardée(s)** making due allowance(s)
propos [pʀɔpo] *nm* (*intention*) intention, aim; (*sujet*): **à quel ~?** what about? ▷ *nmpl* (*paroles*) talk *no pl*, remarks; **à ~ de** about, regarding; **à tout ~** for the slightest thing *ou* reason; **à ~** by the way; (*opportunément*) at the right moment
proposer [pʀɔpoze] *vt* to propose; **~ qch (à qn)** (*suggérer*) to suggest sth (to sb), propose sth (to sb); (*offrir*) to offer (sb) sth; **se ~ (pour faire)** to offer one's services (to do); **proposition** (*suggestion*) *nf* proposal, suggestion; (*Ling*) clause
propre [pʀɔpʀ] *adj* clean; (*net*) neat, tidy; (*possessif*) own; (*sens*) literal; (*particulier*): **~ à** peculiar to; (*approprié*): **~ à** suitable for ▷ *nm*: **recopier au ~** to make a fair copy of; **proprement** *adv* (*avec propreté*) cleanly; **le village proprement dit** the village itself; **à proprement parler** strictly speaking; **propreté** *nf* cleanliness
propriétaire [pʀɔpʀijetɛʀ] *nm/f* owner; (*pour le locataire*) landlord(-lady)
propriété [pʀɔpʀijete] *nf* property; (*droit*) ownership
propulser [pʀɔpylse] *vt* to propel
prose [pʀoz] *nf* (*style*) prose
prospecter [pʀɔspɛkte] *vt* to prospect; (*Comm*) to canvass
prospectus [pʀɔspɛktys] *nm* leaflet
prospère [pʀɔspɛʀ] *adj* prosperous; **prospérer** *vi* to prosper
prosterner [pʀɔstɛʀne]: **se ~** *vi* to bow low, prostrate o.s.
prostituée [pʀɔstitɥe] *nf* prostitute
prostitution [pʀɔstitysjɔ̃] *nf* prostitution
protecteur, -trice [pʀɔtɛktœʀ, tʀis] *adj* protective; (*air, ton: péj*) patronizing ▷ *nm/f* protector
protection [pʀɔtɛksjɔ̃] *nf* protection; (*d'un personnage influent: aide*) patronage
protéger [pʀɔteʒe] *vt* to protect; **se ~ de/contre** to protect o.s. from
protège-slip [pʀɔtɛʒslip] *nm* panty liner
protéine [pʀɔtein] *nf* protein
protestant, e [pʀɔtɛstɑ̃, ɑ̃t] *adj, nm/f* Protestant
protestation [pʀɔtɛstasjɔ̃] *nf* (*plainte*) protest
protester [pʀɔtɛste] *vi*: **~ (contre)** to protest (against *ou* about); **~ de** (*son innocence*) to protest
prothèse [pʀɔtɛz] *nf*: **prothèse dentaire** denture
protocole [pʀɔtɔkɔl] *nm* (*fig*) etiquette
proue [pʀu] *nf* bow(s *pl*), prow
prouesse [pʀuɛs] *nf* feat
prouver [pʀuve] *vt* to prove
provenance [pʀɔv(ə)nɑ̃s] *nf* origin; **avion en ~ de** plane (arriving) from
provenir [pʀɔv(ə)niʀ]: **~ de** *vt* to come from
proverbe [pʀɔvɛʀb] *nm* proverb
province [pʀɔvɛ̃s] *nf* province
proviseur [pʀɔvizœʀ] *nm* ≈ head(teacher) (BRIT), ≈ principal (US)
provision [pʀɔvizjɔ̃] *nf* (*réserve*) stock, supply; **provisions** *nfpl* (*vivres*) provisions, food *no pl*
provisoire [pʀɔvizwaʀ] *adj* temporary; **provisoirement** *adv* temporarily
provocant, e [pʀɔvɔkɑ̃, ɑ̃t] *adj* provocative

provoquer [pʀɔvɔke] *vt* (*défier*) to provoke; (*causer*) to cause, bring about; (*inciter*): **~ qn à** to incite sb to
proxénète [pʀɔksenɛt] *nm* procurer
proximité [pʀɔksimite] *nf* nearness, closeness; (*dans le temps*) imminence, closeness; **à ~** near *ou* close by; **à ~ de** near (to), close to
prudemment [pʀydamɑ̃] *adv* carefully; wisely, sensibly
prudence [pʀydɑ̃s] *nf* carefulness; **avec ~** carefully; **par ~** as a precaution
prudent, e [pʀydɑ̃, ɑ̃t] *adj* (*pas téméraire*) careful; (*: en général*) safety-conscious; (*sage, conseillé*) wise, sensible; **c'est plus ~** it's wiser
prune [pʀyn] *nf* plum
pruneau, x [pʀyno] *nm* prune
prunier [pʀynje] *nm* plum tree
PS *sigle m* = **parti socialiste**
pseudonyme [psødɔnim] *nm* (*gén*) fictitious name; (*d'écrivain*) pseudonym, pen name
psychanalyse [psikanaliz] *nf* psychoanalysis
psychiatre [psikjatʀ] *nm/f* psychiatrist; **psychiatrique** *adj* psychiatric
psychique [psiʃik] *adj* psychological
psychologie [psikɔlɔʒi] *nf* psychology; **psychologique** *adj* psychological; **psychologue** *nm/f* psychologist
pu [py] *pp de* **pouvoir**
puanteur [pɥɑ̃tœʀ] *nf* stink, stench
pub [pyb] *nf* (*fam: annonce*) ad, advert; (*pratique*) advertising
public, -ique [pyblik] *adj* public; (*école, instruction*) state *cpd* ▷ *nm* public; (*assistance*) audience; **en ~** in public
publicitaire [pyblisitɛʀ] *adj* advertising *cpd*; (*film*) publicity *cpd*
publicité [pyblisite] *nf* (*méthode, profession*) advertising; (*annonce*) advertisement; (*révélations*) publicity
publier [pyblije] *vt* to publish
publipostage [pyblipɔstaʒ] *nm* mailing *m*
publique [pyblik] *adj voir* **public**
puce [pys] *nf* flea; (*Inform*) chip; **carte à ~** smart card; **(marché aux) ~s** flea market *sg*
pudeur [pydœʀ] *nf* modesty; **pudique** *adj* (*chaste*) modest; (*discret*) discreet
puer [pɥe] (*péj*) *vi* to stink
puéricultrice [pɥeʀikyltʀis] *nf* p(a)ediatric nurse
puéril, e [pɥeʀil] *adj* childish
puis [pɥi] *vb voir* **pouvoir** ▷ *adv* then
puiser [pɥize] *vt*: **~ (dans)** to draw (from)
puisque [pɥisk] *conj* since
puissance [pɥisɑ̃s] *nf* power; **en ~** *adj* potential
puissant, e [pɥisɑ̃, ɑ̃t] *adj* powerful
puits [pɥi] *nm* well
pull(-over) [pyl(ɔvɛʀ)] *nm* sweater
pulluler [pylyle] *vi* to swarm
pulpe [pylp] *nf* pulp
pulvériser [pylveʀize] *vt* to pulverize; (*liquide*) to spray
punaise [pynɛz] *nf* (*Zool*) bug; (*clou*) drawing pin (BRIT), thumbtack (US)
punch [pɔ̃ʃ] *nm* (*boisson*) punch
punir [pyniʀ] *vt* to punish; **punition** *nf* punishment
pupille [pypij] *nf* (*Anat*) pupil ▷ *nm/f* (*enfant*) ward
pupitre [pypitʀ] *nm* (*Scol*) desk
pur, e [pyʀ] *adj* pure; (*vin*) undiluted; (*whisky*) neat; **en ~e perte** to no avail; **c'est de la folie ~e** it's sheer madness
purée [pyʀe] *nf*: **~ (de pommes de terre)** mashed potatoes *pl*; **purée de marrons** chestnut purée
purement [pyʀmɑ̃] *adv* purely
purgatoire [pyʀgatwaʀ] *nm* purgatory
purger [pyʀʒe] *vt* (*Méd, Pol*) to purge; (*Jur: peine*) to serve
pur-sang [pyʀsɑ̃] *nm inv* thoroughbred
pus [py] *nm* pus
putain [pytɛ̃] (*fam!*) *nf* whore (*!*)
puzzle [pœzl] *nm* jigsaw (puzzle)
P.-V. [peve] *sigle m* = **procès-verbal**
pyjama [piʒama] *nm* pyjamas *pl* (BRIT), pajamas *pl* (US)
pyramide [piʀamid] *nf* pyramid
Pyrénées [piʀene] *nfpl*: **les ~** the Pyrenees

q

QI *sigle m* (*= quotient intellectuel*) IQ
quadragénaire [k(w)adʀaʒenɛʀ] *nm/f* man/woman in his/her forties
quadruple [k(w)adʀypl] *nm*: **le ~ de** four times as much as
quai [ke] *nm* (*de port*) quay; (*de gare*) platform; **être à ~** (*navire*) to be alongside; **de quel ~ part le train pour Paris?** which platform does the Paris train go from?
qualification [kalifikasjɔ̃] *nf* (*aptitude*) qualification
qualifier [kalifje] *vt* to qualify; **se ~** *vi* to qualify; **~ qch/qn de** to describe sth/sb as
qualité [kalite] *nf* quality
quand [kɑ̃] *conj, adv* when; **~ je serai riche** when I'm rich; **~ même** all the same; **~ même, il exagère!** really, he overdoes it!; **~ bien même** even though
quant [kɑ̃]: **~ à** *prép* (*pour ce qui est de*) as for, as to; (*au sujet de*) regarding
quantité [kɑ̃tite] *nf* quantity, amount; (*grand nombre*): **une** *ou* **des ~(s) de** a great deal of
quarantaine [kaʀɑ̃tɛn] *nf* (*Méd*) quarantine; **avoir la ~** (*âge*) to be around forty; **une ~ (de)** forty or so, about forty
quarante [kaʀɑ̃t] *num* forty
quart [kaʀ] *nm* (*fraction*) quarter; (*surveillance*) watch; **un ~ de vin** a quarter litre of wine; **le ~ de** a quarter of; **quart d'heure** quarter of an hour; **quarts de finale** quarter finals
quartier [kaʀtje] *nm* (*de ville*) district, area; (*de bœuf*) quarter; (*de fruit*) piece; **cinéma de ~** local cinema; **avoir ~ libre** (*fig*) to be free; **quartier général** headquarters *pl*
quartz [kwaʀts] *nm* quartz
quasi [kazi] *adv* almost, nearly; **quasiment** *adv* almost, nearly; **quasiment jamais** hardly ever
quatorze [katɔʀz] *num* fourteen

quatorzième [katɔʀzjɛm] *num* fourteenth
quatre [katʀ] *num* four; **à ~ pattes** on all fours; **se mettre en ~ pour qn** to go out of one's way for sb; **~ à ~** (*monter, descendre*) four at a time; **quatre-vingt-dix** *num* ninety; **quatre-vingts** *num* eighty; **quatrième** *num* fourth ▷ *nf* (*Scol*) year 9 (BRIT), eighth grade (US)
quatuor [kwatɥɔʀ] *nm* quartet(te)

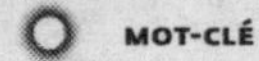

MOT-CLÉ

que [kə] *conj* **1** (*introduisant complétive*) that; **il sait que tu es là** he knows (that) you're here; **je veux que tu acceptes** I want you to accept; **il a dit que oui** he said he would (*ou* it was *etc*)
2 (*reprise d'autres conjonctions*): **quand il rentrera et qu'il aura mangé** when he gets back and (when) he has eaten; **si vous y allez et que vous ...** if you go there and if you ...
3 (*en tête de phrase: hypothèse, souhait etc*): **qu'il le veuille ou non** whether he likes it or not; **qu'il fasse ce qu'il voudra!** let him do as he pleases!
4 (*après comparatif*) than, as; *voir aussi* **plus**; **aussi**; **autant** *etc*
5 (*seulement*): **ne ... que** only; **il ne boit que de l'eau** he only drinks water
6 (*temps*): **il y a 4 ans qu'il est parti** it is 4 years since he left, he left 4 years ago
▷ *adv* (*exclamation*): **qu'il** *ou* **qu'est-ce qu'il est bête/court vite!** he's so silly!/he runs so fast!; **que de livres!** what a lot of books!
▷ *pron* **1** (*relatif: personne*) whom; (*: chose*) that, which; **l'homme que je vois** the man (whom) I see; **le livre que tu vois** the book (that *ou* which) you see; **un jour que j'étais ...** a day when I was ...
2 (*interrogatif*) what; **que fais-tu?, qu'est-ce que tu fais?** what are you doing?; **qu'est-ce que c'est?** what is it?, what's that?; **que faire?** what can one do?

Québec [kebɛk] *n*: **le ~** Quebec; **québecois, e** *adj* Quebec ▷ *nm/f*: **Québecois, e** Quebecker ▷ *nm* (*Ling*) Quebec French

MOT-CLÉ

quel, quelle [kɛl] *adj* **1** (*interrogatif: personne*) who; (*: chose*) what; **quel est cet homme?** who is this man?; **quel est ce livre?** what is this book?; **quel livre/homme?** what book/man?; (*parmi un certain choix*) which book/man?; **quels acteurs préférez-vous?** which actors do you prefer?; **dans quels pays êtes-vous allé?** which *ou* what countries did you go to?
2 (*exclamatif*): **quelle surprise!** what a surprise!
3: **quel que soit le coupable** whoever is guilty; **quel que soit votre avis** whatever your opinion

quelconque [kɛlkɔ̃k] *adj* (*indéfini*): **un ami/prétexte ~** some friend/pretext or other; (*médiocre: repas*) indifferent, poor; (*laid: personne*) plain-looking

MOT-CLÉ

quelque [kɛlk] *adj* **1** (*au singulier*) some; (*au pluriel*) a few, some; (*tournure interrogative*) any; **quelque espoir** some hope; **il a quelques amis** he has a few *ou* some friends; **a-t-il quelques amis?** does he have any friends?; **les quelques livres qui** the few books which; **20 kg et quelque(s)** a bit over 20 kg
2: **quelque ... que**: **quelque livre qu'il choisisse** whatever (*ou* whichever) book he chooses
3: **quelque chose** something; (*tournure interrogative*) anything; **quelque chose d'autre** something else; anything else; **quelque part** somewhere; anywhere; **en quelque sorte** as it were
▷ *adv* **1** (*environ*): **quelque 100 mètres** some 100 metres
2: **quelque peu** rather, somewhat

quelquefois [kɛlkəfwa] *adv* sometimes
quelques-uns, -unes [kɛlkəzœ̃, yn] *pron* a few, some
quelqu'un [kɛlkœ̃] *pron* someone, somebody; (*+tournure interrogative*) anyone, anybody; **quelqu'un d'autre** someone *ou* somebody else; (*+ tournure interrogative*) anybody else
qu'en dira-t-on [kɑ̃diʀatɔ̃] *nm inv*: **le qu'en dira-t-on** gossip, what people say
querelle [kəʀɛl] *nf* quarrel; **quereller**: **se quereller** *vi* to quarrel
qu'est-ce que [kɛskə] *vb + conj voir* **que**
qu'est-ce qui [kɛski] *vb + conj voir* **qui**
question [kɛstjɔ̃] *nf* question; (*fig*) matter, issue; **il a été ~ de** we (*ou* they) spoke about; **de quoi est-il ~?** what is it about?; **il n'en est pas ~** there's no question of it; **en ~** in question; **hors de ~** out of the question; **remettre en ~** to question; **questionnaire** *nm* questionnaire; **questionner** *vt* to question
quête [kɛt] *nf* collection; (*recherche*) quest, search; **faire la ~** (*à l'église*) to take the collection; (*artiste*) to pass the hat round
quetsche [kwɛtʃ] *nf kind of dark-red plum*
queue [kø] *nf* tail; (*fig: du classement*) bottom; (*: de poêle*) handle; (*: de fruit, feuille*) stalk; (*: de train, colonne, file*) rear; **faire la ~** to queue (up) (BRIT), line up (US); **queue de cheval** ponytail; **queue de poisson** (*Auto*): **faire une queue de poisson à qn** to cut in front of sb

MOT-CLÉ

qui [ki] *pron* **1** (*interrogatif: personne*) who; (*: chose*): **qu'est-ce qui est sur la table?** what is on the table?; **qui est-ce qui?** who?; **qui est-ce que?** who?; **à qui est ce sac?** whose bag is this?; **à qui parlais-tu?** who were you talking to?, to whom were you talking?; **chez qui allez-vous?** whose house are you going to?
2 (*relatif: personne*) who; (*+prép*) whom; **l'ami de qui je vous ai parlé** the friend I told you about; **la dame chez qui je suis allé** the lady whose house I went to
3 (*sans antécédent*): **amenez qui vous voulez** bring who you like; **qui que ce soit** whoever it may be

quiconque [kikɔ̃k] *pron* (*celui qui*) whoever, anyone who; (*n'importe qui*) anyone, anybody
quille [kij] *nf*: **(jeu de) ~s** skittles *sg* (BRIT), bowling (US)
quincaillerie [kɛ̃kajʀi] *nf* (*ustensiles*) hardware; (*magasin*) hardware shop
quinquagénaire [kɛ̃kaʒenɛʀ] *nm/f* man/woman in his/her fifties
quinquennat [kɛ̃kena] *nm five year term of office (of French President)*
quinte [kɛ̃t] *nf*: **~ (de toux)** coughing fit
quintuple [kɛ̃typl] *nm*: **le ~ de** five times as much as

quinzaine [kɛ̃zɛn] *nf*: **une ~ (de)** about fifteen, fifteen or so; **une ~ (de jours)** a fortnight (BRIT), two weeks
quinze [kɛ̃z] *num* fifteen; **dans ~ jours** in a fortnight('s time), in two weeks(' time)
quinzième [kɛ̃zjɛm] *num* fifteenth
quiproquo [kipʀɔko] *nm* misunderstanding
quittance [kitɑ̃s] *nf* (*reçu*) receipt
quitte [kit] *adj*: **être ~ envers qn** to be no longer in sb's debt; (*fig*) to be quits with sb; **~ à faire** even if it means doing
quitter [kite] *vt* to leave; (*vêtement*) to take off; **se ~** *vi* (*couples, interlocuteurs*) to part; **ne quittez pas** (*au téléphone*) hold the line
qui-vive [kiviv] *nm*: **être sur le ~** to be on the alert

 **MOT-CLÉ**

quoi [kwa] *pron interrog* **1** what; **quoi de neuf?** what's new?; **quoi?** (*qu'est-ce que tu dis?*) what?
2 (*avec prép*): **à quoi tu penses?** what are you thinking about?; **de quoi parlez-vous?** what are you talking about?; **à quoi bon?** what's the use?
▷ *pron rel*: **as-tu de quoi écrire?** do you have anything to write with?; **il n'y a pas de quoi** (please) don't mention it; **il n'y a pas de quoi rire** there's nothing to laugh about
▷ *pron* (*locutions*): **quoi qu'il arrive** whatever happens; **quoi qu'il en soit** be that as it may; **quoi que ce soit** anything at all
▷ *excl* what!

quoique [kwak] *conj* (al)though
quotidien, ne [kɔtidjɛ̃, jɛn] *adj* daily; (*banal*) everyday ▷ *nm* (*journal*) daily (paper); **quotidiennement** *adv* daily

r

r. *abr* = **route**; **rue**
rab [ʀab] (*fam*) *nm* (*nourriture*) extra; **est-ce qu'il y a du ~?** are there any seconds?
rabâcher [ʀabɑʃe] *vt* to keep on repeating
rabais [ʀabɛ] *nm* reduction, discount; **rabaisser** *vt* (*dénigrer*) to belittle; (*rabattre*: *prix*) to reduce
Rabat [ʀaba(t)] *n* Rabat
rabattre [ʀabatʀ] *vt* (*couvercle, siège*) to pull down; (*déduire*) to reduce; **se ~** *vi* (*se refermer*: *couvercle*) to fall shut; (*véhicule, coureur*) to cut in; **se ~ sur** to fall back on
rabbin [ʀabɛ̃] *nm* rabbi
rabougri, e [ʀabugʀi] *adj* stunted
raccommoder [ʀakɔmɔde] *vt* to mend, repair
raccompagner [ʀakɔ̃paɲe] *vt* to take *ou* see back
raccord [ʀakɔʀ] *nm* link; (*retouche*) touch up; **raccorder** *vt* to join (up), link up; (*suj*: *pont etc*) to connect, link
raccourci [ʀakuʀsi] *nm* short cut
raccourcir [ʀakuʀsiʀ] *vt* to shorten ▷ *vi* (*jours*) to grow shorter, draw in
raccrocher [ʀakʀɔʃe] *vt* (*tableau*) to hang back up; (*récepteur*) to put down ▷ *vi* (*Tél*) to hang up, ring off
race [ʀas] *nf* race; (*d'animaux, fig*) breed; **de ~** purebred, pedigree
rachat [ʀaʃa] *nm* buying; (*du même objet*) buying back
racheter [ʀaʃ(ə)te] *vt* (*article perdu*) to buy another; (*après avoir vendu*) to buy back; (*d'occasion*) to buy; (*Comm*: *part, firme*) to buy up; (*davantage*): **~ du lait/3 œufs** to buy more milk/another 3 eggs *ou* 3 more eggs; **se ~** *vi* (*fig*) to make amends
racial, e, -aux [ʀasjal, jo] *adj* racial
racine [ʀasin] *nf* root; **racine carrée/cubique** square/cube root
racisme [ʀasism] *nm* racism
raciste [ʀasist] *adj, nm/f* racist
racket [ʀakɛt] *nm* racketeering *no pl*
raclée [ʀɑkle] (*fam*) *nf* hiding, thrashing
racler [ʀɑkle] *vt* (*surface*) to scrape; **se ~ la gorge** to clear one's throat
racontars [ʀakɔ̃taʀ] *nmpl* story, lie
raconter [ʀakɔ̃te] *vt*: **~ (à qn)** (*décrire*) to relate (to sb), tell (sb) about; (*dire de mauvaise foi*) to tell (sb); **~ une histoire** to tell a story
radar [ʀadaʀ] *nm* radar
rade [ʀad] *nf* (natural) harbour; **rester en ~** (*fig*) to be left stranded
radeau, x [ʀado] *nm* raft
radiateur [ʀadjatœʀ] *nm* radiator, heater; (*Auto*) radiator; **radiateur électrique** electric heater *ou* fire
radiation [ʀadjasjɔ̃] *nf* (*Physique*) radiation
radical, e, -aux [ʀadikal, o] *adj* radical
radieux, -euse [ʀadjø, jøz] *adj* radiant
radin, e [ʀadɛ̃, in] (*fam*) *adj* stingy
radio [ʀadjo] *nf* radio; (*Méd*) X-ray ▷ *nm* radio operator; **à la ~** on the radio; **radioactif, -ive** *adj* radioactive; **radiocassette** *nm* cassette radio, radio cassette player; **radiographie** *nf* radiography; (*photo*) X-ray photograph; **radiophonique** *adj* radio *cpd*; **radio-réveil** (*pl* **radios-réveils**) *nm* radio alarm clock
radis [ʀadi] *nm* radish
radoter [ʀadɔte] *vi* to ramble on
radoucir [ʀadusiʀ]: **se ~** *vi* (*temps*) to become milder; (*se calmer*) to calm down
rafale [ʀafal] *nf* (*vent*) gust (of wind); (*tir*) burst of gunfire
raffermir [ʀafɛʀmiʀ] *vt* to firm up
raffiner [ʀafine] *vt* to refine; **raffinerie** *nf* refinery
raffoler [ʀafɔle]: **~ de** *vt* to be very keen on
rafle [ʀɑfl] *nf* (*de police*) raid; **rafler** (*fam*) *vt* to swipe, nick
rafraîchir [ʀafʀeʃiʀ] *vt* (*atmosphère, température*) to cool (down); (*aussi*: **mettre à ~**) to chill; (*fig*: *rénover*) to brighten up; **se ~** *vi* (*temps*) to grow cooler; (*en se lavant*) to freshen up; (*en buvant*) to refresh o.s.; **rafraîchissant, e** *adj* refreshing; **rafraîchissement** *nm* (*boisson*) cool drink; **rafraîchissements** *nmpl* (*boissons, fruits etc*) refreshments
rage [ʀaʒ] *nf* (*Méd*): **la ~** rabies; (*fureur*) rage, fury; **faire ~** to rage; **rage de dents** (raging) toothache

ragot [ʀago] *(fam) nm* malicious gossip *no pl*
ragoût [ʀagu] *nm* stew
raide [ʀɛd] *adj* stiff; *(câble)* taut, tight; *(escarpé)* steep; *(droit: cheveux)* straight; *(fam: sans argent)* flat broke; *(osé)* daring, bold ▷ *adv (en pente)* steeply; **~ mort** stone dead; **raideur** *nf (rigidité)* stiffness; **avec raideur** *(répondre)* stiffly, abruptly; **raidir** *vt (muscles)* to stiffen; **se raidir** *vi (tissu)* to stiffen; *(personne)* to tense up; *(: se préparer moralement)* to brace o.s.; *(fig: position)* to harden
raie [ʀɛ] *nf (Zool)* skate, ray; *(rayure)* stripe; *(des cheveux)* parting
raifort [ʀɛfɔʀ] *nm* horseradish
rail [ʀɑj] *nm* rail; *(chemins de fer)* railways *pl*; **par ~** by rail
railler [ʀɑje] *vt* to scoff at, jeer at
rainure [ʀenyʀ] *nf* groove
raisin [ʀɛzɛ̃] *nm (aussi: **~s**)* grapes *pl*; **raisins secs** raisins
raison [ʀɛzɔ̃] *nf* reason; **avoir ~** to be right; **donner ~ à qn** to agree with sb; *(événement)* to prove sb right; **perdre la ~** to become insane; **se faire une ~** to learn to live with it; **~ de plus** all the more reason; **à plus forte ~** all the more so; **en ~ de** because of; **à ~ de** at the rate of; **sans ~** for no reason; **raison sociale** corporate name; **raisonnable** *adj* reasonable, sensible
raisonnement [ʀɛzɔnmɑ̃] *nm (façon de réfléchir)* reasoning; *(argumentation)* argument
raisonner [ʀɛzɔne] *vi (penser)* to reason; *(argumenter, discuter)* to argue ▷ *vt (personne)* to reason with
rajeunir [ʀaʒœniʀ] *vt (suj: coiffure, robe)*: **~ qn** to make sb look younger; *(fig: personnel)* to inject new blood into ▷ *vi* to become (*ou* look) younger
rajouter [ʀaʒute] *vt* to add
rajuster [ʀaʒyste] *vt (vêtement)* to straighten, tidy; *(salaires)* to adjust
ralenti [ʀalɑ̃ti] *nm*: **au ~** *(fig)* at a slower pace; **tourner au ~** *(Auto)* to tick over, idle
ralentir [ʀalɑ̃tiʀ] *vt* to slow down
râler [ʀɑle] *vi* to groan; *(fam)* to grouse, moan (and groan)
rallier [ʀalje] *vt (rejoindre)* to rejoin; *(gagner à sa cause)* to win over
rallonge [ʀalɔ̃ʒ] *nf (de table)* (extra) leaf
rallonger [ʀalɔ̃ʒe] *vt* to lengthen
rallye [ʀali] *nm* rally; *(Pol)* march
ramassage [ʀamɑsaʒ] *nm*: **ramassage scolaire** school bus service
ramasser [ʀamɑse] *vt (objet tombé ou par terre, fam)* to pick up; *(recueillir: copies, ordures)* to collect; *(récolter)* to gather; **ramassis** *(péj) nm (de voyous)* bunch; *(d'objets)* jumble
rambarde [ʀɑ̃baʀd] *nf* guardrail
rame [ʀam] *nf (aviron)* oar; *(de métro)* train; *(de papier)* ream
rameau, x [ʀamo] *nm* (small) branch; **les Rameaux** *(Rel)* Palm Sunday *sg*
ramener [ʀam(ə)ne] *vt* to bring back; *(reconduire)* to take back; **~ qch à** *(réduire à)* to reduce sth to
ramer [ʀame] *vi* to row
ramollir [ʀamɔliʀ] *vt* to soften; **se ~** *vi* to go soft
rampe [ʀɑ̃p] *nf (d'escalier)* banister(s *pl*); *(dans un garage)* ramp; *(Théâtre)*: **la ~** the footlights *pl*; **rampe de lancement** launching pad
ramper [ʀɑ̃pe] *vi* to crawl
rancard [ʀɑ̃kaʀ] *(fam) nm (rendez-vous)* date
rancart [ʀɑ̃kaʀ] *nm*: **mettre au ~** *(fam)* to scrap
rance [ʀɑ̃s] *adj* rancid
rancœur [ʀɑ̃kœʀ] *nf* rancour
rançon [ʀɑ̃sɔ̃] *nf* ransom
rancune [ʀɑ̃kyn] *nf* grudge, rancour; **garder ~ à qn (de qch)** to bear sb a grudge (for sth); **sans ~!** no hard feelings!; **rancunier, -ière** *adj* vindictive, spiteful
randonnée [ʀɑ̃dɔne] *nf (pédestre)* walk, ramble; *(: en montagne)* hike, hiking *no pl*; **la ~** *(activité)* hiking, walking; **une ~ à cheval** a pony trek
rang [ʀɑ̃] *nm (rangée)* row; *(grade, classement)* rank; **rangs** *nmpl (Mil)* ranks; **se mettre en ~s** to get into *ou* form rows; **au premier ~** in the first row; *(fig)* ranking first
rangé, e [ʀɑ̃ʒe] *adj (vie)* well-ordered; *(personne)* steady
rangée [ʀɑ̃ʒe] *nf* row
ranger [ʀɑ̃ʒe] *vt (mettre de l'ordre dans)* to tidy up; *(classer, grouper)* to order, arrange; *(mettre à sa place)* to put away; *(fig: classer)*: **~ qn/qch parmi** to rank sb/sth among; **se ~** *vi (véhicule, conducteur)* to pull over *ou* in; *(piéton)* to step aside; *(s'assagir)* to settle down; **se ~ à** *(avis)* to come round to
ranimer [ʀanime] *vt (personne)* to bring round; *(douleur, souvenir)* to revive; *(feu)* to rekindle
rapace [ʀapas] *nm* bird of prey
râpe [ʀɑp] *nf (Culin)* grater; **râper** *vt (Culin)* to grate
rapide [ʀapid] *adj* fast; *(prompt: coup d'œil, mouvement)* quick ▷ *nm* express (train); *(de cours d'eau)* rapid; **rapidement** *adv* fast; quickly
rapiécer [ʀapjese] *vt* to patch
rappel [ʀapɛl] *nm (Théâtre)* curtain call; *(Méd: vaccination)* booster; *(deuxième avis)* reminder; **rappeler** *vt* to call back; *(ambassadeur, Mil)* to recall; *(faire se souvenir)*: **rappeler qch à qn** to remind sb of sth; **se rappeler** *vt (se souvenir de)* to remember, recall; **pouvez-vous rappeler plus tard?** can you call back later?
rapport [ʀapɔʀ] *nm (lien, analogie)* connection; *(compte rendu)* report; *(profit)* yield, return; **rapports** *nmpl (entre personnes, pays)* relations; **avoir ~ à** to have something to do with; **être/se mettre en ~ avec qn** to be/get in touch with sb; **par ~ à** in relation to; **rapports (sexuels)** (sexual) intercourse *sg*; **rapport qualité-prix** value (for money)
rapporter [ʀapɔʀte] *vt (rendre, ramener)* to bring back; *(bénéfice)* to yield, bring in; *(mentionner, répéter)* to report ▷ *vi (investissement)* to give a good return *ou* yield; *(activité)* to be very profitable; **se ~ à** to relate to
rapprochement [ʀapʀɔʃmɑ̃] *nm (de nations)* reconciliation; *(rapport)* parallel
rapprocher [ʀapʀɔʃe] *vt (deux objets)* to bring closer together; *(fig: ennemis, partis etc)* to bring together; *(comparer)* to establish a parallel between; *(chaise d'une table)*: **~ qch (de)** to bring sth closer (to); **se ~** *vi* to draw closer *ou* nearer; **se ~ de** to come closer to; *(présenter une analogie avec)* to be close to
raquette [ʀakɛt] *nf (de tennis)* racket; *(de ping-pong)* bat
rare [ʀɑʀ] *adj* rare; **se faire ~** to become scarce; **rarement** *adv* rarely, seldom
ras, e [ʀɑ, ʀɑz] *adj (poil, herbe)* short; *(tête)* close-cropped ▷ *adv* short; **en ~e campagne** in open country; **à ~ bords** to the brim; **en avoir ~ le bol** *(fam)* to be fed up
raser [ʀɑze] *vt (barbe, cheveux)* to shave off; *(menton, personne)* to shave; *(fam: ennuyer)* to bore; *(démolir)* to raze (to the ground); *(frôler)* to graze, skim; **se ~** *vi* to

shave; (*fam*) to be bored (to tears); **rasoir** *nm* razor
rassasier [Rasazje] *vt*: **être rassasié** to have eaten one's fill
rassemblement [Rasɑ̃bləmɑ̃] *nm* (*groupe*) gathering; (*Pol*) union
rassembler [Rasɑ̃ble] *vt* (*réunir*) to assemble, gather; (*documents, notes*) to gather together, collect; **se ~** *vi* to gather
rassurer [RasyRe] *vt* to reassure; **se ~** *vi* to reassure o.s.; **rassure-toi** don't worry
rat [Ra] *nm* rat
rate [Rat] *nf* spleen
raté, e [Rate] *adj* (*tentative*) unsuccessful, failed ▷ *nm/f* (*fam: personne*) failure
râteau, x [Rɑto] *nm* rake
rater [Rate] *vi* (*affaire, projet etc*) to go wrong, fail ▷ *vt* (*fam: cible, train, occasion*) to miss; (*plat*) to spoil; (*fam: examen*) to fail; **nous avons raté notre train** we missed our train
ration [Rasjɔ̃] *nf* ration
RATP *sigle f* (= *Régie autonome des transports parisiens*) *Paris transport authority*
rattacher [Rataʃe] *vt* (*animal, cheveux*) to tie up again; (*fig: relier*): **~ qch à** to link sth with
rattraper [RatRape] *vt* (*fugitif*) to recapture; (*empêcher de tomber*) to catch (hold of); (*atteindre, rejoindre*) to catch up with; (*réparer: erreur*) to make up for; **se ~** *vi* to make up for it; **se ~ (à)** (*se raccrocher*) to stop o.s. falling (by catching hold of)
rature [RatyR] *nf* deletion, erasure
rauque [Rok] *adj* (*voix*) hoarse
ravages [Ravaʒ] *nmpl*: **faire des ~** to wreak havoc
ravi, e [Ravi] *adj*: **être ~ de/que** to be delighted with/that
ravin [Ravɛ̃] *nm* gully, ravine
ravir [RaviR] *vt* (*enchanter*) to delight; **à ~** *adv* beautifully
raviser [Ravize]: **se ~** *vi* to change one's mind
ravissant, e [Ravisɑ̃, ɑ̃t] *adj* delightful
ravisseur, -euse [RavisœR, øz] *nm/f* abductor, kidnapper
ravitailler [Ravitaje] *vt* (*en vivres, munitions*) to provide with fresh supplies; (*avion*) to refuel; **se ~ (en)** to get fresh supplies (of)
raviver [Ravive] *vt* (*feu, douleur*) to revive; (*couleurs*) to brighten up
rayé, e [Reje] *adj* (*à rayures*) striped
rayer [Reje] *vt* (*érafler*) to scratch; (*barrer*) to cross out; (*d'une liste*) to cross off
rayon [Rɛjɔ̃] *nm* (*de soleil etc*) ray; (*Géom*) radius; (*de roue*) spoke; (*étagère*) shelf; (*de grand magasin*) department; **dans un ~ de** within a radius of; **rayon de soleil** sunbeam; **rayons X** X-rays
rayonnement [Rɛjɔnmɑ̃] *nm* (*fig: d'une culture*) influence
rayonner [Rɛjɔne] *vi* (*fig*) to shine forth; (*personne: de joie, de beauté*) to be radiant; (*touriste*) to go touring (*from one base*)
rayure [RejyR] *nf* (*motif*) stripe; (*éraflure*) scratch; **à ~s** striped
raz-de-marée [RɑdmaRe] *nm inv* tidal wave
ré [Re] *nm* (*Mus*) D; (*en chantant la gamme*) re
réaction [Reaksjɔ̃] *nf* reaction
réadapter [Readapte]: **se ~ (à)** *vi* to readjust (to)
réagir [ReaʒiR] *vi* to react
réalisateur, -trice [RealizatœR, tRis] *nm/f* (*TV, Cinéma*) director
réalisation [Realizasjɔ̃] *nf* realization; (*cinéma*) production; **en cours de ~** under way
réaliser [Realize] *vt* (*projet, opération*) to carry out, realize; (*rêve, souhait*) to realize, fulfil; (*exploit*) to achieve; (*film*) to produce; (*se rendre compte de*) to realize; **se ~** *vi* to be realized
réaliste [Realist] *adj* realistic
réalité [Realite] *nf* reality; **en ~** in (actual) fact; **dans la ~** in reality
réanimation [Reanimasjɔ̃] *nf* resuscitation; **service de ~** intensive care unit
rébarbatif, -ive [RebaRbatif, iv] *adj* forbidding
rebattu, e [R(ə)baty] *adj* hackneyed
rebelle [Rəbɛl] *nm/f* rebel ▷ *adj* (*troupes*) rebel; (*enfant*) rebellious; (*mèche etc*) unruly
rebeller [R(ə)bele]: **se ~** *vi* to rebel
rebondir [R(ə)bɔ̃diR] *vi* (*ballon: au sol*) to bounce; (*: contre un mur*) to rebound; (*fig*) to get moving again
rebord [R(ə)bɔR] *nm* edge; **le ~ de la fenêtre** the windowsill
rebours [R(ə)buR]: **à ~** *adv* the wrong way
rebrousser [R(ə)bRuse] *vt*: **~ chemin** to turn back
rebuter [Rəbyte] *vt* to put off
récalcitrant, e [RekalsitRɑ̃, ɑ̃t] *adj* refractory
récapituler [Rekapityle] *vt* to recapitulate, sum up
receler [R(ə)səle] *vt* (*produit d'un vol*) to receive; (*fig*) to conceal; **receleur, -euse** *nm/f* receiver
récemment [Resamɑ̃] *adv* recently
recensement [R(ə)sɑ̃smɑ̃] *nm* (population) census
recenser [R(ə)sɑ̃se] *vt* (*population*) to take a census of; (*inventorier*) to list
récent, e [Resɑ̃, ɑ̃t] *adj* recent
récépissé [Resepise] *nm* receipt
récepteur [ResɛptœR] *nm* receiver
réception [Resɛpsjɔ̃] *nf* receiving *no pl*; (*accueil*) reception, welcome; (*bureau*) reception desk; (*réunion mondaine*) reception, party; **réceptionniste** *nm/f* receptionist
recette [R(ə)sɛt] *nf* recipe; (*Comm*) takings *pl*; **recettes** *nfpl* (*Comm: rentrées*) receipts; **faire ~** (*spectacle, exposition*) to be a winner
recevoir [R(ə)səvwaR] *vt* to receive; (*client, patient*) to see; **être reçu** (*à un examen*) to pass
rechange [R(ə)ʃɑ̃ʒ]: **de ~** *adj* (*pièces, roue*) spare; (*fig: solution*) alternative; **des vêtements de ~** a change of clothes
recharge [R(ə)ʃaRʒ] *nf* refill; **rechargeable** *adj* (*stylo etc*) refillable; **recharger** *vt* (*stylo*) to refill; (*batterie*) to recharge
réchaud [Reʃo] *nm* (portable) stove
réchauffer [Reʃofe] *vt* (*plat*) to reheat; (*mains, personne*) to warm; **se ~** *vi* (*température*) to get warmer; (*personne*) to warm o.s. (up)
rêche [Rɛʃ] *adj* rough
recherche [R(ə)ʃɛRʃ] *nf* (*action*) search; (*raffinement*) studied elegance; (*scientifique etc*): **la ~** research; **recherches** *nfpl* (*de la police*) investigations; (*scientifiques*) research *sg*; **la ~ de** the search for; **être à la ~ de qch** to be looking for sth
recherché, e [R(ə)ʃɛRʃe] *adj* (*rare, demandé*) much sought-after; (*raffiné: style*) mannered; (*: tenue*) elegant
rechercher [R(ə)ʃɛRʃe] *vt* (*objet égaré, personne*) to look for; (*causes, nouveau procédé*) to try to find; (*bonheur, compliments*) to seek
rechute [R(ə)ʃyt] *nf* (*Méd*) relapse
récidiver [Residive] *vi* to commit a subsequent offence; (*fig*) to do it again
récif [Resif] *nm* reef
récipient [Resipjɑ̃] *nm* container
réciproque [ResipRɔk] *adj* reciprocal

récit [Resi] *nm* story; **récital** *nm* recital; **réciter** *vt* to recite
réclamation [Reklamasjɔ̃] *nf* complaint; **(service des) ~s** complaints department
réclame [Reklam] *nf* ad, advert(isement); **en ~** on special offer; **réclamer** *vt* to ask for; (*revendiquer*) to claim, demand ▷ *vi* to complain
réclusion [Reklyzjɔ̃] *nf* imprisonment
recoin [Rəkwɛ̃] *nm* nook, corner
reçois *etc* [Rəswa] *vb voir* **recevoir**
récolte [Rekɔlt] *nf* harvesting, gathering; (*produits*) harvest, crop; **récolter** *vt* to harvest, gather (in); (*fig*) to collect
recommandé [R(ə)kɔmɑ̃de] *nm* (*Postes*): **en ~** by registered mail
recommander [R(ə)kɔmɑ̃de] *vt* to recommend; (*Postes*) to register
recommencer [R(ə)kɔmɑ̃se] *vt* (*reprendre: lutte, séance*) to resume, start again; (*refaire: travail, explications*) to start afresh, start (over) again ▷ *vi* to start again; (*récidiver*) to do it again
récompense [Rekɔ̃pɑ̃s] *nf* reward; (*prix*) award; **récompenser** *vt*: **récompenser qn (de** *ou* **pour)** to reward sb (for)
réconcilier [Rekɔ̃silje] *vt* to reconcile; **se ~ (avec)** to make up (with)
reconduire [R(ə)kɔ̃dɥiR] *vt* (*raccompagner*) to take *ou* see back; (*renouveler*) to renew
réconfort [Rekɔ̃fɔR] *nm* comfort; **réconforter** *vt* (*consoler*) to comfort
reconnaissance [R(ə)kɔnɛsɑ̃s] *nf* (*gratitude*) gratitude, gratefulness; (*action de reconnaître*) recognition; (*Mil*) reconnaissance, recce; **reconnaissant, e** *adj* grateful; **je vous serais reconnaissant de bien vouloir ...** I would be most grateful if you would (kindly) ...
reconnaître [R(ə)kɔnɛtR] *vt* to recognize; (*Mil: lieu*) to reconnoitre; (*Jur: enfant, torts*) to acknowledge; **~ que** to admit *ou* acknowledge that; **~ qn/qch à** (*l'identifier grâce à*) to recognize sb/sth by; **reconnu, e** *adj* (*indiscuté, connu*) recognized
reconstituer [R(ə)kɔ̃stitɥe] *vt* (*événement, accident*) to reconstruct; (*fresque, vase brisé*) to piece together, reconstitute
reconstruire [R(ə)kɔ̃stRɥiR] *vt* to rebuild
reconvertir [R(ə)kɔ̃vɛRtiR]: **se ~ dans** *vr* (*un métier, une branche*) to go into
record [R(ə)kɔR] *nm, adj* record
recoupement [R(ə)kupmɑ̃] *nm*: **par ~** by cross-checking
recouper [R(ə)kupe]: **se ~** *vi* (*témoignages*) to tie *ou* match up
recourber [R(ə)kuRbe]: **se ~** *vi* to curve (up), bend (up)
recourir [R(ə)kuRiR]: **~ à** *vt* (*ami, agence*) to turn *ou* appeal to; (*force, ruse, emprunt*) to resort to
recours [R(ə)kuR] *nm*: **avoir ~ à** = **recourir à**; **en dernier ~** as a last resort
recouvrer [R(ə)kuvRe] *vt* (*vue, santé etc*) to recover, regain
recouvrir [R(ə)kuvRiR] *vt* (*couvrir à nouveau*) to re-cover; (*couvrir entièrement, aussi fig*) to cover
récréation [RekReasjɔ̃] *nf* (*Scol*) break
recroqueviller [R(ə)kRɔk(ə)vije]: **se ~** *vi* (*personne*) to huddle up
recrudescence [R(ə)kRydesɑ̃s] *nf* fresh outbreak
recruter [R(ə)kRyte] *vt* to recruit
rectangle [Rɛktɑ̃gl] *nm* rectangle; **rectangulaire** *adj* rectangular
rectificatif [Rɛktifikatif] *nm* correction
rectifier [Rɛktifje] *vt* (*calcul, adresse, paroles*) to correct; (*erreur*) to rectify
rectiligne [Rɛktiliɲ] *adj* straight
recto [Rɛkto] *nm* front (of a page); **~ verso** on both sides (of the page)
reçu, e [R(ə)sy] *pp de* **recevoir** ▷ *adj* (*candidat*) successful; (*admis, consacré*) accepted ▷ *nm* (*Comm*) receipt; **je peux avoir un ~, s'il vous plaît?** can I have a receipt, please?
recueil [Rəkœj] *nm* collection; **recueillir** *vt* to collect; (*voix, suffrages*) to win; (*accueillir: réfugiés, chat*) to take in; **se recueillir** *vi* to gather one's thoughts, meditate
recul [R(ə)kyl] *nm* (*éloignement*) distance; (*déclin*) decline; **être en ~** to be on the decline; **avec du ~** with hindsight; **avoir un mouvement de ~** to recoil; **prendre du ~** to stand back; **reculé, e** *adj* remote; **reculer** *vi* to move back, back away; (*Auto*) to reverse, back (up); (*fig*) to (be on the) decline ▷ *vt* to move back; (*véhicule*) to reverse, back (up); (*date, décision*) to postpone; **reculer devant** (*danger, difficulté*) to shrink from; **reculons**: **à reculons** *adv* backwards
récupérer [RekypeRe] *vt* to recover, get back; (*heures de travail*) to make up; (*déchets*) to salvage ▷ *vi* to recover
récurer [RekyRe] *vt* to scour; **poudre à ~** scouring powder
reçut [Rəsy] *vb voir* **recevoir**
recycler [R(ə)sikle] *vt* (*Tech*) to recycle; **se ~** *vi* to retrain
rédacteur, -trice [RedaktœR, tRis] *nm/f* (*journaliste*) writer; subeditor; (*d'ouvrage de référence*) editor, compiler
rédaction [Redaksjɔ̃] *nf* writing; (*rédacteurs*) editorial staff; (*Scol: devoir*) essay, composition
redescendre [R(ə)desɑ̃dR] *vi* to go back down ▷ *vt* (*pente etc*) to go down
rédiger [Rediʒe] *vt* to write; (*contrat*) to draw up
redire [R(ə)diR] *vt* to repeat; **trouver à ~ à** to find fault with
redoubler [R(ə)duble] *vi* (*tempête, violence*) to intensify; (*Scol*) to repeat a year; **~ de patience/prudence** to be doubly patient/careful
redoutable [R(ə)dutabl] *adj* formidable, fearsome
redouter [R(ə)dute] *vt* to dread
redressement [R(ə)dRɛsmɑ̃] *nm* (*économique*) recovery
redresser [R(ə)dRese] *vt* (*relever*) to set upright; (*pièce tordue*) to straighten out; (*situation, économie*) to put right; **se ~** *vi* (*personne*) to sit (*ou* stand) up (straight); (*économie*) to recover
réduction [Redyksjɔ̃] *nf* reduction; **y a-t-il une ~ pour les étudiants?** is there a reduction for students?
réduire [RedɥiR] *vt* to reduce; (*prix, dépenses*) to cut, reduce; **réduit** *nm* (*pièce*) tiny room
rééducation [Reedykasjɔ̃] *nf* (*d'un membre*) re-education; (*de délinquants, d'un blessé*) rehabilitation
réel, le [Reɛl] *adj* real; **réellement** *adv* really
réexpédier [Reɛkspedje] *vt* (*à l'envoyeur*) to return, send back; (*au destinataire*) to send on, forward
refaire [R(ə)fɛR] *vt* to do again; (*faire de nouveau: sport*) to take up again; (*réparer, restaurer*) to do up
réfectoire [Refɛktwar] *nm* refectory
référence [RefeRɑ̃s] *nf* reference; **références** *nfpl* (*recommandations*) reference *sg*
référer [RefeRe]: **se ~ à** *vt* to refer to

refermer [R(ə)fɛRme] *vt* to close *ou* shut again; **se ~** *vi* (*porte*) to close *ou* shut (again)
refiler [R(ə)file] *vi* (*fam*) to palm off
réfléchi, e [Refleʃi] *adj* (*caractère*) thoughtful; (*action*) well-thought-out; (*Ling*) reflexive; **c'est tout ~** my mind's made up
réfléchir [ReflefiR] *vt* to reflect ▷ *vi* to think; **~ à** to think about
reflet [R(ə)flɛ] *nm* reflection; (*sur l'eau etc*) sheen *no pl*, glint; **refléter** *vt* to reflect; **se refléter** *vi* to be reflected
réflexe [Reflɛks] *nm, adj* reflex
réflexion [Reflɛksjɔ̃] *nf* (*de la lumière etc*) reflection; (*fait de penser*) thought; (*remarque*) remark; **~ faite, à la ~** on reflection
réflexologie [Reflɛksɔlɔʒi] *nf* reflexology
réforme [RefɔRm] *nf* reform; (*Rel*): **la R~** the Reformation; **réformer** *vt* to reform; (*Mil*) to declare unfit for service
refouler [R(ə)fule] *vt* (*envahisseurs*) to drive back; (*larmes*) to force back; (*désir, colère*) to repress
refrain [R(ə)fRɛ̃] *nm* refrain, chorus
refréner [RəfRene], **réfréner** [RefRene] *vt* to curb, check
réfrigérateur [RefRiʒeRatœR] *nm* refrigerator, fridge
refroidir [R(ə)fRwadiR] *vt* to cool; (*fig: personne*) to put off ▷ *vi* to cool (down); **se ~** *vi* (*temps*) to get cooler *ou* colder; (*fig: ardeur*) to cool (off); **refroidissement** *nm* (*grippe etc*) chill
refuge [R(ə)fyʒ] *nm* refuge; **réfugié, e** *adj, nm/f* refugee; **réfugier**: **se réfugier** *vi* to take refuge
refus [R(ə)fy] *nm* refusal; **ce n'est pas de ~** I won't say no, it's welcome; **refuser** *vt* to refuse; (*Scol: candidat*) to fail; **refuser qch à qn** to refuse sb sth; **refuser du monde** to have to turn people away; **se refuser à faire** to refuse to do
regagner [R(ə)gaɲe] *vt* (*faveur*) to win back; (*lieu*) to get back to
régal [Regal] *nm* treat; **régaler**: **se régaler** *vi* to have a delicious meal; (*fig*) to enjoy o.s.
regard [R(ə)gaR] *nm* (*coup d'œil*) look, glance; (*expression*) look (in one's eye); **au ~ de** (*loi, morale*) from the point of view of; **en ~ de** in comparison with
regardant, e [R(ə)gaRdɑ̃, ɑ̃t] *adj* (*économe*) tight-fisted; **peu ~ (sur)** very free (about)
regarder [R(ə)gaRde] *vt* to look at; (*film, télévision, match*) to watch; (*concerner*) to concern ▷ *vi* to look; **ne pas ~ à la dépense** to spare no expense; **~ qn/qch comme** to regard sb/sth as
régie [Reʒi] *nf* (*Comm, Industrie*) state-owned company; (*Théâtre, Cinéma*) production; (*Radio, TV*) control room
régime [Reʒim] *nm* (*Pol*) régime; (*Méd*) diet; (*Admin: carcéral, fiscal etc*) system; (*de bananes, dattes*) bunch; **se mettre au/suivre un ~** to go on/be on a diet
régiment [Reʒimɑ̃] *nm* regiment
région [Reʒjɔ̃] *nf* region; **régional, e, -aux** *adj* regional
régir [ReʒiR] *vt* to govern
régisseur [ReʒisœR] *nm* (*d'un domaine*) steward; (*Cinéma, TV*) assistant director; (*Théâtre*) stage manager
registre [RəʒistR] *nm* register
réglage [Reglaʒ] *nm* adjustment
règle [Rɛgl] *nf* (*instrument*) ruler; (*loi*) rule; **règles** *nfpl* (*menstruation*) period *sg*; **en ~** (*papiers d'identité*) in order; **en ~ générale** as a (general) rule
réglé, e [Regle] *adj* (*vie*) well-ordered; (*arrangé*) settled
règlement [Rɛgləmɑ̃] *nm* (*paiement*) settlement; (*arrêté*) regulation; (*règles, statuts*) regulations *pl*, rules *pl*; **réglementaire** *adj* conforming to the regulations; (*tenue*) regulation *cpd*; **réglementation** *nf* (*règles*) regulations; **réglementer** *vt* to regulate
régler [Regle] *vt* (*conflit, facture*) to settle; (*personne*) to settle up with; (*mécanisme, machine*) to regulate, adjust; (*thermostat etc*) to set, adjust
réglisse [Reglis] *nf* liquorice
règne [Rɛɲ] *nm* (*d'un roi etc, fig*) reign; **le ~ végétal/animal** the vegetable/animal kingdom; **régner** *vi* (*roi*) to rule, reign; (*fig*) to reign
regorger [R(ə)gɔRʒe] *vi*: **~ de** to overflow with, be bursting with
regret [R(ə)gRɛ] *nm* regret; **à ~** with regret; **sans ~** with no regrets; **regrettable** *adj* regrettable; **regretter** *vt* to regret; (*personne*) to miss; **je regrette mais ...** I'm sorry but ...
regrouper [R(ə)gRupe] *vt* (*grouper*) to group together; (*contenir*) to include, comprise; **se ~** *vi* to gather (together)
régulier, -ière [Regylje, jɛR] *adj* (*gén*) regular; (*vitesse, qualité*) steady; (*égal: couche, ligne*) even; (*Transports: ligne, service*) scheduled, regular; (*légal*) lawful, in order; (*honnête*) straight, on the level; **régulièrement** *adv* regularly; (*uniformément*) evenly
rehausser [Rəose] *vt* (*relever*) to heighten, raise; (*fig: souligner*) to set off, enhance
rein [Rɛ̃] *nm* kidney; **reins** *nmpl* (*dos*) back *sg*
reine [Rɛn] *nf* queen
reine-claude [Rɛnklod] *nf* greengage
réinscriptible [Reɛ̃skRiptibl] *adj* (*CD, DVD*) rewritable
réinsertion [Reɛ̃sɛRsjɔ̃] *nf* (*de délinquant*) reintegration, rehabilitation
réintégrer [Reɛ̃tegRe] *vt* (*lieu*) to return to; (*fonctionnaire*) to reinstate
rejaillir [R(ə)ʒajiR] *vi* to splash up; **~ sur** (*fig: scandale*) to rebound on; (*: gloire*) to be reflected on
rejet [Rəʒɛ] *nm* rejection; **rejeter** *vt* (*relancer*) to throw back; (*écarter*) to reject; (*déverser*) to throw out, discharge; (*vomir*) to bring *ou* throw up; **rejeter la responsabilité de qch sur qn** to lay the responsibility for sth at sb's door
rejoindre [R(ə)ʒwɛ̃dR] *vt* (*famille, régiment*) to rejoin, return to; (*lieu*) to get (back) to; (*suj: route etc*) to meet, join; (*rattraper*) to catch up (with); **se ~** *vi* to meet; **je te rejoins à la gare** I'll see *ou* meet you at the station
réjouir [ReʒwiR] *vt* to delight; **se ~ (de qch/de faire)** to be delighted (about sth/to do); **réjouissances** *nfpl* (*fête*) festivities
relâche [Rəlɑʃ] *nm ou nf*: **sans ~** without respite *ou* a break; **relâché, e** *adj* loose, lax; **relâcher** *vt* (*libérer*) to release; (*desserrer*) to loosen; **se relâcher** *vi* (*discipline*) to become slack *ou* lax; (*élève etc*) to slacken off
relais [R(ə)lɛ] *nm* (*Sport*): **(course de) ~** relay (race); **prendre le ~ (de)** to take over (from); **relais routier** ≈ transport café (BRIT), ≈ truck stop (US)
relancer [R(ə)lɑ̃se] *vt* (*balle*) to throw back; (*moteur*) to restart; (*fig*) to boost, revive; (*harceler*): **~ qn** to pester sb
relatif, -ive [R(ə)latif, iv] *adj* relative
relation [R(ə)lasjɔ̃] *nf* (*rapport*) relation(ship); (*connaissance*) acquaintance; **relations** *nfpl*

(*rapports*) relations; (*connaissances*) connections; **être/entrer en ~(s) avec** to be/get in contact with
relaxer [Rəlakse]: **se ~** *vi* to relax
relayer [R(ə)leje] *vt* (*collaborateur, coureur etc*) to relieve; **se ~** *vi* (*dans une activité*) to take it in turns
reléguer [R(ə)lege] *vt* to relegate
relevé, e [Rəl(ə)ve] *adj* (*manches*) rolled-up; (*sauce*) highly-seasoned ▷ *nm* (*de compteur*) reading; **relevé bancaire** *ou* **de compte** bank statement
relève [Rəlɛv] *nf* (*personne*) relief; **prendre la ~** to take over
relever [Rəl(ə)ve] *vt* (*meuble*) to stand up again; (*personne tombée*) to help up; (*vitre, niveau de vie*) to raise; (*inf*) to turn up; (*style*) to elevate; (*plat, sauce*) to season; (*sentinelle, équipe*) to relieve; (*fautes*) to pick out; (*défi*) to accept, take up; (*noter: adresse etc*) to take down, note; (: *plan*) to sketch; (*compteur*) to read; (*ramasser: cahiers*) to collect, take in; **se ~** *vi* (*se remettre debout*) to get up; **~ de** (*maladie*) to be recovering from; (*être du ressort de*) to be a matter for; (*fig*) to pertain to; **~ qn de** (*fonctions*) to relieve sb of; **~ la tête** to look up
relief [Rəljɛf] *nm* relief; **mettre en ~** (*fig*) to bring out, highlight
relier [Rəlje] *vt* to link up; (*livre*) to bind; **~ qch à** to link sth to
religieux, -euse [R(ə)liʒjø, jøz] *adj* religious ▷ *nm* monk
religion [R(ə)liʒjɔ̃] *nf* religion
relire [R(ə)liR] *vt* (*à nouveau*) to reread, read again; (*vérifier*) to read over
reluire [R(ə)lɥiR] *vi* to gleam
remanier [R(ə)manje] *vt* to reshape, recast; (*Pol*) to reshuffle
remarquable [R(ə)maRkabl] *adj* remarkable
remarque [R(ə)maRk] *nf* remark; (*écrite*) note
remarquer [R(ə)maRke] *vt* (*voir*) to notice; **se ~** *vi* to be noticeable; **faire ~ (à qn) que** to point out (to sb) that; **faire ~ qch (à qn)** to point sth out (to sb); **remarquez, ...** mind you ...; **se faire ~** to draw attention to o.s.
rembourrer [Rɑ̃buRe] *vt* to stuff
remboursement [Rɑ̃buRsəmɑ̃] *nm* (*de dette, d'emprunt*) repayment; (*de frais*) refund; **rembourser** *vt* to pay back, repay; (*frais, billet etc*) to refund; **se faire rembourser** to get a refund
remède [R(ə)mɛd] *nm* (*médicament*) medicine; (*traitement, fig*) remedy, cure
remémorer [R(ə)memɔRe]: **se ~** *vt* to recall, recollect
remerciements [RəmɛRsimɑ̃] *nmpl* thanks; **(avec) tous mes ~** (with) grateful *ou* many thanks
remercier [R(ə)mɛRsje] *vt* to thank; (*congédier*) to dismiss; **~ qn de/d'avoir fait** to thank sb for/for having done
remettre [R(ə)mɛtR] *vt* (*replacer*) to put back; (*vêtement*) to put back on; (*ajouter*) to add; (*ajourner*): **~ qch (à)** to postpone sth (until); **se ~** *vi*: **se ~ (de)** to recover (from); **~ qch à qn** (*donner: lettre, clé etc*) to hand over sth to sb; (: *prix, décoration*) to present sb with sth; **se ~ à faire qch** to start doing sth again; **s'en ~ à** to leave it (up) to
remise [R(ə)miz] *nf* (*rabais*) discount; (*local*) shed; **remise de peine** reduction of sentence; **remise des prix** prize-giving; **remise en cause** *ou* **question** calling into question, challenging; **remise en jeu** (*Football*) throw-in
remontant [R(ə)mɔ̃tɑ̃] *nm* tonic, pick-me-up
remonte-pente [R(ə)mɔ̃tpɑ̃t] *nm* ski-lift
remonter [R(ə)mɔ̃te] *vi* to go back up; (*prix, température*) to go up again ▷ *vt* (*pente*) to go up; (*fleuve*) to sail (*ou* swim *etc*) up; (*manches, pantalon*) to roll up; (*col*) to turn up; (*niveau, limite*) to raise; (*fig: personne*) to buck up; (*qch de démonté*) to put back together, reassemble; (*montre*) to wind up; **~ le moral à qn** to raise sb's spirits; **~ à** (*dater de*) to date *ou* go back to
remords [R(ə)mɔR] *nm* remorse *no pl*; **avoir des ~** to feel remorse
remorque [R(ə)mɔRk] *nf* trailer; **remorquer** *vt* to tow; **remorqueur** *nm* tug(boat)
remous [Rəmu] *nm* (*d'un navire*) (back)wash *no pl*; (*de rivière*) swirl, eddy ▷ *nmpl* (*fig*) stir *sg*
remparts [Rɑ̃paR] *nmpl* walls, ramparts
remplaçant, e [Rɑ̃plasɑ̃, ɑ̃t] *nm/f* replacement, stand-in; (*Scol*) supply teacher
remplacement [Rɑ̃plasmɑ̃] *nm* replacement; **faire des ~s** (*professeur*) to do supply teaching; (*secrétaire*) to temp
remplacer [Rɑ̃plase] *vt* to replace; **~ qch/qn par** to replace sth/sb with
rempli, e [Rɑ̃pli] *adj* (*emploi du temps*) full, busy; **~ de** full of, filled with
remplir [Rɑ̃pliR] *vt* to fill (up); (*questionnaire*) to fill out *ou* up; (*obligations, fonction, condition*) to fulfil; **se ~** *vi* to fill up
remporter [Rɑ̃pɔRte] *vt* (*marchandise*) to take away; (*fig*) to win, achieve
remuant, e [Rəmɥɑ̃, ɑ̃t] *adj* restless
remue-ménage [R(ə)mymenaʒ] *nm inv* commotion
remuer [Rəmɥe] *vt* to move; (*café, sauce*) to stir ▷ *vi* to move; **se ~** *vi* to move; (*fam: s'activer*) to get a move on
rémunérer [RemyneRe] *vt* to remunerate
renard [R(ə)naR] *nm* fox
renchérir [Rɑ̃ʃeRiR] *vi* (*fig*): **~ (sur)** (*en paroles*) to add something (to)
rencontre [Rɑ̃kɔ̃tR] *nf* meeting; (*imprévue*) encounter; **aller à la ~ de qn** to go and meet sb; **rencontrer** *vt* to meet; (*mot, expression*) to come across; (*difficultés*) to meet with; **se rencontrer** *vi* to meet
rendement [Rɑ̃dmɑ̃] *nm* (*d'un travailleur, d'une machine*) output; (*d'un champ*) yield
rendez-vous [Rɑ̃devu] *nm* appointment; (*d'amoureux*) date; (*lieu*) meeting place; **donner ~ à qn** to arrange to meet sb; **avoir/prendre ~ (avec)** to have/make an appointment (with); **j'ai ~ avec ...** I have an appointment with ...; **je voudrais prendre ~** I'd like to make an appointment
rendre [Rɑ̃dR] *vt* (*restituer*) to give back, return; (*invitation*) to return, repay; (*vomir*) to bring up; (*exprimer, traduire*) to render; (*faire devenir*): **~ qn célèbre/qch possible** to make sb famous/sth possible; **se ~** *vi* (*capituler*) to surrender, give o.s. up; (*aller*): **se ~ quelque part** to go somewhere; **~ la monnaie à qn** to give sb his change; **se ~ compte de qch** to realize sth
rênes [Rɛn] *nfpl* reins
renfermé, e [Rɑ̃fɛRme] *adj* (*fig*) withdrawn ▷ *nm*: **sentir le ~** to smell stuffy
renfermer [Rɑ̃fɛRme] *vt* to contain
renforcer [Rɑ̃fɔRse] *vt* to reinforce; **renfort**: **renforts** *nmpl* reinforcements; **à grand renfort de** with a great deal of
renfrogné, e [Rɑ̃fRɔɲe] *adj* sullen
renier [Rənje] *vt* (*personne*) to disown, repudiate;

(*foi*) to renounce
renifler [ʀ(ə)nifle] *vi, vt* to sniff
renne [ʀɛn] *nm* reindeer *inv*
renom [ʀənɔ̃] *nm* reputation; (*célébrité*) renown; **renommé, e** *adj* celebrated, renowned; **renommée** *nf* fame
renoncer [ʀ(ə)nɔ̃se]: **~ à** *vt* to give up; **~ à faire** to give up the idea of doing
renouer [ʀənwe] *vt*: **~ avec** (*habitude*) to take up again
renouveler [ʀ(ə)nuv(ə)le] *vt* to renew; (*exploit, méfait*) to repeat; **se ~** *vi* (*incident*) to recur, happen again; **renouvellement** *nm* (*remplacement*) renewal
rénover [ʀenɔve] *vt* (*immeuble*) to renovate, do up; (*quartier*) to redevelop
renseignement [ʀɑ̃sɛɲmɑ̃] *nm* information *no pl*, piece of information; **(guichet des) ~s** information office; **(service des) ~s** (*Tél*) directory enquiries (BRIT), information (US)
renseigner [ʀɑ̃seɲe] *vt*: **~ qn (sur)** to give information to sb (about); **se ~** *vi* to ask for information, make inquiries
rentabilité [ʀɑ̃tabilite] *nf* profitability
rentable [ʀɑ̃tabl] *adj* profitable
rente [ʀɑ̃t] *nf* private income; (*pension*) pension
rentrée [ʀɑ̃tʀe] *nf*: **~ (d'argent)** cash *no pl* coming in; **la ~ (des classes)** the start of the new school year
rentrer [ʀɑ̃tʀe] *vi* (*revenir chez soi*) to go (*ou* come) (back) home; (*entrer de nouveau*) to go (*ou* come) back in; (*entrer*) to go (*ou* come) in; (*air, clou: pénétrer*) to go in; (*revenu*) to come in ▷ *vt* to bring in; (*véhicule*) to put away; (*chemise dans pantalon etc*) to tuck in; (*griffes*) to draw in; **~ le ventre** to pull in one's stomach; **~ dans** (*heurter*) to crash into; **~ dans l'ordre** to be back to normal; **~ dans ses frais** to recover one's expenses; **je rentre mardi** I'm going *ou* coming home on Tuesday
renverse [ʀɑ̃vɛʀs]: **à la ~** *adv* backwards
renverser [ʀɑ̃vɛʀse] *vt* (*faire tomber: chaise, verre*) to knock over, overturn; (*liquide, contenu*) to spill, upset; (*piéton*) to knock down; (*retourner*) to turn upside down; (*: ordre des mots etc*) to reverse; (*fig: gouvernement etc*) to overthrow; (*fam: stupéfier*) to bowl over; **se ~** *vi* (*verre, vase*) to fall over; (*contenu*) to spill
renvoi [ʀɑ̃vwa] *nm* (*d'employé*) dismissal; (*d'élève*) expulsion; (*référence*) cross-reference; (*éructation*) belch; **renvoyer** *vt* to send back; (*congédier*) to dismiss; (*élève: définitivement*) to expel; (*lumière*) to reflect; (*ajourner*): **renvoyer qch (à)** to put sth off *ou* postpone sth (until)
repaire [ʀ(ə)pɛʀ] *nm* den
répandre [ʀepɑ̃dʀ] *vt* (*renverser*) to spill; (*étaler, diffuser*) to spread; (*odeur*) to give off; **se ~** *vi* to spill; (*se propager*) to spread; **répandu, e** *adj* (*opinion, usage*) widespread
réparation [ʀepaʀasjɔ̃] *nf* repair
réparer [ʀepaʀe] *vt* to repair; (*fig: offense*) to make up for, atone for; (*: oubli, erreur*) to put right; **où est-ce que je peux le faire ~?** where can I get it fixed?
repartie [ʀepaʀti] *nf* retort; **avoir de la ~** to be quick at repartee
repartir [ʀ(ə)paʀtiʀ] *vi* to leave again; (*voyageur*) to set off again; (*fig*) to get going again; **~ à zéro** to start from scratch (again)
répartir [ʀepaʀtiʀ] *vt* (*pour attribuer*) to share out; (*pour disperser, disposer*) to divide up; (*poids*) to distribute; **se ~** *vt* (*travail, rôles*) to share out between themselves; **répartition** *nf* (*des richesses etc*) distribution
repas [ʀ(ə)pɑ] *nm* meal
repassage [ʀ(ə)pɑsaʒ] *nm* ironing
repasser [ʀ(ə)pɑse] *vi* to come (*ou* go) back ▷ *vt* (*vêtement, tissu*) to iron; (*examen*) to retake, resit; (*film*) to show again; (*leçon: revoir*) to go over (again)
repentir [ʀəpɑ̃tiʀ] *nm* repentance; **se ~** *vi* to repent; **se ~ d'avoir fait qch** (*regretter*) to regret having done sth
répercussions [ʀepɛʀkysjɔ̃] *nfpl* (*fig*) repercussions
répercuter [ʀepɛʀkyte]: **se ~** *vi* (*bruit*) to reverberate; (*fig*): **se ~ sur** to have repercussions on
repère [ʀ(ə)pɛʀ] *nm* mark; (*monument, événement*) landmark
repérer [ʀ(ə)peʀe] *vt* (*fam: erreur, personne*) to spot; (*: endroit*) to locate; **se ~** *vi* to find one's way about
répertoire [ʀepɛʀtwaʀ] *nm* (*liste*) (alphabetical) list; (*carnet*) index notebook; (*Inform*) folder, directory; (*d'un artiste*) repertoire
répéter [ʀepete] *vt* to repeat; (*préparer: leçon*) to learn, go over; (*Théâtre*) to rehearse; **se ~** *vi* (*redire*) to repeat o.s.; (*se reproduire*) to be repeated, recur; **pouvez-vous ~, s'il vous plaît?** can you repeat that, please?
répétition [ʀepetisjɔ̃] *nf* repetition; (*Théâtre*) rehearsal; **~ générale** (final) dress rehearsal
répit [ʀepi] *nm* respite; **sans ~** without letting up
replier [ʀ(ə)plije] *vt* (*rabattre*) to fold down *ou* over; **se ~** *vi* (*troupes, armée*) to withdraw, fall back; (*sur soi-même*) to withdraw into o.s.
réplique [ʀeplik] *nf* (*repartie, fig*) reply; (*Théâtre*) line; (*copie*) replica; **répliquer** *vi* to reply; (*riposter*) to retaliate
répondeur [ʀepɔ̃dœʀ] *nm*: **~ (automatique)** (*Tél*) answering machine
répondre [ʀepɔ̃dʀ] *vi* to answer, reply; (*freins*) to respond; **~ à** to reply to, answer; (*affection, salut*) to return; (*provocation*) to respond to; (*correspondre à: besoin*) to answer; (*: conditions*) to meet; (*: description*) to match; (*avec impertinence*): **~ à qn** to answer sb back; **~ de** to answer for
réponse [ʀepɔ̃s] *nf* answer, reply; **en ~ à** in reply to
reportage [ʀ(ə)pɔʀtaʒ] *nm* report
reporter[1] [ʀəpɔʀtɛʀ] *nm* reporter
reporter[2] [ʀəpɔʀte] *vt* (*ajourner*): **~ qch (à)** to postpone sth (until); (*transférer*): **~ qch sur** to transfer sth to; **se ~ à** (*époque*) to think back to; (*document*) to refer to
repos [ʀ(ə)po] *nm* rest; (*tranquillité*) peace (and quiet); (*Mil*): **~!** stand at ease!; **ce n'est pas de tout ~!** it's no picnic!
reposant, e [ʀ(ə)pozɑ̃, ɑ̃t] *adj* restful
reposer [ʀ(ə)poze] *vt* (*verre, livre*) to put down; (*délasser*) to rest ▷ *vi*: **laisser ~** (*pâte*) to leave to stand; **se ~** *vi* to rest; **se ~ sur qn** to rely on sb; **~ sur** (*fig*) to rest on
repoussant, e [ʀ(ə)pusɑ̃, ɑ̃t] *adj* repulsive
repousser [ʀ(ə)puse] *vi* to grow again ▷ *vt* to repel, repulse; (*offre*) to turn down, reject; (*personne*) to push back; (*différer*) to put back
reprendre [ʀ(ə)pʀɑ̃dʀ] *vt* (*objet prêté, donné*) to take back; (*prisonnier, ville*) to recapture; (*firme, entreprise*) to take over; (*le travail*) to resume; (*emprunter: argument, idée*) to take up, use; (*refaire: article etc*) to go over again; (*vêtement*) to alter; (*réprimander*) to tell off; (*corriger*) to correct; (*chercher*): **je viendrai te ~ à 4 h** I'll come and fetch you at 4; (*se resservir*

de): **~ du pain/un œuf** to take (*ou* eat) more bread/another egg ▷ *vi* (*classes, pluie*) to start (up) again; (*activités, travaux, combats*) to resume, start (up) again; (*affaires*) to pick up; (*dire*): **reprit-il** he went on; **~ des forces** to recover one's strength; **~ courage** to take new heart; **~ la route** to resume one's journey, set off again; **~ haleine** *ou* **son souffle** to get one's breath back

représentant, e [ʀ(ə)pʀezɑ̃tɑ̃, ɑ̃t] *nm/f* representative

représentation [ʀ(ə)pʀezɑ̃tasjɔ̃] *nf* (*symbole, image*) representation; (*spectacle*) performance

représenter [ʀ(ə)pʀezɑ̃te] *vt* to represent; (*donner: pièce, opéra*) to perform; **se ~** *vt* (*se figurer*) to imagine

répression [ʀepʀesjɔ̃] *nf* repression

réprimer [ʀepʀime] *vt* (*émotions*) to suppress; (*peuple etc*) to repress

repris [ʀ(ə)pʀi] *nm*: **~ de justice** ex-prisoner, ex-convict

reprise [ʀ(ə)pʀiz] *nf* (*recommencement*) resumption; (*économique*) recovery; (*TV*) repeat; (*Comm*) trade-in, part exchange; (*raccommodage*) mend; **à plusieurs ~s** on several occasions

repriser [ʀ(ə)pʀize] *vt* (*chaussette, lainage*) to darn; (*tissu*) to mend

reproche [ʀ(ə)pʀɔʃ] *nm* (*remontrance*) reproach; **faire des ~s à qn** to reproach sb; **sans ~(s)** beyond reproach; **reprocher** *vt*: **reprocher qch à qn** to reproach *ou* blame sb for sth; **reprocher qch à** (*critiquer*) to have sth against

reproduction [ʀ(ə)pʀɔdyksjɔ̃] *nf* reproduction

reproduire [ʀ(ə)pʀɔdɥiʀ] *vt* to reproduce; **se ~** *vi* (*Bio*) to reproduce; (*recommencer*) to recur, re-occur

reptile [ʀɛptil] *nm* reptile

république [ʀepyblik] *nf* republic

répugnant, e [ʀepyɲɑ̃, ɑ̃t] *adj* disgusting

répugner [ʀepyɲe]: **~ à** *vt* : **~ à qn** to repel *ou* disgust sb; **~ à faire** to be loath *ou* reluctant to do

réputation [ʀepytasjɔ̃] *nf* reputation; **réputé, e** *adj* renowned

requérir [ʀəkeʀiʀ] *vt* (*nécessiter*) to require, call for

requête [ʀəkɛt] *nf* request

requin [ʀəkɛ̃] *nm* shark

requis, e [ʀəki, iz] *adj* required

RER *sigle m* (*= réseau express régional*) *Greater Paris high-speed train service*

rescapé, e [ʀɛskape] *nm/f* survivor

rescousse [ʀɛskus] *nf*: **aller à la ~ de qn** to go to sb's aid *ou* rescue

réseau, x [ʀezo] *nm* network

réservation [ʀezɛʀvasjɔ̃] *nf* booking, reservation; **j'ai confirmé ma ~ par fax/e-mail** I confirmed my booking by fax/e-mail

réserve [ʀezɛʀv] *nf* (*retenue*) reserve; (*entrepôt*) storeroom; (*restriction, d'Indiens*) reservation; (*de pêche, chasse*) preserve; **de ~** (*provisions etc*) in reserve

réservé, e [ʀezɛʀve] *adj* reserved; **chasse/pêche ~e** private hunting/fishing

réserver [ʀezɛʀve] *vt* to reserve; (*chambre, billet etc*) to book, reserve; (*fig: destiner*) to have in store; (*garder*): **~ qch pour/à** to keep *ou* save sth for; **je voudrais ~ une chambre pour deux personnes** I'd like to book a double room; **j'ai réservé une table au nom de ...** I booked a table in the name of ...

réservoir [ʀezɛʀvwaʀ] *nm* tank

résidence [ʀezidɑ̃s] *nf* residence; **résidence secondaire** second home; **résidence universitaire** hall of residence (BRIT), dormitory (US); **résidentiel, le** *adj* residential; **résider** *vi*: **résider à/dans/en** to reside in; **résider dans** (*fig*) to lie in

résidu [ʀezidy] *nm* residue *no pl*

résigner [ʀeziɲe]: **se ~** *vi*: **se ~ (à qch/à faire)** to resign o.s. (to sth/to doing)

résilier [ʀezilje] *vt* to terminate

résistance [ʀezistɑ̃s] *nf* resistance; (*de réchaud, bouilloire: fil*) element

résistant, e [ʀezistɑ̃, ɑ̃t] *adj* (*personne*) robust, tough; (*matériau*) strong, hard-wearing

résister [ʀeziste] *vi* to resist; **~ à** (*assaut, tentation*) to resist; (*supporter: gel etc*) to withstand; (*désobéir à*) to stand up to, oppose

résolu, e [ʀezɔly] *pp de* **résoudre** ▷ *adj*: **être ~ à qch/faire** to be set upon sth/doing

résolution [ʀezɔlysjɔ̃] *nf* (*fermeté, décision*) resolution; (*d'un problème*) solution

résolve *etc* [ʀesɔlv] *vb voir* **résoudre**

résonner [ʀezɔne] *vi* (*cloche, pas*) to reverberate, resound; (*salle*) to be resonant

résorber [ʀezɔʀbe]: **se ~** *vi* (*fig: chômage*) to be reduced; (*: déficit*) to be absorbed

résoudre [ʀezudʀ] *vt* to solve; **se ~ à faire** to bring o.s. to do

respect [ʀɛspɛ] *nm* respect; **tenir en ~** to keep at bay; **présenter ses ~s à qn** to pay one's respects to sb; **respecter** *vt* to respect; **respectueux, -euse** *adj* respectful

respiration [ʀɛspiʀasjɔ̃] *nf* breathing *no pl*

respirer [ʀɛspiʀe] *vi* to breathe; (*fig: se détendre*) to get one's breath; (*: se rassurer*) to breathe again ▷ *vt* to breathe (in), inhale; (*manifester: santé, calme etc*) to exude

resplendir [ʀɛsplɑ̃diʀ] *vi* to shine; (*fig*): **~ (de)** to be radiant (with)

responsabilité [ʀɛspɔ̃sabilite] *nf* responsibility; (*légale*) liability

responsable [ʀɛspɔ̃sabl] *adj* responsible ▷ *nm/f* (*coupable*) person responsible; (*personne compétente*) person in charge; (*de parti, syndicat*) official; **~ de** responsible for

ressaisir [ʀ(ə)seziʀ]: **se ~** *vi* to regain one's self-control

ressasser [ʀ(ə)sase] *vt* to keep going over

ressemblance [ʀ(ə)sɑ̃blɑ̃s] *nf* resemblance, similarity, likeness

ressemblant, e [ʀ(ə)sɑ̃blɑ̃, ɑ̃t] *adj* (*portrait*) lifelike, true to life

ressembler [ʀ(ə)sɑ̃ble]: **~ à** *vt* to be like, resemble; (*visuellement*) to look like; **se ~** *vi* to be (*ou* look) alike

ressentiment [ʀ(ə)sɑ̃timɑ̃] *nm* resentment

ressentir [ʀ(ə)sɑ̃tiʀ] *vt* to feel; **se ~ de** to feel (*ou* show) the effects of

resserrer [ʀ(ə)seʀe] *vt* (*nœud, boulon*) to tighten (up); (*fig: liens*) to strengthen

resservir [ʀ(ə)sɛʀviʀ] *vi* to do *ou* serve again; **~ qn (d'un plat)** to give sb a second helping (of a dish); **se ~ de** (*plat*) to take a second helping of; (*outil etc*) to use again

ressort [ʀəsɔʀ] *nm* (*pièce*) spring; (*énergie*) spirit; (*recours*): **en dernier ~** as a last resort; (*compétence*): **être du ~ de** to fall within the competence of

ressortir [ʀəsɔʀtiʀ] *vi* to go (*ou* come) out (again); (*contraster*) to stand out; **~ de** to emerge from; **faire ~** (*fig: souligner*) to bring out

ressortissant, e [ʀ(ə)sɔʀtisɑ̃, ɑ̃t] *nm/f* national

ressources [ʀ(ə)suʀs] *nfpl* (*moyens*) resources

ressusciter [ʀesysite] *vt* (*fig*) to revive, bring back ▷ *vi* to rise (from the dead)

restant, e [ʀɛstɑ̃, ɑ̃t] *adj* remaining ▷ *nm*: **le ~ (de)** the remainder (of); **un ~ de** (*de trop*) some left-over
restaurant [ʀɛstɔʀɑ̃] *nm* restaurant; **pouvez-vous m'indiquer un bon ~?** can you recommend a good restaurant?
restauration [ʀɛstɔʀasjɔ̃] *nf* restoration; (*hôtellerie*) catering; **restauration rapide** fast food
restaurer [ʀɛstɔʀe] *vt* to restore; **se ~** *vi* to have something to eat
reste [ʀɛst] *nm* (*restant*): **le ~ (de)** the rest (of); (*de trop*): **un ~ (de)** some left-over; **restes** *nmpl* (*nourriture*) left-overs; (*d'une cité etc, dépouille mortelle*) remains; **du ~, au ~** besides, moreover
rester [ʀɛste] *vi* to stay, remain; (*subsister*) to remain, be left; (*durer*) to last, live on ▷ *vb impers*: **il reste du pain/2 œufs** there's some bread/there are 2 eggs left (over); **restons-en là** let's leave it at that; **il me reste assez de temps** I have enough time left; **il ne me reste plus qu'à ...** I've just got to ...
restituer [ʀɛstitɥe] *vt* (*objet, somme*): **~ qch (à qn)** to return sth (to sb)
restreindre [ʀɛstʀɛ̃dʀ] *vt* to restrict, limit
restriction [ʀɛstʀiksjɔ̃] *nf* restriction
résultat [ʀezylta] *nm* result; **résultats** *nmpl* (*d'examen, d'élection*) results *pl*
résulter [ʀezylte]: **~ de** *vt* to result from, be the result of
résumé [ʀezyme] *nm* summary, résumé; **en ~** in brief; (*pour conclure*) to sum up
résumer [ʀezyme] *vt* (*texte*) to summarize; (*récapituler*) to sum up
résurrection [ʀezyʀɛksjɔ̃] *nf* resurrection
rétablir [ʀetabliʀ] *vt* to restore, re-establish; **se ~** *vi* (*guérir*) to recover; (*silence, calme*) to return, be restored; **rétablissement** *nm* restoring; (*guérison*) recovery
retaper [ʀ(ə)tape] (*fam*) *vt* (*maison, voiture etc*) to do up; (*revigorer*) to buck up
retard [ʀ(ə)taʀ] *nm* (*d'une personne attendue*) lateness *no pl*; (*sur l'horaire, un programme*) delay; (*fig: scolaire, mental etc*) backwardness; **en ~ (de 2 heures)** (2 hours) late; **avoir du ~** to be late; (*sur un programme*) to be behind (schedule); **prendre du ~** (*train, avion*) to be delayed; **sans ~** without delay; **désolé d'être en ~** sorry I'm late; **le vol a deux heures de ~** the flight is two hours late
retardataire [ʀ(ə)taʀdatɛʀ] *nm/f* latecomer
retardement [ʀ(ə)taʀdəmɑ̃]: **à ~** *adj* delayed action *cpd*; **bombe à ~** time bomb
retarder [ʀ(ə)taʀde] *vt* to delay; (*montre*) to put back ▷ *vi* (*montre*) to be slow; **~ qn (d'une heure)** (*sur un horaire*) to delay sb (an hour); **~ qch (de 2 jours)** (*départ, date*) to put sth back (2 days)
retenir [ʀət(ə)niʀ] *vt* (*garder, retarder*) to keep, detain; (*maintenir: objet qui glisse, fig: colère, larmes*) to hold back; (*se rappeler*) to retain; (*réserver*) to reserve; (*accepter: proposition etc*) to accept; (*fig: empêcher d'agir*): **~ qn (de faire)** to hold sb back (from doing); (*prélever*): **~ qch (sur)** to deduct sth (from); **se ~** *vi* (*se raccrocher*): **se ~ à** to hold onto; (*se contenir*): **se ~ de faire** to restrain o.s. from doing; **~ son souffle** to hold one's breath
retentir [ʀ(ə)tɑ̃tiʀ] *vi* to ring out; **retentissant, e** *adj* resounding
retenue [ʀət(ə)ny] *nf* (*prélèvement*) deduction; (*Scol*) detention; (*modération*) (self-)restraint
réticence [ʀetisɑ̃s] *nf* hesitation, reluctance *no pl*; **réticent, e** *adj* hesitant, reluctant
rétine [ʀetin] *nf* retina
retiré, e [ʀ(ə)tiʀe] *adj* (*vie*) secluded; (*lieu*) remote
retirer [ʀ(ə)tiʀe] *vt* (*vêtement, lunettes*) to take off, remove; (*argent, plainte*) to withdraw; (*reprendre: bagages, billets*) to collect, pick up; (*extraire*): **~ qch de** to take sth out of, remove sth from
retomber [ʀ(ə)tɔ̃be] *vi* (*à nouveau*) to fall again; (*atterrir: après un saut etc*) to land; (*échoir*): **~ sur qn** to fall on sb
rétorquer [ʀetɔʀke] *vt*: **~ (à qn) que** to retort (to sb) that
retouche [ʀ(ə)tuʃ] *nf* (*sur vêtement*) alteration; **retoucher** *vt* (*photographie*) to touch up; (*texte, vêtement*) to alter
retour [ʀ(ə)tuʀ] *nm* return; **au ~** (*en route*) on the way back; **à mon ~** when I get/got back; **être de ~ (de)** to be back (from); **par ~ du courrier** by return of post; **quand serons-nous de ~?** when do we get back?
retourner [ʀ(ə)tuʀne] *vt* (*dans l'autre sens: matelas, crêpe etc*) to turn (over); (*: sac, vêtement*) to turn inside out; (*fam: bouleverser*) to shake; (*renvoyer, restituer*): **~ qch à qn** to return sth to sb ▷ *vi* (*aller, revenir*): **~ quelque part/à** to go back *ou* return somewhere/to; **se ~** *vi* (*tourner la tête*) to turn round; **~ à** (*état, activité*) to return to, go back to; **se ~ contre** (*fig*) to turn against
retrait [ʀ(ə)tʀɛ] *nm* (*d'argent*) withdrawal; **en ~** set back; **retrait du permis (de conduire)** disqualification from driving (BRIT), revocation of driver's license (US)
retraite [ʀ(ə)tʀɛt] *nf* (*d'un employé*) retirement; (*revenu*) pension; (*d'une armée, Rel*) retreat; **prendre sa ~** to retire; **retraite anticipée** early retirement; **retraité, e** *adj* retired ▷ *nm/f* pensioner
retrancher [ʀ(ə)tʀɑ̃ʃe] *vt* (*nombre, somme*): **~ qch de** to take *ou* deduct sth from; **se ~ derrière/dans** to take refuge behind/in
rétrécir [ʀetʀesiʀ] *vt* (*vêtement*) to take in ▷ *vi* to shrink; **se ~** (*route, vallée*) to narrow
rétro [ʀetʀo] *adj inv*: **la mode ~** the nostalgia vogue
rétroprojecteur [ʀetʀopʀɔʒɛktœʀ] *nm* overhead projector
rétrospective [ʀetʀɔspɛktiv] *nf* (*Art*) retrospective; (*Cinéma*) season, retrospective; **rétrospectivement** *adv* in retrospect
retrousser [ʀ(ə)tʀuse] *vt* to roll up
retrouvailles [ʀ(ə)tʀuvɑj] *nfpl* reunion *sg*
retrouver [ʀ(ə)tʀuve] *vt* (*fugitif, objet perdu*) to find; (*calme, santé*) to regain; (*revoir*) to see again; (*rejoindre*) to meet (again), join; **se ~** *vi* to meet; (*s'orienter*) to find one's way; **se ~ quelque part** to find o.s. somewhere; **s'y ~** (*y voir clair*) to make sense of it; (*rentrer dans ses frais*) to break even; **je ne retrouve plus mon portefeuille** I can't find my wallet (BRIT) *ou* billfold (US)
rétroviseur [ʀetʀɔvizœʀ] *nm* (rear-view) mirror
réunion [ʀeynjɔ̃] *nf* (*séance*) meeting
réunir [ʀeyniʀ] *vt* (*rassembler*) to gather together; (*inviter: amis, famille*) to have round, have in; (*cumuler: qualités etc*) to combine; (*rapprocher: ennemis*) to bring together (again), reunite; (*rattacher: parties*) to join (together); **se ~** *vi* (*se rencontrer*) to meet
réussi, e [ʀeysi] *adj* successful
réussir [ʀeysiʀ] *vi* to succeed, be successful; (*à un examen*) to pass ▷ *vt* to make a success of; **~ à faire** to succeed in doing; **~ à qn** (*être bénéfique à*) to agree with sb; **réussite** *nf* success; (*Cartes*) patience
revaloir [ʀ(ə)valwaʀ] *vt*: **je vous revaudrai cela** I'll

repay you some day; (*en mal*) I'll pay you back for this
revanche [R(ə)vɑ̃ʃ] *nf* revenge; (*sport*) revenge match; **en ~** on the other hand
rêve [RɛV] *nm* dream; **de ~** dream *cpd*; **faire un ~** to have a dream
réveil [Revɛj] *nm* waking up *no pl*; (*fig*) awakening; (*pendule*) alarm (clock); **au ~** on waking (up); **réveiller** *vt* (*personne*) to wake up; (*fig*) to awaken, revive; **se réveiller** *vi* to wake up; **pouvez-vous me réveiller à 7 heures, s'il vous plaît?** could I have an alarm call at 7am, please?
réveillon [Revɛjɔ̃] *nm* Christmas Eve; (*de la Saint-Sylvestre*) New Year's Eve; **réveillonner** *vi* to celebrate Christmas Eve (*ou* New Year's Eve)
révélateur, -trice [RevelatœR, tRis] *adj*: **~ (de qch)** revealing (sth)
révéler [Revele] *vt* to reveal; **se ~** *vi* to be revealed, reveal itself ▷ *vb +attrib*: **se ~ difficile/aisé** to prove difficult/easy
revenant, e [R(ə)vənɑ̃, ɑ̃t] *nm/f* ghost
revendeur, -euse [R(ə)vɑ̃dœR, øz] *nm/f* (*détaillant*) retailer; (*de drogue*) (drug-)dealer
revendication [R(ə)vɑ̃dikasjɔ̃] *nf* claim, demand
revendiquer [R(ə)vɑ̃dike] *vt* to claim, demand; (*responsabilité*) to claim
revendre [R(ə)vɑ̃dR] *vt* (*d'occasion*) to resell; (*détailler*) to sell; **à ~** (*en abondance*) to spare
revenir [Rəv(ə)niR] *vi* to come back; (*coûter*): **~ cher/à 100 euros (à qn)** to cost (sb) a lot/100 euros; **~ à** (*reprendre*: *études, projet*) to return to, go back to; (*équivaloir à*) to amount to; **~ à qn** (*part, honneur*) to go to sb, be sb's; (*souvenir, nom*) to come back to sb; **~ sur** (*question, sujet*) to go back over; (*engagement*) to go back on; **~ à soi** to come round; **n'en pas ~**: **je n'en reviens pas** I can't get over it; **~ sur ses pas** to retrace one's steps; **cela revient à dire que/au même** it amounts to saying that/the same thing; **faire ~** (*Culin*) to brown
revenu [Rəv(ə)ny] *nm* income; **revenus** *nmpl* income *sg*
rêver [Reve] *vi, vt* to dream; **~ de/à** to dream of
réverbère [RevɛRbɛR] *nm* street lamp *ou* light; **réverbérer** *vt* to reflect
revers [R(ə)vɛR] *nm* (*de feuille, main*) back; (*d'étoffe*) wrong side; (*de pièce, médaille*) back, reverse; (*Tennis, Ping-Pong*) backhand; (*de veste*) lapel; (*fig*: *échec*) setback
revêtement [R(ə)vɛtmɑ̃] *nm* (*des sols*) flooring; (*de chaussée*) surface
revêtir [R(ə)vetiR] *vt* (*habit*) to don, put on; (*prendre*: *importance, apparence*) to take on; **~ qch de** to cover sth with
rêveur, -euse [RɛvœR, øz] *adj* dreamy ▷ *nm/f* dreamer
revient [Rəvjɛ̃] *vb voir* **revenir**
revigorer [R(ə)vigɔRe] *vt* (*air frais*) to invigorate, brace up; (*repas, boisson*) to revive, buck up
revirement [R(ə)viRmɑ̃] *nm* change of mind; (*d'une situation*) reversal
réviser [Revize] *vt* to revise; (*machine*) to overhaul, service
révision [Revizjɔ̃] *nf* revision; (*de voiture*) servicing *no pl*
revivre [R(ə)vivR] *vi* (*reprendre des forces*) to come alive again ▷ *vt* (*épreuve, moment*) to relive
revoir [RəvwaR] *vt* to see again; (*réviser*) to revise ▷ *nm*: **au ~** goodbye
révoltant, e [Revɔltɑ̃, ɑ̃t] *adj* revolting, appalling
révolte [Revɔlt] *nf* rebellion, revolt
révolter [Revɔlte] *vt* to revolt; **se ~ (contre)** to rebel (against)
révolu, e [Revɔly] *adj* past; (*Admin*): **âgé de 18 ans ~s** over 18 years of age
révolution [Revɔlysjɔ̃] *nf* revolution; **révolutionnaire** *adj, nm/f* revolutionary
revolver [RevɔlvɛR] *nm* gun; (*à barillet*) revolver
révoquer [Revɔke] *vt* (*fonctionnaire*) to dismiss; (*arrêt, contrat*) to revoke
revue [R(ə)vy] *nf* review; (*périodique*) review, magazine; (*de music-hall*) variety show; **passer en ~** (*mentalement*) to go through
rez-de-chaussée [Red(ə)ʃose] *nm inv* ground floor
RF *sigle f* = **République française**
Rhin [Rɛ̃] *nm* Rhine
rhinocéros [RinɔseRɔs] *nm* rhinoceros
Rhône [Ron] *nm* Rhone
rhubarbe [RybaRb] *nf* rhubarb
rhum [Rɔm] *nm* rum
rhumatisme [Rymatism] *nm* rheumatism *no pl*
rhume [Rym] *nm* cold; **rhume de cerveau** head cold; **le rhume des foins** hay fever
ricaner [Rikane] *vi* (*avec méchanceté*) to snigger; (*bêtement*) to giggle
riche [Riʃ] *adj* rich; (*personne, pays*) rich, wealthy; **~ en** rich in; **richesse** *nf* wealth; (*fig*: *de sol, musée etc*) richness; **richesses** *nfpl* (*ressources, argent*) wealth *sg*; (*fig*: *trésors*) treasures
ricochet [Rikɔʃɛ] *nm*: **faire des ~s** to skip stones
ride [Rid] *nf* wrinkle
rideau, x [Rido] *nm* curtain; **rideau de fer** (*boutique*) metal shutter(s)
rider [Ride] *vt* to wrinkle; **se ~** *vi* to become wrinkled
ridicule [Ridikyl] *adj* ridiculous ▷ *nm*: **le ~** ridicule; **ridiculiser** *vt* to ridicule; **se ridiculiser** *vi* to make a fool of o.s.

MOT-CLÉ

rien [Rjɛ̃] *pron* **1**: **(ne) ... rien** nothing, *tournure négative + anything*; **qu'est-ce que vous avez? - rien** what have you got? - nothing; **il n'a rien dit/fait** he said/did nothing; he hasn't said/done anything; **n'avoir peur de rien** to be afraid *ou* frightened of nothing, not to be afraid *ou* frightened of anything; **il n'a rien** (*n'est pas blessé*) he's all right; **ça ne fait rien** it doesn't matter; **de rien!** not at all!
2: **rien de**: **rien d'intéressant** nothing interesting; **rien d'autre** nothing else; **rien du tout** nothing at all
3: **rien que** just, only; nothing but; **rien que pour lui faire plaisir** only *ou* just to please him; **rien que la vérité** nothing but the truth; **rien que cela** that alone
▷ *nm*: **un petit rien** (*cadeau*) a little something; **des riens** trivia *pl*; **un rien de** a hint of; **en un rien de temps** in no time at all

rieur, -euse [R(i)jœR, R(i)jøz] *adj* cheerful
rigide [Riʒid] *adj* stiff; (*fig*) rigid; strict
rigoler [Rigɔle] *vi* (*fam*: *rire*) to laugh; (*s'amuser*) to have (some) fun; (*plaisanter*) to be joking *ou* kidding; **rigolo, -ote** (*fam*) *adj* funny ▷ *nm/f* comic; (*péj*) fraud, phoney
rigoureusement [RiguRøzmɑ̃] *adv* (*vrai*) absolutely; (*interdit*) strictly
rigoureux, -euse [RiguRø, øz] *adj* rigorous; (*hiver*) hard, harsh

rigueur [RigœR] *nf* rigour; **"tenue de soirée de ~"** "formal dress only"; **à la ~** at a pinch; **tenir ~ à qn de qch** to hold sth against sb
rillettes [Rijɛt] *nfpl* potted meat (*made from pork or goose*)
rime [Rim] *nf* rhyme
rinçage [Rɛ̃saʒ] *nm* rinsing (out); (*opération*) rinse
rincer [Rɛ̃se] *vt* to rinse; (*récipient*) to rinse out
ringard, e [Rɛ̃gaR, aRd] (*fam*) *adj* old-fashioned
riposter [Ripɔste] *vi* to retaliate ▷ *vt*: **~ que** to retort that
rire [RiR] *vi* to laugh; (*se divertir*) to have fun ▷ *nm* laugh; **le ~** laughter; **~ de** to laugh at; **pour ~** (*pas sérieusement*) for a joke *ou* a laugh
risible [Rizibl] *adj* laughable
risque [Risk] *nm* risk; **le ~** danger; **à ses ~s et périls** at his own risk; **risqué, e** *adj* risky; (*plaisanterie*) risqué, daring; **risquer** *vt* to risk; (*allusion, question*) to venture, hazard; **ça ne risque rien** it's quite safe; **risquer de**: **il risque de se tuer** he could get himself killed; **ce qui risque de se produire** what might *ou* could well happen; **il ne risque pas de recommencer** there's no chance of him doing that again; **se risquer à faire** (*tenter*) to venture *ou* dare to do
rissoler [Risɔle] *vi, vt*: **(faire) ~** to brown
ristourne [RistuRn] *nf* discount
rite [Rit] *nm* rite; (*fig*) ritual
rivage [Rivaʒ] *nm* shore
rival, e, -aux [Rival, o] *adj, nm/f* rival; **rivaliser** *vi*: **rivaliser avec** (*personne*) to rival, vie with; **rivalité** *nf* rivalry
rive [Riv] *nf* shore; (*de fleuve*) bank; **riverain, e** *nm/f* riverside (*ou* lakeside) resident; (*d'une route*) local resident
rivière [RivjɛR] *nf* river
riz [Ri] *nm* rice; **rizière** *nf* paddy-field, ricefield
RMI *sigle m* (= *revenu minimum d'insertion*) ≈ income support (BRIT), ≈ welfare (US)
RN *sigle f* = **route nationale**
robe [Rɔb] *nf* dress; (*de juge*) robe; (*pelage*) coat; **robe de chambre** dressing gown; **robe de mariée** wedding dress; **robe de soirée** evening dress
robinet [Rɔbinɛ] *nm* tap (BRIT), faucet (US)
robot [Rɔbo] *nm* robot; **robot de cuisine** food processor
robuste [Rɔbyst] *adj* robust, sturdy; **robustesse** *nf* robustness, sturdiness
roc [Rɔk] *nm* rock
rocade [Rɔkad] *nf* bypass
rocaille [Rɔkaj] *nf* loose stones *pl*; (*jardin*) rockery, rock garden
roche [Rɔʃ] *nf* rock
rocher [Rɔʃe] *nm* rock
rocheux, -euse [Rɔʃø, øz] *adj* rocky
rodage [Rɔdaʒ] *nm*: **en ~** running in
rôder [Rode] *vi* to roam about; (*de façon suspecte*) to lurk (about *ou* around); **rôdeur, -euse** *nm/f* prowler
rogne [Rɔɲ] (*fam*) *nf*: **être en ~** to be in a temper
rogner [Rɔɲe] *vt* to clip; **~ sur** (*fig*) to cut down *ou* back on
rognons [Rɔɲɔ̃] *nmpl* (*Culin*) kidneys
roi [Rwa] *nm* king; **la fête des Rois, les Rois** Twelfth Night
rôle [Rol] *nm* role, part
rollers [RɔlœR] *nmpl* Rollerblades®
romain, e [Rɔmɛ̃, ɛn] *adj* Roman ▷ *nm/f*: **R~, e** Roman
roman, e [Rɔmɑ̃, an] *adj* (*Archit*) Romanesque ▷ *nm* novel; **roman policier** detective story
romancer [Rɔmɑ̃se] *vt* (*agrémenter*) to romanticize; **romancier, -ière** *nm/f* novelist; **romanesque** *adj* (*amours, aventures*) storybook *cpd*; (*sentimental: personne*) romantic
roman-feuilleton [Rɔmɑ̃fœjtɔ̃] *nm* serialized novel
romanichel, le [Rɔmaniʃɛl] (*péj*) *nm/f* gipsy
romantique [Rɔmɑ̃tik] *adj* romantic
romarin [RɔmaRɛ̃] *nm* rosemary
Rome [Rɔm] *n* Rome
rompre [Rɔ̃pR] *vt* to break; (*entretien, fiançailles*) to break off ▷ *vi* (*fiancés*) to break it off; **se ~** *vi* to break; **rompu, e** *adj* (*fourbu*) exhausted
ronces [Rɔ̃s] *nfpl* brambles
ronchonner [Rɔ̃ʃɔne] (*fam*) *vi* to grouse, grouch
rond, e [Rɔ̃, Rɔ̃d] *adj* round; (*joues, mollets*) well-rounded; (*fam: ivre*) tight ▷ *nm* (*cercle*) ring; (*fam: sou*): **je n'ai plus un ~** I haven't a penny left; **en ~** (*s'asseoir, danser*) in a ring; **ronde** *nf* (*gén: de surveillance*) rounds *pl*, patrol; (*danse*) round (dance); (*Mus*) semibreve (BRIT), whole note (US); **à la ronde** (*alentour*): **à 10 km à la ronde** for 10 km round; **rondelet, te** *adj* plump
rondelle [Rɔ̃dɛl] *nf* (*tranche*) slice, round; (*Tech*) washer
rond-point [Rɔ̃pwɛ̃] *nm* roundabout
ronflement [Rɔ̃fləmɑ̃] *nm* snore, snoring
ronfler [Rɔ̃fle] *vi* to snore; (*moteur, poêle*) to hum
ronger [Rɔ̃ʒe] *vt* to gnaw (at); (*suj: vers, rouille*) to eat into; **se ~ les ongles** to bite one's nails; **se ~ les sangs** to worry o.s. sick; **rongeur** *nm* rodent
ronronner [Rɔ̃Rɔne] *vi* to purr
rosbif [Rɔsbif] *nm*: **du ~** roasting beef; (*cuit*) roast beef
rose [Roz] *nf* rose ▷ *adj* pink; **rose bonbon** *adj inv* candy pink
rosé, e [Roze] *adj* pinkish; **(vin) ~** rosé
roseau, x [Rozo] *nm* reed
rosée [Roze] *nf* dew
rosier [Rozje] *nm* rosebush, rose tree
rossignol [Rɔsiɲɔl] *nm* (*Zool*) nightingale
rotation [Rɔtasjɔ̃] *nf* rotation
roter [Rɔte] (*fam*) *vi* to burp, belch
rôti [Roti] *nm*: **du ~** roasting meat; (*cuit*) roast meat; **un ~ de bœuf/porc** a joint of beef/pork
rotin [Rɔtɛ̃] *nm* rattan (cane); **fauteuil en ~** cane (arm)chair
rôtir [RotiR] *vi, vt* (*aussi*: **faire ~**) to roast; **rôtisserie** *nf* (*restaurant*) steakhouse; (*traiteur*) roast meat shop; **rôtissoire** *nf* (roasting) spit
rotule [Rɔtyl] *nf* kneecap
rouage [Rwaʒ] *nm* cog(wheel), gearwheel; **les ~s de l'État** the wheels of State
roue [Ru] *nf* wheel; **roue de secours** spare wheel
rouer [Rwe] *vt*: **~ qn de coups** to give sb a thrashing
rouge [Ruʒ] *adj, nm/f* red ▷ *nm* red; **(vin) ~** red wine; **sur la liste ~** ex-directory (BRIT), unlisted (US); **passer au ~** (*signal*) to go red; (*automobiliste*) to go through a red light; **rouge à joue** blusher; **rouge (à lèvres)** lipstick; **rouge-gorge** *nm* robin (redbreast)
rougeole [Ruʒɔl] *nf* measles *sg*
rougeoyer [Ruʒwaje] *vi* to glow red
rouget [Ruʒɛ] *nm* mullet
rougeur [RuʒœR] *nf* redness; (*Méd: tache*) red blotch
rougir [RuʒiR] *vi* to turn red; (*de honte, timidité*) to blush, flush; (*de plaisir, colère*) to flush
rouille [Ruj] *nf* rust; **rouillé, e** *adj* rusty; **rouiller** *vt* to rust ▷ *vi* to rust, go rusty

roulant, e [Rulɑ̃, ɑ̃t] *adj* (*meuble*) on wheels; (*tapis etc*) moving; **escalier ~** escalator
rouleau, x [Rulo] *nm* roll; (*à mise en plis, à peinture, vague*) roller; **rouleau à pâtisserie** rolling pin
roulement [Rulmɑ̃] *nm* (*rotation*) rotation; (*bruit*) rumbling *no pl*, rumble; **travailler par ~** to work on a rota (BRIT) *ou* rotation (US) basis; **roulement (à billes)** ball bearings *pl*; **roulement de tambour** drum roll
rouler [Rule] *vt* to roll; (*papier, tapis*) to roll up; (*Culin: pâte*) to roll out; (*fam: duper*) to do, con ▷ *vi* (*bille, boule*) to roll; (*voiture, train*) to go, run; (*automobiliste*) to drive; (*bateau*) to roll; **se ~ dans** (*boue*) to roll in; (*couverture*) to roll o.s. (up) in
roulette [Rulɛt] *nf* (*de table, fauteuil*) castor; (*de dentiste*) drill; (*jeu*) roulette; **à ~s** on castors; **ça a marché comme sur des ~s** (*fam*) it went off very smoothly
roulis [Ruli] *nm* roll(ing)
roulotte [Rulɔt] *nf* caravan
roumain, e [Rumɛ̃, ɛn] *adj* Rumanian ▷ *nm/f*: **R~, e** Rumanian
Roumanie [Rumani] *nf* Rumania
rouquin, e [Rukɛ̃, in] (*péj*) *nm/f* redhead
rouspéter [Ruspete] (*fam*) *vi* to moan
rousse [Rus] *adj voir* **roux**
roussir [RusiR] *vt* to scorch ▷ *vi* (*Culin*): **faire ~** to brown
route [Rut] *nf* road; (*fig: chemin*) way; (*itinéraire, parcours*) route; (*fig: voie*) road, path; **il y a 3h de ~** it's a 3-hour ride *ou* journey; **en ~** on the way; **en ~!** let's go!; **mettre en ~** to start up; **se mettre en ~** to set off; **quelle ~ dois-je prendre pour aller à ...?** which road do I take for ...?; **route nationale** ≈ A road (BRIT), ≈ state highway (US); **routier, -ière** *adj* road *cpd* ▷ *nm* (*camionneur*) (long-distance) lorry (BRIT) *ou* truck (US) driver; (*restaurant*) ≈ transport café (BRIT), ≈ truck stop (US)
routine [Rutin] *nf* routine; **routinier, -ière** (*péj*) *adj* (*activité*) humdrum; (*personne*) addicted to routine
rouvrir [RuvRiR] *vt, vi* to reopen, open again; **se ~** *vi* to reopen, open again
roux, rousse [Ru, Rus] *adj* red; (*personne*) red-haired ▷ *nm/f* redhead
royal, e, -aux [Rwajal, o] *adj* royal; (*cadeau etc*) fit for a king
royaume [Rwajom] *nm* kingdom; (*fig*) realm; **le Royaume-Uni** the United Kingdom
royauté [Rwajote] *nf* (*régime*) monarchy
ruban [Rybɑ̃] *nm* ribbon; **ruban adhésif** adhesive tape
rubéole [Rybeɔl] *nf* German measles *sg*, rubella
rubis [Rybi] *nm* ruby
rubrique [RybRik] *nf* (*titre, catégorie*) heading; (*Presse: article*) column
ruche [Ryʃ] *nf* hive
rude [Ryd] *adj* (*au toucher*) rough; (*métier, tâche*) hard, tough; (*climat*) severe, harsh; (*bourru*) harsh, rough; (*fruste: manières*) rugged, tough; (*fam: fameux*) jolly good; **rudement** (*fam*) *adv* (*très*) terribly
rudimentaire [Rydimɑ̃tɛR] *adj* rudimentary, basic
rudiments [Rydimɑ̃] *nmpl*: **avoir des ~ d'anglais** to have a smattering of English
rue [Ry] *nf* street
ruée [Rɥe] *nf* rush
ruelle [Rɥɛl] *nf* alley(-way)
ruer [Rɥe] *vi* (*cheval*) to kick out; **se ~** *vi*: **se ~ sur** to pounce on; **se ~ vers/dans/hors de** to rush *ou* dash towards/into/out of
rugby [Rygbi] *nm* rugby (football)
rugir [RyʒiR] *vi* to roar
rugueux, -euse [Rygø, øz] *adj* rough
ruine [Rɥin] *nf* ruin; **ruiner** *vt* to ruin; **ruineux, -euse** *adj* ruinous
ruisseau, x [Rɥiso] *nm* stream, brook
ruisseler [Rɥis(ə)le] *vi* to stream
rumeur [RymœR] *nf* (*nouvelle*) rumour; (*bruit confus*) rumbling
ruminer [Rymine] *vt* (*herbe*) to ruminate; (*fig*) to ruminate on *ou* over, chew over
rupture [RyptyR] *nf* (*séparation, désunion*) break-up, split; (*de négociations etc*) breakdown; (*de contrat*) breach; (*dans continuité*) break
rural, e, -aux [RyRal, o] *adj* rural, country *cpd*
ruse [Ryz] *nf*: **la ~** cunning, craftiness; (*pour tromper*) trickery; **une ~** a trick, a ruse; **rusé, e** *adj* cunning, crafty
russe [Rys] *adj* Russian ▷ *nm/f*: **R~** Russian ▷ *nm* (*Ling*) Russian
Russie [Rysi] *nf*: **la ~** Russia
rustine® [Rystin] *nf* rubber repair patch (*for bicycle tyre*)
rustique [Rystik] *adj* rustic
rythme [Ritm] *nm* rhythm; (*vitesse*) rate; (: *de la vie*) pace, tempo; **rythmé, e** *adj* rhythmic(al)

S

s' [s] *pron voir* **se**
sa [sa] *adj voir* **son¹**
sable [sɑbl] *nm* sand
sablé [sɑble] *nm* shortbread biscuit
sabler [sɑble] *vt* (*contre le verglas*) to grit; **~ le champagne** to drink champagne
sabot [sabo] *nm* clog; (*de cheval*) hoof; **sabot de frein** brake shoe
saboter [sabɔte] *vt* to sabotage; (*bâcler*) to make a mess of, botch
sac [sak] *nm* bag; (*à charbon etc*) sack; **mettre à ~** to sack; **sac à dos** rucksack; **sac à main** handbag; **sac de couchage** sleeping bag; **sac de voyage** travelling bag
saccadé, e [sakade] *adj* jerky; (*respiration*) spasmodic
saccager [sakaʒe] *vt* (*piller*) to sack; (*dévaster*) to create havoc in
saccharine [sakaRin] *nf* saccharin
sachet [saʃɛ] *nm* (small) bag; (*de sucre, café*) sachet; **du potage en ~** packet soup; **sachet de thé** tea bag
sacoche [sakɔʃ] *nf* (*gén*) bag; (*de bicyclette*) saddlebag
sacré, e [sakRe] *adj* sacred; (*fam: satané*) blasted; (:

fameux): **un ~ toupet** a heck of a cheek
sacrement [sakʀəmɑ̃] *nm* sacrament
sacrifice [sakʀifis] *nm* sacrifice; **sacrifier** *vt* to sacrifice
sacristie [sakʀisti] *nf (catholique)* sacristy; *(protestante)* vestry
sadique [sadik] *adj* sadistic
safran [safʀɑ̃] *nm* saffron
sage [saʒ] *adj* wise; *(enfant)* good
sage-femme [saʒfam] *nf* midwife
sagesse [saʒɛs] *nf* wisdom
Sagittaire [saʒitɛʀ] *nm*: **le ~** Sagittarius
Sahara [saaʀa] *nm*: **le ~** the Sahara (desert)
saignant, e [sɛɲɑ̃, ɑ̃t] *adj (viande)* rare
saigner [seɲe] *vi* to bleed ▷ *vt* to bleed; *(animal)* to kill (by bleeding); **~ du nez** to have a nosebleed
saillir [sajiʀ] *vi* to project, stick out; *(veine, muscle)* to bulge
sain, e [sɛ̃, sɛn] *adj* healthy; **~ et sauf** safe and sound, unharmed; **~ d'esprit** sound in mind, sane
saindoux [sɛ̃du] *nm* lard
saint, e [sɛ̃, sɛ̃t] *adj* holy ▷ *nm/f* saint; **le Saint Esprit** the Holy Spirit *ou* Ghost; **la Sainte Vierge** the Blessed Virgin; **la Saint-Sylvestre** New Year's Eve; **sainteté** *nf* holiness
sais *etc* [sɛ] *vb voir* **savoir**
saisie [sezi] *nf* seizure; **saisie (de données)** (data) capture
saisir [seziʀ] *vt* to take hold of, grab; *(fig: occasion)* to seize; *(comprendre)* to grasp; *(entendre)* to get, catch; *(données)* to capture; *(Culin)* to fry quickly; *(Jur: biens, publication)* to seize; **saisissant, e** *adj* startling, striking
saison [sɛzɔ̃] *nf* season; **haute/basse/morte ~** high/low/slack season; **saisonnier, -ière** *adj* seasonal
salade [salad] *nf (Bot)* lettuce *etc*; *(Culin)* (green) salad; *(fam: confusion)* tangle, muddle; **salade composée** mixed salad; **salade de fruits** fruit salad; **saladier** *nm* (salad) bowl
salaire [salɛʀ] *nm (annuel, mensuel)* salary; *(hebdomadaire, journalier)* pay, wages *pl*; **salaire minimum interprofessionnel de croissance** *index-linked guaranteed minimum wage*
salarié, e [salaʀje] *nm/f* salaried employee; wage-earner
salaud [salo] *(fam!) nm* sod *(!)*, bastard *(!)*
sale [sal] *adj* dirty, filthy; *(fam: mauvais)* nasty
salé, e [sale] *adj (mer, goût)* salty; *(Culin: amandes, beurre etc)* salted; *(: gâteaux)* savoury; *(fam: grivois)* spicy; *(: facture)* steep
saler [sale] *vt* to salt
saleté [salte] *nf (état)* dirtiness; *(crasse)* dirt, filth; *(tache etc)* dirt *no pl*; *(fam: méchanceté)* dirty trick; *(: camelote)* rubbish *no pl*; *(: obscénité)* filthy thing (to say)
salière [saljɛʀ] *nf* saltcellar
salir [saliʀ] *vt* to (make) dirty; *(fig: quelqu'un)* to soil the reputation of; **se ~** *vi* to get dirty; **salissant, e** *adj (tissu)* which shows the dirt; *(travail)* dirty, messy
salle [sal] *nf* room; *(d'hôpital)* ward; *(de restaurant)* dining room; *(d'un cinéma)* auditorium; *(: public)* audience; **salle à manger** dining room; **salle d'attente** waiting room; **salle de bain(s)** bathroom; **salle de classe** classroom; **salle de concert** concert hall; **salle d'eau** shower-room; **salle d'embarquement** *(à l'aéroport)* departure lounge; **salle de jeux** *(pour enfants)* playroom; **salle de séjour** living room; **salle des ventes** saleroom
salon [salɔ̃] *nm* lounge, sitting room; *(mobilier)* lounge suite; *(exposition)* exhibition, show; **salon de coiffure** hairdressing salon; **salon de thé** tearoom
salope [salɔp] *(fam!) nf* bitch *(!)*; **saloperie** *(fam!) nf (action)* dirty trick; *(chose sans valeur)* rubbish *no pl*
salopette [salɔpɛt] *nf* dungarees *pl*; *(d'ouvrier)* overall(s)
salsifis [salsifi] *nm* salsify
salubre [salybʀ] *adj* healthy, salubrious
saluer [salɥe] *vt (pour dire bonjour, fig)* to greet; *(pour dire au revoir)* to take one's leave; *(Mil)* to salute
salut [saly] *nm (geste)* wave; *(parole)* greeting; *(Mil)* salute; *(sauvegarde)* safety; *(Rel)* salvation ▷ *excl (fam: bonjour)* hi (there); *(: au revoir)* see you, bye
salutations [salytasjɔ̃] *nfpl* greetings; **Veuillez agréer, Monsieur, mes ~ distinguées** yours faithfully
samedi [samdi] *nm* Saturday
SAMU [samy] *sigle m (= service d'assistance médicale d'urgence)* ≈ ambulance (service) (BRIT), ≈ paramedics *pl* (US)
sanction [sɑ̃ksjɔ̃] *nf* sanction; **sanctionner** *vt (loi, usage)* to sanction; *(punir)* to punish
sandale [sɑ̃dal] *nf* sandal
sandwich [sɑ̃dwi(t)ʃ] *nm* sandwich; **je voudrais un ~ au jambon/fromage** I'd like a ham/cheese sandwich
sang [sɑ̃] *nm* blood; **en ~** covered in blood; **se faire du mauvais ~** to fret, get in a state; **sang-froid** *nm* calm, sangfroid; **de sang-froid** in cold blood; **sanglant, e** *adj* bloody
sangle [sɑ̃gl] *nf* strap
sanglier [sɑ̃glije] *nm* (wild) boar
sanglot [sɑ̃glo] *nm* sob; **sangloter** *vi* to sob
sangsue [sɑ̃sy] *nf* leech
sanguin, e [sɑ̃gɛ̃, in] *adj* blood *cpd*
sanitaire [sanitɛʀ] *adj* health *cpd*; **sanitaires** *nmpl (lieu)* bathroom *sg*
sans [sɑ̃] *prép* without; **un pull ~ manches** a sleeveless jumper; **~ faute** without fail; **~ arrêt** without a break; **~ ça** *(fam)* otherwise; **~ qu'il s'en aperçoive** without him *ou* his noticing; **sans-abri** *nmpl* homeless; **sans-emploi** *nm/f inv* unemployed person; **les sans-emploi** the unemployed; **sans-gêne** *adj inv* inconsiderate
santé [sɑ̃te] *nf* health; **en bonne ~** in good health; **boire à la ~ de qn** to drink (to) sb's health; **à ta/votre ~!** cheers!
saoudien, ne [saudjɛ̃, jɛn] *adj* Saudi Arabian ▷ *nm/f*: **S~, ne** Saudi Arabian
saoul, e [su, sul] *adj* = **soûl**
saper [sape] *vt* to undermine, sap
sapeur-pompier [sapœʀpɔ̃pje] *nm* fireman
saphir [safiʀ] *nm* sapphire
sapin [sapɛ̃] *nm* fir (tree); *(bois)* fir; **sapin de Noël** Christmas tree
sarcastique [saʀkastik] *adj* sarcastic
Sardaigne [saʀdɛɲ] *nf*: **la ~** Sardinia
sardine [saʀdin] *nf* sardine
SARL *sigle f (= société à responsabilité limitée)* ≈ plc (BRIT), ≈ Inc. (US)
sarrasin [saʀazɛ̃] *nm* buckwheat
satané, e [satane] *(fam) adj* confounded
satellite [satelit] *nm* satellite
satin [satɛ̃] *nm* satin
satire [satiʀ] *nf* satire; **satirique** *adj* satirical
satisfaction [satisfaksjɔ̃] *nf* satisfaction
satisfaire [satisfɛʀ] *vt* to satisfy; **~ à** *(conditions)* to meet; **satisfaisant, e** *adj (acceptable)* satisfactory;

satisfait, e *adj* satisfied; **satisfait de** happy *ou* satisfied with
saturer [satyʀe] *vt* to saturate
sauce [sos] *nf* sauce; (*avec un rôti*) gravy; **sauce tomate** tomato sauce; **saucière** *nf* sauceboat
saucisse [sosis] *nf* sausage
saucisson [sosisɔ̃] *nm* (slicing) sausage
sauf, sauve [sof, sov] *adj* unharmed, unhurt; (*fig: honneur*) intact, saved ▷ *prép* except; **laisser la vie sauve à qn** to spare sb's life; **~ si** (*à moins que*) unless; **~ erreur** if I'm not mistaken; **~ avis contraire** unless you hear to the contrary
sauge [soʒ] *nf* sage
saugrenu, e [sogʀəny] *adj* preposterous
saule [sol] *nm* willow (tree)
saumon [somɔ̃] *nm* salmon *inv*
saupoudrer [sopudʀe] *vt*: **~ qch de** to sprinkle sth with
saur [sɔʀ] *adj m*: **hareng ~** smoked herring, kipper
saut [so] *nm* jump; (*discipline sportive*) jumping; **faire un ~ chez qn** to pop over to sb's (place); **saut à l'élastique** bungee jumping; **saut à la perche** pole vaulting; **saut en hauteur/longueur** high/long jump; **saut périlleux** somersault
sauter [sote] *vi* to jump, leap; (*exploser*) to blow up, explode; (*: fusibles*) to blow; (*se détacher*) to pop out (*ou* off) ▷ *vt* to jump (over), leap (over); (*fig: omettre*) to skip, miss (out); **faire ~** to blow up; (*Culin*) to sauté; **~ à la corde** to skip; **~ au cou de qn** to fly into sb's arms; **~ sur une occasion** to jump at an opportunity; **~ aux yeux** to be (quite) obvious
sauterelle [sotʀɛl] *nf* grasshopper
sautiller [sotije] *vi* (*oiseau*) to hop; (*enfant*) to skip
sauvage [sovaʒ] *adj* (*gén*) wild; (*peuplade*) savage; (*farouche: personne*) unsociable; (*barbare*) wild, savage; (*non officiel*) unauthorized, unofficial; **faire du camping ~** to camp in the wild ▷ *nm/f* savage; (*timide*) unsociable type
sauve [sov] *adj f voir* **sauf**
sauvegarde [sovgaʀd] *nf* safeguard; (*Inform*) backup; **sauvegarder** *vt* to safeguard; (*Inform: enregistrer*) to save; (*: copier*) to back up
sauve-qui-peut [sovkipø] *excl* run for your life!
sauver [sove] *vt* to save; (*porter secours à*) to rescue; (*récupérer*) to salvage, rescue; **se ~** *vi* (*s'enfuir*) to run away; (*fam: partir*) to be off; **sauvetage** *nm* rescue; **sauveteur** *nm* rescuer; **sauvette**: **à la sauvette** *adv* (*se marier etc*) hastily, hurriedly; **sauveur** *nm* saviour (BRIT), savior (US)
savant, e [savɑ̃, ɑ̃t] *adj* scholarly, learned ▷ *nm* scientist
saveur [savœʀ] *nf* flavour; (*fig*) savour
savoir [savwaʀ] *vt* to know; (*être capable de*): **il sait nager** he can swim ▷ *nm* knowledge; **se ~** *vi* (*être connu*) to be known; **je ne sais pas** I don't know; **je ne sais pas parler français** I don't speak French; **savez-vous où je peux ...?** do you know where I can ...?; **je n'en sais rien** I (really) don't know; **à ~** that is, namely; **faire ~ qch à qn** to let sb know sth; **pas que je sache** not as far as I know
savon [savɔ̃] *nm* (*produit*) soap; (*morceau*) bar of soap; (*fam*): **passer un ~ à qn** to give sb a good dressing-down; **savonner** *vt* to soap; **savonnette** *nf* bar of soap
savourer [savuʀe] *vt* to savour; **savoureux, -euse** *adj* tasty; (*fig: anecdote*) spicy, juicy
saxo(phone) [saksɔ(fɔn)] *nm* sax(ophone)
scabreux, -euse [skabʀø, øz] *adj* risky; (*indécent*) improper, shocking
scandale [skɑ̃dal] *nm* scandal; **faire un ~** (*scène*) to make a scene; (*Jur*) to create a disturbance; **faire ~** to scandalize people; **scandaleux, -euse** *adj* scandalous, outrageous
scandinave [skɑ̃dinav] *adj* Scandinavian ▷ *nm/f*: **S~** Scandinavian
Scandinavie [skɑ̃dinavi] *nf* Scandinavia
scarabée [skaʀabe] *nm* beetle
scarlatine [skaʀlatin] *nf* scarlet fever
scarole [skaʀɔl] *nf* endive
sceau, x [so] *nm* seal
sceller [sele] *vt* to seal
scénario [senaʀjo] *nm* scenario
scène [sɛn] *nf* (*gén*) scene; (*estrade, fig: théâtre*) stage; **entrer en ~** to come on stage; **mettre en ~** (*Théâtre*) to stage; (*Cinéma*) to direct; **faire une ~ (à qn)** to make a scene (with sb); **scène de ménage** domestic scene
sceptique [sɛptik] *adj* sceptical
schéma [ʃema] *nm* (*diagramme*) diagram, sketch; **schématique** *adj* diagrammatic(al), schematic; (*fig*) oversimplified
sciatique [sjatik] *nf* sciatica
scie [si] *nf* saw
sciemment [sjamɑ̃] *adv* knowingly
science [sjɑ̃s] *nf* science; (*savoir*) knowledge; **sciences humaines/sociales** social sciences; **sciences naturelles** (*Scol*) natural science *sg*, biology *sg*; **sciences po** political science *ou* studies *pl*; **science-fiction** *nf* science fiction; **scientifique** *adj* scientific ▷ *nm/f* scientist; (*étudiant*) science student
scier [sje] *vt* to saw; (*retrancher*) to saw off; **scierie** *nf* sawmill
scintiller [sɛ̃tije] *vi* to sparkle; (*étoile*) to twinkle
sciure [sjyʀ] *nf*: **~ (de bois)** sawdust
sclérose [skleʀoz] *nf*: **sclérose en plaques** multiple sclerosis
scolaire [skɔlɛʀ] *adj* school *cpd*; **scolariser** *vt* to provide with schooling/schools; **scolarité** *nf* schooling
scooter [skutœʀ] *nm* (motor) scooter
score [skɔʀ] *nm* score
scorpion [skɔʀpjɔ̃] *nm* (*signe*): **le S~** Scorpio
scotch [skɔtʃ] *nm* (*whisky*) scotch, whisky; **S~®** (*adhésif*) Sellotape® (BRIT), Scotch® tape (US)
scout, e [skut] *adj, nm* scout
script [skʀipt] *nm* (*écriture*) printing; (*Cinéma*) (shooting) script
scrupule [skʀypyl] *nm* scruple
scruter [skʀyte] *vt* to scrutinize; (*l'obscurité*) to peer into
scrutin [skʀytɛ̃] *nm* (*vote*) ballot; (*ensemble des opérations*) poll
sculpter [skylte] *vt* to sculpt; (*bois*) to carve; **sculpteur** *nm* sculptor; **sculpture** *nf* sculpture
SDF *sigle m*: **sans domicile fixe** homeless person; **les ~** the homeless

MOT-CLÉ

se [sə], **s'** *pron* **1** (*emploi réfléchi*) oneself; (*: masc*) himself; (*: fém*) herself; (*: sujet non humain*) itself; (*: pl*) themselves; **se savonner** to soap o.s.
2 (*réciproque*) one another, each other; **ils s'aiment** they love one another *ou* each other
3 (*passif*): **cela se répare facilement** it is easily repaired

4 (*possessif*): **se casser la jambe/se laver les mains** to break one's leg/wash one's hands

séance [seɑ̃s] *nf* (*d'assemblée*) meeting, session; (*de tribunal*) sitting, session; (*musicale, Cinéma, Théâtre*) performance
seau, x [so] *nm* bucket, pail
sec, sèche [sɛk, sɛʃ] *adj* dry; (*raisins, figues*) dried; (*cœur: insensible*) hard, cold ▷ *nm*: **tenir au ~** to keep in a dry place ▷ *adv* hard; **je le bois ~** I drink it straight *ou* neat; **à ~** (*puits*) dried up
sécateur [sekatœʀ] *nm* secateurs *pl* (BRIT), shears *pl*
sèche [sɛʃ] *adj f voir* **sec**; **sèche-cheveux** *nm inv* hair-drier; **sèche-linge** *nm inv* tumble dryer; **sèchement** *adv* (*répondre*) drily
sécher [seʃe] *vt* to dry; (*dessécher: peau, blé*) to dry (out); (*: étang*) to dry up; (*fam: cours*) to skip ▷ *vi* to dry; to dry out; to dry up; (*fam: candidat*) to be stumped; **se ~** (*après le bain*) to dry o.s.; **sécheresse** *nf* dryness; (*absence de pluie*) drought; **séchoir** *nm* drier
second, e[1] [s(ə)gɔ̃, ɔ̃d] *adj* second ▷ *nm* (*assistant*) second in command; (*Navig*) first mate ▷ *nf* (*Scol*) year 11 (BRIT), tenth grade (US); (*Aviat, Rail etc*) second class; **voyager en ~e** to travel second-class; **secondaire** *adj* secondary; **seconde**[2] *nf* second; **seconder** *vt* to assist
secouer [s(ə)kwe] *vt* to shake; (*passagers*) to rock; (*traumatiser*) to shake (up)
secourir [s(ə)kuʀiʀ] *vt* (*venir en aide à*) to assist, aid; **secourisme** *nm* first aid; **secouriste** *nm/f* first-aid worker
secours [s(ə)kuʀ] *nm* help, aid, assistance ▷ *nmpl* aid *sg*; **au ~!** help!; **appeler au ~** to shout *ou* call for help; **porter ~ à qn** to give sb assistance, help sb; **les premiers ~** first aid *sg*
secousse [s(ə)kus] *nf* jolt, bump; (*électrique*) shock; (*fig: psychologique*) jolt, shock
secret, -ète [səkʀɛ, ɛt] *adj* secret; (*fig: renfermé*) reticent, reserved ▷ *nm* secret; (*discrétion absolue*): **le ~** secrecy; **en ~** in secret, secretly; **secret professionel** professional secrecy
secrétaire [s(ə)kʀetɛʀ] *nm/f* secretary ▷ *nm* (*meuble*) writing desk; **secrétaire de direction** private *ou* personal secretary; **secrétaire d'État** junior minister; **secrétariat** *nm* (*profession*) secretarial work; (*bureau*) office; (*: d'organisation internationale*) secretariat
secteur [sɛktœʀ] *nm* sector; (*zone*) area; (*Élec*): **branché sur ~** plugged into the mains (supply)
section [sɛksjɔ̃] *nf* section; (*de parcours d'autobus*) fare stage; (*Mil: unité*) platoon; **sectionner** *vt* to sever
sécu [seky] *abr f* = **sécurité sociale**
sécurité [sekyʀite] *nf* (*absence de danger*) safety; (*absence de troubles*) security; **système de ~** security system; **être en ~** to be safe; **la sécurité routière** road safety; **la sécurité sociale** ≈ (the) Social Security (BRIT), ≈ Welfare (US)
sédentaire [sedɑ̃tɛʀ] *adj* sedentary
séduction [sedyksjɔ̃] *nf* seduction; (*charme, attrait*) appeal, charm
séduire [sedɥiʀ] *vt* to charm; (*femme: abuser de*) to seduce; **séduisant, e** *adj* (*femme*) seductive; (*homme, offre*) very attractive
ségrégation [segʀegasjɔ̃] *nf* segregation
seigle [sɛgl] *nm* rye
seigneur [sɛɲœʀ] *nm* lord
sein [sɛ̃] *nm* breast; (*entrailles*) womb; **au ~ de** (*équipe, institution*) within
séisme [seism] *nm* earthquake
seize [sɛz] *num* sixteen; **seizième** *num* sixteenth
séjour [seʒuʀ] *nm* stay; (*pièce*) living room; **séjourner** *vi* to stay
sel [sɛl] *nm* salt; (*fig: piquant*) spice
sélection [selɛksjɔ̃] *nf* selection; **sélectionner** *vt* to select
self-service [sɛlfsɛʀvis] *adj, nm* self-service
selle [sɛl] *nf* saddle; **selles** *nfpl* (*Méd*) stools; **seller** *vt* to saddle
selon [s(ə)lɔ̃] *prép* according to; (*en se conformant à*) in accordance with; **~ que** according to whether; **~ moi** as I see it
semaine [s(ə)mɛn] *nf* week; **en ~** during the week, on weekdays
semblable [sɑ̃blabl] *adj* similar; (*de ce genre*): **de ~s mésaventures** such mishaps ▷ *nm* fellow creature *ou* man; **~ à** similar to, like
semblant [sɑ̃blɑ̃] *nm*: **un ~ de ...** a semblance of ...; **faire ~ (de faire)** to pretend (to do)
sembler [sɑ̃ble] *vb +attrib* to seem ▷ *vb impers*: **il semble (bien) que/inutile de** it (really) seems *ou* appears that/useless to; **il me semble que** it seems to me that; **comme bon lui semble** as he sees fit
semelle [s(ə)mɛl] *nf* sole; (*intérieure*) insole, inner sole
semer [s(ə)me] *vt* to sow; (*fig: éparpiller*) to scatter; (*: confusion*) to spread; (*fam: poursuivants*) to lose, shake off; **semé de** (*difficultés*) riddled with
semestre [s(ə)mɛstʀ] *nm* half-year; (*Scol*) semester
séminaire [seminɛʀ] *nm* seminar
semi-remorque [səmiʀəmɔʀk] *nm* articulated lorry (BRIT), semi(trailer) (US)
semoule [s(ə)mul] *nf* semolina
sénat [sena] *nm* senate; **sénateur** *nm* senator
Sénégal [senegal] *nm*: **le ~** Senegal
sens [sɑ̃s] *nm* (*Physiol*,) sense; (*signification*) meaning, sense; (*direction*) direction; **à mon ~** to my mind; **dans le ~ des aiguilles d'une montre** clockwise; **dans le ~ contraire des aiguilles d'une montre** anticlockwise; **dans le mauvais ~** (*aller*) the wrong way, in the wrong direction; **le bon ~** common sense; **sens dessus dessous** upside down; **sens interdit/unique** one-way street
sensation [sɑ̃sasjɔ̃] *nf* sensation; **à ~** (*péj*) sensational; **faire ~** to cause *ou* create a sensation; **sensationnel, le** *adj* (*fam*) fantastic, terrific
sensé, e [sɑ̃se] *adj* sensible
sensibiliser [sɑ̃sibilize] *vt*: **~ qn à** to make sb sensitive to
sensibilité [sɑ̃sibilite] *nf* sensitivity
sensible [sɑ̃sibl] *adj* sensitive; (*aux sens*) perceptible; (*appréciable: différence, progrès*) appreciable, noticeable; **~ à** sensitive to; **sensiblement** *adv* (*à peu près*): **ils sont sensiblement du même âge** they are approximately the same age; **sensiblerie** *nf* sentimentality
sensuel, le [sɑ̃sɥɛl] *adj* (*personne*) sensual; (*musique*) sensuous
sentence [sɑ̃tɑ̃s] *nf* (*jugement*) sentence
sentier [sɑ̃tje] *nm* path
sentiment [sɑ̃timɑ̃] *nm* feeling; **recevez mes ~s respectueux** (*personne nommée*) yours sincerely; (*personne non nommée*) yours faithfully; **sentimental, e, -aux** *adj* sentimental; (*vie, aventure*) love *cpd*
sentinelle [sɑ̃tinɛl] *nf* sentry
sentir [sɑ̃tiʀ] *vt* (*par l'odorat*) to smell; (*par le goût*)

to taste; (*au toucher, fig*) to feel; (*répandre une odeur de*) to smell of; (: *ressemblance*) to smell like ▷ *vi* to smell; **~ mauvais** to smell bad; **se ~ bien** to feel good; **se ~ mal** (*être indisposé*) to feel unwell *ou* ill; **se ~ le courage/la force de faire** to feel brave/strong enough to do; **il ne peut pas le ~** (*fam*) he can't stand him; **je ne me sens pas bien** I don't feel well
séparation [sepaʀasjɔ̃] *nf* separation; (*cloison*) division, partition
séparé, e [sepaʀe] *adj* (*distinct*) separate; (*époux*) separated; **séparément** *adv* separately
séparer [sepaʀe] *vt* to separate; (*désunir*) to drive apart; (*détacher*): **~ qch de** to pull sth (off) from; **se ~** *vi* (*époux, amis*) to separate, part; (*se diviser: route etc*) to divide; **se ~ de** (*époux*) to separate *ou* part from; (*employé, objet personnel*) to part with
sept [sɛt] *num* seven; **septante** (BELGIQUE, SUISSE) *adj inv* seventy
septembre [sɛptɑ̃bʀ] *nm* September
septicémie [sɛptisemi] *nf* blood poisoning, septicaemia
septième [sɛtjɛm] *num* seventh
séquelles [sekɛl] *nfpl* after-effects; (*fig*) aftermath *sg*
serbe [sɛʀb(ə)] *adj* Serbian
Serbie [sɛʀbi] *nf*: **la ~** Serbia
serein, e [səʀɛ̃, ɛn] *adj* serene
sergent [sɛʀʒɑ̃] *nm* sergeant
série [seʀi] *nf* series *inv*; (*de clés, casseroles, outils*) set; (*catégorie: Sport*) rank; **en ~** in quick succession; (*Comm*) mass *cpd*; **de ~** (*voiture*) standard; **hors ~** (*Comm*) custom-built; **série noire** (crime) thriller
sérieusement [seʀjøzmɑ̃] *adv* seriously
sérieux, -euse [seʀjø, jøz] *adj* serious; (*élève, employé*) reliable, responsible; (*client, maison*) reliable, dependable ▷ *nm* seriousness; (*d'une entreprise etc*) reliability; **garder son ~** to keep a straight face; **prendre qch/qn au ~** to take sth/sb seriously
serin [s(ə)ʀɛ̃] *nm* canary
seringue [s(ə)ʀɛ̃g] *nf* syringe
serment [sɛʀmɑ̃] *nm* (*juré*) oath; (*promesse*) pledge, vow
sermon [sɛʀmɔ̃] *nm* sermon
séropositif, -ive [seʀopozitif, iv] *adj* (*Méd*) HIV positive
serpent [sɛʀpɑ̃] *nm* snake; **serpenter** *vi* to wind
serpillière [sɛʀpijɛʀ] *nf* floorcloth
serre [sɛʀ] *nf* (*Agr*) greenhouse; **serres** *nfpl* (*griffes*) claws, talons
serré, e [seʀe] *adj* (*habits*) tight; (*fig: lutte, match*) tight, close-fought; (*passagers etc*) (tightly) packed; (*réseau*) dense; **avoir le cœur ~** to have a heavy heart
serrer [seʀe] *vt* (*tenir*) to grip *ou* hold tight; (*comprimer, coincer*) to squeeze; (*poings, mâchoires*) to clench; (*suj: vêtement*) to be too tight for; (*ceinture, nœud, vis*) to tighten ▷ *vi*: **~ à droite** to keep *ou* get over to the right
serrure [seʀyʀ] *nf* lock; **serrurier** *nm* locksmith
sert *etc* [sɛʀ] *vb voir* **servir**
servante [sɛʀvɑ̃t] *nf* (maid)servant
serveur, -euse [sɛʀvœʀ, øz] *nm/f* waiter (waitress)
serviable [sɛʀvjabl] *adj* obliging, willing to help
service [sɛʀvis] *nm* service; (*assortiment de vaisselle*) set, service; (*bureau: de la vente etc*) department, section; (*travail*) duty; **premier ~** (*série de repas*) first sitting; **être de ~** to be on duty; **faire le ~** to serve; **rendre un ~ à qn** to do sb a favour; (*objet: s'avérer utile*) to come in useful *ou* handy for sb; **mettre en ~** to put into service *ou* operation; **~ compris/non compris** service included/not included; **hors ~** out of order; **service après vente** after sales service; **service d'ordre** police (*ou* stewards) in charge of maintaining order; **service militaire** military service; **services secrets** secret service *sg*
serviette [sɛʀvjɛt] *nf* (*de table*) (table) napkin, serviette; (*de toilette*) towel; (*porte-documents*) briefcase; **serviette hygiénique** sanitary towel
servir [sɛʀviʀ] *vt* to serve; (*au restaurant*) to wait on; (*au magasin*) to serve, attend to ▷ *vi* (*Tennis*) to serve; (*Cartes*) to deal; **se ~** *vi* (*prendre d'un plat*) to help o.s.; **vous êtes servi?** are you being served?; **~ à qn** (*diplôme, livre*) to be of use to sb; **~ à qch/faire** (*outil etc*) to be used for sth/doing; **ça ne sert à rien** it's no use; **~ (à qn) de** to serve as (for sb); **se ~ de** (*plat*) to help o.s. to; (*voiture, outil, relations*) to use; **sers-toi!** help yourself!
serviteur [sɛʀvitœʀ] *nm* servant
ses [se] *adj voir* **son¹**
seuil [sœj] *nm* doorstep; (*fig*) threshold
seul, e [sœl] *adj* (*sans compagnie*) alone; (*unique*): **un ~ livre** only one book, a single book ▷ *adv* (*vivre*) alone, on one's own ▷ *nm, nf*: **il en reste un(e) ~(e)** there's only one left; **le ~ livre** the only book; **parler tout ~** to talk to oneself; **faire qch (tout) ~** to do sth (all) on one's own *ou* (all) by oneself; **à lui (tout) ~** single-handed, on his own; **se sentir ~** to feel lonely; **seulement** *adv* only; **non seulement ... mais aussi** *ou* **encore** not only ... but also
sève [sɛv] *nf* sap
sévère [sevɛʀ] *adj* severe
sexe [sɛks] *nm* sex; (*organes génitaux*) genitals, sex organs; **sexuel, le** *adj* sexual
shampooing [ʃɑ̃pwɛ̃] *nm* shampoo
Shetland [ʃɛtlɑ̃d] *n*: **les îles ~** the Shetland Islands, Shetland
short [ʃɔʀt] *nm* (pair of) shorts *pl*

MOT-CLÉ

si [si] *adv* **1** (*oui*) yes; **"Paul n'est pas venu" — "si!"** "Paul hasn't come" — "yes, he has!"; **je vous assure que si** I assure you he did *ou* she is *etc*
2 (*tellement*) so; **si gentil/rapidement** so kind/fast; **(tant et) si bien que** so much so that; **si rapide qu'il soit** however fast he may be
▷ *conj* if; **si tu veux** if you want; **je me demande si** I wonder if *ou* whether; **si seulement** if only
▷ *nm* (*Mus*) B; (*en chantant la gamme*) ti

Sicile [sisil] *nf*: **la ~** Sicily
SIDA [sida] *sigle m* (= *syndrome immuno-déficitaire acquis*) AIDS *sg*
sidéré, e [sideʀe] *adj* staggered
sidérurgie [sideʀyʀʒi] *nf* steel industry
siècle [sjɛkl] *nm* century
siège [sjɛʒ] *nm* seat; (*d'entreprise*) head office; (*d'organisation*) headquarters *pl*; (*Mil*) siege; **siège social** registered office; **siéger** *vi* to sit
sien, ne [sjɛ̃, sjɛn] *pron*: **le(la) ~(ne), les ~(ne)s** (*homme*) his; (*femme*) hers; (*chose, animal*) its
sieste [sjɛst] *nf* (afternoon) snooze *ou* nap; **faire la ~** to have a snooze *ou* nap
sifflement [sifləmɑ̃] *nm*: **un ~** a whistle
siffler [sifle] *vi* (*gén*) to whistle; (*en respirant*) to wheeze; (*serpent, vapeur*) to hiss ▷ *vt* (*chanson*) to whistle; (*chien etc*) to whistle for; (*fille*) to whistle at;

(*pièce, orateur*) to hiss, boo; (*fin du match, départ*) to blow one's whistle for; (*fam: verre*) to guzzle
sifflet [siflɛ] *nm* whistle; **coup de ~** whistle
siffloter [siflɔte] *vi, vt* to whistle
sigle [sigl] *nm* acronym
signal, -aux [siɲal, o] *nm* signal; (*indice, écriteau*) sign; **donner le ~ de** to give the signal for; **signal d'alarme** alarm signal; **signalement** *nm* description, particulars *pl*
signaler [siɲale] *vt* to indicate; (*personne: faire un signe*) to signal; (*vol, perte*) to report; (*faire remarquer*): **~ qch à qn/(à qn) que** to point out sth to sb/(to sb) that; **je voudrais ~ un vol** I'd like to report a theft
signature [siɲatyʀ] *nf* signature; (*action*) signing
signe [siɲ] *nm* sign; (*Typo*) mark; **faire un ~ de la main** to give a sign with one's hand; **faire ~ à qn** (*fig: contacter*) to get in touch with sb; **faire ~ à qn d'entrer** to motion (to) sb to come in; **signer** *vt* to sign; **se signer** *vi* to cross o.s.; **où dois-je signer?** where do I sign?
significatif, -ive [siɲifikatif, iv] *adj* significant
signification [siɲifikasjɔ̃] *nf* meaning
signifier [siɲifje] *vt* (*vouloir dire*) to mean; (*faire connaître*): **~ qch (à qn)** to make sth known (to sb)
silence [silɑ̃s] *nm* silence; (*Mus*) rest; **garder le ~** to keep silent, say nothing; **silencieux, -euse** *adj* quiet, silent ▷ *nm* silencer
silhouette [silwɛt] *nf* outline, silhouette; (*allure*) figure
sillage [sijaʒ] *nm* wake
sillon [sijɔ̃] *nm* furrow; (*de disque*) groove; **sillonner** *vt* to criss-cross
simagrées [simagʀe] *nfpl* fuss *sg*
similaire [similɛʀ] *adj* similar; **similicuir** *nm* imitation leather; **similitude** *nf* similarity
simple [sɛ̃pl] *adj* simple; (*non multiple*) single ▷ *nm*: **~ messieurs/dames** men's/ladies' singles *sg* ▷ *nm/f*: **~ d'esprit** simpleton
simplicité [sɛ̃plisite] *nf* simplicity; **en toute ~** quite simply
simplifier [sɛ̃plifje] *vt* to simplify
simuler [simyle] *vt* to sham, simulate
simultané, e [simyltane] *adj* simultaneous
sincère [sɛ̃sɛʀ] *adj* sincere; **sincèrement** *adv* sincerely; (*pour parler franchement*) honestly, really; **sincérité** *nf* sincerity
Singapour [sɛ̃gapuʀ] *nm* Singapore
singe [sɛ̃ʒ] *nm* monkey; (*de grande taille*) ape; **singer** *vt* to ape, mimic; **singeries** *nfpl* antics
singulariser [sɛ̃gylaʀize]: **se ~** *vi* to call attention to o.s.
singularité [sɛ̃gylaʀite] *nf* peculiarity
singulier, -ière [sɛ̃gylje, jɛʀ] *adj* remarkable, singular ▷ *nm* singular
sinistre [sinistʀ] *adj* sinister ▷ *nm* (*incendie*) blaze; (*catastrophe*) disaster; (*Assurances*) damage (*giving rise to a claim*); **sinistré, e** *adj* disaster-stricken ▷ *nm/f* disaster victim
sinon [sinɔ̃] *conj* (*autrement, sans quoi*) otherwise, or else; (*sauf*) except, other than; (*si ce n'est*) if not
sinueux, -euse [sinɥø, øz] *adj* winding
sinus [sinys] *nm* (*Anat*) sinus; (*Géom*) sine; **sinusite** *nf* sinusitis
sirène [siʀɛn] *nf* siren; **sirène d'alarme** fire alarm; (*en temps de guerre*) air-raid siren
sirop [siʀo] *nm* (*à diluer: de fruit etc*) syrup; (*pharmaceutique*) syrup, mixture; **~ pour la toux** cough mixture
siroter [siʀɔte] *vt* to sip
sismique [sismik] *adj* seismic
site [sit] *nm* (*paysage, environnement*) setting; (*d'une ville etc: emplacement*) site; **site (pittoresque)** beauty spot; **sites touristiques** places of interest; **site Web** (*Inform*) website
sitôt [sito] *adv*: **~ parti** as soon as he *etc* had left; **~ que** as soon as; **pas de ~** not for a long time
situation [sitɥasjɔ̃] *nf* situation; (*d'un édifice, d'une ville*) position, location; **situation de famille** marital status
situé, e [sitɥe] *adj* situated
situer [sitɥe] *vt* to site, situate; (*en pensée*) to set, place; **se ~** *vi* to be situated
six [sis] *num* six; **sixième** *num* sixth ▷ *nf* (*Scol*) year 7 (BRIT), sixth grade (US)
skaï® [skaj] *nm* Leatherette®
ski [ski] *nm* (*objet*) ski; (*sport*) skiing; **faire du ~** to ski; **ski de fond** cross-country skiing; **ski nautique** water-skiing; **ski de piste** downhill skiing; **ski de randonnée** cross-country skiing; **skier** *vi* to ski; **skieur, -euse** *nm/f* skier
slip [slip] *nm* (*sous-vêtement*) pants *pl*, briefs *pl*; (*de bain: d'homme*) trunks *pl*; (*: du bikini*) (bikini) briefs *pl*
slogan [slɔgɑ̃] *nm* slogan
Slovaquie [slɔvaki] *nf*: **la ~** Slovakia
SMIC [smik] *sigle m* = **salaire minimum interprofessionnel de croissance**
smoking [smɔkiŋ] *nm* dinner *ou* evening suit
SMS *sigle m* = **short message service**; (*service*) SMS; (*message*) text message
SNCF *sigle f* (= *Société nationale des chemins de fer français*) *French railways*
snob [snɔb] *adj* snobbish ▷ *nm/f* snob; **snobisme** *nm* snobbery, snobbishness
sobre [sɔbʀ] *adj* (*personne*) temperate, abstemious; (*élégance, style*) sober
sobriquet [sɔbʀikɛ] *nm* nickname
social, e, -aux [sɔsjal, jo] *adj* social
socialisme [sɔsjalism] *nm* socialism; **socialiste** *nm/f* socialist
société [sɔsjete] *nf* society; (*sportive*) club; (*Comm*) company; **la ~ de consommation** the consumer society; **société anonyme** ≈ limited (BRIT) *ou* incorporated (US) company
sociologie [sɔsjɔlɔʒi] *nf* sociology
socle [sɔkl] *nm* (*de colonne, statue*) plinth, pedestal; (*de lampe*) base
socquette [sɔkɛt] *nf* ankle sock
sœur [sœʀ] *nf* sister; (*religieuse*) nun, sister
soi [swa] *pron* oneself; **en ~** (*intrinsèquement*) in itself; **cela va de ~** that *ou* it goes without saying; **soi-disant** *adj inv* so-called ▷ *adv* supposedly
soie [swa] *nf* silk; **soierie** *nf* (*tissu*) silk
soif [swaf] *nf* thirst; **avoir ~** to be thirsty; **donner ~ à qn** to make sb thirsty
soigné, e [swaɲe] *adj* (*tenue*) well-groomed, neat; (*travail*) careful, meticulous
soigner [swaɲe] *vt* (*malade, maladie: suj: docteur*) to treat; (*suj: infirmière, mère*) to nurse, look after; (*travail, détails*) to take care over; (*jardin, invités*) to look after; **soigneux, -euse** *adj* (*propre*) tidy, neat; (*appliqué*) painstaking, careful
soi-même [swamɛm] *pron* oneself
soin [swɛ̃] *nm* (*application*) care; (*propreté, ordre*) tidiness, neatness; **soins** *nmpl* (*à un malade, blessé*) treatment *sg*, medical attention *sg*; (*hygiène*) care *sg*; **prendre ~ de** to take care of, look after; **prendre ~ de faire** to take care to do; **les premiers ~s** first aid *sg*

soir [swaʀ] *nm* evening; **ce ~** this evening, tonight; **à ce ~!** see you this evening (*ou* tonight)!; **sept/dix heures du ~** seven in the evening/ten at night; **demain ~** tomorrow evening, tomorrow night; **soirée** *nf* evening; (*réception*) party
soit¹ [swa] *vb voir* **être** ▷ *conj* (*à savoir*) namely; (*ou*): **~ ... ~** either ... or; **~ que ... ~ que** *ou* **ou que** whether ... or whether
soit² [swat] *adv* so be it, very well
soixantaine [swasɑ̃tɛn] *nf*: **une ~ (de)** sixty or so, about sixty; **avoir la ~** (*âge*) to be around sixty
soixante [swasɑ̃t] *num* sixty; **soixante-dix** *num* seventy
soja [sɔʒa] *nm* soya; (*graines*) soya beans *pl*; **germes de ~** beansprouts
sol [sɔl] *nm* ground; (*de logement*) floor; (*Agr*) soil; (*Mus*) G; (*: en chantant la gamme*) so(h)
solaire [sɔlɛʀ] *adj* (*énergie etc*) solar; (*crème etc*) sun *cpd*
soldat [sɔlda] *nm* soldier
solde [sɔld] *nf* pay ▷ *nm* (*Comm*) balance; **soldes** *nm ou f pl* (*articles*) sale goods; (*vente*) sales; **en ~** at sale price; **solder** *vt* (*marchandise*) to sell at sale price, sell off
sole [sɔl] *nf* sole *inv* (*fish*)
soleil [sɔlɛj] *nm* sun; (*lumière*) sun(light); (*temps ensoleillé*) sun(shine); **il fait du ~** it's sunny; **au ~** in the sun
solennel, le [sɔlanɛl] *adj* solemn
solfège [sɔlfɛʒ] *nm* musical theory
solidaire [sɔlidɛʀ] *adj*: **être ~s** to show solidarity, stand *ou* stick together; **être ~ de** (*collègues*) to stand by; **solidarité** *nf* solidarity; **par solidarité (avec)** in sympathy (with)
solide [sɔlid] *adj* solid; (*mur, maison, meuble*) solid, sturdy; (*connaissances, argument*) sound; (*personne, estomac*) robust, sturdy ▷ *nm* solid
soliste [sɔlist] *nm/f* soloist
solitaire [sɔlitɛʀ] *adj* (*sans compagnie*) solitary, lonely; (*lieu*) lonely ▷ *nm/f* (*ermite*) recluse; (*fig: ours*) loner
solitude [sɔlityd] *nf* loneliness; (*tranquillité*) solitude
solliciter [sɔlisite] *vt* (*personne*) to appeal to; (*emploi, faveur*) to seek
sollicitude [sɔlisityd] *nf* concern
soluble [sɔlybl] *adj* soluble
solution [sɔlysjɔ̃] *nf* solution; **solution de facilité** easy way out
solvable [sɔlvabl] *adj* solvent
sombre [sɔ̃bʀ] *adj* dark; (*fig*) gloomy; **sombrer** *vi* (*bateau*) to sink; **sombrer dans** (*misère, désespoir*) to sink into
sommaire [sɔmɛʀ] *adj* (*simple*) basic; (*expéditif*) summary ▷ *nm* summary
somme [sɔm] *nf* (*Math*) sum; (*quantité*) amount; (*argent*) sum, amount ▷ *nm*: **faire un ~** to have a (short) nap; **en ~** all in all; **~ toute** all in all
sommeil [sɔmɛj] *nm* sleep; **avoir ~** to be sleepy; **sommeiller** *vi* to doze
sommet [sɔmɛ] *nm* top; (*d'une montagne*) summit, top; (*fig: de la perfection, gloire*) height
sommier [sɔmje] *nm* (bed) base
somnambule [sɔmnɑ̃byl] *nm/f* sleepwalker
somnifère [sɔmnifɛʀ] *nm* sleeping drug *no pl* (*ou* pill)
somnoler [sɔmnɔle] *vi* to doze
somptueux, -euse [sɔ̃ptɥø, øz] *adj* sumptuous
son¹, sa [sɔ̃, sa] (*pl* **ses**) *adj* (*antécédent humain: mâle*) his; (*: femelle*) her; (*: valeur indéfinie*) one's, his/her; (*antécédent non humain*) its
son² [sɔ̃] *nm* sound; (*de blé*) bran
sondage [sɔ̃daʒ] *nm*: **sondage (d'opinion)** (opinion) poll
sonde [sɔ̃d] *nf* (*Navig*) lead *ou* sounding line; (*Méd*) probe; (*Tech: de forage*) borer, driller
sonder [sɔ̃de] *vt* (*Navig*) to sound; (*Tech*) to bore, drill; (*fig: personne*) to sound out; **~ le terrain** (*fig*) to test the ground
songe [sɔ̃ʒ] *nm* dream; **songer** *vi*: **songer à** (*penser à*) to think over; (*envisager*) to consider, think of; **songer que** to think that; **songeur, -euse** *adj* pensive
sonnant, e [sɔnɑ̃, ɑ̃t] *adj*: **à 8 heures ~es** on the stroke of 8
sonné, e [sɔne] *adj* (*fam*) cracked; **il est midi ~** it's gone twelve
sonner [sɔne] *vi* to ring ▷ *vt* (*cloche*) to ring; (*glas, tocsin*) to sound; (*portier, infirmière*) to ring for; **~ faux** (*instrument*) to sound out of tune; (*rire*) to ring false
sonnerie [sɔnʀi] *nf* (*son*) ringing; (*sonnette*) bell; (*de portable*) ringtone; **sonnerie d'alarme** alarm bell
sonnette [sɔnɛt] *nf* bell; **sonnette d'alarme** alarm bell
sonore [sɔnɔʀ] *adj* (*voix*) sonorous, ringing; (*salle*) resonant; (*film, signal*) sound *cpd*; **sonorisation** *nf* (*équipement: de salle de conférences*) public address system, P.A. system; (*: de discothèque*) sound system; **sonorité** *nf* (*de piano, violon*) tone; (*d'une salle*) acoustics *pl*
sophistiqué, e [sɔfistike] *adj* sophisticated
sorbet [sɔʀbɛ] *nm* water ice, sorbet
sorcier [sɔʀsje] *nm* sorcerer
sordide [sɔʀdid] *adj* (*lieu*) squalid; (*action*) sordid
sort [sɔʀ] *nm* (*destinée*) fate; (*condition*) lot; (*magique*) curse, spell; **tirer au ~** to draw lots
sorte [sɔʀt] *nf* sort, kind; **de la ~** in that way; **de (telle) ~ que** so that; **en quelque ~** in a way; **faire en ~ que** to see to it that; **quelle ~ de ...?** what kind of ...?
sortie [sɔʀti] *nf* (*issue*) way out, exit; (*remarque drôle*) sally; (*promenade*) outing; (*le soir: au restaurant etc*) night out; (*Comm: d'un disque*) release; (*: d'un livre*) publication; (*: d'un modèle*) launching; **où est la ~?** where's the exit?; **sortie de bain** (*vêtement*) bathrobe
sortilège [sɔʀtilɛʒ] *nm* (magic) spell
sortir [sɔʀtiʀ] *vi* (*gén*) to come out; (*partir, se promener, aller au spectacle*) to go out; (*numéro gagnant*) to come up ▷ *vt* (*gén*) to take out; (*produit, modèle*) to bring out; (*fam: dire*) to come out with; **~ avec qn** to be going out with sb; **s'en ~** (*malade*) to pull through; (*d'une difficulté etc*) to get through; **~ de** (*endroit*) to go (*ou* come) out of, leave; (*provenir de*) to come from; (*compétence*) to be outside
sosie [sɔzi] *nm* double
sot, sotte [so, sɔt] *adj* silly, foolish ▷ *nm/f* fool; **sottise** *nf* (*caractère*) silliness, foolishness; (*action*) silly *ou* foolish thing
sou [su] *nm*: **près de ses ~s** tight-fisted; **sans le ~** penniless
soubresaut [subʀəso] *nm* start; (*cahot*) jolt
souche [suʃ] *nf* (*d'arbre*) stump; (*de carnet*) counterfoil (BRIT), stub
souci [susi] *nm* (*inquiétude*) worry; (*préoccupation*) concern; (*Bot*) marigold; **se faire du ~** to worry; **soucier**: **se soucier de** *vt* to care about; **soucieux, -euse** *adj* concerned, worried

soucoupe [sukup] *nf* saucer; **soucoupe volante** flying saucer
soudain, e [sudɛ̃, ɛn] *adj* (*douleur, mort*) sudden ▷ *adv* suddenly, all of a sudden
Soudan [sudɑ̃] *nm*: **le ~** Sudan
soude [sud] *nf* soda
souder [sude] *vt* (*avec fil à souder*) to solder; (*par soudure autogène*) to weld; (*fig*) to bind together
soudure [sudyʀ] *nf* soldering; welding; (*joint*) soldered joint; weld
souffle [sufl] *nm* (*en expirant*) breath; (*en soufflant*) puff, blow; (*respiration*) breathing; (*d'explosion, de ventilateur*) blast; (*du vent*) blowing; **être à bout de ~** to be out of breath; **un ~ d'air** a breath of air
soufflé, e [sufle] *adj* (*fam: stupéfié*) staggered ▷ *nm* (*Culin*) soufflé
souffler [sufle] *vi* (*gén*) to blow; (*haleter*) to puff (and blow) ▷ *vt* (*feu, bougie*) to blow out; (*chasser: poussière etc*) to blow away; (*Tech: verre*) to blow; (*dire*): **~ qch à qn** to whisper sth to sb
souffrance [sufʀɑ̃s] *nf* suffering; **en ~** (*affaire*) pending
souffrant, e [sufʀɑ̃, ɑ̃t] *adj* unwell
souffre-douleur [sufʀədulœʀ] *nm inv* butt, underdog
souffrir [sufʀiʀ] *vi* to suffer, be in pain ▷ *vt* to suffer, endure; (*supporter*) to bear, stand; **~ de** (*maladie, froid*) to suffer from; **elle ne peut pas le ~** she can't stand *ou* bear him
soufre [sufʀ] *nm* sulphur
souhait [swɛ] *nm* wish; **tous nos ~s pour la nouvelle année** (our) best wishes for the New Year; **à vos ~s!** bless you!; **souhaitable** *adj* desirable
souhaiter [swete] *vt* to wish for; **~ la bonne année à qn** to wish sb a happy New Year; **~ que** to hope that
soûl, e [su, sul] *adj* drunk ▷ *nm*: **tout son ~** to one's heart's content
soulagement [sulaʒmɑ̃] *nm* relief
soulager [sulaʒe] *vt* to relieve
soûler [sule] *vt*: **~ qn** to get sb drunk; (*suj: boisson*) to make sb drunk; (*fig*) to make sb's head spin *ou* reel; **se ~** *vi* to get drunk
soulever [sul(ə)ve] *vt* to lift; (*poussière*) to send up; (*enthousiasme*) to arouse; (*question, débat*) to raise; **se ~** *vi* (*peuple*) to rise up; (*personne couchée*) to lift o.s. up
soulier [sulje] *nm* shoe
souligner [suliɲe] *vt* to underline; (*fig*) to emphasize, stress
soumettre [sumɛtʀ] *vt* (*pays*) to subject, subjugate; (*rebelle*) to put down, subdue; **~ qch à qn** (*projet etc*) to submit sth to sb; **se ~ (à)** to submit (to)
soumis, e [sumi, iz] *adj* submissive; **soumission** *nf* submission
soupçon [supsɔ̃] *nm* suspicion; (*petite quantité*): **un ~ de** a hint *ou* touch of; **soupçonner** *vt* to suspect; **soupçonneux, -euse** *adj* suspicious
soupe [sup] *nf* soup
souper [supe] *vi* to have supper ▷ *nm* supper
soupeser [supəze] *vt* to weigh in one's hand(s); (*fig*) to weigh up
soupière [supjɛʀ] *nf* (soup) tureen
soupir [supiʀ] *nm* sigh; **pousser un ~ de soulagement** to heave a sigh of relief
soupirer [supiʀe] *vi* to sigh
souple [supl] *adj* supple; (*fig: règlement, caractère*) flexible; (*: démarche, taille*) lithe, supple; **souplesse** *nf* suppleness; (*de caractère*) flexibility
source [suʀs] *nf* (*point d'eau*) spring; (*d'un cours d'eau, fig*) source; **de bonne ~** on good authority
sourcil [suʀsi] *nm* (eye)brow; **sourciller** *vi*: **sans sourciller** without turning a hair *ou* batting an eyelid
sourd, e [suʀ, suʀd] *adj* deaf; (*bruit*) muffled; (*douleur*) dull ▷ *nm/f* deaf person; **faire la ~e oreille** to turn a deaf ear; **sourdine** *nf* (*Mus*) mute; **en sourdine** softly, quietly; **sourd-muet, sourde-muette** *adj* deaf-and-dumb ▷ *nm/f* deaf-mute
souriant, e [suʀjɑ̃, jɑ̃t] *adj* cheerful
sourire [suʀiʀ] *nm* smile ▷ *vi* to smile; **~ à qn** to smile at sb; (*fig: plaire à*) to appeal to sb; (*suj: chance*) to smile on sb; **garder le ~** to keep smiling
souris [suʀi] *nf* mouse
sournois, e [suʀnwa, waz] *adj* deceitful, underhand
sous [su] *prép* under; **~ la pluie** in the rain; **~ terre** underground; **~ peu** shortly, before long; **sous-bois** *nm inv* undergrowth
souscrire [suskʀiʀ]: **~ à** *vt* to subscribe to
sous...: **sous-directeur, -trice** *nm/f* assistant manager(-manageress); **sous-entendre** *vt* to imply, infer; **sous-entendu, e** *adj* implied ▷ *nm* innuendo, insinuation; **sous-estimer** *vt* to underestimate; **sous-jacent, e** *adj* underlying; **sous-louer** *vt* to sublet; **sous-marin, e** *adj* (*flore, faune*) submarine; (*pêche*) underwater ▷ *nm* submarine; **sous-pull** *nm* thin poloneck jersey; **soussigné, e** *adj*: **je soussigné** I the undersigned; **sous-sol** *nm* basement; **sous-titre** *nm* subtitle
soustraction [sustʀaksjɔ̃] *nf* subtraction
soustraire [sustʀɛʀ] *vt* to subtract, take away; (*dérober*): **~ qch à qn** to remove sth from sb; **se ~ à** (*autorité etc*) to elude, escape from
sous...: **sous-traitant** *nm* sub-contractor; **sous-traiter** *vt* to sub-contract; **sous-vêtements** *nmpl* underwear *sg*
soutane [sutan] *nf* cassock, soutane
soute [sut] *nf* hold
soutenir [sut(ə)niʀ] *vt* to support; (*assaut, choc*) to stand up to, withstand; (*intérêt, effort*) to keep up; (*assurer*): **~ que** to maintain that; **soutenu, e** *adj* (*efforts*) sustained, unflagging; (*style*) elevated
souterrain, e [sutɛʀɛ̃, ɛn] *adj* underground ▷ *nm* underground passage
soutien [sutjɛ̃] *nm* support; **soutien-gorge** *nm* bra
soutirer [sutiʀe] *vt*: **~ qch à qn** to squeeze *ou* get sth out of sb
souvenir [suv(ə)niʀ] *nm* (*réminiscence*) memory; (*objet*) souvenir ▷ *vb*: **se ~ de** to remember; **se ~ que** to remember that; **en ~ de** in memory *ou* remembrance of; **avec mes affectueux/meilleurs ~s, ...** with love from, .../regards, ...
souvent [suvɑ̃] *adv* often; **peu ~** seldom, infrequently
souverain, e [suv(ə)ʀɛ̃, ɛn] *nm/f* sovereign, monarch
soyeux, -euse [swajø, øz] *adj* silky
spacieux, -euse [spasjø, jøz] *adj* spacious, roomy
spaghettis [spageti] *nmpl* spaghetti *sg*
sparadrap [spaʀadʀa] *nm* sticking plaster (BRIT), Bandaid® (US)
spatial, e, -aux [spasjal, jo] *adj* (*Aviat*) space *cpd*
speaker, ine [spikœʀ, kʀin] *nm/f* announcer
spécial, e, -aux [spesjal, jo] *adj* special; (*bizarre*) peculiar; **spécialement** *adv* especially, particularly; (*tout exprès*) specially; **spécialiser**: **se spécialiser** *vi* to specialize; **spécialiste** *nm/f* specialist;

spécialité *nf* speciality; (*branche*) special field
spécifier [spesifje] *vt* to specify, state
spécimen [spesimɛn] *nm* specimen
spectacle [spɛktakl] *nm* (*scène*) sight; (*représentation*) show; (*industrie*) show business; **spectaculaire** *adj* spectacular
spectateur, -trice [spɛktatœʀ, tʀis] *nm/f* (*Cinéma etc*) member of the audience; (*Sport*) spectator; (*d'un événement*) onlooker, witness
spéculer [spekyle] *vi* to speculate
spéléologie [speleɔlɔʒi] *nf* potholing
sperme [spɛʀm] *nm* semen, sperm
sphère [sfɛʀ] *nf* sphere
spirale [spiʀal] *nf* spiral
spirituel, le [spiʀitɥɛl] *adj* spiritual; (*fin, piquant*) witty
splendide [splɑ̃did] *adj* splendid
spontané, e [spɔ̃tane] *adj* spontaneous; **spontanéité** *nf* spontaneity
sport [spɔʀ] *nm* sport ▷ *adj inv* (*vêtement*) casual; **faire du ~** to do sport; **sports d'hiver** winter sports; **sportif, -ive** *adj* (*journal, association, épreuve*) sports *cpd*; (*allure, démarche*) athletic; (*attitude, esprit*) sporting
spot [spɔt] *nm* (*lampe*) spot(light); (*annonce*); **spot (publicitaire)** commercial (break)
square [skwaʀ] *nm* public garden(s)
squelette [skəlɛt] *nm* skeleton; **squelettique** *adj* scrawny
SRAS [sʀas] *sigle m* (= *syndrome respiratoire aigu sévère*) SARS
Sri Lanka [sʀilɑ̃ka] *nm*: **le ~** Sri Lanka
stabiliser [stabilize] *vt* to stabilize
stable [stabl] *adj* stable, steady
stade [stad] *nm* (*Sport*) stadium; (*phase, niveau*) stage
stage [staʒ] *nm* (*cours*) training course; **~ de formation (professionnelle)** vocational (training) course; **~ de perfectionnement** advanced training course; **stagiaire** *nm/f, adj* trainee
stagner [stagne] *vi* to stagnate
stand [stɑ̃d] *nm* (*d'exposition*) stand; (*de foire*) stall; **stand de tir** (*à la foire, Sport*) shooting range
standard [stɑ̃daʀ] *adj inv* standard ▷ *nm* switchboard; **standardiste** *nm/f* switchboard operator
standing [stɑ̃diŋ] *nm* standing; **de grand ~** luxury
starter [staʀtɛʀ] *nm* (*Auto*) choke
station [stasjɔ̃] *nf* station; (*de bus*) stop; (*de villégiature*) resort; **station de ski** ski resort; **station de taxis** taxi rank (BRIT) *ou* stand (US); **stationnement** *nm* parking; **stationner** *vi* to park; **station-service** *nf* service station
statistique [statistik] *nf* (*science*) statistics *sg*; (*rapport, étude*) statistic ▷ *adj* statistical
statue [staty] *nf* statue
statu quo [statykwo] *nm* status quo
statut [staty] *nm* status; **statuts** *nmpl* (*Jur, Admin*) statutes; **statutaire** *adj* statutory
Sté *abr* = **société**
steak [stɛk] *nm* steak; **~ haché** hamburger
sténo(graphie) [stenɔ(gʀafi)] *nf* shorthand
stérile [steʀil] *adj* sterile
stérilet [steʀilɛ] *nm* coil, loop
stériliser [steʀilize] *vt* to sterilize
stimulant [stimylɑ̃] *nm* (*fig*) stimulus, incentive; (*physique*) stimulant
stimuler [stimyle] *vt* to stimulate
stipuler [stipyle] *vt* to stipulate
stock [stɔk] *nm* stock; **stocker** *vt* to stock
stop [stɔp] *nm* (*Auto: écriteau*) stop sign; (*: feu arrière*) brake-light; **faire du ~** (*fam*) to hitch(hike); **stopper** *vt, vi* to stop, halt
store [stɔʀ] *nm* blind; (*de magasin*) shade, awning
strabisme [stʀabism] *nm* squinting
strapontin [stʀapɔ̃tɛ̃] *nm* jump *ou* foldaway seat
stratégie [stʀateʒi] *nf* strategy; **stratégique** *adj* strategic
stress [stʀɛs] *nm* stress; **stressant, e** *adj* stressful; **stresser** *vt*: **stresser qn** to make sb (feel) tense
strict, e [stʀikt] *adj* strict; (*tenue, décor*) severe, plain; **le ~ nécessaire/minimum** the bare essentials/minimum
strident, e [stʀidɑ̃, ɑ̃t] *adj* shrill, strident
strophe [stʀɔf] *nf* verse, stanza
structure [stʀyktyʀ] *nf* structure; **~s d'accueil** reception facilities
studieux, -euse [stydjø, jøz] *adj* studious
studio [stydjo] *nm* (*logement*) (one-roomed) flatlet (BRIT) *ou* apartment (US); (*d'artiste, TV etc*) studio
stupéfait, e [stypefɛ, ɛt] *adj* astonished
stupéfiant, e [stypefjɑ̃, jɑ̃t] *adj* (*étonnant*) stunning, astounding ▷ *nm* (*Méd*) drug, narcotic
stupéfier [stypefje] *vt* (*étonner*) to stun, astonish
stupeur [stypœʀ] *nf* astonishment
stupide [stypid] *adj* stupid; **stupidité** *nf* stupidity; (*parole, acte*) stupid thing (to do *ou* say)
style [stil] *nm* style
stylé, e [stile] *adj* well-trained
styliste [stilist] *nm/f* designer
stylo [stilo] *nm*: **~ (à encre)** (fountain) pen; **stylo (à) bille** ball-point pen
su, e [sy] *pp de* **savoir** ▷ *nm*: **au su de** with the knowledge of
suave [sɥav] *adj* sweet
subalterne [sybaltɛʀn] *adj* (*employé, officier*) junior; (*rôle*) subordinate, subsidiary ▷ *nm/f* subordinate
subconscient [sypkɔ̃sjɑ̃] *nm* subconscious
subir [sybiʀ] *vt* (*affront, dégâts*) to suffer; (*opération, châtiment*) to undergo
subit, e [sybi, it] *adj* sudden; **subitement** *adv* suddenly, all of a sudden
subjectif, -ive [sybʒɛktif, iv] *adj* subjective
subjonctif [sybʒɔ̃ktif] *nm* subjunctive
subjuguer [sybʒyge] *vt* to captivate
submerger [sybmɛʀʒe] *vt* to submerge; (*fig*) to overwhelm
subordonné, e [sybɔʀdɔne] *adj, nm/f* subordinate
subrepticement [sybʀɛptismɑ̃] *adv* surreptitiously
subside [sybzid] *nm* grant
subsidiaire [sybzidjɛʀ] *adj*: **question ~** deciding question
subsister [sybziste] *vi* (*rester*) to remain, subsist; (*survivre*) to live on
substance [sypstɑ̃s] *nf* substance
substituer [sypstitɥe] *vt*: **~ qn/qch à** to substitute sb/sth for; **se ~ à qn** (*évincer*) to substitute o.s. for sb
substitut [sypstity] *nm* (*succédané*) substitute
subterfuge [syptɛʀfyʒ] *nm* subterfuge
subtil, e [syptil] *adj* subtle
subvenir [sybvəniʀ]: **~ à** *vt* to meet
subvention [sybvɑ̃sjɔ̃] *nf* subsidy, grant; **subventionner** *vt* to subsidize
suc [syk] *nm* (*Bot*) sap; (*de viande, fruit*) juice
succéder [syksede]: **~ à** *vt* to succeed; **se ~** *vi* (*accidents, années*) to follow one another
succès [syksɛ] *nm* success; **avoir du ~** to be a

success, be successful; **à ~** successful; **succès de librairie** bestseller
successeur [syksesœʀ] *nm* successor
successif, -ive [syksesif, iv] *adj* successive
succession [syksesjɔ̃] *nf* (*série, Pol*) succession; (*Jur: patrimoine*) estate, inheritance
succomber [sykɔ̃be] *vi* to die, succumb; (*fig*): **~ à** to succumb to
succulent, e [sykylɑ̃, ɑ̃t] *adj* (*repas, mets*) delicious
succursale [sykyʀsal] *nf* branch
sucer [syse] *vt* to suck; **sucette** *nf* (*bonbon*) lollipop; (*de bébé*) dummy (BRIT), pacifier (US)
sucre [sykʀ] *nm* (*substance*) sugar; (*morceau*) lump of sugar, sugar lump *ou* cube; **sucre d'orge** barley sugar; **sucre en morceaux/cristallisé/en poudre** lump/granulated/caster sugar; **sucre glace** icing sugar (BRIT), confectioner's sugar (US); **sucré, e** *adj* (*produit alimentaire*) sweetened; (*au goût*) sweet; **sucrer** *vt* (*thé, café*) to sweeten, put sugar in; **sucreries** *nfpl* (*bonbons*) sweets, sweet things; **sucrier** *nm* (*récipient*) sugar bowl
sud [syd] *nm*: **le ~** the south ▷ *adj inv* south; (*côte*) south, southern; **au ~** (*situation*) in the south; (*direction*) to the south; **au ~ de** (to the) south of; **sud-africain, e** *adj* South African ▷ *nm/f*: **Sud-Africain, e** South African; **sud-américain, e** *adj* South American ▷ *nm/f*: **Sud-Américain, e** South American; **sud-est** *nm, adj inv* south-east; **sud-ouest** *nm, adj inv* south-west
Suède [sɥɛd] *nf*: **la ~** Sweden; **suédois, e** *adj* Swedish ▷ *nm/f*: **Suédois, e** Swede ▷ *nm* (*Ling*) Swedish
suer [sɥe] *vi* to sweat; (*suinter*) to ooze; **sueur** *nf* sweat; **en sueur** sweating, in a sweat; **donner des sueurs froides à qn** to put sb in(to) a cold sweat
suffire [syfiʀ] *vi* (*être assez*): **~ (à qn/pour qch/ pour faire)** to be enough *ou* sufficient (for sb/for sth/to do); **il suffit d'une négligence ...** it only takes one act of carelessness ...; **il suffit qu'on oublie pour que ...** one only needs to forget for ...; **ça suffit!** that's enough!
suffisamment [syfizamɑ̃] *adv* sufficiently, enough; **~ de** sufficient, enough
suffisant, e [syfizɑ̃, ɑ̃t] *adj* sufficient; (*résultats*) satisfactory; (*vaniteux*) self-important, bumptious
suffixe [syfiks] *nm* suffix
suffoquer [syfɔke] *vt* to choke, suffocate; (*stupéfier*) to stagger, astound ▷ *vi* to choke, suffocate
suffrage [syfʀaʒ] *nm* (*Pol: voix*) vote
suggérer [sygʒeʀe] *vt* to suggest; **suggestion** *nf* suggestion
suicide [sɥisid] *nm* suicide; **suicider**: **se suicider** *vi* to commit suicide
suie [sɥi] *nf* soot
suisse [sɥis] *adj* Swiss ▷ *nm*: **S~** Swiss *pl inv* ▷ *nf*: **la S~** Switzerland; **la S~ romande/allemande** French-speaking/German-speaking Switzerland
suite [sɥit] *nf* (*continuation: d'énumération etc*) rest, remainder; (*: de feuilleton*) continuation; (*: film etc sur le même thème*) sequel; (*série*) series, succession; (*conséquence*) result; (*ordre, liaison logique*) coherence; (*appartement, Mus*) suite; (*escorte*) retinue, suite; **suites** *nfpl* (*d'une maladie etc*) effects; **prendre la ~ de** (*directeur etc*) to succeed, take over from; **donner ~ à** (*requête, projet*) to follow up; **faire ~ à** to follow; **(faisant) ~ à votre lettre du ...** further to your letter of the ...; **de ~** (*d'affilée*) in succession; (*immédiatement*) at once; **par la ~** afterwards, subsequently; **à la ~** one after the other; **à la ~ de** (*derrière*) behind; (*en conséquence de*) following
suivant, e [sɥivɑ̃, ɑ̃t] *adj* next, following ▷ *prép* (*selon*) according to; **au ~!** next!
suivi, e [sɥivi] *adj* (*effort, qualité*) consistent; (*cohérent*) coherent; **très/peu ~** (*cours*) well-/poorly-attended
suivre [sɥivʀ] *vt* (*gén*) to follow; (*Scol: cours*) to attend; (*comprendre*) to keep up with; (*Comm: article*) to continue to stock ▷ *vi* to follow; (*élève: assimiler*) to keep up; **se ~** *vi* (*accidents etc*) to follow one after the other; **faire ~** (*lettre*) to forward; **"à ~"** "to be continued"
sujet, te [syʒɛ, ɛt] *adj*: **être ~ à** (*vertige etc*) to be liable *ou* subject to ▷ *nm/f* (*d'un souverain*) subject ▷ *nm* subject; **au ~ de** about; **sujet de conversation** topic *ou* subject of conversation; **sujet d'examen** (*Scol*) examination question
super [sypɛʀ] (*fam*) *adj inv* terrific, great, fantastic, super
superbe [sypɛʀb] *adj* magnificent, superb
superficie [sypɛʀfisi] *nf* (surface) area
superficiel, le [sypɛʀfisjɛl] *adj* superficial
superflu, e [sypɛʀfly] *adj* superfluous
supérieur, e [sypeʀjœʀ] *adj* (*lèvre, étages, classes*) upper; (*plus élevé: température, niveau, enseignement*): **~ (à)** higher (than); (*meilleur: qualité, produit*): **~ (à)** superior (to); (*excellent, hautain*) superior ▷ *nm, nf* superior; **supériorité** *nf* superiority
supermarché [sypɛʀmaʀʃe] *nm* supermarket
superposer [sypɛʀpoze] *vt* (*faire chevaucher*) to superimpose; **lits superposés** bunk beds
superpuissance [sypɛʀpɥisɑ̃s] *nf* super-power
superstitieux, -euse [sypɛʀstisjø, jøz] *adj* superstitious
superviser [sypɛʀvize] *vt* to supervise
supplanter [syplɑ̃te] *vt* to supplant
suppléant, e [sypleɑ̃, -ɑ̃t] *adj* (*professeur*) supply *cpd*; (*juge, fonctionnaire*) deputy *cpd* ▷ *nm/f* (*professeur*) supply teacher
suppléer [syplee] *vt* (*ajouter: mot manquant etc*) to supply, provide; (*compenser: lacune*) to fill in; **~ à** to make up for
supplément [syplemɑ̃] *nm* supplement; (*de frites etc*) extra portion; **un ~ de travail** extra *ou* additional work; **payer un ~** to pay an additional charge; **le vin est en ~** wine is extra; **supplémentaire** *adj* additional, further; (*train, bus*) relief *cpd*, extra
supplications [syplikasjɔ̃] *nfpl* pleas, entreaties
supplice [syplis] *nm* torture *no pl*
supplier [syplije] *vt* to implore, beseech
support [sypɔʀ] *nm* support; (*publicitaire*) medium; (*audio-visuel*) aid
supportable [sypɔʀtabl] *adj* (*douleur*) bearable
supporter[1] [sypɔʀtɛʀ] *nm* supporter, fan
supporter[2] [sypɔʀte] *vt* (*conséquences, épreuve*) to bear, endure; (*défauts, personne*) to put up with; (*suj: chose: chaleur etc*) to withstand; (*: personne: chaleur, vin*) to be able to take
supposer [sypoze] *vt* to suppose; (*impliquer*) to presuppose; **à ~ que** supposing (that)
suppositoire [sypozitwaʀ] *nm* suppository
suppression [sypʀesjɔ̃] *nf* (*voir supprimer*) cancellation; removal; deletion
supprimer [sypʀime] *vt* (*congés, service d'autobus etc*) to cancel; (*emplois, privilèges, témoin gênant*) to do away with; (*cloison, cause, anxiété*) to remove; (*clause, mot*) to delete

suprême [sypʀɛm] *adj* supreme

 **MOT-CLÉ**

sur [syʀ] *prép* **1** (*position*) on; (*par-dessus*) over; (*au-dessus*) above; **pose-le sur la table** put it on the table; **je n'ai pas d'argent sur moi** I haven't any money on me
2 (*direction*) towards; **en allant sur Paris** going towards Paris; **sur votre droite** on *ou* to your right
3 (*à propos de*) on, about; **un livre/une conférence sur Balzac** a book/lecture on *ou* about Balzac
4 (*proportion*) out of; **un sur 10** one in 10; (*Scol*) one out of 10
5 (*mesures*) by; **4 m sur 2** 4 m by 2
6 (*succession*): **avoir accident sur accident** to have one accident after the other

sûr, e [syʀ] *adj* sure, certain; (*digne de confiance*) reliable; (*sans danger*) safe; (*diagnostic, goût*) reliable; **le plus ~ est de** the safest thing is to; **sûr de soi** self-assured, self-confident
surcharge [syʀʃaʀʒ] *nf* (*de passagers, marchandises*) excess load; **surcharger** *vt* to overload
surcroît [syʀkʀwa] *nm*: **un ~ de** additional *+nom*; **par** *ou* **de ~** moreover; **en ~** in addition
surdité [syʀdite] *nf* deafness
sûrement [syʀmɑ̃] *adv* (*certainement*) certainly; (*sans risques*) safely
surenchère [syʀɑ̃ʃɛʀ] *nf* (*aux enchères*) higher bid; **surenchérir** *vi* to bid higher; (*fig*) to try and outbid each other
surestimer [syʀɛstime] *vt* to overestimate
sûreté [syʀte] *nf* (*sécurité*) safety; (*exactitude: de renseignements etc*) reliability; (*d'un geste*) steadiness; **mettre en ~** to put in a safe place; **pour plus de ~** as an extra precaution, to be on the safe side
surf [sœʀf] *nm* surfing
surface [syʀfas] *nf* surface; (*superficie*) surface area; **une grande ~** a supermarket; **faire ~** to surface; **en ~** near the surface; (*fig*) superficially
surfait, e [syʀfɛ, ɛt] *adj* overrated
surfer [syʀfe] *vi*: **~ sur Internet** to surf *ou* browse the Internet
surgelé, e [syʀʒəle] *adj* (deep-)frozen ▷ *nm*: **les ~s** (deep-)frozen food
surgir [syʀʒiʀ] *vi* to appear suddenly; (*fig: problème, conflit*) to arise
sur...: **surhumain, e** *adj* superhuman; **sur-le-champ** *adv* immediately; **surlendemain** *nm*: **le surlendemain (soir)** two days later (in the evening); **le surlendemain de** two days after; **surmenage** *nm* overwork(ing); **surmener**: **se surmener** *vi* to overwork
surmonter [syʀmɔ̃te] *vt* (*vaincre*) to overcome; (*être au-dessus de*) to top
surnaturel, le [syʀnatyʀɛl] *adj, nm* supernatural
surnom [syʀnɔ̃] *nm* nickname
surnombre [syʀnɔ̃bʀ] *nm*: **être en ~** to be too many (*ou* one too many)
surpeuplé, e [syʀpœple] *adj* overpopulated
surplace [syʀplas] *nm*: **faire du ~** to mark time
surplomber [syʀplɔ̃be] *vt, vi* to overhang
surplus [syʀply] *nm* (*Comm*) surplus; (*reste*): **~ de bois** wood left over
surprenant, e [syʀpʀənɑ̃, ɑ̃t] *adj* amazing
surprendre [syʀpʀɑ̃dʀ] *vt* (*étonner*) to surprise; (*tomber sur: intrus etc*) to catch; (*entendre*) to overhear
surpris, e [syʀpʀi, iz] *adj*: **~ (de/que)** surprised (at/that); **surprise** *nf* surprise; **faire une surprise à qn** to give sb a surprise; **surprise-partie** *nf* party
sursaut [syʀso] *nm* start, jump; **~ de** (*énergie, indignation*) sudden fit *ou* burst of; **en ~** with a start; **sursauter** *vi* to (give a) start, jump
sursis [syʀsi] *nm* (*Jur: gén*) suspended sentence; (*fig*) reprieve
surtout [syʀtu] *adv* (*avant tout, d'abord*) above all; (*spécialement, particulièrement*) especially; **~, ne dites rien!** whatever you do don't say anything!; **~ pas!** certainly *ou* definitely not!; **~ que ...** especially as ...
surveillance [syʀvɛjɑ̃s] *nf* watch; (*Police, Mil*) surveillance; **sous ~ médicale** under medical supervision
surveillant, e [syʀvɛjɑ̃, ɑ̃t] *nm/f* (*de prison*) warder; (*Scol*) monitor
surveiller [syʀveje] *vt* (*enfant, élèves, bagages*) to watch, keep an eye on; (*prisonnier, suspect*) to keep (a) watch on; (*territoire, bâtiment*) to (keep) watch over; (*travaux, cuisson*) to supervise; (*Scol: examen*) to invigilate; **~ son langage/sa ligne** to watch one's language/figure
survenir [syʀvəniʀ] *vi* (*incident, retards*) to occur, arise; (*événement*) to take place
survêtement [syʀvɛtmɑ̃] *nm* tracksuit
survie [syʀvi] *nf* survival; **survivant, e** *nm/f* survivor; **survivre** *vi* to survive; **survivre à** (*accident etc*) to survive
survoler [syʀvɔle] *vt* to fly over; (*fig: livre*) to skim through
survolté, e [syʀvɔlte] *adj* (*fig*) worked up
sus [sy(s)]: **en ~ de** *prép* in addition to, over and above; **en ~** in addition
susceptible [sysɛptibl] *adj* touchy, sensitive; **~ de faire** (*hypothèse*) liable to do
susciter [sysite] *vt* (*admiration*) to arouse; (*ennuis*): **~ (à qn)** to create (for sb)
suspect, e [syspɛ(kt), ɛkt] *adj* suspicious; (*témoignage, opinions*) suspect ▷ *nm/f* suspect; **suspecter** *vt* to suspect; (*honnêteté de qn*) to question, have one's suspicions about
suspendre [syspɑ̃dʀ] *vt* (*accrocher: vêtement*): **~ qch (à)** to hang sth up (on); (*interrompre, démettre*) to suspend
suspendu, e [syspɑ̃dy] *adj* (*accroché*): **~ à** hanging on (*ou* from); (*perché*): **~ au-dessus de** suspended over
suspens [syspɑ̃]: **en ~** *adv* (*affaire*) in abeyance; **tenir en ~** to keep in suspense
suspense [syspɛns, syspɑ̃s] *nm* suspense
suspension [syspɑ̃sjɔ̃] *nf* suspension; (*lustre*) light fitting *ou* fitment
suture [sytyʀ] *nf* (*Méd*): **point de ~** stitch
svelte [svɛlt] *adj* slender, svelte
SVP *abr* (= *s'il vous plaît*) please
sweat [swit] *nm* (*fam*) sweatshirt
sweat-shirt [switʃœʀt] (*pl* **~s**) *nm* sweatshirt
syllabe [si(l)lab] *nf* syllable
symbole [sɛ̃bɔl] *nm* symbol; **symbolique** *adj* symbolic(al); (*geste, offrande*) token *cpd*; **symboliser** *vt* to symbolize
symétrique [simetʀik] *adj* symmetrical
sympa [sɛ̃pa] (*fam*) *adj inv* nice; **sois ~, prête-le moi** be a pal and lend it to me
sympathie [sɛ̃pati] *nf* (*inclination*) liking; (*affinité*) friendship; (*condoléances*) sympathy; **j'ai beaucoup de ~ pour lui** I like him a lot; **sympathique** *adj* nice,

friendly
sympathisant, e [sɛ̃patizɑ̃, ɑ̃t] *nm/f* sympathizer
sympathiser [sɛ̃patize] *vi* (*voisins etc: s'entendre*) to get on (BRIT) *ou* along (US) (well)
symphonie [sɛ̃fɔni] *nf* symphony
symptôme [sɛ̃ptom] *nm* symptom
synagogue [sinagɔg] *nf* synagogue
syncope [sɛ̃kɔp] *nf* (*Méd*) blackout; **tomber en ~** to faint, pass out
syndic [sɛ̃dik] *nm* (*d'immeuble*) managing agent
syndical, e, -aux [sɛ̃dikal, o] *adj* (trade) union *cpd*; **syndicaliste** *nm/f* trade unionist
syndicat [sɛ̃dika] *nm* (*d'ouvriers, employés*) (trade) union; **syndicat d'initiative** tourist office; **syndiqué, e** *adj* belonging to a (trade) union; **syndiquer**: **se syndiquer** *vi* to form a trade union; (*adhérer*) to join a trade union
synonyme [sinɔnim] *adj* synonymous ▷ *nm* synonym; **~ de** synonymous with
syntaxe [sɛ̃taks] *nf* syntax
synthèse [sɛ̃tɛz] *nf* synthesis
synthétique [sɛ̃tetik] *adj* synthetic
Syrie [siʀi] *nf*: **la ~** Syria
systématique [sistematik] *adj* systematic
système [sistɛm] *nm* system; **le ~ D** resourcefulness

t' [t] *pron voir* **te**
ta [ta] *adj voir* **ton'**
tabac [taba] *nm* tobacco; (*magasin*) tobacconist's (shop)
tabagisme [tabaʒism] *nm*: **tabagisme passif** passive smoking
table [tabl] *nf* table; **à ~!** dinner *etc* is ready!; **se mettre à ~** to sit down to eat; **mettre la ~** to lay the table; **une ~ pour 4, s'il vous plaît** a table for 4, please; **table à repasser** ironing board; **table de cuisson** hob; **table de nuit** *ou* **de chevet** bedside table; **table des matières** (table of) contents *pl*; **table d'orientation** viewpoint indicator; **table roulante** trolley (BRIT), tea wagon (US)
tableau, x [tablo] *nm* (*peinture*) painting; (*reproduction, fig*) picture; (*panneau*) board; (*schéma*) table, chart; **tableau d'affichage** notice board; **tableau de bord** dashboard; (*Aviat*) instrument panel; **tableau noir** blackboard
tablette [tablɛt] *nf* (*planche*) shelf; **tablette de chocolat** bar of chocolate
tablier [tablije] *nm* apron
tabou [tabu] *nm* taboo
tabouret [tabuʀɛ] *nm* stool
tac [tak] *nm*: **il m'a répondu du ~ au ~** he answered me right back
tache [taʃ] *nf* (*saleté*) stain, mark; (*Art, de couleur, lumière*) spot; **tache de rousseur** freckle
tâche [tɑʃ] *nf* task
tacher [taʃe] *vt* to stain, mark
tâcher [tɑʃe] *vi*: **~ de faire** to try *ou* endeavour to do
tacheté, e [taʃte] *adj* spotted
tact [takt] *nm* tact; **avoir du ~** to be tactful
tactique [taktik] *adj* tactical ▷ *nf* (*technique*) tactics *sg*; (*plan*) tactic
taie [tɛ] *nf*: **~ (d'oreiller)** pillowslip, pillowcase
taille [tɑj] *nf* cutting; (*d'arbre etc*) pruning; (*milieu du corps*) waist; (*hauteur*) height; (*grandeur*) size; **de ~ à faire** capable of doing; **de ~** sizeable; **taille-crayon(s)** *nm* pencil sharpener
tailler [tɑje] *vt* (*pierre, diamant*) to cut; (*arbre, plante*) to prune; (*vêtement*) to cut out; (*crayon*) to sharpen
tailleur [tɑjœʀ] *nm* (*couturier*) tailor; (*vêtement*) suit; **en ~** (*assis*) cross-legged
taillis [taji] *nm* copse
taire [tɛʀ] *vi*: **faire ~ qn** to make sb be quiet; **se ~** *vi* to be silent *ou* quiet; **taisez-vous!** be quiet!
Taiwan [tajwan] *nf* Taiwan
talc [talk] *nm* talc, talcum powder
talent [talɑ̃] *nm* talent
talkie-walkie [tokiwoki] *nm* walkie-talkie
talon [talɔ̃] *nm* heel; (*de chèque, billet*) stub, counterfoil (BRIT); **talons plats/aiguilles** flat/stiletto heels
talus [taly] *nm* embankment
tambour [tɑ̃buʀ] *nm* (*Mus, aussi Tech*) drum; (*musicien*) drummer; (*porte*) revolving door(s *pl*); **tambourin** *nm* tambourine
Tamise [tamiz] *nf*: **la ~** the Thames
tamisé, e [tamize] *adj* (*fig*) subdued, soft
tampon [tɑ̃pɔ̃] *nm* (*de coton, d'ouate*) wad, pad; (*amortisseur*) buffer; (*bouchon*) plug, stopper; (*cachet, timbre*) stamp; **(mémoire) ~** (*Inform*) buffer; **tampon (hygiénique)** tampon; **tamponner** *vt* (*timbres*) to stamp; (*heurter*) to crash *ou* ram into; **tamponneuse** *adj f*: **autos tamponneuses** dodgems
tandem [tɑ̃dɛm] *nm* tandem
tandis [tɑ̃di]: **~ que** *conj* while
tanguer [tɑ̃ge] *vi* to pitch (and toss)
tant [tɑ̃] *adv* so much; **~ de** (*sable, eau*) so much; (*gens, livres*) so many; **~ que** as long as; (*autant que*) as much as; **~ mieux** that's great; (*avec une certaine réserve*) so much the better; **~ pis** too bad; (*conciliant*) never mind; **~ bien que mal** as well as can be expected
tante [tɑ̃t] *nf* aunt
tantôt [tɑ̃to] *adv* (*parfois*): **~ ... ~** now ... now; (*cet après-midi*) this afternoon
taon [tɑ̃] *nm* horsefly
tapage [tapaʒ] *nm* uproar, din
tapageur, -euse [tapaʒœʀ, øz] *adj* noisy; (*voyant*) loud, flashy
tape [tap] *nf* slap
tape-à-l'œil [tapalœj] *adj inv* flashy, showy
taper [tape] *vt* (*porte*) to bang, slam; (*enfant*) to slap; (*dactylographier*) to type (out); (*fam: emprunter*): **~ qn de 10 euros** to touch sb for 10 euros ▷ *vi* (*soleil*) to beat down; **se ~** *vt* (*repas*) to put away; (*fam: corvée*) to get landed with; **~ sur qn** to thump sb; (*fig*) to run sb down; **~ sur un clou** to hit a nail; **~ sur la table** to bang on the table; **~ à** (*porte etc*) to knock on; **~ dans** (*se servir*) to dig into; **~ des mains/pieds** to clap one's hands/stamp one's feet; **~ (à la machine)**

to type
tapi, e [tapi] *adj* (*blotti*) crouching; (*caché*) hidden away
tapis [tapi] *nm* carpet; (*petit*) rug; **tapis de sol** (*de tente*) groundsheet; **tapis de souris** (*Inform*) mouse mat; **tapis roulant** (*pour piétons*) moving walkway; (*pour bagages*) carousel
tapisser [tapise] *vt* (*avec du papier peint*) to paper; (*recouvrir*): **~ qch (de)** to cover sth (with); **tapisserie** *nf* (*tenture, broderie*) tapestry; (*papier peint*) wallpaper; **tapissier-décorateur** *nm* interior decorator
tapoter [tapɔte] *vt* (*joue, main*) to pat; (*objet*) to tap
taquiner [takine] *vt* to tease
tard [taʀ] *adv* late; **plus ~** later (on); **au plus ~** at the latest; **sur le ~** late in life; **il est trop ~** it's too late
tarder [taʀde] *vi* (*chose*) to be a long time coming; (*personne*): **~ à faire** to delay doing; **il me tarde d'être** I am longing to be; **sans (plus) ~** without (further) delay
tardif, -ive [taʀdif, iv] *adj* late
tarif [taʀif] *nm*: **~ des consommations** price list; **~s postaux/douaniers** postal/customs rates; **~ des taxis** taxi fares; **~ plein/réduit** (*train*) full/reduced fare; (*téléphone*) peak/off-peak rate
tarir [taʀiʀ] *vi* to dry up, run dry
tarte [taʀt] *nf* tart; **~ aux fraises** strawberry tart; **~ Tatin** ≈ apple upside-down tart
tartine [taʀtin] *nf* slice of bread; **tartine de miel** slice of bread and honey; **tartiner** *vt* to spread; **fromage à tartiner** cheese spread
tartre [taʀtʀ] *nm* (*des dents*) tartar; (*de bouilloire*) fur, scale
tas [tɑ] *nm* heap, pile; (*fig*): **un ~ de** heaps of, lots of; **en ~** in a heap *ou* pile; **formé sur le ~** trained on the job
tasse [tɑs] *nf* cup; **tasse à café** coffee cup
tassé, e [tɑse] *adj*: **bien ~** (*café etc*) strong
tasser [tɑse] *vt* (*terre, neige*) to pack down; (*entasser*): **~ qch dans** to cram sth into; **se ~** *vi* (*se serrer*) to squeeze up; (*s'affaisser*) to settle; (*fig*) to settle down
tâter [tɑte] *vt* to feel; (*fig*) to try out; **se ~** (*hésiter*) to be in two minds; **~ de** (*prison etc*) to have a taste of
tatillon, ne [tatijɔ̃, ɔn] *adj* pernickety
tâtonnement [tɑtɔnmɑ̃] *nm*: **par ~s** (*fig*) by trial and error
tâtonner [tɑtɔne] *vi* to grope one's way along
tâtons [tɑtɔ̃]: **à ~** *adv*: **chercher/avancer à ~** to grope around for/grope one's way forward
tatouage [tatwaʒ] *nm* tattoo
tatouer [tatwe] *vt* to tattoo
taudis [todi] *nm* hovel, slum
taule [tol] (*fam*) *nf* nick (*fam*), prison
taupe [top] *nf* mole
taureau, x [tɔʀo] *nm* bull; (*signe*): **le T~** Taurus
taux [to] *nm* rate; (*d'alcool*) level; **taux d'intérêt** interest rate
taxe [taks] *nf* tax; (*douanière*) duty; **toutes ~s comprises** inclusive of tax; **la boutique hors ~s** the duty-free shop; **taxe à la valeur ajoutée** value-added tax; **taxe de séjour** tourist tax
taxer [takse] *vt* (*personne*) to tax; (*produit*) to put a tax on, tax
taxi [taksi] *nm* taxi; (*chauffeur*: *fam*) taxi driver; **pouvez-vous m'appeler un ~, s'il vous plaît?** can you call me a taxi, please?
Tchécoslovaquie [tʃekɔslɔvaki] *nf* Czechoslovakia; **tchèque** *adj* Czech ▷ *nm/f*: **Tchèque** Czech ▷ *nm* (*Ling*) Czech; **la République tchèque** the Czech Republic
Tchétchénie [tʃetʃeni] *nf*: **la ~** Chechnya
te, t' [tə] *pron* you; (*réfléchi*) yourself
technicien, ne [tɛknisjɛ̃, jɛn] *nm/f* technician
technico-commercial, e, -aux [tɛknikokɔmɛʀsjal, jo] *adj*: **agent ~** sales technician
technique [tɛknik] *adj* technical ▷ *nf* technique; **techniquement** *adv* technically
techno [tɛkno] *nf* (*Mus*) techno (music)
technologie [tɛknɔlɔʒi] *nf* technology; **technologique** *adj* technological
teck [tɛk] *nm* teak
tee-shirt [tiʃœʀt] *nm* T-shirt, tee-shirt
teindre [tɛ̃dʀ] *vt* to dye; **se ~ les cheveux** to dye one's hair; **teint, e** *adj* dyed ▷ *nm* (*du visage*) complexion; (*momentané*) colour ▷ *nf* shade; **grand teint** colourfast
teinté, e [tɛ̃te] *adj*: **~ de** (*fig*) tinged with
teinter [tɛ̃te] *vt* (*verre, papier*) to tint; (*bois*) to stain
teinture [tɛ̃tyʀ] *nf* dye; **teinture d'iode** tincture of iodine; **teinturerie** *nf* dry cleaner's; **teinturier** *nm* dry cleaner
tel, telle [tɛl] *adj* (*pareil*) such; (*comme*): **~ un/des ...** like a/like ...; (*indéfini*) such-and-such a; (*intensif*): **un ~/de ~s ...** such (a)/such ...; **rien de ~** nothing like it; **~ que** like, such as; **~ quel** as it is *ou* stands (*ou* was *etc*); **venez ~ jour** come on such-and-such a day
télé [tele] (*fam*) *nf* TV; **à la ~** on TV *ou* telly
télé...: **télécabine** *nf* (*benne*) cable car; **télécarte** *nf* phonecard; **téléchargeable** *adj* downloadable; **téléchargement** *nm* (*action*) downloading; (*fichier*) download; **télécharger** *vt* to download; **télécommande** *nf* remote control; **télécopieur** *nm* fax machine; **télédistribution** *nf* cable TV; **télégramme** *nm* telegram; **télégraphier** *vt* to telegraph, cable; **téléguider** *vt* to radio-control; **télématique** *nf* telematics *sg*; **téléobjectif** *nm* telephoto lens *sg*; **télépathie** *nf* telepathy; **téléphérique** *nm* cable car
téléphone [telefɔn] *nm* telephone; **avoir le ~** to be on the (tele)phone; **au ~** on the phone; **téléphoner** *vi* to make a phone call; **téléphoner à** to phone, call up; **est-ce que je peux téléphoner d'ici?** can I make a call from here?; **téléphonique** *adj* (tele)phone *cpd*
télé...: **téléréalité** *nf* reality TV
télescope [telɛskɔp] *nm* telescope
télescoper [telɛskɔpe] *vt* to smash up; **se ~** (*véhicules*) to concertina
télé...: **téléscripteur** *nm* teleprinter; **télésiège** *nm* chairlift; **téléski** *nm* ski-tow; **téléspectateur, -trice** *nm/f* (television) viewer; **télétravail** *nm* telecommuting; **télévente** *nf* telesales; **téléviseur** *nm* television set; **télévision** *nf* television; **à la télévision** on television; **télévision numérique** digital TV; **télévision par câble/satellite** cable/satellite television
télex [telɛks] *nm* telex
telle [tɛl] *adj voir* **tel**; **tellement** *adv* (*tant*) so much; (*si*) so; **tellement de** (*sable, eau*) so much; (*gens, livres*) so many; **il s'est endormi tellement il était fatigué** he was so tired (that) he fell asleep; **pas tellement** not (all) that much; not (all) that +*adjectif*
téméraire [temeʀɛʀ] *adj* reckless, rash
témoignage [temwaɲaʒ] *nm* (*Jur*: *déclaration*) testimony *no pl*, evidence *no pl*; (*rapport, récit*) account; (*fig*: *d'affection etc*: *cadeau*) token, mark; (: *geste*) expression

témoigner [temwaɲe] *vt* (*intérêt, gratitude*) to show ▷ *vi* (*Jur*) to testify, give evidence; **~ de** to bear witness to, testify to
témoin [temwɛ̃] *nm* witness ▷ *adj*: **appartement ~** show flat (BRIT); **être ~ de** to witness; **témoin oculaire** eyewitness
tempe [tɑ̃p] *nf* temple
tempérament [tɑ̃peʀamɑ̃] *nm* temperament, disposition; **à ~** (*vente*) on deferred (payment) terms; (*achat*) by instalments, hire purchase *cpd*
température [tɑ̃peʀatyʀ] *nf* temperature; **avoir** *ou* **faire de la ~** to be running *ou* have a temperature
tempête [tɑ̃pɛt] *nf* storm; **tempête de sable/neige** sand/snowstorm
temple [tɑ̃pl] *nm* temple; (*protestant*) church
temporaire [tɑ̃pɔʀɛʀ] *adj* temporary
temps [tɑ̃] *nm* (*atmosphérique*) weather; (*durée*) time; (*époque*) time, times *pl*; (*Ling*) tense; (*Mus*) beat; (*Tech*) stroke; **un ~ de chien** (*fam*) rotten weather; **quel ~ fait-il?** what's the weather like?; **il fait beau/mauvais ~** the weather is fine/bad; **avoir le ~/tout son ~** to have time/plenty of time; **en ~ de paix/guerre** in peacetime/wartime; **en ~ utile** *ou* **voulu** in due time *ou* course; **ces derniers ~** lately; **dans quelque ~** in a (little) while; **de ~ en ~, de ~ à autre** from time to time; **à ~** (*partir, arriver*) in time; **à ~ complet, à plein ~** full-time; **à ~ partiel, à mi-~** part-time; **dans le ~** at one time; **temps d'arrêt** pause, halt; **temps libre** free *ou* spare time; **temps mort** (*Comm*) slack period
tenable [t(ə)nabl] *adj* bearable
tenace [tənas] *adj* persistent
tenant, e [tənɑ̃, ɑ̃t] *nm/f* (*Sport*): **~ du titre** title-holder
tendance [tɑ̃dɑ̃s] *nf* tendency; (*opinions*) leanings *pl*, sympathies *pl*; (*évolution*) trend; **avoir ~ à** to have a tendency to, tend to
tendeur [tɑ̃dœʀ] *nm* (*attache*) elastic strap
tendre [tɑ̃dʀ] *adj* tender; (*bois, roche, couleur*) soft ▷ *vt* (*élastique, peau*) to stretch; (*corde*) to tighten; (*muscle*) to tense; (*fig: piège*) to set, lay; (*donner*): **~ qch à qn** to hold sth out to sb; (*offrir*) to offer sb sth; **se ~** *vi* (*corde*) to tighten; (*relations*) to become strained; **~ à qch/à faire** to tend towards sth/to do; **~ l'oreille** to prick up one's ears; **~ la main/le bras** to hold out one's hand/stretch out one's arm; **tendrement** *adv* tenderly; **tendresse** *nf* tenderness
tendu, e [tɑ̃dy] *pp de* **tendre** ▷ *adj* (*corde*) tight; (*muscles*) tensed; (*relations*) strained
ténèbres [tenɛbʀ] *nfpl* darkness *sg*
teneur [tənœʀ] *nf* content; (*d'une lettre*) terms *pl*, content
tenir [t(ə)niʀ] *vt* to hold; (*magasin, hôtel*) to run; (*promesse*) to keep ▷ *vi* to hold; (*neige, gel*) to last; **se ~** *vi* (*avoir lieu*) to be held, take place; (*être: personne*) to stand; **~ à** (*personne, objet*) to be attached to; (*réputation*) to care about; **~ à faire** to be determined to do; **~ de** (*ressembler à*) to take after; **ça ne tient qu'à lui** it is entirely up to him; **~ qn pour** to regard sb as; **~ qch de qn** (*histoire*) to have heard *ou* learnt sth from sb; (*qualité, défaut*) to have inherited *ou* got sth from sb; **~ dans** to fit into; **~ compte de qch** to take sth into account; **~ les comptes** to keep the books; **~ bon** to stand fast; **~ le coup** to hold out; **~ au chaud** (*café, plat*) to keep hot; **un manteau qui tient chaud** a warm coat; **tiens/tenez, voilà le stylo** there's the pen!; **tiens, voilà Alain!** look, here's Alain!; **tiens?** (*surprise*) really?; **se ~ droit** to stand (*ou* sit) up straight; **bien se ~** to behave well; **se ~ à qch** to hold on to sth; **s'en ~ à qch** to confine o.s. to sth
tennis [tenis] *nm* tennis; (*court*) tennis court ▷ *nm ou f pl* (*aussi*: **chaussures de ~**) tennis *ou* gym shoes; **tennis de table** table tennis; **tennisman** *nm* tennis player
tension [tɑ̃sjɔ̃] *nf* tension; (*Méd*) blood pressure; **avoir de la ~** to have high blood pressure
tentation [tɑ̃tasjɔ̃] *nf* temptation
tentative [tɑ̃tativ] *nf* attempt
tente [tɑ̃t] *nf* tent
tenter [tɑ̃te] *vt* (*éprouver, attirer*) to tempt; (*essayer*): **~ qch/de faire** to attempt *ou* try sth/to do; **~ sa chance** to try one's luck
tenture [tɑ̃tyʀ] *nf* hanging
tenu, e [t(ə)ny] *pp de* **tenir** ▷ *adj* (*maison, comptes*): **bien ~** well-kept; (*obligé*): **~ de faire** obliged to do ▷ *nf* (*vêtements*) clothes *pl*; (*comportement*) (good) manners *pl*, good behaviour; (*d'une maison*) upkeep; **en petite ~e** scantily dressed *ou* clad
ter [tɛʀ] *adj*: **16 ~** 16b *ou* B
terme [tɛʀm] *nm* term; (*fin*) end; **à court/long ~** *adj* short-/long-term ▷ *adv* in the short/long term; **avant ~** (*Méd*) prematurely; **mettre un ~ à** to put an end *ou* a stop to; **en bons ~s** on good terms
terminaison [tɛʀminɛzɔ̃] *nf* (*Ling*) ending
terminal, -aux [tɛʀminal, o] *nm* terminal; **terminale** *nf* (*Scol*) ≈ year 13 (BRIT), ≈ twelfth grade (US)
terminer [tɛʀmine] *vt* to finish; **se ~** *vi* to end; **quand est-ce que le spectacle se termine?** when does the show finish?
terne [tɛʀn] *adj* dull
ternir [tɛʀniʀ] *vt* to dull; (*fig*) to sully, tarnish; **se ~** *vi* to become dull
terrain [teʀɛ̃] *nm* (*sol, fig*) ground; (*Comm: étendue de terre*) land *no pl*; (*parcelle*) plot (of land); (*à bâtir*) site; **sur le ~** (*fig*) on the field; **terrain d'aviation** airfield; **terrain de camping** campsite; **terrain de football/rugby** football/rugby pitch (BRIT) *ou* field (US); **terrain de golf** golf course; **terrain de jeu** games field; (*pour les petits*) playground; **terrain de sport** sports ground; **terrain vague** waste ground *no pl*
terrasse [teʀas] *nf* terrace; **à la ~** (*café*) outside; **terrasser** *vt* (*adversaire*) to floor; (*suj: maladie etc*) to strike down
terre [tɛʀ] *nf* (*gén, aussi Élec*) earth; (*substance*) soil, earth; (*opposé à mer*) land *no pl*; (*contrée*) land; **terres** *nfpl* (*terrains*) lands, land *sg*; **en ~** (*pipe, poterie*) clay *cpd*; **à ~** *ou* **par ~** (*mettre, être, s'asseoir*) on the ground (*ou* floor); (*jeter, tomber*) to the ground, down; **terre à terre** *adj inv* (*considération, personne*) down-to-earth; **terre cuite** terracotta; **la terre ferme** dry land; **terre glaise** clay
terreau [teʀo] *nm* compost
terre-plein [tɛʀplɛ̃] *nm* platform; (*sur chaussée*) central reservation
terrestre [teʀɛstʀ] *adj* (*surface*) earth's, of the earth; (*Bot, Zool, Mil*) land *cpd*; (*Rel*) earthly
terreur [teʀœʀ] *nf* terror *no pl*
terrible [teʀibl] *adj* terrible, dreadful; (*fam*) terrific; **pas ~** nothing special
terrien, ne [teʀjɛ̃, jɛn] *adj*: **propriétaire ~** landowner ▷ *nm/f* (*non martien etc*) earthling
terrier [tɛʀje] *nm* burrow, hole; (*chien*) terrier
terrifier [teʀifje] *vt* to terrify
terrine [teʀin] *nf* (*récipient*) terrine; (*Culin*) pâté

territoire [teʀitwaʀ] *nm* territory
terroriser [teʀɔʀize] *vt* to terrorize
terrorisme [teʀɔʀism] *nm* terrorism; **terroriste** *nm/f* terrorist
tertiaire [tɛʀsjɛʀ] *adj* tertiary ▷ *nm* (*Écon*) service industries *pl*
tes [te] *adj voir* **ton'**
test [tɛst] *nm* test
testament [tɛstamɑ̃] *nm* (*Jur*) will; (*Rel*) Testament; (*fig*) legacy
tester [tɛste] *vt* to test
testicule [tɛstikyl] *nm* testicle
tétanos [tetanos] *nm* tetanus
têtard [tɛtaʀ] *nm* tadpole
tête [tɛt] *nf* head; (*cheveux*) hair *no pl*; (*visage*) face; **de ~** (*comme adj*: *wagon etc*) front *cpd*; (*comme adv*: *calculer*) in one's head, mentally; **perdre la ~** (*fig*: *s'affoler*) to lose one's head; (: *devenir fou*) to go off one's head; **tenir ~ à qn** to stand up to sb; **la ~ en bas** with one's head down; **la ~ la première** (*tomber*) headfirst; **faire une ~** (*Football*) to head the ball; **faire la ~** (*fig*) to sulk; **en ~** at the front; (*Sport*) in the lead; **à la ~ de** at the head of; **à ~ reposée** in a more leisurely moment; **n'en faire qu'à sa ~** to do as one pleases; **en avoir par-dessus la ~** to be fed up; **en ~ à ~** in private, alone together; **de la ~ aux pieds** from head to toe; **tête de lecture** (playback) head; **tête de liste** (*Pol*) chief candidate; **tête de mort** skull and crossbones; **tête de série** (*Tennis*) seeded player, seed; **tête de Turc** (*fig*) whipping boy (BRIT), butt; **tête-à-queue** *nm inv*: **faire un tête-à-queue** to spin round
téter [tete] *vt*: **~ (sa mère)** to suck at one's mother's breast, feed
tétine [tetin] *nf* teat; (*sucette*) dummy (BRIT), pacifier (US)
têtu, e [tety] *adj* stubborn, pigheaded
texte [tɛkst] *nm* text; (*morceau choisi*) passage
textile [tɛkstil] *adj* textile *cpd* ▷ *nm* textile; **le ~** the textile industry
Texto® [tɛksto] *nm* text message
texture [tɛkstyʀ] *nf* texture
TGV *sigle m* (= *train à grande vitesse*) high-speed train
thaïlandais, e [tajlɑ̃dɛ, ɛz] *adj* Thai ▷ *nm/f*: **T~, e** Thai
Thaïlande [tailɑ̃d] *nf* Thailand
thé [te] *nm* tea; **~ au citron** lemon tea; **~ au lait** tea with milk; **prendre le ~** to have tea; **faire le ~** to make the tea
théâtral, e, -aux [teɑtʀal, o] *adj* theatrical
théâtre [teɑtʀ] *nm* theatre; (*péj*: *simulation*) playacting; (*fig*: *lieu*): **le ~ de** the scene of; **faire du ~** to act
théière [tejɛʀ] *nf* teapot
thème [tɛm] *nm* theme; (*Scol*: *traduction*) prose (composition)
théologie [teɔlɔʒi] *nf* theology
théorie [teɔʀi] *nf* theory; **théorique** *adj* theoretical
thérapie [teʀapi] *nf* therapy
thermal, e, -aux [tɛʀmal, o] *adj*: **station ~e** spa; **cure ~e** water cure
thermomètre [tɛʀmɔmɛtʀ] *nm* thermometer
thermos® [tɛʀmos] *nm ou nf*: **(bouteille) thermos** vacuum *ou* Thermos® flask
thermostat [tɛʀmɔsta] *nm* thermostat
thèse [tɛz] *nf* thesis
thon [tɔ̃] *nm* tuna (fish)
thym [tɛ̃] *nm* thyme
Tibet [tibɛ] *nm*: **le ~** Tibet
tibia [tibja] *nm* shinbone, tibia; (*partie antérieure de la jambe*) shin
TIC *sigle fpl* (= *technologies de l'information et de la communication*) ICT *sg*
tic [tik] *nm* tic, (nervous) twitch; (*de langage etc*) mannerism
ticket [tikɛ] *nm* ticket; **ticket de caisse** receipt; **je peux avoir un ticket de caisse, s'il vous plaît?** can I have a receipt, please?
tiède [tjɛd] *adj* lukewarm; (*vent, air*) mild, warm; **tiédir** *vi* to cool; (*se réchauffer*) to grow warmer
tien, ne [tjɛ̃, tjɛn] *pron*: **le(la) ~(ne), les ~(ne)s** yours; **à la ~ne!** cheers!
tiens [tjɛ̃] *vb, excl voir* **tenir**
tiercé [tjɛʀse] *nm system of forecast betting giving first 3 horses*
tiers, tierce [tjɛʀ, tjɛʀs] *adj* third ▷ *nm* (*Jur*) third party; (*fraction*) third; **le tiers monde** the Third World
tige [tiʒ] *nf* stem; (*baguette*) rod
tignasse [tiɲas] (*péj*) *nf* mop of hair
tigre [tigʀ] *nm* tiger; **tigré, e** *adj* (*rayé*) striped; (*tacheté*) spotted; (*chat*) tabby; **tigresse** *nf* tigress
tilleul [tijœl] *nm* lime (tree), linden (tree); (*boisson*) lime(-blossom) tea
timbre [tɛ̃bʀ] *nm* (*tampon*) stamp; (*aussi*: **~-poste**) (postage) stamp; (*Mus*: *de voix, instrument*) timbre, tone
timbré, e [tɛ̃bʀe] (*fam*) *adj* cracked
timide [timid] *adj* shy; (*timoré*) timid; **timidement** *adv* shyly; timidly; **timidité** *nf* shyness; timidity
tintamarre [tɛ̃tamaʀ] *nm* din, uproar
tinter [tɛ̃te] *vi* to ring, chime; (*argent, clefs*) to jingle
tique [tik] *nf* (*parasite*) tick
tir [tiʀ] *nm* (*sport*) shooting; (*fait ou manière de tirer*) firing *no pl*; (*rafale*) fire; (*stand*) shooting gallery; **tir à l'arc** archery
tirage [tiʀaʒ] *nm* (*action*) printing; (*Photo*) print; (*de journal*) circulation; (*de livre*: *nombre d'exemplaires*) (print) run; (: *édition*) edition; (*de loterie*) draw; **par ~ au sort** by drawing lots
tire [tiʀ] *nf*: **vol à la ~** pickpocketing
tiré, e [tiʀe] *adj* (*traits*) drawn; **~ par les cheveux** far-fetched
tire-bouchon [tiʀbuʃɔ̃] *nm* corkscrew
tirelire [tiʀliʀ] *nf* moneybox
tirer [tiʀe] *vt* (*gén*) to pull; (*trait, rideau, carte, conclusion, chèque*) to draw; (*langue*) to stick out; (*en faisant feu*: *balle, coup*) to fire; (: *animal*) to shoot; (*journal, livre, photo*) to print; (*Football*: *corner etc*) to take ▷ *vi* (*faire feu*) to fire; (*faire du tir, Football*) to shoot; **se ~** *vi* (*fam*) to push off; **s'en ~** (*éviter le pire*) to get off; (*survivre*) to pull through; (*se débrouiller*) to manage; **~ qch de** (*extraire*) to take *ou* pull sth out of; **~ qn de** (*embarras etc*) to help *ou* get sb out of; **~ sur** (*corde*) to pull on *ou* at; (*faire feu sur*) to shoot *ou* fire at; (*pipe*) to draw on; (*approcher de*: *couleur*) to verge *ou* border on; **~ à l'arc/la carabine** to shoot with a bow and arrow/with a rifle; **~ à sa fin** to be drawing to a close; **~ qch au clair** to clear sth up; **~ au sort** to draw lots; **~ parti de** to take advantage of; **~ profit de** to profit from; **~ les cartes** to read *ou* tell the cards
tiret [tiʀɛ] *nm* dash
tireur [tiʀœʀ] *nm* gunman; **tireur d'élite** marksman
tiroir [tiʀwaʀ] *nm* drawer; **tiroir-caisse** *nm* till
tisane [tizan] *nf* herb tea
tisser [tise] *vt* to weave

tissu [tisy] *nm* fabric, material, cloth *no pl*; (*Anat, Bio*) tissue; **tissu-éponge** *nm* (terry) towelling *no pl*
titre [titʀ] *nm* (*gén*) title; (*de journal*) headline; (*diplôme*) qualification; (*Comm*) security; **en ~** (*champion*) official; **à juste ~** rightly; **à quel ~?** on what grounds?; **à aucun ~** on no account; **au même ~ (que)** in the same way (as); **à ~ d'information** for (your) information; **à ~ gracieux** free of charge; **à ~ d'essai** on a trial basis; **à ~ privé** in a private capacity; **titre de propriété** title deed; **titre de transport** ticket
tituber [titybe] *vi* to stagger (along)
titulaire [titylɛʀ] *adj* (*Admin*) with tenure ▷ *nm/f* (*de permis*) holder; **être ~ de** (*diplôme, permis*) to hold
toast [tost] *nm* slice *ou* piece of toast; (*de bienvenue*) (welcoming) toast; **porter un ~ à qn** to propose *ou* drink a toast to sb
toboggan [tɔbɔgɑ̃] *nm* slide; (*Auto*) flyover
toc [tɔk] *excl*: **~, ~** knock knock ▷ *nm*: **en ~** fake
tocsin [tɔksɛ̃] *nm* alarm (bell)
tohu-bohu [tɔybɔy] *nm* hubbub
toi [twa] *pron* you
toile [twal] *nf* (*tableau*) canvas; **de** *ou* **en ~** (*pantalon*) cotton; (*sac*) canvas; **la T~** (*Internet*) the Web; **toile cirée** oilcloth; **toile d'araignée** cobweb; **toile de fond** (*fig*) backdrop
toilette [twalɛt] *nf* (*habits*) outfit; **toilettes** *nfpl* (*w.-c.*) toilet *sg*; **faire sa ~** to have a wash, get washed; **articles de ~** toiletries; **où sont les ~s?** where's the toilet?
toi-même [twamɛm] *pron* yourself
toit [twa] *nm* roof; **toit ouvrant** sunroof
toiture [twatyʀ] *nf* roof
Tokyo [tɔkjo] *n* Tokyo
tôle [tol] *nf* (*plaque*) steel *ou* iron sheet; **tôle ondulée** corrugated iron
tolérable [tɔleʀabl] *adj* tolerable
tolérant, e [tɔleʀɑ̃, ɑ̃t] *adj* tolerant
tolérer [tɔleʀe] *vt* to tolerate; (*Admin: hors taxe etc*) to allow
tollé [tɔ(l)le] *nm* outcry
tomate [tɔmat] *nf* tomato; **~s farcies** stuffed tomatoes
tombe [tɔ̃b] *nf* (*sépulture*) grave; (*avec monument*) tomb
tombeau, x [tɔ̃bo] *nm* tomb
tombée [tɔ̃be] *nf*: **à la ~ de la nuit** at nightfall
tomber [tɔ̃be] *vi* to fall; (*fièvre, vent*) to drop; **laisser ~** (*objet*) to drop; (*personne*) to let down; (*activité*) to give up; **laisse ~!** forget it!; **faire ~** to knock over; **~ sur** (*rencontrer*) to bump into; **~ de fatigue/sommeil** to drop from exhaustion/be falling asleep on one's feet; **ça tombe bien** that's come at the right time; **il est bien tombé** he's been lucky; **~ à l'eau** (*projet*) to fall through; **~ en panne** to break down
tombola [tɔ̃bɔla] *nf* raffle
tome [tɔm] *nm* volume
ton¹, ta [tɔ̃, ta] (*pl* **tes**) *adj* your
ton² [tɔ̃] *nm* (*gén*) tone; (*couleur*) shade, tone; **de bon ~** in good taste
tonalité [tɔnalite] *nf* (*au téléphone*) dialling tone
tondeuse [tɔ̃døz] *nf* (*à gazon*) (lawn)mower; (*du coiffeur*) clippers *pl*; (*pour les moutons*) shears *pl*
tondre [tɔ̃dʀ] *vt* (*pelouse, herbe*) to mow; (*haie*) to cut, clip; (*mouton, toison*) to shear; (*cheveux*) to crop
tongs [tɔ̃g] *nfpl* flip-flops
tonifier [tɔnifje] *vt* (*peau, organisme*) to tone up
tonique [tɔnik] *adj* fortifying ▷ *nm* tonic
tonne [tɔn] *nf* metric ton, tonne
tonneau, x [tɔno] *nm* (*à vin, cidre*) barrel; **faire des ~x** (*voiture, avion*) to roll over
tonnelle [tɔnɛl] *nf* bower, arbour
tonner [tɔne] *vi* to thunder; **il tonne** it is thundering, there's some thunder
tonnerre [tɔnɛʀ] *nm* thunder
tonus [tɔnys] *nm* energy
top [tɔp] *nm*: **au 3ème ~** at the 3rd stroke ▷ *adj*: **~ secret** top secret
topinambour [tɔpinɑ̃buʀ] *nm* Jerusalem artichoke
torche [tɔʀʃ] *nf* torch
torchon [tɔʀʃɔ̃] *nm* cloth; (*à vaisselle*) tea towel *ou* cloth
tordre [tɔʀdʀ] *vt* (*chiffon*) to wring; (*barre, fig: visage*) to twist; **se ~** *vi*: **se ~ le poignet/la cheville** to twist one's wrist/ankle; **se ~ de douleur/rire** to be doubled up with pain/laughter; **tordu, e** *adj* bent; (*fig*) crazy
tornade [tɔʀnad] *nf* tornado
torrent [tɔʀɑ̃] *nm* mountain stream
torsade [tɔʀsad] *nf*: **un pull à ~s** a cable sweater
torse [tɔʀs] *nm* chest; (*Anat, Sculpture*) torso; **~ nu** stripped to the waist
tort [tɔʀ] *nm* (*défaut*) fault; **torts** *nmpl* (*Jur*) fault *sg*; **avoir ~** to be wrong; **être dans son ~** to be in the wrong; **donner ~ à qn** to lay the blame on sb; **causer du ~ à qn** to harm sb; **à ~** wrongly; **à ~ et à travers** wildly
torticolis [tɔʀtikɔli] *nm* stiff neck
tortiller [tɔʀtije] *vt* to twist; (*moustache*) to twirl; **se ~** *vi* to wriggle; (*en dansant*) to wiggle
tortionnaire [tɔʀsjɔnɛʀ] *nm* torturer
tortue [tɔʀty] *nf* tortoise; (*d'eau douce*) terrapin; (*d'eau de mer*) turtle
tortueux, -euse [tɔʀtɥø, øz] *adj* (*rue*) twisting; (*fig*) tortuous
torture [tɔʀtyʀ] *nf* torture; **torturer** *vt* to torture; (*fig*) to torment
tôt [to] *adv* early; **~ ou tard** sooner or later; **si ~** so early; (*déjà*) so soon; **plus ~** earlier; **au plus ~** at the earliest
total, e, -aux [tɔtal, o] *adj, nm* total; **au ~** in total; (*fig*) on the whole; **faire le ~** to work out the total; **totalement** *adv* totally; **totaliser** *vt* to total; **totalitaire** *adj* totalitarian; **totalité** *nf*: **la totalité de** all (of); the whole *+sg*; **en totalité** entirely
toubib [tubib] (*fam*) *nm* doctor
touchant, e [tuʃɑ̃, ɑ̃t] *adj* touching
touche [tuʃ] *nf* (*de piano, de machine à écrire*) key; (*de téléphone*) button; (*Peinture etc*) stroke, touch; (*fig: de nostalgie*) touch; (*Football: aussi*: **remise en ~**) throw-in; (*aussi*: **ligne de ~**) touch-line; **touche dièse** (*de téléphone, clavier*) hash key
toucher [tuʃe] *nm* touch ▷ *vt* to touch; (*palper*) to feel; (*atteindre: d'un coup de feu etc*) to hit; (*concerner*) to concern, affect; (*contacter*) to reach, contact; (*recevoir: récompense*) to receive, get; (*: salaire*) to draw, get; (*: chèque*) to cash; **se ~** (*être en contact*) to touch; **au ~** to the touch; **~ à** to touch; (*concerner*) to have to do with, concern; **je vais lui en ~ un mot** I'll have a word with him about it; **~ au but** (*fig*) to near one's goal; **~ à sa fin** to be drawing to a close
touffe [tuf] *nf* tuft
touffu, e [tufy] *adj* thick, dense
toujours [tuʒuʀ] *adv* always; (*encore*) still; (*constamment*) forever; **~ plus** more and more; **pour ~** forever; **~ est-il que** the fact remains that; **essaie ~** (you can) try anyway

toupie [tupi] *nf* (spinning) top
tour[1] [tuʀ] *nf* tower; (*immeuble*) high-rise block (BRIT) *ou* building (US); (*Échecs*) castle, rook; **tour de contrôle** *nf* control tower; **la tour Eiffel** the Eiffel Tower
tour[2] [tuʀ] *nm* (*excursion*) trip; (*à pied*) stroll, walk; (*en voiture*) run, ride; (*Sport: aussi:* **~ de piste**) lap; (*d'être servi ou de jouer etc*) turn; (*de roue etc*) revolution; (*Pol: aussi:* **~ de scrutin**) ballot; (*ruse, de prestidigitation*) trick; (*de potier*) wheel; (*à bois, métaux*) lathe; (*circonférence*): **de 3 m de ~** 3 m round, with a circumference *ou* girth of 3 m; **faire le ~ de** to go round; (*à pied*) to walk round; **c'est au ~ de Renée** it's Renée's turn; **à ~ de rôle, ~ à ~** in turn; **tour de chant** *nm* song recital; **tour de force** tour de force; **tour de garde** *nm* spell of duty; **tour d'horizon** *nm* (*fig*) general survey; **tour de taille/tête** *nm* waist/head measurement; **un 33 tours** an LP; **un 45 tours** a single
tourbe [tuʀb] *nf* peat
tourbillon [tuʀbijɔ̃] *nm* whirlwind; (*d'eau*) whirlpool; (*fig*) whirl, swirl; **tourbillonner** *vi* to whirl (round)
tourelle [tuʀɛl] *nf* turret
tourisme [tuʀism] *nm* tourism; **agence de ~** tourist agency; **faire du ~** to go touring; (*en ville*) to go sightseeing; **touriste** *nm/f* tourist; **touristique** *adj* tourist *cpd*; (*région*) touristic
tourment [tuʀmɑ̃] *nm* torment; **tourmenter** *vt* to torment; **se tourmenter** to fret, worry o.s.
tournage [tuʀnaʒ] *nm* (*Cinéma*) shooting
tournant [tuʀnɑ̃] *nm* (*de route*) bend; (*fig*) turning point
tournée [tuʀne] *nf* (*du facteur etc*) round; (*d'artiste, politicien*) tour; (*au café*) round (of drinks)
tourner [tuʀne] *vt* to turn; (*sauce, mélange*) to stir; (*Cinéma: faire les prises de vues*) to shoot; (*: produire*) to make ▷ *vi* to turn; (*moteur*) to run; (*taximètre*) to tick away; (*lait etc*) to turn (sour); **se ~** *vi* to turn round; **tournez à gauche/droite au prochain carrefour** turn left/right at the next junction; **mal ~** to go wrong; **~ autour de** to go round; (*péj*) to hang round; **~ à/en** to turn into; **~ qn en ridicule** to ridicule sb; **~ le dos à** (*mouvement*) to turn one's back on; (*position*) to have one's back to; **~ de l'œil** to pass out; **se ~ vers** to turn towards; (*fig*) to turn to; **se ~ les pouces** to twiddle one's thumbs
tournesol [tuʀnəsɔl] *nm* sunflower
tournevis [tuʀnəvis] *nm* screwdriver
tournoi [tuʀnwa] *nm* tournament
tournure [tuʀnyʀ] *nf* (*Ling*) turn of phrase; (*évolution*): **la ~ de qch** the way sth is developing; **tournure d'esprit** turn *ou* cast of mind
tourte [tuʀt] *nf* pie
tourterelle [tuʀtəʀɛl] *nf* turtledove
tous [tu] *adj, pron voir* **tout**
Toussaint [tusɛ̃] *nf*: **la ~** All Saints' Day
tousser [tuse] *vi* to cough

 **MOT-CLÉ**

tout, e [tu, tut] (*mpl* **tous**, *fpl* **toutes**) *adj* **1** (*avec article singulier*) all; **tout le lait** all the milk; **toute la nuit** all night, the whole night; **tout le livre** the whole book; **tout un pain** a whole loaf; **tout le temps** all the time; the whole time; **tout le monde** everybody; **c'est tout le contraire** it's quite the opposite
2 (*avec article pluriel*) every, all; **tous les livres** all the books; **toutes les nuits** every night; **toutes les fois** every time; **toutes les trois/deux semaines** every third/other *ou* second week, every three/two weeks; **tous les deux** both *ou* each of us (*ou* them *ou* you); **toutes les trois** all three of us (*ou* them *ou* you)
3 (*sans article*): **à tout âge** at any age; **pour toute nourriture, il avait ...** his only food was ...
▷ *pron* everything, all; **il a tout fait** he's done everything; **je les vois tous** I can see them all *ou* all of them; **nous y sommes tous allés** all of us went, we all went; **c'est tout** that's all; **en tout** in all; **tout ce qu'il sait** all he knows
▷ *nm* whole; **le tout** all of it (*ou* them); **le tout est de ...** the main thing is to ...; **pas du tout** not at all
▷ *adv* **1** (*très, complètement*) very; **tout près** very near; **le tout premier** the very first; **tout seul** all alone; **le livre tout entier** the whole book; **tout en haut** right at the top; **tout droit** straight ahead
2: **tout en** while; **tout en travaillant** while working, as he *etc* works *ou* worked
3: **tout d'abord** first of all; **tout à coup** suddenly; **tout à fait** absolutely; **tout à l'heure** a short while ago; (*futur*) in a short while, shortly; **à tout à l'heure!** see you later!; **tout de même** all the same; **tout de suite** immediately, straight away; **tout simplement** quite simply

toutefois [tutfwa] *adv* however
toutes [tut] *adj, pron voir* **tout**
tout-terrain [tuteʀɛ̃] *adj*: **vélo ~** mountain bike; **véhicule ~** four-wheel drive
toux [tu] *nf* cough
toxicomane [tɔksikɔman] *nm/f* drug addict
toxique [tɔksik] *adj* toxic
trac [tʀak] *nm* (*au théâtre, en public*) stage fright; (*aux examens*) nerves *pl*; **avoir le ~** (*au théâtre, en public*) to have stage fright; (*aux examens*) to be feeling nervous
tracasser [tʀakase] *vt* to worry, bother; **se ~** to worry
trace [tʀas] *nf* (*empreintes*) tracks *pl*; (*marques, aussi fig*) mark; (*quantité infime, indice, vestige*) trace; **traces de pas** footprints
tracer [tʀase] *vt* to draw; (*piste*) to open up
tract [tʀakt] *nm* tract, pamphlet
tracteur [tʀaktœʀ] *nm* tractor
traction [tʀaksjɔ̃] *nf*: **~ avant/arrière** front-wheel/rear-wheel drive
tradition [tʀadisjɔ̃] *nf* tradition; **traditionnel, le** *adj* traditional
traducteur, -trice [tʀadyktœʀ, tʀis] *nm/f* translator
traduction [tʀadyksjɔ̃] *nf* translation
traduire [tʀadɥiʀ] *vt* to translate; (*exprimer*) to convey; **~ qn en justice** to bring sb before the courts; **pouvez-vous me ~ ceci?** can you translate this for me?
trafic [tʀafik] *nm* traffic; **trafic d'armes** arms dealing; **trafiquant, e** *nm/f* trafficker; (*d'armes*) dealer; **trafiquer** (*péj*) *vt* (*vin*) to doctor; (*moteur, document*) to tamper with
tragédie [tʀaʒedi] *nf* tragedy; **tragique** *adj* tragic
trahir [tʀaiʀ] *vt* to betray; **trahison** *nf* betrayal; (*Jur*) treason
train [tʀɛ̃] *nm* (*Rail*) train; (*allure*) pace; **être en ~ de faire qch** to be doing sth; **c'est bien le ~ pour ...?** is this the train for ...?; **train d'atterrissage** undercarriage; **train de vie** lifestyle; **train**

électrique (*jouet*) (electric) train set
traîne [tʀɛn] *nf* (*de robe*) train; **être à la ~** to lag behind
traîneau, x [tʀɛno] *nm* sleigh, sledge
traîner [tʀene] *vt* (*remorque*) to pull; (*enfant, chien*) to drag *ou* trail along ▷ *vi* (*robe, manteau*) to trail; (*être en désordre*) to lie around; (*aller lentement*) to dawdle (along); (*vagabonder, agir lentement*) to hang about; (*durer*) to drag on; **se ~** *vi*: **se ~ par terre** to crawl (on the ground); **~ les pieds** to drag one's feet
train-train [tʀɛ̃tʀɛ̃] *nm* humdrum routine
traire [tʀɛʀ] *vt* to milk
trait [tʀɛ] *nm* (*ligne*) line; (*de dessin*) stroke; (*caractéristique*) feature, trait; **traits** *nmpl* (*du visage*) features; **d'un ~** (*boire*) in one gulp; **de ~** (*animal*) draught; **avoir ~ à** to concern; **trait d'union** hyphen
traitant, e [tʀɛtɑ̃, ɑ̃t] *adj* (*shampooing*) medicated; **votre médecin ~** your usual *ou* family doctor
traite [tʀɛt] *nf* (*Comm*) draft; (*Agr*) milking; **d'une ~** without stopping
traité [tʀete] *nm* treaty
traitement [tʀɛtmɑ̃] *nm* treatment; (*salaire*) salary; **traitement de données** data processing; **traitement de texte** word processing; (*logiciel*) word processing package
traiter [tʀete] *vt* to treat; (*qualifier*): **~ qn d'idiot** to call sb a fool ▷ *vi* to deal; **~ de** to deal with
traiteur [tʀɛtœʀ] *nm* caterer
traître, -esse [tʀɛtʀ, tʀɛtʀɛs] *adj* (*dangereux*) treacherous ▷ *nm* traitor
trajectoire [tʀaʒɛktwaʀ] *nf* path
trajet [tʀaʒɛ] *nm* (*parcours, voyage*) journey; (*itinéraire*) route; (*distance à parcourir*) distance; **il y a une heure de ~** the journey takes one hour
trampoline [tʀɑ̃pɔlin] *nm* trampoline
tramway [tʀamwɛ] *nm* tram(way); (*voiture*) tram(car) (BRIT), streetcar (US)
tranchant, e [tʀɑ̃ʃɑ̃, ɑ̃t] *adj* sharp; (*fig*) peremptory ▷ *nm* (*d'un couteau*) cutting edge; (*de la main*) edge; **à double ~** double-edged
tranche [tʀɑ̃ʃ] *nf* (*morceau*) slice; (*arête*) edge; **~ d'âge/de salaires** age/wage bracket
tranché, e [tʀɑ̃ʃe] *adj* (*couleurs*) distinct; (*opinions*) clear-cut
trancher [tʀɑ̃ʃe] *vt* to cut, sever ▷ *vi* to take a decision; **~ avec** to contrast sharply with
tranquille [tʀɑ̃kil] *adj* quiet; (*rassuré*) easy in one's mind, with one's mind at rest; **se tenir ~** (*enfant*) to be quiet; **laisse-moi/laisse-ça ~** leave me/it alone; **avoir la conscience ~** to have a clear conscience; **tranquillisant** *nm* tranquillizer; **tranquillité** *nf* peace (and quiet); (*d'esprit*) peace of mind
transférer [tʀɑ̃sfeʀe] *vt* to transfer; **transfert** *nm* transfer
transformation [tʀɑ̃sfɔʀmasjɔ̃] *nf* change, alteration; (*radicale*) transformation; (*Rugby*) conversion; **transformations** *nfpl* (*travaux*) alterations
transformer [tʀɑ̃sfɔʀme] *vt* to change; (*radicalement*) to transform; (*vêtement*) to alter; (*matière première, appartement, Rugby*) to convert; **(se) ~ en** to turn into
transfusion [tʀɑ̃sfyzjɔ̃] *nf*: **~ sanguine** blood transfusion
transgénique [tʀɑ̃sʒenik] *adj* transgenic
transgresser [tʀɑ̃sgʀese] *vt* to contravene
transi, e [tʀɑ̃zi] *adj* numb (with cold), chilled to the bone
transiger [tʀɑ̃ziʒe] *vi* to compromise
transit [tʀɑ̃zit] *nm* transit; **transiter** *vi* to pass in transit
transition [tʀɑ̃zisjɔ̃] *nf* transition; **transitoire** *adj* transitional
transmettre [tʀɑ̃smɛtʀ] *vt* (*passer*): **~ qch à qn** to pass sth on to sb; (*Tech, Tél, Méd*) to transmit; (*TV, Radio*: *retransmettre*) to broadcast; **transmission** *nf* transmission
transparent, e [tʀɑ̃spaʀɑ̃, ɑ̃t] *adj* transparent
transpercer [tʀɑ̃spɛʀse] *vt* (*froid, pluie*) to go through, pierce; (*balle*) to go through
transpiration [tʀɑ̃spiʀasjɔ̃] *nf* perspiration
transpirer [tʀɑ̃spiʀe] *vi* to perspire
transplanter [tʀɑ̃splɑ̃te] *vt* (*Méd, Bot*) to transplant
transport [tʀɑ̃spɔʀ] *nm* transport; **transports en commun** public transport *sg*; **transporter** *vt* to carry, move; (*Comm*) to transport, convey; **transporteur** *nm* haulage contractor (BRIT), trucker (US)
transvaser [tʀɑ̃svaze] *vt* to decant
transversal, e, -aux [tʀɑ̃svɛʀsal, o] *adj* (*rue*) which runs across; **coupe ~e** cross section
trapèze [tʀapɛz] *nm* (*au cirque*) trapeze
trappe [tʀap] *nf* trap door
trapu, e [tʀapy] *adj* squat, stocky
traquenard [tʀaknaʀ] *nm* trap
traquer [tʀake] *vt* to track down; (*harceler*) to hound
traumatiser [tʀomatize] *vt* to traumatize
travail, -aux [tʀavaj] *nm* (*gén*) work; (*tâche, métier*) work *no pl*, job; (*Écon, Méd*) labour; **être sans ~** (*employé*) to be unemployed; *voir aussi* **travaux**; **travail (au) noir** moonlighting
travailler [tʀavaje] *vi* to work; (*bois*) to warp ▷ *vt* (*bois, métal*) to work; (*objet d'art, discipline*) to work on; **cela le travaille** it is on his mind; **travailleur, -euse** *adj* hard-working ▷ *nm/f* worker; **travailleur social** social worker; **travailliste** *adj* ≈ Labour *cpd*
travaux [tʀavo] *nmpl* (*de réparation, agricoles etc*) work *sg*; (*sur route*) roadworks *pl*; (*de construction*) building (work); **travaux des champs** farmwork *sg*; **travaux dirigés** (*Scol*) tutorial *sg*; **travaux forcés** hard labour *no pl*; **travaux manuels** (*Scol*) handicrafts; **travaux ménagers** housework *no pl*; **travaux pratiques** (*Scol*) practical work; (*en laboratoire*) lab work
travers [tʀavɛʀ] *nm* fault, failing; **en ~ (de)** across; **au ~ (de)/à ~** through; **de ~** (*nez, bouche*) crooked; (*chapeau*) askew; **comprendre de ~** to misunderstand; **regarder de ~** (*fig*) to look askance at
traverse [tʀavɛʀs] *nf* (*de voie ferrée*) sleeper; **chemin de ~** shortcut
traversée [tʀavɛʀse] *nf* crossing; **combien de temps dure la ~?** how long does the crossing take?
traverser [tʀavɛʀse] *vt* (*gén*) to cross; (*ville, tunnel, aussi*: *percer, fig*) to go through; (*suj*: *ligne, trait*) to run across
traversin [tʀavɛʀsɛ̃] *nm* bolster
travesti [tʀavɛsti] *nm* transvestite
trébucher [tʀebyʃe] *vi*: **~ (sur)** to stumble (over), trip (against)
trèfle [tʀɛfl] *nm* (*Bot*) clover; (*Cartes*: *couleur*) clubs *pl*; (: *carte*) club; **~ à quatre feuilles** four-leaf clover
treize [tʀɛz] *num* thirteen; **treizième** *num* thirteenth

tréma [tʀema] *nm* diaeresis
tremblement [tʀɑ̃bləmɑ̃] *nm*: **tremblement de terre** earthquake
trembler [tʀɑ̃ble] *vi* to tremble, shake; **~ de** (*froid, fièvre*) to shiver *ou* tremble with; (*peur*) to shake *ou* tremble with; **~ pour qn** to fear for sb
trémousser [tʀemuse]: **se ~** *vi* to jig about, wriggle about
trempé, e [tʀɑ̃pe] *adj* soaking (wet), drenched; (*Tech*) tempered
tremper [tʀɑ̃pe] *vt* to soak, drench; (*aussi*: **faire ~, mettre à ~**) to soak; (*plonger*): **~ qch dans** to dip sth in(to) ▷ *vi* to soak; (*fig*): **~ dans** to be involved *ou* have a hand in; **se ~** *vi* to have a quick dip
tremplin [tʀɑ̃plɛ̃] *nm* springboard; (*Ski*) ski-jump
trentaine [tʀɑ̃tɛn] *nf*: **une ~ (de)** thirty or so, about thirty; **avoir la ~** (*âge*) to be around thirty
trente [tʀɑ̃t] *num* thirty; **être sur son ~ et un** to be wearing one's Sunday best; **trentième** *num* thirtieth
trépidant, e [tʀepidɑ̃, ɑ̃t] *adj* (*fig*: *rythme*) pulsating; (: *vie*) hectic
trépigner [tʀepiɲe] *vi* to stamp (one's feet)
très [tʀɛ] *adv* very; much *+pp*, highly *+pp*
trésor [tʀezɔʀ] *nm* treasure; **Trésor (public)** public revenue; **trésorerie** *nf* (*gestion*) accounts *pl*; (*bureaux*) accounts department; **difficultés de trésorerie** cash problems, shortage of cash *ou* funds; **trésorier, -ière** *nm/f* treasurer
tressaillir [tʀesajiʀ] *vi* to shiver, shudder
tressauter [tʀesote] *vi* to start, jump
tresse [tʀɛs] *nf* braid, plait; **tresser** *vt* (*cheveux*) to braid, plait; (*fil, jonc*) to plait; (*corbeille*) to weave; (*corde*) to twist
tréteau, x [tʀeto] *nm* trestle
treuil [tʀœj] *nm* winch
trêve [tʀɛv] *nf* (*Mil, Pol*) truce; (*fig*) respite; **~ de ...** enough of this ...
tri [tʀi] *nm*: **faire le ~ (de)** to sort out; **le (bureau de) ~** (*Postes*) the sorting office
triangle [tʀijɑ̃gl] *nm* triangle; **triangulaire** *adj* triangular
tribord [tʀibɔʀ] *nm*: **à ~** to starboard, on the starboard side
tribu [tʀiby] *nf* tribe
tribunal, -aux [tʀibynal, o] *nm* (*Jur*) court; (*Mil*) tribunal
tribune [tʀibyn] *nf* (*estrade*) platform, rostrum; (*débat*) forum; (*d'église, de tribunal*) gallery; (*de stade*) stand
tribut [tʀiby] *nm* tribute
tributaire [tʀibytɛʀ] *adj*: **être ~ de** to be dependent on
tricher [tʀiʃe] *vi* to cheat; **tricheur, -euse** *nm/f* cheat(er)
tricolore [tʀikɔlɔʀ] *adj* three-coloured; (*français*) red, white and blue
tricot [tʀiko] *nm* (*technique, ouvrage*) knitting *no pl*; (*vêtement*) jersey, sweater; **~ de peau** vest; **tricoter** *vt* to knit
tricycle [tʀisikl] *nm* tricycle
trier [tʀije] *vt* to sort out; (*Postes, fruits*) to sort
trimestre [tʀimɛstʀ] *nm* (*Scol*) term; (*Comm*) quarter; **trimestriel, le** *adj* quarterly; (*Scol*) end-of-term
trinquer [tʀɛ̃ke] *vi* to clink glasses
triomphe [tʀijɔ̃f] *nm* triumph; **triompher** *vi* to triumph, win; **triompher de** to triumph over, overcome
tripes [tʀip] *nfpl* (*Culin*) tripe *sg*
triple [tʀipl] *adj* triple ▷ *nm*: **le ~ (de)** (*comparaison*) three times as much (as); **en ~ exemplaire** in triplicate; **tripler** *vi, vt* to triple, treble
triplés, -ées [tʀiple] *nm/fpl* triplets
tripoter [tʀipɔte] *vt* to fiddle with
triste [tʀist] *adj* sad; (*couleur, temps, journée*) dreary; (*péj*): **~ personnage/affaire** sorry individual/affair; **tristesse** *nf* sadness
trivial, e, -aux [tʀivjal, jo] *adj* coarse, crude; (*commun*) mundane
troc [tʀɔk] *nm* barter
trognon [tʀɔɲɔ̃] *nm* (*de fruit*) core; (*de légume*) stalk
trois [tʀwɑ] *num* three; **troisième** *num* third ▷ *nf* (*Scol*) year 10 (BRIT), ninth grade (US); **le troisième âge** (*période de vie*) one's retirement years; (*personnes âgées*) senior citizens *pl*
trombe [tʀɔ̃b] *nf*: **des ~s d'eau** a downpour; **en ~** like a whirlwind
trombone [tʀɔ̃bɔn] *nm* (*Mus*) trombone; (*de bureau*) paper clip
trompe [tʀɔ̃p] *nf* (*d'éléphant*) trunk; (*Mus*) trumpet, horn
tromper [tʀɔ̃pe] *vt* to deceive; (*vigilance, poursuivants*) to elude; **se ~** *vi* to make a mistake, be mistaken; **se ~ de voiture/jour** to take the wrong car/get the day wrong; **se ~ de 3 cm/20 euros** to be out by 3 cm/20 euros; **je me suis trompé de route** I took the wrong road
trompette [tʀɔ̃pɛt] *nf* trumpet; **en ~** (*nez*) turned-up
trompeur, -euse [tʀɔ̃pœʀ, øz] *adj* deceptive
tronc [tʀɔ̃] *nm* (*Bot, Anat*) trunk; (*d'église*) collection box
tronçon [tʀɔ̃sɔ̃] *nm* section; **tronçonner** *vt* to saw up; **tronçonneuse** *nf* chainsaw
trône [tʀon] *nm* throne
trop [tʀo] *adv* (*+vb*) too much; (*+adjectif, adverbe*) too; **~ (nombreux)** too many; **~ peu (nombreux)** too few; **~ (souvent)** too often; **~ (longtemps)** (for) too long; **~ de** (*nombre*) too many; (*quantité*) too much; **de ~, en ~**: **des livres en ~** a few books too many; **du lait en ~** too much milk; **3 livres/3 euros de ~** 3 books too many/3 euros too much; **ça coûte ~ cher** it's too expensive
tropical, e, -aux [tʀɔpikal, o] *adj* tropical
tropique [tʀɔpik] *nm* tropic
trop-plein [tʀoplɛ̃] *nm* (*tuyau*) overflow *ou* outlet (pipe); (*liquide*) overflow
troquer [tʀɔke] *vt*: **~ qch contre** to barter *ou* trade sth for; (*fig*) to swap sth for
trot [tʀo] *nm* trot; **trotter** *vi* to trot
trottinette [tʀɔtinɛt] *nf* (child's) scooter
trottoir [tʀɔtwaʀ] *nm* pavement (BRIT), sidewalk (US); **faire le ~** (*péj*) to walk the streets; **trottoir roulant** moving walkway, travellator
trou [tʀu] *nm* hole; (*fig*) gap; (*Comm*) deficit; **trou d'air** air pocket; **trou de mémoire** blank, lapse of memory
troublant, e [tʀublɑ̃, ɑ̃t] *adj* disturbing
trouble [tʀubl] *adj* (*liquide*) cloudy; (*image, photo*) blurred; (*affaire*) shady, murky ▷ *adv*: **voir ~** to have blurred vision ▷ *nm* agitation; **troubles** *nmpl* (*Pol*) disturbances, troubles, unrest *sg*; (*Méd*) trouble *sg*, disorders; **trouble-fête** *nm* spoilsport
troubler [tʀuble] *vt* to disturb; (*liquide*) to make cloudy; (*intriguer*) to bother; **se ~** *vi* (*personne*) to become flustered *ou* confused
trouer [tʀue] *vt* to make a hole (*ou* holes) in

trouille [tʀuj] (*fam*) *nf*: **avoir la ~** to be scared to death
troupe [tʀup] *nf* troop; **troupe (de théâtre)** (theatrical) company
troupeau, x [tʀupo] *nm* (*de moutons*) flock; (*de vaches*) herd
trousse [tʀus] *nf* case, kit; (*d'écolier*) pencil case; **aux ~s de** (*fig*) on the heels *ou* tail of; **trousse à outils** toolkit; **trousse de toilette** toilet bag
trousseau, x [tʀuso] *nm* (*de mariée*) trousseau; **trousseau de clefs** bunch of keys
trouvaille [tʀuvɑj] *nf* find
trouver [tʀuve] *vt* to find; (*rendre visite*): **aller/venir ~ qn** to go/come and see sb; **se ~** *vi* (*être*) to be; **je trouve que** I find *ou* think that; **~ à boire/critiquer** to find something to drink/criticize; **se ~ mal** to pass out
truand [tʀyɑ̃] *nm* gangster; **truander** *vt*: **se faire truander** to be swindled
truc [tʀyk] *nm* (*astuce*) way, trick; (*de cinéma, prestidigitateur*) trick, effect; (*chose*) thing, thingumajig; **avoir le ~** to have the knack; **c'est pas mon ~** (*fam*) it's not really my thing
truffe [tʀyf] *nf* truffle; (*nez*) nose
truffé, e [tʀyfe] *adj* (*Culin*) garnished with truffles; **~ de** (*fig: citations*) peppered with; (*: fautes*) riddled with; (*: pièges*) bristling with
truie [tʀɥi] *nf* sow
truite [tʀɥit] *nf* trout *inv*
truquage [tʀykaʒ] *nm* special effects *pl*
truquer [tʀyke] *vt* (*élections, serrure, dés*) to fix
TSVP *sigle* (*= tournez svp*) PTO
TTC *sigle* (*= toutes taxes comprises*) inclusive of tax
tu¹ [ty] *pron* you; **dire tu à qn** to use the "tu" form to sb
tu², e [ty] *pp de* **taire**
tuba [tyba] *nm* (*Mus*) tuba; (*Sport*) snorkel
tube [tyb] *nm* tube; (*chanson*) hit
tuberculose [tybɛʀkyloz] *nf* tuberculosis
tuer [tɥe] *vt* to kill; **se ~** *vi* to be killed; (*suicide*) to kill o.s.; **se ~ au travail** (*fig*) to work o.s. to death; **tuerie** *nf* slaughter *no pl*
tue-tête [tytɛt]: **à ~** *adv* at the top of one's voice
tueur [tɥœʀ] *nm* killer; **tueur à gages** hired killer
tuile [tɥil] *nf* tile; (*fam*) spot of bad luck, blow
tulipe [tylip] *nf* tulip
tuméfié, e [tymefje] *adj* puffed-up, swollen
tumeur [tymœʀ] *nf* growth, tumour
tumulte [tymylt] *nm* commotion; **tumultueux, -euse** *adj* stormy, turbulent
tunique [tynik] *nf* tunic
Tunis [tynis] *n* Tunis
Tunisie [tynizi] *nf*: **la ~** Tunisia; **tunisien, ne** *adj* Tunisian ▷ *nm/f*: **Tunisien, ne** Tunisian
tunnel [tynɛl] *nm* tunnel; **le ~ sous la Manche** the Channel Tunnel
turbulent, e [tyʀbylɑ̃, ɑ̃t] *adj* boisterous, unruly
turc, turque [tyʀk] *adj* Turkish ▷ *nm/f*: **T~, Turque** Turk/Turkish woman ▷ *nm* (*Ling*) Turkish
turf [tyʀf] *nm* racing; **turfiste** *nm/f* racegoer
Turquie [tyʀki] *nf*: **la ~** Turkey
turquoise [tyʀkwaz] *nf* turquoise ▷ *adj inv* turquoise
tutelle [tytɛl] *nf* (*Jur*) guardianship; (*Pol*) trusteeship; **sous la ~ de** (*fig*) under the supervision of
tuteur [tytœʀ] *nm* (*Jur*) guardian; (*de plante*) stake, support
tutoyer [tytwaje] *vt*: **~ qn** to address sb as "tu"
tuyau, x [tɥijo] *nm* pipe; (*flexible*) tube; (*fam*) tip; **tuyau d'arrosage** hosepipe; **tuyau d'échappement** exhaust pipe; **tuyauterie** *nf* piping *no pl*
TVA *sigle f* (*= taxe à la valeur ajoutée*) VAT
tympan [tɛ̃pɑ̃] *nm* (*Anat*) eardrum
type [tip] *nm* type; (*fam*) chap, guy ▷ *adj* typical, classic
typé, e [tipe] *adj* ethnic
typique [tipik] *adj* typical
tyran [tiʀɑ̃] *nm* tyrant; **tyrannique** *adj* tyrannical
tzigane [dzigan] *adj* gipsy, tzigane

U

ulcère [ylsɛʀ] *nm* ulcer
ultérieur, e [ylteʀjœʀ] *adj* later, subsequent; **remis à une date ~e** postponed to a later date; **ultérieurement** *adv* later, subsequently
ultime [yltim] *adj* final

MOT-CLÉ

un, une [œ̃, yn] *art indéf* a; (*devant voyelle*) an; **un garçon/vieillard** a boy/an old man; **une fille** a girl
▷ *pron* one; **l'un des meilleurs** one of the best; **l'un ..., l'autre** (the) one ..., the other; **les uns ..., les autres** some ..., others; **l'un et l'autre** both (of them); **l'un ou l'autre** either (of them); **l'un l'autre** each other; **les uns les autres** one another; **pas un seul** not a single one; **un par un** one by one
▷ *num* one; **une pomme seulement** one apple only, just one apple
▷ *nf*: **la une** (*Presse*) the front page

unanime [ynanim] *adj* unanimous; **unanimité** *nf*: **à l'unanimité** unanimously
uni, e [yni] *adj* (*ton, tissu*) plain; (*surface*) smooth, even; (*famille*) close(-knit); (*pays*) united
unifier [ynifje] *vt* to unite, unify
uniforme [ynifɔʀm] *adj* uniform; (*surface, ton*) even ▷ *nm* uniform; **uniformiser** *vt* (*systèmes*) to standardize
union [ynjɔ̃] *nf* union; **union de consommateurs** consumers' association; **union libre**: **vivre en union libre** (*en concubinage*) to cohabit; **Union européenne** European Union; **Union soviétique** Soviet Union
unique [ynik] *adj* (*seul*) only; (*exceptionnel*) unique; (*le même*): **un prix/système ~** a single price/system; **fils/fille ~** only son/daughter, only child; **sens ~** one-way street; **uniquement** *adv* only, solely; (*juste*) only, merely
unir [yniʀ] *vt* (*nations*) to unite; (*en mariage*) to unite,

join together; **s'~** *vi* to unite; (*en mariage*) to be joined together

unitaire [ynitɛʀ] *adj*: **prix ~** unit price

unité [ynite] *nf* unit; (*harmonie, cohésion*) unity

univers [ynivɛʀ] *nm* universe; **universel, le** *adj* universal

universitaire [ynivɛʀsitɛʀ] *adj* university *cpd*; (*diplôme, études*) academic, university *cpd* ▷ *nm/f* academic

université [ynivɛʀsite] *nf* university

urbain, e [yʀbɛ̃, ɛn] *adj* urban, city *cpd*, town *cpd*; **urbanisme** *nm* town planning

urgence [yʀʒɑ̃s] *nf* urgency; (*Méd etc*) emergency; **d'~** *adj* emergency *cpd* ▷ *adv* as a matter of urgency; **(service des) ~s** casualty

urgent, e [yʀʒɑ̃, ɑ̃t] *adj* urgent

urine [yʀin] *nf* urine; **urinoir** *nm* (public) urinal

urne [yʀn] *nf* (*électorale*) ballot box; (*vase*) urn

urticaire [yʀtikɛʀ] *nf* nettle rash

us [ys] *nmpl*: **us et coutumes** (habits and) customs

usage [yzaʒ] *nm* (*emploi, utilisation*) use; (*coutume*) custom; **à l'~** with use; **à l'~ de** (*pour*) for (use of); **en ~** in use; **hors d'~** out of service; **à ~ interne** (*Méd*) to be taken (internally); **à ~ externe** (*Méd*) for external use only; **usagé, e** *adj* (*usé*) worn; **usager, -ère** *nm/f* user

usé, e [yze] *adj* worn; (*banal: argument etc*) hackneyed

user [yze] *vt* (*outil*) to wear down; (*vêtement*) to wear out; (*matière*) to wear away; (*consommer: charbon etc*) to use; **s'~** *vi* (*tissu, vêtement*) to wear out; **~ de** (*moyen, procédé*) to use, employ; (*droit*) to exercise

usine [yzin] *nf* factory

usité, e [yzite] *adj* common

ustensile [ystɑ̃sil] *nm* implement; **ustensile de cuisine** kitchen utensil

usuel, le [yzɥɛl] *adj* everyday, common

usure [yzyʀ] *nf* wear

utérus [yteʀys] *nm* uterus, womb

utile [ytil] *adj* useful

utilisation [ytilizasjɔ̃] *nf* use

utiliser [ytilize] *vt* to use

utilitaire [ytilitɛʀ] *adj* utilitarian

utilité [ytilite] *nf* usefulness *no pl*; **de peu d'~** of little use *ou* help

utopie [ytɔpi] *nf* utopia

va [va] *vb voir* **aller**

vacance [vakɑ̃s] *nf* (*Admin*) vacancy; **vacances** *nfpl* holiday(s *pl* (BRIT)), vacation *sg* (US); **les grandes ~s** the summer holidays; **prendre des/ses ~s** to take a holiday/one's holiday(s); **aller en ~s** to go on holiday; **je suis ici en ~s** I'm here on holiday; **vacancier, -ière** *nm/f* holiday-maker

vacant, e [vakɑ̃, ɑ̃t] *adj* vacant

vacarme [vakaʀm] *nm* (*bruit*) racket

vaccin [vaksɛ̃] *nm* vaccine; (*opération*) vaccination; **vaccination** *nf* vaccination; **vacciner** *vt* to vaccinate; **être vacciné contre qch** (*fam*) to be cured of sth

vache [vaʃ] *nf* (*Zool*) cow; (*cuir*) cowhide ▷ *adj* (*fam*) rotten, mean; **vachement** (*fam*) *adv* (*très*) really; (*pleuvoir, travailler*) a hell of a lot; **vacherie** *nf* (*action*) dirty trick; (*remarque*) nasty remark

vaciller [vasije] *vi* to sway, wobble; (*bougie, lumière*) to flicker; (*fig*) to be failing, falter

va-et-vient [vaevjɛ̃] *nm inv* (*de personnes, véhicules*) comings and goings *pl*, to-ings and fro-ings *pl*

vagabond [vagabɔ̃] *nm* (*rôdeur*) tramp, vagrant; (*voyageur*) wanderer; **vagabonder** *vi* to roam, wander

vagin [vaʒɛ̃] *nm* vagina

vague [vag] *nf* wave ▷ *adj* vague; (*regard*) faraway; (*manteau, robe*) loose(-fitting); (*quelconque*): **un ~ bureau/cousin** some office/cousin or other; **vague de fond** ground swell; **vague de froid** cold spell

vaillant, e [vajɑ̃, ɑ̃t] *adj* (*courageux*) gallant; (*robuste*) hale and hearty

vain, e [vɛ̃, vɛn] *adj* vain; **en ~** in vain

vaincre [vɛ̃kʀ] *vt* to defeat; (*fig*) to conquer, overcome; **vaincu, e** *nm/f* defeated party; **vainqueur** *nm* victor; (*Sport*) winner

vaisseau, x [vɛso] *nm* (*Anat*) vessel; (*Navig*) ship, vessel; **vaisseau spatial** spaceship

vaisselier [vɛsəlje] *nm* dresser

vaisselle [vɛsɛl] *nf* (*service*) crockery; (*plats etc à laver*) (dirty) dishes *pl*; **faire la ~** to do the washing-up (BRIT) *ou* the dishes

valable [valabl] *adj* valid; (*acceptable*) decent, worthwhile

valet [valɛ] *nm* manservant; (*Cartes*) jack

valeur [valœʀ] *nf* (*gén*) value; (*mérite*) worth, merit; (*Comm: titre*) security; **valeurs** *nfpl* (*morales*) values; **mettre en ~** (*détail*) to highlight; (*objet décoratif*) to show off to advantage; **avoir de la ~** to be valuable; **sans ~** worthless; **prendre de la ~** to go up *ou* gain in value

valide [valid] *adj* (*en bonne santé*) fit; (*valable*) valid; **valider** *vt* to validate

valise [valiz] *nf* (suit)case; **faire ses ~s** to pack one's bags

vallée [vale] *nf* valley

vallon [valɔ̃] *nm* small valley

valoir [valwaʀ] *vi* (*être valable*) to hold, apply ▷ *vt* (*prix, valeur, effort*) to be worth; (*causer*): **~ qch à qn** to earn sb sth; **se ~** *vi* to be of equal merit; (*péj*) to be two of a kind; **faire ~** (*droits, prérogatives*) to assert; **se faire ~** to make the most of o.s.; **à ~ sur** to be deducted from; **vaille que vaille** somehow or other; **cela ne me dit rien qui vaille** I don't like the look of it at all; **ce climat ne me vaut rien** this climate doesn't suit me; **~ le coup** *ou* **la peine** to be worth the trouble *ou* worth it; **~ mieux**: **il vaut mieux se taire** it's better to say nothing; **ça ne vaut rien** it's worthless; **que vaut ce candidat?** how good is this applicant?

valse [vals] *nf* waltz

vandalisme [vɑ̃dalism] *nm* vandalism

vanille [vanij] *nf* vanilla

vanité [vanite] *nf* vanity; **vaniteux, -euse** *adj* vain,

conceited
vanne [van] *nf* gate; (*fig*) joke
vannerie [vanʀi] *nf* basketwork
vantard, e [vɑ̃taʀ, aʀd] *adj* boastful
vanter [vɑ̃te] *vt* to speak highly of, praise; **se ~** *vi* to boast, brag; **se ~ de** to pride o.s. on; (*péj*) to boast of
vapeur [vapœʀ] *nf* steam; (*émanation*) vapour, fumes *pl*; **vapeurs** *nfpl* (*bouffées*) vapours; **à ~** steam-powered, steam *cpd*; **cuit à la ~** steamed; **vaporeux, -euse** *adj* (*flou*) hazy, misty; (*léger*) filmy; **vaporisateur** *nm* spray; **vaporiser** *vt* (*parfum etc*) to spray
varappe [vaʀap] *nf* rock climbing
vareuse [vaʀøz] *nf* (*blouson*) pea jacket; (*d'uniforme*) tunic
variable [vaʀjabl] *adj* variable; (*temps, humeur*) changeable; (*divers: résultats*) varied, various
varice [vaʀis] *nf* varicose vein
varicelle [vaʀisɛl] *nf* chickenpox
varié, e [vaʀje] *adj* varied; (*divers*) various; **hors d'œuvre ~s** selection of hors d'œuvres
varier [vaʀje] *vi* to vary; (*temps, humeur*) to change ▷ *vt* to vary; **variété** *nf* variety; **variétés** *nfpl*: **spectacle/émission de variétés** variety show
variole [vaʀjɔl] *nf* smallpox
Varsovie [vaʀsɔvi] *n* Warsaw
vas [va] *vb voir* **aller**; **~-y!** [vɑzi] go on!
vase [vɑz] *nm* vase ▷ *nf* silt, mud; **vaseux, -euse** *adj* silty, muddy; (*fig: confus*) woolly, hazy; (*: fatigué*) woozy
vasistas [vazistɑs] *nm* fanlight
vaste [vast] *adj* vast, immense
vautour [votuʀ] *nm* vulture
vautrer [votʀe] *vb*: **se ~ dans/sur** to wallow in/sprawl on
va-vite [vavit]: **à la ~** *adv* in a rush *ou* hurry
VDQS *sigle (= vin délimité de qualité supérieure) label guaranteeing the quality of wine*
veau, x [vo] *nm* (*Zool*) calf; (*Culin*) veal; (*peau*) calfskin
vécu, e [veky] *pp de* **vivre**
vedette [vədɛt] *nf* (*artiste etc*) star; (*canot*) motor boat; (*police*) launch
végétal, e, -aux [veʒetal, o] *adj* vegetable ▷ *nm* vegetable, plant; **végétalien, ne** *adj, nm/f* vegan
végétarien, ne [veʒetaʀjɛ̃, jɛn] *adj, nm/f* vegetarian; **avez-vous des plats ~s?** do you have any vegetarian dishes?
végétation [veʒetasjɔ̃] *nf* vegetation; **végétations** *nfpl* (*Méd*) adenoids
véhicule [veikyl] *nm* vehicle; **véhicule utilitaire** commercial vehicle
veille [vɛj] *nf* (*état*) wakefulness; (*jour*): **la ~ (de)** the day before; **la ~ au soir** the previous evening; **à la ~ de** on the eve of; **la ~ de Noël** Christmas Eve; **la ~ du jour de l'An** New Year's Eve
veillée [veje] *nf* (*soirée*) evening; (*réunion*) evening gathering; **veillée (funèbre)** wake
veiller [veje] *vi* to stay up ▷ *vt* (*malade, mort*) to watch over, sit up with; **~ à** to attend to, see to; **~ à ce que** to make sure that; **~ sur** to watch over; **veilleur** *nm*: **veilleur de nuit** night watchman; **veilleuse** *nf* (*lampe*) night light; (*Auto*) sidelight; (*flamme*) pilot light
veinard, e [vɛnaʀ, aʀd] *nm/f* lucky devil
veine [vɛn] *nf* (*Anat, du bois etc*) vein; (*filon*) vein, seam; (*fam: chance*): **avoir de la ~** to be lucky
véliplanchiste [veliplɑ̃ʃist] *nm/f* windsurfer
vélo [velo] *nm* bike, cycle; **faire du ~** to go cycling;
vélomoteur *nm* moped
velours [v(ə)luʀ] *nm* velvet; **velours côtelé** corduroy; **velouté, e** *adj* velvety ▷ *nm*: **velouté de tomates** cream of tomato soup
velu, e [vəly] *adj* hairy
vendange [vɑ̃dɑ̃ʒ] *nf* (*aussi*: **~s**) grape harvest; **vendanger** *vi* to harvest the grapes
vendeur, -euse [vɑ̃dœʀ, øz] *nm/f* shop assistant ▷ *nm* (*Jur*) vendor, seller
vendre [vɑ̃dʀ] *vt* to sell; **~ qch à qn** to sell sb sth; **"à ~"** "for sale"
vendredi [vɑ̃dʀədi] *nm* Friday; **vendredi saint** Good Friday
vénéneux, -euse [venenø, øz] *adj* poisonous
vénérien, ne [veneʀjɛ̃, jɛn] *adj* venereal
vengeance [vɑ̃ʒɑ̃s] *nf* vengeance *no pl*, revenge *no pl*
venger [vɑ̃ʒe] *vt* to avenge; **se ~** *vi* to avenge o.s.; **se ~ de qch** to avenge o.s. for sth, take one's revenge for sth; **se ~ de qn** to take revenge on sb; **se ~ sur** to take revenge on
venimeux, -euse [vənimø, øz] *adj* poisonous, venomous; (*fig: haineux*) venomous, vicious
venin [vənɛ̃] *nm* venom, poison
venir [v(ə)niʀ] *vi* to come; **~ de** to come from; **~ de faire**: **je viens d'y aller/de le voir** I've just been there/seen him; **s'il vient à pleuvoir** if it should rain; **j'en viens à croire que** I have come to believe that; **où veux-tu en ~?** what are you getting at?; **faire ~** (*docteur, plombier*) to call (out)
vent [vɑ̃] *nm* wind; **il y a du ~** it's windy; **c'est du ~** it's all hot air; **dans le ~** (*fam*) trendy
vente [vɑ̃t] *nf* sale; **la ~** (*activité*) selling; (*secteur*) sales *pl*; **mettre en ~** (*produit*) to put on sale; (*maison, objet personnel*) to put up for sale; **vente aux enchères** auction sale; **vente de charité** jumble sale
venteux, -euse [vɑ̃tø, øz] *adj* windy
ventilateur [vɑ̃tilatœʀ] *nm* fan
ventiler [vɑ̃tile] *vt* to ventilate
ventouse [vɑ̃tuz] *nf* (*de caoutchouc*) suction pad
ventre [vɑ̃tʀ] *nm* (*Anat*) stomach; (*légèrement péj*) belly; (*utérus*) womb; **avoir mal au ~** to have stomach ache (BRIT) *ou* a stomach ache (US)
venu, e [v(ə)ny] *pp de* **venir** ▷ *adj*: **bien ~** timely; **mal ~** out of place; **être mal ~ à** *ou* **de faire** to have no grounds for doing, be in no position to do
ver [vɛʀ] *nm* worm; (*des fruits etc*) maggot; (*du bois*) woodworm *no pl*; *voir aussi* **vers**; **ver à soie** silkworm; **ver de terre** earthworm; **ver luisant** glow-worm; **ver solitaire** tapeworm
verbe [vɛʀb] *nm* verb
verdâtre [vɛʀdɑtʀ] *adj* greenish
verdict [vɛʀdik(t)] *nm* verdict
verdir [vɛʀdiʀ] *vi, vt* to turn green; **verdure** *nf* greenery
véreux, -euse [veʀø, øz] *adj* worm-eaten; (*malhonnête*) shady, corrupt
verge [vɛʀʒ] *nf* (*Anat*) penis
verger [vɛʀʒe] *nm* orchard
verglacé, e [vɛʀglase] *adj* icy, iced-over
verglas [vɛʀglɑ] *nm* (black) ice
véridique [veʀidik] *adj* truthful
vérification [veʀifikasjɔ̃] *nf* (*action*) checking *no pl*; (*contrôle*) check
vérifier [veʀifje] *vt* to check; (*corroborer*) to confirm, bear out
véritable [veʀitabl] *adj* real; (*ami, amour*) true; **un ~ désastre** an absolute disaster

vérité [veʀite] *nf* truth; **en ~** really, actually
verlan [vɛʀlɑ̃] *nm* (*fam*) (back) slang
vermeil, le [vɛʀmɛj] *adj* ruby red
vermine [vɛʀmin] *nf* vermin *pl*
vermoulu, e [vɛʀmuly] *adj* worm-eaten
verni, e [vɛʀni] *adj* (*fam*) lucky; **cuir ~** patent leather
vernir [vɛʀniʀ] *vt* (*bois, tableau, ongles*) to varnish; (*poterie*) to glaze; **vernis** *nm* (*enduit*) varnish; glaze; (*fig*) veneer; **vernis à ongles** nail polish *ou* varnish; **vernissage** *nm* (*d'une exposition*) preview
vérole [veʀɔl] *nf* (*variole*) smallpox
verre [vɛʀ] *nm* glass; (*de lunettes*) lens *sg*; **boire** *ou* **prendre un ~** to have a drink; **verres de contact** contact lenses; **verrière** *nf* (*paroi vitrée*) glass wall; (*toit vitré*) glass roof
verrou [veʀu] *nm* (*targette*) bolt; **mettre qn sous les ~s** to put sb behind bars; **verrouillage** *nm* locking; **verrouillage centralisé** central locking; **verrouiller** *vt* (*porte*) to bolt; (*ordinateur*) to lock
verrue [veʀy] *nf* wart
vers [vɛʀ] *nm* line ▷ *nmpl* (*poésie*) verse *sg* ▷ *prép* (*en direction de*) toward(s); (*près de*) around (about); (*temporel*) about, around
versant [vɛʀsɑ̃] *nm* slopes *pl*, side
versatile [vɛʀsatil] *adj* fickle, changeable
verse [vɛʀs]: **à ~** *adv*: **il pleut à ~** it's pouring (with rain)
Verseau [vɛʀso] *nm*: **le ~** Aquarius
versement [vɛʀsəmɑ̃] *nm* payment; **en 3 ~s** in 3 instalments
verser [vɛʀse] *vt* (*liquide, grains*) to pour; (*larmes, sang*) to shed; (*argent*) to pay; **~ qch sur un compte** to pay sth into an account
version [vɛʀsjɔ̃] *nf* version; (*Scol*) translation (*into the mother tongue*); **film en ~ originale** film in the original language
verso [vɛʀso] *nm* back; **voir au ~** see over(leaf)
vert, e [vɛʀ, vɛʀt] *adj* green; (*vin*) young; (*vigoureux*) sprightly ▷ *nm* green; **les V~s** (*Pol*) the Greens
vertèbre [vɛʀtɛbʀ] *nf* vertebra
vertement [vɛʀtəmɑ̃] *adv* (*réprimander*) sharply
vertical, e, -aux [vɛʀtikal, o] *adj* vertical; **verticale** *nf* vertical; **à la verticale** vertically; **verticalement** *adv* vertically
vertige [vɛʀtiʒ] *nm* (*peur du vide*) vertigo; (*étourdissement*) dizzy spell; (*fig*) fever; **vertigineux, -euse** *adj* breathtaking
vertu [vɛʀty] *nf* virtue; **en ~ de** in accordance with; **vertueux, -euse** *adj* virtuous
verve [vɛʀv] *nf* witty eloquence; **être en ~** to be in brilliant form
verveine [vɛʀvɛn] *nf* (*Bot*) verbena, vervain; (*infusion*) verbena tea
vésicule [vezikyl] *nf* vesicle; **vésicule biliaire** gall-bladder
vessie [vesi] *nf* bladder
veste [vɛst] *nf* jacket; **veste droite/croisée** single-/double-breasted jacket
vestiaire [vɛstjɛʀ] *nm* (*au théâtre etc*) cloakroom; (*de stade etc*) changing-room (BRIT), locker-room (US)
vestibule [vɛstibyl] *nm* hall
vestige [vɛstiʒ] *nm* relic; (*fig*) vestige; **vestiges** *nmpl* (*de ville*) remains
vestimentaire [vɛstimɑ̃tɛʀ] *adj* (*détail*) of dress; (*élégance*) sartorial; **dépenses ~s** clothing expenditure
veston [vɛstɔ̃] *nm* jacket
vêtement [vɛtmɑ̃] *nm* garment, item of clothing; **vêtements** *nmpl* clothes
vétérinaire [veteʀinɛʀ] *nm/f* vet, veterinary surgeon
vêtir [vetiʀ] *vt* to clothe, dress
vêtu, e [vety] *pp de* **vêtir** ▷ *adj*: **~ de** dressed in, wearing
vétuste [vetyst] *adj* ancient, timeworn
veuf, veuve [vœf, vœv] *adj* widowed ▷ *nm* widower
veuve [vœv] *nf* widow
vexant, e [vɛksɑ̃, ɑ̃t] *adj* (*contrariant*) annoying; (*blessant*) hurtful
vexation [vɛksasjɔ̃] *nf* humiliation
vexer [vɛkse] *vt*: **~ qn** to hurt sb's feelings; **se ~** *vi* to be offended
viable [vjabl] *adj* viable; (*économie, industrie etc*) sustainable
viande [vjɑ̃d] *nf* meat; **je ne mange pas de ~** I don't eat meat
vibrer [vibʀe] *vi* to vibrate; (*son, voix*) to be vibrant; (*fig*) to be stirred; **faire ~** to (cause to) vibrate; (*fig*) to stir, thrill
vice [vis] *nm* vice; (*défaut*) fault ▷ *préfixe*: **~...** vice-; **vice de forme** legal flaw *ou* irregularity
vicié, e [visje] *adj* (*air*) polluted, tainted; (*Jur*) invalidated
vicieux, -euse [visjø, jøz] *adj* (*pervers*) lecherous; (*rétif*) unruly ▷ *nm/f* lecher
vicinal, e, -aux [visinal, o] *adj*: **chemin ~** by-road, byway
victime [viktim] *nf* victim; (*d'accident*) casualty
victoire [viktwaʀ] *nf* victory
victuailles [viktɥɑj] *nfpl* provisions
vidange [vidɑ̃ʒ] *nf* (*d'un fossé, réservoir*) emptying; (*Auto*) oil change; (*de lavabo*: *bonde*) waste outlet; **vidanges** *nfpl* (*matières*) sewage *sg*; **vidanger** *vt* to empty
vide [vid] *adj* empty ▷ *nm* (*Physique*) vacuum; (*espace*) (empty) space, gap; (*futilité, néant*) void; **avoir peur du ~** to be afraid of heights; **emballé sous ~** vacuum packed; **à ~** (*sans occupants*) empty; (*sans charge*) unladen
vidéo [video] *nf* video ▷ *adj*: **cassette ~** video cassette; **jeu ~** video game; **vidéoclip** *nm* music video; **vidéoconférence** *nf* videoconference
vide-ordures [vidɔʀdyʀ] *nm inv* (rubbish) chute
vider [vide] *vt* to empty; (*Culin*: *volaille, poisson*) to gut, clean out; **se ~** *vi* to empty; **~ les lieux** to quit *ou* vacate the premises; **videur** *nm* (*de boîte de nuit*) bouncer, doorman
vie [vi] *nf* life; **être en ~** to be alive; **sans ~** lifeless; **à ~** for life; **que faites-vous dans la ~?** what do you do?
vieil [vjɛj] *adj m voir* **vieux**; **vieillard** *nm* old man; **vieille** *adj, nf voir* **vieux**; **vieilleries** *nfpl* old things; **vieillesse** *nf* old age; **vieillir** *vi* (*prendre de l'âge*) to grow old; (*population, vin*) to age; (*doctrine, auteur*) to become dated ▷ *vt* to age; **vieillissement** *nm* growing old; ageing
Vienne [vjɛn] *nf* Vienna
viens [vjɛ̃] *vb voir* **venir**
vierge [vjɛʀʒ] *adj* virgin; (*page*) clean, blank ▷ *nf* virgin; (*signe*): **la V~** Virgo
Vietnam, Viet-Nam [vjɛtnam] *nm* Vietnam; **vietnamien, ne** *adj* Vietnamese ▷ *nm/f*: **Vietnamien, ne** Vietnamese
vieux, vieil, vieille [vjø, vjɛj] *adj* old ▷ *nm/f* old man (woman); **les vieux** *nmpl* old people; **un petit ~** a little old man; **mon ~/ma vieille** (*fam*) old man/girl; **prendre un coup de ~** to put years on; **vieux**

garçon bachelor; **vieux jeu** *adj inv* old-fashioned
vif, vive [vif, viv] *adj* (*animé*) lively; (*alerte, brusque, aigu*) sharp; (*lumière, couleur*) bright; (*air*) crisp; (*vent, émotion*) keen; (*fort: regret, déception*) great, deep; (*vivant*): **brûlé ~** burnt alive; **de vive voix** personally; **avoir l'esprit ~** to be quick-witted; **piquer qn au ~** to cut sb to the quick; **à ~** (*plaie*) open; **avoir les nerfs à ~** to be on edge
vigne [viɲ] *nf* (*plante*) vine; (*plantation*) vineyard; **vigneron** *nm* wine grower
vignette [viɲɛt] *nf* (*Admin*) ≈ (road) tax disc (BRIT), ≈ license plate sticker (US); (*de médicament*) price label (*used for reimbursement*)
vignoble [viɲɔbl] *nm* (*plantation*) vineyard; (*vignes d'une région*) vineyards *pl*
vigoureux, -euse [viguʀø, øz] *adj* vigorous, robust
vigueur [vigœʀ] *nf* vigour; **entrer en ~** to come into force; **en ~** current
vilain, e [vilɛ̃, ɛn] *adj* (*laid*) ugly; (*affaire, blessure*) nasty; (*pas sage: enfant*) naughty; **vilain mot** naughty *ou* bad word
villa [villa] *nf* (detached) house; **~ en multipropriété** time-share villa
village [vilaʒ] *nm* village; **villageois, e** *adj* village *cpd* ▷ *nm/f* villager
ville [vil] *nf* town; (*importante*) city; (*administration*): **la ~** the (town) council, the local authority; **ville d'eaux** spa; **ville nouvelle** new town
vin [vɛ̃] *nm* wine; **avoir le ~ gai** to get happy after a few drinks; **vin d'honneur** reception (*with wine and snacks*); **vin de pays** local wine; **vin ordinaire** *ou* **de table** table wine
vinaigre [vinɛgʀ] *nm* vinegar; **vinaigrette** *nf* vinaigrette, French dressing
vindicatif, -ive [vɛ̃dikatif, iv] *adj* vindictive
vingt [vɛ̃] *num* twenty; **~-quatre heures sur ~-quatre** twenty-four hours a day, round the clock; **vingtaine** *nf*: **une vingtaine (de)** about twenty, twenty or so; **vingtième** *num* twentieth
vinicole [vinikɔl] *adj* wine *cpd*, wine-growing
vinyle [vinil] *nm* vinyl
viol [vjɔl] *nm* (*d'une femme*) rape; (*d'un lieu sacré*) violation
violacé, e [vjɔlase] *adj* purplish, mauvish
violemment [vjɔlamɑ̃] *adv* violently
violence [vjɔlɑ̃s] *nf* violence
violent, e [vjɔlɑ̃, ɑ̃t] *adj* violent; (*remède*) drastic
violer [vjɔle] *vt* (*femme*) to rape; (*sépulture, loi, traité*) to violate
violet, te [vjɔlɛ, ɛt] *adj, nm* purple, mauve; **violette** *nf* (*fleur*) violet
violon [vjɔlɔ̃] *nm* violin; (*fam: prison*) lock-up; **violon d'Ingres** hobby; **violoncelle** *nm* cello; **violoniste** *nm/f* violinist
vipère [vipɛʀ] *nf* viper, adder
virage [viʀaʒ] *nm* (*d'un véhicule*) turn; (*d'une route, piste*) bend
virée [viʀe] *nf* trip; (*à pied*) walk; (*longue*) walking tour; (*dans les cafés*) tour
virement [viʀmɑ̃] *nm* (*Comm*) transfer
virer [viʀe] *vt* (*Comm*): **~ qch (sur)** to transfer sth (into); (*fam: expulser*): **~ qn** to kick sb out ▷ *vi* to turn; (*Chimie*) to change colour; **~ au bleu/rouge** to turn blue/red; **~ de bord** to tack
virevolter [viʀvɔlte] *vi* to twirl around
virgule [viʀgyl] *nf* comma; (*Math*) point
viril, e [viʀil] *adj* (*propre à l'homme*) masculine; (*énergique, courageux*) manly, virile
virtuel, le [viʀtɥɛl] *adj* potential; (*théorique*) virtual
virtuose [viʀtɥoz] *nm/f* (*Mus*) virtuoso; (*gén*) master
virus [viʀys] *nm* virus
vis[1] [vi] *vb voir* **voir**; **vivre**
vis[2] [vis] *nf* screw
visa [viza] *nm* (*sceau*) stamp; (*validation de passeport*) visa
visage [vizaʒ] *nm* face
vis-à-vis [vizavi] *prép*: **~ de qn** to(wards) sb; **en ~** facing each other
visées [vize] *nfpl* (*intentions*) designs
viser [vize] *vi* to aim ▷ *vt* to aim at; (*concerner*) to be aimed *ou* directed at; (*apposer un visa sur*) to stamp, visa; **~ à qch/faire** to aim at sth/at doing *ou* to do
visibilité [vizibilite] *nf* visibility
visible [vizibl] *adj* visible; (*disponible*): **est-il ~?** can he see me?, will he see visitors?
visière [vizjɛʀ] *nf* (*de casquette*) peak; (*qui s'attache*) eyeshade
vision [vizjɔ̃] *nf* vision; (*sens*) (eye)sight, vision; (*fait de voir*): **la ~ de** the sight of; **visionneuse** *nf* viewer
visiophone [vizjɔfɔn] *nm* videophone
visite [vizit] *nf* visit; **~ médicale** medical examination; **~ accompagnée** *ou* **guidée** guided tour; **la ~ guidée commence à quelle heure?** what time does the guided tour start?; **faire une ~ à qn** to call on sb, pay sb a visit; **rendre ~ à qn** to visit sb, pay sb a visit; **être en ~ (chez qn)** to be visiting (sb); **avoir de la ~** to have visitors; **heures de ~** (*hôpital, prison*) visiting hours
visiter [vizite] *vt* to visit; **visiteur, -euse** *nm/f* visitor
vison [vizɔ̃] *nm* mink
visser [vise] *vt*: **~ qch** (*fixer, serrer*) to screw sth on
visuel, le [vizɥɛl] *adj* visual
vital, e, -aux [vital, o] *adj* vital
vitamine [vitamin] *nf* vitamin
vite [vit] *adv* (*rapidement*) quickly, fast; (*sans délai*) quickly; (*sous peu*) soon; **~!** quick!; **faire ~** to be quick; **le temps passe ~** time flies
vitesse [vitɛs] *nf* speed; (*Auto: dispositif*) gear; **prendre de la ~** to pick up *ou* gather speed; **à toute ~** at full *ou* top speed; **en ~** (*rapidement*) quickly; (*en hâte*) in a hurry
viticulteur [vitikyltœʀ] *nm* wine grower
vitrage [vitʀaʒ] *nm*: **double ~** double glazing
vitrail, -aux [vitʀaj, o] *nm* stained-glass window
vitre [vitʀ] *nf* (window) pane; (*de portière, voiture*) window; **vitré, e** *adj* glass *cpd*
vitrine [vitʀin] *nf* (shop) window; (*petite armoire*) display cabinet; **en ~** in the window
vivable [vivabl] *adj* (*personne*) livable-with; (*maison*) fit to live in
vivace [vivas] *adj* (*arbre, plante*) hardy; (*fig*) indestructible, inveterate
vivacité [vivasite] *nf* liveliness, vivacity
vivant, e [vivɑ̃, ɑ̃t] *adj* (*qui vit*) living, alive; (*animé*) lively; (*preuve, exemple*) living ▷ *nm*: **du ~ de qn** in sb's lifetime; **les ~s** the living
vive [viv] *adj voir* **vif** ▷ *vb voir* **vivre** ▷ *excl*: **~ le roi!** long live the king!; **vivement** *adv* deeply ▷ *excl*: **vivement les vacances!** roll on the holidays!
vivier [vivje] *nm* (*étang*) fish tank; (*réservoir*) fishpond
vivifiant, e [vivifjɑ̃, jɑ̃t] *adj* invigorating
vivoter [vivɔte] *vi* (*personne*) to scrape a living, get by; (*fig: affaire etc*) to struggle along
vivre [vivʀ] *vi, vt* to live; (*période*) to live through; **vivres** *nmpl* provisions, food supplies; **~ de** to live

on; **il vit encore** he is still alive; **se laisser ~** to take life as it comes; **ne plus ~** (*être anxieux*) to live on one's nerves; **il a vécu** (*eu une vie aventureuse*) he has seen life; **être facile à ~** to be easy to get on with; **faire ~ qn** (*pourvoir à sa subsistance*) to provide (a living) for sb

vlan [vlɑ̃] *excl* wham!, bang!

VO [veo] *nf*: **film en VO** film in the original version; **en VO sous-titrée** in the original version with subtitles

vocabulaire [vɔkabylɛʀ] *nm* vocabulary

vocation [vɔkasjɔ̃] *nf* vocation, calling

vœu, x [vø] *nm* wish; (*promesse*) vow; **faire ~ de** to take a vow of; **tous nos ~x de bonne année, meilleurs ~x** best wishes for the New Year

vogue [vɔg] *nf* fashion, vogue; **en ~** in fashion, in vogue

voici [vwasi] *prép* (*pour introduire, désigner*) here is *+sg*, here are *+pl*; **et ~ que ...** and now it (*ou* he) ...; *voir aussi* **voilà**

voie [vwa] *nf* way; (*Rail*) track, line; (*Auto*) lane; **être en bonne ~** to be going well; **mettre qn sur la ~** to put sb on the right track; **pays en ~ de développement** developing country; **être en ~ d'achèvement/de rénovation** to be nearing completion/in the process of renovation; **par ~ buccale** *ou* **orale** orally; **route à ~ unique** single-track road; **route à 2/3 ~s** 2-/3-lane road; **voie de garage** (*Rail*) siding; **voie express** expressway; **voie ferrée** track; railway line (BRIT), railroad (US); **la voie lactée** the Milky Way; **la voie publique** the public highway

voilà [vwala] *prép* (*en désignant*) there is *+sg*, there are *+pl*; **les ~** *ou* **voici** here *ou* there they are; **en ~** *ou* **voici un** here's one, there's one; **voici mon frère et ~ ma sœur** this is my brother and that's my sister; **~** *ou* **voici deux ans** two years ago; **~** *ou* **voici deux ans que** it's two years since; **et ~!** there we are!; **~ tout** that's all; **~** *ou* **voici** (*en offrant etc*) there *ou* here you are; **tiens! ~ Paul** look! there's Paul

voile [vwal] *nm* veil; (*tissu léger*) net ▷ *nf* sail; (*sport*) sailing; **voiler** *vt* to veil; (*fausser*: *roue*) to buckle; (: *bois*) to warp; **se voiler** *vi* (*lune, regard*) to mist over; (*voix*) to become husky; (*roue, disque*) to buckle; (*planche*) to warp; **voilier** *nm* sailing ship; (*de plaisance*) sailing boat; **voilure** *nf* (*de voilier*) sails *pl*

voir [vwaʀ] *vi, vt* to see; **se ~** *vi* (*être visible*) to show; (*se fréquenter*) to see each other; (*se produire*) to happen; **cela se voit** (*c'est visible*) that's obvious, it shows; **faire ~ qch à qn** to show sb sth; **en faire ~ à qn** (*fig*) to give sb a hard time; **ne pas pouvoir ~ qn** not to be able to stand sb; **voyons!** let's see now; (*indignation etc*) come on!; **ça n'a rien à ~ avec lui** that has nothing to do with him

voire [vwaʀ] *adv* even

voisin, e [vwazɛ̃, in] *adj* (*proche*) neighbouring; (*contigu*) next; (*ressemblant*) connected ▷ *nm/f* neighbour; **voisinage** *nm* (*proximité*) proximity; (*environs*) vicinity; (*quartier, voisins*) neighbourhood

voiture [vwatyʀ] *nf* car; (*wagon*) coach, carriage; **voiture de course** racing car; **voiture de sport** sports car

voix [vwɑ] *nf* voice; (*Pol*) vote; **à haute ~** aloud; **à ~ basse** in a low voice; **à 2/4 ~** (*Mus*) in 2/4 parts; **avoir ~ au chapitre** to have a say in the matter

vol [vɔl] *nm* (*d'oiseau, d'avion*) flight; (*larcin*) theft; **~ régulier** scheduled flight; **à ~ d'oiseau** as the crow flies; **au ~**: **attraper qch au ~** to catch sth as it flies past; **en ~** in flight; **je voudrais signaler un ~** I'd like to report a theft; **vol à main armée** armed robbery; **vol à voile** gliding; **vol libre** hang-gliding

volage [vɔlaʒ] *adj* fickle

volaille [vɔlɑj] *nf* (*oiseaux*) poultry *pl*; (*viande*) poultry *no pl*; (*oiseau*) fowl

volant, e [vɔlɑ̃, ɑ̃t] *adj voir* **feuille** *etc* ▷ *nm* (*d'automobile*) (steering) wheel; (*de commande*) wheel; (*objet lancé*) shuttlecock; (*bande de tissu*) flounce

volcan [vɔlkɑ̃] *nm* volcano

volée [vɔle] *nf* (*Tennis*) volley; **à la ~**: **rattraper à la ~** to catch in mid-air; **à toute ~** (*sonner les cloches*) vigorously; (*lancer un projectile*) with full force

voler [vɔle] *vi* (*avion, oiseau, fig*) to fly; (*voleur*) to steal ▷ *vt* (*objet*) to steal; (*personne*) to rob; **~ qch à qn** to steal sth from sb; **on m'a volé mon portefeuille** my wallet (BRIT) *ou* billfold (US) has been stolen; **il ne l'a pas volé!** he asked for it!

volet [vɔlɛ] *nm* (*de fenêtre*) shutter; (*de feuillet, document*) section

voleur, -euse [vɔlœʀ, øz] *nm/f* thief ▷ *adj* thieving; **"au ~!"** "stop thief!"

volontaire [vɔlɔ̃tɛʀ] *adj* (*acte, enrôlement, prisonnier*) voluntary; (*oubli*) intentional; (*caractère, personne*: *décidé*) self-willed ▷ *nm/f* volunteer

volonté [vɔlɔ̃te] *nf* (*faculté de vouloir*) will; (*énergie, fermeté*) will(power); (*souhait, désir*) wish; **à ~** as much as one likes; **bonne ~** goodwill, willingness; **mauvaise ~** lack of goodwill, unwillingness

volontiers [vɔlɔ̃tje] *adv* (*avec plaisir*) willingly, gladly; (*habituellement, souvent*) readily, willingly; **voulez-vous boire quelque chose? - ~!** would you like something to drink? - yes, please!

volt [vɔlt] *nm* volt

volte-face [vɔltəfas] *nf inv*: **faire ~** to turn round

voltige [vɔltiʒ] *nf* (*Équitation*) trick riding; (*au cirque*) acrobatics *sg*; **voltiger** *vi* to flutter (about)

volubile [vɔlybil] *adj* voluble

volume [vɔlym] *nm* volume; (*Géom*: *solide*) solid; **volumineux, -euse** *adj* voluminous, bulky

volupté [vɔlypte] *nf* sensual delight *ou* pleasure

vomi [vɔmi] *nm* vomit; **vomir** *vi* to vomit, be sick ▷ *vt* to vomit, bring up; (*fig*) to belch out, spew out; (*exécrer*) to loathe, abhor

vorace [vɔʀas] *adj* voracious

vos [vo] *adj voir* **votre**

vote [vɔt] *nm* vote; **vote par correspondance/procuration** postal/proxy vote; **voter** *vi* to vote ▷ *vt* (*projet de loi*) to vote for; (*loi, réforme*) to pass

votre [vɔtʀ] (*pl* **vos**) *adj* your

vôtre [votʀ] *pron*: **le ~, la ~, les ~s** yours; **les ~s** (*fig*) your family *ou* folks; **à la ~** (*toast*) your (good) health!

vouer [vwe] *vt*: **~ sa vie à** (*étude, cause etc*) to devote one's life to; **~ une amitié éternelle à qn** to vow undying friendship to sb

MOT-CLÉ

vouloir [vulwaʀ] *nm*: **le bon vouloir de qn** sb's goodwill; sb's pleasure

▷ *vt* **1** (*exiger, désirer*) to want; **vouloir faire/que qn fasse** to want to do/sb to do; **voulez-vous du thé?** would you like *ou* do you want some tea?; **que me veut-il?** what does he want with me?; **sans le vouloir** (*involontairement*) without meaning to, unintentionally; **je voudrais ceci/faire** I would *ou* I'd like this/to do; **le hasard a voulu que ...** as fate would have it ...; **la tradition veut que ...** it is a tradition that ...

2 (*consentir*): **je veux bien** (*bonne volonté*) I'll be happy to; (*concession*) fair enough, that's fine; **je peux le faire, si vous voulez** I can do it if you like; **oui, si on veut** (*en quelque sorte*) yes, if you like; **veuillez attendre** please wait; **veuillez agréer ...** (*formule épistolaire*: *personne nommée*) yours sincerely; (*personne non nommée*) yours faithfully
3: **en vouloir à qn** to bear sb a grudge; **s'en vouloir (de)** to be annoyed with o.s. (for); **il en veut à mon argent** he's after my money
4: **vouloir de**: **l'entreprise ne veut plus de lui** the firm doesn't want him any more; **elle ne veut pas de son aide** she doesn't want his help
5: **vouloir dire** to mean

voulu, e [vuly] *adj* (*requis*) required, requisite; (*délibéré*) deliberate, intentional; *voir aussi* **vouloir**
vous [vu] *pron* you; (*objet indirect*) (to) you; (*réfléchi*: *sg*) yourself; (: *pl*) yourselves; (*réciproque*) each other ▷ *nm*: **employer le ~** (*vouvoyer*) to use the "vous" form; **~-même** yourself; **~-mêmes** yourselves
vouvoyer [vuvwaje] *vt*: **~ qn** to address sb as "vous"
voyage [vwajaʒ] *nm* journey, trip; (*fait de voyager*): **le ~** travel(ling); **partir/être en ~** to go off/be away on a journey *ou* trip; **faire bon ~** to have a good journey; **votre ~ s'est bien passé?** how was your journey?; **voyage d'affaires/d'agrément** business/pleasure trip; **voyage de noces** honeymoon; **nous sommes en voyage de noces** we're on honeymoon; **voyage organisé** package tour
voyager [vwajaʒe] *vi* to travel; **voyageur, -euse** *nm/f* traveller; (*passager*) passenger; **voyageur de commerce** sales representative, commercial traveller
voyant, e [vwajɑ̃, ɑ̃t] *adj* (*couleur*) loud, gaudy ▷ *nm* (*signal*) (warning) light
voyelle [vwajɛl] *nf* vowel
voyou [vwaju] *nm* hooligan
vrac [vʀak]: **en ~** *adv* (*au détail*) loose; (*en gros*) in bulk; (*en désordre*) in a jumble
vrai, e [vʀɛ] *adj* (*véridique*: *récit, faits*) true; (*non factice, authentique*) real; **à ~ dire** to tell the truth; **vraiment** *adv* really; **vraisemblable** *adj* likely; (*excuse*) convincing; **vraisemblablement** *adj* probably; **vraisemblance** *nf* likelihood; (*romanesque*) verisimilitude
vrombir [vʀɔ̃biʀ] *vi* to hum
VRP *sigle m* (= *voyageur, représentant, placier*) sales rep (*fam*)
VTT *sigle m* (= *vélo tout-terrain*) mountain bike
vu, e [vy] *pp de* **voir** ▷ *adj*: **bien/mal vu** (*fig*: *personne*) popular/unpopular; (: *chose*) approved/disapproved of ▷ *prép* (*en raison de*) in view of; **vu que** in view of the fact that
vue [vy] *nf* (*fait de voir*): **la ~ de** the sight of; (*sens, faculté*) (eye)sight; (*panorama, image, photo*) view; **vues** *nfpl* (*idées*) views; (*dessein*) designs; **hors de ~** out of sight; **avoir en ~** to have in mind; **tirer à ~** to shoot on sight; **à ~ d'œil** visibly; **à première ~** at first sight; **de ~** by sight; **perdre de ~** to lose sight of; **en ~** (*visible*) in sight; (*célèbre*) in the public eye; **en ~ de faire** with a view to doing; **perdre la ~** to lose one's (eye)sight; **avoir ~ sur** (*suj*: *fenêtre*) to have a view of; **vue d'ensemble** overall view
vulgaire [vylgɛʀ] *adj* (*grossier*) vulgar, coarse; (*ordinaire*) commonplace, mundane; (*péj*: *quelconque*): **de ~s touristes** common tourists; (*Bot, Zool*: *non latin*) common; **vulgariser** *vt* to popularize
vulnérable [vylneʀabl] *adj* vulnerable

wagon [vagɔ̃] *nm* (*de voyageurs*) carriage; (*de marchandises*) truck, wagon; **wagon-lit** *nm* sleeper, sleeping car; **wagon-restaurant** *nm* restaurant *ou* dining car
wallon, ne [walɔ̃, ɔn] *adj* Walloon ▷ *nm* (*Ling*) Walloon ▷ *nm/f*: **W~, ne** Walloon
watt [wat] *nm* watt
w-c *sigle mpl* (= *water-closet(s)*) toilet
Web [wɛb] *nm inv*: **le ~** the (World Wide) Web; **webmaster** [-mastœʀ], **webmestre** [-mɛstʀ] *nm/f* webmaster
week-end [wikɛnd] *nm* weekend
western [wɛstɛʀn] *nm* western
whisky [wiski] (*pl* **whiskies**) *nm* whisky

xénophobe [gzenɔfɔb] *adj* xenophobic ▷ *nm/f* xenophobe
xérès [gzeʀɛs] *nm* sherry
xylophone [gzilɔfɔn] *nm* xylophone

y [i] *adv* (*à cet endroit*) there; (*dessus*) on it (*ou* them); (*dedans*) in it (*ou* them) ▷ *pron* (about *ou* on *ou* of) it (*d'après le verbe employé*); **j'y pense** I'm thinking about it; **ça y est!** that's it!; *voir aussi* **aller**; **avoir**

yacht [jɔt] *nm* yacht

yaourt [jauʀt] *nm* yoghourt; **~ nature/aux fruits** plain/fruit yogurt

yeux [jø] *nmpl de* **œil**

yoga [jɔga] *nm* yoga

yoghourt [jɔguʀt] *nm* = **yaourt**

yougoslave [jugɔslav] (*Histoire*) *adj* Yugoslav(ian) ▷ *nm/f*: **Y~** Yugoslav

Yougoslavie [jugɔslavi] (*Histoire*) *nf* Yugoslavia; **l'ex-~** the former Yugoslavia

Z

zapper [zape] *vi* to zap

zapping [zapiŋ] *nm*: **faire du ~** to flick through the channels

zèbre [zɛbʀ(ə)] *nm* (*Zool*) zebra; **zébré, e** *adj* striped, streaked

zèle [zɛl] *nm* zeal; **faire du ~** (*péj*) to be over-zealous; **zélé, e** *adj* zealous

zéro [zeʀo] *nm* zero, nought (BRIT); **au-dessous de ~** below zero (Centigrade) *ou* freezing; **partir de ~** to start from scratch; **trois (buts) à ~** 3 (goals to) nil

zeste [zɛst] *nm* peel, zest

zézayer [zezeje] *vi* to have a lisp

zigzag [zigzag] *nm* zigzag; **zigzaguer** *vi* to zigzag

Zimbabwe [zimbabwe] *nm*: **le ~** Zimbabwe

zinc [zɛ̃g] *nm* (*Chimie*) zinc

zipper [zipe] *vt* (*Inform*) to zip

zizi [zizi] *nm* (*langage enfantin*) willy

zodiaque [zɔdjak] *nm* zodiac

zona [zona] *nm* shingles *sg*

zone [zon] *nf* zone, area; (*fam: quartiers pauvres*): **la ~** the slums; **zone bleue** ≈ restricted parking area; **zone industrielle** industrial estate

zoo [zo(o)] *nm* zoo

zoologie [zɔɔlɔʒi] *nf* zoology; **zoologique** *adj* zoological

zut [zyt] *excl* dash (it)! (BRIT), nuts! (US)

a

A [eɪ] *n* (*Mus*) la *m*

 **KEYWORD**

a [eɪ, ə] (*before vowel or silent h* **an**) *indef art* **1** un(e); **a book** un livre; **an apple** une pomme; **she's a doctor** elle est médecin
2 (*instead of the number "one"*) un(e); **a year ago** il y a un an; **a hundred/thousand** *etc* **pounds** cent/mille *etc* livres
3 (*in expressing ratios, prices etc*): **3 a day/week** 3 par jour/semaine; **10 km an hour** 10 km à l'heure; **£5 a person** 5£ par personne; **30p a kilo** 30p le kilo

A2 *n* (BRIT: *Scol*) *deuxième partie de l'examen équivalent au baccalauréat*
A.A. *n abbr* (BRIT: = *Automobile Association*) ≈ ACF *m*; (= *Alcoholics Anonymous*) AA
A.A.A. *n abbr* (= *American Automobile Association*) ≈ ACF *m*
aback [əˈbæk] *adv*: **to be taken ~** être décontenancé(e)
abandon [əˈbændən] *vt* abandonner
abattoir [ˈæbətwɑːʳ] *n* (BRIT) abattoir *m*
abbey [ˈæbɪ] *n* abbaye *f*
abbreviation [əbriːvɪˈeɪʃən] *n* abréviation *f*
abdomen [ˈæbdəmən] *n* abdomen *m*
abduct [æbˈdʌkt] *vt* enlever
abide [əˈbaɪd] *vt* souffrir, supporter; **I can't ~ it/him** je ne le supporte pas; **abide by** *vt fus* observer, respecter
ability [əˈbɪlɪtɪ] *n* compétence *f*; capacité *f*; (*skill*) talent *m*
able [ˈeɪbl] *adj* compétent(e); **to be ~ to do sth** pouvoir faire qch, être capable de faire qch
abnormal [æbˈnɔːməl] *adj* anormal(e)
aboard [əˈbɔːd] *adv* à bord ▷ *prep* à bord de; (*train*) dans
abolish [əˈbɔlɪʃ] *vt* abolir
abolition [æbəˈlɪʃən] *n* abolition *f*
abort [əˈbɔːt] *vt* (*Med*) faire avorter; (*Comput, fig*) abandonner; **abortion** [əˈbɔːʃən] *n* avortement *m*; **to have an abortion** se faire avorter

 **KEYWORD**

about [əˈbaut] *adv* **1** (*approximately*) environ, à peu près; **about a hundred/thousand** *etc* environ cent/mille *etc*, une centaine (de)/un millier (de) *etc*; **it takes about 10 hours** ça prend environ *or* à peu près 10 heures; **at about 2 o'clock** vers 2 heures; **I've just about finished** j'ai presque fini
2 (*referring to place*) çà et là, de-ci de-là; **to run about** courir çà et là; **to walk about** se promener, aller et venir; **they left all their things lying about** ils ont laissé traîner toutes leurs affaires
3: **to be about to do sth** être sur le point de faire qch
▷ *prep* **1** (*relating to*) au sujet de, à propos de; **a book about London** un livre sur Londres; **what is it about?** de quoi s'agit-il?; **we talked about it** nous en avons parlé; **what** *or* **how about doing this?** et si nous faisions ceci?
2 (*referring to place*) dans; **to walk about the town** se promener dans la ville

above [əˈbʌv] *adv* au-dessus ▷ *prep* au-dessus de; (*more than*) plus de; **mentioned ~** mentionné ci-dessus; **~ all** par-dessus tout, surtout
abroad [əˈbrɔːd] *adv* à l'étranger
abrupt [əˈbrʌpt] *adj* (*steep, blunt*) abrupt(e); (*sudden, gruff*) brusque
abscess [ˈæbsɪs] *n* abcès *m*
absence [ˈæbsəns] *n* absence *f*
absent [ˈæbsənt] *adj* absent(e); **absent-minded** *adj* distrait(e)
absolute [ˈæbsəluːt] *adj* absolu(e); **absolutely** [æbsəˈluːtlɪ] *adv* absolument
absorb [əbˈzɔːb] *vt* absorber; **to be ~ed in a book** être plongé(e) dans un livre; **absorbent cotton** *n* (US) coton *m* hydrophile; **absorbing** *adj* absorbant(e); (*book, film etc*) captivant(e)
abstain [əbˈsteɪn] *vi*: **to ~ (from)** s'abstenir (de)
abstract [ˈæbstrækt] *adj* abstrait(e)
absurd [əbˈsəːd] *adj* absurde
abundance [əˈbʌndəns] *n* abondance *f*
abundant [əˈbʌndənt] *adj* abondant(e)
abuse *n* [əˈbjuːs] (*insults*) insultes *fpl*, injures *fpl*; (*ill-treatment*) mauvais traitements *mpl*; (*of power etc*) abus *m* ▷ *vt* [əˈbjuːz] (*insult*) insulter; (*ill-treat*) malmener; (*power etc*) abuser de; **abusive** *adj* grossier(-ière), injurieux(-euse)
abysmal [əˈbɪzməl] *adj* exécrable; (*ignorance etc*) sans bornes
academic [ækəˈdɛmɪk] *adj* universitaire; (*person: scholarly*) intellectuel(-le); (*pej: issue*) oiseux(-euse), purement théorique ▷ *n* universitaire *m/f*; **academic year** *n* (*University*) année *f* universitaire; (*Scol*) année scolaire
academy [əˈkædəmɪ] *n* (*learned body*) académie *f*; (*school*) collège *m*; **~ of music** conservatoire *m*
accelerate [ækˈsɛləreɪt] *vt, vi* accélérer; **acceleration** [æksɛləˈreɪʃən] *n* accélération *f*; **accelerator** *n* (BRIT) accélérateur *m*
accent [ˈæksɛnt] *n* accent *m*
accept [əkˈsɛpt] *vt* accepter; **acceptable** *adj* acceptable; **acceptance** *n* acceptation *f*
access [ˈæksɛs] *n* accès *m*; **to have ~ to** (*information, library etc*) avoir accès à, pouvoir utiliser *or* consulter; (*person*) avoir accès auprès de; **accessible** [ækˈsɛsəbl] *adj* accessible
accessory [ækˈsɛsərɪ] *n* accessoire *m*; **~ to** (*Law*) accessoire à
accident [ˈæksɪdənt] *n* accident *m*; (*chance*) hasard *m*; **I've had an ~** j'ai eu un accident; **by ~** (*by chance*) par hasard; (*not deliberately*) accidentellement; **accidental** [æksɪˈdɛntl] *adj* accidentel(le); **accidentally** [æksɪˈdɛntəlɪ] *adv* accidentellement; **Accident and Emergency Department** *n* (BRIT) service *m* des urgences; **accident insurance** *n* assurance *f* accident
acclaim [əˈkleɪm] *vt* acclamer ▷ *n* acclamations *fpl*
accommodate [əˈkɔmədeɪt] *vt* loger, recevoir;

(*oblige, help*) obliger; (*car etc*) contenir
accommodation (*US* **accommodations**) [əkɔmə'deɪʃən(z)] *n(pl)* logement *m*
accompaniment [ə'kʌmpənɪmənt] *n* accompagnement *m*
accompany [ə'kʌmpənɪ] *vt* accompagner
accomplice [ə'kʌmplɪs] *n* complice *m/f*
accomplish [ə'kʌmplɪʃ] *vt* accomplir; **accomplishment** *n* (*skill: gen pl*) talent *m*; (*completion*) accomplissement *m*; (*achievement*) réussite *f*
accord [ə'kɔ:d] *n* accord *m* ▷ *vt* accorder; **of his own ~** de son plein gré; **accordance** *n*: **in accordance with** conformément à; **according**: **according to** *prep* selon; **accordingly** *adv* (*appropriately*) en conséquence; (*as a result*) par conséquent
account [ə'kaunt] *n* (*Comm*) compte *m*; (*report*) compte rendu, récit *m*; **accounts** *npl* (*Comm: records*) comptabilité *f*, comptes; **of no ~** sans importance; **on ~** en acompte; **to buy sth on ~** acheter qch à crédit; **on no ~** en aucun cas; **on ~ of** à cause de; **to take into ~**, **take ~ of** tenir compte de; **account for** *vt fus* (*explain*) expliquer, rendre compte de; (*represent*) représenter; **accountable** *adj*: **accountable (to)** responsable (devant); **accountant** *n* comptable *m/f*; **account number** *n* numéro *m* de compte
accumulate [ə'kju:mjuleɪt] *vt* accumuler, amasser ▷ *vi* s'accumuler, s'amasser
accuracy ['ækjurəsɪ] *n* exactitude *f*, précision *f*
accurate ['ækjurɪt] *adj* exact(e), précis(e); (*device*) précis; **accurately** *adv* avec précision
accusation [ækju'zeɪʃən] *n* accusation *f*
accuse [ə'kju:z] *vt*: **to ~ sb (of sth)** accuser qn (de qch); **accused** *n* (*Law*) accusé(e)
accustomed [ə'kʌstəmd] *adj*: **~ to** habitué(e) *or* accoutumé(e) à
ace [eɪs] *n* as *m*
ache [eɪk] *n* mal *m*, douleur *f* ▷ *vi* (*be sore*) faire mal, être douloureux(-euse); **my head ~s** j'ai mal à la tête
achieve [ə'tʃi:v] *vt* (*aim*) atteindre; (*victory, success*) remporter, obtenir; **achievement** *n* exploit *m*, réussite *f*; (*of aims*) réalisation *f*
acid ['æsɪd] *adj*, *n* acide (*m*)
acknowledge [ək'nɔlɪdʒ] *vt* (*also*: **~ receipt of**) accuser réception de; (*fact*) reconnaître; **acknowledgement** *n* (*of letter*) accusé *m* de réception
acne ['æknɪ] *n* acné *m*
acorn ['eɪkɔ:n] *n* gland *m*
acoustic [ə'ku:stɪk] *adj* acoustique
acquaintance [ə'kweɪntəns] *n* connaissance *f*
acquire [ə'kwaɪəʳ] *vt* acquérir; **acquisition** [ækwɪ'zɪʃən] *n* acquisition *f*
acquit [ə'kwɪt] *vt* acquitter; **to ~ o.s. well** s'en tirer très honorablement
acre ['eɪkəʳ] *n* acre *f* (= $4047\ m^2$)
acronym ['ækrənɪm] *n* acronyme *m*
across [ə'krɔs] *prep* (*on the other side*) de l'autre côté de; (*crosswise*) en travers de ▷ *adv* de l'autre côté; en travers; **to run/swim ~** traverser en courant/à la nage; **~ from** en face de
acrylic [ə'krɪlɪk] *adj*, *n* acrylique (*m*)
act [ækt] *n* acte *m*, action *f*; (*Theat: part of play*) acte; (*: of performer*) numéro *m*; (*Law*) loi *f* ▷ *vi* agir; (*Theat*) jouer; (*pretend*) jouer la comédie ▷ *vt* (*role*) jouer, tenir; **to catch sb in the ~** prendre qn sur le fait *or* en flagrant délit; **to ~ as** servir de; **act up** (*inf*) *vi* (*person*) se conduire mal; (*knee, back, injury*) jouer des tours; (*machine*) être capricieux(-ieuse); **acting** *adj* suppléant(e), par intérim ▷ *n* (*activity*): **to do some acting** faire du théâtre (*or* du cinéma)
action ['ækʃən] *n* action *f*; (*Mil*) combat(s) *m(pl)*; (*Law*) procès *m*, action en justice; **out of ~** hors de combat; (*machine etc*) hors d'usage; **to take ~** agir, prendre des mesures; **action replay** *n* (*BRIT TV*) ralenti *m*
activate ['æktɪveɪt] *vt* (*mechanism*) actionner, faire fonctionner
active ['æktɪv] *adj* actif(-ive); (*volcano*) en activité; **actively** *adv* activement; (*discourage*) vivement
activist ['æktɪvɪst] *n* activiste *m/f*
activity [æk'tɪvɪtɪ] *n* activité *f*; **activity holiday** *n* vacances actives
actor ['æktəʳ] *n* acteur *m*
actress ['æktrɪs] *n* actrice *f*
actual ['æktjuəl] *adj* réel(le), véritable; (*emphatic use*) lui-même (elle-même)
actually ['æktjuəlɪ] *adv* réellement, véritablement; (*in fact*) en fait
acupuncture ['ækjupʌŋktʃəʳ] *n* acuponcture *f*
acute [ə'kju:t] *adj* aigu(ë); (*mind, observer*) pénétrant(e)
A.D. *adv abbr* (= *Anno Domini*) ap. J.-C.
ad [æd] *n abbr* = **advertisement**
adamant ['ædəmənt] *adj* inflexible
adapt [ə'dæpt] *vt* adapter ▷ *vi*: **to ~ (to)** s'adapter (à); **adapter, adaptor** *n* (*Elec*) adaptateur *m*; (*for several plugs*) prise *f* multiple
add [æd] *vt* ajouter; (*figures: also*: **to ~ up**) additionner ▷ *vi* (*fig*): **it doesn't ~ up** cela ne rime à rien; **add up to** *vt fus* (*Math*) s'élever à; (*fig: mean*) signifier
addict ['ædɪkt] *n* toxicomane *m/f*; (*fig*) fanatique *m/f*; **addicted** [ə'dɪktɪd] *adj*: **to be addicted to** (*drink, drugs*) être adonné(e) à; (*fig: football etc*) être un(e) fanatique de; **addiction** [ə'dɪkʃən] *n* (*Med*) dépendance *f*; **addictive** [ə'dɪktɪv] *adj* qui crée une dépendance
addition [ə'dɪʃən] *n* (*adding up*) addition *f*; (*thing added*) ajout *m*; **in ~** de plus, de surcroît; **in ~ to** en plus de; **additional** *adj* supplémentaire
additive ['ædɪtɪv] *n* additif *m*
address [ə'drɛs] *n* adresse *f*; (*talk*) discours *m*, allocution *f* ▷ *vt* adresser; (*speak to*) s'adresser à; **my ~ is ...** mon adresse, c'est ...; **address book** *n* carnet *m* d'adresses
adequate ['ædɪkwɪt] *adj* (*enough*) suffisant(e); (*satisfactory*) satisfaisant(e)
adhere [əd'hɪəʳ] *vi*: **to ~ to** adhérer à; (*fig: rule, decision*) se tenir à
adhesive [əd'hi:zɪv] *n* adhésif *m*; **adhesive tape** *n* (*BRIT*) ruban *m* adhésif; (*US Med*) sparadrap *m*
adjacent [ə'dʒeɪsənt] *adj* adjacent(e), contigu(ë); **~ to** adjacent à
adjective ['ædʒɛktɪv] *n* adjectif *m*
adjoining [ə'dʒɔɪnɪŋ] *adj* voisin(e), adjacent(e), attenant(e)
adjourn [ə'dʒə:n] *vt* ajourner ▷ *vi* suspendre la séance; lever la séance; clore la session
adjust [ə'dʒʌst] *vt* (*machine*) ajuster, régler; (*prices, wages*) rajuster ▷ *vi*: **to ~ (to)** s'adapter (à); **adjustable** *adj* réglable; **adjustment** *n* (*of machine*) ajustage *m*, réglage *m*; (*of prices, wages*) rajustement *m*; (*of person*) adaptation *f*
administer [əd'mɪnɪstəʳ] *vt* administrer; **administration** [ədmɪnɪs'treɪʃən] *n* (*management*) administration *f*; (*government*) gouvernement *m*;

administrative [əd'mɪnɪstrətɪv] *adj* administratif(-ive)
administrator [əd'mɪnɪstreɪtəʳ] *n* administrateur(-trice)
admiral ['ædmərəl] *n* amiral *m*
admiration [ædmə'reɪʃən] *n* admiration *f*
admire [əd'maɪəʳ] *vt* admirer; **admirer** *n* (*fan*) admirateur(-trice)
admission [əd'mɪʃən] *n* admission *f*; (*to exhibition, night club etc*) entrée *f*; (*confession*) aveu *m*
admit [əd'mɪt] *vt* laisser entrer; admettre; (*agree*) reconnaître, admettre; (*crime*) reconnaître avoir commis; **"children not ~ted"** "entrée interdite aux enfants"; **admit to** *vt fus* reconnaître, avouer; **admittance** *n* admission *f*, (droit *m* d')entrée *f*; **admittedly** *adv* il faut en convenir
adolescent [ædəu'lɛsnt] *adj, n* adolescent(e)
adopt [ə'dɔpt] *vt* adopter; **adopted** *adj* adoptif(-ive), adopté(e); **adoption** [ə'dɔpʃən] *n* adoption *f*
adore [ə'dɔːʳ] *vt* adorer
adorn [ə'dɔːn] *vt* orner
Adriatic (Sea) [eɪdrɪ'ætɪk-] *n, adj*: **the Adriatic (Sea)** la mer Adriatique, l'Adriatique *f*
adrift [ə'drɪft] *adv* à la dérive
adult ['ædʌlt] *n* adulte *m/f* ▷ *adj* (*grown-up*) adulte; (*for adults*) pour adultes; **adult education** *n* éducation *f* des adultes
adultery [ə'dʌltərɪ] *n* adultère *m*
advance [əd'vɑːns] *n* avance *f* ▷ *vt* avancer ▷ *vi* s'avancer; **in ~** en avance, d'avance; **to make ~s to sb** (*gen*) faire des propositions à qn; (*amorously*) faire des avances à qn; **~ booking** location *f*; **~ notice, ~ warning** préavis *m*; (*verbal*) avertissement *m*; **do I need to book in ~?** est-ce qu'il faut réserver à l'avance?; **advanced** *adj* avancé(e); (*Scol: studies*) supérieur(e)
advantage [əd'vɑːntɪdʒ] *n* (*also Tennis*) avantage *m*; **to take ~ of** (*person*) exploiter; (*opportunity*) profiter de
advent ['ædvənt] *n* avènement *m*, venue *f*; **A~** (*Rel*) avent *m*
adventure [əd'vɛntʃəʳ] *n* aventure *f*; **adventurous** [əd'vɛntʃərəs] *adj* aventureux(-euse)
adverb ['ædvəːb] *n* adverbe *m*
adversary ['ædvəsərɪ] *n* adversaire *m/f*
adverse ['ædvəːs] *adj* adverse; (*effect*) négatif(-ive); (*weather, publicity*) mauvais(e); (*wind*) contraire
advert ['ædvəːt] *n abbr* (BRIT) = **advertisement**
advertise ['ædvətaɪz] *vi* faire de la publicité *or* de la réclame; (*in classified ads etc*) mettre une annonce ▷ *vt* faire de la publicité *or* de la réclame pour; (*in classified ads etc*) mettre une annonce pour vendre; **to ~ for** (*staff*) recruter par (voie d')annonce; **advertisement** [əd'vəːtɪsmənt] *n* (*Comm*) publicité *f*, réclame *f*; (*in classified ads etc*) annonce *f*; **advertiser** *n* annonceur *m*; **advertising** *n* publicité *f*
advice [əd'vaɪs] *n* conseils *mpl*; (*notification*) avis *m*; **a piece of ~** un conseil; **to take legal ~** consulter un avocat
advisable [əd'vaɪzəbl] *adj* recommandable, indiqué(e)
advise [əd'vaɪz] *vt* conseiller; **to ~ sb of sth** aviser *or* informer qn de qch; **to ~ against sth/doing sth** déconseiller qch/conseiller de ne pas faire qch; **adviser, advisor** *n* conseiller(-ère); **advisory** *adj* consultatif(-ive)
advocate *n* ['ædvəkɪt] (*lawyer*) avocat (plaidant); (*upholder*) défenseur *m*, avocat(e) ▷ *vt* ['ædvəkeɪt] recommander, prôner; **to be an ~ of** être partisan(e) de
Aegean [iː'dʒiːən] *n, adj*: **the ~ (Sea)** la mer Égée, l'Égée *f*
aerial ['ɛərɪəl] *n* antenne *f* ▷ *adj* aérien(ne)
aerobics [ɛə'rəubɪks] *n* aérobic *m*
aeroplane ['ɛərəpleɪn] *n* (BRIT) avion *m*
aerosol ['ɛərəsɔl] *n* aérosol *m*
affair [ə'fɛəʳ] *n* affaire *f*; (*also*: **love ~**) liaison *f*; aventure *f*
affect [ə'fɛkt] *vt* affecter; (*subj: disease*) atteindre; **affected** *adj* affecté(e); **affection** *n* affection *f*; **affectionate** *adj* affectueux(-euse)
afflict [ə'flɪkt] *vt* affliger
affluent ['æfluənt] *adj* (*person, family, surroundings*) aisé(e), riche; **the ~ society** la société d'abondance
afford [ə'fɔːd] *vt* (*behaviour*) se permettre; (*provide*) fournir, procurer; **can we ~ a car?** avons-nous de quoi acheter *or* les moyens d'acheter une voiture?; **affordable** *adj* abordable
Afghanistan [æf'gænɪstæn] *n* Afghanistan *m*
afraid [ə'freɪd] *adj* effrayé(e); **to be ~ of** *or* **to** avoir peur de; **I am ~ that** je crains que + *sub*; **I'm ~ so/not** oui/non, malheureusement
Africa ['æfrɪkə] *n* Afrique *f*; **African** *adj* africain(e) ▷ *n* Africain(e); **African-American** *adj* afro-américain(e) ▷ *n* Afro-Américain(e)
after ['ɑːftəʳ] *prep, adv* après ▷ *conj* après que; **it's quarter ~ two** (US) il est deux heures et quart; **~ having done/~ he left** après avoir fait/ après son départ; **to name sb ~ sb** donner à qn le nom de qn; **to ask ~ sb** demander des nouvelles de qn; **what/who are you ~?** que/qui cherchez-vous?; **~ you!** après vous!; **~ all** après tout; **after-effects** *npl* (*of disaster, radiation, drink etc*) répercussions *fpl*; (*of illness*) séquelles *fpl*, suites *fpl*; **aftermath** *n* conséquences *fpl*; **afternoon** *n* après-midi *m or f*; **after-shave (lotion)** *n* lotion *f* après-rasage; **aftersun (lotion/cream)** *n* après-soleil *m inv*; **afterwards** (US **afterward**) *adv* après
again [ə'gɛn] *adv* de nouveau, encore (une fois); **to do sth ~** refaire qch; **~ and ~** à plusieurs reprises
against [ə'gɛnst] *prep* contre; (*compared to*) par rapport à
age [eɪdʒ] *n* âge *m* ▷ *vt, vi* vieillir; **he is 20 years of ~** il a 20 ans; **to come of ~** atteindre sa majorité; **it's been ~s since I saw you** ça fait une éternité que je ne t'ai pas vu; **~d 10** âgé(e) de 10 ans; **age group** *n* tranche *f* d'âge; **age limit** *n* limite *f* d'âge
agency ['eɪdʒənsɪ] *n* agence *f*
agenda [ə'dʒɛndə] *n* ordre *m* du jour
agent ['eɪdʒənt] *n* agent *m*; (*firm*) concessionnaire *m*
aggravate ['ægrəveɪt] *vt* (*situation*) aggraver; (*annoy*) exaspérer, agacer
aggression [ə'grɛʃən] *n* agression *f*
aggressive [ə'grɛsɪv] *adj* agressif(-ive)
agile ['ædʒaɪl] *adj* agile
agitated ['ædʒɪteɪtɪd] *adj* inquiet(-ète)
AGM *n abbr* (= *annual general meeting*) AG f
ago [ə'gəu] *adv*: **2 days ~** il y a 2 jours; **not long ~** il n'y a pas longtemps; **how long ~?** il y a combien de temps (de cela)?
agony ['ægənɪ] *n* (*pain*) douleur *f* atroce; (*distress*) angoisse *f*; **to be in ~** souffrir le martyre
agree [ə'griː] *vt* (*price*) convenir de ▷ *vi*: **to ~ with** (*person*) être d'accord avec; (*statements etc*) concorder avec; (*Ling*) s'accorder avec; **to ~ to do** accepter de *or* consentir à faire; **to ~ to sth**

consentir à qch; **to ~ that** (*admit*) convenir *or* reconnaître que; **garlic doesn't ~ with me** je ne supporte pas l'ail; **agreeable** *adj* (*pleasant*) agréable; (*willing*) consentant(e), d'accord; **agreed** *adj* (*time, place*) convenu(e); **agreement** *n* accord *m*; **in agreement** d'accord

agricultural [ægrɪ'kʌltʃərəl] *adj* agricole

agriculture ['ægrɪkʌltʃə^r] *n* agriculture *f*

ahead [ə'hɛd] *adv* en avant; devant; **go right** *or* **straight ~** (*direction*) allez tout droit; **go ~!** (*permission*) allez-y!; **~ of** devant; (*fig: schedule etc*) en avance sur; **~ of time** en avance

aid [eɪd] *n* aide *f*; (*device*) appareil *m* ▷ *vt* aider; **in ~ of** en faveur de

aide [eɪd] *n* (*person*) assistant(e)

AIDS [eɪdz] *n abbr* (= *acquired immune* (*or immuno-*)*deficiency syndrome*) SIDA *m*

ailing ['eɪlɪŋ] *adj* (*person*) souffreteux(euse); (*economy*) malade

ailment ['eɪlmənt] *n* affection *f*

aim [eɪm] *vt*: **to ~ sth (at)** (*gun, camera*) braquer *or* pointer qch (sur); (*missile*) lancer qch (à *or* contre *or* en direction de); (*remark, blow*) destiner *or* adresser qch (à) ▷ *vi* (*also*: **to take ~**) viser ▷ *n* (*objective*) but *m*; (*skill*): **his ~ is bad** il vise mal; **to ~ at** viser; (*fig*) viser (à); **to ~ to do** avoir l'intention de faire

ain't [eɪnt] (*inf*) = **am not**; **aren't**; **isn't**

air [ɛə^r] *n* air *m* ▷ *vt* aérer; (*idea, grievance, views*) mettre sur le tapis ▷ *cpd* (*currents, attack etc*) aérien(ne); **to throw sth into the ~** (*ball etc*) jeter qch en l'air; **by ~** par avion; **to be on the ~** (*Radio, TV: programme*) être diffusé(e); (*: station*) émettre; **airbag** *n* airbag *m*; **airbed** *n* (BRIT) matelas *m* pneumatique; **airborne** *adj* (*plane*) en vol; **as soon as the plane was airborne** dès que l'avion eut décollé; **air-conditioned** *adj* climatisé(e), à air conditionné; **air conditioning** *n* climatisation *f*; **aircraft** *n inv* avion *m*; **airfield** *n* terrain *m* d'aviation; **Air Force** *n* Armée *f* de l'air; **air hostess** *n* (BRIT) hôtesse *f* de l'air; **airing cupboard** *n* (BRIT) *placard qui contient la chaudière et dans lequel on met le linge à sécher*; **airlift** *n* pont aérien; **airline** *n* ligne aérienne, compagnie aérienne; **airliner** *n* avion *m* de ligne; **airmail** *n*: **by airmail** par avion; **airplane** *n* (US) avion *m*; **airport** *n* aéroport *m*; **air raid** *n* attaque aérienne; **airsick** *adj*: **to be airsick** avoir le mal de l'air; **airspace** *n* espace *m* aérien; **airstrip** *n* terrain *m* d'atterrissage; **air terminal** *n* aérogare *f*; **airtight** *adj* hermétique; **air-traffic controller** *n* aiguilleur *m* du ciel; **airy** *adj* bien aéré(e); (*manners*) dégagé(e)

aisle [aɪl] *n* (*of church: central*) allée *f* centrale; (*: side*) nef *f* latérale, bas-côté *m*; (*in theatre, supermarket*) allée; (*on plane*) couloir *m*; **aisle seat** *n* place *f* côté couloir

ajar [ə'dʒɑː^r] *adj* entrouvert(e)

à la carte [ælæ'kɑːt] *adv* à la carte

alarm [ə'lɑːm] *n* alarme *f* ▷ *vt* alarmer; **alarm call** *n* coup *m* de fil pour réveiller; **could I have an alarm call at 7 am, please?** pouvez-vous me réveiller à 7 heures, s'il vous plaît?; **alarm clock** *n* réveille-matin *m inv*, réveil *m*; **alarmed** *adj* (*frightened*) alarmé(e); (*protected by an alarm*) protégé(e) par un système d'alarme; **alarming** *adj* alarmant(e)

Albania [æl'beɪnɪə] *n* Albanie *f*

albeit [ɔːl'biːɪt] *conj* bien que + *sub*, encore que + *sub*

album ['ælbəm] *n* album *m*

alcohol ['ælkəhɔl] *n* alcool *m*; **alcohol-free** *adj* sans alcool; **alcoholic** [ælkə'hɔlɪk] *adj*, *n* alcoolique (*m/f*)

alcove ['ælkəuv] *n* alcôve *f*

ale [eɪl] *n* bière *f*

alert [ə'ləːt] *adj* alerte, vif (vive); (*watchful*) vigilant(e) ▷ *n* alerte *f* ▷ *vt* alerter; **on the ~** sur le qui-vive; (*Mil*) en état d'alerte

algebra ['ældʒɪbrə] *n* algèbre *m*

Algeria [æl'dʒɪərɪə] *n* Algérie *f*

Algerian [æl'dʒɪərɪən] *adj* algérien(ne) ▷ *n* Algérien(ne)

Algiers [æl'dʒɪəz] *n* Alger

alias ['eɪlɪəs] *adv* alias ▷ *n* faux nom, nom d'emprunt

alibi ['ælɪbaɪ] *n* alibi *m*

alien ['eɪlɪən] *n* (*from abroad*) étranger(-ère); (*from outer space*) extraterrestre ▷ *adj*: **~ (to)** étranger(-ère) (à); **alienate** *vt* aliéner; (*subj: person*) s'aliéner

alight [ə'laɪt] *adj* en feu ▷ *vi* mettre pied à terre; (*passenger*) descendre; (*bird*) se poser

align [ə'laɪn] *vt* aligner

alike [ə'laɪk] *adj* semblable, pareil(le) ▷ *adv* de même; **to look ~** se ressembler

alive [ə'laɪv] *adj* vivant(e); (*active*) plein(e) de vie

KEYWORD

all [ɔːl] *adj* (*singular*) tout(e); (*plural*) tous (toutes); **all day** toute la journée; **all night** toute la nuit; **all men** tous les hommes; **all five** tous les cinq; **all the books** tous les livres; **all his life** toute sa vie
▷ *pron* **1** tout; **I ate it all, I ate all of it** j'ai tout mangé; **all of us went** nous y sommes tous allés; **all of the boys went** tous les garçons y sont allés; **is that all?** c'est tout?; (*in shop*) ce sera tout?
2 (*in phrases*): **above all** surtout, par-dessus tout; **after all** après tout; **at all**: **not at all** (*in answer to question*) pas du tout; (*in answer to thanks*) je vous en prie!; **I'm not at all tired** je ne suis pas du tout fatigué(e); **anything at all will do** n'importe quoi fera l'affaire; **all in all** tout bien considéré, en fin de compte
▷ *adv*: **all alone** tout(e) seul(e); **it's not as hard as all that** ce n'est pas si difficile que ça; **all the more/the better** d'autant plus/mieux; **all but** presque, pratiquement; **the score is 2 all** le score est de 2 partout

Allah ['ælə] *n* Allah *m*

allegation [ælɪ'geɪʃən] *n* allégation *f*

alleged [ə'lɛdʒd] *adj* prétendu(e); **allegedly** *adv* à ce que l'on prétend, paraît-il

allegiance [ə'liːdʒəns] *n* fidélité *f*, obéissance *f*

allergic [ə'ləːdʒɪk] *adj*: **~ to** allergique à; **I'm ~ to penicillin** je suis allergique à la pénicilline

allergy ['ælədʒɪ] *n* allergie *f*

alleviate [ə'liːvɪeɪt] *vt* soulager, adoucir

alley ['ælɪ] *n* ruelle *f*

alliance [ə'laɪəns] *n* alliance *f*

allied ['ælaɪd] *adj* allié(e)

alligator ['ælɪgeɪtə^r] *n* alligator *m*

all-in ['ɔːlɪn] *adj*, *adv* (BRIT: *charge*) tout compris

allocate ['æləkeɪt] *vt* (*share out*) répartir, distribuer; **to ~ sth to** (*duties*) assigner *or* attribuer qch à; (*sum, time*) allouer qch à

allot [ə'lɔt] *vt* (*share out*) répartir, distribuer; **to ~ sth to** (*time*) allouer qch à; (*duties*) assigner qch à

all-out ['ɔːlaut] *adj* (*effort etc*) total(e)

allow [ə'lau] *vt* (*practice, behaviour*) permettre, autoriser; (*sum to spend etc*) accorder, allouer;

(*sum, time estimated*) compter, prévoir; (*claim, goal*) admettre; (*concede*): **to ~ that** convenir que; **to ~ sb to do** permettre à qn de faire, autoriser qn à faire; **he is ~ed to ...** on lui permet de ...; **allow for** *vt fus* tenir compte de; **allowance** *n* (*money received*) allocation *f*; (: *from parent etc*) subside *m*; (: *for expenses*) indemnité *f*; (*US*: *pocket money*) argent *m* de poche; (*Tax*) somme *f* déductible du revenu imposable, abattement *m*; **to make allowances for** (*person*) essayer de comprendre; (*thing*) tenir compte de
all right *adv* (*feel, work*) bien; (*as answer*) d'accord
ally *n* ['ælaɪ] allié *m* ▷ *vt* [ə'laɪ]: **to ~ o.s. with** s'allier avec
almighty [ɔːl'maɪtɪ] *adj* tout(e)-puissant(e); (*tremendous*) énorme
almond ['ɑːmənd] *n* amande *f*
almost ['ɔːlməust] *adv* presque
alone [ə'ləun] *adj, adv* seul(e); **to leave sb ~** laisser qn tranquille; **to leave sth ~** ne pas toucher à qch; **let ~ ...** sans parler de ...; encore moins ...
along [ə'lɔŋ] *prep* le long de ▷ *adv*: **is he coming ~ with us?** vient-il avec nous?; **he was hopping/limping ~** il venait *or* avançait en sautillant/boitant; **~ with** avec, en plus de; (*person*) en compagnie de; **all ~** (*all the time*) depuis le début; **alongside** *prep* (*along*) le long de; (*beside*) à côté de ▷ *adv* bord à bord; côte à côte
aloof [ə'luːf] *adj* distant(e) ▷ *adv*: **to stand ~** se tenir à l'écart *or* à distance
aloud [ə'laud] *adv* à haute voix
alphabet ['ælfəbɛt] *n* alphabet *m*
Alps [ælps] *npl*: **the ~** les Alpes *fpl*
already [ɔːl'rɛdɪ] *adv* déjà
alright ['ɔːl'raɪt] *adv* (*BRIT*) = **all right**
also ['ɔːlsəu] *adv* aussi
altar ['ɔltə^r] *n* autel *m*
alter ['ɔltə^r] *vt, vi* changer; **alteration** [ɔltə'reɪʃən] *n* changement *m*, modification *f*; **alterations** *npl* (*Sewing*) retouches *fpl*; (*Archit*) modifications *fpl*
alternate *adj* [ɔl'təːnɪt] alterné(e), alternant(e), alternatif(-ive); (*US*) = **alternative** ▷ *vi* ['ɔltəːneɪt] alterner; **to ~ with** alterner avec; **on ~ days** un jour sur deux, tous les deux jours
alternative [ɔl'təːnətɪv] *adj* (*solution, plan*) autre, de remplacement; (*lifestyle*) parallèle ▷ *n* (*choice*) alternative *f*; (*other possibility*) autre possibilité *f*; **~ medicine** médecine alternative, médecine douce; **alternatively** *adv*: **alternatively one could ...** une autre *or* l'autre solution serait de ...
although [ɔːl'ðəu] *conj* bien que + *sub*
altitude ['æltɪtjuːd] *n* altitude *f*
altogether [ɔːltə'gɛðə^r] *adv* entièrement, tout à fait; (*on the whole*) tout compte fait; (*in all*) en tout
aluminium [ælju'mɪnɪəm] (*BRIT* **aluminum**) [ə'luːmɪnəm] (*US*) *n* aluminium *m*
always ['ɔːlweɪz] *adv* toujours
Alzheimer's (disease) ['æltshaɪməz-] *n* maladie *f* d'Alzheimer
am [æm] *vb see* **be**
a.m. *adv abbr* (= *ante meridiem*) du matin
amalgamate [ə'mælgəmeɪt] *vt, vi* fusionner
amass [ə'mæs] *vt* amasser
amateur ['æmətə^r] *n* amateur *m*
amaze [ə'meɪz] *vt* stupéfier; **to be ~d (at)** être stupéfait(e) (de); **amazed** *adj* stupéfait(e); **amazement** *n* surprise *f*, étonnement *m*; **amazing** *adj* étonnant(e), incroyable; (*bargain, offer*) exceptionnel(le)
Amazon ['æməzən] *n* (*Geo*) Amazone *f*
ambassador [æm'bæsədə^r] *n* ambassadeur *m*
amber ['æmbə^r] *n* ambre *m*; **at ~** (*BRIT Aut*) à l'orange
ambiguous [æm'bɪgjuəs] *adj* ambigu(ë)
ambition [æm'bɪʃən] *n* ambition *f*; **ambitious** [æm'bɪʃəs] *adj* ambitieux(-euse)
ambulance ['æmbjuləns] *n* ambulance *f*; **call an ~!** appelez une ambulance!
ambush ['æmbuʃ] *n* embuscade *f* ▷ *vt* tendre une embuscade à
amen ['ɑː'mɛn] *excl* amen
amend [ə'mɛnd] *vt* (*law*) amender; (*text*) corriger; **to make ~s** réparer ses torts, faire amende honorable; **amendment** *n* (*to law*) amendement *m*; (*to text*) correction *f*
amenities [ə'miːnɪtɪz] *npl* aménagements *mpl*, équipements *mpl*
America [ə'mɛrɪkə] *n* Amérique *f*; **American** *adj* américain(e) ▷ *n* Américain(e); **American football** *n* (*BRIT*) football *m* américain
amicable ['æmɪkəbl] *adj* amical(e); (*Law*) à l'amiable
amid(st) [ə'mɪd(st)] *prep* parmi, au milieu de
ammunition [æmju'nɪʃən] *n* munitions *fpl*
amnesty ['æmnɪstɪ] *n* amnistie *f*
among(st) [ə'mʌŋ(st)] *prep* parmi, entre
amount [ə'maunt] *n* (*sum of money*) somme *f*; (*total*) montant *m*; (*quantity*) quantité *f*; nombre *m* ▷ *vi*: **to ~ to** (*total*) s'élever à; (*be same as*) équivaloir à, revenir à
amp(ère) ['æmp(ɛə^r)] *n* ampère *m*
ample ['æmpl] *adj* ample, spacieux(-euse); (*enough*): **this is ~** c'est largement suffisant; **to have ~ time/room** avoir bien assez de temps/place
amplifier ['æmplɪfaɪə^r] *n* amplificateur *m*
amputate ['æmpjuteɪt] *vt* amputer
Amtrak ['æmtræk] (*US*) *n société mixte de transports ferroviaires interurbains pour voyageurs*
amuse [ə'mjuːz] *vt* amuser; **amusement** *n* amusement *m*; (*pastime*) distraction *f*; **amusement arcade** *n* salle *f* de jeu; **amusement park** *n* parc *m* d'attractions
amusing [ə'mjuːzɪŋ] *adj* amusant(e), divertissant(e)
an [æn, ən, n] *indef art see* **a**
anaemia [ə'niːmɪə] (*US* **anemia**) *n* anémie *f*
anaemic [ə'niːmɪk] (*US* **anemic**) *adj* anémique
anaesthetic [ænɪs'θɛtɪk] (*US* **anesthetic**) *n* anesthésique *m*
analog(ue) ['ænəlɔg] *adj* (*watch, computer*) analogique
analogy [ə'nælədʒɪ] *n* analogie *f*
analyse ['ænəlaɪz] (*US* **analyze**) *vt* analyser; **analysis** (*pl* **analyses**) [ə'næləsɪs, -siːz] *n* analyse *f*; **analyst** ['ænəlɪst] *n* (*political analyst etc*) analyste *m/f*; (*US*) psychanalyste *m/f*
analyze ['ænəlaɪz] *vt* (*US*) = **analyse**
anarchy ['ænəkɪ] *n* anarchie *f*
anatomy [ə'nætəmɪ] *n* anatomie *f*
ancestor ['ænsɪstə^r] *n* ancêtre *m*, aïeul *m*
anchor ['æŋkə^r] *n* ancre *f* ▷ *vi* (*also*: **to drop ~**) jeter l'ancre, mouiller ▷ *vt* mettre à l'ancre; (*fig*): **to ~ sth to** fixer qch à
anchovy ['æntʃəvɪ] *n* anchois *m*
ancient ['eɪnʃənt] *adj* ancien(ne), antique; (*person*) d'un âge vénérable; (*car*) antédiluvien(ne)
and [ænd] *conj* et; **~ so on** et ainsi de suite; **try ~ come** tâchez de venir; **come ~ sit here** venez vous asseoir ici; **he talked ~ talked** il a parlé pendant des

heures; **better ~ better** de mieux en mieux; **more ~ more** de plus en plus

Andorra [æn'dɔ:rə] *n* (principauté *f* d')Andorre *f*

anemia *etc* [ə'ni:mɪə] (US) = **anaemia** *etc*

anesthetic [ænɪs'θɛtɪk] (US) = **anaesthetic**

angel ['eɪndʒəl] *n* ange *m*

anger ['æŋgəʳ] *n* colère *f*

angina [æn'dʒaɪnə] *n* angine *f* de poitrine

angle ['æŋgl] *n* angle *m*; **from their ~** de leur point de vue

angler ['æŋgləʳ] *n* pêcheur(-euse) à la ligne

Anglican ['æŋglɪkən] *adj, n* anglican(e)

angling ['æŋglɪŋ] *n* pêche *f* à la ligne

angrily ['æŋgrɪlɪ] *adv* avec colère

angry ['æŋgrɪ] *adj* en colère, furieux(-euse); (*wound*) enflamé(e); **to be ~ with sb/at sth** être furieux contre qn/de qch; **to get ~** se fâcher, se mettre en colère

anguish ['æŋgwɪʃ] *n* angoisse *f*

animal ['ænɪməl] *n* animal *m* ▷ *adj* animal(e)

animated ['ænɪmeɪtɪd] *adj* animé(e)

animation [ænɪ'meɪʃən] *n* (*of person*) entrain *m*; (*of street, Cine*) animation *f*

aniseed ['ænɪsi:d] *n* anis *m*

ankle ['æŋkl] *n* cheville *f*

annex ['ænɛks] *n* (BRIT: *also*: **~e**) annexe *f* ▷ *vt* [ə'nɛks] annexer

anniversary [ænɪ'və:sərɪ] *n* anniversaire *m*

announce [ə'nauns] *vt* annoncer; (*birth, death*) faire part de; **announcement** *n* annonce *f*; (*for births etc: in newspaper*) avis *m* de faire-part; (: *letter, card*) faire-part *m*; **announcer** *n* (*Radio, TV: between programmes*) speaker(ine); (: *in a programme*) présentateur(-trice)

annoy [ə'nɔɪ] *vt* agacer, ennuyer, contrarier; **don't get ~ed!** ne vous fâchez pas!; **annoying** *adj* agaçant(e), contrariant(e)

annual ['ænjuəl] *adj* annuel(le) ▷ *n* (*Bot*) plante annuelle; (*book*) album *m*; **annually** *adv* annuellement

annum ['ænəm] *n* *see* **per**

anonymous [ə'nɔnɪməs] *adj* anonyme

anorak ['ænəræk] *n* anorak *m*

anorexia [ænə'rɛksɪə] *n* (*also*: **~ nervosa**) anorexie *f*

anorexic [ænə'rɛksɪk] *adj, n* anorexique (*m/f*)

another [ə'nʌðəʳ] *adj*: **~ book** (*one more*) un autre livre, encore un livre, un livre de plus; (*a different one*) un autre livre ▷ *pron* un(e) autre, encore un(e), un(e) de plus; *see also* **one**

answer ['ɑ:nsəʳ] *n* réponse *f*; (*to problem*) solution *f* ▷ *vi* répondre ▷ *vt* (*reply to*) répondre à; (*problem*) résoudre; (*prayer*) exaucer; **in ~ to your letter** suite à *or* en réponse à votre lettre; **to ~ the phone** répondre (au téléphone); **to ~ the bell** *or* **the door** aller *or* venir ouvrir (la porte); **answer back** *vi* répondre, répliquer; **answerphone** *n* (*esp* BRIT) répondeur *m* (téléphonique)

ant [ænt] *n* fourmi *f*

Antarctic [ænt'ɑ:ktɪk] *n*: **the ~** l'Antarctique *m*

antelope ['æntɪləup] *n* antilope *f*

antenatal ['æntɪ'neɪtl] *adj* prénatal(e)

antenna (*pl* **~e**) [æn'tɛnə, -ni:] *n* antenne *f*

anthem ['ænθəm] *n*: **national ~** hymne national

anthology [æn'θɔlədʒɪ] *n* anthologie *f*

anthrax ['ænθræks] *n* anthrax *m*

anthropology [ænθrə'pɔlədʒɪ] *n* anthropologie *f*

anti ['æntɪ] *prefix* anti-; **antibiotic** ['æntɪbaɪ'ɔtɪk] *n* antibiotique *m*; **antibody** ['æntɪbɔdɪ] *n* anticorps *m*

anticipate [æn'tɪsɪpeɪt] *vt* s'attendre à, prévoir; (*wishes, request*) aller au devant de, devancer; **anticipation** [æntɪsɪ'peɪʃən] *n* attente *f*

anticlimax ['æntɪ'klaɪmæks] *n* déception *f*

anticlockwise ['æntɪ'klɔkwaɪz] (BRIT) *adv* dans le sens inverse des aiguilles d'une montre

antics ['æntɪks] *npl* singeries *fpl*

anti: **antidote** ['æntɪdəut] *n* antidote *m*, contrepoison *m*; **antifreeze** ['æntɪfri:z] *n* antigel *m*; **anti-globalization** *n* antimondialisation *f*; **antihistamine** [æntɪ'hɪstəmɪn] *n* antihistaminique *m*; **antiperspirant** [æntɪ'pə:spɪrənt] *n* déodorant *m*

antique [æn'ti:k] *n* (*ornament*) objet *m* d'art ancien; (*furniture*) meuble ancien ▷ *adj* ancien(ne); **antique shop** *n* magasin *m* d'antiquités

antiseptic [æntɪ'sɛptɪk] *adj, n* antiseptique (*m*)

antisocial ['æntɪ'səuʃəl] *adj* (*unfriendly*) peu liant(e), insociable; (*against society*) antisocial(e)

antlers ['æntləz] *npl* bois *mpl*, ramure *f*

anxiety [æŋ'zaɪətɪ] *n* anxiété *f*; (*keenness*): **~ to do** grand désir *or* impatience *f* de faire

anxious ['æŋkʃəs] *adj* (très) inquiet(-ète); (*always worried*) anxieux(-euse); (*worrying*) angoissant(e); (*keen*): **~ to do/that** qui tient beaucoup à faire/à ce que + *sub*; impatient(e) de faire/que + *sub*

KEYWORD

any ['ɛnɪ] *adj* **1** (*in questions etc: singular*) du, de l', de la; (: *plural*) des; **do you have any butter/children/ink?** avez-vous du beurre/des enfants/de l'encre?

2 (*with negative*) de, d'; **I don't have any money/books** je n'ai pas d'argent/de livres

3 (*no matter which*) n'importe quel(le); (*each and every*) tout(e), chaque; **choose any book you like** vous pouvez choisir n'importe quel livre; **any teacher you ask will tell you** n'importe quel professeur vous le dira

4 (*in phrases*): **in any case** de toute façon; **any day now** d'un jour à l'autre; **at any moment** à tout moment, d'un instant à l'autre; **at any rate** en tout cas; **any time** n'importe quand; **he might come (at) any time** il pourrait venir n'importe quand; **come (at) any time** venez quand vous voulez

▷ *pron* **1** (*in questions etc*) en; **have you got any?** est-ce que vous en avez?; **can any of you sing?** est-ce que parmi vous il y en a qui savent chanter?

2 (*with negative*) en; **I don't have any (of them)** je n'en ai pas, je n'en ai aucun

3 (*no matter which one(s)*) n'importe lequel (*or* laquelle); (*anybody*) n'importe qui; **take any of those books (you like)** vous pouvez prendre n'importe lequel de ces livres

▷ *adv* **1** (*in questions etc*): **do you want any more soup/sandwiches?** voulez-vous encore de la soupe/des sandwichs?; **are you feeling any better?** est-ce que vous vous sentez mieux?

2 (*with negative*): **I can't hear him any more** je ne l'entends plus; **don't wait any longer** n'attendez pas plus longtemps; **anybody** *pron* n'importe qui; (*in interrogative sentences*) quelqu'un; (*in negative sentences*): **I don't see anybody** je ne vois personne; **if anybody should phone ...** si quelqu'un téléphone ...; **anyhow** *adv* quoi qu'il en soit; (*haphazardly*) n'importe comment; **do it anyhow you like** faites-le comme vous voulez; **she leaves things just anyhow** elle laisse tout traîner; **I shall go anyhow** j'irai de toute façon; **anyone** *pron* = **anybody**; **anything** *pron* (*no matter what*) n'importe quoi; (*in questions*) quelque chose; (*with negative*) ne ... rien; **can you see anything?** tu vois quelque chose?; **if anything happens to me ...** s'il m'arrive quoi que ce soit ...; **you can say anything you like** vous pouvez dire ce que vous voulez; **anything will do** n'importe quoi fera l'affaire; **he'll eat anything** il mange de tout; **anytime** *adv* (*at any moment*) d'un moment à l'autre; (*whenever*) n'importe quand; **anyway** *adv* de toute façon; **anyway, I couldn't come even if I wanted to** de toute façon, je ne pouvais pas venir même si je le voulais; **I shall go anyway** j'irai quand même; **why are you phoning, anyway?** au fait, pourquoi tu me téléphones?; **anywhere** *adv* n'importe où; (*in interrogative sentences*) quelque part; (*in negative sentences*): **I can't see him anywhere** je ne le vois nulle part; **can you see him anywhere?** tu le vois quelque part?; **put the books down anywhere** pose les livres n'importe où; **anywhere in the world** (*no matter where*) n'importe où dans le monde

apart [ə'pɑ:t] *adv* (*to one side*) à part; de côté; à l'écart; (*separately*) séparément; **to take/pull ~** démonter; **10 miles/a long way ~** à 10 miles/très éloignés l'un de l'autre; **~ from** *prep* à part, excepté
apartment [ə'pɑ:tmənt] *n* (US) appartement *m*, logement *m*; (*room*) chambre *f*; **apartment building** *n* (US) immeuble *m*; maison divisée en appartements
apathy ['æpəθɪ] *n* apathie *f*, indifférence *f*
ape [eɪp] *n* (grand) singe ▷ *vt* singer
aperitif [ə'pɛrɪtɪf] *n* apéritif *m*
aperture ['æpətʃjuə^r] *n* orifice *m*, ouverture *f*; (*Phot*) ouverture (du diaphragme)
APEX ['eɪpɛks] *n abbr* (*Aviat*: = *advance purchase excursion*) APEX *m*
apologize [ə'pɔlədʒaɪz] *vi*: **to ~ (for sth to sb)** s'excuser (de qch auprès de qn), présenter des excuses (à qn pour qch)
apology [ə'pɔlədʒɪ] *n* excuses *fpl*
apostrophe [ə'pɔstrəfɪ] *n* apostrophe *f*
appal [ə'pɔ:l] (US **appall**) *vt* consterner, atterrer; horrifier; **appalling** *adj* épouvantable; (*stupidity*) consternant(e)
apparatus [æpə'reɪtəs] *n* appareil *m*, dispositif *m*; (*in gymnasium*) agrès *mpl*
apparent [ə'pærənt] *adj* apparent(e); **apparently** *adv* apparemment
appeal [ə'pi:l] *vi* (*Law*) faire *or* interjeter appel ▷ *n* (*Law*) appel *m*; (*request*) appel; prière *f*; (*charm*) attrait *m*, charme *m*; **to ~ for** demander (instamment); implorer; **to ~ to** (*beg*) faire appel à; (*be attractive*) plaire à; **it doesn't ~ to me** cela ne m'attire pas; **appealing** *adj* (*attractive*) attrayant(e)
appear [ə'pɪə^r] *vi* apparaître, se montrer; (*Law*) comparaître; (*publication*) paraître, sortir, être publié(e); (*seem*) paraître, sembler; **it would ~ that** il semble que; **to ~ in Hamlet** jouer dans Hamlet; **to ~ on TV** passer à la télé; **appearance** *n* apparition *f*; parution *f*; (*look, aspect*) apparence *f*, aspect *m*
appendices [ə'pɛndɪsi:z] *npl of* **appendix**
appendicitis [əpɛndɪ'saɪtɪs] *n* appendicite *f*
appendix (*pl* **appendices**) [ə'pɛndɪks, -si:z] *n* appendice *m*
appetite ['æpɪtaɪt] *n* appétit *m*
appetizer ['æpɪtaɪzə^r] *n* (*food*) amuse-gueule *m*; (*drink*) apéritif *m*
applaud [ə'plɔ:d] *vt, vi* applaudir
applause [ə'plɔ:z] *n* applaudissements *mpl*
apple ['æpl] *n* pomme *f*; **apple pie** *n* tarte *f* aux pommes
appliance [ə'plaɪəns] *n* appareil *m*
applicable [ə'plɪkəbl] *adj* applicable; **to be ~ to** (*relevant*) valoir pour
applicant ['æplɪkənt] *n*: **~ (for)** candidat(e) (à)
application [æplɪ'keɪʃən] *n* application *f*; (*for a job, a grant etc*) demande *f*; candidature *f*; **application form** *n* formulaire *m* de demande
apply [ə'plaɪ] *vt*: **to ~ (to)** (*paint, ointment*) appliquer (sur); (*law, etc*) appliquer (à) ▷ *vi*: **to ~ to** (*ask*) s'adresser à; (*be suitable for, relevant to*) s'appliquer à; **to ~ (for)** (*permit, grant*) faire une demande (en vue d'obtenir); (*job*) poser sa candidature (pour), faire une demande d'emploi (concernant); **to ~ o.s. to** s'appliquer à
appoint [ə'pɔɪnt] *vt* (*to post*) nommer, engager; (*date, place*) fixer, désigner; **appointment** *n* (*to post*) nomination *f*; (*job*) poste *m*; (*arrangement to meet*) rendez-vous *m*; **to have an appointment** avoir un rendez-vous; **to make an appointment (with)** prendre rendez-vous (avec); **I'd like to make an appointment** je voudrais prendre rendez-vous
appraisal [ə'preɪzl] *n* évaluation *f*
appreciate [ə'pri:ʃɪeɪt] *vt* (*like*) apprécier, faire cas de; (*be grateful for*) être reconnaissant(e) de; (*be aware of*) comprendre, se rendre compte de ▷ *vi* (*Finance*) prendre de la valeur; **appreciation** [əpri:ʃɪ'eɪʃən] *n* appréciation *f*; (*gratitude*) reconnaissance *f*; (*Finance*) hausse *f*, valorisation *f*
apprehension [æprɪ'hɛnʃən] *n* appréhension *f*, inquiétude *f*
apprehensive [æprɪ'hɛnsɪv] *adj* inquiet(-ète), appréhensif(-ive)
apprentice [ə'prɛntɪs] *n* apprenti *m*
approach [ə'prəutʃ] *vi* approcher ▷ *vt* (*come near*) approcher de; (*ask, apply to*) s'adresser à; (*subject, passer-by*) aborder ▷ *n* approche *f*; accès *m*, abord *m*; démarche *f* (*intellectuelle*)
appropriate *adj* [ə'prəuprɪɪt] (*tool etc*) qui convient, approprié(e); (*moment, remark*) opportun(e) ▷ *vt* [ə'prəuprɪeɪt] (*take*) s'approprier
approval [ə'pru:vəl] *n* approbation *f*; **on ~** (*Comm*) à l'examen
approve [ə'pru:v] *vt* approuver; **approve of** *vt fus* (*thing*) approuver; (*person*): **they don't ~ of her** ils n'ont pas bonne opinion d'elle
approximate [ə'prɔksɪmɪt] *adj* approximatif(-ive); **approximately** *adv* approximativement
Apr. *abbr* = **April**
apricot ['eɪprɪkɔt] *n* abricot *m*
April ['eɪprəl] *n* avril *m*; **April Fools' Day** *n* le premier avril
apron ['eɪprən] *n* tablier *m*
apt [æpt] *adj* (*suitable*) approprié(e); (*likely*): **~ to do** susceptible de faire; ayant tendance à faire
aquarium [ə'kwɛərɪəm] *n* aquarium *m*
Aquarius [ə'kwɛərɪəs] *n* le Verseau
Arab ['ærəb] *n* Arabe *m/f* ▷ *adj* arabe
Arabia [ə'reɪbɪə] *n* Arabie *f*; **Arabian** *adj* arabe; **Arabic** ['ærəbɪk] *adj, n* arabe (*m*)
arbitrary ['ɑ:bɪtrərɪ] *adj* arbitraire
arbitration [ɑ:bɪ'treɪʃən] *n* arbitrage *m*
arc [ɑ:k] *n* arc *m*
arcade [ɑ:'keɪd] *n* arcade *f*; (*passage with shops*) passage *m*, galerie *f*; (*with games*) salle *f* de jeu
arch [ɑ:tʃ] *n* arche *f*; (*of foot*) cambrure *f*, voûte *f* plantaire ▷ *vt* arquer, cambrer

archaeology [ɑːkɪ'ɔlədʒɪ] (*US* **archeology**) *n* archéologie *f*
archbishop [ɑːtʃ'bɪʃəp] *n* archevêque *m*
archeology [ɑːkɪ'ɔlədʒɪ] (*US*) = **archaeology**
architect ['ɑːkɪtɛkt] *n* architecte *m*; **architectural** [ɑːkɪ'tɛktʃərəl] *adj* architectural(e); **architecture** *n* architecture *f*
archive ['ɑːkaɪv] *n* (*often pl*) archives *fpl*
Arctic ['ɑːktɪk] *adj* arctique ▷ *n*: **the ~** l'Arctique *m*
are [ɑːʳ] *vb see* **be**
area ['ɛərɪə] *n* (*Geom*) superficie *f*; (*zone*) région *f*; (: *smaller*) secteur *m*; (*in room*) coin *m*; (*knowledge, research*) domaine *m*; **area code** (*US*) *n* (*Tel*) indicatif *m* de zone
arena [ə'riːnə] *n* arène *f*
aren't [ɑːnt] = **are not**
Argentina [ɑːdʒən'tiːnə] *n* Argentine *f*; **Argentinian** [ɑːdʒən'tɪnɪən] *adj* argentin(e) ▷ *n* Argentin(e)
arguably ['ɑːgjuəblɪ] *adv*: **it is ~ ...** on peut soutenir que c'est ...
argue ['ɑːgjuː] *vi* (*quarrel*) se disputer; (*reason*) argumenter; **to ~ that** objecter *or* alléguer que, donner comme argument que
argument ['ɑːgjumənt] *n* (*quarrel*) dispute *f*, discussion *f*; (*reasons*) argument *m*
Aries ['ɛərɪz] *n* le Bélier
arise (*pt* **arose**, *pp* **~n**) [ə'raɪz, ə'rəuz, ə'rɪzn] *vi* survenir, se présenter
arithmetic [ə'rɪθmətɪk] *n* arithmétique *f*
arm [ɑːm] *n* bras *m* ▷ *vt* armer; **arms** *npl* (*weapons, Heraldry*) armes *fpl*; **~ in ~** bras dessus bras dessous; **armchair** ['ɑːmtʃɛəʳ] *n* fauteuil *m*
armed [ɑːmd] *adj* armé(e); **armed forces** *npl*: **the armed forces** les forces armées; **armed robbery** *n* vol *m* à main armée
armour (*US* **armor**) ['ɑːməʳ] *n* armure *f*; (*Mil: tanks*) blindés *mpl*
armpit ['ɑːmpɪt] *n* aisselle *f*
armrest ['ɑːmrɛst] *n* accoudoir *m*
army ['ɑːmɪ] *n* armée *f*
A road *n* (*BRIT*) ≈ route nationale
aroma [ə'rəumə] *n* arôme *m*; **aromatherapy** *n* aromathérapie *f*
arose [ə'rəuz] *pt of* **arise**
around [ə'raund] *adv* (tout) autour; (*nearby*) dans les parages ▷ *prep* autour de; (*near*) près de; (*fig: about*) environ; (: *date, time*) vers; **is he ~?** est-il dans les parages *or* là?
arouse [ə'rauz] *vt* (*sleeper*) éveiller; (*curiosity, passions*) éveiller, susciter; (*anger*) exciter
arrange [ə'reɪndʒ] *vt* arranger; **to ~ to do sth** prévoir de faire qch; **arrangement** *n* arrangement *m*; **arrangements** *npl* (*plans etc*) arrangements *mpl*, dispositions *fpl*
array [ə'reɪ] *n* (*of objects*) déploiement *m*, étalage *m*
arrears [ə'rɪəz] *npl* arriéré *m*; **to be in ~ with one's rent** devoir un arriéré de loyer
arrest [ə'rɛst] *vt* arrêter; (*sb's attention*) retenir, attirer ▷ *n* arrestation *f*; **under ~** en état d'arrestation
arrival [ə'raɪvl] *n* arrivée *f*; **new ~** nouveau venu/ nouvelle venue; (*baby*) nouveau-né(e)
arrive [ə'raɪv] *vi* arriver; **arrive at** *vt fus* (*decision, solution*) parvenir à
arrogance ['ærəgəns] *n* arrogance *f*
arrogant ['ærəgənt] *adj* arrogant(e)
arrow ['ærəu] *n* flèche *f*
arse [ɑːs] *n* (*BRIT inf!*) cul *m* (!)
arson ['ɑːsn] *n* incendie criminel
art [ɑːt] *n* art *m*; **Arts** *npl* (*Scol*) les lettres *fpl*; **art college** *n* école *f* des beaux-arts
artery ['ɑːtərɪ] *n* artère *f*
art gallery *n* musée *m* d'art; (*saleroom*) galerie *f* de peinture
arthritis [ɑː'θraɪtɪs] *n* arthrite *f*
artichoke ['ɑːtɪtʃəuk] *n* artichaut *m*; **Jerusalem ~** topinambour *m*
article ['ɑːtɪkl] *n* article *m*
articulate *adj* [ɑː'tɪkjulɪt] (*person*) qui s'exprime clairement et aisément; (*speech*) bien articulé(e), prononcé(e) clairement ▷ *vb* [ɑː'tɪkjuleɪt] ▷ *vi* articuler, parler distinctement ▷ *vt* articuler
artificial [ɑːtɪ'fɪʃəl] *adj* artificiel(le)
artist ['ɑːtɪst] *n* artiste *m/f*; **artistic** [ɑː'tɪstɪk] *adj* artistique
art school *n* ≈ école *f* des beaux-arts

KEYWORD

as [æz] *conj* **1** (*time: moment*) comme, alors que; à mesure que; **he came in as I was leaving** il est arrivé comme je partais; **as the years went by** à mesure que les années passaient; **as from tomorrow** à partir de demain
2 (*since, because*) comme, puisque; **he left early as he had to be home by 10** comme il *or* puisqu'il devait être de retour avant 10h, il est parti de bonne heure
3 (*referring to manner, way*) comme; **do as you wish** faites comme vous voudrez; **as she said** comme elle disait
▷ *adv* **1** (*in comparisons*): **as big as** aussi grand que; **twice as big as** deux fois plus grand que; **as much** *or* **many as** autant que; **as much money/many books as** autant d'argent/de livres que; **as soon as** dès que
2 (*concerning*): **as for** *or* **to that** quant à cela, pour ce qui est de cela
3: **as if** *or* **though** comme si; **he looked as if he was ill** il avait l'air d'être malade; *see also* **long**; **such**; **well**
▷ *prep* (*in the capacity of*) en tant que, en qualité de; **he works as a driver** il travaille comme chauffeur; **as chairman of the company, he ...** en tant que président de la société, il ...; **he gave me it as a present** il me l'a offert, il m'en a fait cadeau

a.s.a.p. *abbr* = **as soon as possible**
asbestos [æz'bɛstəs] *n* asbeste *m*, amiante *m*
ascent [ə'sɛnt] *n* (*climb*) ascension *f*
ash [æʃ] *n* (*dust*) cendre *f*; (*also*: **~ tree**) frêne *m*
ashamed [ə'ʃeɪmd] *adj* honteux(-euse), confus(e); **to be ~ of** avoir honte de
ashore [ə'ʃɔːʳ] *adv* à terre
ashtray ['æʃtreɪ] *n* cendrier *m*
Ash Wednesday *n* mercredi *m* des Cendres
Asia ['eɪʃə] *n* Asie *f*; **Asian** *n* (*from Asia*) Asiatique *m/f*; (*BRIT*: *from Indian subcontinent*) Indo-Pakistanais(-e) ▷ *adj* asiatique; indo-pakistanais(-e)
aside [ə'saɪd] *adv* de côté; à l'écart ▷ *n* aparté *m*
ask [ɑːsk] *vt* demander; (*invite*) inviter; **to ~ sb sth/to do sth** demander à qn qch/de faire qch; **to ~ sb about sth** questionner qn au sujet de qch; se renseigner auprès de qn au sujet de qch; **to ~ (sb) a question** poser une question (à qn); **to ~ sb out to dinner** inviter qn au restaurant; **ask for** *vt fus*

demander; **it's just ~ing for trouble** *or* **for it** ce serait chercher des ennuis
asleep [ə'sli:p] *adj* endormi(e); **to fall ~** s'endormir
AS level *n abbr (= Advanced Subsidiary level) première partie de l'examen équivalent au baccalauréat*
asparagus [əs'pærəgəs] *n* asperges *fpl*
aspect ['æspɛkt] *n* aspect *m*; (*direction in which a building etc faces*) orientation *f*, exposition *f*
aspirations [æspə'reɪʃənz] *npl* (*hopes, ambition*) aspirations *fpl*
aspire [əs'paɪə^r] *vi*: **to ~ to** aspirer à
aspirin ['æsprɪn] *n* aspirine *f*
ass [æs] *n* âne *m*; (*inf*) imbécile *m/f*; (*US inf!*) cul *m* (!)
assassin [ə'sæsɪn] *n* assassin *m*; **assassinate** *vt* assassiner
assault [ə'sɔ:lt] *n* (*Mil*) assaut *m*; (*gen: attack*) agression *f* ▷ *vt* attaquer; (*sexually*) violenter
assemble [ə'sɛmbl] *vt* assembler ▷ *vi* s'assembler, se rassembler
assembly [ə'sɛmblɪ] *n* (*meeting*) rassemblement *m*; (*parliament*) assemblée *f*; (*construction*) assemblage *m*
assert [ə'sə:t] *vt* affirmer, déclarer; (*authority*) faire valoir; (*innocence*) protester de; **assertion** [ə'sə:ʃən] *n* assertion *f*, affirmation *f*
assess [ə'sɛs] *vt* évaluer, estimer; (*tax, damages*) établir *or* fixer le montant de; (*person*) juger la valeur de; **assessment** *n* évaluation *f*, estimation *f*; (*of tax*) fixation *f*
asset ['æsɛt] *n* avantage *m*, atout *m*; (*person*) atout; **assets** *npl* (*Comm*) capital *m*; avoir(s) *m(pl)*; actif *m*
assign [ə'saɪn] *vt* (*date*) fixer, arrêter; **to ~ sth to** (*task*) assigner qch à; (*resources*) affecter qch à; **assignment** *n* (*task*) mission *f*; (*homework*) devoir *m*
assist [ə'sɪst] *vt* aider, assister; **assistance** *n* aide *f*, assistance *f*; **assistant** *n* assistant(e), adjoint(e); (BRIT: *also*: **shop assistant**) vendeur(-euse)
associate *adj, n* [ə'səuʃɪɪt] associé(e) ▷ *vb* [ə'səuʃɪeɪt] ▷ *vt* associer ▷ *vi*: **to ~ with sb** fréquenter qn
association [əsəusɪ'eɪʃən] *n* association *f*
assorted [ə'sɔ:tɪd] *adj* assorti(e)
assortment [ə'sɔ:tmənt] *n* assortiment *m*; (*of people*) mélange *m*
assume [ə'sju:m] *vt* supposer; (*responsibilities etc*) assumer; (*attitude, name*) prendre, adopter
assumption [ə'sʌmpʃən] *n* supposition *f*, hypothèse *f*; (*of power*) assomption *f*, prise *f*
assurance [ə'ʃuərəns] *n* assurance *f*
assure [ə'ʃuə^r] *vt* assurer
asterisk ['æstərɪsk] *n* astérisque *m*
asthma ['æsmə] *n* asthme *m*
astonish [ə'stɔnɪʃ] *vt* étonner, stupéfier; **astonished** *adj* étonné(e); **to be astonished at** être étonné(e) de; **astonishing** *adj* étonnant(e), stupéfiant(e); **I find it astonishing that ...** je trouve incroyable que ... + *sub*; **astonishment** *n* (grand) étonnement, stupéfaction *f*
astound [ə'staund] *vt* stupéfier, sidérer
astray [ə'streɪ] *adv*: **to go ~** s'égarer; (*fig*) quitter le droit chemin; **to lead ~** (*morally*) détourner du droit chemin
astrology [əs'trɔlədʒɪ] *n* astrologie *f*
astronaut ['æstrənɔ:t] *n* astronaute *m/f*
astronomer [əs'trɔnəmə^r] *n* astronome *m*
astronomical [æstrə'nɔmɪkl] *adj* astronomique
astronomy [əs'trɔnəmɪ] *n* astronomie *f*
astute [əs'tju:t] *adj* astucieux(-euse), malin(-igne)
asylum [ə'saɪləm] *n* asile *m*; **asylum seeker** [-si:kə^r] *n* demandeur(-euse) d'asile

KEYWORD

at [æt] *prep* **1** (*referring to position, direction*) à; **at the top** au sommet; **at home/school** à la maison *or* chez soi/à l'école; **at the baker's** à la boulangerie, chez le boulanger; **to look at sth** regarder qch
2 (*referring to time*): **at 4 o'clock** à 4 heures; **at Christmas** à Noël; **at night** la nuit; **at times** par moments, parfois
3 (*referring to rates, speed etc*) à; **at £1 a kilo** une livre le kilo; **two at a time** deux à la fois; **at 50 km/h** à 50 km/h
4 (*referring to manner*): **at a stroke** d'un seul coup; **at peace** en paix
5 (*referring to activity*): **to be at work** (*in the office etc*) être au travail; (*working*) travailler; **to play at cowboys** jouer aux cowboys; **to be good at sth** être bon en qch
6 (*referring to cause*): **shocked/surprised/annoyed at sth** choqué par/étonné de/agacé par qch; **I went at his suggestion** j'y suis allé sur son conseil
7 (*symbol*) arobase *f*

ate [eɪt] *pt of* **eat**
atheist ['eɪθɪɪst] *n* athée *m/f*
Athens ['æθɪnz] *n* Athènes
athlete ['æθli:t] *n* athlète *m/f*
athletic [æθ'lɛtɪk] *adj* athlétique; **athletics** *n* athlétisme *m*
Atlantic [ət'læntɪk] *adj* atlantique ▷ *n*: **the ~ (Ocean)** l'(océan *m*) Atlantique *m*
atlas ['ætləs] *n* atlas *m*
A.T.M. *n abbr (= Automated Telling Machine)* guichet *m* automatique
atmosphere ['ætməsfɪə^r] *n* (*air*) atmosphère *f*; (*fig: of place etc*) atmosphère, ambiance *f*
atom ['ætəm] *n* atome *m*; **atomic** [ə'tɔmɪk] *adj* atomique; **atom(ic) bomb** *n* bombe *f* atomique
A to Z® *n* (*map*) plan *m* des rues
atrocity [ə'trɔsɪtɪ] *n* atrocité *f*
attach [ə'tætʃ] *vt* (*gen*) attacher; (*document, letter*) joindre; **to be ~ed to sb/sth** (*to like*) être attaché à qn/qch; **attachment** *n* (*tool*) accessoire *m*; (*Comput*) fichier *m* joint; (*love*): **attachment (to)** affection *f* (pour), attachement *m* (à)
attack [ə'tæk] *vt* attaquer; (*task etc*) s'attaquer à ▷ *n* attaque *f*; **heart ~** crise *f* cardiaque; **attacker** *n* attaquant *m*; agresseur *m*
attain [ə'teɪn] *vt* (*also*: **to ~ to**) parvenir à, atteindre; (*knowledge*) acquérir
attempt [ə'tɛmpt] *n* tentative *f* ▷ *vt* essayer, tenter
attend [ə'tɛnd] *vt* (*course*) suivre; (*meeting, talk*) assister à; (*school, church*) aller à, fréquenter; (*patient*) soigner, s'occuper de; **attend to** *vt fus* (*needs, affairs etc*) s'occuper de; (*customer*) s'occuper de, servir; **attendance** *n* (*being present*) présence *f*; (*people present*) assistance *f*; **attendant** *n* employé(e); gardien(ne) ▷ *adj* concomitant(e), qui accompagne *or* s'ensuit
attention [ə'tɛnʃən] *n* attention *f* ▷ *excl* (*Mil*) garde-à-vous!; **for the ~ of** (*Admin*) à l'attention de
attic ['ætɪk] *n* grenier *m*, combles *mpl*
attitude ['ætɪtju:d] *n* attitude *f*
attorney [ə'tə:nɪ] *n* (*US: lawyer*) avocat *m*; **Attorney General** *n* (BRIT) ≈ procureur général; (US) ≈ garde *m* des Sceaux, ministre *m* de la Justice
attract [ə'trækt] *vt* attirer; **attraction** [ə'trækʃən]

n (*gen pl*: *pleasant things*) attraction *f*, attrait *m*; (*Physics*) attraction; (*fig*: *towards sb, sth*) attirance *f*; **attractive** *adj* séduisant(e), attrayant(e)
attribute *n* ['ætrɪbju:t] attribut *m* ▷ *vt* [ə'trɪbju:t]: **to ~ sth to** attribuer qch à
aubergine ['əubəʒi:n] *n* aubergine *f*
auburn ['ɔ:bən] *adj* auburn *inv*, châtain roux *inv*
auction ['ɔ:kʃən] *n* (*also*: **sale by ~**) vente *f* aux enchères ▷ *vt* (*also*: **to sell by ~**) vendre aux enchères
audible ['ɔ:dɪbl] *adj* audible
audience ['ɔ:dɪəns] *n* (*people*) assistance *f*, public *m*; (*on radio*) auditeurs *mpl*; (*at theatre*) spectateurs *mpl*; (*interview*) audience *f*
audit ['ɔ:dɪt] *vt* vérifier
audition [ɔ:'dɪʃən] *n* audition *f*
auditor ['ɔ:dɪtə^r] *n* vérificateur *m* des comptes
auditorium [ɔ:dɪ'tɔ:rɪəm] *n* auditorium *m*, salle *f* de concert *or* de spectacle
Aug. *abbr* = **August**
August ['ɔ:gəst] *n* août *m*
aunt [ɑ:nt] *n* tante *f*; **auntie, aunty** *n diminutive of* **aunt**
au pair ['əu'pɛə^r] *n* (*also*: **~ girl**) jeune fille *f* au pair
aura ['ɔ:rə] *n* atmosphère *f*; (*of person*) aura *f*
austerity [ɔs'tɛrɪtɪ] *n* austérité *f*
Australia [ɔs'treɪlɪə] *n* Australie *f*; **Australian** *adj* australien(ne) ▷ *n* Australien(ne)
Austria ['ɔstrɪə] *n* Autriche *f*; **Austrian** *adj* autrichien(ne) ▷ *n* Autrichien(ne)
authentic [ɔ:'θɛntɪk] *adj* authentique
author ['ɔ:θə^r] *n* auteur *m*
authority [ɔ:'θɔrɪtɪ] *n* autorité *f*; (*permission*) autorisation (formelle); **the authorities** les autorités *fpl*, l'administration *f*
authorize ['ɔ:θəraɪz] *vt* autoriser
auto ['ɔ:təu] *n* (US) auto *f*, voiture *f*; **autobiography** [ɔ:təbaɪ'ɔgrəfɪ] *n* autobiographie *f*; **autograph** ['ɔ:təgrɑ:f] *n* autographe *m* ▷ *vt* signer, dédicacer; **automatic** [ɔ:tə'mætɪk] *adj* automatique ▷ *n* (*gun*) automatique *m*; (*car*) voiture *f* à transmission automatique; **automatically** *adv* automatiquement; **automobile** ['ɔ:təməbi:l] *n* (US) automobile *f*; **autonomous** [ɔ:'tɔnəməs] *adj* autonome; **autonomy** [ɔ:'tɔnəmɪ] *n* autonomie *f*
autumn ['ɔ:təm] *n* automne *m*
auxiliary [ɔ:g'zɪlɪərɪ] *adj*, *n* auxiliaire (*m/f*)
avail [ə'veɪl] *vt*: **to ~ o.s. of** user de; profiter de ▷ *n*: **to no ~** sans résultat, en vain, en pure perte
availability [əveɪlə'bɪlɪtɪ] *n* disponibilité *f*
available [ə'veɪləbl] *adj* disponible
avalanche ['ævəlɑ:nʃ] *n* avalanche *f*
Ave. *abbr* = **avenue**
avenue ['ævənju:] *n* avenue *f*; (*fig*) moyen *m*
average ['ævərɪdʒ] *n* moyenne *f* ▷ *adj* moyen(ne) ▷ *vt* (*a certain figure*) atteindre *or* faire *etc* en moyenne; **on ~** en moyenne
avert [ə'və:t] *vt* (*danger*) prévenir, écarter; (*one's eyes*) détourner
avid ['ævɪd] *adj* avide
avocado [ævə'kɑ:dəu] *n* (BRIT: *also*: **~ pear**) avocat *m*
avoid [ə'vɔɪd] *vt* éviter
await [ə'weɪt] *vt* attendre
awake [ə'weɪk] *adj* éveillé(e) ▷ *vb* (*pt* **awoke**, *pp* **awoken**) ▷ *vt* éveiller ▷ *vi* s'éveiller; **to be ~** être réveillé(e)
award [ə'wɔ:d] *n* (*for bravery*) récompense *f*; (*prize*) prix *m*; (*Law*: *damages*) dommages-intérêts *mpl* ▷ *vt* (*prize*) décerner; (*Law*: *damages*) accorder
aware [ə'wɛə^r] *adj*: **~ of** (*conscious*) conscient(e) de; (*informed*) au courant de; **to become ~ of/that** prendre conscience de/que; se rendre compte de/que; **awareness** *n* conscience *f*, connaissance *f*
away [ə'weɪ] *adv* (au) loin; (*movement*): **she went ~** elle est partie ▷ *adj* (*not in, not here*) absent(e); **far ~** (au) loin; **two kilometres ~** à (une distance de) deux kilomètres, à deux kilomètres de distance; **two hours ~ by car** à deux heures de voiture *or* de route; **the holiday was two weeks ~** il restait deux semaines jusqu'aux vacances; **he's ~ for a week** il est parti (pour) une semaine; **to take sth ~ from sb** prendre qch à qn; **to take sth ~ from sth** (*subtract*) ôter qch de qch; **to work/pedal ~** travailler/pédaller à cœur joie; **to fade ~** (*colour*) s'estomper; (*sound*) s'affaiblir
awe [ɔ:] *n* respect mêlé de crainte, effroi mêlé d'admiration; **awesome** ['ɔ:səm] (US) *adj* (*inf*: *excellent*) génial(e)
awful ['ɔ:fəl] *adj* affreux(-euse); **an ~ lot of** énormément de; **awfully** *adv* (*very*) terriblement, vraiment
awkward ['ɔ:kwəd] *adj* (*clumsy*) gauche, maladroit(e); (*inconvenient*) peu pratique; (*embarrassing*) gênant
awoke [ə'wəuk] *pt of* **awake**
awoken [ə'wəukən] *pp of* **awake**
axe [æks] (US **ax**) *n* hache *f* ▷ *vt* (*project etc*) abandonner; (*jobs*) supprimer
axle ['æksl] *n* essieu *m*
ay(e) [aɪ] *excl* (*yes*) oui
azalea [ə'zeɪlɪə] *n* azalée *f*

b

B [bi:] *n* (*Mus*): **B** si *m*
B.A. *abbr* (*Scol*) = **Bachelor of Arts**
baby ['beɪbɪ] *n* bébé *m*; **baby carriage** *n* (US) voiture *f* d'enfant; **baby-sit** *vi* garder les enfants; **baby-sitter** *n* baby-sitter *m/f*; **baby wipe** *n* lingette *f* (*pour bébé*)
bachelor ['bætʃələ^r] *n* célibataire *m*; **B~ of Arts/Science (BA/BSc)** ≈ licencié(e) ès *or* en lettres/sciences
back [bæk] *n* (*of person, horse*) dos *m*; (*of hand*) dos, revers *m*; (*of house*) derrière *m*; (*of car, train*) arrière *m*; (*of chair*) dossier *m*; (*of page*) verso *m*; (*of crowd*): **can the people at the ~ hear me properly?** est-ce que les gens du fond peuvent m'entendre?; (*Football*) arrière *m*; **~ to front** à l'envers ▷ *vt* (*financially*) soutenir (financièrement); (*candidate*: *also*: **~ up**) soutenir, appuyer; (*horse*: *at races*) parier *or* miser sur; (*car*) (faire) reculer ▷ *vi* reculer; (*car etc*) faire

marche arrière ▷ *adj* (*in compounds*) de derrière, à l'arrière; **~ seat/wheel** (*Aut*) siège *m*/roue *f* arrière *inv*; **~ payments/rent** arriéré *m* de paiements/loyer; **~ garden/room** jardin/pièce sur l'arrière ▷ *adv* (*not forward*) en arrière; (*returned*): **he's ~** il est rentré, il est de retour; **he ran ~** il est revenu en courant; (*restitution*): **throw the ball ~** renvoie la balle; **can I have it ~?** puis-je le ravoir?, peux-tu me le rendre?; (*again*): **he called ~** il a rappelé; **back down** *vi* rabattre de ses prétentions; **back out** *vi* (*of promise*) se dédire; **back up** *vt* (*person*) soutenir; (*Comput*) faire une copie de sauvegarde de; **backache** *n* mal *m* au dos; **backbencher** (BRIT) *n membre du parlement sans portefeuille*; **backbone** *n* colonne vertébrale, épine dorsale; **back door** *n* porte *f* de derrière; **backfire** *vi* (*Aut*) pétarader; (*plans*) mal tourner; **backgammon** *n* trictrac *m*; **background** *n* arrière-plan *m*; (*of events*) situation *f*, conjoncture *f*; (*basic knowledge*) éléments *mpl* de base; (*experience*) formation *f*; **family background** milieu familial; **backing** *n* (*fig*) soutien *m*, appui *m*; **backlog** *n*: **backlog of work** travail *m* en retard; **backpack** *n* sac *m* à dos; **backpacker** *n* randonneur(-euse); **backslash** *n* barre oblique inversée; **backstage** *adv* dans les coulisses; **backstroke** *n* dos crawlé; **backup** *adj* (*train, plane*) supplémentaire, de réserve; (*Comput*) de sauvegarde ▷ *n* (*support*) appui *m*, soutien *m*; (*Comput: also:* **backup file**) sauvegarde *f*; **backward** *adj* (*movement*) en arrière; (*person, country*) arriéré(e), attardé(e); **backwards** *adv* (*move, go*) en arrière; (*read a list*) à l'envers, à rebours; (*fall*) à la renverse; (*walk*) à reculons; **backyard** *n* arrière-cour *f*

bacon ['beɪkən] *n* bacon *m*, lard *m*

bacteria [bæk'tɪərɪə] *npl* bactéries *fpl*

bad [bæd] *adj* mauvais(e); (*child*) vilain(e); (*mistake, accident*) grave; (*meat, food*) gâté(e), avarié(e); **his ~ leg** sa jambe malade; **to go ~** (*meat, food*) se gâter; (*milk*) tourner

bade [bæd] *pt of* **bid**

badge [bædʒ] *n* insigne *m*; (*of policeman*) plaque *f*; (*stick-on, sew-on*) badge *m*

badger ['bædʒəʳ] *n* blaireau *m*

badly ['bædlɪ] *adv* (*work, dress etc*) mal; **to reflect ~ on sb** donner une mauvaise image de qn; **~ wounded** grièvement blessé; **he needs it ~** il en a absolument besoin; **~ off** *adj, adv* dans la gêne

bad-mannered ['bæd'mænəd] *adj* mal élevé(e)

badminton ['bædmɪntən] *n* badminton *m*

bad-tempered ['bæd'tɛmpəd] *adj* (*by nature*) ayant mauvais caractère; (*on one occasion*) de mauvaise humeur

bag [bæg] *n* sac *m*; **~s of** (*inf: lots of*) des tas de; **baggage** *n* bagages *mpl*; **baggage allowance** *n* franchise *f* de bagages; **baggage reclaim** *n* (*at airport*) livraison *f* des bagages; **baggy** *adj* avachi(e), qui fait des poches; **bagpipes** *npl* cornemuse *f*

bail [beɪl] *n* caution *f* ▷ *vt* (*prisoner: also:* **grant ~ to**) mettre en liberté sous caution; (*boat: also:* **~ out**) écoper; **to be released on ~** être libéré(e) sous caution; **bail out** *vt* (*prisoner*) payer la caution de

bait [beɪt] *n* appât *m* ▷ *vt* appâter; (*fig: tease*) tourmenter

bake [beɪk] *vt* (faire) cuire au four ▷ *vi* (*bread etc*) cuire (au four); (*make cakes etc*) faire de la pâtisserie; **baked beans** *npl* haricots blancs à la sauce tomate; **baked potato** *n* pomme *f* de terre en robe des champs; **baker** *n* boulanger *m*; **bakery** *n* boulangerie *f*; **baking** *n* (*process*) cuisson *f*; **baking powder** *n* levure *f* (chimique)

balance ['bæləns] *n* équilibre *m*; (*Comm: sum*) solde *m*; (*remainder*) reste *m*; (*scales*) balance *f* ▷ *vt* mettre *or* faire tenir en équilibre; (*pros and cons*) peser; (*budget*) équilibrer; (*account*) balancer; (*compensate*) compenser, contrebalancer; **~ of trade/payments** balance commerciale/des comptes *or* paiements; **balanced** *adj* (*personality, diet*) équilibré(e); (*report*) objectif(-ive); **balance sheet** *n* bilan *m*

balcony ['bælkənɪ] *n* balcon *m*; **do you have a room with a ~?** avez-vous une chambre avec balcon?

bald [bɔːld] *adj* chauve; (*tyre*) lisse

ball [bɔːl] *n* boule *f*; (*football*) ballon *m*; (*for tennis, golf*) balle *f*; (*dance*) bal *m*; **to play ~** jouer au ballon (*or* à la balle); (*fig*) coopérer

ballerina [bælə'riːnə] *n* ballerine *f*

ballet ['bæleɪ] *n* ballet *m*; (*art*) danse *f* (classique); **ballet dancer** *n* danseur(-euse) de ballet

balloon [bə'luːn] *n* ballon *m*

ballot ['bælət] *n* scrutin *m*

ballpoint (pen) ['bɔːlpɔɪnt-] *n* stylo *m* à bille

ballroom ['bɔːlrum] *n* salle *f* de bal

Baltic [bɔːltɪk] *n*: **the ~ (Sea)** la (mer) Baltique

bamboo [bæm'buː] *n* bambou *m*

ban [bæn] *n* interdiction *f* ▷ *vt* interdire

banana [bə'nɑːnə] *n* banane *f*

band [bænd] *n* bande *f*; (*at a dance*) orchestre *m*; (*Mil*) musique *f*, fanfare *f*

bandage ['bændɪdʒ] *n* bandage *m*, pansement *m* ▷ *vt* (*wound, leg*) mettre un pansement *or* un bandage sur

Band-Aid® ['bændeɪd] *n* (US) pansement adhésif

B. & B. *n abbr* = **bed and breakfast**

bandit ['bændɪt] *n* bandit *m*

bang [bæŋ] *n* détonation *f*; (*of door*) claquement *m*; (*blow*) coup (violent) ▷ *vt* frapper (violemment); (*door*) claquer ▷ *vi* détoner; claquer

Bangladesh [bæŋglə'dɛʃ] *n* Bangladesh *m*

Bangladeshi [bæŋglə'dɛʃɪ] *adj* du Bangladesh ▷ *n* habitant(e) du Bangladesh

bangle ['bæŋgl] *n* bracelet *m*

bangs [bæŋz] *npl* (US: *fringe*) frange *f*

banish ['bænɪʃ] *vt* bannir

banister(s) ['bænɪstə(z)] *n(pl)* rampe *f* (d'escalier)

banjo (*pl* **~es** *or* **~s**) ['bændʒəu] *n* banjo *m*

bank [bæŋk] *n* banque *f*; (*of river, lake*) bord *m*, rive *f*; (*of earth*) talus *m*, remblai *m* ▷ *vi* (*Aviat*) virer sur l'aile; **bank on** *vt fus* miser *or* tabler sur; **bank account** *n* compte *m* en banque; **bank balance** *n* solde *m* bancaire; **bank card** (BRIT) *n* carte *f* d'identité bancaire; **bank charges** *npl* (BRIT) frais *mpl* de banque; **banker** *n* banquier *m*; **bank holiday** *n* (BRIT) jour férié (*où les banques sont fermées*); **banking** *n* opérations *fpl* bancaires; profession *f* de banquier; **bank manager** *n* directeur *m* d'agence (bancaire); **banknote** *n* billet *m* de banque

bankrupt ['bæŋkrʌpt] *adj* en faillite; **to go ~** faire faillite; **bankruptcy** *n* faillite *f*

bank statement *n* relevé *m* de compte

banner ['bænəʳ] *n* bannière *f*

bannister(s) ['bænɪstə(z)] *n(pl)* = **banister(s)**

banquet ['bæŋkwɪt] *n* banquet *m*, festin *m*

baptism ['bæptɪzəm] *n* baptême *m*

baptize [bæp'taɪz] *vt* baptiser

bar [bɑːʳ] *n* (*pub*) bar *m*; (*counter*) comptoir *m*, bar; (*rod: of metal etc*) barre *f*; (*of window etc*) barreau *m*; (*of chocolate*) tablette *f*, plaque *f*; (*fig: obstacle*) obstacle *m*; (*prohibition*) mesure *f* d'exclusion;

(*Mus*) mesure *f* ▷ *vt* (*road*) barrer; (*person*) exclure; (*activity*) interdire; **~ of soap** savonnette *f*; **behind ~s** (*prisoner*) derrière les barreaux; **the B~** (*Law*) le barreau; **~ none** sans exception

barbaric [bɑːˈbærɪk] *adj* barbare

barbecue [ˈbɑːbɪkjuː] *n* barbecue *m*

barbed wire [ˈbɑːbd-] *n* fil *m* de fer barbelé

barber [ˈbɑːbəʳ] *n* coiffeur *m* (pour hommes); **barber's (shop)** (*US* **barber (shop)**) *n* salon *m* de coiffure (pour hommes)

bar code *n* code *m* à barres, code-barre *m*

bare [bɛəʳ] *adj* nu(e) ▷ *vt* mettre à nu, dénuder; (*teeth*) montrer; **barefoot** *adj, adv* nu-pieds, (les) pieds nus; **barely** *adv* à peine

bargain [ˈbɑːgɪn] *n* (*transaction*) marché *m*; (*good buy*) affaire *f*, occasion *f* ▷ *vi* (*haggle*) marchander; (*negotiate*) négocier, traiter; **into the ~** par-dessus le marché; **bargain for** *vt fus* (*inf*): **he got more than he ~ed for!** il en a eu pour son argent!

barge [bɑːdʒ] *n* péniche *f*; **barge in** *vi* (*walk in*) faire irruption; (*interrupt talk*) intervenir mal à propos

bark [bɑːk] *n* (*of tree*) écorce *f*; (*of dog*) aboiement *m* ▷ *vi* aboyer

barley [ˈbɑːlɪ] *n* orge *f*

barmaid [ˈbɑːmeɪd] *n* serveuse *f* (de bar), barmaid *f*

barman [ˈbɑːmən] *n* serveur *m* (de bar), barman *m*

barn [bɑːn] *n* grange *f*

barometer [bəˈrɔmɪtəʳ] *n* baromètre *m*

baron [ˈbærən] *n* baron *m*; **baroness** *n* baronne *f*

barracks [ˈbærəks] *npl* caserne *f*

barrage [ˈbærɑːʒ] *n* (*Mil*) tir *m* de barrage; (*dam*) barrage *m*; (*of criticism*) feu *m*

barrel [ˈbærəl] *n* tonneau *m*; (*of gun*) canon *m*

barren [ˈbærən] *adj* stérile

barrette [bəˈrɛt] (*US*) *n* barrette *f*

barricade [bærɪˈkeɪd] *n* barricade *f*

barrier [ˈbærɪəʳ] *n* barrière *f*

barring [ˈbɑːrɪŋ] *prep* sauf

barrister [ˈbærɪstəʳ] *n* (*BRIT*) avocat (plaidant)

barrow [ˈbærəu] *n* (*cart*) charrette *f* à bras

bartender [ˈbɑːtɛndəʳ] *n* (*US*) serveur *m* (*de bar*), barman *m*

base [beɪs] *n* base *f* ▷ *vt* (*opinion, belief*): **to ~ sth on** baser *or* fonder qch sur ▷ *adj* vil(e), bas(se)

baseball [ˈbeɪsbɔːl] *n* base-ball *m*; **baseball cap** *n* casquette *f* de base-ball

Basel [bɑːl] *n* = **Basle**

basement [ˈbeɪsmənt] *n* sous-sol *m*

bases [ˈbeɪsiːz] *npl of* **basis**

bash [bæʃ] *vt* (*inf*) frapper, cogner

basic [ˈbeɪsɪk] *adj* (*precautions, rules*) élémentaire; (*principles, research*) fondamental(e); (*vocabulary, salary*) de base; (*minimal*) réduit(e) au minimum, rudimentaire; **basically** *adv* (*in fact*) en fait; (*essentially*) fondamentalement; **basics** *npl*: **the basics** l'essentiel *m*

basil [ˈbæzl] *n* basilic *m*

basin [ˈbeɪsn] *n* (*vessel, also Geo*) cuvette *f*, bassin *m*; (*BRIT*: *for food*) bol *m*; (*also*: **wash~**) lavabo *m*

basis (*pl* **bases**) [ˈbeɪsɪs, -siːz] *n* base *f*; **on a part-time/trial ~** à temps partiel/à l'essai

basket [ˈbɑːskɪt] *n* corbeille *f*; (*with handle*) panier *m*; **basketball** *n* basket-ball *m*

Basle [bɑːl] *n* Bâle

Basque [bæsk] *adj* basque ▷ *n* Basque *m/f*; **the ~ Country** le Pays basque

bass [beɪs] *n* (*Mus*) basse *f*

bastard [ˈbɑːstəd] *n* enfant naturel(le), bâtard(e); (*inf!*) salaud *m* (*!*)

bat [bæt] *n* chauve-souris *f*; (*for baseball etc*) batte *f*; (*BRIT*: *for table tennis*) raquette *f* ▷ *vt*: **he didn't ~ an eyelid** il n'a pas sourcillé *or* bronché

batch [bætʃ] *n* (*of bread*) fournée *f*; (*of papers*) liasse *f*; (*of applicants, letters*) paquet *m*

bath (*pl* **~s**) [bɑːθ, bɑːðz] *n* bain *m*; (*bathtub*) baignoire *f* ▷ *vt* baigner, donner un bain à; **to have a ~** prendre un bain; *see also* **baths**

bathe [beɪð] *vi* se baigner ▷ *vt* baigner; (*wound etc*) laver

bathing [ˈbeɪðɪŋ] *n* baignade *f*; **bathing costume** (*US* **bathing suit**) *n* maillot *m* (de bain)

bath: **bathrobe** *n* peignoir *m* de bain; **bathroom** *n* salle *f* de bains; **baths** [bɑːðz] *npl* (*BRIT*: *also*: **swimming baths**) piscine *f*; **bath towel** *n* serviette *f* de bain; **bathtub** *n* baignoire *f*

baton [ˈbætən] *n* bâton *m*; (*Mus*) baguette *f*; (*club*) matraque *f*

batter [ˈbætəʳ] *vt* battre ▷ *n* pâte *f* à frire; **battered** *adj* (*hat, pan*) cabossé(e); **battered wife/child** épouse/enfant maltraité(e) *or* martyr(e)

battery [ˈbætərɪ] *n* (*for torch, radio*) pile *f*; (*Aut, Mil*) batterie *f*; **battery farming** *n* élevage *m* en batterie

battle [ˈbætl] *n* bataille *f*, combat *m* ▷ *vi* se battre, lutter; **battlefield** *n* champ *m* de bataille

bay [beɪ] *n* (*of sea*) baie *f*; (*BRIT*: *for parking*) place *f* de stationnement; (: *for loading*) aire *f* de chargement; **B~ of Biscay** golfe *m* de Gascogne; **to hold sb at ~** tenir qn à distance *or* en échec

bay leaf *n* laurier *m*

bazaar [bəˈzɑːʳ] *n* (*shop, market*) bazar *m*; (*sale*) vente *f* de charité

BBC *n abbr* (*= British Broadcasting Corporation*) *office de la radiodiffusion et télévision britannique*

B.C. *adv abbr* (*= before Christ*) av. J.-C.

KEYWORD

be [biː] (*pt* **was, were**, *pp* **been**) *aux vb* **1** (*with present participle*: *forming continuous tenses*): **what are you doing?** que faites-vous?; **they're coming tomorrow** ils viennent demain; **I've been waiting for you for 2 hours** je t'attends depuis 2 heures

2 (*with pp*: *forming passives*) être; **to be killed** être tué(e); **the box had been opened** la boîte avait été ouverte; **he was nowhere to be seen** on ne le voyait nulle part

3 (*in tag questions*): **it was fun, wasn't it?** c'était drôle, n'est-ce pas?; **he's good-looking, isn't he?** il est beau, n'est-ce pas?; **she's back, is she?** elle est rentrée, n'est-ce pas *or* alors?

4 (*+to +infinitive*): **the house is to be sold** (*necessity*) la maison doit être vendue; (*future*) la maison va être vendue; **he's not to open it** il ne doit pas l'ouvrir

▷ *vb + complement* **1** (*gen*) être; **I'm English** je suis anglais(e); **I'm tired** je suis fatigué(e); **I'm hot/cold** j'ai chaud/froid; **he's a doctor** il est médecin; **be careful/good/quiet!** faites attention/soyez sages/taisez-vous!; **2 and 2 are 4** 2 et 2 font 4

2 (*of health*) aller; **how are you?** comment allez-vous?; **I'm better now** je vais mieux maintenant; **he's very ill** il est très malade

3 (*of age*) avoir; **how old are you?** quel âge avez-vous?; **I'm sixteen (years old)** j'ai seize ans

4 (*cost*) coûter; **how much was the meal?** combien a coûté le repas?; **that'll be £5, please** ça fera 5 livres, s'il vous plaît; **this shirt is £17** cette chemise coûte 17 livres

▷ *vi* **1** (*exist, occur etc*) être, exister; **the prettiest**

girl that ever was la fille la plus jolie qui ait jamais existé; **is there a God?** y a-t-il un dieu?; **be that as it may** quoi qu'il en soit; **so be it** soit
2 (*referring to place*) être, se trouver; **I won't be here tomorrow** je ne serai pas là demain
3 (*referring to movement*) aller; **where have you been?** où êtes-vous allé(s)?
▷ *impers vb* **1** (*referring to time*) être; **it's 5 o'clock** il est 5 heures; **it's the 28th of April** c'est le 28 avril
2 (*referring to distance*): **it's 10 km to the village** le village est à 10 km
3 (*referring to the weather*) faire; **it's too hot/cold** il fait trop chaud/froid; **it's windy today** il y a du vent aujourd'hui
4 (*emphatic*): **it's me/the postman** c'est moi/le facteur; **it was Maria who paid the bill** c'est Maria qui a payé la note

beach [biːtʃ] *n* plage *f* ▷ *vt* échouer
beacon ['biːkən] *n* (*lighthouse*) fanal *m*; (*marker*) balise *f*
bead [biːd] *n* perle *f*; (*of dew, sweat*) goutte *f*; **beads** *npl* (*necklace*) collier *m*
beak [biːk] *n* bec *m*
beam [biːm] *n* (*Archit*) poutre *f*; (*of light*) rayon *m* ▷ *vi* rayonner
bean [biːn] *n* haricot *m*; (*of coffee*) grain *m*; **beansprouts** *npl* pousses *fpl or* germes *mpl* de soja
bear [bɛəʳ] *n* ours *m* ▷ *vb* (*pt* **bore**, *pp* **borne**) ▷ *vt* porter; (*endure*) supporter, rapporter ▷ *vi*: **to ~ right/left** obliquer à droite/gauche, se diriger vers la droite/gauche
beard [bɪəd] *n* barbe *f*
bearer ['bɛərəʳ] *n* porteur *m*; (*of passport etc*) titulaire *m/f*
bearing ['bɛərɪŋ] *n* maintien *m*, allure *f*; (*connection*) rapport *m*; (*Tech*): **(ball) bearings** *npl* roulement *m* (à billes)
beast [biːst] *n* bête *f*; (*inf: person*) brute *f*
beat [biːt] *n* battement *m*; (*Mus*) temps *m*, mesure *f*; (*of policeman*) ronde *f* ▷ *vt, vi* (*pt* **~**, *pp* **~en**) battre; **off the ~en track** hors des chemins *or* sentiers battus; **to ~ it** (*inf*) ficher le camp; **beat up** *vt* (*inf: person*) tabasser; **beating** *n* raclée *f*
beautiful ['bjuːtɪful] *adj* beau (belle); **beautifully** *adv* admirablement
beauty ['bjuːtɪ] *n* beauté *f*; **beauty parlour** (*US* **beauty parlor**) [-'pɑːləʳ] *n* institut *m* de beauté; **beauty salon** *n* institut *m* de beauté; **beauty spot** *n* (*on skin*) grain *m* de beauté; (*BRIT Tourism*) site naturel (d'une grande beauté)
beaver ['biːvəʳ] *n* castor *m*
became [bɪ'keɪm] *pt of* **become**
because [bɪ'kɔz] *conj* parce que; **~ of** *prep* à cause de
beckon ['bɛkən] *vt* (*also*: **~ to**) faire signe (de venir) à
become [bɪ'kʌm] *vi* devenir; **to ~ fat/thin** grossir/maigrir; **to ~ angry** se mettre en colère
bed [bɛd] *n* lit *m*; (*of flowers*) parterre *m*; (*of coal, clay*) couche *f*; (*of sea, lake*) fond *m*; **to go to ~** aller se coucher; **bed and breakfast** *n* (*terms*) chambre et petit déjeuner; (*place*) ≈ chambre *f* d'hôte; **bedclothes** *npl* couvertures *fpl* et draps *mpl*; **bedding** *n* literie *f*; **bed linen** *n* draps *mpl* de lit (et taies *fpl* d'oreillers), literie *f*; **bedroom** *n* chambre *f* (à coucher); **bedside** *n*: **at sb's bedside** au chevet de qn; **bedside lamp** *n* lampe *f* de chevet; **bedside table** *n* table *f* de chevet; **bedsit(ter)** *n* (*BRIT*) chambre meublée, studio *m*; **bedspread** *n* couvre-lit *m*, dessus-de-lit *m*; **bedtime** *n*: **it's bedtime** c'est l'heure de se coucher
bee [biː] *n* abeille *f*
beech [biːtʃ] *n* hêtre *m*
beef [biːf] *n* bœuf *m*; **roast ~** rosbif *m*; **beefburger** *n* hamburger *m*; **Beefeater** *n* hallebardier *m* (de la tour de Londres)
been [biːn] *pp of* **be**
beer [bɪəʳ] *n* bière *f*; **beer garden** *n* (*BRIT*) jardin *m* d'un pub (*où l'on peut emmener ses consommations*)
beet [biːt] *n* (*vegetable*) betterave *f*; (*US*: *also*: **red ~**) betterave (potagère)
beetle ['biːtl] *n* scarabée *m*, coléoptère *m*
beetroot ['biːtruːt] *n* (*BRIT*) betterave *f*
before [bɪ'fɔːʳ] *prep* (*of time*) avant; (*of space*) devant ▷ *conj* avant que + *sub*; avant de ▷ *adv* avant; **~ going** avant de partir; **~ she goes** avant qu'elle (ne) parte; **the week ~** la semaine précédente *or* d'avant; **I've never seen it ~** c'est la première fois que je le vois; **beforehand** *adv* au préalable, à l'avance
beg [bɛg] *vi* mendier ▷ *vt* mendier; (*forgiveness, mercy etc*) demander; (*entreat*) supplier; **to ~ sb to do sth** supplier qn de faire qch; *see also* **pardon**
began [bɪ'gæn] *pt of* **begin**
beggar ['bɛgəʳ] *n* mendiant(e)
begin [bɪ'gɪn] (*pt* **began**, *pp* **begun**) *vt, vi* commencer; **to ~ doing** *or* **to do sth** commencer à faire qch; **beginner** *n* débutant(e); **beginning** *n* commencement *m*, début *m*
begun [bɪ'gʌn] *pp of* **begin**
behalf [bɪ'hɑːf] *n*: **on ~ of** (*US*): **in ~ of** (*representing*) de la part de; (*for benefit of*) pour le compte de; **on my/his ~** de ma/sa part
behave [bɪ'heɪv] *vi* se conduire, se comporter; (*well*: *also*: **~ o.s.**) se conduire bien *or* comme il faut; **behaviour** (*US* **behavior**) *n* comportement *m*, conduite *f*
behind [bɪ'haɪnd] *prep* derrière; (*time*) en retard sur; (*supporting*): **to be ~ sb** soutenir qn ▷ *adv* derrière; en retard ▷ *n* derrière *m*; **~ the scenes** dans les coulisses; **to be ~ (schedule) with sth** être en retard dans qch
beige [beɪʒ] *adj* beige
Beijing ['beɪ'dʒɪŋ] *n* Pékin
being ['biːɪŋ] *n* être *m*; **to come into ~** prendre naissance
belated [bɪ'leɪtɪd] *adj* tardif(-ive)
belch [bɛltʃ] *vi* avoir un renvoi, roter ▷ *vt* (*also*: **~ out**: *smoke etc*) vomir, cracher
Belgian ['bɛldʒən] *adj* belge, de Belgique ▷ *n* Belge *m/f*
Belgium ['bɛldʒəm] *n* Belgique *f*
belief [bɪ'liːf] *n* (*opinion*) conviction *f*; (*trust, faith*) foi *f*
believe [bɪ'liːv] *vt, vi* croire, estimer; **to ~ in** (*God*) croire en; (*ghosts, method*) croire à; **believer** *n* (*in idea, activity*) partisan(e); (*Rel*) croyant(e)
bell [bɛl] *n* cloche *f*; (*small*) clochette *f*, grelot *m*; (*on door*) sonnette *f*; (*electric*) sonnerie *f*
bellboy ['bɛlbɔɪ] (*US* **bellhop**) ['bɛlhɔp] *n* groom *m*, chasseur *m*
bellow ['bɛləu] *vi* (*bull*) meugler; (*person*) brailler
bell pepper *n* (*esp US*) poivron *m*
belly ['bɛlɪ] *n* ventre *m*; **belly button** (*inf*) *n* nombril *m*
belong [bɪ'lɔŋ] *vi*: **to ~ to** appartenir à; (*club etc*) faire partie de; **this book ~s here** ce livre va ici, la place de ce livre est ici; **belongings** *npl* affaires *fpl*, possessions *fpl*
beloved [bɪ'lʌvɪd] *adj* (bien-)aimé(e), chéri(e)
below [bɪ'ləu] *prep* sous, au-dessous de ▷ *adv* en

dessous; en contre-bas; **see ~** voir plus bas *or* plus loin *or* ci-dessous

belt [bɛlt] *n* ceinture *f*; (*Tech*) courroie *f* ▷ *vt* (*thrash*) donner une raclée à; **beltway** *n* (*US Aut*) route *f* de ceinture; (: *motorway*) périphérique *m*

bemused [bɪ'mjuːzd] *adj* médusé(e)

bench [bɛntʃ] *n* banc *m*; (*in workshop*) établi *m*; **the B~** (*Law: judges*) la magistrature, la Cour

bend [bɛnd] *vb* (*pt, pp* **bent**) ▷ *vt* courber; (*leg, arm*) plier ▷ *vi* se courber ▷ *n* (BRIT: *in road*) virage *m*, tournant *m*; (*in pipe, river*) coude *m*; **bend down** *vi* se baisser; **bend over** *vi* se pencher

beneath [bɪ'niːθ] *prep* sous, au-dessous de; (*unworthy of*) indigne de ▷ *adv* dessous, au-dessous, en bas

beneficial [bɛnɪ'fɪʃəl] *adj*: **~ (to)** salutaire (pour), bénéfique (à)

benefit ['bɛnɪfɪt] *n* avantage *m*, profit *m*; (*allowance of money*) allocation *f* ▷ *vt* faire du bien à, profiter à ▷ *vi*: **he'll ~ from it** cela lui fera du bien, il y gagnera *or* s'en trouvera bien

Benelux ['bɛnɪlʌks] *n* Bénélux *m*

benign [bɪ'naɪn] *adj* (*person, smile*) bienveillant(e), affable; (*Med*) bénin(-igne)

bent [bɛnt] *pt, pp of* **bend** ▷ *n* inclination *f*, penchant *m* ▷ *adj*: **to be ~ on** être résolu(e) à

bereaved [bɪ'riːvd] *n*: **the ~** la famille du disparu

beret ['bɛreɪ] *n* béret *m*

Berlin [bəː'lɪn] *n* Berlin

Bermuda [bəː'mjuːdə] *n* Bermudes *fpl*

Bern [bəːn] *n* Berne

berry ['bɛrɪ] *n* baie *f*

berth [bəːθ] *n* (*bed*) couchette *f*; (*for ship*) poste *m* d'amarrage, mouillage *m* ▷ *vi* (*in harbour*) venir à quai; (*at anchor*) mouiller

beside [bɪ'saɪd] *prep* à côté de; (*compared with*) par rapport à; **that's ~ the point** ça n'a rien à voir; **to be ~ o.s. (with anger)** être hors de soi; **besides** *adv* en outre, de plus ▷ *prep* en plus de; (*except*) excepté

best [bɛst] *adj* meilleur(e) ▷ *adv* le mieux; **the ~ part of** (*quantity*) le plus clair de, la plus grande partie de; **at ~** au mieux; **to make the ~ of sth** s'accommoder de qch (du mieux que l'on peut); **to do one's ~** faire de son mieux; **to the ~ of my knowledge** pour autant que je sache; **to the ~ of my ability** du mieux que je pourrai; **best-before date** *n* date *f* de limite d'utilisation *or* de consommation; **best man** (*irreg*) *n* garçon *m* d'honneur; **bestseller** *n* best-seller *m*, succès *m* de librairie

bet [bɛt] *n* pari *m* ▷ *vt, vi* (*pt, pp* **~** *or* **~ted**) parier; **to ~ sb sth** parier qch à qn

betray [bɪ'treɪ] *vt* trahir

better ['bɛtəʳ] *adj* meilleur(e) ▷ *adv* mieux ▷ *vt* améliorer ▷ *n*: **to get the ~ of** triompher de, l'emporter sur; **you had ~ do it** vous feriez mieux de le faire; **he thought ~ of it** il s'est ravisé; **to get ~** (*Med*) aller mieux; (*improve*) s'améliorer

betting ['bɛtɪŋ] *n* paris *mpl*; **betting shop** *n* (BRIT) bureau *m* de paris

between [bɪ'twiːn] *prep* entre ▷ *adv* au milieu, dans l'intervalle

beverage ['bɛvərɪdʒ] *n* boisson *f* (*gén sans alcool*)

beware [bɪ'wɛəʳ] *vi*: **to ~ (of)** prendre garde (à); **"~ of the dog"** "(attention) chien méchant"

bewildered [bɪ'wɪldəd] *adj* dérouté(e), ahuri(e)

beyond [bɪ'jɔnd] *prep* (*in space, time*) au-delà de; (*exceeding*) au-dessus de ▷ *adv* au-delà; **~ doubt** hors de doute; **~ repair** irréparable

bias ['baɪəs] *n* (*prejudice*) préjugé *m*, parti pris; (*preference*) prévention *f*; **bias(s)ed** *adj* partial(e), montrant un parti pris

bib [bɪb] *n* bavoir *m*

Bible ['baɪbl] *n* Bible *f*

bicarbonate of soda [baɪ'kɑːbənɪt-] *n* bicarbonate *m* de soude

biceps ['baɪsɛps] *n* biceps *m*

bicycle ['baɪsɪkl] *n* bicyclette *f*; **bicycle pump** *n* pompe *f* à vélo

bid [bɪd] *n* offre *f*; (*at auction*) enchère *f*; (*attempt*) tentative *f* ▷ *vb* (*pt* **~** *or* **bade**, *pp* **~** *or* **~den**) ▷ *vi* faire une enchère *or* offre ▷ *vt* faire une enchère *or* offre de; **to ~ sb good day** souhaiter le bonjour à qn; **bidder** *n*: **the highest bidder** le plus offrant

bidet ['biːdeɪ] *n* bidet *m*

big [bɪg] *adj* (*in height*: *person, building, tree*) grand(e); (*in bulk, amount*: *person, parcel, book*) gros(se); **bigheaded** *adj* prétentieux(-euse); **big toe** *n* gros orteil

bike [baɪk] *n* vélo *m*; **bike lane** *n* piste *f* cyclable

bikini [bɪ'kiːnɪ] *n* bikini *m*

bilateral [baɪ'lætərl] *adj* bilatéral(e)

bilingual [baɪ'lɪŋgwəl] *adj* bilingue

bill [bɪl] *n* note *f*, facture *f*; (*in restaurant*) addition *f*, note *f*; (*Pol*) projet *m* de loi; (*US*: *banknote*) billet *m* (de banque); (*notice*) affiche *f*; (*of bird*) bec *m*; **put it on my ~** mettez-le sur mon compte; **"post no ~s"** "défense d'afficher"; **to fit** *or* **fill the ~** (*fig*) faire l'affaire; **billboard** (*US*) *n* panneau *m* d'affichage; **billfold** ['bɪlfəuld] *n* (*US*) portefeuille *m*

billiards ['bɪljədz] *n* (jeu *m* de) billard *m*

billion ['bɪljən] *n* (BRIT) billion *m* (*million de millions*); (*US*) milliard *m*

bin [bɪn] *n* boîte *f*; (BRIT: *also*: **dust~**, **litter ~**) poubelle *f*; (*for coal*) coffre *m*

bind (*pt, pp* **bound**) [baɪnd, baund] *vt* attacher; (*book*) relier; (*oblige*) obliger, contraindre ▷ *n* (*inf*: *nuisance*) scie *f*

binge [bɪndʒ] *n* (*inf*): **to go on a ~** faire la bringue

bingo ['bɪŋgəu] *n* *sorte de jeu de loto pratiqué dans des établissements publics*

binoculars [bɪ'nɔkjuləz] *npl* jumelles *fpl*

bio... [baɪə'] *prefix*: **biochemistry** *n* biochimie *f*; **biodegradable** ['baɪəudɪ'greɪdəbl] *adj* biodégradable; **biography** [baɪ'ɔgrəfɪ] *n* biographie *f*; **biological** *adj* biologique; **biology** [baɪ'ɔlədʒɪ] *n* biologie *f*; **biometric** [baɪə'mɛtrɪk] *adj* biométrique

birch [bəːtʃ] *n* bouleau *m*

bird [bəːd] *n* oiseau *m*; (BRIT *inf*: *girl*) nana *f*; **bird flu** *n* grippe *f* aviaire; **bird of prey** *n* oiseau *m* de proie; **birdwatching** *n* ornithologie *f* (*d'amateur*)

Biro® ['baɪərəu] *n* stylo *m* à bille

birth [bəːθ] *n* naissance *f*; **to give ~ to** donner naissance à, mettre au monde; (*subj*: *animal*) mettre bas; **birth certificate** *n* acte *m* de naissance; **birth control** *n* (*policy*) limitation *f* des naissances; (*methods*) méthode(s) contraceptive(s); **birthday** *n* anniversaire *m* ▷ *cpd* (*cake, card etc*) d'anniversaire; **birthmark** *n* envie *f*, tache *f* de vin; **birthplace** *n* lieu *m* de naissance

biscuit ['bɪskɪt] *n* (BRIT) biscuit *m*; (*US*) petit pain au lait

bishop ['bɪʃəp] *n* évêque *m*; (*Chess*) fou *m*

bistro ['biːstrəu] *n* petit restaurant *m*, bistrot *m*

bit [bɪt] *pt of* **bite** ▷ *n* morceau *m*; (*Comput*) bit *m*, élément *m* binaire; (*of tool*) mèche *f*; (*of horse*) mors *m*; **a ~ of** un peu de; **a ~ mad/dangerous** un peu fou/risqué; **~ by ~** petit à petit

bitch [bɪtʃ] *n* (*dog*) chienne *f*; (*inf!*) salope *f* (!), garce *f*
bite [baɪt] *vt*, *vi* (*pt* **bit**, *pp* **bitten**) mordre; (*insect*) piquer ▷ *n* morsure *f*; (*insect bite*) piqûre *f*; (*mouthful*) bouchée *f*; **let's have a ~ (to eat)** mangeons un morceau; **to ~ one's nails** se ronger les ongles
bitten ['bɪtn] *pp of* **bite**
bitter ['bɪtəʳ] *adj* amer(-ère); (*criticism*) cinglant(e); (*icy: weather, wind*) glacial(e) ▷ *n* (BRIT: *beer*) bière *f* (*à forte teneur en houblon*)
bizarre [bɪ'zɑːʳ] *adj* bizarre
black [blæk] *adj* noir(e) ▷ *n* (*colour*) noir *m*; (*person*): **B~** noir(e) ▷ *vt* (BRIT *Industry*) boycotter; **to give sb a ~ eye** pocher l'œil à qn, faire un œil au beurre noir à qn; **to be in the ~** (*in credit*) avoir un compte créditeur; **~ and blue** (*bruised*) couvert(e) de bleus; **black out** *vi* (*faint*) s'évanouir; **blackberry** *n* mûre *f*; **blackbird** *n* merle *m*; **blackboard** *n* tableau noir; **black coffee** *n* café noir; **blackcurrant** *n* cassis *m*; **black ice** *n* verglas *m*; **blackmail** *n* chantage *m* ▷ *vt* faire chanter, soumettre au chantage; **black market** *n* marché noir; **blackout** *n* panne *f* d'électricité; (*in wartime*) black-out *m*; (*TV*) interruption *f* d'émission; (*fainting*) syncope *f*; **black pepper** *n* poivre noir; **black pudding** *n* boudin (noir); **Black Sea** *n*: **the Black Sea** la mer Noire
bladder ['blædəʳ] *n* vessie *f*
blade [bleɪd] *n* lame *f*; (*of propeller*) pale *f*; **a ~ of grass** un brin d'herbe
blame [bleɪm] *n* faute *f*, blâme *m* ▷ *vt*: **to ~ sb/sth for sth** attribuer à qn/qch la responsabilité de qch; reprocher qch à qn/qch; **I'm not to ~** ce n'est pas ma faute
bland [blænd] *adj* (*taste, food*) doux (douce), fade
blank [blæŋk] *adj* blanc (blanche); (*look*) sans expression, dénué(e) d'expression ▷ *n* espace *m* vide, blanc *m*; (*cartridge*) cartouche *f* à blanc; **his mind was a ~** il avait la tête vide
blanket ['blæŋkɪt] *n* couverture *f*; (*of snow, cloud*) couche *f*
blast [blɑːst] *n* explosion *f*; (*shock wave*) souffle *m*; (*of air, steam*) bouffée *f* ▷ *vt* faire sauter *or* exploser
blatant ['bleɪtənt] *adj* flagrant(e), criant(e)
blaze [bleɪz] *n* (*fire*) incendie *m*; (*fig*) flamboiement *m* ▷ *vi* (*fire*) flamber; (*fig*) flamboyer, resplendir ▷ *vt*: **to ~ a trail** (*fig*) montrer la voie; **in a ~ of publicity** à grand renfort de publicité
blazer ['bleɪzəʳ] *n* blazer *m*
bleach [bliːtʃ] *n* (*also*: **household ~**) eau *f* de Javel ▷ *vt* (*linen*) blanchir; **bleachers** *npl* (US *Sport*) gradins *mpl* (*en plein soleil*)
bleak [bliːk] *adj* morne, désolé(e); (*weather*) triste, maussade; (*smile*) lugubre; (*prospect, future*) morose
bled [bled] *pt*, *pp of* **bleed**
bleed (*pt*, *pp* **bled**) [bliːd, blɛd] *vt* saigner; (*brakes, radiator*) purger ▷ *vi* saigner; **my nose is ~ing** je saigne du nez
blemish ['blɛmɪʃ] *n* défaut *m*; (*on reputation*) tache *f*
blend [blɛnd] *n* mélange *m* ▷ *vt* mélanger ▷ *vi* (*colours etc*: *also*: **~ in**) se mélanger, se fondre, s'allier; **blender** *n* (*Culin*) mixeur *m*
bless (*pt*, *pp* **~ed** *or* **blest**) [blɛs, blɛst] *vt* bénir; **~ you!** (*after sneeze*) à tes souhaits!; **blessing** *n* bénédiction *f*; (*godsend*) bienfait *m*
blew [bluː] *pt of* **blow**
blight [blaɪt] *vt* (*hopes etc*) anéantir, briser
blind [blaɪnd] *adj* aveugle ▷ *n* (*for window*) store *m* ▷ *vt* aveugler; **the blind** *npl* les aveugles *mpl*; **blind alley** *n* impasse *f*; **blindfold** *n* bandeau *m* ▷ *adj*, *adv* les yeux bandés ▷ *vt* bander les yeux à
blink [blɪŋk] *vi* cligner des yeux; (*light*) clignoter
bliss [blɪs] *n* félicité *f*, bonheur *m* sans mélange
blister ['blɪstəʳ] *n* (*on skin*) ampoule *f*, cloque *f*; (*on paintwork*) boursouflure *f* ▷ *vi* (*paint*) se boursoufler, se cloquer
blizzard ['blɪzəd] *n* blizzard *m*, tempête *f* de neige
bloated ['bləutɪd] *adj* (*face*) bouffi(e); (*stomach, person*) gonflé(e)
blob [blɔb] *n* (*drop*) goutte *f*; (*stain, spot*) tache *f*
block [blɔk] *n* bloc *m*; (*in pipes*) obstruction *f*; (*toy*) cube *m*; (*of buildings*) pâté *m* (de maisons) ▷ *vt* bloquer; (*fig*) faire obstacle à; **the sink is ~ed** l'évier est bouché; **~ of flats** (BRIT) immeuble (locatif); **mental ~** blocage *m*; **block up** *vt* boucher; **blockade** [blɔ'keɪd] *n* blocus *m* ▷ *vt* faire le blocus de; **blockage** *n* obstruction *f*; **blockbuster** *n* (*film, book*) grand succès; **block capitals** *npl* majuscules *fpl* d'imprimerie; **block letters** *npl* majuscules *fpl*
blog [blɔg] *n* blog *m*, blogue *m*
bloke [bləuk] *n* (BRIT *inf*) type *m*
blond(e) [blɔnd] *adj*, *n* blond(e)
blood [blʌd] *n* sang *m*; **blood donor** *n* donneur(-euse) de sang; **blood group** *n* groupe sanguin; **blood poisoning** *n* empoisonnement *m* du sang; **blood pressure** *n* tension (artérielle); **bloodshed** *n* effusion *f* de sang, carnage *m*; **bloodshot** *adj*: **bloodshot eyes** yeux injectés de sang; **bloodstream** *n* sang *m*, système sanguin; **blood test** *n* analyse *f* de sang; **blood transfusion** *n* transfusion *f* de sang; **blood type** *n* groupe sanguin; **blood vessel** *n* vaisseau sanguin; **bloody** *adj* sanglant(e); (BRIT *inf!*): **this bloody ...** ce foutu ..., ce putain de ... (!) ▷ *adv*: **bloody strong/ good** (BRIT: *inf!*) vachement *or* sacrément fort/bon
bloom [bluːm] *n* fleur *f* ▷ *vi* être en fleur
blossom ['blɔsəm] *n* fleur(s) *f(pl)* ▷ *vi* être en fleurs; (*fig*) s'épanouir
blot [blɔt] *n* tache *f* ▷ *vt* tacher; (*ink*) sécher
blouse [blauz] *n* (*feminine garment*) chemisier *m*, corsage *m*
blow [bləu] *n* coup *m* ▷ *vb* (*pt* **blew**, *pp* **~n**) ▷ *vi* souffler ▷ *vt* (*instrument*) jouer de; (*fuse*) faire sauter; **to ~ one's nose** se moucher; **blow away** *vi* s'envoler ▷ *vt* chasser, faire s'envoler; **blow out** *vi* (*fire, flame*) s'éteindre; (*tyre*) éclater; (*fuse*) sauter; **blow up** *vi* exploser, sauter ▷ *vt* faire sauter; (*tyre*) gonfler; (*Phot*) agrandir; **blow-dry** *n* (*hairstyle*) brushing *m*
blown [bləun] *pp of* **blow**
blue [bluː] *adj* bleu(e); (*depressed*) triste; **~ film/joke** film *m*/histoire *f* pornographique; **out of the ~** (*fig*) à l'improviste, sans qu'on s'y attende; **bluebell** *n* jacinthe *f* des bois; **blueberry** *n* myrtille *f*, airelle *f*; **blue cheese** *n* (fromage) bleu *m*; **blues** *npl*: **the blues** (*Mus*) le blues; **to have the blues** (*inf*: *feeling*) avoir le cafard; **bluetit** *n* mésange bleue
bluff [blʌf] *vi* bluffer ▷ *n* bluff *m*; **to call sb's ~** mettre qn au défi d'exécuter ses menaces
blunder ['blʌndəʳ] *n* gaffe *f*, bévue *f* ▷ *vi* faire une gaffe *or* une bévue
blunt [blʌnt] *adj* (*knife*) émoussé(e), peu tranchant(e); (*pencil*) mal taillé(e); (*person*) brusque, ne mâchant pas ses mots
blur [bləːʳ] *n* (*shape*): **to become a ~** devenir flou ▷ *vt* brouiller, rendre flou(e); **blurred** *adj* flou(e)
blush [blʌʃ] *vi* rougir ▷ *n* rougeur *f*; **blusher** *n* rouge *m* à joues
board [bɔːd] *n* (*wooden*) planche *f*; (*on wall*) panneau *m*; (*for chess etc*) plateau *m*; (*cardboard*) carton *m*;

(*committee*) conseil *m*, comité *m*; (*in firm*) conseil d'administration; (*Naut, Aviat*): **on ~** à bord ▷ *vt* (*ship*) monter à bord de; (*train*) monter dans; **full ~** (BRIT) pension complète; **half ~** (BRIT) demi-pension *f*; **~ and lodging** *n* chambre *f* avec pension; **to go by the ~** (*hopes, principles*) être abandonné(e); **board game** *n* jeu *m* de société; **boarding card** *n* (*Aviat, Naut*) carte *f* d'embarquement; **boarding pass** *n* (BRIT) = **boarding card**; **boarding school** *n* internat *m*, pensionnat *m*; **board room** *n* salle *f* du conseil d'administration

boast [bəust] *vi*: **to ~ (about** *or* **of)** se vanter (de)

boat [bəut] *n* bateau *m*; (*small*) canot *m*; barque *f*

bob [bɔb] *vi* (*boat, cork on water: also*: **~ up and down**) danser, se balancer

bobby pin ['bɔbɪ-] *n* (US) pince *f* à cheveux

body ['bɔdɪ] *n* corps *m*; (*of car*) carrosserie *f*; (*fig: society*) organe *m*, organisme *m*; **body-building** *n* body-building *m*, culturisme *m*; **bodyguard** *n* garde *m* du corps; **bodywork** *n* carrosserie *f*

bog [bɔg] *n* tourbière *f* ▷ *vt*: **to get ~ged down (in)** (*fig*) s'enliser (dans)

bogus ['bəugəs] *adj* bidon *inv*; fantôme

boil [bɔɪl] *vt* (faire) bouillir ▷ *vi* bouillir ▷ *n* (*Med*) furoncle *m*; **to come to the** *or* (US) **a ~** bouillir; **boil down** *vi* (*fig*): **to ~ down to** se réduire *or* ramener à; **boil over** *vi* déborder; **boiled egg** *n* œuf *m* à la coque; **boiled potatoes** *n* pommes *fpl* à l'anglaise *or* à l'eau; **boiler** *n* chaudière *f*; **boiling** ['bɔɪlɪŋ] *adj*: **I'm boiling (hot)** (*inf*) je crève de chaud; **boiling point** *n* point *m* d'ébullition

bold [bəuld] *adj* hardi(e), audacieux(-euse); (*pej*) effronté(e); (*outline, colour*) franc (franche), tranché(e), marqué(e)

bollard ['bɔləd] *n* (BRIT *Aut*) borne lumineuse *or* de signalisation

bolt [bəult] *n* verrou *m*; (*with nut*) boulon *m* ▷ *adv*: **~ upright** droit(e) comme un piquet ▷ *vt* (*door*) verrouiller; (*food*) engloutir ▷ *vi* se sauver, filer (comme une flèche); (*horse*) s'emballer

bomb [bɔm] *n* bombe *f* ▷ *vt* bombarder; **bombard** [bɔm'bɑ:d] *vt* bombarder; **bomber** *n* (*Aviat*) bombardier *m*; (*terrorist*) poseur *m* de bombes; **bomb scare** *n* alerte *f* à la bombe

bond [bɔnd] *n* lien *m*; (*binding promise*) engagement *m*, obligation *f*; (*Finance*) obligation; **bonds** *npl* (*chains*) chaînes *fpl*; **in ~** (*of goods*) en entrepôt

bone [bəun] *n* os *m*; (*of fish*) arête *f* ▷ *vt* désosser; ôter les arêtes de

bonfire ['bɔnfaɪə^r] *n* feu *m* (de joie); (*for rubbish*) feu

bonnet ['bɔnɪt] *n* bonnet *m*; (BRIT: *of car*) capot *m*

bonus ['bəunəs] *n* (*money*) prime *f*; (*advantage*) avantage *m*

boo [bu:] *excl* hou!, peuh! ▷ *vt* huer

book [buk] *n* livre *m*; (*of stamps, tickets etc*) carnet *m*; (*Comm*): **books** *npl* comptes *mpl*, comptabilité *f* ▷ *vt* (*ticket*) prendre; (*seat, room*) réserver; (*football player*) prendre le nom de, donner un carton à; **I ~ed a table in the name of ...** j'ai réservé une table au nom de ...; **book in** *vi* (BRIT: *at hotel*) prendre sa chambre; **book up** *vt* réserver; **the hotel is ~ed up** l'hôtel est complet; **bookcase** *n* bibliothèque *f* (*meuble*); **booking** *n* (BRIT) réservation *f*; **I confirmed my booking by fax/e-mail** j'ai confirmé ma réservation par fax/e-mail; **booking office** *n* (BRIT) bureau *m* de location; **book-keeping** *n* comptabilité *f*; **booklet** *n* brochure *f*; **bookmaker** *n* bookmaker *m*; **bookmark** *n* (*for book*) marque-page *m*; (*Comput*) signet *m*; **bookseller** *n* libraire *m/f*; **bookshelf** *n* (*single*) étagère *f* (à livres); (*bookcase*) bibliothèque *f*; **bookshop, bookstore** *n* librairie *f*

boom [bu:m] *n* (*noise*) grondement *m*; (*in prices, population*) forte augmentation; (*busy period*) boom *m*, vague *f* de prospérité ▷ *vi* gronder; prospérer

boost [bu:st] *n* stimulant *m*, remontant *m* ▷ *vt* stimuler

boot [bu:t] *n* botte *f*; (*for hiking*) chaussure *f* (de marche); (*ankle boot*) bottine *f*; (BRIT: *of car*) coffre *m* ▷ *vt* (*Comput*) lancer, mettre en route; **to ~** (*in addition*) par-dessus le marché, en plus

booth [bu:ð] *n* (*at fair*) baraque (foraine); (*of telephone etc*) cabine *f*; (*also*: **voting ~**) isoloir *m*

booze [bu:z] (*inf*) *n* boissons *fpl* alcooliques, alcool *m*

border ['bɔ:də^r] *n* bordure *f*; bord *m*; (*of a country*) frontière *f*; **borderline** *n* (*fig*) ligne *f* de démarcation

bore [bɔ:^r] *pt of* **bear** ▷ *vt* (*person*) ennuyer, raser; (*hole*) percer; (*well, tunnel*) creuser ▷ *n* (*person*) raseur(-euse); (*boring thing*) barbe *f*; (*of gun*) calibre *m*; **bored** *adj*: **to be bored** s'ennuyer; **boredom** *n* ennui *m*

boring ['bɔ:rɪŋ] *adj* ennuyeux(-euse)

born [bɔ:n] *adj*: **to be ~** naître; **I was ~ in 1960** je suis né en 1960

borne [bɔ:n] *pp of* **bear**

borough ['bʌrə] *n* municipalité *f*

borrow ['bɔrəu] *vt*: **to ~ sth (from sb)** emprunter qch (à qn)

Bosnia(-Herzegovina) ['bɔ:snɪə(hɛrzə'gəuvi:nə)] *n* Bosnie-Herzégovine *f*; **Bosnian** ['bɔznɪən] *adj* bosniaque, bosnien(ne) ▷ *n* Bosniaque *m/f*, Bosnien(ne)

bosom ['buzəm] *n* poitrine *f*; (*fig*) sein *m*

boss [bɔs] *n* patron(ne) ▷ *vt* (*also*: **~ about, ~ around**) mener à la baguette; **bossy** *adj* autoritaire

both [bəuθ] *adj* les deux, l'un(e) et l'autre ▷ *pron*: **~ (of them)** les deux, tous (toutes) (les) deux, l'un(e) et l'autre; **~ of us went, we ~ went** nous y sommes allés tous les deux ▷ *adv*: **~ A and B** A et B

bother ['bɔðə^r] *vt* (*worry*) tracasser; (*needle, bait*) importuner, ennuyer; (*disturb*) déranger ▷ *vi* (*also*: **~ o.s.**) se tracasser, se faire du souci ▷ *n* (*trouble*) ennuis *mpl*; **to ~ doing** prendre la peine de faire; **don't ~** ce n'est pas la peine; **it's no ~** aucun problème

bottle ['bɔtl] *n* bouteille *f*; (*baby's*) biberon *m*; (*of perfume, medicine*) flacon *m* ▷ *vt* mettre en bouteille(s); **bottle bank** *n* conteneur *m* (de bouteilles); **bottle-opener** *n* ouvre-bouteille *m*

bottom ['bɔtəm] *n* (*of container, sea etc*) fond *m*; (*buttocks*) derrière *m*; (*of page, list*) bas *m*; (*of mountain, tree, hill*) pied *m* ▷ *adj* (*shelf, step*) du bas

bought [bɔ:t] *pt, pp of* **buy**

boulder ['bəuldə^r] *n* gros rocher (*gén lisse, arrondi*)

bounce [bauns] *vi* (*ball*) rebondir; (*cheque*) être refusé (*étant sans provision*) ▷ *vt* faire rebondir ▷ *n* (*rebound*) rebond *m*; **bouncer** *n* (*inf: at dance, club*) videur *m*

bound [baund] *pt, pp of* **bind** ▷ *n* (*gen pl*) limite *f*; (*leap*) bond *m* ▷ *vi* (*leap*) bondir ▷ *vt* (*limit*) borner ▷ *adj*: **to be ~ to do sth** (*obliged*) être obligé(e) *or* avoir obligation de faire qch; **he's ~ to fail** (*likely*) il est sûr d'échouer, son échec est inévitable *or* assuré; **~ by** (*law, regulation*) engagé(e) par; **~ for** à destination de; **out of ~s** dont l'accès est interdit

boundary ['baundrɪ] *n* frontière *f*

bouquet ['bukeɪ] *n* bouquet *m*

bourbon ['buəbən] *n* (US: *also*: **~ whiskey**) bourbon *m*

bout [baut] *n* période *f*; (*of malaria etc*) accès *m*, crise *f*, attaque *f*; (*Boxing etc*) combat *m*, match *m*
boutique [bu:'ti:k] *n* boutique *f*
bow¹ [bəu] *n* nœud *m*; (*weapon*) arc *m*; (*Mus*) archet *m*
bow² [bau] *n* (*with body*) révérence *f*, inclination *f* (du buste *or* corps); (*Naut*: *also*: **~s**) proue *f* ▷ *vi* faire une révérence, s'incliner
bowels [bauəlz] *npl* intestins *mpl*; (*fig*) entrailles *fpl*
bowl [bəul] *n* (*for eating*) bol *m*; (*for washing*) cuvette *f*; (*ball*) boule *f* ▷ *vi* (*Cricket*) lancer (la balle); **bowler** *n* (*Cricket*) lanceur *m* (de la balle); (BRIT: *also*: **bowler hat**) (chapeau *m*) melon *m*; **bowling** *n* (*game*) jeu *m* de boules, jeu de quilles; **bowling alley** *n* bowling *m*; **bowling green** *n* terrain *m* de boules (*gazonné et carré*); **bowls** *n* (jeu *m* de) boules *fpl*
bow tie [bəu-] *n* nœud *m* papillon
box [bɔks] *n* boîte *f*; (*also*: **cardboard ~**) carton *m*; (*Theat*) loge *f* ▷ *vt* mettre en boîte ▷ *vi* boxer, faire de la boxe; **boxer** ['bɔksəʳ] *n* (*person*) boxeur *m*; **boxer shorts** *npl* caleçon *m*; **boxing** ['bɔksɪŋ] *n* (*sport*) boxe *f*; **Boxing Day** *n* (BRIT) *le lendemain de Noël*; **boxing gloves** *npl* gants *mpl* de boxe; **boxing ring** *n* ring *m*; **box junction** *n* (BRIT *Aut*) zone *f* (de carrefour) d'accès réglementé; **box office** *n* bureau *m* de location
boy [bɔɪ] *n* garçon *m*; **boy band** *n* boys band *m*
boycott ['bɔɪkɔt] *n* boycottage *m* ▷ *vt* boycotter
boyfriend ['bɔɪfrɛnd] *n* (petit) ami
bra [brɑ:] *n* soutien-gorge *m*
brace [breɪs] *n* (*support*) attache *f*, agrafe *f*; (BRIT: *also*: **~s**: *on teeth*) appareil *m* (dentaire); (*tool*) vilebrequin *m* ▷ *vt* (*support*) consolider, soutenir; **braces** *npl* (BRIT: *for trousers*) bretelles *fpl*; **to ~ o.s.** (*fig*) se préparer mentalement
bracelet ['breɪslɪt] *n* bracelet *m*
bracket ['brækɪt] *n* (*Tech*) tasseau *m*, support *m*; (*group*) classe *f*, tranche *f*; (*also*: **brace ~**) accolade *f*; (*also*: **round ~**) parenthèse *f*; (*also*: **square ~**) crochet *m* ▷ *vt* mettre entre parenthèses; **in ~s** entre parenthèses *or* crochets
brag [bræg] *vi* se vanter
braid [breɪd] *n* (*trimming*) galon *m*; (*of hair*) tresse *f*, natte *f*
brain [breɪn] *n* cerveau *m*; **brains** *npl* (*intellect, food*) cervelle *f*
braise [breɪz] *vt* braiser
brake [breɪk] *n* frein *m* ▷ *vt*, *vi* freiner; **brake light** *n* feu *m* de stop
bran [bræn] *n* son *m*
branch [brɑ:ntʃ] *n* branche *f*; (*Comm*) succursale *f*; (: *of bank*) agence *f*; **branch off** *vi* (*road*) bifurquer; **branch out** *vi* diversifier ses activités
brand [brænd] *n* marque (commerciale) ▷ *vt* (*cattle*) marquer (au fer rouge); **brand name** *n* nom *m* de marque; **brand-new** *adj* tout(e) neuf (neuve), flambant neuf (neuve)
brandy ['brændɪ] *n* cognac *m*
brash [bræʃ] *adj* effronté(e)
brass [brɑ:s] *n* cuivre *m* (jaune), laiton *m*; **the ~** (*Mus*) les cuivres; **brass band** *n* fanfare *f*
brat [bræt] *n* (*pej*) mioche *m/f*, môme *m/f*
brave [breɪv] *adj* courageux(-euse), brave ▷ *vt* braver, affronter; **bravery** *n* bravoure *f*, courage *m*
brawl [brɔ:l] *n* rixe *f*, bagarre *f*
Brazil [brə'zɪl] *n* Brésil *m*; **Brazilian** *adj* brésilien(ne) ▷ *n* Brésilien(ne)
breach [bri:tʃ] *vt* ouvrir une brèche dans ▷ *n* (*gap*) brèche *f*; (*breaking*): **~ of contract** rupture *f* de contrat; **~ of the peace** attentat *m* à l'ordre public
bread [brɛd] *n* pain *m*; **breadbin** *n* (BRIT) boîte *f or* huche *f* à pain; **breadbox** *n* (US) boîte *f or* huche *f* à pain; **breadcrumbs** *npl* miettes *fpl* de pain; (*Culin*) chapelure *f*, panure *f*
breadth [brɛtθ] *n* largeur *f*
break [breɪk] (*pt* **broke**, *pp* **broken**) *vt* casser, briser; (*promise*) rompre; (*law*) violer ▷ *vi* se casser, se briser; (*weather*) tourner; (*storm*) éclater; (*day*) se lever ▷ *n* (*gap*) brèche *f*; (*fracture*) cassure *f*; (*rest*) interruption *f*, arrêt *m*; (: *short*) pause *f*; (: *at school*) récréation *f*; (*chance*) chance *f*, occasion *f* favorable; **to ~ one's leg** *etc* se casser la jambe *etc*; **to ~ a record** battre un record; **to ~ the news to sb** annoncer la nouvelle à qn; **break down** *vt* (*door etc*) enfoncer; (*figures, data*) décomposer, analyser ▷ *vi* s'effondrer; (*Med*) faire une dépression (nerveuse); (*Aut*) tomber en panne; **my car has broken down** ma voiture est en panne; **break in** *vt* (*horse etc*) dresser ▷ *vi* (*burglar*) entrer par effraction; (*interrupt*) interrompre; **break into** *vt fus* (*house*) s'introduire *or* pénétrer par effraction dans; **break off** *vi* (*speaker*) s'interrompre; (*branch*) se rompre ▷ *vt* (*talks, engagement*) rompre; **break out** *vi* éclater, se déclarer; (*prisoner*) s'évader; **to ~ out in spots** se couvrir de boutons; **break up** *vi* (*partnership*) cesser, prendre fin; (*marriage*) se briser; (*crowd, meeting*) se séparer; (*ship*) se disloquer; (*Scol*: *pupils*) être en vacances; (*line*) couper; **the line's** *or* **you're ~ing up** ça coupe ▷ *vt* fracasser, casser; (*fight etc*) interrompre, faire cesser; (*marriage*) désunir; **breakdown** *n* (*Aut*) panne *f*; (*in communications, marriage*) rupture *f*; (*Med*: *also*: **nervous breakdown**) dépression (nerveuse); (*of figures*) ventilation *f*, répartition *f*; **breakdown truck** (US **breakdown van**) *n* dépanneuse *f*
breakfast ['brɛkfəst] *n* petit déjeuner *m*; **what time is ~?** le petit déjeuner est à quelle heure?
break: **break-in** *n* cambriolage *m*; **breakthrough** *n* percée *f*
breast [brɛst] *n* (*of woman*) sein *m*; (*chest*) poitrine *f*; (*of chicken, turkey*) blanc *m*; **breast-feed** *vt*, *vi* (*irreg*: *like* **feed**) allaiter; **breast-stroke** *n* brasse *f*
breath [brɛθ] *n* haleine *f*, souffle *m*; **to take a deep ~** respirer à fond; **out of ~** à bout de souffle, essoufflé(e)
Breathalyser® ['brɛθəlaɪzəʳ] (BRIT) *n* alcootest *m*
breathe [bri:ð] *vt*, *vi* respirer; **breathe in** *vi* inspirer ▷ *vt* aspirer; **breathe out** *vt*, *vi* expirer; **breathing** *n* respiration *f*
breath: **breathless** *adj* essoufflé(e), haletant(e); **breathtaking** *adj* stupéfiant(e), à vous couper le souffle; **breath test** *n* alcootest *m*
bred [bred] *pt*, *pp of* **breed**
breed [bri:d] (*pt*, *pp* **bred**) *vt* élever, faire l'élevage de ▷ *vi* se reproduire ▷ *n* race *f*, variété *f*
breeze [bri:z] *n* brise *f*
breezy ['bri:zɪ] *adj* (*day, weather*) venteux(-euse); (*manner*) désinvolte; (*person*) jovial(e)
brew [bru:] *vt* (*tea*) faire infuser; (*beer*) brasser ▷ *vi* (*fig*) se préparer, couver; **brewery** *n* brasserie *f* (*fabrique*)
bribe [braɪb] *n* pot-de-vin *m* ▷ *vt* acheter; soudoyer; **bribery** *n* corruption *f*
bric-a-brac ['brɪkəbræk] *n* bric-à-brac *m*
brick [brɪk] *n* brique *f*; **bricklayer** *n* maçon *m*
bride [braɪd] *n* mariée *f*, épouse *f*; **bridegroom** *n* marié *m*, époux *m*; **bridesmaid** *n* demoiselle *f* d'honneur
bridge [brɪdʒ] *n* pont *m*; (*Naut*) passerelle *f* (de commandement); (*of nose*) arête *f*; (*Cards, Dentistry*)

bridge *m* ▷ *vt* (*gap*) combler
bridle ['braɪdl] *n* bride *f*
brief [bri:f] *adj* bref (brève) ▷ *n* (*Law*) dossier *m*, cause *f*; (*gen*) tâche *f* ▷ *vt* mettre au courant; **briefs** *npl* slip *m*; **briefcase** *n* serviette *f*; porte-documents *m inv*; **briefing** *n* instructions *fpl*; (*Press*) briefing *m*; **briefly** *adv* brièvement
brigadier [brɪgə'dɪəʳ] *n* brigadier général
bright [braɪt] *adj* brillant(e); (*room, weather*) clair(e); (*person*: *clever*) intelligent(e), doué(e); (: *cheerful*) gai(e); (*idea*) génial(e); (*colour*) vif (vive)
brilliant ['brɪljənt] *adj* brillant(e); (*light, sunshine*) éclatant(e); (*inf*: *great*) super
brim [brɪm] *n* bord *m*
brine [braɪn] *n* (*Culin*) saumure *f*
bring (*pt, pp* **brought**) [brɪŋ, brɔ:t] *vt* (*thing*) apporter; (*person*) amener; **bring about** *vt* provoquer, entraîner; **bring back** *vt* rapporter; (*person*) ramener; **bring down** *vt* (*lower*) abaisser; (*shoot down*) abattre; (*government*) faire s'effondrer; **bring in** *vt* (*person*) faire entrer; (*object*) rentrer; (*Pol*: *legislation*) introduire; (*produce*: *income*) rapporter; **bring on** *vt* (*illness, attack*) provoquer; (*player, substitute*) amener; **bring out** *vt* sortir; (*meaning*) faire ressortir, mettre en relief; **bring up** *vt* élever; (*carry up*) monter; (*question*) soulever; (*food*: *vomit*) vomir, rendre
brink [brɪŋk] *n* bord *m*
brisk [brɪsk] *adj* vif (vive); (*abrupt*) brusque; (*trade etc*) actif(-ive)
bristle ['brɪsl] *n* poil *m* ▷ *vi* se hérisser
Brit [brɪt] *n abbr* (*inf*: = *British person*) Britannique *m/f*
Britain ['brɪtən] *n* (*also*: **Great ~**) la Grande-Bretagne
British ['brɪtɪʃ] *adj* britannique ▷ *npl*: **the ~** les Britanniques *mpl*; **British Isles** *npl*: **the British Isles** les îles *fpl* Britanniques
Briton ['brɪtən] *n* Britannique *m/f*
Brittany ['brɪtənɪ] *n* Bretagne *f*
brittle ['brɪtl] *adj* cassant(e), fragile
B road *n* (BRIT) ≈ route départementale
broad [brɔ:d] *adj* large; (*distinction*) général(e); (*accent*) prononcé(e); **in ~ daylight** en plein jour; **broadband** *n* transmission *f* à haut débit; **broad bean** *n* fève *f*; **broadcast** *n* émission *f* ▷ *vb* (*pt, pp* **broadcast**) ▷ *vt* (*Radio*) radiodiffuser; (*TV*) téléviser ▷ *vi* émettre; **broaden** *vt* élargir; **to broaden one's mind** élargir ses horizons ▷ *vi* s'élargir; **broadly** *adv* en gros, généralement; **broad-minded** *adj* large d'esprit
broccoli ['brɔkəlɪ] *n* brocoli *m*
brochure ['brəuʃjuəʳ] *n* prospectus *m*, dépliant *m*
broil [brɔɪl] (US) *vt* rôtir
broiler ['brɔɪləʳ] *n* (*fowl*) poulet *m* (*à rôtir*); (US: *grill*) gril *m*
broke [brəuk] *pt of* **break** ▷ *adj* (*inf*) fauché(e)
broken ['brəukn] *pp of* **break** ▷ *adj* (*stick, leg etc*) cassé(e); (*machine*: *also*: **~ down**) fichu(e); **in ~ French/English** dans un français/anglais approximatif *or* hésitant
broker ['brəukəʳ] *n* courtier *m*
bronchitis [brɔŋ'kaɪtɪs] *n* bronchite *f*
bronze [brɔnz] *n* bronze *m*
brooch [brəutʃ] *n* broche *f*
brood [bru:d] *n* couvée *f* ▷ *vi* (*person*) méditer (sombrement), ruminer
broom [brum] *n* balai *m*; (*Bot*) genêt *m*
Bros. *abbr* (*Comm*: = *brothers*) Frères
broth [brɔθ] *n* bouillon *m* de viande et de légumes
brothel ['brɔθl] *n* maison close, bordel *m*
brother ['brʌðəʳ] *n* frère *m*; **brother-in-law** *n* beau-frère *m*
brought [brɔ:t] *pt, pp of* **bring**
brow [brau] *n* front *m*; (*eyebrow*) sourcil *m*; (*of hill*) sommet *m*
brown [braun] *adj* brun(e), marron *inv*; (*hair*) châtain *inv*; (*tanned*) bronzé(e) ▷ *n* (*colour*) brun *m*, marron *m* ▷ *vt* brunir; (*Culin*) faire dorer, faire roussir; **brown bread** *n* pain *m* bis
Brownie ['braunɪ] *n* jeannette *f* éclaireuse (cadette)
brown rice *n* riz *m* complet
brown sugar *n* cassonade *f*
browse [brauz] *vi* (*in shop*) regarder (*sans acheter*); **to ~ through a book** feuilleter un livre; **browser** *n* (*Comput*) navigateur *m*
bruise [bru:z] *n* bleu *m*, ecchymose *f*, contusion *f* ▷ *vt* contusionner, meurtrir
brunette [bru:'nɛt] *n* (femme) brune
brush [brʌʃ] *n* brosse *f*; (*for painting*) pinceau *m*; (*for shaving*) blaireau *m*; (*quarrel*) accrochage *m*, prise *f* de bec ▷ *vt* brosser; (*also*: **~ past, ~ against**) effleurer, frôler
Brussels ['brʌslz] *n* Bruxelles
Brussels sprout [-spraut] *n* chou *m* de Bruxelles
brutal ['bru:tl] *adj* brutal(e)
B.Sc. *n abbr* = **Bachelor of Science**
BSE *n abbr* (= *bovine spongiform encephalopathy*) ESB *f*, BSE *f*
bubble ['bʌbl] *n* bulle *f* ▷ *vi* bouillonner, faire des bulles; (*sparkle, fig*) pétiller; **bubble bath** *n* bain moussant; **bubble gum** *n* chewing-gum *m*; **bubblejet printer** ['bʌbldʒɛt-] *n* imprimante *f* à bulle d'encre
buck [bʌk] *n* mâle *m* (*d'un lapin, lièvre, daim etc*); (US *inf*) dollar *m* ▷ *vi* ruer, lancer une ruade; **to pass the ~ (to sb)** se décharger de la responsabilité (sur qn)
bucket ['bʌkɪt] *n* seau *m*
buckle ['bʌkl] *n* boucle *f* ▷ *vt* (*belt etc*) boucler, attacher ▷ *vi* (*warp*) tordre, gauchir; (: *wheel*) se voiler
bud [bʌd] *n* bourgeon *m*; (*of flower*) bouton *m* ▷ *vi* bourgeonner; (*flower*) éclore
Buddhism ['budɪzəm] *n* bouddhisme *m*
Buddhist ['budɪst] *adj* bouddhiste ▷ *n* Bouddhiste *m/f*
buddy ['bʌdɪ] *n* (US) copain *m*
budge [bʌdʒ] *vt* faire bouger ▷ *vi* bouger
budgerigar ['bʌdʒərɪgɑ:ʳ] *n* perruche *f*
budget ['bʌdʒɪt] *n* budget *m* ▷ *vi*: **to ~ for sth** inscrire qch au budget
budgie ['bʌdʒɪ] *n* = **budgerigar**
buff [bʌf] *adj* (couleur *f*) chamois *m* ▷ *n* (*inf*: *enthusiast*) mordu(e)
buffalo (*pl* **~** *or* **~es**) ['bʌfələu] *n* (BRIT) buffle *m*; (US) bison *m*
buffer ['bʌfəʳ] *n* tampon *m*; (*Comput*) mémoire *f* tampon
buffet *n* ['bufeɪ] (*food* BRIT: *bar*) buffet *m* ▷ *vt* ['bʌfɪt] secouer, ébranler; **buffet car** *n* (BRIT *Rail*) voiture-bar *f*
bug [bʌg] *n* (*bedbug etc*) punaise *f*; (*esp* US: *any insect*) insecte *m*, bestiole *f*; (*fig*: *germ*) virus *m*, microbe *m*; (*spy device*) dispositif *m* d'écoute (électronique), micro clandestin; (*Comput*: *of program*) erreur *f* ▷ *vt* (*room*) poser des micros dans; (*inf*: *annoy*) embêter
buggy ['bʌgɪ] *n* poussette *f*
build [bɪld] *n* (*of person*) carrure *f*, charpente *f* ▷ *vt* (*pt, pp* **built**) construire, bâtir; **build up**

vt accumuler, amasser; (*business*) développer; (*reputation*) bâtir; **builder** *n* entrepreneur *m*; **building** *n* (*trade*) construction *f*; (*structure*) bâtiment *m*, construction; (: *residential, offices*) immeuble *m*; **building site** *n* chantier *m* (de construction); **building society** *n* (BRIT) société *f* de crédit immobilier

built [bɪlt] *pt, pp of* **build**; **built-in** *adj* (*cupboard*) encastré(e); (*device*) incorporé(e); intégré(e); **built-up** *adj*: **built-up area** zone urbanisée

bulb [bʌlb] *n* (*Bot*) bulbe *m*, oignon *m*; (*Elec*) ampoule *f*

Bulgaria [bʌl'gɛərɪə] *n* Bulgarie *f*; **Bulgarian** *adj* bulgare ▷ *n* Bulgare *m/f*

bulge [bʌldʒ] *n* renflement *m*, gonflement *m* ▷ *vi* faire saillie; présenter un renflement; (*pocket, file*): **to be bulging with** être plein(e) à craquer de

bulimia [bə'lɪmɪə] *n* boulimie *f*

bulimic [bju:'lɪmɪk] *adj, n* boulimique (*m/f*)

bulk [bʌlk] *n* masse *f*, volume *m*; **in ~** (*Comm*) en gros, en vrac; **the ~ of** la plus grande *or* grosse partie de; **bulky** *adj* volumineux(-euse), encombrant(e)

bull [bul] *n* taureau *m*; (*male elephant, whale*) mâle *m*

bulldozer ['buldəuzə^r] *n* bulldozer *m*

bullet ['bulɪt] *n* balle *f* (*de fusil etc*)

bulletin ['bulɪtɪn] *n* bulletin *m*, communiqué *m*; (*also*: **news ~**) (bulletin d')informations *fpl*; **bulletin board** *n* (*Comput*) messagerie *f* (électronique)

bullfight ['bulfaɪt] *n* corrida *f*, course *f* de taureaux; **bullfighter** *n* torero *m*; **bullfighting** *n* tauromachie *f*

bully ['bulɪ] *n* brute *f*, tyran *m* ▷ *vt* tyranniser, rudoyer

bum [bʌm] *n* (*inf*: BRIT: *backside*) derrière *m*; (: *esp* US: *tramp*) vagabond(e), traîne-savates *m/f inv*; (: *idler*) glandeur *m*

bumblebee ['bʌmblbi:] *n* bourdon *m*

bump [bʌmp] *n* (*blow*) coup *m*, choc *m*; (*jolt*) cahot *m*; (*on road etc, on head*) bosse *f* ▷ *vt* heurter, cogner; (*car*) emboutir; **bump into** *vt fus* rentrer dans, tamponner; (*inf*: *meet*) tomber sur; **bumper** *n* pare-chocs *m inv* ▷ *adj*: **bumper crop/harvest** récolte/moisson exceptionnelle; **bumpy** *adj* (*road*) cahoteux(-euse); **it was a bumpy flight/ride** on a été secoués dans l'avion/la voiture

bun [bʌn] *n* (*cake*) petit gâteau; (*bread*) petit pain au lait; (*of hair*) chignon *m*

bunch [bʌntʃ] *n* (*of flowers*) bouquet *m*; (*of keys*) trousseau *m*; (*of bananas*) régime *m*; (*of people*) groupe *m*; **bunches** *npl* (*in hair*) couettes *fpl*; **~ of grapes** grappe *f* de raisin

bundle ['bʌndl] *n* paquet *m* ▷ *vt* (*also*: **~ up**) faire un paquet de; (*put*): **to ~ sth/sb into** fourrer *or* enfourner qch/qn dans

bungalow ['bʌŋgələu] *n* bungalow *m*

bungee jumping ['bʌndʒi:'dʒʌmpɪŋ] *n* saut *m* à l'élastique

bunion ['bʌnjən] *n* oignon *m* (*au pied*)

bunk [bʌŋk] *n* couchette *f*; **bunk beds** *npl* lits superposés

bunker ['bʌŋkə^r] *n* (*coal store*) soute *f* à charbon; (*Mil, Golf*) bunker *m*

bunny ['bʌnɪ] *n* (*also*: **~ rabbit**) lapin *m*

buoy [bɔɪ] *n* bouée *f*; **buoyant** *adj* (*ship*) flottable; (*carefree*) gai(e), plein(e) d'entrain; (*Comm*: *market, economy*) actif(-ive)

burden ['bə:dn] *n* fardeau *m*, charge *f* ▷ *vt* charger; (*oppress*) accabler, surcharger

bureau (*pl* **~x**) ['bjuərəu, -z] *n* (BRIT: *writing desk*) bureau *m*, secrétaire *m*; (US: *chest of drawers*) commode *f*; (*office*) bureau, office *m*

bureaucracy [bjuə'rɔkrəsɪ] *n* bureaucratie *f*

bureaucrat ['bjuərəkræt] *n* bureaucrate *m/f*, rond-de-cuir *m*

bureau de change [-də'ʃɑ̃ʒ] (*pl* **bureaux de change**) *n* bureau *m* de change

bureaux ['bjuərəuz] *npl of* **bureau**

burger ['bə:gə^r] *n* hamburger *m*

burglar ['bə:glə^r] *n* cambrioleur *m*; **burglar alarm** *n* sonnerie *f* d'alarme; **burglary** *n* cambriolage *m*

Burgundy ['bə:gəndɪ] *n* Bourgogne *f*

burial ['bɛrɪəl] *n* enterrement *m*

burn [bə:n] *vt, vi* (*pt, pp* **~ed** *or* **~t**) brûler ▷ *n* brûlure *f*; **burn down** *vt* incendier, détruire par le feu; **burn out** *vt* (*writer etc*): **to ~ o.s. out** s'user (à force de travailler); **burning** *adj* (*building, forest*) en flammes; (*issue, question*) brûlant(e); (*ambition*) dévorant(e)

Burns' Night [bə:nz-] *n fête écossaise à la mémoire du poète Robert Burns*

burnt [bə:nt] *pt, pp of* **burn**

burp [bə:p] (*inf*) *n* rot *m* ▷ *vi* roter

burrow ['bʌrəu] *n* terrier *m* ▷ *vi* (*rabbit*) creuser un terrier; (*rummage*) fouiller

burst [bə:st] (*pt, pp* **~**) *vt* faire éclater; (*river*: *banks etc*) rompre ▷ *vi* éclater; (*tyre*) crever ▷ *n* explosion *f*; (*also*: **~ pipe**) fuite *f* (*due à une rupture*); **a ~ of enthusiasm/energy** un accès d'enthousiasme/d'énergie; **to ~ into flames** s'enflammer soudainement; **to ~ out laughing** éclater de rire; **to ~ into tears** fondre en larmes; **to ~ open** *vi* s'ouvrir violemment *or* soudainement; **to be ~ing with** (*container*) être plein(e) (à craquer) de, regorger de; (*fig*) être débordant(e) de; **burst into** *vt fus* (*room etc*) faire irruption dans

bury ['bɛrɪ] *vt* enterrer

bus (*pl* **~es**) [bʌs, 'bʌsɪz] *n* autobus *m*; **bus conductor** *n* receveur(-euse) *m/f* de bus

bush [buʃ] *n* buisson *m*; (*scrub land*) brousse *f*; **to beat about the ~** tourner autour du pot

business ['bɪznɪs] *n* (*matter, firm*) affaire *f*; (*trading*) affaires *fpl*; (*job, duty*) travail *m*; **to be away on ~** être en déplacement d'affaires; **it's none of my ~** cela ne me regarde pas, ce ne sont pas mes affaires; **he means ~** il ne plaisante pas, il est sérieux; **business class** *n* (*on plane*) classe *f* affaires; **businesslike** *adj* sérieux(-euse), efficace; **businessman** (*irreg*) *n* homme *m* d'affaires; **business trip** *n* voyage *m* d'affaires; **businesswoman** (*irreg*) *n* femme *f* d'affaires

busker ['bʌskə^r] *n* (BRIT) artiste ambulant(e)

bus: **bus pass** *n* carte *f* de bus; **bus shelter** *n* abribus *m*; **bus station** *n* gare routière; **bus-stop** *n* arrêt *m* d'autobus

bust [bʌst] *n* buste *m*; (*measurement*) tour *m* de poitrine ▷ *adj* (*inf*: *broken*) fichu(e), fini(e); **to go ~** faire faillite

bustling ['bʌslɪŋ] *adj* (*town*) très animé(e)

busy ['bɪzɪ] *adj* occupé(e); (*shop, street*) très fréquenté(e); (US: *telephone, line*) occupé ▷ *vt*: **to ~ o.s.** s'occuper; **busy signal** *n* (US) tonalité *f* occupé *inv*

KEYWORD

but [bʌt] *conj* mais; **I'd love to come, but I'm busy** j'aimerais venir mais je suis occupé; **he's not English but French** il n'est pas anglais mais français; **but that's far too expensive!** mais c'est

bien trop cher!
▷ *prep* (*apart from, except*) sauf, excepté; **nothing but** rien d'autre que; **we've had nothing but trouble** nous n'avons eu que des ennuis; **no-one but him can do it** lui seul peut le faire; **who but a lunatic would do such a thing?** qui sinon un fou ferait une chose pareille?; **but for you/your help** sans toi/ton aide; **anything but that** tout sauf *or* excepté ça, tout mais pas ça
▷ *adv* (*just, only*) ne ... que; **she's but a child** elle n'est qu'une enfant; **had I but known** si seulement j'avais su; **I can but try** je peux toujours essayer; **all but finished** pratiquement terminé

butcher ['butʃəʳ] *n* boucher *m* ▷ *vt* massacrer; (*cattle etc for meat*) tuer; **butcher's (shop)** *n* boucherie *f*
butler ['bʌtləʳ] *n* maître *m* d'hôtel
butt [bʌt] *n* (*cask*) gros tonneau; (*of gun*) crosse *f*; (*of cigarette*) mégot *m*; (BRIT *fig: target*) cible *f* ▷ *vt* donner un coup de tête à
butter ['bʌtəʳ] *n* beurre *m* ▷ *vt* beurrer; **buttercup** *n* bouton *m* d'or
butterfly ['bʌtəflaɪ] *n* papillon *m*; (*Swimming: also*: **~ stroke**) brasse *f* papillon
buttocks ['bʌtəks] *npl* fesses *fpl*
button ['bʌtn] *n* bouton *m*; (US: *badge*) pin *m* ▷ *vt* (*also*: **~ up**) boutonner ▷ *vi* se boutonner
buy [baɪ] (*pt, pp* **bought**) *vt* acheter ▷ *n* achat *m*; **to ~ sb sth/sth from sb** acheter qch à qn; **to ~ sb a drink** offrir un verre *or* à boire à qn; **can I ~ you a drink?** je vous offre un verre?; **where can I ~ some postcards?** où est-ce que je peux acheter des cartes postales?; **buy out** *vt* (*partner*) désintéresser; **buy up** *vt* acheter en bloc, rafler; **buyer** *n* acheteur(-euse) *m/f*
buzz [bʌz] *n* bourdonnement *m*; (*inf: phone call*): **to give sb a ~** passer un coup de fil à qn ▷ *vi* bourdonner; **buzzer** *n* timbre *m* électrique

KEYWORD

by [baɪ] *prep* **1** (*referring to cause, agent*) par, de; **killed by lightning** tué par la foudre; **surrounded by a fence** entouré d'une barrière; **a painting by Picasso** un tableau de Picasso
2 (*referring to method, manner, means*): **by bus/car** en autobus/voiture; **by train** par le *or* en train; **to pay by cheque** payer par chèque; **by moonlight/candlelight** à la lueur de la lune/d'une bougie; **by saving hard, he ...** à force d'économiser, il ...
3 (*via, through*) par; **we came by Dover** nous sommes venus par Douvres
4 (*close to, past*) à côté de; **the house by the school** la maison à côté de l'école; **a holiday by the sea** des vacances au bord de la mer; **she went by me** elle est passée à côté de moi; **I go by the post office every day** je passe devant la poste tous les jours
5 (*with time: not later than*) avant; (*: during*): **by daylight** à la lumière du jour; **by night** la nuit, de nuit; **by 4 o'clock** avant 4 heures; **by this time tomorrow** d'ici demain à la même heure; **by the time I got here it was too late** lorsque je suis arrivé il était déjà trop tard
6 (*amount*) à; **by the kilo/metre** au kilo/au mètre; **paid by the hour** payé à l'heure
7 (*Math: measure*): **to divide/multiply by 3** diviser/multiplier par 3; **a room 3 metres by 4** une pièce de 3 mètres sur 4; **it's broader by a metre** c'est plus large d'un mètre
8 (*according to*) d'après, selon; **it's 3 o'clock by my watch** il est 3 heures à ma montre; **it's all right by me** je n'ai rien contre
9: **(all) by oneself** *etc* tout(e) seul(e)
▷ *adv* **1** *see* **go**; **pass** *etc*
2: **by and by** un peu plus tard, bientôt; **by and large** dans l'ensemble

bye(-bye) ['baɪ('baɪ)] *excl* au revoir!, salut!
by-election ['baɪɪlɛkʃən] *n* (BRIT) élection (législative) partielle
bypass ['baɪpɑːs] *n* rocade *f*; (*Med*) pontage *m* ▷ *vt* éviter
byte [baɪt] *n* (*Comput*) octet *m*

C

C [siː] *n* (*Mus*): **C** do *m*
cab [kæb] *n* taxi *m*; (*of train, truck*) cabine *f*
cabaret ['kæbəreɪ] *n* (*show*) spectacle *m* de cabaret
cabbage ['kæbɪdʒ] *n* chou *m*
cabin ['kæbɪn] *n* (*house*) cabane *f*, hutte *f*; (*on ship*) cabine *f*; (*on plane*) compartiment *m*; **cabin crew** *n* (*Aviat*) équipage *m*
cabinet ['kæbɪnɪt] *n* (*Pol*) cabinet *m*; (*furniture*) petit meuble à tiroirs et rayons; (*also*: **display ~**) vitrine *f*, petite armoire vitrée; **cabinet minister** *n* ministre *m* (*membre du cabinet*)
cable ['keɪbl] *n* câble *m* ▷ *vt* câbler, télégraphier; **cable car** *n* téléphérique *m*; **cable television** *n* télévision *f* par câble
cactus (*pl* **cacti**) ['kæktəs, -taɪ] *n* cactus *m*
café ['kæfeɪ] *n* ≈ café(-restaurant) *m* (*sans alcool*)
cafeteria [kæfɪ'tɪərɪə] *n* cafétéria *f*
caffein(e) ['kæfiːn] *n* caféine *f*
cage [keɪdʒ] *n* cage *f*
cagoule [kə'guːl] *n* K-way® *m*
Cairo ['kaɪərəu] *n* le Caire
cake [keɪk] *n* gâteau *m*; **~ of soap** savonnette *f*
calcium ['kælsɪəm] *n* calcium *m*
calculate ['kælkjuleɪt] *vt* calculer; (*estimate: chances, effect*) évaluer; **calculation** [kælkju'leɪʃən] *n* calcul *m*; **calculator** *n* calculatrice *f*
calendar ['kæləndəʳ] *n* calendrier *m*
calf (*pl* **calves**) [kɑːf, kɑːvz] *n* (*of cow*) veau *m*; (*of other animals*) petit *m*; (*also*: **~skin**) veau *m*, vachette *f*; (*Anat*) mollet *m*
calibre (US **caliber**) ['kælɪbəʳ] *n* calibre *m*
call [kɔːl] *vt* appeler; (*meeting*) convoquer ▷ *vi* appeler; (*visit: also*: **~ in**, **~ round**) passer ▷ *n* (*shout*) appel *m*, cri *m*; (*also*: **telephone ~**) coup *m* de téléphone; **to be on ~** être de permanence; **to be ~ed** s'appeler; **can I make a ~ from here?** est-ce

que je peux téléphoner d'ici?; **call back** *vi* (*return*) repasser; (*Tel*) rappeler ▷ *vt* (*Tel*) rappeler; **can you ~ back later?** pouvez-vous rappeler plus tard?; **call for** *vt fus* (*demand*) demander; (*fetch*) passer prendre; **call in** *vt* (*doctor, expert, police*) appeler, faire venir; **call off** *vt* annuler; **call on** *vt fus* (*visit*) rendre visite à, passer voir; (*request*): **to ~ on sb to do** inviter qn à faire; **call out** *vi* pousser un cri *or* des cris; **call up** *vt* (*Mil*) appeler, mobiliser; (*Tel*) appeler; **callbox** *n* (BRIT) cabine *f* téléphonique; **call centre** (US **call center**) *n* centre *m* d'appels; **caller** *n* (*Tel*) personne *f* qui appelle; (*visitor*) visiteur *m*
callous ['kæləs] *adj* dur(e), insensible
calm [kɑ:m] *adj* calme ▷ *n* calme *m* ▷ *vt* calmer, apaiser; **calm down** *vi* se calmer, s'apaiser ▷ *vt* calmer, apaiser; **calmly** ['kɑ:mlɪ] *adv* calmement, avec calme
Calor gas® ['kælə^r-] *n* (BRIT) butane *m*, butagaz® *m*
calorie ['kælərɪ] *n* calorie *f*
calves [kɑ:vz] *npl of* **calf**
Cambodia [kæm'bəudɪə] *n* Cambodge *m*
camcorder ['kæmkɔ:də^r] *n* caméscope *m*
came [keɪm] *pt of* **come**
camel ['kæməl] *n* chameau *m*
camera ['kæmərə] *n* appareil-photo *m*; (*Cine, TV*) caméra *f*; **in ~** à huis clos, en privé; **cameraman** *n* caméraman *m*; **camera phone** *n* téléphone *m* avec appareil photo numérique intégré
camouflage ['kæməflɑ:ʒ] *n* camouflage *m* ▷ *vt* camoufler
camp [kæmp] *n* camp *m* ▷ *vi* camper ▷ *adj* (*man*) efféminé(e)
campaign [kæm'peɪn] *n* (*Mil, Pol etc*) campagne *f* ▷ *vi* (*also fig*) faire campagne; **campaigner** *n*: **campaigner for** partisan(e) de; **campaigner against** opposant(e) à
camp: **campbed** *n* (BRIT) lit *m* de camp; **camper** *n* campeur(-euse); (*vehicle*) camping-car *m*; **campground** (US) *n* (terrain *m* de) camping *m*; **camping** *n* camping *m*; **to go camping** faire du camping; **campsite** *n* (terrain *m* de) camping *m*
campus ['kæmpəs] *n* campus *m*
can[1] [kæn] *n* (*of milk, oil, water*) bidon *m*; (*tin*) boîte *f* (de conserve) ▷ *vt* mettre en conserve

 **KEYWORD**

can[2] [kæn] (*negative* **cannot, can't**, *conditional and pt* **could**) *aux vb* **1** (*be able to*) pouvoir; **you can do it if you try** vous pouvez le faire si vous essayez; **I can't hear you** je ne t'entends pas
2 (*know how to*) savoir; **I can swim/play tennis/drive** je sais nager/jouer au tennis/conduire; **can you speak French?** parlez-vous français?
3 (*may*) pouvoir; **can I use your phone?** puis-je me servir de votre téléphone?
4 (*expressing disbelief, puzzlement etc*): **it can't be true!** ce n'est pas possible!; **what CAN he want?** qu'est-ce qu'il peut bien vouloir?
5 (*expressing possibility, suggestion etc*): **he could be in the library** il est peut-être dans la bibliothèque; **she could have been delayed** il se peut qu'elle ait été retardée

Canada ['kænədə] *n* Canada *m*; **Canadian** [kə'neɪdɪən] *adj* canadien(ne) ▷ *n* Canadien(ne)
canal [kə'næl] *n* canal *m*
canary [kə'nɛərɪ] *n* canari *m*, serin *m*
cancel ['kænsəl] *vt* annuler; (*train*) supprimer; (*party, appointment*) décommander; (*cross out*) barrer, rayer; (*cheque*) faire opposition à; **I would like to ~ my booking** je voudrais annuler ma réservation; **cancellation** [kænsə'leɪʃən] *n* annulation *f*; suppression *f*
Cancer ['kænsə^r] *n* (*Astrology*) le Cancer
cancer ['kænsə^r] *n* cancer *m*
candidate ['kændɪdeɪt] *n* candidat(e)
candle ['kændl] *n* bougie *f*; (*in church*) cierge *m*; **candlestick** *n* (*also*: **candle holder**) bougeoir *m*; (*bigger, ornate*) chandelier *m*
candy ['kændɪ] *n* sucre candi; (US) bonbon *m*; **candy bar** (US) *n* barre *f* chocolatée; **candyfloss** *n* (BRIT) barbe *f* à papa
cane [keɪn] *n* canne *f*; (*for baskets, chairs etc*) rotin *m* ▷ *vt* (BRIT *Scol*) administrer des coups de bâton à
canister ['kænɪstə^r] *n* boîte *f* (*gén en métal*); (*of gas*) bombe *f*
cannabis ['kænəbɪs] *n* (*drug*) cannabis *m*
canned ['kænd] *adj* (*food*) en boîte, en conserve; (*inf: music*) enregistré(e); (BRIT *inf: drunk*) bourré(e); (US *inf: worker*) mis(e) à la porte
cannon (*pl* **~** *or* **~s**) ['kænən] *n* (*gun*) canon *m*
cannot ['kænɔt] = **can not**
canoe [kə'nu:] *n* pirogue *f*; (*Sport*) canoë *m*; **canoeing** *n* (*sport*) canoë *m*
canon ['kænən] *n* (*clergyman*) chanoine *m*; (*standard*) canon *m*
can-opener [-'əupnə^r] *n* ouvre-boîte *m*
can't [kɑ:nt] = **can not**
canteen [kæn'ti:n] *n* (*eating place*) cantine *f*; (BRIT: *of cutlery*) ménagère *f*
canter ['kæntə^r] *vi* aller au petit galop
canvas ['kænvəs] *n* toile *f*
canvass ['kænvəs] *vi* (*Pol*): **to ~ for** faire campagne pour ▷ *vt* (*citizens, opinions*) sonder
canyon ['kænjən] *n* cañon *m*, gorge (profonde)
cap [kæp] *n* casquette *f*; (*for swimming*) bonnet *m* de bain; (*of pen*) capuchon *m*; (*of bottle*) capsule *f*; (BRIT: *contraceptive*: *also*: **Dutch ~**) diaphragme *m* ▷ *vt* (*outdo*) surpasser; (*put limit on*) plafonner
capability [keɪpə'bɪlɪtɪ] *n* aptitude *f*, capacité *f*
capable ['keɪpəbl] *adj* capable
capacity [kə'pæsɪtɪ] *n* (*of container*) capacité *f*, contenance *f*; (*ability*) aptitude *f*
cape [keɪp] *n* (*garment*) cape *f*; (*Geo*) cap *m*
caper ['keɪpə^r] *n* (*Culin*: *gen pl*) câpre *f*; (*prank*) farce *f*
capital ['kæpɪtl] *n* (*also*: **~ city**) capitale *f*; (*money*) capital *m*; (*also*: **~ letter**) majuscule *f*; **capitalism** *n* capitalisme *m*; **capitalist** *adj, n* capitaliste *m/f*; **capital punishment** *n* peine capitale
Capitol ['kæpɪtl] *n*: **the ~** le Capitole
Capricorn ['kæprɪkɔ:n] *n* le Capricorne
capsize [kæp'saɪz] *vt* faire chavirer ▷ *vi* chavirer
capsule ['kæpsju:l] *n* capsule *f*
captain ['kæptɪn] *n* capitaine *m*
caption ['kæpʃən] *n* légende *f*
captivity [kæp'tɪvɪtɪ] *n* captivité *f*
capture ['kæptʃə^r] *vt* (*prisoner, animal*) capturer; (*town*) prendre; (*attention*) capter; (*Comput*) saisir ▷ *n* capture *f*; (*of data*) saisie *f* de données
car [kɑ:^r] *n* voiture *f*, auto *f*; (US *Rail*) wagon *m*, voiture
carafe [kə'ræf] *n* carafe *f*
caramel ['kærəməl] *n* caramel *m*
carat ['kærət] *n* carat *m*
caravan ['kærəvæn] *n* caravane *f*; **caravan site** *n* (BRIT) camping *m* pour caravanes
carbohydrate [kɑ:bəu'haɪdreɪt] *n* hydrate *m* de

carbone; (*food*) féculent *m*
carbon ['kɑ:bən] *n* carbone *m*; **carbon dioxide** [-daɪ'ɔksaɪd] *n* gaz *m* carbonique, dioxyde *m* de carbone; **carbon monoxide** [-mɔ'nɔksaɪd] *n* oxyde *m* de carbone
car boot sale *n*: **carburettor** (*US* **carburetor**) [kɑ:bju'rɛtəʳ] *n* carburateur *m*
card [kɑ:d] *n* carte *f*; (*material*) carton *m*; **cardboard** *n* carton *m*; **card game** *n* jeu *m* de cartes
cardigan ['kɑ:dɪgən] *n* cardigan *m*
cardinal ['kɑ:dɪnl] *adj* cardinal(e); (*importance*) capital(e) ▷ *n* cardinal *m*
cardphone ['kɑ:dfəun] *n* téléphone *m* à carte (magnétique)
care [kɛəʳ] *n* soin *m*, attention *f*; (*worry*) souci *m* ▷ *vi*: **to ~ about** (*feel interest for*) se soucier de, s'intéresser à; (*person: love*) être attaché(e) à; **in sb's ~** à la garde de qn, confié à qn; **~ of** (*on letter*) chez; **to take ~ (to do)** faire attention (à faire); **to take ~ of** *vt* s'occuper de; **I don't ~** ça m'est bien égal, peu m'importe; **I couldn't ~ less** cela m'est complètement égal, je m'en fiche complètement; **care for** *vt fus* s'occuper de; (*like*) aimer
career [kə'rɪəʳ] *n* carrière *f* ▷ *vi* (*also*: **~ along**) aller à toute allure
care: **carefree** *adj* sans souci, insouciant(e); **careful** *adj* soigneux(-euse); (*cautious*) prudent(e); **(be) careful!** (fais) attention!; **carefully** *adv* avec soin, soigneusement; prudemment; **caregiver** (*US*) *n* (*professional*) travailleur social; (*unpaid*) *personne qui s'occupe d'un proche qui est malade*; **careless** *adj* négligent(e); (*heedless*) insouciant(e); **carelessness** *n* manque *m* de soin, négligence *f*; insouciance *f*; **carer** ['kɛərəʳ] *n* (*professional*) travailleur social; (*unpaid*) *personne qui s'occupe d'un proche qui est malade*; **caretaker** *n* gardien(ne), concierge *m/f*
car-ferry ['kɑ:fɛrɪ] *n* (*on sea*) ferry(-boat) *m*; (*on river*) bac *m*
cargo (*pl* **~es**) ['kɑ:gəu] *n* cargaison *f*, chargement *m*
car hire *n* (*BRIT*) location *f* de voitures
Caribbean [kærɪ'bi:ən] *adj*, *n*: **the ~ (Sea)** la mer des Antilles *or* des Caraïbes
caring ['kɛərɪŋ] *adj* (*person*) bienveillant(e); (*society, organization*) humanitaire
carnation [kɑ:'neɪʃən] *n* œillet *m*
carnival ['kɑ:nɪvl] *n* (*public celebration*) carnaval *m*; (*US*: *funfair*) fête foraine
carol ['kærəl] *n*: **(Christmas) ~** chant *m* de Noël
carousel [kærə'sɛl] *n* (*for luggage*) carrousel *m*; (*US*) manège *m*
car park (*BRIT*) *n* parking *m*, parc *m* de stationnement
carpenter ['kɑ:pɪntəʳ] *n* charpentier *m*; (*joiner*) menuisier *m*
carpet ['kɑ:pɪt] *n* tapis *m* ▷ *vt* recouvrir (d'un tapis); **fitted ~** (*BRIT*) moquette *f*
car rental *n* (*US*) location *f* de voitures
carriage ['kærɪdʒ] *n* (*BRIT Rail*) wagon *m*; (*horse-drawn*) voiture *f*; (*of goods*) transport *m*; (: *cost*) port *m*; **carriageway** *n* (*BRIT*: *part of road*) chaussée *f*
carrier ['kærɪəʳ] *n* transporteur *m*, camionneur *m*; (*company*) entreprise *f* de transport; (*Med*) porteur(-euse); **carrier bag** *n* (*BRIT*) sac *m* en papier *or* en plastique
carrot ['kærət] *n* carotte *f*
carry ['kærɪ] *vt* (*subj*: *person*) porter; (: *vehicle*) transporter; (*involve*: *responsibilities etc*) comporter, impliquer; (*Med*: *disease*) être porteur de ▷ *vi* (*sound*) porter; **to get carried away** (*fig*) s'emballer, s'enthousiasmer; **carry on** *vi* (*continue*) continuer ▷ *vt* (*conduct*: *business*) diriger; (: *conversation*) entretenir; (*continue*: *business, conversation*) continuer; **to ~ on with sth/doing** continuer qch/à faire; **carry out** *vt* (*orders*) exécuter; (*investigation*) effectuer
cart [kɑ:t] *n* charrette *f* ▷ *vt* (*inf*) transporter
carton ['kɑ:tən] *n* (*box*) carton *m*; (*of yogurt*) pot *m* (en carton)
cartoon [kɑ:'tu:n] *n* (*Press*) dessin *m* (humoristique); (*satirical*) caricature *f*; (*comic strip*) bande dessinée; (*Cine*) dessin animé
cartridge ['kɑ:trɪdʒ] *n* (*for gun, pen*) cartouche *f*
carve [kɑ:v] *vt* (*meat*: *also*: **~ up**) découper; (*wood, stone*) tailler, sculpter; **carving** *n* (*in wood etc*) sculpture *f*
car wash *n* station *f* de lavage (de voitures)
case [keɪs] *n* cas *m*; (*Law*) affaire *f*, procès *m*; (*box*) caisse *f*, boîte *f*; (*for glasses*) étui *m*; (*BRIT*: *also*: **suit~**) valise *f*; **in ~ of** en cas de; **in ~ he** au cas où il; **just in ~** à tout hasard; **in any ~** en tout cas, de toute façon
cash [kæʃ] *n* argent *m*; (*Comm*) (argent *m*) liquide *m* ▷ *vt* encaisser; **to pay (in) ~** payer (en argent) comptant *or* en espèces; **~ with order/on delivery** (*Comm*) payable *or* paiement à la commande/livraison; **I haven't got any ~** je n'ai pas de liquide; **cashback** *n* (*discount*) remise *f*; (*at supermarket etc*) retrait *m* (*à la caisse*); **cash card** *n* carte *f* de retrait; **cash desk** *n* (*BRIT*) caisse *f*; **cash dispenser** *n* distributeur *m* automatique de billets
cashew [kæ'ʃu:] *n* (*also*: **~ nut**) noix *f* de cajou
cashier [kæ'ʃɪəʳ] *n* caissier(-ère)
cashmere ['kæʃmɪəʳ] *n* cachemire *m*
cash point *n* distributeur *m* automatique de billets
cash register *n* caisse enregistreuse
casino [kə'si:nəu] *n* casino *m*
casket ['kɑ:skɪt] *n* coffret *m*; (*US*: *coffin*) cercueil *m*
casserole ['kæsərəul] *n* (*pot*) cocotte *f*; (*food*) ragoût *m* (en cocotte)
cassette [kæ'sɛt] *n* cassette *f*; **cassette player** *n* lecteur *m* de cassettes
cast [kɑ:st] (*vb*: *pt, pp* **~**) *vt* (*throw*) jeter; (*shadow*: *lit*) projeter; (: *fig*) jeter; (*glance*) jeter ▷ *n* (*Theat*) distribution *f*; (*also*: **plaster ~**) plâtre *m*; **to ~ sb as Hamlet** attribuer à qn le rôle d'Hamlet; **to ~ one's vote** voter, exprimer son suffrage; **to ~ doubt on** jeter un doute sur; **cast off** *vi* (*Naut*) larguer les amarres; (*Knitting*) arrêter les mailles
castanets [kæstə'nɛts] *npl* castagnettes *fpl*
caster sugar ['kɑ:stə-] *n* (*BRIT*) sucre *m* semoule
cast-iron ['kɑ:staɪən] *adj* (*lit*) de *or* en fonte; (*fig*: *will*) de fer; (*alibi*) en béton
castle ['kɑ:sl] *n* château *m*; (*fortress*) château-fort *m*; (*Chess*) tour *f*
casual ['kæʒjul] *adj* (*by chance*) de hasard, fait(e) au hasard, fortuit(e); (*irregular*: *work etc*) temporaire; (*unconcerned*) désinvolte; **~ wear** vêtements *mpl* sport *inv*
casualty ['kæʒjultɪ] *n* accidenté(e), blessé(e); (*dead*) victime *f*, mort(e); (*BRIT*: *Med*: *department*) urgences *fpl*
cat [kæt] *n* chat *m*
Catalan ['kætəlæn] *adj* catalan(e)
catalogue (*US* **catalog**) ['kætəlɔg] *n* catalogue *m* ▷ *vt* cataloguer
catalytic converter [kætə'lɪtɪkkən'və:təʳ] *n* pot *m* catalytique
cataract ['kætərækt] *n* (*also Med*) cataracte *f*

catarrh [kəˈtɑːʳ] *n* rhume *m* chronique, catarrhe *f*
catastrophe [kəˈtæstrəfɪ] *n* catastrophe *f*
catch [kætʃ] (*pt, pp* **caught**) *vt* attraper; (*person: by surprise*) prendre, surprendre; (*understand*) saisir; (*get entangled*) accrocher ▷ *vi* (*fire*) prendre; (*get entangled*) s'accrocher ▷ *n* (*fish etc*) prise *f*; (*hidden problem*) attrape *f*; (*Tech*) loquet *m*; cliquet *m*; **to ~ sb's attention** *or* **eye** attirer l'attention de qn; **to ~ fire** prendre feu; **to ~ sight of** apercevoir; **catch up** *vi* (*with work*) se rattraper, combler son retard ▷ *vt* (*also*: **~ up with**) rattraper; **catching** [ˈkætʃɪŋ] *adj* (*Med*) contagieux(-euse)
category [ˈkætɪgərɪ] *n* catégorie *f*
cater [ˈkeɪtəʳ] *vi*: **to ~ for** (BRIT: *needs*) satisfaire, pourvoir à; (: *readers, consumers*) s'adresser à, pourvoir aux besoins de; (*Comm: parties etc*) préparer des repas pour
caterpillar [ˈkætəpɪləʳ] *n* chenille *f*
cathedral [kəˈθiːdrəl] *n* cathédrale *f*
Catholic [ˈkæθəlɪk] (*Rel*) *adj* catholique ▷ *n* catholique *m/f*
Catseye® [ˈkætsˈaɪ] *n* (BRIT *Aut*) (clou *m* à) catadioptre *m*
cattle [ˈkætl] *npl* bétail *m*, bestiaux *mpl*
catwalk [ˈkætwɔːk] *n* passerelle *f*; (*for models*) podium *m* (*de défilé de mode*)
caught [kɔːt] *pt, pp of* **catch**
cauliflower [ˈkɔlɪflauəʳ] *n* chou-fleur *m*
cause [kɔːz] *n* cause *f* ▷ *vt* causer
caution [ˈkɔːʃən] *n* prudence *f*; (*warning*) avertissement *m* ▷ *vt* avertir, donner un avertissement à; **cautious** *adj* prudent(e)
cave [keɪv] *n* caverne *f*, grotte *f*; **cave in** *vi* (*roof etc*) s'effondrer
caviar(e) [ˈkævɪɑːʳ] *n* caviar *m*
cavity [ˈkævɪtɪ] *n* cavité *f*; (*Med*) carie *f*
cc *abbr* (= *cubic centimetre*) cm³; (*on letter etc*) = **carbon copy**
CCTV *n abbr* = **closed-circuit television**
CD *n abbr* (= *compact disc*) CD *m*; **CD burner** *n* graveur *m* de CD; **CD player** *n* platine *f* laser; **CD-ROM** [siːdiːˈrɔm] *n abbr* (= *compact disc read-only memory*) CD-ROM *m inv*; **CD writer** *n* graveur *m* de CD
cease [siːs] *vt, vi* cesser; **ceasefire** *n* cessez-le-feu *m*
cedar [ˈsiːdəʳ] *n* cèdre *m*
ceilidh [ˈkeɪlɪ] *n* bal *m* folklorique écossais *or* irlandais
ceiling [ˈsiːlɪŋ] *n* (*also fig*) plafond *m*
celebrate [ˈsɛlɪbreɪt] *vt, vi* célébrer; **celebration** [sɛlɪˈbreɪʃən] *n* célébration *f*
celebrity [sɪˈlɛbrɪtɪ] *n* célébrité *f*
celery [ˈsɛlərɪ] *n* céleri *m* (en branches)
cell [sɛl] *n* (*gen*) cellule *f*; (*Elec*) élément *m* (*de pile*)
cellar [ˈsɛləʳ] *n* cave *f*
cello [ˈtʃɛləu] *n* violoncelle *m*
Cellophane® [ˈsɛləfeɪn] *n* cellophane® *f*
cellphone [ˈsɛlfəun] *n* téléphone *m* cellulaire
Celsius [ˈsɛlsɪəs] *adj* Celsius *inv*
Celtic [ˈkɛltɪk, ˈsɛltɪk] *adj* celte, celtique
cement [səˈmɛnt] *n* ciment *m*
cemetery [ˈsɛmɪtrɪ] *n* cimetière *m*
censor [ˈsɛnsəʳ] *n* censeur *m* ▷ *vt* censurer; **censorship** *n* censure *f*
census [ˈsɛnsəs] *n* recensement *m*
cent [sɛnt] *n* (*unit of dollar, euro*) cent *m* (= *un centième du dollar, de l'euro*); *see also* **per**
centenary [sɛnˈtiːnərɪ] (US **centennial**) [sɛnˈtɛnɪəl] *n* centenaire *m*
center [ˈsɛntəʳ] (US) = **centre**
centi... [sɛntɪ] *prefix*: **centigrade** *adj* centigrade; **centimetre** (US **centimeter**) *n* centimètre *m*; **centipede** [ˈsɛntɪpiːd] *n* mille-pattes *m inv*
central [ˈsɛntrəl] *adj* central(e); **Central America** *n* Amérique centrale; **central heating** *n* chauffage central; **central reservation** *n* (BRIT *Aut*) terre-plein central
centre (US **center**) [ˈsɛntəʳ] *n* centre *m* ▷ *vt* centrer; **centre-forward** *n* (*Sport*) avant-centre *m*; **centre-half** *n* (*Sport*) demi-centre *m*
century [ˈsɛntjurɪ] *n* siècle *m*; **in the twentieth ~** au vingtième siècle
CEO *n abbr* (US) = **chief executive officer**
ceramic [sɪˈræmɪk] *adj* céramique
cereal [ˈsiːrɪəl] *n* céréale *f*
ceremony [ˈsɛrɪmənɪ] *n* cérémonie *f*; **to stand on ~** faire des façons
certain [ˈsəːtən] *adj* certain(e); **to make ~ of** s'assurer de; **for ~** certainement, sûrement; **certainly** *adv* certainement; **certainty** *n* certitude *f*
certificate [səˈtɪfɪkɪt] *n* certificat *m*
certify [ˈsəːtɪfaɪ] *vt* certifier; (*award diploma to*) conférer un diplôme *etc* à; (*declare insane*) déclarer malade mental(e)
cf. *abbr* (= *compare*) cf., voir
CFC *n abbr* (= *chlorofluorocarbon*) CFC *m*
chain [tʃeɪn] *n* (*gen*) chaîne *f* ▷ *vt* (*also*: **~ up**) enchaîner, attacher (avec une chaîne); **chain-smoke** *vi* fumer cigarette sur cigarette
chair [tʃɛəʳ] *n* chaise *f*; (*armchair*) fauteuil *m*; (*of university*) chaire *f*; (*of meeting*) présidence *f* ▷ *vt* (*meeting*) présider; **chairlift** *n* télésiège *m*; **chairman** *n* président *m*; **chairperson** *n* président(e); **chairwoman** *n* présidente *f*
chalet [ˈʃæleɪ] *n* chalet *m*
chalk [tʃɔːk] *n* craie *f*; **chalkboard** (US) *n* tableau noir
challenge [ˈtʃælɪndʒ] *n* défi *m* ▷ *vt* défier; (*statement, right*) mettre en question, contester; **to ~ sb to do** mettre qn au défi de faire; **challenging** *adj* (*task, career*) qui représente un défi *or* une gageure; (*tone, look*) de défi, provocateur(-trice)
chamber [ˈtʃeɪmbəʳ] *n* chambre *f*; (BRIT *Law*: *gen pl*) cabinet *m*; **~ of commerce** chambre de commerce; **chambermaid** *n* femme *f* de chambre
champagne [ʃæmˈpeɪn] *n* champagne *m*
champion [ˈtʃæmpɪən] *n* (*also of cause*) champion(ne); **championship** *n* championnat *m*
chance [tʃɑːns] *n* (*luck*) hasard *m*; (*opportunity*) occasion *f*, possibilité *f*; (*hope, likelihood*) chance *f*; (*risk*) risque *m* ▷ *vt* (*risk*) risquer ▷ *adj* fortuit(e), de hasard; **to take a ~** prendre un risque; **by ~** par hasard; **to ~ it** risquer le coup, essayer
chancellor [ˈtʃɑːnsələʳ] *n* chancelier *m*; **Chancellor of the Exchequer** [-ɪksˈtʃɛkəʳ] (BRIT) *n* chancelier *m* de l'Échiquier
chandelier [ʃændəˈlɪəʳ] *n* lustre *m*
change [tʃeɪndʒ] *vt* (*alter, replace: Comm: money*) changer; (*switch, substitute: hands, trains, clothes, one's name etc*) changer de ▷ *vi* (*gen*) changer; (*change clothes*) se changer; (*be transformed*): **to ~ into** se changer *or* transformer en ▷ *n* changement *m*; (*money*) monnaie *f*; **to ~ gear** (*Aut*) changer de vitesse; **to ~ one's mind** changer d'avis; **a ~ of clothes** des vêtements de rechange; **for a ~** pour changer; **do you have ~ for £10?** vous avez la monnaie de 10 livres?; **where can I ~ some money?**

où est-ce que je peux changer de l'argent?; **keep the ~!** gardez la monnaie!; **change over** *vi* (*swap*) échanger; (*change: drivers etc*) changer; (*change sides: players etc*) changer de côté; **to ~ over from sth to sth** passer de qch à qch; **changeable** *adj* (*weather*) variable; **change machine** *n* distributeur *m* de monnaie; **changing room** *n* (BRIT: *in shop*) salon *m* d'essayage; (: *Sport*) vestiaire *m*

channel ['tʃænl] *n* (*TV*) chaîne *f*; (*waveband, groove, fig: medium*) canal *m*; (*of river, sea*) chenal *m* ▷ *vt* canaliser; **the (English) C~** la Manche; **Channel Islands** *npl*: **the Channel Islands** les îles *fpl* Anglo-Normandes; **Channel Tunnel** *n*: **the Channel Tunnel** le tunnel sous la Manche

chant [tʃɑ:nt] *n* chant *m*; (*Rel*) psalmodie *f* ▷ *vt* chanter, scander

chaos ['keɪɔs] *n* chaos *m*

chaotic [keɪ'ɔtɪk] *adj* chaotique

chap [tʃæp] *n* (BRIT *inf: man*) type *m*

chapel ['tʃæpl] *n* chapelle *f*

chapped [tʃæpt] *adj* (*skin, lips*) gercé(e)

chapter ['tʃæptəʳ] *n* chapitre *m*

character ['kærɪktəʳ] *n* caractère *m*; (*in novel, film*) personnage *m*; (*eccentric person*) numéro *m*, phénomène *m*; **characteristic** ['kærɪktə'rɪstɪk] *adj, n* caractéristique (*f*); **characterize** ['kærɪktəraɪz] *vt* caractériser

charcoal ['tʃɑ:kəul] *n* charbon *m* de bois; (*Art*) charbon

charge [tʃɑ:dʒ] *n* (*accusation*) accusation *f*; (*Law*) inculpation *f*; (*cost*) prix (demandé) ▷ *vt* (*gun, battery, Mil: enemy*) charger; (*customer, sum*) faire payer ▷ *vi* foncer; **charges** *npl* (*costs*) frais *mpl*; (BRIT *Tel*): **to reverse the ~s** téléphoner en PCV; **to take ~ of** se charger de; **to be in ~ of** être responsable de, s'occuper de; **to ~ sb (with)** (*Law*) inculper qn (de); **charge card** *n* carte *f* de client (*émise par un grand magasin*); **charger** *n* (*also*: **battery charger**) chargeur *m*

charismatic [kærɪz'mætɪk] *adj* charismatique

charity ['tʃærɪtɪ] *n* charité *f*; (*organization*) institution *f* charitable *or* de bienfaisance, œuvre *f* (de charité); **charity shop** *n* (BRIT) *boutique vendant des articles d'occasion au profit d'une organisation caritative*

charm [tʃɑ:m] *n* charme *m*; (*on bracelet*) breloque *f* ▷ *vt* charmer, enchanter; **charming** *adj* charmant(e)

chart [tʃɑ:t] *n* tableau *m*, diagramme *m*; graphique *m*; (*map*) carte marine ▷ *vt* dresser *or* établir la carte de; (*sales, progress*) établir la courbe de; **charts** *npl* (*Mus*) hit-parade *m*; **to be in the ~s** (*record, pop group*) figurer au hit-parade

charter ['tʃɑ:təʳ] *vt* (*plane*) affréter ▷ *n* (*document*) charte *f*; **chartered accountant** *n* (BRIT) expert-comptable *m*; **charter flight** *n* charter *m*

chase [tʃeɪs] *vt* poursuivre, pourchasser; (*also*: **~ away**) chasser ▷ *n* poursuite *f*, chasse *f*

chat [tʃæt] *vi* (*also*: **have a ~**) bavarder, causer; (*on Internet*) chatter ▷ *n* conversation *f*; **chat up** *vt* (BRIT *inf: girl*) baratiner; **chat room** *n* (*Internet*) forum *m* de discussion; **chat show** *n* (BRIT) talk-show *m*

chatter ['tʃætəʳ] *vi* (*person*) bavarder, papoter ▷ *n* bavardage *m*, papotage *m*; **my teeth are ~ing** je claque des dents

chauffeur ['ʃəufəʳ] *n* chauffeur *m* (de maître)

chauvinist ['ʃəuvɪnɪst] *n* (*also*: **male ~**) phallocrate *m*, macho *m*; (*nationalist*) chauvin(e)

cheap [tʃi:p] *adj* bon marché *inv*, pas cher (chère); (*reduced: ticket*) à prix réduit; (: *fare*) réduit(e); (*joke*) facile, d'un goût douteux; (*poor quality*) à bon marché, de qualité médiocre ▷ *adv* à bon marché, pour pas cher; **can you recommend a ~ hotel/restaurant, please?** pourriez-vous m'indiquer un hôtel/restaurant bon marché?; **cheap day return** *n* billet *m* d'aller et retour réduit (*valable pour la journée*); **cheaply** *adv* à bon marché, à bon compte

cheat [tʃi:t] *vi* tricher; (*in exam*) copier ▷ *vt* tromper, duper; (*rob*): **to ~ sb out of sth** escroquer qch à qn ▷ *n* tricheur(-euse) *m/f*; escroc *m*; **cheat on** *vt fus* tromper

Chechnya [tʃɪtʃ'njɑ:] *n* Tchétchénie *f*

check [tʃɛk] *vt* vérifier; (*passport, ticket*) contrôler; (*halt*) enrayer; (*restrain*) maîtriser ▷ *vi* (*official etc*) se renseigner ▷ *n* vérification *f*; contrôle *m*; (*curb*) frein *m*; (BRIT: *bill*) addition *f*; (US) = **cheque**; (*pattern: gen pl*) carreaux *mpl*; **to ~ with sb** demander à qn; **check in** *vi* (*in hotel*) remplir sa fiche (d'hôtel); (*at airport*) se présenter à l'enregistrement ▷ *vt* (*luggage*) (faire) enregistrer; **check off** *vt* (*tick off*) cocher; **check out** *vi* (*in hotel*) régler sa note ▷ *vt* (*investigate: story*) vérifier; **check up** *vi*: **to ~ up (on sth)** vérifier (qch); **to ~ up on sb** se renseigner sur le compte de qn; **checkbook** (US) = **chequebook**; **checked** *adj* (*pattern, cloth*) à carreaux; **checkers** *n* (US) jeu *m* de dames; **check-in** *n* (*also*: **check-in desk**: *at airport*) enregistrement *m*; **checking account** *n* (US) compte courant; **checklist** *n* liste *f* de contrôle; **checkmate** *n* échec et mat *m*; **checkout** *n* (*in supermarket*) caisse *f*; **checkpoint** *n* contrôle *m*; **checkroom** (US) *n* consigne *f*; **checkup** *n* (*Med*) examen médical, check-up *m*

cheddar ['tʃedəʳ] *n* (*also*: **~ cheese**) cheddar *m*

cheek [tʃi:k] *n* joue *f*; (*impudence*) toupet *m*, culot *m*; **what a ~!** quel toupet!; **cheekbone** *n* pommette *f*; **cheeky** *adj* effronté(e), culotté(e)

cheer [tʃɪəʳ] *vt* acclamer, applaudir; (*gladden*) réjouir, réconforter ▷ *vi* applaudir ▷ *n* (*gen pl*) acclamations *fpl*, applaudissements *mpl*; bravos *mpl*, hourras *mpl*; **~s!** à la vôtre!; **cheer up** *vi* se dérider, reprendre courage ▷ *vt* remonter le moral à *or* de, dérider, égayer; **cheerful** *adj* gai(e), joyeux(-euse)

cheerio [tʃɪərɪ'əu] *excl* (BRIT) salut!, au revoir!

cheerleader ['tʃɪəli:dəʳ] *n membre d'un groupe de majorettes qui chantent et dansent pour soutenir leur équipe pendant les matchs de football américain*

cheese [tʃi:z] *n* fromage *m*; **cheeseburger** *n* cheeseburger *m*; **cheesecake** *n* tarte *f* au fromage

chef [ʃɛf] *n* chef (cuisinier)

chemical ['kɛmɪkl] *adj* chimique ▷ *n* produit *m* chimique

chemist ['kɛmɪst] *n* (BRIT: *pharmacist*) pharmacien(ne); (*scientist*) chimiste *m/f*; **chemistry** *n* chimie *f*; **chemist's (shop)** *n* (BRIT) pharmacie *f*

cheque (US **check**) [tʃɛk] *n* chèque *m*; **chequebook** (US **checkbook**) *n* chéquier *m*, carnet *m* de chèques; **cheque card** *n* (BRIT) carte *f* (d'identité) bancaire

cherry ['tʃɛrɪ] *n* cerise *f*; (*also*: **~ tree**) cerisier *m*

chess [tʃɛs] *n* échecs *mpl*

chest [tʃɛst] *n* poitrine *f*; (*box*) coffre *m*, caisse *f*

chestnut ['tʃɛsnʌt] *n* châtaigne *f*; (*also*: **~ tree**) châtaignier *m*

chest of drawers *n* commode *f*

chew [tʃu:] *vt* mâcher; **chewing gum** *n* chewing-gum *m*

chic [ʃi:k] *adj* chic *inv*, élégant(e)

chick [tʃɪk] *n* poussin *m*; (*inf*) pépée *f*

chicken ['tʃɪkɪn] *n* poulet *m*; (*inf: coward*) poule mouillée; **chicken out** *vi* (*inf*) se dégonfler; **chickenpox** *n* varicelle *f*
chickpea ['tʃɪkpi:] *n* pois *m* chiche
chief [tʃi:f] *n* chef *m* ▷ *adj* principal(e); **chief executive** (*US* **chief executive officer**) *n* directeur(-trice) général(e); **chiefly** *adv* principalement, surtout
child (*pl* **~ren**) [tʃaɪld, 'tʃɪldrən] *n* enfant *m/f*; **child abuse** *n* maltraitance *f* d'enfants; (*sexual*) abus *mpl* sexuels sur des enfants; **child benefit** *n* (BRIT) ≈ allocations familiales; **childbirth** *n* accouchement *m*; **child-care** *n* (*for working parents*) garde *f* des enfants (*pour les parents qui travaillent*); **childhood** *n* enfance *f*; **childish** *adj* puéril(e), enfantin(e); **child minder** *n* (BRIT) garde *f* d'enfants; **children** ['tʃɪldrən] *npl of* **child**
Chile ['tʃɪlɪ] *n* Chili *m*
chill [tʃɪl] *n* (*of water*) froid *m*; (*of air*) fraîcheur *f*; (*Med*) refroidissement *m*, coup *m* de froid ▷ *vt* (*person*) faire frissonner; (*Culin*) mettre au frais, rafraîchir; **chill out** *vi* (*inf: esp US*) se relaxer
chil(l)i ['tʃɪlɪ] *n* piment *m* (rouge)
chilly ['tʃɪlɪ] *adj* froid(e), glacé(e); (*sensitive to cold*) frileux(-euse)
chimney ['tʃɪmnɪ] *n* cheminée *f*
chimpanzee [tʃɪmpæn'zi:] *n* chimpanzé *m*
chin [tʃɪn] *n* menton *m*
China ['tʃaɪnə] *n* Chine *f*
china ['tʃaɪnə] *n* (*material*) porcelaine *f*; (*crockery*) (vaisselle *f* en) porcelaine
Chinese [tʃaɪ'ni:z] *adj* chinois(e) ▷ *n* (*pl inv*) Chinois(e); (*Ling*) chinois *m*
chip [tʃɪp] *n* (*gen pl: Culin:* BRIT) frite *f*; (*: US: also:* **potato ~**) chip *m*; (*of wood*) copeau *m*; (*of glass, stone*) éclat *m*; (*also:* **micro~**) puce *f*; (*in gambling*) fiche *f* ▷ *vt* (*cup, plate*) ébrécher; **chip shop** *n* (BRIT) friterie *f*
chiropodist [kɪ'rɔpədɪst] *n* (BRIT) pédicure *m/f*
chisel ['tʃɪzl] *n* ciseau *m*
chives [tʃaɪvz] *npl* ciboulette *f*, civette *f*
chlorine ['klɔ:ri:n] *n* chlore *m*
choc-ice ['tʃɔkaɪs] *n* (BRIT) esquimau® *m*
chocolate ['tʃɔklɪt] *n* chocolat *m*
choice [tʃɔɪs] *n* choix *m* ▷ *adj* de choix
choir ['kwaɪəʳ] *n* chœur *m*, chorale *f*
choke [tʃəuk] *vi* étouffer ▷ *vt* étrangler; étouffer; (*block*) boucher, obstruer ▷ *n* (*Aut*) starter *m*
cholesterol [kə'lɛstərɔl] *n* cholestérol *m*
choose (*pt* **chose**, *pp* **chosen**) [tʃu:z, tʃəuz, 'tʃəuzn] *vt* choisir; **to ~ to do** décider de faire, juger bon de faire
chop [tʃɔp] *vt* (*wood*) couper (à la hache); (*Culin: also:* **~ up**) couper (fin), émincer, hacher (en morceaux) ▷ *n* (*Culin*) côtelette *f*; **chop down** *vt* (*tree*) abattre; **chop off** *vt* trancher; **chopsticks** ['tʃɔpstɪks] *npl* baguettes *fpl*
chord [kɔ:d] *n* (*Mus*) accord *m*
chore [tʃɔ:ʳ] *n* travail *m* de routine; **household ~s** travaux *mpl* du ménage
chorus ['kɔ:rəs] *n* chœur *m*; (*repeated part of song, also fig*) refrain *m*
chose [tʃəuz] *pt of* **choose**
chosen ['tʃəuzn] *pp of* **choose**
Christ [kraɪst] *n* Christ *m*
christen ['krɪsn] *vt* baptiser; **christening** *n* baptême *m*
Christian ['krɪstɪən] *adj, n* chrétien(ne); **Christianity** [krɪstɪ'ænɪtɪ] *n* christianisme *m*; **Christian name** *n* prénom *m*
Christmas ['krɪsməs] *n* Noël *m or f*; **happy** *or* **merry ~!** joyeux Noël!; **Christmas card** *n* carte *f* de Noël; **Christmas carol** *n* chant *m* de Noël; **Christmas Day** *n* le jour de Noël; **Christmas Eve** *n* la veille de Noël; la nuit de Noël; **Christmas pudding** *n* (*esp* BRIT) Christmas *m* pudding; **Christmas tree** *n* arbre *m* de Noël
chrome [krəum] *n* chrome *m*
chronic ['krɔnɪk] *adj* chronique
chrysanthemum [krɪ'sænθəməm] *n* chrysanthème *m*
chubby ['tʃʌbɪ] *adj* potelé(e), rondelet(te)
chuck [tʃʌk] *vt* (*inf*) lancer, jeter; (BRIT: *also:* **~ up**: *job*) lâcher; **chuck out** *vt* (*inf: person*) flanquer dehors *or* à la porte; (*: rubbish etc*) jeter
chuckle ['tʃʌkl] *vi* glousser
chum [tʃʌm] *n* copain (copine)
chunk [tʃʌŋk] *n* gros morceau
church [tʃə:tʃ] *n* église *f*; **churchyard** *n* cimetière *m*
churn [tʃə:n] *n* (*for butter*) baratte *f*; (*also:* **milk ~**) (grand) bidon à lait
chute [ʃu:t] *n* goulotte *f*; (*also:* **rubbish ~**) vide-ordures *m inv*; (BRIT: *children's slide*) toboggan *m*
chutney ['tʃʌtnɪ] *n* chutney *m*
CIA *n abbr* (= *Central Intelligence Agency*) CIA *f*
CID *n abbr* (= *Criminal Investigation Department*) ≈ P.J. *f*
cider ['saɪdəʳ] *n* cidre *m*
cigar [sɪ'gɑ:ʳ] *n* cigare *m*
cigarette [sɪgə'rɛt] *n* cigarette *f*; **cigarette lighter** *n* briquet *m*
cinema ['sɪnəmə] *n* cinéma *m*
cinnamon ['sɪnəmən] *n* cannelle *f*
circle ['sə:kl] *n* cercle *m*; (*in cinema*) balcon *m* ▷ *vi* faire *or* décrire des cercles ▷ *vt* (*surround*) entourer, encercler; (*move round*) faire le tour de, tourner autour de
circuit ['sə:kɪt] *n* circuit *m*; (*lap*) tour *m*
circular ['sə:kjuləʳ] *adj* circulaire ▷ *n* circulaire *f*; (*as advertisement*) prospectus *m*
circulate ['sə:kjuleɪt] *vi* circuler ▷ *vt* faire circuler; **circulation** [sə:kju'leɪʃən] *n* circulation *f*; (*of newspaper*) tirage *m*
circumstances ['sə:kəmstənsɪz] *npl* circonstances *fpl*; (*financial condition*) moyens *mpl*, situation financière
circus ['sə:kəs] *n* cirque *m*
cite [saɪt] *vt* citer
citizen ['sɪtɪzn] *n* (*Pol*) citoyen(ne); (*resident*): **the ~s of this town** les habitants de cette ville; **citizenship** *n* citoyenneté *f*; (BRIT: *Scol*) ≈ éducation *f* civique
citrus fruits ['sɪtrəs-] *npl* agrumes *mpl*
city ['sɪtɪ] *n* (grande) ville *f*; **the C~** la Cité de Londres (*centre des affaires*); **city centre** *n* centre ville *m*; **city technology college** *n* (BRIT) établissement *m* d'enseignement technologique (*situé dans un quartier défavorisé*)
civic ['sɪvɪk] *adj* civique; (*authorities*) municipal(e)
civil ['sɪvɪl] *adj* civil(e); (*polite*) poli(e), civil(e); **civilian** [sɪ'vɪlɪən] *adj, n* civil(e)
civilization [sɪvɪlaɪ'zeɪʃən] *n* civilisation *f*
civilized ['sɪvɪlaɪzd] *adj* civilisé(e); (*fig*) où règnent les bonnes manières
civil: **civil law** *n* code civil; (*study*) droit civil; **civil rights** *npl* droits *mpl* civiques; **civil servant** *n* fonctionnaire *m/f*; **Civil Service** *n* fonction publique, administration *f*; **civil war** *n* guerre civile
CJD *n abbr* (= *Creutzfeldt-Jakob disease*) MCJ *f*

claim [kleɪm] *vt* (*rights etc*) revendiquer; (*compensation*) réclamer; (*assert*) déclarer, prétendre ▷ *vi* (*for insurance*) faire une déclaration de sinistre ▷ *n* revendication *f*; prétention *f*; (*right*) droit *m*; **(insurance) ~** demande *f* d'indemnisation, déclaration *f* de sinistre; **claim form** *n* (*gen*) formulaire *m* de demande
clam [klæm] *n* palourde *f*
clamp [klæmp] *n* crampon *m*; (*on workbench*) valet *m*; (*on car*) sabot *m* de Denver ▷ *vt* attacher; (*car*) mettre un sabot à; **clamp down on** *vt fus* sévir contre, prendre des mesures draconiennes à l'égard de
clan [klæn] *n* clan *m*
clap [klæp] *vi* applaudir
claret ['klærət] *n* (vin *m* de) bordeaux *m* (rouge)
clarify ['klærɪfaɪ] *vt* clarifier
clarinet [klærɪ'nɛt] *n* clarinette *f*
clarity ['klærɪtɪ] *n* clarté *f*
clash [klæʃ] *n* (*sound*) choc *m*, fracas *m*; (*with police*) affrontement *m*; (*fig*) conflit *m* ▷ *vi* se heurter; être *or* entrer en conflit; (*colours*) jurer; (*dates, events*) tomber en même temps
clasp [klɑ:sp] *n* (*of necklace, bag*) fermoir *m* ▷ *vt* serrer, étreindre
class [klɑ:s] *n* (*gen*) classe *f*; (*group, category*) catégorie *f* ▷ *vt* classer, classifier
classic ['klæsɪk] *adj* classique ▷ *n* (*author, work*) classique *m*; **classical** *adj* classique
classification [klæsɪfɪ'keɪʃən] *n* classification *f*
classify ['klæsɪfaɪ] *vt* classifier, classer
classmate ['klɑ:smeɪt] *n* camarade *m/f* de classe
classroom ['klɑ:srum] *n* (salle *f* de) classe *f*; **classroom assistant** *n* assistant(-e) d'éducation
classy ['klɑ:sɪ] (*inf*) *adj* classe (*inf*)
clatter ['klætəʳ] *n* cliquetis *m* ▷ *vi* cliqueter
clause [klɔ:z] *n* clause *f*; (*Ling*) proposition *f*
claustrophobic [klɔ:strə'fəubɪk] *adj* (*person*) claustrophobe; (*place*) où l'on se sent claustrophobe
claw [klɔ:] *n* griffe *f*; (*of bird of prey*) serre *f*; (*of lobster*) pince *f*
clay [kleɪ] *n* argile *f*
clean [kli:n] *adj* propre; (*clear, smooth*) net(te); (*record, reputation*) sans tache; (*joke, story*) correct(e) ▷ *vt* nettoyer; **clean up** *vt* nettoyer; (*fig*) remettre de l'ordre dans; **cleaner** *n* (*person*) nettoyeur(-euse), femme *f* de ménage; (*product*) détachant *m*; **cleaner's** *n* (*also*: **dry cleaner's**) teinturier *m*; **cleaning** *n* nettoyage *m*
cleanser ['klɛnzəʳ] *n* (*for face*) démaquillant *m*
clear [klɪəʳ] *adj* clair(e); (*glass, plastic*) transparent(e); (*road, way*) libre, dégagé(e); (*profit, majority*) net(te); (*conscience*) tranquille; (*skin*) frais (fraîche); (*sky*) dégagé(e) ▷ *vt* (*road*) dégager, déblayer; (*table*) débarrasser; (*room etc: of people*) faire évacuer; (*cheque*) compenser; (*Law: suspect*) innocenter; (*obstacle*) franchir *or* sauter sans heurter ▷ *vi* (*weather*) s'éclaircir; (*fog*) se dissiper ▷ *adv*: **~ of** à distance de, à l'écart de; **to ~ the table** débarrasser la table, desservir; **clear away** *vt* (*things, clothes etc*) enlever, retirer; **to ~ away the dishes** débarrasser la table; **clear up** *vt* ranger, mettre en ordre; (*mystery*) éclaircir, résoudre; **clearance** *n* (*removal*) déblayage *m*; (*permission*) autorisation *f*; **clear-cut** *adj* précis(e), nettement défini(e); **clearing** *n* (*in forest*) clairière *f*; **clearly** *adv* clairement; (*obviously*) de toute évidence; **clearway** *n* (BRIT) route *f* à stationnement interdit
clench [klɛntʃ] *vt* serrer
clergy ['klə:dʒɪ] *n* clergé *m*
clerk [klɑ:k] (US) [klə:rk] *n* (BRIT) employé(e) de bureau; (US: *salesman/woman*) vendeur(-euse)
clever ['klɛvəʳ] *adj* (*intelligent*) intelligent(e); (*skilful*) habile, adroit(e); (*device, arrangement*) ingénieux(-euse), astucieux(-euse)
cliché ['kli:ʃeɪ] *n* cliché *m*
click [klɪk] *vi* (*Comput*) cliquer ▷ *vt*: **to ~ one's tongue** faire claquer sa langue; **to ~ one's heels** claquer des talons; **to ~ on an icon** cliquer sur une icône
client ['klaɪənt] *n* client(e)
cliff [klɪf] *n* falaise *f*
climate ['klaɪmɪt] *n* climat *m*; **climate change** *n* changement *m* climatique
climax ['klaɪmæks] *n* apogée *m*, point culminant; (*sexual*) orgasme *m*
climb [klaɪm] *vi* grimper, monter; (*plane*) prendre de l'altitude ▷ *vt* (*stairs*) monter; (*mountain*) escalader; (*tree*) grimper à ▷ *n* montée *f*, escalade *f*; **to ~ over a wall** passer par dessus un mur; **climb down** *vi* (re)descendre; (BRIT *fig*) rabattre de ses prétentions; **climber** *n* (*also*: **rock climber**) grimpeur(-euse), varappeur(-euse); (*plant*) plante grimpante; **climbing** *n* (*also*: **rock climbing**) escalade *f*, varappe *f*
clinch [klɪntʃ] *vt* (*deal*) conclure, sceller
cling (*pt, pp* **clung**) [klɪŋ, klʌŋ] *vi*: **to ~ (to)** se cramponner (à), s'accrocher (à); (*clothes*) coller (à)
Clingfilm® ['klɪŋfɪlm] *n* film *m* alimentaire
clinic ['klɪnɪk] *n* clinique *f*; centre médical
clip [klɪp] *n* (*for hair*) barrette *f*; (*also*: **paper ~**) trombone *m*; (*TV, Cinema*) clip *m* ▷ *vt* (*also*: **~ together**: *papers*) attacher; (*hair, nails*) couper; (*hedge*) tailler; **clipping** *n* (*from newspaper*) coupure *f* de journal
cloak [kləuk] *n* grande cape ▷ *vt* (*fig*) masquer, cacher; **cloakroom** *n* (*for coats etc*) vestiaire *m*; (BRIT: *W.C.*) toilettes *fpl*
clock [klɔk] *n* (*large*) horloge *f*; (*small*) pendule *f*; **clock in** *or* **on** (BRIT) *vi* (*with card*) pointer (en arrivant); (*start work*) commencer à travailler; **clock off** *or* **out** (BRIT) *vi* (*with card*) pointer (en partant); (*leave work*) quitter le travail; **clockwise** *adv* dans le sens des aiguilles d'une montre; **clockwork** *n* rouages *mpl*, mécanisme *m*; (*of clock*) mouvement *m* (d'horlogerie) ▷ *adj* (*toy, train*) mécanique
clog [klɔg] *n* sabot *m* ▷ *vt* boucher, encrasser ▷ *vi* (*also*: **~ up**) se boucher, s'encrasser
clone [kləun] *n* clone *m* ▷ *vt* cloner
close¹ [kləus] *adj* (*near*): **~ (to)** près (de), proche (de); (*contact, link, watch*) étroit(e); (*examination*) attentif(-ive), minutieux(-euse); (*contest*) très serré(e); (*weather*) lourd(e), étouffant(e) ▷ *adv* près, à proximité; **~ to** *prep* près de; **~ by**, **~ at hand** *adj, adv* tout(e) près; **a ~ friend** un ami intime; **to have a ~ shave** (*fig*) l'échapper belle
close² [kləuz] *vt* fermer ▷ *vi* (*shop etc*) fermer; (*lid, door etc*) se fermer; (*end*) se terminer, se conclure ▷ *n* (*end*) conclusion *f*; **what time do you ~?** à quelle heure fermez-vous?; **close down** *vi* fermer (*définitivement*); **closed** *adj* (*shop etc*) fermé(e)
closely ['kləuslɪ] *adv* (*examine, watch*) de près
closet ['klɔzɪt] *n* (*cupboard*) placard *m*, réduit *m*
close-up ['kləusʌp] *n* gros plan
closing time *n* heure *f* de fermeture
closure ['kləuʒəʳ] *n* fermeture *f*
clot [klɔt] *n* (*of blood, milk*) caillot *m*; (*inf: person*) ballot *m* ▷ *vi* (*: external bleeding*) se coaguler

cloth [klɔθ] *n* (*material*) tissu *m*, étoffe *f*; (BRIT: *also*: **tea ~**) torchon *m*; lavette *f*; (*also*: **table~**) nappe *f*
clothes [kləuðz] *npl* vêtements *mpl*, habits *mpl*; **clothes line** *n* corde *f* (à linge); **clothes peg** (US **clothes pin**) *n* pince *f* à linge
clothing ['kləuðɪŋ] *n* = **clothes**
cloud [klaud] *n* nuage *m*; **cloud over** *vi* se couvrir; (*fig*) s'assombrir; **cloudy** *adj* nuageux(-euse), couvert(e); (*liquid*) trouble
clove [kləuv] *n* clou *m* de girofle; **a ~ of garlic** une gousse d'ail
clown [klaun] *n* clown *m* ▷ *vi* (*also*: **~ about**, **~ around**) faire le clown
club [klʌb] *n* (*society*) club *m*; (*weapon*) massue *f*, matraque *f*; (*also*: **golf ~**) club ▷ *vt* matraquer ▷ *vi*: **to ~ together** s'associer; **clubs** *npl* (*Cards*) trèfle *m*; **club class** *n* (*Aviat*) classe *f* club
clue [klu:] *n* indice *m*; (*in crosswords*) définition *f*; **I haven't a ~** je n'en ai pas la moindre idée
clump [klʌmp] *n*: **~ of trees** bouquet *m* d'arbres
clumsy ['klʌmzɪ] *adj* (*person*) gauche, maladroit(e); (*object*) malcommode, peu maniable
clung [klʌŋ] *pt*, *pp of* **cling**
cluster ['klʌstəʳ] *n* (petit) groupe; (*of flowers*) grappe *f* ▷ *vi* se rassembler
clutch [klʌtʃ] *n* (*Aut*) embrayage *m*; (*grasp*): **~es** étreinte *f*, prise *f* ▷ *vt* (*grasp*) agripper; (*hold tightly*) serrer fort; (*hold on to*) se cramponner à
cm *abbr* (= *centimetre*) cm
Co. *abbr* = **company, county**
c/o *abbr* (= *care of*) c/o, aux bons soins de
coach [kəutʃ] *n* (*bus*) autocar *m*; (*horse-drawn*) diligence *f*; (*of train*) voiture *f*, wagon *m*; (*Sport: trainer*) entraîneur(-euse); (*school: tutor*) répétiteur(-trice) ▷ *vt* (*Sport*) entraîner; (*student*) donner des leçons particulières à; **coach station** (BRIT) *n* gare routière; **coach trip** *n* excursion *f* en car
coal [kəul] *n* charbon *m*
coalition [kəuə'lɪʃən] *n* coalition *f*
coarse [kɔ:s] *adj* grossier(-ère), rude; (*vulgar*) vulgaire
coast [kəust] *n* côte *f* ▷ *vi* (*car, cycle*) descendre en roue libre; **coastal** *adj* côtier(-ère); **coastguard** *n* garde-côte *m*; **coastline** *n* côte *f*, littoral *m*
coat [kəut] *n* manteau *m*; (*of animal*) pelage *m*, poil *m*; (*of paint*) couche *f* ▷ *vt* couvrir, enduire; **coat hanger** *n* cintre *m*; **coating** *n* couche *f*, enduit *m*
coax [kəuks] *vt* persuader par des cajoleries
cob [kɔb] *n see* **corn**
cobbled ['kɔbld] *adj* pavé(e)
cobweb ['kɔbwɛb] *n* toile *f* d'araignée
cocaine [kə'keɪn] *n* cocaïne *f*
cock [kɔk] *n* (*rooster*) coq *m*; (*male bird*) mâle *m* ▷ *vt* (*gun*) armer; **cockerel** *n* jeune coq *m*
cockney ['kɔknɪ] *n* cockney *m/f* (*habitant des quartiers populaires de l'East End de Londres*), ≈ faubourien(ne)
cockpit ['kɔkpɪt] *n* (*in aircraft*) poste *m* de pilotage, cockpit *m*
cockroach ['kɔkrəutʃ] *n* cafard *m*, cancrelat *m*
cocktail ['kɔkteɪl] *n* cocktail *m*
cocoa ['kəukəu] *n* cacao *m*
coconut ['kəukənʌt] *n* noix *f* de coco
C.O.D. *abbr* = **cash on delivery**
cod [kɔd] *n* morue fraîche, cabillaud *m*
code [kəud] *n* code *m*; (*Tel: area code*) indicatif *m*
coeducational ['kəuɛdju'keɪʃənl] *adj* mixte
coffee ['kɔfɪ] *n* café *m*; **coffee bar** *n* (BRIT) café *m*; **coffee bean** *n* grain *m* de café; **coffee break** *n* pause-café *f*; **coffee maker** *n* cafetière *f*; **coffeepot** *n* cafetière *f*; **coffee shop** *n* café *m*; **coffee table** *n* (petite) table basse
coffin ['kɔfɪn] *n* cercueil *m*
cog [kɔg] *n* (*wheel*) roue dentée; (*tooth*) dent *f* (d'engrenage)
cognac ['kɔnjæk] *n* cognac *m*
coherent [kəu'hɪərənt] *adj* cohérent(e)
coil [kɔɪl] *n* rouleau *m*, bobine *f*; (*contraceptive*) stérilet *m* ▷ *vt* enrouler
coin [kɔɪn] *n* pièce *f* (de monnaie) ▷ *vt* (*word*) inventer
coincide [kəuɪn'saɪd] *vi* coïncider; **coincidence** [kəu'ɪnsɪdəns] *n* coïncidence *f*
Coke® [kəuk] *n* coca *m*
coke [kəuk] *n* (*coal*) coke *m*
colander ['kɔləndəʳ] *n* passoire *f* (à légumes)
cold [kəuld] *adj* froid(e) ▷ *n* froid *m*; (*Med*) rhume *m*; **it's ~** il fait froid; **to be ~** (*person*) avoir froid; **to catch a ~** s'enrhumer, attraper un rhume; **in ~ blood** de sang-froid; **cold cuts** (US) *npl* viandes froides; **cold sore** *n* bouton *m* de fièvre
coleslaw ['kəulslɔ:] *n sorte de salade de chou cru*
colic ['kɔlɪk] *n* colique(s) *f(pl)*
collaborate [kə'læbəreɪt] *vi* collaborer
collapse [kə'læps] *vi* s'effondrer, s'écrouler; (*Med*) avoir un malaise ▷ *n* effondrement *m*, écroulement *m*; (*of government*) chute *f*
collar ['kɔləʳ] *n* (*of coat, shirt*) col *m*; (*for dog*) collier *m*; **collarbone** *n* clavicule *f*
colleague ['kɔli:g] *n* collègue *m/f*
collect [kə'lɛkt] *vt* rassembler; (*pick up*) ramasser; (*as a hobby*) collectionner; (BRIT: *call for*) (passer) prendre; (*mail*) faire la levée de, ramasser; (*money owed*) encaisser; (*donations, subscriptions*) recueillir ▷ *vi* (*people*) se rassembler; (*dust, dirt*) s'amasser; **to call ~** (US *Tel*) téléphoner en PCV; **collection** [kə'lɛkʃən] *n* collection *f*; (*of mail*) levée *f*; (*for money*) collecte *f*, quête *f*; **collective** [kə'lɛktɪv] *adj* collectif(-ive); **collector** *n* collectionneur *m*
college ['kɔlɪdʒ] *n* collège *m*; (*of technology, agriculture etc*) institut *m*
collide [kə'laɪd] *vi*: **to ~ (with)** entrer en collision (avec)
collision [kə'lɪʒən] *n* collision *f*, heurt *m*
cologne [kə'ləun] *n* (*also*: **eau de ~**) eau *f* de cologne
colon ['kəulən] *n* (*sign*) deux-points *mpl*; (*Med*) côlon *m*
colonel ['kə:nl] *n* colonel *m*
colonial [kə'ləunɪəl] *adj* colonial(e)
colony ['kɔlənɪ] *n* colonie *f*
colour *etc* (US **color** *etc*) ['kʌləʳ] *n* couleur *f* ▷ *vt* colorer; (*dye*) teindre; (*paint*) peindre; (*with crayons*) colorier; (*news*) fausser, exagérer ▷ *vi* (*blush*) rougir; **I'd like a different ~** je le voudrais dans un autre coloris; **colour in** *vt* colorier; **colour-blind** *adj* daltonien(ne); **coloured** *adj* coloré(e); (*photo*) en couleur; **colour film** *n* (*for camera*) pellicule *f* (en) couleur; **colourful** *adj* coloré(e), vif (vive); (*personality*) pittoresque, haut(e) en couleurs; **colouring** *n* colorant *m*; (*complexion*) teint *m*; **colour television** *n* télévision *f* (en) couleur
column ['kɔləm] *n* colonne *f*; (*fashion column, sports column etc*) rubrique *f*
coma ['kəumə] *n* coma *m*
comb [kəum] *n* peigne *m* ▷ *vt* (*hair*) peigner; (*area*) ratisser, passer au peigne fin
combat ['kɔmbæt] *n* combat *m* ▷ *vt* combattre,

lutter contre
combination [kɔmbɪ'neɪʃən] *n* (*gen*) combinaison *f*
combine *vb* [kəm'baɪn] ▷ *vt* combiner ▷ *vi* s'associer; (*Chem*) se combiner ▷ *n* ['kɔmbaɪn] (*Econ*) trust *m*; **to ~ sth with sth** (*one quality with another*) joindre *ou* allier qch à qch
come (*pt* **came**, *pp* **~**) [kʌm, keɪm] *vi* **1** (*movement towards*) venir; **to ~ running** arriver en courant; **he's ~ here to work** il est venu ici pour travailler; **~ with me** suivez-moi
2 (*arrive*) arriver; **to ~ home** rentrer (chez soi *or* à la maison); **we've just ~ from Paris** nous arrivons de Paris
3 (*reach*): **to ~ to** (*decision etc*) parvenir à, arriver à; **the bill came to £40** la note s'est élevée à 40 livres
4 (*occur*): **an idea came to me** il m'est venu une idée
5 (*be, become*): **to ~ loose/undone** se défaire/desserrer; **I've ~ to like him** j'ai fini par bien l'aimer; **come across** *vt fus* rencontrer par hasard, tomber sur; **come along** *vi* (BRIT: *pupil, work*) faire des progrès, avancer; **come back** *vi* revenir; **come down** *vi* descendre; (*prices*) baisser; (*buildings*) s'écrouler; (: *be demolished*) être démoli(e); **come from** *vt fus* (*source*) venir de; (*place*) venir de, être originaire de; **come in** *vi* entrer; (*train*) arriver; (*fashion*) entrer en vogue; (*on deal etc*) participer; **come off** *vi* (*button*) se détacher; (*attempt*) réussir; **come on** *vi* (*lights, electricity*) s'allumer; (*central heating*) se mettre en marche; (*pupil, work, project*) faire des progrès, avancer; **~ on!** viens!; allons!, allez!; **come out** *vi* sortir; (*sun*) se montrer; (*book*) paraître; (*stain*) s'enlever; (*strike*) cesser le travail, se mettre en grève; **come round** *vi* (*after faint, operation*) revenir à soi, reprendre connaissance; **come to** *vi* revenir à soi; **come up** *vi* monter; (*sun*) se lever; (*problem*) se poser; (*event*) survenir; (*in conversation*) être soulevé; **come up with** *vt fus* (*money*) fournir; **he came up with an idea** il a eu une idée, il a proposé quelque chose
comeback ['kʌmbæk] *n* (*Theat etc*) rentrée *f*
comedian [kə'mi:dɪən] *n* (*comic*) comique *m*; (*Theat*) comédien *m*
comedy ['kɔmɪdɪ] *n* comédie *f*; (*humour*) comique *m*
comet ['kɔmɪt] *n* comète *f*
comfort ['kʌmfət] *n* confort *m*, bien-être *m*; (*solace*) consolation *f*, réconfort *m* ▷ *vt* consoler, réconforter; **comfortable** *adj* confortable; (*person*) à l'aise; (*financially*) aisé(e); (*patient*) dont l'état est stationnaire; **comfort station** *n* (US) toilettes *fpl*
comic ['kɔmɪk] *adj* (*also*: **~al**) comique ▷ *n* (*person*) comique *m*; (BRIT: *magazine*: *for children*) magazine *m* de bandes dessinées *or* de BD; (: *for adults*) illustré *m*; **comic book** (US) *n* (*for children*) magazine *m* de bandes dessinées *or* de BD; (*for adults*) illustré *m*; **comic strip** *n* bande dessinée
comma ['kɔmə] *n* virgule *f*
command [kə'mɑ:nd] *n* ordre *m*, commandement *m*; (*Mil*: *authority*) commandement; (*mastery*) maîtrise *f* ▷ *vt* (*troops*) commander; **to ~ sb to do** donner l'ordre *or* commander à qn de faire; **commander** *n* (*Mil*) commandant *m*
commemorate [kə'mɛməreɪt] *vt* commémorer
commence [kə'mɛns] *vt, vi* commencer; **commencement** (US) *n* (*University*) remise *f* des diplômes
commend [kə'mɛnd] *vt* louer; (*recommend*) recommander
comment ['kɔmɛnt] *n* commentaire *m* ▷ *vi*: **to ~ on** faire des remarques sur; **"no ~"** "je n'ai rien à déclarer"; **commentary** ['kɔməntərɪ] *n* commentaire *m*; (*Sport*) reportage *m* (en direct); **commentator** ['kɔmənteɪtə[r]] *n* commentateur *m*; (*Sport*) reporter *m*
commerce ['kɔmə:s] *n* commerce *m*
commercial [kə'mə:ʃəl] *adj* commercial(e) ▷ *n* (*Radio, TV*) annonce *f* publicitaire, spot *m* (publicitaire); **commercial break** *n* (*Radio, TV*) spot *m* (publicitaire)
commission [kə'mɪʃən] *n* (*committee, fee*) commission *f* ▷ *vt* (*work of art*) commander, charger un artiste de l'exécution de; **out of ~** (*machine*) hors service; **commissioner** *n* (*Police*) préfet *m* (de police)
commit [kə'mɪt] *vt* (*act*) commettre; (*resources*) consacrer; (*to sb's care*) confier (à); **to ~ o.s. (to do)** s'engager (à faire); **to ~ suicide** se suicider; **commitment** *n* engagement *m*; (*obligation*) responsabilité(s) (*fpl*)
committee [kə'mɪtɪ] *n* comité *m*; commission *f*
commodity [kə'mɔdɪtɪ] *n* produit *m*, marchandise *f*, article *m*
common ['kɔmən] *adj* (*gen*) commun(e); (*usual*) courant(e) ▷ *n* terrain communal; **commonly** *adv* communément, généralement; couramment; **commonplace** *adj* banal(e), ordinaire; **Commons** *npl* (BRIT *Pol*): **the (House of) Commons** la chambre des Communes; **common sense** *n* bon sens; **Commonwealth** *n*: **the Commonwealth** le Commonwealth
communal ['kɔmju:nl] *adj* (*life*) communautaire; (*for common use*) commun(e)
commune *n* ['kɔmju:n] (*group*) communauté *f* ▷ *vi* [kə'mju:n]: **to ~ with** (*nature*) communier avec
communicate [kə'mju:nɪkeɪt] *vt* communiquer, transmettre ▷ *vi*: **to ~ (with)** communiquer (avec)
communication [kəmju:nɪ'keɪʃən] *n* communication *f*
communion [kə'mju:nɪən] *n* (*also*: **Holy C~**) communion *f*
communism ['kɔmjunɪzəm] *n* communisme *m*; **communist** *adj, n* communiste *m/f*
community [kə'mju:nɪtɪ] *n* communauté *f*; **community centre** (US **community center**) *n* foyer socio-éducatif, centre *m* de loisirs; **community service** *n* ≈ travail *m* d'intérêt général, TIG *m*
commute [kə'mju:t] *vi* faire le trajet journalier (*de son domicile à un lieu de travail assez éloigné*) ▷ *vt* (*Law*) commuer; **commuter** *n* banlieusard(e) (*qui fait un trajet journalier pour se rendre à son travail*)
compact *adj* [kəm'pækt] compact(e) ▷ *n* ['kɔmpækt] (*also*: **powder ~**) poudrier *m*; **compact disc** *n* disque compact; **compact disc player** *n* lecteur *m* de disques compacts
companion [kəm'pænjən] *n* compagnon (compagne)
company ['kʌmpənɪ] *n* compagnie *f*; **to keep sb ~** tenir compagnie à qn; **company car** *n* voiture *f* de fonction; **company director** *n* administrateur(-trice)
comparable ['kɔmpərəbl] *adj* comparable
comparative [kəm'pærətɪv] *adj* (*study*) comparatif(-ive); (*relative*) relatif(-ive); **comparatively** *adv* (*relatively*) relativement
compare [kəm'pɛə[r]] *vt*: **to ~ sth/sb with** *or* **to** comparer qch/qn avec *or* à ▷ *vi*: **to ~ (with)** se comparer (à); être comparable (à); **comparison** [kəm'pærɪsn] *n* comparaison *f*

compartment [kəm'pɑ:tmənt] *n* (*also Rail*) compartiment *m*; **a non-smoking ~** un compartiment non-fumeurs
compass ['kʌmpəs] *n* boussole *f*; **compasses** *npl* (*Math*) compas *m*
compassion [kəm'pæʃən] *n* compassion *f*, humanité *f*
compatible [kəm'pætɪbl] *adj* compatible
compel [kəm'pɛl] *vt* contraindre, obliger; **compelling** *adj* (*fig: argument*) irrésistible
compensate ['kɔmpənseɪt] *vt* indemniser, dédommager ▷ *vi*: **to ~ for** compenser; **compensation** [kɔmpən'seɪʃən] *n* compensation *f*; (*money*) dédommagement *m*, indemnité *f*
compete [kəm'pi:t] *vi* (*take part*) concourir; (*vie*): **to ~ (with)** rivaliser (avec), faire concurrence (à)
competent ['kɔmpɪtənt] *adj* compétent(e), capable
competition [kɔmpɪ'tɪʃən] *n* (*contest*) compétition *f*, concours *m*; (*Econ*) concurrence *f*
competitive [kəm'pɛtɪtɪv] *adj* (*Econ*) concurrentiel(le); (*sports*) de compétition; (*person*) qui a l'esprit de compétition
competitor [kəm'pɛtɪtəʳ] *n* concurrent(e)
complacent [kəm'pleɪsnt] *adj* (trop) content(e) de soi
complain [kəm'pleɪn] *vi*: **to ~ (about)** se plaindre (de); (*in shop etc*) réclamer (au sujet de); **complaint** *n* plainte *f*; (*in shop etc*) réclamation *f*; (*Med*) affection *f*
complement ['kɔmplɪmənt] *n* complément *m*; (*esp of ship's crew etc*) effectif complet ▷ *vt* (*enhance*) compléter; **complementary** [kɔmplɪ'mɛntərɪ] *adj* complémentaire
complete [kəm'pli:t] *adj* complet(-ète); (*finished*) achevé(e) ▷ *vt* achever, parachever; (*set, group*) compléter; (*a form*) remplir; **completely** *adv* complètement; **completion** [kəm'pli:ʃən] *n* achèvement *m*; (*of contract*) exécution *f*
complex ['kɔmplɛks] *adj* complexe ▷ *n* (*Psych, buildings etc*) complexe *m*
complexion [kəm'plɛkʃən] *n* (*of face*) teint *m*
compliance [kəm'plaɪəns] *n* (*submission*) docilité *f*; (*agreement*): **~ with** le fait de se conformer à; **in ~ with** en conformité avec, conformément à
complicate ['kɔmplɪkeɪt] *vt* compliquer; **complicated** *adj* compliqué(e); **complication** [kɔmplɪ'keɪʃən] *n* complication *f*
compliment *n* ['kɔmplɪmənt] compliment *m* ▷ *vt* ['kɔmplɪmɛnt] complimenter; **complimentary** [kɔmplɪ'mɛntərɪ] *adj* flatteur(-euse); (*free*) à titre gracieux
comply [kəm'plaɪ] *vi*: **to ~ with** se soumettre à, se conformer à
component [kəm'pəunənt] *adj* composant(e), constituant(e) ▷ *n* composant *m*, élément *m*
compose [kəm'pəuz] *vt* composer; (*form*): **to be ~d of** se composer de; **to ~ o.s.** se calmer, se maîtriser; **composer** *n* (*Mus*) compositeur *m*; **composition** [kɔmpə'zɪʃən] *n* composition *f*
composure [kəm'pəuʒəʳ] *n* calme *m*, maîtrise *f* de soi
compound ['kɔmpaund] *n* (*Chem, Ling*) composé *m*; (*enclosure*) enclos *m*, enceinte *f* ▷ *adj* composé(e); (*fracture*) compliqué(e)
comprehension [kɔmprɪ'hɛnʃən] *n* compréhension *f*
comprehensive [kɔmprɪ'hɛnsɪv] *adj* (très) complet(-ète); **~ policy** (*Insurance*) assurance *f* tous risques; **comprehensive (school)** *n* (BRIT) *école secondaire non sélective avec libre circulation d'une section à l'autre*, ≈ CES *m*
compress *vt* [kəm'prɛs] comprimer; (*text, information*) condenser ▷ *n* ['kɔmprɛs] (*Med*) compresse *f*
comprise [kəm'praɪz] *vt* (*also*: **be ~d of**) comprendre; (*constitute*) constituer, représenter
compromise ['kɔmprəmaɪz] *n* compromis *m* ▷ *vt* compromettre ▷ *vi* transiger, accepter un compromis
compulsive [kəm'pʌlsɪv] *adj* (*Psych*) compulsif(-ive); (*book, film etc*) captivant(e)
compulsory [kəm'pʌlsərɪ] *adj* obligatoire
computer [kəm'pju:təʳ] *n* ordinateur *m*; **computer game** *n* jeu *m* vidéo; **computer-generated** *adj* de synthèse; **computerize** *vt* (*data*) traiter par ordinateur; (*system, office*) informatiser; **computer programmer** *n* programmeur(-euse); **computer programming** *n* programmation *f*; **computer science** *n* informatique *f*; **computer studies** *npl* informatique *f*; **computing** [kəm'pju:tɪŋ] *n* informatique *f*
con [kɔn] *vt* duper; (*cheat*) escroquer ▷ *n* escroquerie *f*
conceal [kən'si:l] *vt* cacher, dissimuler
concede [kən'si:d] *vt* concéder ▷ *vi* céder
conceited [kən'si:tɪd] *adj* vaniteux(-euse), suffisant(e)
conceive [kən'si:v] *vt, vi* concevoir
concentrate ['kɔnsəntreɪt] *vi* se concentrer ▷ *vt* concentrer
concentration [kɔnsən'treɪʃən] *n* concentration *f*
concept ['kɔnsɛpt] *n* concept *m*
concern [kən'sə:n] *n* affaire *f*; (*Comm*) entreprise *f*, firme *f*; (*anxiety*) inquiétude *f*, souci *m* ▷ *vt* (*worry*) inquiéter; (*involve*) concerner; (*relate to*) se rapporter à; **to be ~ed (about)** s'inquiéter (de), être inquiet(-ète) (au sujet de); **concerning** *prep* en ce qui concerne, à propos de
concert ['kɔnsət] *n* concert *m*; **concert hall** *n* salle *f* de concert
concerto [kən'tʃə:təu] *n* concerto *m*
concession [kən'sɛʃən] *n* (*compromise*) concession *f*; (*reduced price*) réduction *f*; **tax ~** dégrèvement fiscal; **"~s"** tarif réduit
concise [kən'saɪs] *adj* concis(e)
conclude [kən'klu:d] *vt* conclure; **conclusion** [kən'klu:ʒən] *n* conclusion *f*
concrete ['kɔŋkri:t] *n* béton *m* ▷ *adj* concret(-ète); (*Constr*) en béton
concussion [kən'kʌʃən] *n* (*Med*) commotion (cérébrale)
condemn [kən'dɛm] *vt* condamner
condensation [kɔndɛn'seɪʃən] *n* condensation *f*
condense [kən'dɛns] *vi* se condenser ▷ *vt* condenser
condition [kən'dɪʃən] *n* condition *f*; (*disease*) maladie *f* ▷ *vt* déterminer, conditionner; **on ~ that** à condition que + *sub*, à condition de; **conditional** [kən'dɪʃənl] *adj* conditionnel(le); **conditioner** *n* (*for hair*) baume démêlant; (*for fabrics*) assouplissant *m*
condo ['kɔndəu] *n* (US *inf*) = **condominium**
condom ['kɔndəm] *n* préservatif *m*
condominium [kɔndə'mɪnɪəm] *n* (US: *building*) immeuble *m* (en copropriété); (: *rooms*) appartement *m* (dans un immeuble en copropriété)
condone [kən'dəun] *vt* fermer les yeux sur,

approuver (tacitement)
conduct *n* ['kɔndʌkt] conduite *f* ▷ *vt* [kən'dʌkt] conduire; (*manage*) mener, diriger; (*Mus*) diriger; **to ~ o.s.** se conduire, se comporter; **conducted tour** (BRIT) *n* voyage organisé; (*of building*) visite guidée; **conductor** *n* (*of orchestra*) chef *m* d'orchestre; (*on bus*) receveur *m*; (*US: on train*) chef *m* de train; (*Elec*) conducteur *m*
cone [kəun] *n* cône *m*; (*for ice-cream*) cornet *m*; (*Bot*) pomme *f* de pin, cône
confectionery [kən'fɛkʃənrɪ] *n* (*sweets*) confiserie *f*
confer [kən'fəːʳ] *vt*: **to ~ sth on** conférer qch à ▷ *vi* conférer, s'entretenir
conference ['kɔnfərns] *n* conférence *f*
confess [kən'fɛs] *vt* confesser, avouer ▷ *vi* (*admit sth*) avouer; (*Rel*) se confesser; **confession** [kən'fɛʃən] *n* confession *f*
confide [kən'faɪd] *vi*: **to ~ in** s'ouvrir à, se confier à
confidence ['kɔnfɪdns] *n* confiance *f*; (*also*: **self-~**) assurance *f*, confiance en soi; (*secret*) confidence *f*; **in ~** (*speak, write*) en confidence, confidentiellement; **confident** *adj* (*self-assured*) sûr(e) de soi; (*sure*) sûr; **confidential** [kɔnfɪ'dɛnʃəl] *adj* confidentiel(le)
confine [kən'faɪn] *vt* limiter, borner; (*shut up*) confiner, enfermer; **confined** *adj* (*space*) restreint(e), réduit(e)
confirm [kən'fəːm] *vt* (*report, Rel*) confirmer; (*appointment*) ratifier; **confirmation** [kɔnfə'meɪʃən] *n* confirmation *f*; ratification *f*
confiscate ['kɔnfɪskeɪt] *vt* confisquer
conflict *n* ['kɔnflɪkt] conflit *m*, lutte *f* ▷ *vi* [kən'flɪkt] (*opinions*) s'opposer, se heurter
conform [kən'fɔːm] *vi*: **to ~ (to)** se conformer (à)
confront [kən'frʌnt] *vt* (*two people*) confronter; (*enemy, danger*) affronter, faire face à; (*problem*) faire face à; **confrontation** [kɔnfrən'teɪʃən] *n* confrontation *f*
confuse [kən'fjuːz] *vt* (*person*) troubler; (*situation*) embrouiller; (*one thing with another*) confondre; **confused** *adj* (*person*) dérouté(e), désorienté(e); (*situation*) embrouillé(e); **confusing** *adj* peu clair(e), déroutant(e); **confusion** [kən'fjuːʒən] *n* confusion *f*
congestion [kən'dʒɛstʃən] *n* (*Med*) congestion *f*; (*fig: traffic*) encombrement *m*
congratulate [kən'grætjuleɪt] *vt*: **to ~ sb (on)** féliciter qn (de); **congratulations** [kəngrætju'leɪʃənz] *npl*: **congratulations (on)** félicitations *fpl* (pour) ▷ *excl*: **congratulations!** (toutes mes) félicitations!
congregation [kɔŋgrɪ'geɪʃən] *n* assemblée *f* (des fidèles)
congress ['kɔŋgrɛs] *n* congrès *m*; (*Pol*): **C~** Congrès *m*; **congressman** *n* membre *m* du Congrès; **congresswoman** *n* membre *m* du Congrès
conifer ['kɔnɪfəʳ] *n* conifère *m*
conjugate ['kɔndʒugeɪt] *vt* conjuguer
conjugation [kɔndʒə'geɪʃən] *n* conjugaison *f*
conjunction [kən'dʒʌŋkʃən] *n* conjonction *f*; **in ~ with** (conjointement) avec
conjure ['kʌndʒəʳ] *vi* faire des tours de passe-passe
connect [kə'nɛkt] *vt* joindre, relier; (*Elec*) connecter; (*Tel: caller*) mettre en connexion; (*: subscriber*) brancher; (*fig*) établir un rapport entre, faire un rapprochement entre ▷ *vi* (*train*): **to ~ with** assurer la correspondance avec; **to be ~ed with** avoir un rapport avec; (*have dealings with*) avoir des rapports avec, être en relation avec; **connecting flight** *n* (vol *m* de) correspondance *f*; **connection** [kə'nɛkʃən] *n* relation *f*, lien *m*; (*Elec*) connexion *f*; (*Tel*) communication *f*; (*train etc*) correspondance *f*
conquer ['kɔŋkəʳ] *vt* conquérir; (*feelings*) vaincre, surmonter
conquest ['kɔŋkwɛst] *n* conquête *f*
cons [kɔnz] *npl see* **convenience**; **pro**
conscience ['kɔnʃəns] *n* conscience *f*
conscientious [kɔnʃɪ'ɛnʃəs] *adj* consciencieux(-euse)
conscious ['kɔnʃəs] *adj* conscient(e); (*deliberate: insult, error*) délibéré(e); **consciousness** *n* conscience *f*; (*Med*) connaissance *f*
consecutive [kən'sɛkjutɪv] *adj* consécutif(-ive); **on three ~ occasions** trois fois de suite
consensus [kən'sɛnsəs] *n* consensus *m*
consent [kən'sɛnt] *n* consentement *m* ▷ *vi*: **to ~ (to)** consentir (à)
consequence ['kɔnsɪkwəns] *n* suites *fpl*, conséquence *f*; (*significance*) importance *f*
consequently ['kɔnsɪkwəntlɪ] *adv* par conséquent, donc
conservation [kɔnsə'veɪʃən] *n* préservation *f*, protection *f*; (*also*: **nature ~**) défense *f* de l'environnement
conservative [kən'səːvətɪv] *adj* conservateur(-trice); (*cautious*) prudent(e); **Conservative** *adj, n* (BRIT *Pol*) conservateur(-trice)
conservatory [kən'səːvətrɪ] *n* (*room*) jardin *m* d'hiver; (*Mus*) conservatoire *m*
consider [kən'sɪdəʳ] *vt* (*study*) considérer, réfléchir à; (*take into account*) penser à, prendre en considération; (*regard, judge*) considérer, estimer; **to ~ doing sth** envisager de faire qch; **considerable** *adj* considérable; **considerably** *adv* nettement; **considerate** *adj* prévenant(e), plein(e) d'égards; **consideration** [kənsɪdə'reɪʃən] *n* considération *f*; (*reward*) rétribution *f*, rémunération *f*; **considering** *prep*: **considering (that)** étant donné (que)
consignment [kən'saɪnmənt] *n* arrivage *m*, envoi *m*
consist [kən'sɪst] *vi*: **to ~ of** consister en, se composer de
consistency [kən'sɪstənsɪ] *n* (*thickness*) consistance *f*; (*fig*) cohérence *f*
consistent [kən'sɪstənt] *adj* logique, cohérent(e)
consolation [kɔnsə'leɪʃən] *n* consolation *f*
console¹ [kən'səul] *vt* consoler
console² ['kɔnsəul] *n* console *f*
consonant ['kɔnsənənt] *n* consonne *f*
conspicuous [kən'spɪkjuəs] *adj* voyant(e), qui attire l'attention
conspiracy [kən'spɪrəsɪ] *n* conspiration *f*, complot *m*
constable ['kʌnstəbl] *n* (BRIT) ≈ agent *m* de police, gendarme *m*; **chief ~** ≈ préfet *m* de police
constant ['kɔnstənt] *adj* constant(e); incessant(e); **constantly** *adv* constamment, sans cesse
constipated ['kɔnstɪpeɪtɪd] *adj* constipé(e); **constipation** [kɔnstɪ'peɪʃən] *n* constipation *f*
constituency [kən'stɪtjuənsɪ] *n* (*Pol: area*) circonscription électorale; (*: electors*) électorat *m*
constitute ['kɔnstɪtjuːt] *vt* constituer
constitution [kɔnstɪ'tjuːʃən] *n* constitution *f*
constraint [kən'streɪnt] *n* contrainte *f*
construct [kən'strʌkt] *vt* construire; **construction** [kən'strʌkʃən] *n* construction *f*; **constructive** *adj* constructif(-ive)
consul ['kɔnsl] *n* consul *m*; **consulate** ['kɔnsjulɪt] *n* consulat *m*

consult [kən'sʌlt] *vt* consulter; **consultant** *n* (*Med*) médecin consultant; (*other specialist*) consultant *m*, (expert-)conseil *m*; **consultation** [kɔnsəl'teɪʃən] *n* consultation *f*; **consulting room** *n* (BRIT) cabinet *m* de consultation
consume [kən'sju:m] *vt* consommer; (*subj: flames, hatred, desire*) consumer; **consumer** *n* consommateur(-trice)
consumption [kən'sʌmpʃən] *n* consommation *f*
cont. *abbr* (= *continued*) suite
contact ['kɔntækt] *n* contact *m*; (*person*) connaissance *f*, relation *f* ▷ *vt* se mettre en contact *or* en rapport avec; **contact lenses** *npl* verres *mpl* de contact
contagious [kən'teɪdʒəs] *adj* contagieux(-euse)
contain [kən'teɪn] *vt* contenir; **to ~ o.s.** se contenir, se maîtriser; **container** *n* récipient *m*; (*for shipping etc*) conteneur *m*
contaminate [kən'tæmɪneɪt] *vt* contaminer
cont'd *abbr* (= *continued*) suite
contemplate ['kɔntəmpleɪt] *vt* contempler; (*consider*) envisager
contemporary [kən'tɛmpərərɪ] *adj* contemporain(e); (*design, wallpaper*) moderne ▷ *n* contemporain(e)
contempt [kən'tɛmpt] *n* mépris *m*, dédain *m*; **~ of court** (*Law*) outrage *m* à l'autorité de la justice
contend [kən'tɛnd] *vt*: **to ~ that** soutenir *or* prétendre que ▷ *vi*: **to ~ with** (*compete*) rivaliser avec; (*struggle*) lutter avec
content [kən'tɛnt] *adj* content(e), satisfait(e) ▷ *vt* contenter, satisfaire ▷ *n* ['kɔntɛnt] contenu *m*; (*of fat, moisture*) teneur *f*; **contents** *npl* (*of container etc*) contenu *m*; **(table of) ~s** table *f* des matières; **contented** *adj* content(e), satisfait(e)
contest *n* ['kɔntɛst] combat *m*, lutte *f*; (*competition*) concours *m* ▷ *vt* [kən'tɛst] contester, discuter; (*compete for*) disputer; (*Law*) attaquer; **contestant** [kən'tɛstənt] *n* concurrent(e); (*in fight*) adversaire *m/f*
context ['kɔntɛkst] *n* contexte *m*
continent ['kɔntɪnənt] *n* continent *m*; **the C~** (BRIT) l'Europe continentale; **continental** [kɔntɪ'nɛntl] *adj* continental(e); **continental breakfast** *n* café (*or* thé) complet; **continental quilt** *n* (BRIT) couette *f*
continual [kən'tɪnjuəl] *adj* continuel(le); **continually** *adv* continuellement, sans cesse
continue [kən'tɪnju:] *vi* continuer ▷ *vt* continuer; (*start again*) reprendre
continuity [kɔntɪ'nju:ɪtɪ] *n* continuité *f*; (*TV etc*) enchaînement *m*
continuous [kən'tɪnjuəs] *adj* continu(e), permanent(e); (*Ling*) progressif(-ive); **continuous assessment** (BRIT) *n* contrôle continu; **continuously** *adv* (*repeatedly*) continuellement; (*uninterruptedly*) sans interruption
contour ['kɔntuə^r] *n* contour *m*, profil *m*; (*also*: **~ line**) courbe *f* de niveau
contraception [kɔntrə'sɛpʃən] *n* contraception *f*
contraceptive [kɔntrə'sɛptɪv] *adj* contraceptif(-ive), anticonceptionnel(le) ▷ *n* contraceptif *m*
contract *n* ['kɔntrækt] contrat *m* ▷ *vb* [kən'trækt] ▷ *vi* (*become smaller*) se contracter, se resserrer ▷ *vt* contracter; (*Comm*): **to ~ to do sth** s'engager (par contrat) à faire qch; **contractor** *n* entrepreneur *m*
contradict [kɔntrə'dɪkt] *vt* contredire; **contradiction** [kɔntrə'dɪkʃən] *n* contradiction *f*
contrary[1] ['kɔntrərɪ] *adj* contraire, opposé(e) ▷ *n* contraire *m*; **on the ~** au contraire; **unless you hear to the ~** sauf avis contraire
contrary[2] [kən'trɛərɪ] *adj* (*perverse*) contrariant(e), entêté(e)
contrast *n* ['kɔntra:st] contraste *m* ▷ *vt* [kən'tra:st] mettre en contraste, contraster; **in ~ to** *or* **with** contrairement à, par opposition à
contribute [kən'trɪbju:t] *vi* contribuer ▷ *vt*: **to ~ £10/an article to** donner 10 livres/un article à; **to ~ to** (*gen*) contribuer à; (*newspaper*) collaborer à; (*discussion*) prendre part à; **contribution** [kɔntrɪ'bju:ʃən] *n* contribution *f*; (BRIT: *for social security*) cotisation *f*; (*to publication*) article *m*; **contributor** *n* (*to newspaper*) collaborateur(-trice); (*of money, goods*) donateur(-trice)
control [kən'trəul] *vt* (*process, machinery*) commander; (*temper*) maîtriser; (*disease*) enrayer ▷ *n* maîtrise *f*; (*power*) autorité *f*; **controls** *npl* (*of machine etc*) commandes *fpl*; (*on radio*) boutons *mpl* de réglage; **to be in ~ of** être maître de, maîtriser; (*in charge of*) être responsable de; **everything is under ~** j'ai (*or* il a *etc*) la situation en main; **the car went out of ~** j'ai (*or* il a *etc*) perdu le contrôle du véhicule; **control tower** *n* (*Aviat*) tour *f* de contrôle
controversial [kɔntrə'və:ʃl] *adj* discutable, controversé(e)
controversy ['kɔntrəvə:sɪ] *n* controverse *f*, polémique *f*
convenience [kən'vi:nɪəns] *n* commodité *f*; **at your ~** quand *or* comme cela vous convient; **all modern ~s**, **all mod cons** (BRIT) avec tout le confort moderne, tout confort
convenient [kən'vi:nɪənt] *adj* commode
convent ['kɔnvənt] *n* couvent *m*
convention [kən'vɛnʃən] *n* convention *f*; (*custom*) usage *m*; **conventional** *adj* conventionnel(le)
conversation [kɔnvə'seɪʃən] *n* conversation *f*
conversely [kɔn'və:slɪ] *adv* inversement, réciproquement
conversion [kən'və:ʃən] *n* conversion *f*; (BRIT: *of house*) transformation *f*, aménagement *m*; (*Rugby*) transformation *f*
convert *vt* [kən'və:t] (*Rel, Comm*) convertir; (*alter*) transformer; (*house*) aménager ▷ *n* ['kɔnvə:t] converti(e); **convertible** *adj* convertible ▷ *n* (voiture *f*) décapotable *f*
convey [kən'veɪ] *vt* transporter; (*thanks*) transmettre; (*idea*) communiquer; **conveyor belt** *n* convoyeur *m* tapis roulant
convict *vt* [kən'vɪkt] déclarer (*or* reconnaître) coupable ▷ *n* ['kɔnvɪkt] forçat *m*, convict *m*; **conviction** [kən'vɪkʃən] *n* (*Law*) condamnation *f*; (*belief*) conviction *f*
convince [kən'vɪns] *vt* convaincre, persuader; **convinced** *adj*: **convinced of/that** convaincu(e) de/que; **convincing** *adj* persuasif(-ive), convaincant(e)
convoy ['kɔnvɔɪ] *n* convoi *m*
cook [kuk] *vt* (faire) cuire ▷ *vi* cuire; (*person*) faire la cuisine ▷ *n* cuisinier(-ière); **cookbook** *n* livre *m* de cuisine; **cooker** *n* cuisinière *f*; **cookery** *n* cuisine *f*; **cookery book** *n* (BRIT) = **cookbook**; **cookie** *n* (US) biscuit *m*, petit gâteau sec; **cooking** *n* cuisine *f*
cool [ku:l] *adj* frais (fraîche); (*not afraid*) calme; (*unfriendly*) froid(e); (*inf: trendy*) cool *inv* (*inf*); (: *great*) super *inv* (*inf*) ▷ *vt*, *vi* rafraîchir, refroidir; **cool down** *vi* refroidir; (*fig: person, situation*) se calmer; **cool off** *vi* (*become calmer*) se calmer; (*lose enthusiasm*) perdre

son enthousiasme
cop [kɔp] *n* (*inf*) flic *m*
cope [kəup] *vi* s'en sortir, tenir le coup; **to ~ with** (*problem*) faire face à
copper ['kɔpəʳ] *n* cuivre *m*; (BRIT: *inf*: *policeman*) flic *m*
copy ['kɔpɪ] *n* copie *f*; (*book etc*) exemplaire *m* ▷ *vt* copier; (*imitate*) imiter; **copyright** *n* droit *m* d'auteur, copyright *m*
coral ['kɔrəl] *n* corail *m*
cord [kɔːd] *n* corde *f*; (*fabric*) velours côtelé; (*Elec*) cordon *m* (d'alimentation), fil *m* (électrique); **cords** *npl* (*trousers*) pantalon *m* de velours côtelé; **cordless** *adj* sans fil
corduroy ['kɔːdərɔɪ] *n* velours côtelé
core [kɔːʳ] *n* (*of fruit*) trognon *m*, cœur *m*; (*fig*: *of problem etc*) cœur ▷ *vt* enlever le trognon *or* le cœur de
coriander [kɔrɪ'ændəʳ] *n* coriandre *f*
cork [kɔːk] *n* (*material*) liège *m*; (*of bottle*) bouchon *m*; **corkscrew** *n* tire-bouchon *m*
corn [kɔːn] *n* (BRIT: *wheat*) blé *m*; (US: *maize*) maïs *m*; (*on foot*) cor *m*; **~ on the cob** (*Culin*) épi *m* de maïs au naturel
corned beef ['kɔːnd-] *n* corned-beef *m*
corner ['kɔːnəʳ] *n* coin *m*; (*in road*) tournant *m*, virage *m*; (*Football*) corner *m* ▷ *vt* (*trap*: *prey*) acculer; (*fig*) coincer; (*Comm*: *market*) accaparer ▷ *vi* prendre un virage; **corner shop** (BRIT) *n* magasin *m* du coin
cornflakes ['kɔːnfleɪks] *npl* cornflakes *mpl*
cornflour ['kɔːnflauəʳ] *n* (BRIT) farine *f* de maïs, maïzena® *f*
cornstarch ['kɔːnstɑːtʃ] *n* (US) farine *f* de maïs, maïzena® *f*
Cornwall ['kɔːnwəl] *n* Cornouailles *f*
coronary ['kɔrənərɪ] *n*: **~ (thrombosis)** infarctus *m* (du myocarde), thrombose *f* coronaire
coronation [kɔrə'neɪʃən] *n* couronnement *m*
coroner ['kɔrənəʳ] *n* coroner *m*, *officier de police judiciaire chargé de déterminer les causes d'un décès*
corporal ['kɔːpərl] *n* caporal *m*, brigadier *m* ▷ *adj*: **~ punishment** châtiment corporel
corporate ['kɔːpərɪt] *adj* (*action, ownership*) en commun; (*Comm*) de la société
corporation [kɔːpə'reɪʃən] *n* (*of town*) municipalité *f*, conseil municipal; (*Comm*) société *f*
corps [kɔːʳ] (*pl* **~**) [kɔːz] *n* corps *m*; **the diplomatic ~** le corps diplomatique; **the press ~** la presse
corpse [kɔːps] *n* cadavre *m*
correct [kə'rɛkt] *adj* (*accurate*) correct(e), exact(e); (*proper*) correct, convenable ▷ *vt* corriger; **correction** [kə'rɛkʃən] *n* correction *f*
correspond [kɔrɪs'pɔnd] *vi* correspondre; **to ~ to sth** (*be equivalent to*) correspondre à qch; **correspondence** *n* correspondance *f*; **correspondent** *n* correspondant(e); **corresponding** *adj* correspondant(e)
corridor ['kɔrɪdɔːʳ] *n* couloir *m*, corridor *m*
corrode [kə'rəud] *vt* corroder, ronger ▷ *vi* se corroder
corrupt [kə'rʌpt] *adj* corrompu(e); (*Comput*) altéré(e) ▷ *vt* corrompre; (*Comput*) altérer; **corruption** *n* corruption *f*; (*Comput*) altération *f* (de données)
Corsica ['kɔːsɪkə] *n* Corse *f*
cosmetic [kɔz'mɛtɪk] *n* produit *m* de beauté, cosmétique *m* ▷ *adj* (*fig*: *reforms*) symbolique, superficiel(le); **cosmetic surgery** *n* chirurgie *f* esthétique
cosmopolitan [kɔzmə'pɔlɪtn] *adj* cosmopolite
cost [kɔst] *n* coût *m* ▷ *vb* (*pt, pp* **~**) ▷ *vi* coûter ▷ *vt* établir *or* calculer le prix de revient de; **costs** *npl* (*Comm*) frais *mpl*; (*Law*) dépens *mpl*; **how much does it ~?** combien ça coûte?; **to ~ sb time/effort** demander du temps/un effort à qn; **it ~ him his life/job** ça lui a coûté la vie/son emploi; **at all ~s** coûte que coûte, à tout prix
co-star ['kəustɑːʳ] *n* partenaire *m/f*
costly ['kɔstlɪ] *adj* coûteux(-euse)
cost of living *n* coût *m* de la vie
costume ['kɔstjuːm] *n* costume *m*; (BRIT: *also*: **swimming ~**) maillot *m* (de bain)
cosy (US **cozy**) ['kəuzɪ] *adj* (*room, bed*) douillet(te); **to be ~** (*person*) être bien (au chaud)
cot [kɔt] *n* (BRIT: *child's*) lit *m* d'enfant, petit lit; (US: *campbed*) lit de camp
cottage ['kɔtɪdʒ] *n* petite maison (à la campagne), cottage *m*; **cottage cheese** *n* fromage blanc (*maigre*)
cotton ['kɔtn] *n* coton *m*; (*thread*) fil *m* (de coton); **cotton on** *vi* (*inf*): **to ~ on (to sth)** piger (qch); **cotton bud** (BRIT) *n* coton-tige® *m*; **cotton candy** (US) *n* barbe *f* à papa; **cotton wool** *n* (BRIT) ouate *f*, coton *m* hydrophile
couch [kautʃ] *n* canapé *m*; divan *m*
cough [kɔf] *vi* tousser ▷ *n* toux *f*; **I've got a ~** j'ai la toux; **cough mixture, cough syrup** *n* sirop *m* pour la toux
could [kud] *pt of* **can²**; **couldn't** = **could not**
council ['kaunsl] *n* conseil *m*; **city** *or* **town ~** conseil municipal; **council estate** *n* (BRIT) (quartier *m or* zone *f* de) logements loués à/par la municipalité; **council house** *n* (BRIT) maison *f* (à loyer modéré) louée par la municipalité; **councillor** (US **councilor**) *n* conseiller(-ère); **council tax** *n* (BRIT) impôts locaux
counsel ['kaunsl] *n* conseil *m*; (*lawyer*) avocat(e) ▷ *vt*: **to ~ (sb to do sth)** conseiller (à qn de faire qch); **counselling** (US **counseling**) *n* (*Psych*) aide psychosociale; **counsellor** (US **counselor**) *n* conseiller(-ère); (US *Law*) avocat *m*
count [kaunt] *vt, vi* compter ▷ *n* compte *m*; (*nobleman*) comte *m*; **count in** *vt* (*inf*): **to ~ sb in on sth** inclure qn dans qch; **count on** *vt fus* compter sur; **countdown** *n* compte *m* à rebours
counter ['kauntəʳ] *n* comptoir *m*; (*in post office, bank*) guichet *m*; (*in game*) jeton *m* ▷ *vt* aller à l'encontre de, opposer ▷ *adv*: **~ to** à l'encontre de; contrairement à; **counterclockwise** (US) *adv* en sens inverse des aiguilles d'une montre
counterfeit ['kauntəfɪt] *n* faux *m*, contrefaçon *f* ▷ *vt* contrefaire ▷ *adj* faux (fausse)
counterpart ['kauntəpɑːt] *n* (*of person*) homologue *m/f*
countess ['kauntɪs] *n* comtesse *f*
countless ['kauntlɪs] *adj* innombrable
country ['kʌntrɪ] *n* pays *m*; (*native land*) patrie *f*; (*as opposed to town*) campagne *f*; (*region*) région *f*, pays; **country and western (music)** *n* musique *f* country; **country house** *n* manoir *m*, (petit) château; **countryside** *n* campagne *f*
county ['kauntɪ] *n* comté *m*
coup [kuːʳ] (*pl* **~s**) [kuːz] *n* (*achievement*) beau coup; (*also*: **~ d'état**) coup d'État
couple ['kʌpl] *n* couple *m*; **a ~ of** (*two*) deux; (*a few*) deux ou trois
coupon ['kuːpɔn] *n* (*voucher*) bon *m* de réduction; (*detachable form*) coupon *m* détachable, coupon-réponse *m*

courage ['kʌrɪdʒ] *n* courage *m*; **courageous** [kə'reɪdʒəs] *adj* courageux(-euse)
courgette [kuə'ʒɛt] *n* (BRIT) courgette *f*
courier ['kurɪəʳ] *n* messager *m*, courrier *m*; (*for tourists*) accompagnateur(-trice)
course [kɔːs] *n* cours *m*; (*of ship*) route *f*; (*for golf*) terrain *m*; (*part of meal*) plat *m*; **of ~** *adv* bien sûr; **(no,) of ~ not!** bien sûr que non!, évidemment que non!; **~ of treatment** (*Med*) traitement *m*
court [kɔːt] *n* cour *f*; (*Law*) cour, tribunal *m*; (*Tennis*) court *m* ▷ *vt* (*woman*) courtiser, faire la cour à; **to take to ~** actionner *or* poursuivre en justice
courtesy ['kəːtəsɪ] *n* courtoisie *f*, politesse *f*; **(by) ~ of** avec l'aimable autorisation de; **courtesy bus, courtesy coach** *n* navette gratuite
court: **court-house** ['kɔːthaus] *n* (US) palais *m* de justice; **courtroom** ['kɔːtrum] *n* salle *f* de tribunal; **courtyard** ['kɔːtjɑːd] *n* cour *f*
cousin ['kʌzn] *n* cousin(e); **first ~** cousin(e) germain(e)
cover ['kʌvəʳ] *vt* couvrir; (*Press: report on*) faire un reportage sur; (*feelings, mistake*) cacher; (*include*) englober; (*discuss*) traiter ▷ *n* (*of book, Comm*) couverture *f*; (*of pan*) couvercle *m*; (*over furniture*) housse *f*; (*shelter*) abri *m*; **covers** *npl* (*on bed*) couvertures; **to take ~** se mettre à l'abri; **under ~** à l'abri; **under ~ of darkness** à la faveur de la nuit; **under separate ~** (*Comm*) sous pli séparé; **cover up** *vi*: **to ~ up for sb** (*fig*) couvrir qn; **coverage** *n* (*in media*) reportage *m*; **cover charge** *n* couvert *m* (*supplément à payer*); **cover-up** *n* tentative *f* pour étouffer une affaire
cow [kau] *n* vache *f* ▷ *vt* effrayer, intimider
coward ['kauəd] *n* lâche *m/f*; **cowardly** *adj* lâche
cowboy ['kaubɔɪ] *n* cow-boy *m*
cozy ['kəuzɪ] *adj* (US) = **cosy**
crab [kræb] *n* crabe *m*
crack [kræk] *n* (*split*) fente *f*, fissure *f*; (*in cup, bone*) fêlure *f*; (*in wall*) lézarde *f*; (*noise*) craquement *m*, coup (sec); (*Drugs*) crack *m* ▷ *vt* fendre, fissurer; fêler; lézarder; (*whip*) faire claquer; (*nut*) casser; (*problem*) résoudre; (*code*) déchiffrer ▷ *cpd* (*athlete*) de première classe, d'élite; **crack down on** *vt fus* (*crime*) sévir contre, réprimer; **cracked** *adj* (*cup, bone*) fêlé(e); (*broken*) cassé(e); (*wall*) lézardé(e); (*surface*) craquelé(e); (*inf*) toqué(e), timbré(e); **cracker** *n* (*also*: **Christmas cracker**) pétard *m*; (*biscuit*) biscuit (salé), craquelin *m*
crackle ['krækl] *vi* crépiter, grésiller
cradle ['kreɪdl] *n* berceau *m*
craft [krɑːft] *n* métier (artisanal); (*cunning*) ruse *f*, astuce *f*; (*boat: pl inv*) embarcation *f*, barque *f*; (*plane: pl inv*) appareil *m*; **craftsman** (*irreg*) *n* artisan *m* ouvrier (qualifié); **craftsmanship** *n* métier *m*, habileté *f*
cram [kræm] *vt* (*fill*): **to ~ sth with** bourrer qch de; (*put*): **to ~ sth into** fourrer qch dans ▷ *vi* (*for exams*) bachoter
cramp [kræmp] *n* crampe *f*; **I've got ~ in my leg** j'ai une crampe à la jambe; **cramped** *adj* à l'étroit, très serré(e)
cranberry ['krænbərɪ] *n* canneberge *f*
crane [kreɪn] *n* grue *f*
crap [kræp] *n* (*inf!: nonsense*) conneries *fpl* (!); (: *excrement*) merde *f* (!)
crash [kræʃ] *n* (*noise*) fracas *m*; (*of car, plane*) collision *f*; (*of business*) faillite *f* ▷ *vt* (*plane*) écraser ▷ *vi* (*plane*) s'écraser; (*two cars*) se percuter, s'emboutir; (*business*) s'effondrer; **to ~ into** se jeter *or* se fracasser contre; **crash course** *n* cours intensif; **crash helmet** *n* casque (protecteur)
crate [kreɪt] *n* cageot *m*; (*for bottles*) caisse *f*
crave [kreɪv] *vt, vi*: **to ~ (for)** avoir une envie irrésistible de
crawl [krɔːl] *vi* ramper; (*vehicle*) avancer au pas ▷ *n* (*Swimming*) crawl *m*
crayfish ['kreɪfɪʃ] *n* (*pl inv: freshwater*) écrevisse *f*; (*saltwater*) langoustine *f*
crayon ['kreɪən] *n* crayon *m* (de couleur)
craze [kreɪz] *n* engouement *m*
crazy ['kreɪzɪ] *adj* fou (folle); **to be ~ about sb/sth** (*inf*) être fou de qn/qch
creak [kriːk] *vi* (*hinge*) grincer; (*floor, shoes*) craquer
cream [kriːm] *n* crème *f* ▷ *adj* (*colour*) crème *inv*; **cream cheese** *n* fromage *m* à la crème, fromage blanc; **creamy** *adj* crémeux(-euse)
crease [kriːs] *n* pli *m* ▷ *vt* froisser, chiffonner ▷ *vi* se froisser, se chiffonner
create [kriː'eɪt] *vt* créer; **creation** [kriː'eɪʃən] *n* création *f*; **creative** *adj* créatif(-ive); **creator** *n* créateur(-trice)
creature ['kriːtʃəʳ] *n* créature *f*
crèche [krɛʃ] *n* garderie *f*, crèche *f*
credentials [krɪ'dɛnʃlz] *npl* (*references*) références *fpl*; (*identity papers*) pièce *f* d'identité
credibility [krɛdɪ'bɪlɪtɪ] *n* crédibilité *f*
credible ['krɛdɪbl] *adj* digne de foi, crédible
credit ['krɛdɪt] *n* crédit *m*; (*recognition*) honneur *m*; (*Scol*) unité *f* de valeur ▷ *vt* (*Comm*) créditer; (*believe*: *also*: **give ~ to**) ajouter foi à, croire; **credits** *npl* (*Cine*) générique *m*; **to be in ~** (*person, bank account*) être créditeur(-trice); **to ~ sb with** (*fig*) prêter *or* attribuer à qn; **credit card** *n* carte *f* de crédit; **do you take credit cards?** acceptez-vous les cartes de crédit?
creek [kriːk] *n* (*inlet*) crique *f*, anse *f*; (US: *stream*) ruisseau *m*, petit cours d'eau
creep (*pt, pp* **crept**) [kriːp, krɛpt] *vi* ramper
cremate [krɪ'meɪt] *vt* incinérer
crematorium (*pl* **crematoria**) [krɛmə'tɔːrɪəm, -'tɔːrɪə] *n* four *m* crématoire
crept [krɛpt] *pt, pp of* **creep**
crescent ['krɛsnt] *n* croissant *m*; (*street*) rue *f* (*en arc de cercle*)
cress [krɛs] *n* cresson *m*
crest [krɛst] *n* crête *f*; (*of coat of arms*) timbre *m*
crew [kruː] *n* équipage *m*; (*Cine*) équipe *f* (de tournage); **crew-neck** *n* col ras
crib [krɪb] *n* lit *m* d'enfant; (*for baby*) berceau *m* ▷ *vt* (*inf*) copier
cricket ['krɪkɪt] *n* (*insect*) grillon *m*, cri-cri *m inv*; (*game*) cricket *m*; **cricketer** *n* joueur *m* de cricket
crime [kraɪm] *n* crime *m*; **criminal** ['krɪmɪnl] *adj, n* criminel(le)
crimson ['krɪmzn] *adj* cramoisi(e)
cringe [krɪndʒ] *vi* avoir un mouvement de recul
cripple ['krɪpl] *n* boiteux(-euse), infirme *m/f* ▷ *vt* (*person*) estropier, paralyser; (*ship, plane*) immobiliser; (*production, exports*) paralyser
crisis (*pl* **crises**) ['kraɪsɪs, -siːz] *n* crise *f*
crisp [krɪsp] *adj* croquant(e); (*weather*) vif (vive); (*manner etc*) brusque; **crisps** (BRIT) *npl* (pommes *fpl*) chips *fpl*; **crispy** *adj* croustillant(e)
criterion (*pl* **criteria**) [kraɪ'tɪərɪən, -'tɪərɪə] *n* critère *m*
critic ['krɪtɪk] *n* critique *m/f*; **critical** *adj* critique; **criticism** ['krɪtɪsɪzəm] *n* critique *f*; **criticize** ['krɪtɪsaɪz] *vt* critiquer

Croat ['krəuæt] *adj, n* = **Croatian**
Croatia [krəu'eɪʃə] *n* Croatie *f*; **Croatian** *adj* croate ▷ *n* Croate *m/f*; (*Ling*) croate *m*
crockery ['krɔkərɪ] *n* vaisselle *f*
crocodile ['krɔkədaɪl] *n* crocodile *m*
crocus ['krəukəs] *n* crocus *m*
croissant ['krwasɑ̃] *n* croissant *m*
crook [kruk] *n* escroc *m*; (*of shepherd*) houlette *f*; **crooked** ['krukɪd] *adj* courbé(e), tordu(e); (*action*) malhonnête
crop [krɔp] *n* (*produce*) culture *f*; (*amount produced*) récolte *f*; (*riding crop*) cravache *f* ▷ *vt* (*hair*) tondre; **crop up** *vi* surgir, se présenter, survenir
cross [krɔs] *n* croix *f*; (*Biol*) croisement *m* ▷ *vt* (*street etc*) traverser; (*arms, legs, Biol*) croiser; (*cheque*) barrer ▷ *adj* en colère, fâché(e); **cross off** *or* **out** *vt* barrer, rayer; **cross over** *vi* traverser; **cross-Channel ferry** ['krɔs'tʃænl-] *n* ferry *m* qui fait la traversée de la Manche; **crosscountry (race)** *n* cross(-country) *m*; **crossing** *n* (*sea passage*) traversée *f*; (*also*: **pedestrian crossing**) passage clouté; **how long does the crossing take?** combien de temps dure la traversée?; **crossing guard** (US) *n* *contractuel qui fait traverser la rue aux enfants*; **crossroads** *n* carrefour *m*; **crosswalk** *n* (US) passage clouté; **crossword** *n* mots *mpl* croisés
crotch [krɔtʃ] *n* (*of garment*) entrejambe *m*; (*Anat*) entrecuisse *m*
crouch [krautʃ] *vi* s'accroupir; (*hide*) se tapir; (*before springing*) se ramasser
crouton ['kru:tɔn] *n* croûton *m*
crow [krəu] *n* (*bird*) corneille *f*; (*of cock*) chant *m* du coq, cocorico *m* ▷ *vi* (*cock*) chanter
crowd [kraud] *n* foule *f* ▷ *vt* bourrer, remplir ▷ *vi* affluer, s'attrouper, s'entasser; **crowded** *adj* bondé(e), plein(e)
crown [kraun] *n* couronne *f*; (*of head*) sommet *m* de la tête; (*of hill*) sommet *m* ▷ *vt* (*also tooth*) couronner; **crown jewels** *npl* joyaux *mpl* de la Couronne
crucial ['kru:ʃl] *adj* crucial(e), décisif(-ive)
crucifix ['kru:sɪfɪks] *n* crucifix *m*
crude [kru:d] *adj* (*materials*) brut(e); non raffiné(e); (*basic*) rudimentaire, sommaire; (*vulgar*) cru(e), grossier(-ière); **crude (oil)** *n* (pétrole) brut *m*
cruel ['kruəl] *adj* cruel(le); **cruelty** *n* cruauté *f*
cruise [kru:z] *n* croisière *f* ▷ *vi* (*ship*) croiser; (*car*) rouler; (*aircraft*) voler
crumb [krʌm] *n* miette *f*
crumble ['krʌmbl] *vt* émietter ▷ *vi* (*plaster etc*) s'effriter; (*land, earth*) s'ébouler; (*building*) s'écrouler, crouler; (*fig*) s'effondrer
crumpet ['krʌmpɪt] *n* petite crêpe (épaisse)
crumple ['krʌmpl] *vt* froisser, friper
crunch [krʌntʃ] *vt* croquer; (*underfoot*) faire craquer, écraser; faire crisser ▷ *n* (*fig*) instant *m* *or* moment *m* critique, moment de vérité; **crunchy** *adj* croquant(e), croustillant(e)
crush [krʌʃ] *n* (*crowd*) foule *f*, cohue *f*; (*love*): **to have a ~ on sb** avoir le béguin pour qn; (*drink*): **lemon ~** citron pressé ▷ *vt* écraser; (*crumple*) froisser; (*grind, break up: garlic, ice*) piler; (*: grapes*) presser; (*hopes*) anéantir
crust [krʌst] *n* croûte *f*; **crusty** *adj* (*bread*) croustillant(e); (*inf: person*) revêche, bourru(e)
crutch [krʌtʃ] *n* béquille *f*; (*also*: **crotch**) entrejambe *m*
cry [kraɪ] *vi* pleurer; (*shout: also*: **~ out**) crier ▷ *n* cri *m*; **cry out** *vi* (*call out, shout*) pousser un cri ▷ *vt* crier
crystal ['krɪstl] *n* cristal *m*
cub [kʌb] *n* petit *m* (*d'un animal*); (*also*: **~ scout**) louveteau *m*
Cuba ['kju:bə] *n* Cuba *m*
cube [kju:b] *n* cube *m* ▷ *vt* (*Math*) élever au cube
cubicle ['kju:bɪkl] *n* (*in hospital*) box *m*; (*at pool*) cabine *f*
cuckoo ['kuku:] *n* coucou *m*
cucumber ['kju:kʌmbəʳ] *n* concombre *m*
cuddle ['kʌdl] *vt* câliner, caresser ▷ *vi* se blottir l'un contre l'autre
cue [kju:] *n* queue *f* de billard; (*Theat etc*) signal *m*
cuff [kʌf] *n* (BRIT: *of shirt, coat etc*) poignet *m*, manchette *f*; (US: *on trousers*) revers *m*; (*blow*) gifle *f*; **off the ~** *adv* à l'improviste; **cufflinks** *n* boutons *m* de manchette
cuisine [kwɪ'zi:n] *n* cuisine *f*
cul-de-sac ['kʌldəsæk] *n* cul-de-sac *m*, impasse *f*
cull [kʌl] *vt* sélectionner ▷ *n* (*of animals*) abattage sélectif
culminate ['kʌlmɪneɪt] *vi*: **to ~ in** finir *or* se terminer par; (*lead to*) mener à
culprit ['kʌlprɪt] *n* coupable *m/f*
cult [kʌlt] *n* culte *m*
cultivate ['kʌltɪveɪt] *vt* cultiver
cultural ['kʌltʃərəl] *adj* culturel(le)
culture ['kʌltʃəʳ] *n* culture *f*
cumin ['kʌmɪn] *n* (*spice*) cumin *m*
cunning ['kʌnɪŋ] *n* ruse *f*, astuce *f* ▷ *adj* rusé(e), malin(-igne); (*clever: device, idea*) astucieux(-euse)
cup [kʌp] *n* tasse *f*; (*prize, event*) coupe *f*; (*of bra*) bonnet *m*
cupboard ['kʌbəd] *n* placard *m*
cup final *n* (BRIT *Football*) finale *f* de la coupe
curator [kjuə'reɪtəʳ] *n* conservateur *m* (*d'un musée etc*)
curb [kə:b] *vt* refréner, mettre un frein à ▷ *n* (*fig*) frein *m*; (US) bord *m* du trottoir
curdle ['kə:dl] *vi* (se) cailler
cure [kjuəʳ] *vt* guérir; (*Culin: salt*) saler; (*: smoke*) fumer; (*: dry*) sécher ▷ *n* remède *m*
curfew ['kə:fju:] *n* couvre-feu *m*
curiosity [kjuərɪ'ɔsɪtɪ] *n* curiosité *f*
curious ['kjuərɪəs] *adj* curieux(-euse); **I'm ~ about him** il m'intrigue
curl [kə:l] *n* boucle *f* (de cheveux) ▷ *vt, vi* boucler; (*tightly*) friser; **curl up** *vi* s'enrouler; (*person*) se pelotonner; **curler** *n* bigoudi *m*, rouleau *m*; **curly** *adj* bouclé(e); (*tightly curled*) frisé(e)
currant ['kʌrnt] *n* raisin *m* de Corinthe, raisin sec; (*fruit*) groseille *f*
currency ['kʌrnsɪ] *n* monnaie *f*; **to gain ~** (*fig*) s'accréditer
current ['kʌrnt] *n* courant *m* ▷ *adj* (*common*) courant(e); (*tendency, price, event*) actuel(le); **current account** *n* (BRIT) compte courant; **current affairs** *npl* (questions *fpl* d')actualité *f*; **currently** *adv* actuellement
curriculum (*pl* **~s** *or* **curricula**) [kə'rɪkjuləm, -lə] *n* programme *m* d'études; **curriculum vitae** [-'vi:taɪ] *n* curriculum vitae (CV) *m*
curry ['kʌrɪ] *n* curry *m* ▷ *vt*: **to ~ favour with** chercher à gagner la faveur *or* à s'attirer les bonnes grâces de; **curry powder** *n* poudre *f* de curry
curse [kə:s] *vi* jurer, blasphémer ▷ *vt* maudire ▷ *n* (*spell*) malédiction *f*; (*problem, scourge*) fléau *m*; (*swearword*) juron *m*
cursor ['kə:səʳ] *n* (*Comput*) curseur *m*
curt [kə:t] *adj* brusque, sec(-sèche)

curtain ['kəːtn] *n* rideau *m*
curve [kəːv] *n* courbe *f*; (*in the road*) tournant *m*, virage *m* ▷ *vi* se courber; (*road*) faire une courbe; **curved** *adj* courbe
cushion ['kuʃən] *n* coussin *m* ▷ *vt* (*fall, shock*) amortir
custard ['kʌstəd] *n* (*for pouring*) crème anglaise
custody ['kʌstədɪ] *n* (*of child*) garde *f*; (*for offenders*): **to take sb into ~** placer qn en détention préventive
custom ['kʌstəm] *n* coutume *f*, usage *m*; (*Comm*) clientèle *f*
customer ['kʌstəmə^r] *n* client(e)
customized ['kʌstəmaɪzd] *adj* personnalisé(e); (*car etc*) construit(e) sur commande
customs ['kʌstəmz] *npl* douane *f*; **customs officer** *n* douanier *m*
cut [kʌt] *vb* (*pt, pp* **~**) ▷ *vt* couper; (*meat*) découper; (*reduce*) réduire ▷ *vi* couper ▷ *n* (*gen*) coupure *f*; (*of clothes*) coupe *f*; (*in salary etc*) réduction *f*; (*of meat*) morceau *m*; **to ~ a tooth** percer une dent; **to ~ one's finger** se couper le doigt; **to get one's hair ~** se faire couper les cheveux; **I've ~ myself** je me suis coupé; **cut back** *vt* (*plants*) tailler; (*production, expenditure*) réduire; **cut down** *vt* (*tree*) abattre; (*reduce*) réduire; **cut off** *vt* couper; (*fig*) isoler; **cut out** *vt* (*picture etc*) découper; (*remove*) supprimer; **cut up** *vt* découper; **cutback** *n* réduction *f*
cute [kjuːt] *adj* mignon(ne), adorable
cutlery ['kʌtlərɪ] *n* couverts *mpl*
cutlet ['kʌtlɪt] *n* côtelette *f*
cut-price ['kʌt'praɪs] (US **cut-rate**) ['kʌt'reɪt] *adj* au rabais, à prix réduit
cutting ['kʌtɪŋ] *adj* (*fig*) cinglant(e) ▷ *n* (BRIT: *from newspaper*) coupure *f* (de journal); (*from plant*) bouture *f*
CV *n abbr* = **curriculum vitae**
cwt *abbr* = **hundredweight(s)**
cyberspace ['saɪbəspeɪs] *n* cyberespace *m*
cycle ['saɪkl] *n* cycle *m*; (*bicycle*) bicyclette *f*, vélo *m* ▷ *vi* faire de la bicyclette; **cycle hire** *n* location *f* de vélos; **cycle lane, cycle path** *n* piste *f* cyclable; **cycling** *n* cyclisme *m*; **cyclist** *n* cycliste *m/f*
cyclone ['saɪkləun] *n* cyclone *m*
cylinder ['sɪlɪndə^r] *n* cylindre *m*
cymbals ['sɪmblz] *npl* cymbales *fpl*
cynical ['sɪnɪkl] *adj* cynique
Cypriot ['sɪprɪət] *adj* cypriote, chypriote ▷ *n* Cypriote *m/f*, Chypriote *m/f*
Cyprus ['saɪprəs] *n* Chypre *f*
cyst [sɪst] *n* kyste *m*; **cystitis** [sɪs'taɪtɪs] *n* cystite *f*
czar [zɑː^r] *n* tsar *m*
Czech [tʃɛk] *adj* tchèque ▷ *n* Tchèque *m/f*; (*Ling*) tchèque *m*; **Czech Republic** *n*: **the Czech Republic** la République tchèque

d

D [diː] *n* (*Mus*): **D** ré *m*
dab [dæb] *vt* (*eyes, wound*) tamponner; (*paint, cream*) appliquer (par petites touches *or* rapidement)
dad, daddy [dæd, 'dædɪ] *n* papa *m*
daffodil ['dæfədɪl] *n* jonquille *f*
daft [dɑːft] *adj* (*inf*) idiot(e), stupide
dagger ['dægə^r] *n* poignard *m*
daily ['deɪlɪ] *adj* quotidien(ne), journalier(-ière) ▷ *adv* tous les jours
dairy ['dɛərɪ] *n* (*shop*) crémerie *f*, laiterie *f*; (*on farm*) laiterie; **dairy produce** *n* produits laitiers
daisy ['deɪzɪ] *n* pâquerette *f*
dam [dæm] *n* (*wall*) barrage *m*; (*water*) réservoir *m*, lac *m* de retenue ▷ *vt* endiguer
damage ['dæmɪdʒ] *n* dégâts *mpl*, dommages *mpl*; (*fig*) tort *m* ▷ *vt* endommager, abîmer; (*fig*) faire du tort à; **damages** *npl* (*Law*) dommages-intérêts *mpl*
damn [dæm] *vt* condamner; (*curse*) maudire ▷ *n* (*inf*): **I don't give a ~** je m'en fous ▷ *adj* (*inf*: *also*: **~ed**): **this ~ ...** ce sacré *or* foutu ...; **~ (it)!** zut!
damp [dæmp] *adj* humide ▷ *n* humidité *f* ▷ *vt* (*also*: **~en**: *cloth, rag*) humecter; (: *enthusiasm etc*) refroidir
dance [dɑːns] *n* danse *f*; (*ball*) bal *m* ▷ *vi* danser; **dance floor** *n* piste *f* de danse; **dancer** *n* danseur(-euse); **dancing** *n* danse *f*
dandelion ['dændɪlaɪən] *n* pissenlit *m*
dandruff ['dændrəf] *n* pellicules *fpl*
D & T *n abbr* (BRIT: *Scol*) = **design and technology**
Dane [deɪn] *n* Danois(e)
danger ['deɪndʒə^r] *n* danger *m*; **~!** (*on sign*) danger!; **in ~** en danger; **he was in ~ of falling** il risquait de tomber; **dangerous** *adj* dangereux(-euse)
dangle ['dæŋgl] *vt* balancer ▷ *vi* pendre, se balancer
Danish ['deɪnɪʃ] *adj* danois(e) ▷ *n* (*Ling*) danois *m*
dare [dɛə^r] *vt*: **to ~ sb to do** défier qn *or* mettre qn au défi de faire ▷ *vi*: **to ~ (to) do sth** oser faire qch; **I ~ say he'll turn up** il est probable qu'il viendra; **daring** *adj* hardi(e), audacieux(-euse) ▷ *n* audace *f*, hardiesse *f*
dark [dɑːk] *adj* (*night, room*) obscur(e), sombre; (*colour, complexion*) foncé(e), sombre ▷ *n*: **in the ~** dans le noir; **to be in the ~ about** (*fig*) ignorer tout de; **after ~** après la tombée de la nuit; **darken** *vt* obscurcir, assombrir ▷ *vi* s'obscurcir, s'assombrir; **darkness** *n* obscurité *f*; **darkroom** *n* chambre noire
darling ['dɑːlɪŋ] *adj, n* chéri(e)
dart [dɑːt] *n* fléchette *f*; (*in sewing*) pince *f* ▷ *vi*: **to ~ towards** se précipiter *or* s'élancer vers; **dartboard** *n* cible *f* (de jeu de fléchettes); **darts** *n* jeu *m* de fléchettes
dash [dæʃ] *n* (*sign*) tiret *m*; (*small quantity*) goutte *f*, larme *f* ▷ *vt* (*throw*) jeter *or* lancer violemment; (*hopes*) anéantir ▷ *vi*: **to ~ towards** se précipiter *or*

se ruer vers

dashboard ['dæʃbɔ:d] *n* (*Aut*) tableau *m* de bord

data ['deɪtə] *npl* données *fpl*; **database** *n* base *f* de données; **data processing** *n* traitement *m* (électronique) de l'information

date [deɪt] *n* date *f*; (*with sb*) rendez-vous *m*; (*fruit*) datte *f* ▷ *vt* dater; (*person*) sortir avec; **~ of birth** date de naissance; **to ~** *adv* à ce jour; **out of ~** périmé(e); **up to ~** à la page, mis(e) à jour, moderne; **dated** *adj* démodé(e)

daughter ['dɔ:tə^r] *n* fille *f*; **daughter-in-law** *n* belle-fille *f*, bru *f*

daunting ['dɔ:ntɪŋ] *adj* décourageant(e), intimidant(e)

dawn [dɔ:n] *n* aube *f*, aurore *f* ▷ *vi* (*day*) se lever, poindre; **it ~ed on him that ...** il lui vint à l'esprit que ...

day [deɪ] *n* jour *m*; (*as duration*) journée *f*; (*period of time, age*) époque *f*, temps *m*; **the ~ before** la veille, le jour précédent; **the ~ after, the following ~** le lendemain, le jour suivant; **the ~ before yesterday** avant-hier; **the ~ after tomorrow** après-demain; **by ~** de jour; **day-care centre** ['deɪkɛə-] *n* (*for elderly etc*) centre *m* d'accueil de jour; (*for children*) garderie *f*; **daydream** *vi* rêver (tout éveillé); **daylight** *n* (lumière *f* du) jour *m*; **day return** *n* (BRIT) billet *m* d'aller-retour (*valable pour la journée*); **daytime** *n* jour *m*, journée *f*; **day-to-day** *adj* (*routine, expenses*) journalier(-ière); **day trip** *n* excursion *f* (d'une journée)

dazed [deɪzd] *adj* abruti(e)

dazzle ['dæzl] *vt* éblouir, aveugler; **dazzling** *adj* (*light*) aveuglant(e), éblouissant(e); (*fig*) éblouissant(e)

DC *abbr* (*Elec*) = **direct current**

dead [dɛd] *adj* mort(e); (*numb*) engourdi(e), insensible; (*battery*) à plat ▷ *adv* (*completely*) absolument, complètement; (*exactly*) juste; **he was shot ~** il a été tué d'un coup de revolver; **~ tired** éreinté(e), complètement fourbu(e); **to stop ~** s'arrêter pile *or* net; **the line is ~** (*Tel*) la ligne est coupée; **dead end** *n* impasse *f*; **deadline** *n* date *f* *or* heure *f* limite; **deadly** *adj* mortel(le); (*weapon*) meurtrier(-ière); **Dead Sea** *n*: **the Dead Sea** la mer Morte

deaf [dɛf] *adj* sourd(e); **deafen** *vt* rendre sourd(e); **deafening** *adj* assourdissant(e)

deal [di:l] *n* affaire *f*, marché *m* ▷ *vt* (*pt, pp* **~t**) (*blow*) porter; (*cards*) donner, distribuer; **a great ~ of** beaucoup de; **deal with** *vt fus* (*handle*) s'occuper *or* se charger de; (*be about: book etc*) traiter de; **dealer** *n* (*Comm*) marchand *m*; (*Cards*) donneur *m*; **dealings** *npl* (*in goods, shares*) opérations *fpl*, transactions *fpl*; (*relations*) relations *fpl*, rapports *mpl*

dealt [dɛlt] *pt, pp of* **deal**

dean [di:n] *n* (*Rel*, BRIT *Scol*) doyen *m*; (US *Scol*) conseiller principal (conseillère principale) d'éducation

dear [dɪə^r] *adj* cher (chère); (*expensive*) cher, coûteux(-euse) ▷ *n*: **my ~** mon cher (ma chère) ▷ *excl*: **~ me!** mon Dieu!; **D~ Sir/Madam** (*in letter*) Monsieur/Madame; **D~ Mr/Mrs X** Cher Monsieur X (Chère Madame X); **dearly** *adv* (*love*) tendrement; (*pay*) cher

death [dɛθ] *n* mort *f*; (*Admin*) décès *m*; **death penalty** *n* peine *f* de mort; **death sentence** *n* condamnation *f* à mort

debate [dɪ'beɪt] *n* discussion *f*, débat *m* ▷ *vt* discuter, débattre

debit ['dɛbɪt] *n* débit *m* ▷ *vt*: **to ~ a sum to sb** *or* **to sb's account** porter une somme au débit de qn, débiter qn d'une somme; **debit card** *n* carte *f* de paiement

debris ['dɛbri:] *n* débris *mpl*, décombres *mpl*

debt [dɛt] *n* dette *f*; **to be in ~** avoir des dettes, être endetté(e)

debut ['deɪbju:] *n* début(s) *m(pl)*

Dec. *abbr* (= *December*) déc

decade ['dɛkeɪd] *n* décennie *f*, décade *f*

decaffeinated [dɪ'kæfɪneɪtɪd] *adj* décaféiné(e)

decay [dɪ'keɪ] *n* (*of building*) délabrement *m*; (*also*: **tooth ~**) carie *f* (dentaire) ▷ *vi* (*rot*) se décomposer, pourrir; (: *teeth*) se carier

deceased [dɪ'si:st] *n*: **the ~** le (la) défunt(e)

deceit [dɪ'si:t] *n* tromperie *f*, supercherie *f*; **deceive** [dɪ'si:v] *vt* tromper

December [dɪ'sɛmbə^r] *n* décembre *m*

decency ['di:sənsɪ] *n* décence *f*

decent ['di:sənt] *adj* (*proper*) décent(e), convenable

deception [dɪ'sɛpʃən] *n* tromperie *f*

deceptive [dɪ'sɛptɪv] *adj* trompeur(-euse)

decide [dɪ'saɪd] *vt* (*subj: person*) décider; (*question, argument*) trancher, régler ▷ *vi* se décider, décider; **to ~ to do/that** décider de faire/que; **to ~ on** décider, se décider pour

decimal ['dɛsɪməl] *adj* décimal(e) ▷ *n* décimale *f*

decision [dɪ'sɪʒən] *n* décision *f*

decisive [dɪ'saɪsɪv] *adj* décisif(-ive); (*manner, person*) décidé(e), catégorique

deck [dɛk] *n* (*Naut*) pont *m*; (*of cards*) jeu *m*; (*record deck*) platine *f*; (*of bus*): **top ~** impériale *f*; **deckchair** *n* chaise longue

declaration [dɛklə'reɪʃən] *n* déclaration *f*

declare [dɪ'klɛə^r] *vt* déclarer

decline [dɪ'klaɪn] *n* (*decay*) déclin *m*; (*lessening*) baisse *f* ▷ *vt* refuser, décliner ▷ *vi* décliner; (*business*) baisser

decorate ['dɛkəreɪt] *vt* (*adorn, give a medal to*) décorer; (*paint and paper*) peindre et tapisser; **decoration** [dɛkə'reɪʃən] *n* (*medal etc, adornment*) décoration *f*; **decorator** *n* peintre *m* en bâtiment

decrease *n* ['di:kri:s] diminution *f* ▷ *vt, vi* [di:'kri:s] diminuer

decree [dɪ'kri:] *n* (*Pol, Rel*) décret *m*; (*Law*) arrêt *m*, jugement *m*

dedicate ['dɛdɪkeɪt] *vt* consacrer; (*book etc*) dédier; **dedicated** *adj* (*person*) dévoué(e); (*Comput*) spécialisé(e), dédié(e); **dedicated word processor** station *f* de traitement de texte; **dedication** [dɛdɪ'keɪʃən] *n* (*devotion*) dévouement *m*; (*in book*) dédicace *f*

deduce [dɪ'dju:s] *vt* déduire, conclure

deduct [dɪ'dʌkt] *vt*: **to ~ sth (from)** déduire qch (de), retrancher qch (de); **deduction** [dɪ'dʌkʃən] *n* (*deducting, deducing*) déduction *f*; (*from wage etc*) prélèvement *m*, retenue *f*

deed [di:d] *n* action *f*, acte *m*; (*Law*) acte notarié, contrat *m*

deem [di:m] *vt* (*formal*) juger, estimer

deep [di:p] *adj* profond(e); (*voice*) grave ▷ *adv*: **spectators stood 20 ~** il y avait 20 rangs de spectateurs; **4 metres ~** de 4 mètres de profondeur; **how ~ is the water?** l'eau a quelle profondeur?; **deep-fry** *vt* faire frire (dans une friteuse); **deeply** *adv* profondément; (*regret, interested*) vivement

deer [dɪə^r] *n* (*pl inv*): **(red) ~** cerf *m*; **(fallow) ~** daim *m*; **(roe) ~** chevreuil *m*

default [dɪ'fɔ:lt] *n* (*Comput*: *also*: **~ value**) valeur *f*

par défaut; **by ~** (*Law*) par défaut, par contumace; (*Sport*) par forfait
defeat [dɪ'fi:t] *n* défaite *f* ▷ *vt* (*team, opponents*) battre
defect *n* ['di:fɛkt] défaut *m* ▷ *vi* [dɪ'fɛkt]: **to ~ to the enemy/the West** passer à l'ennemi/l'Ouest; **defective** [dɪ'fɛktɪv] *adj* défectueux(-euse)
defence (US **defense**) [dɪ'fɛns] *n* défense *f*
defend [dɪ'fɛnd] *vt* défendre; **defendant** *n* défendeur(-deresse); (*in criminal case*) accusé(e), prévenu(e); **defender** *n* défenseur *m*
defense [dɪ'fɛns] (US) = **defence**
defensive [dɪ'fɛnsɪv] *adj* défensif(-ive) ▷ *n*: **on the ~** sur la défensive
defer [dɪ'fə:ʳ] *vt* (*postpone*) différer, ajourner
defiance [dɪ'faɪəns] *n* défi *m*; **in ~ of** au mépris de; **defiant** [dɪ'faɪənt] *adj* provocant(e), de défi; (*person*) rebelle, intraitable
deficiency [dɪ'fɪʃənsɪ] *n* (*lack*) insuffisance *f*; (: *Med*) carence *f*; (*flaw*) faiblesse *f*; **deficient** [dɪ'fɪʃənt] *adj* (*inadequate*) insuffisant(e); **to be deficient in** manquer de
deficit ['dɛfɪsɪt] *n* déficit *m*
define [dɪ'faɪn] *vt* définir
definite ['dɛfɪnɪt] *adj* (*fixed*) défini(e), (bien) déterminé(e); (*clear, obvious*) net(te), manifeste; (*certain*) sûr(e); **he was ~ about it** il a été catégorique; **definitely** *adv* sans aucun doute
definition [dɛfɪ'nɪʃən] *n* définition *f*; (*clearness*) netteté *f*
deflate [di:'fleɪt] *vt* dégonfler
deflect [dɪ'flɛkt] *vt* détourner, faire dévier
defraud [dɪ'frɔ:d] *vt*: **to ~ sb of sth** escroquer qch à qn
defrost [di:'frɔst] *vt* (*fridge*) dégivrer; (*frozen food*) décongeler
defuse [di:'fju:z] *vt* désamorcer
defy [dɪ'faɪ] *vt* défier; (*efforts etc*) résister à; **it defies description** cela défie toute description
degree [dɪ'gri:] *n* degré *m*; (*Scol*) diplôme *m* (universitaire); **a (first) ~ in maths** (BRIT) une licence en maths; **by ~s** (*gradually*) par degrés; **to some ~** jusqu'à un certain point, dans une certaine mesure
dehydrated [di:haɪ'dreɪtɪd] *adj* déshydraté(e); (*milk, eggs*) en poudre
de-icer ['di:'aɪsəʳ] *n* dégivreur *m*
delay [dɪ'leɪ] *vt* retarder; (*payment*) différer ▷ *vi* s'attarder ▷ *n* délai *m*, retard *m*; **to be ~ed** être en retard
delegate *n* ['dɛlɪgɪt] délégué(e) ▷ *vt* ['dɛlɪgeɪt] déléguer
delete [dɪ'li:t] *vt* rayer, supprimer; (*Comput*) effacer
deli ['dɛlɪ] *n* épicerie fine
deliberate *adj* [dɪ'lɪbərɪt] (*intentional*) délibéré(e); (*slow*) mesuré(e) ▷ *vi* [dɪ'lɪbəreɪt] délibérer, réfléchir; **deliberately** *adv* (*on purpose*) exprès, délibérément
delicacy ['dɛlɪkəsɪ] *n* délicatesse *f*; (*choice food*) mets fin *or* délicat, friandise *f*
delicate ['dɛlɪkɪt] *adj* délicat(e)
delicatessen [dɛlɪkə'tɛsn] *n* épicerie fine
delicious [dɪ'lɪʃəs] *adj* délicieux(-euse)
delight [dɪ'laɪt] *n* (grande) joie, grand plaisir ▷ *vt* enchanter; **she's a ~ to work with** c'est un plaisir de travailler avec elle; **to take ~ in** prendre grand plaisir à; **delighted** *adj*: **delighted (at** *or* **with sth)** ravi(e) (de qch); **to be delighted to do sth/that** être enchanté(e) *or* ravi(e) de faire qch/que;
delightful *adj* (*person*) adorable; (*meal, evening*) merveilleux(-euse)
delinquent [dɪ'lɪŋkwənt] *adj*, *n* délinquant(e)
deliver [dɪ'lɪvəʳ] *vt* (*mail*) distribuer; (*goods*) livrer; (*message*) remettre; (*speech*) prononcer; (*Med: baby*) mettre au monde; **delivery** *n* (*of mail*) distribution *f*; (*of goods*) livraison *f*; (*of speaker*) élocution *f*; (*Med*) accouchement *m*; **to take delivery of** prendre livraison de
delusion [dɪ'lu:ʒən] *n* illusion *f*
de luxe [də'lʌks] *adj* de luxe
delve [dɛlv] *vi*: **to ~ into** fouiller dans
demand [dɪ'mɑ:nd] *vt* réclamer, exiger ▷ *n* exigence *f*; (*claim*) revendication *f*; (*Econ*) demande *f*; **in ~** demandé(e), recherché(e); **on ~** sur demande; **demanding** *adj* (*person*) exigeant(e); (*work*) astreignant(e)
demise [dɪ'maɪz] *n* décès *m*
demo ['dɛməu] *n abbr* (*inf*) = **demonstration**; (*protest*) manif *f*; (*Comput*) démonstration *f*
democracy [dɪ'mɔkrəsɪ] *n* démocratie *f*; **democrat** ['dɛməkræt] *n* démocrate *m/f*; **democratic** [dɛmə'krætɪk] *adj* démocratique
demolish [dɪ'mɔlɪʃ] *vt* démolir
demolition [dɛmə'lɪʃən] *n* démolition *f*
demon ['di:mən] *n* démon *m*
demonstrate ['dɛmənstreɪt] *vt* démontrer, prouver; (*show*) faire une démonstration de ▷ *vi*: **to ~ (for/against)** manifester (en faveur de/contre); **demonstration** [dɛmən'streɪʃən] *n* démonstration *f*; (*Pol etc*) manifestation *f*; **demonstrator** *n* (*Pol etc*) manifestant(e)
demote [dɪ'məut] *vt* rétrograder
den [dɛn] *n* (*of lion*) tanière *f*; (*room*) repaire *m*
denial [dɪ'naɪəl] *n* (*of accusation*) démenti *m*; (*of rights, guilt, truth*) dénégation *f*
denim ['dɛnɪm] *n* jean *m*; **denims** *npl* (blue-)jeans *mpl*
Denmark ['dɛnmɑ:k] *n* Danemark *m*
denomination [dɪnɔmɪ'neɪʃən] *n* (*money*) valeur *f*; (*Rel*) confession *f*
denounce [dɪ'nauns] *vt* dénoncer
dense [dɛns] *adj* dense; (*inf: stupid*) obtus(e)
density ['dɛnsɪtɪ] *n* densité *f*; **single-/double-~ disk** (*Comput*) disquette *f* (à) simple/double densité
dent [dɛnt] *n* bosse *f* ▷ *vt* (*also*: **make a ~ in**) cabosser
dental ['dɛntl] *adj* dentaire; **dental floss** [-flɔs] *n* fil *m* dentaire; **dental surgery** *n* cabinet *m* de dentiste
dentist ['dɛntɪst] *n* dentiste *m/f*
dentures ['dɛntʃəz] *npl* dentier *msg*
deny [dɪ'naɪ] *vt* nier; (*refuse*) refuser
deodorant [di:'əudərənt] *n* déodorant *m*
depart [dɪ'pɑ:t] *vi* partir; **to ~ from** (*fig: differ from*) s'écarter de
department [dɪ'pɑ:tmənt] *n* (*Comm*) rayon *m*; (*Scol*) section *f*; (*Pol*) ministère *m*, département *m*; **department store** *n* grand magasin
departure [dɪ'pɑ:tʃəʳ] *n* départ *m*; (*fig*): **a new ~** une nouvelle voie; **departure lounge** *n* salle *f* de départ
depend [dɪ'pɛnd] *vi*: **to ~ (up)on** dépendre de; (*rely on*) compter sur; **it ~s** cela dépend; **~ing on the result ...** selon le résultat ...; **dependant** *n* personne *f* à charge; **dependent** *adj*: **to be dependent (on)** dépendre (de) ▷ *n* = **dependant**
depict [dɪ'pɪkt] *vt* (*in picture*) représenter; (*in words*) (dé)peindre, décrire
deport [dɪ'pɔ:t] *vt* déporter, expulser
deposit [dɪ'pɔzɪt] *n* (*Chem, Comm, Geo*) dépôt *m*;

(*of ore, oil*) gisement *m*; (*part payment*) arrhes *fpl*, acompte *m*; (*on bottle etc*) consigne *f*; (*for hired goods etc*) cautionnement *m*, garantie *f* ▷ *vt* déposer; **deposit account** *n* compte *m* sur livret
depot ['dɛpəu] *n* dépôt *m*; (US: *Rail*) gare *f*
depreciate [dɪ'pri:ʃɪeɪt] *vi* se déprécier, se dévaloriser
depress [dɪ'prɛs] *vt* déprimer; (*press down*) appuyer sur, abaisser; (*wages etc*) faire baisser; **depressed** *adj* (*person*) déprimé(e); (*area*) en déclin, touché(e) par le sous-emploi; **depressing** *adj* déprimant(e); **depression** [dɪ'prɛʃən] *n* dépression *f*
deprive [dɪ'praɪv] *vt*: **to ~ sb of** priver qn de; **deprived** *adj* déshérité(e)
dept. *abbr* (= *department*) dép, dépt
depth [dɛpθ] *n* profondeur *f*; **to be in the ~s of despair** être au plus profond du désespoir; **to be out of one's ~** (BRIT: *swimmer*) ne plus avoir pied; (*fig*) être dépassé(e), nager
deputy ['dɛpjutɪ] *n* (*second in command*) adjoint(e); (*Pol*) député *m*; (US: *also*: **~ sheriff**) shérif adjoint ▷ *adj*: **~ head** (*Scol*) directeur(-trice) adjoint(e), sous-directeur(-trice)
derail [dɪ'reɪl] *vt*: **to be ~ed** dérailler
derelict ['dɛrɪlɪkt] *adj* abandonné(e), à l'abandon
derive [dɪ'raɪv] *vt*: **to ~ sth from** tirer qch de; trouver qch dans ▷ *vi*: **to ~ from** provenir de, dériver de
descend [dɪ'sɛnd] *vt*, *vi* descendre; **to ~ from** descendre de, être issu(e) de; **to ~ to** s'abaisser à; **descendant** *n* descendant(e); **descent** *n* descente *f*; (*origin*) origine *f*
describe [dɪs'kraɪb] *vt* décrire; **description** [dɪs'krɪpʃən] *n* description *f*; (*sort*) sorte *f*, espèce *f*
desert *n* ['dɛzət] désert *m* ▷ *vb* [dɪ'zə:t] ▷ *vt* déserter, abandonner ▷ *vi* (*Mil*) déserter; **deserted** [dɪ'zə:tɪd] *adj* désert(e)
deserve [dɪ'zə:v] *vt* mériter
design [dɪ'zaɪn] *n* (*sketch*) plan *m*, dessin *m*; (*layout, shape*) conception *f*, ligne *f*; (*pattern*) dessin, motif(s) *m(pl)*; (*of dress, car*) modèle *m*; (*art*) design *m*, stylisme *m*; (*intention*) dessein *m* ▷ *vt* dessiner; (*plan*) concevoir; **design and technology** *n* (BRIT: *Scol*) technologie *f*
designate *vt* ['dɛzɪgneɪt] désigner ▷ *adj* ['dɛzɪgnɪt] désigné(e)
designer [dɪ'zaɪnə^r] *n* (*Archit, Art*) dessinateur(-trice); (*Industry*) concepteur *m*, designer *m*; (*Fashion*) styliste *m/f*
desirable [dɪ'zaɪərəbl] *adj* (*property, location, purchase*) attrayant(e)
desire [dɪ'zaɪə^r] *n* désir *m* ▷ *vt* désirer, vouloir
desk [dɛsk] *n* (*in office*) bureau *m*; (*for pupil*) pupitre *m*; (BRIT: *in shop, restaurant*) caisse *f*; (*in hotel, at airport*) réception *f*; **desk-top publishing** ['dɛsktɔp-] *n* publication assistée par ordinateur, PAO *f*
despair [dɪs'pɛə^r] *n* désespoir *m* ▷ *vi*: **to ~ of** désespérer de
despatch [dɪs'pætʃ] *n*, *vt* = **dispatch**
desperate ['dɛspərɪt] *adj* désespéré(e); (*fugitive*) prêt(e) à tout; **to be ~ for sth/to do sth** avoir désespérément besoin de qch/de faire qch; **desperately** *adv* désespérément; (*very*) terriblement, extrêmement; **desperation** [dɛspə'reɪʃən] *n* désespoir *m*; **in (sheer) desperation** en désespoir de cause
despise [dɪs'paɪz] *vt* mépriser
despite [dɪs'paɪt] *prep* malgré, en dépit de
dessert [dɪ'zə:t] *n* dessert *m*; **dessertspoon** *n* cuiller *f* à dessert
destination [dɛstɪ'neɪʃən] *n* destination *f*
destined ['dɛstɪnd] *adj*: **~ for London** à destination de Londres
destiny ['dɛstɪnɪ] *n* destinée *f*, destin *m*
destroy [dɪs'trɔɪ] *vt* détruire; (*injured horse*) abattre; (*dog*) faire piquer
destruction [dɪs'trʌkʃən] *n* destruction *f*
destructive [dɪs'trʌktɪv] *adj* destructeur(-trice)
detach [dɪ'tætʃ] *vt* détacher; **detached** *adj* (*attitude*) détaché(e); **detached house** *n* pavillon *m* maison(nette) (individuelle)
detail ['di:teɪl] *n* détail *m* ▷ *vt* raconter en détail, énumérer; **in ~** en détail; **detailed** *adj* détaillé(e)
detain [dɪ'teɪn] *vt* retenir; (*in captivity*) détenir
detect [dɪ'tɛkt] *vt* déceler, percevoir; (*Med, Police*) dépister; (*Mil, Radar, Tech*) détecter; **detection** [dɪ'tɛkʃən] *n* découverte *f*; **detective** *n* policier *m*; **private detective** détective privé; **detective story** *n* roman policier
detention [dɪ'tɛnʃən] *n* détention *f*; (*Scol*) retenue *f*, consigne *f*
deter [dɪ'tə:^r] *vt* dissuader
detergent [dɪ'tə:dʒənt] *n* détersif *m*, détergent *m*
deteriorate [dɪ'tɪərɪəreɪt] *vi* se détériorer, se dégrader
determination [dɪtə:mɪ'neɪʃən] *n* détermination *f*
determine [dɪ'tə:mɪn] *vt* déterminer; **to ~ to do** résoudre de faire, se déterminer à faire; **determined** *adj* (*person*) déterminé(e), décidé(e); **determined to do** bien décidé à faire
deterrent [dɪ'tɛrənt] *n* effet *m* de dissuasion; force *f* de dissuasion
detest [dɪ'tɛst] *vt* détester, avoir horreur de
detour ['di:tuə^r] *n* détour *m*; (US *Aut*: *diversion*) déviation *f*
detract [dɪ'trækt] *vt*: **to ~ from** (*quality, pleasure*) diminuer; (*reputation*) porter atteinte à
detrimental [dɛtrɪ'mɛntl] *adj*: **~ to** préjudiciable *or* nuisible à
devastating ['dɛvəsteɪtɪŋ] *adj* dévastateur(-trice); (*news*) accablant(e)
develop [dɪ'vɛləp] *vt* (*gen*) développer; (*disease*) commencer à souffrir de; (*resources*) mettre en valeur, exploiter; (*land*) aménager ▷ *vi* se développer; (*situation, disease*: *evolve*) évoluer; (*facts, symptoms*: *appear*) se manifester, se produire; **can you ~ this film?** pouvez-vous développer cette pellicule?; **developing country** *n* pays *m* en voie de développement; **development** *n* développement *m*; (*of land*) exploitation *f*; (*new fact, event*) rebondissement *m*, fait(s) nouveau(x)
device [dɪ'vaɪs] *n* (*apparatus*) appareil *m*, dispositif *m*
devil ['dɛvl] *n* diable *m*; démon *m*
devious ['di:vɪəs] *adj* (*person*) sournois(e), dissimulé(e)
devise [dɪ'vaɪz] *vt* imaginer, concevoir
devote [dɪ'vəut] *vt*: **to ~ sth to** consacrer qch à; **devoted** *adj* dévoué(e); **to be devoted to** être dévoué(e) *or* très attaché(e) à; (*book etc*) être consacré(e) à; **devotion** *n* dévouement *m*, attachement *m*; (*Rel*) dévotion *f*, piété *f*
devour [dɪ'vauə^r] *vt* dévorer
devout [dɪ'vaut] *adj* pieux(-euse), dévot(e)
dew [dju:] *n* rosée *f*
diabetes [daɪə'bi:ti:z] *n* diabète *m*
diabetic [daɪə'bɛtɪk] *n* diabétique *m/f* ▷ *adj* (*person*) diabétique
diagnose [daɪəg'nəuz] *vt* diagnostiquer

diagnosis (*pl* **diagnoses**) [daɪəg'nəusɪs, -si:z] *n* diagnostic *m*
diagonal [daɪ'ægənl] *adj* diagonal(e) ▷ *n* diagonale *f*
diagram ['daɪəgræm] *n* diagramme *m*, schéma *m*
dial ['daɪəl] *n* cadran *m* ▷ *vt* (*number*) faire, composer
dialect ['daɪəlɛkt] *n* dialecte *m*
dialling code ['daɪəlɪŋ-] (*US* **dial code**) *n* indicatif *m* (téléphonique); **what's the ~ for Paris?** quel est l'indicatif de Paris?
dialling tone ['daɪəlɪŋ-] (*US* **dial tone**) *n* tonalité *f*
dialogue (*US* **dialog**) ['daɪəlɔg] *n* dialogue *m*
diameter [daɪ'æmɪtə^r] *n* diamètre *m*
diamond ['daɪəmənd] *n* diamant *m*; (*shape*) losange *m*; **diamonds** *npl* (*Cards*) carreau *m*
diaper ['daɪəpə^r] *n* (*US*) couche *f*
diarrhoea (*US* **diarrhea**) [daɪə'ri:ə] *n* diarrhée *f*
diary ['daɪərɪ] *n* (*daily account*) journal *m*; (*book*) agenda *m*
dice [daɪs] *n* (*pl inv*) dé *m* ▷ *vt* (*Culin*) couper en dés *or* en cubes
dictate [dɪk'teɪt] *vt* dicter; **dictation** [dɪk'teɪʃən] *n* dictée *f*
dictator [dɪk'teɪtə^r] *n* dictateur *m*
dictionary ['dɪkʃənrɪ] *n* dictionnaire *m*
did [dɪd] *pt of* **do**
didn't [dɪdnt] = **did not**
die [daɪ] *vi* mourir; **to be dying for sth** avoir une envie folle de qch; **to be dying to do sth** mourir d'envie de faire qch; **die down** *vi* se calmer, s'apaiser; **die out** *vi* disparaître, s'éteindre
diesel ['di:zl] *n* (*vehicle*) diesel *m*; (*also*: **~ oil**) carburant *m* diesel, gas-oil *m*
diet ['daɪət] *n* alimentation *f*; (*restricted food*) régime *m* ▷ *vi* (*also*: **be on a ~**) suivre un régime
differ ['dɪfə^r] *vi*: **to ~ from sth** (*be different*) être différent(e) de qch, différer de qch; **to ~ from sb over sth** ne pas être d'accord avec qn au sujet de qch; **difference** *n* différence *f*; (*quarrel*) différend *m*, désaccord *m*; **different** *adj* différent(e); **differentiate** [dɪfə'rɛnʃɪeɪt] *vi*: **to differentiate between** faire une différence entre; **differently** *adv* différemment
difficult ['dɪfɪkəlt] *adj* difficile; **difficulty** *n* difficulté *f*
dig [dɪg] *vt* (*pt, pp* **dug**) (*hole*) creuser; (*garden*) bêcher ▷ *n* (*prod*) coup *m* de coude; (*fig: remark*) coup de griffe *or* de patte; (*Archaeology*) fouille *f*; **to ~ one's nails into** enfoncer ses ongles dans; **dig up** *vt* déterrer
digest *vt* [daɪ'dʒɛst] digérer ▷ *n* ['daɪdʒɛst] sommaire *m*, résumé *m*; **digestion** [dɪ'dʒɛstʃən] *n* digestion *f*
digit ['dɪdʒɪt] *n* (*number*) chiffre *m* (*de 0 à 9*); (*finger*) doigt *m*; **digital** *adj* (*system, recording, radio*) numérique, digital(e); (*watch*) à affichage numérique *or* digital; **digital camera** *n* appareil *m* photo numérique; **digital TV** *n* télévision *f* numérique
dignified ['dɪgnɪfaɪd] *adj* digne
dignity ['dɪgnɪtɪ] *n* dignité *f*
digs [dɪgz] *npl* (*BRIT inf*) piaule *f*, chambre meublée
dilemma [daɪ'lɛmə] *n* dilemme *m*
dill [dɪl] *n* aneth *m*
dilute [daɪ'lu:t] *vt* diluer
dim [dɪm] *adj* (*light, eyesight*) faible; (*memory, outline*) vague, indécis(e); (*room*) sombre; (*inf: stupid*) borné(e), obtus(e) ▷ *vt* (*light*) réduire, baisser; (*US Aut*) mettre en code, baisser
dime [daɪm] *n* (*US*) pièce *f* de 10 cents
dimension [daɪ'mɛnʃən] *n* dimension *f*
diminish [dɪ'mɪnɪʃ] *vt, vi* diminuer
din [dɪn] *n* vacarme *m*
dine [daɪn] *vi* dîner; **diner** *n* (*person*) dîneur(-euse); (*US: eating place*) petit restaurant
dinghy ['dɪŋgɪ] *n* youyou *m*; (*inflatable*) canot *m* pneumatique; (*also*: **sailing ~**) voilier *m*, dériveur *m*
dingy ['dɪndʒɪ] *adj* miteux(-euse), minable
dining car ['daɪnɪŋ-] *n* (*BRIT*) voiture-restaurant *f*, wagon-restaurant *m*
dining room ['daɪnɪŋ-] *n* salle *f* à manger
dining table [daɪnɪŋ-] *n* table *f* de (la) salle à manger
dinner ['dɪnə^r] *n* (*evening meal*) dîner *m*; (*lunch*) déjeuner *m*; (*public*) banquet *m*; **dinner jacket** *n* smoking *m*; **dinner party** *n* dîner *m*; **dinner time** *n* (*evening*) heure *f* du dîner; (*midday*) heure du déjeuner
dinosaur ['daɪnəsɔ:^r] *n* dinosaure *m*
dip [dɪp] *n* (*slope*) déclivité *f*; (*in sea*) baignade *f*, bain *m*; (*Culin*) ≈ sauce *f* ▷ *vt* tremper, plonger; (*BRIT Aut: lights*) mettre en code, baisser ▷ *vi* plonger
diploma [dɪ'pləumə] *n* diplôme *m*
diplomacy [dɪ'pləuməsɪ] *n* diplomatie *f*
diplomat ['dɪpləmæt] *n* diplomate *m*; **diplomatic** [dɪplə'mætɪk] *adj* diplomatique
dipstick ['dɪpstɪk] *n* (*BRIT Aut*) jauge *f* de niveau d'huile
dire [daɪə^r] *adj* (*poverty*) extrême; (*awful*) affreux(-euse)
direct [daɪ'rɛkt] *adj* direct(e) ▷ *vt* (*tell way*) diriger, orienter; (*letter, remark*) adresser; (*Cine, TV*) réaliser; (*Theat*) mettre en scène; (*order*): **to ~ sb to do sth** ordonner à qn de faire qch ▷ *adv* directement; **can you ~ me to ...?** pouvez-vous m'indiquer le chemin de ...?; **direct debit** *n* (*BRIT Banking*) prélèvement *m* automatique
direction [dɪ'rɛkʃən] *n* direction *f*; **directions** *npl* (*to a place*) indications *fpl*; **~s for use** mode *m* d'emploi; **sense of ~** sens *m* de l'orientation
directly [dɪ'rɛktlɪ] *adv* (*in straight line*) directement, tout droit; (*at once*) tout de suite, immédiatement
director [dɪ'rɛktə^r] *n* directeur *m*; (*Theat*) metteur *m* en scène; (*Cine, TV*) réalisateur(-trice)
directory [dɪ'rɛktərɪ] *n* annuaire *m*; (*Comput*) répertoire *m*; **directory enquiries** (*US* **directory assistance**) *n* (*Tel: service*) renseignements *mpl*
dirt [də:t] *n* saleté *f*; (*mud*) boue *f*; **dirty** *adj* sale; (*joke*) cochon(ne) ▷ *vt* salir
disability [dɪsə'bɪlɪtɪ] *n* invalidité *f*, infirmité *f*
disabled [dɪs'eɪbld] *adj* handicapé(e); (*maimed*) mutilé(e)
disadvantage [dɪsəd'vɑ:ntɪdʒ] *n* désavantage *m*, inconvénient *m*
disagree [dɪsə'gri:] *vi* (*differ*) ne pas concorder; (*be against, think otherwise*): **to ~ (with)** ne pas être d'accord (avec); **disagreeable** *adj* désagréable; **disagreement** *n* désaccord *m*, différend *m*
disappear [dɪsə'pɪə^r] *vi* disparaître; **disappearance** *n* disparition *f*
disappoint [dɪsə'pɔɪnt] *vt* décevoir; **disappointed** *adj* déçu(e); **disappointing** *adj* décevant(e); **disappointment** *n* déception *f*
disapproval [dɪsə'pru:vəl] *n* désapprobation *f*
disapprove [dɪsə'pru:v] *vi*: **to ~ of** désapprouver
disarm [dɪs'ɑ:m] *vt* désarmer; **disarmament** [dɪs'ɑ:məmənt] *n* désarmement *m*
disaster [dɪ'zɑ:stə^r] *n* catastrophe *f*, désastre *m*;

disastrous *adj* désastreux(-euse)
disbelief ['dɪsbə'li:f] *n* incrédulité *f*
disc [dɪsk] *n* disque *m*; (*Comput*) = **disk**
discard [dɪs'kɑ:d] *vt* (*old things*) se débarrasser de; (*fig*) écarter, renoncer à
discharge *vt* [dɪs'tʃɑ:dʒ] (*duties*) s'acquitter de; (*waste etc*) déverser; décharger; (*patient*) renvoyer (chez lui); (*employee, soldier*) congédier, licencier ▷ *n* ['dɪstʃɑ:dʒ] (*Elec, Med*) émission *f*; (*dismissal*) renvoi *m*; licenciement *m*
discipline ['dɪsɪplɪn] *n* discipline *f* ▷ *vt* discipliner; (*punish*) punir
disc jockey *n* disque-jockey *m* (DJ)
disclose [dɪs'kləuz] *vt* révéler, divulguer
disco ['dɪskəu] *n abbr* discothèque *f*
discoloured [dɪs'kʌləd] (*US* **discolored**) *adj* décoloré(e), jauni(e)
discomfort [dɪs'kʌmfət] *n* malaise *m*, gêne *f*; (*lack of comfort*) manque *m* de confort
disconnect [dɪskə'nɛkt] *vt* (*Elec, Radio*) débrancher; (*gas, water*) couper
discontent [dɪskən'tɛnt] *n* mécontentement *m*
discontinue [dɪskən'tɪnju:] *vt* cesser, interrompre; **"~d"** (*Comm*) "fin de série"
discount *n* ['dɪskaunt] remise *f*, rabais *m* ▷ *vt* [dɪs'kaunt] (*report etc*) ne pas tenir compte de
discourage [dɪs'kʌrɪdʒ] *vt* décourager
discover [dɪs'kʌvə^r] *vt* découvrir; **discovery** *n* découverte *f*
discredit [dɪs'krɛdɪt] *vt* (*idea*) mettre en doute; (*person*) discréditer
discreet [dɪ'skri:t] *adj* discret(-ète)
discrepancy [dɪ'skrɛpənsɪ] *n* divergence *f*, contradiction *f*
discretion [dɪ'skrɛʃən] *n* discrétion *f*; **at the ~ of** à la discrétion de
discriminate [dɪ'skrɪmɪneɪt] *vi*: **to ~ between** établir une distinction entre, faire la différence entre; **to ~ against** pratiquer une discrimination contre; **discrimination** [dɪskrɪmɪ'neɪʃən] *n* discrimination *f*; (*judgment*) discernement *m*
discuss [dɪ'skʌs] *vt* discuter de; (*debate*) discuter; **discussion** [dɪ'skʌʃən] *n* discussion *f*
disease [dɪ'zi:z] *n* maladie *f*
disembark [dɪsɪm'bɑ:k] *vt, vi* débarquer
disgrace [dɪs'greɪs] *n* honte *f*; (*disfavour*) disgrâce *f* ▷ *vt* déshonorer, couvrir de honte; **disgraceful** *adj* scandaleux(-euse), honteux(-euse)
disgruntled [dɪs'grʌntld] *adj* mécontent(e)
disguise [dɪs'gaɪz] *n* déguisement *m* ▷ *vt* déguiser; **in ~** déguisé(e)
disgust [dɪs'gʌst] *n* dégoût *m*, aversion *f* ▷ *vt* dégoûter, écœurer
disgusted [dɪs'gʌstɪd] *adj* dégoûté(e), écœuré(e)
disgusting [dɪs'gʌstɪŋ] *adj* dégoûtant(e)
dish [dɪʃ] *n* plat *m*; **to do** *or* **wash the ~es** faire la vaisselle; **dishcloth** *n* (*for drying*) torchon *m*; (*for washing*) lavette *f*
dishonest [dɪs'ɔnɪst] *adj* malhonnête
dishtowel ['dɪʃtauəl] *n* (*US*) torchon *m* (à vaisselle)
dishwasher ['dɪʃwɔʃə^r] *n* lave-vaisselle *m*
disillusion [dɪsɪ'lu:ʒən] *vt* désabuser, désenchanter
disinfectant [dɪsɪn'fɛktənt] *n* désinfectant *m*
disintegrate [dɪs'ɪntɪgreɪt] *vi* se désintégrer
disk [dɪsk] *n* (*Comput*) disquette *f*; **single-/double-sided ~** disquette une face/double face; **disk drive** *n* lecteur *m* de disquette; **diskette** *n* (*Comput*) disquette *f*
dislike [dɪs'laɪk] *n* aversion *f*, antipathie *f* ▷ *vt* ne pas aimer
dislocate ['dɪsləkeɪt] *vt* disloquer, déboîter
disloyal [dɪs'lɔɪəl] *adj* déloyal(e)
dismal ['dɪzml] *adj* (*gloomy*) lugubre, maussade; (*very bad*) lamentable
dismantle [dɪs'mæntl] *vt* démonter
dismay [dɪs'meɪ] *n* consternation *f* ▷ *vt* consterner
dismiss [dɪs'mɪs] *vt* congédier, renvoyer; (*idea*) écarter; (*Law*) rejeter; **dismissal** *n* renvoi *m*
disobedient [dɪsə'bi:dɪənt] *adj* désobéissant(e), indiscipliné(e)
disobey [dɪsə'beɪ] *vt* désobéir à
disorder [dɪs'ɔ:də^r] *n* désordre *m*; (*rioting*) désordres *mpl*; (*Med*) troubles *mpl*
disorganized [dɪs'ɔ:gənaɪzd] *adj* désorganisé(e)
disown [dɪs'əun] *vt* renier
dispatch [dɪs'pætʃ] *vt* expédier, envoyer ▷ *n* envoi *m*, expédition *f*; (*Mil, Press*) dépêche *f*
dispel [dɪs'pɛl] *vt* dissiper, chasser
dispense [dɪs'pɛns] *vt* (*medicine*) préparer (et vendre); **dispense with** *vt fus* se passer de; **dispenser** *n* (*device*) distributeur *m*
disperse [dɪs'pə:s] *vt* disperser ▷ *vi* se disperser
display [dɪs'pleɪ] *n* (*of goods*) étalage *m*; affichage *m*; (*Comput: information*) visualisation *f*; (: *device*) visuel *m*; (*of feeling*) manifestation *f* ▷ *vt* montrer; (*goods*) mettre à l'étalage, exposer; (*results, departure times*) afficher; (*pej*) faire étalage de
displease [dɪs'pli:z] *vt* mécontenter, contrarier
disposable [dɪs'pəuzəbl] *adj* (*pack etc*) jetable; (*income*) disponible
disposal [dɪs'pəuzl] *n* (*of rubbish*) évacuation *f*, destruction *f*; (*of property etc: by selling*) vente *f*; (: *by giving away*) cession *f*; **at one's ~** à sa disposition
dispose [dɪs'pəuz] *vi*: **to ~ of** (*unwanted goods*) se débarrasser de, se défaire de; (*problem*) expédier; **disposition** [dɪspə'zɪʃən] *n* disposition *f*; (*temperament*) naturel *m*
disproportionate [dɪsprə'pɔ:ʃənət] *adj* disproportionné(e)
dispute [dɪs'pju:t] *n* discussion *f*; (*also*: **industrial ~**) conflit *m* ▷ *vt* (*question*) contester; (*matter*) discuter
disqualify [dɪs'kwɔlɪfaɪ] *vt* (*Sport*) disqualifier; **to ~ sb for sth/from doing** rendre qn inapte à qch/à faire
disregard [dɪsrɪ'gɑ:d] *vt* ne pas tenir compte de
disrupt [dɪs'rʌpt] *vt* (*plans, meeting, lesson*) perturber, déranger; **disruption** [dɪs'rʌpʃən] *n* perturbation *f*, dérangement *m*
dissatisfaction [dɪssætɪs'fækʃən] *n* mécontentement *m*, insatisfaction *f*
dissatisfied [dɪs'sætɪsfaɪd] *adj*: **~ (with)** insatisfait(e) (de)
dissect [dɪ'sɛkt] *vt* disséquer
dissent [dɪ'sɛnt] *n* dissentiment *m*, différence *f* d'opinion
dissertation [dɪsə'teɪʃən] *n* (*Scol*) mémoire *m*
dissolve [dɪ'zɔlv] *vt* dissoudre ▷ *vi* se dissoudre, fondre; **to ~ in(to) tears** fondre en larmes
distance ['dɪstns] *n* distance *f*; **in the ~** au loin
distant ['dɪstnt] *adj* lointain(e), éloigné(e); (*manner*) distant(e), froid(e)
distil (*US* **distill**) [dɪs'tɪl] *vt* distiller; **distillery** *n* distillerie *f*
distinct [dɪs'tɪŋkt] *adj* distinct(e); (*clear*) marqué(e); **as ~ from** par opposition à; **distinction** [dɪs'tɪŋkʃən] *n* distinction *f*; (*in exam*) mention *f* très bien; **distinctive** *adj* distinctif(-ive)

distinguish [dɪs'tɪŋgwɪʃ] *vt* distinguer; **to ~ o.s.** se distinguer; **distinguished** *adj* (*eminent, refined*) distingué(e)
distort [dɪs'tɔ:t] *vt* déformer
distract [dɪs'trækt] *vt* distraire, déranger; **distracted** *adj* (*not concentrating*) distrait(e); (*worried*) affolé(e); **distraction** [dɪs'trækʃən] *n* distraction *f*
distraught [dɪs'trɔ:t] *adj* éperdu(e)
distress [dɪs'trɛs] *n* détresse *f* ▷ *vt* affliger; **distressing** *adj* douloureux(-euse), pénible
distribute [dɪs'trɪbju:t] *vt* distribuer; **distribution** [dɪstrɪ'bju:ʃən] *n* distribution *f*; **distributor** *n* (*gen: Tech*) distributeur *m*; (*Comm*) concessionnaire *m/f*
district ['dɪstrɪkt] *n* (*of country*) région *f*; (*of town*) quartier *m*; (*Admin*) district *m*; **district attorney** *n* (US) ≈ procureur *m* de la République
distrust [dɪs'trʌst] *n* méfiance *f*, doute *m* ▷ *vt* se méfier de
disturb [dɪs'tə:b] *vt* troubler; (*inconvenience*) déranger; **disturbance** *n* dérangement *m*; (*political etc*) troubles *mpl*; **disturbed** *adj* (*worried, upset*) agité(e), troublé(e); **to be emotionally disturbed** avoir des problèmes affectifs; **disturbing** *adj* troublant(e), inquiétant(e)
ditch [dɪtʃ] *n* fossé *m*; (*for irrigation*) rigole *f* ▷ *vt* (*inf*) abandonner; (*person*) plaquer
ditto ['dɪtəu] *adv* idem
dive [daɪv] *n* plongeon *m*; (*of submarine*) plongée *f* ▷ *vi* plonger; **to ~ into** (*bag etc*) plonger la main dans; (*place*) se précipiter dans; **diver** *n* plongeur *m*
diverse [daɪ'və:s] *adj* divers(e)
diversion [daɪ'və:ʃən] *n* (BRIT *Aut*) déviation *f*; (*distraction, Mil*) diversion *f*
diversity [daɪ'və:sɪtɪ] *n* diversité *f*, variété *f*
divert [daɪ'və:t] *vt* (BRIT: *traffic*) dévier; (*plane*) dérouter; (*train, river*) détourner
divide [dɪ'vaɪd] *vt* diviser; (*separate*) séparer ▷ *vi* se diviser; **divided highway** (US) *n* route *f* à quatre voies
divine [dɪ'vaɪn] *adj* divin(e)
diving ['daɪvɪŋ] *n* plongée (sous-marine); **diving board** *n* plongeoir *m*
division [dɪ'vɪʒən] *n* division *f*; (*separation*) séparation *f*; (*Comm*) service *m*
divorce [dɪ'vɔ:s] *n* divorce *m* ▷ *vt* divorcer d'avec; **divorced** *adj* divorcé(e); **divorcee** [dɪvɔ:'si:] *n* divorcé(e)
D.I.Y. *adj, n abbr* (BRIT) = **do-it-yourself**
dizzy ['dɪzɪ] *adj*: **I feel ~** la tête me tourne, j'ai la tête qui tourne
DJ *n abbr* = **disc jockey**
DNA *n abbr* (= *deoxyribonucleic acid*) ADN *m*

KEYWORD

do [du:] (*pt* **did**, *pp* **done**) *n* (*inf: party etc*) soirée *f*, fête *f*
▷ *vb* **1** (*in negative constructions*) *non traduit*; **I don't understand** je ne comprends pas
2 (*to form questions*) *non traduit*; **didn't you know?** vous ne le saviez pas?; **what do you think?** qu'en pensez-vous?
3 (*for emphasis, in polite expressions*): **people do make mistakes sometimes** on peut toujours se tromper; **she does seem rather late** je trouve qu'elle est bien en retard; **do sit down/help yourself** asseyez-vous/servez-vous je vous en prie; **do take care!** faites bien attention à vous!
4 (*used to avoid repeating vb*): **she swims better than I do** elle nage mieux que moi; **do you agree? - yes, I do/no I don't** vous êtes d'accord? - oui/non; **she lives in Glasgow - so do I** elle habite Glasgow - moi aussi; **he didn't like it and neither did we** il n'a pas aimé ça, et nous non plus; **who broke it? - I did** qui l'a cassé? - c'est moi; **he asked me to help him and I did** il m'a demandé de l'aider, et c'est ce que j'ai fait
5 (*in question tags*): **you like him, don't you?** vous l'aimez bien, n'est-ce pas?; **I don't know him, do I?** je ne crois pas le connaître
▷ *vt* **1** (*gen: carry out, perform etc*) faire; (*visit: city, museum*) faire, visiter; **what are you doing tonight?** qu'est-ce que vous faites ce soir?; **what do you do?** (*job*) que faites-vous dans la vie?; **what can I do for you?** que puis-je faire pour vous?; **to do the cooking/washing-up** faire la cuisine/la vaisselle; **to do one's teeth/hair/nails** se brosser les dents/se coiffer/se faire les ongles
2 (*Aut etc: distance*) faire; (: *speed*) faire du; **we've done 200 km already** nous avons déjà fait 200 km; **the car was doing 100** la voiture faisait du 100 (à l'heure); **he can do 100 in that car** il peut faire du 100 (à l'heure) dans cette voiture-là
▷ *vi* **1** (*act, behave*) faire; **do as I do** faites comme moi
2 (*get on, fare*) marcher; **the firm is doing well** l'entreprise marche bien; **he's doing well/badly at school** ça marche bien/mal pour lui à l'école; **how do you do?** comment allez-vous?; (*on being introduced*) enchanté(e)!
3 (*suit*) aller; **will it do?** est-ce que ça ira?
4 (*be sufficient*) suffire, aller; **will £10 do?** est-ce que 10 livres suffiront?; **that'll do** ça suffit, ça ira; **that'll do!** (*in annoyance*) ça va *or* suffit comme ça!; **to make do (with)** se contenter (de)
do up *vt* (*laces, dress*) attacher; (*buttons*) boutonner; (*zip*) fermer; (*renovate: room*) refaire; (: *house*) remettre à neuf
do with *vt fus* (*need*): **I could do with a drink/ some help** quelque chose à boire/un peu d'aide ne serait pas de refus; **it could do with a wash** ça ne lui ferait pas de mal d'être lavé; (*be connected with*): **that has nothing to do with you** cela ne vous concerne pas; **I won't have anything to do with it** je ne veux pas m'en mêler
do without *vi* s'en passer; **if you're late for tea then you'll do without** si vous êtes en retard pour le dîner il faudra vous en passer
▷ *vt fus* se passer de; **I can do without a car** je peux me passer de voiture

dock [dɔk] *n* dock *m*; (*wharf*) quai *m*; (*Law*) banc *m* des accusés ▷ *vi* se mettre à quai; (*Space*) s'arrimer; **docks** *npl* (*Naut*) docks
doctor ['dɔktə^r] *n* médecin *m*, docteur *m*; (*PhD etc*) docteur ▷ *vt* (*drink*) frelater; **call a ~!** appelez un docteur *or* un médecin!; **Doctor of Philosophy (PhD)** *n* (*degree*) doctorat *m*; (*person*) titulaire *m/f* d'un doctorat
document ['dɔkjumənt] *n* document *m*; **documentary** [dɔkju'mɛntərɪ] *adj, n* documentaire (*m*); **documentation** [dɔkjumən'teɪʃən] *n* documentation *f*
dodge [dɔdʒ] *n* truc *m*; combine *f* ▷ *vt* esquiver, éviter
dodgy ['dɔdʒɪ] *adj* (*inf: uncertain*) douteux(-euse); (: *shady*) louche
does [dʌz] *vb see* **do**

doesn't ['dʌznt] = **does not**
dog [dɔg] *n* chien(ne) ▷ *vt* (*follow closely*) suivre de près; (*fig: memory etc*) poursuivre, harceler; **doggy bag** ['dɔgɪ-] *n* *petit sac pour emporter les restes*
do-it-yourself ['du:ɪtjɔ:'sɛlf] *n* bricolage *m*
dole [dəul] *n* (BRIT: *payment*) allocation *f* de chômage; **on the ~** au chômage
doll [dɔl] *n* poupée *f*
dollar ['dɔlə^r] *n* dollar *m*
dolphin ['dɔlfɪn] *n* dauphin *m*
dome [dəum] *n* dôme *m*
domestic [də'mɛstɪk] *adj* (*duty, happiness*) familial(e); (*policy, affairs, flight*) intérieur(e); (*animal*) domestique; **domestic appliance** *n* appareil ménager
dominant ['dɔmɪnənt] *adj* dominant(e)
dominate ['dɔmɪneɪt] *vt* dominer
domino ['dɔmɪnəu] (*pl* **~es**) *n* domino *m*; **dominoes** *n* (*game*) dominos *mpl*
donate [də'neɪt] *vt* faire don de, donner; **donation** [də'neɪʃən] *n* donation *f*, don *m*
done [dʌn] *pp of* **do**
donkey ['dɔŋkɪ] *n* âne *m*
donor ['dəunə^r] *n* (*of blood etc*) donneur(-euse); (*to charity*) donateur(-trice); **donor card** *n* carte *f* de don d'organes
don't [dəunt] = **do not**
donut ['dəunʌt] (US) *n* = **doughnut**
doodle ['du:dl] *vi* griffonner, gribouiller
doom [du:m] *n* (*fate*) destin *m* ▷ *vt*: **to be ~ed to failure** être voué(e) à l'échec
door [dɔ:^r] *n* porte *f*; (*Rail, car*) portière *f*; **doorbell** *n* sonnette *f*; **door handle** *n* poignée *f* de porte; (*of car*) poignée de portière; **doorknob** *n* poignée *f* or bouton *m* de porte; **doorstep** *n* pas *m* de (la) porte, seuil *m*; **doorway** *n* (embrasure *f* de) porte *f*
dope [dəup] *n* (*inf: drug*) drogue *f*; (*: person*) andouille *f* ▷ *vt* (*horse etc*) doper
dormitory ['dɔ:mɪtrɪ] *n* (BRIT) dortoir *m*; (US: *hall of residence*) résidence *f* universitaire
DOS [dɔs] *n abbr* (= *disk operating system*) DOS *m*
dosage ['dəusɪdʒ] *n* dose *f*; dosage *m*; (*on label*) posologie *f*
dose [dəus] *n* dose *f*
dot [dɔt] *n* point *m*; (*on material*) pois *m* ▷ *vt*: **~ted with** parsemé(e) de; **on the ~** à l'heure tapante; **dotcom** [dɔt'kɔm] *n* point com *m*, pointcom *m*; **dotted line** ['dɔtɪd-] *n* ligne pointillée; **to sign on the dotted line** signer à l'endroit indiqué *or* sur la ligne pointillée
double ['dʌbl] *adj* double ▷ *adv* (*twice*): **to cost ~ (sth)** coûter le double (de qch) *or* deux fois plus (que qch) ▷ *n* double *m*; (*Cine*) doublure *f* ▷ *vt* doubler; (*fold*) plier en deux ▷ *vi* doubler; **on the ~, at the ~** au pas de course; **double back** *vi* (*person*) revenir sur ses pas; **double bass** *n* contrebasse *f*; **double bed** *n* grand lit; **double-check** *vt*, *vi* revérifier; **double-click** *vi* (*Comput*) double-cliquer; **double-cross** *vt* doubler, trahir; **doubledecker** *n* autobus *m* à impériale; **double glazing** *n* (BRIT) double vitrage *m*; **double room** *n* chambre *f* pour deux; **doubles** *n* (*Tennis*) double *m*; **double yellow lines** *npl* (BRIT: *Aut*) *double bande jaune marquant l'interdiction de stationner*
doubt [daut] *n* doute *m* ▷ *vt* douter de; **no ~** sans doute; **to ~ that** douter que + *sub*; **doubtful** *adj* douteux(-euse); (*person*) incertain(e); **doubtless** *adv* sans doute, sûrement
dough [dəu] *n* pâte *f*; **doughnut** (US **donut**) *n* beignet *m*
dove [dʌv] *n* colombe *f*
Dover ['dəuvə^r] *n* Douvres
down [daun] *n* (*fluff*) duvet *m* ▷ *adv* en bas, vers le bas; (*on the ground*) par terre ▷ *prep* en bas de; (*along*) le long de ▷ *vt* (*inf: drink*) siffler; **to walk ~ a hill** descendre une colline; **to run ~ the street** descendre la rue en courant; **~ with X!** à bas X!; **down-and-out** *n* (*tramp*) clochard(e); **downfall** *n* chute *f*; ruine *f*; **downhill** *adv*: **to go downhill** descendre; (*business*) péricliter
Downing Street ['daunɪŋ-] *n* (BRIT): **10 ~** *résidence du Premier ministre*
down: **download** *vt* (*Comput*) télécharger; **downright** *adj* (*lie etc*) effronté(e); (*refusal*) catégorique
Down's syndrome [daunz-] *n* trisomie *f*
down: **downstairs** *adv* (*on or to ground floor*) au rez-de-chaussée; (*on or to floor below*) à l'étage inférieur; **down-to-earth** *adj* terre à terre *inv*; **downtown** *adv* en ville; **down under** *adv* en Australie *or* Nouvelle Zélande; **downward** ['daunwəd] *adj*, *adv* vers le bas; **downwards** ['daunwədz] *adv* vers le bas
doz. *abbr* = **dozen**
doze [dəuz] *vi* sommeiller
dozen ['dʌzn] *n* douzaine *f*; **a ~ books** une douzaine de livres; **~s of** des centaines de
Dr. *abbr* (= *doctor*) Dr; (*in street names*) = **drive**
drab [dræb] *adj* terne, morne
draft [drɑ:ft] *n* (*of letter, school work*) brouillon *m*; (*of literary work*) ébauche *f*; (*Comm*) traite *f*; (US: *call-up*) conscription *f* ▷ *vt* faire le brouillon de; (*Mil: send*) détacher; *see also* **draught**
drag [dræg] *vt* traîner; (*river*) draguer ▷ *vi* traîner ▷ *n* (*inf*) casse-pieds *m/f*; (*women's clothing*): **in ~** (en) travesti; **to ~ and drop** (*Comput*) glisser-poser
dragon ['drægn] *n* dragon *m*
dragonfly ['drægənflaɪ] *n* libellule *f*
drain [dreɪn] *n* égout *m*; (*on resources*) saignée *f* ▷ *vt* (*land, marshes*) drainer, assécher; (*vegetables*) égoutter; (*reservoir etc*) vider ▷ *vi* (*water*) s'écouler; **drainage** *n* (*system*) système *m* d'égouts; (*act*) drainage *m*; **drainpipe** *n* tuyau *m* d'écoulement
drama ['drɑ:mə] *n* (*art*) théâtre *m*, art *m* dramatique; (*play*) pièce *f*; (*event*) drame *m*; **dramatic** [drə'mætɪk] *adj* (*Theat*) dramatique; (*impressive*) spectaculaire
drank [dræŋk] *pt of* **drink**
drape [dreɪp] *vt* draper; **drapes** *npl* (US) rideaux *mpl*
drastic ['dræstɪk] *adj* (*measures*) d'urgence, énergique; (*change*) radical(e)
draught (US **draft**) [drɑ:ft] *n* courant *m* d'air; **on ~** (*beer*) à la pression; **draught beer** *n* bière *f* (à la) pression; **draughts** *n* (BRIT: *game*) (jeu *m* de) dames *fpl*
draw [drɔ:] (*vb: pt* **drew**, *pp* **~n**) *vt* tirer; (*picture*) dessiner; (*attract*) attirer; (*line, circle*) tracer; (*money*) retirer; (*wages*) toucher ▷ *vi* (*Sport*) faire match nul ▷ *n* match nul; (*lottery*) loterie *f*; (*: picking of ticket*) tirage *m* au sort; **draw out** *vi* (*lengthen*) s'allonger ▷ *vt* (*money*) retirer; **draw up** *vi* (*stop*) s'arrêter ▷ *vt* (*document*) établir, dresser; (*plan*) formuler, dessiner; (*chair*) approcher; **drawback** *n* inconvénient *m*, désavantage *m*
drawer [drɔ:^r] *n* tiroir *m*
drawing ['drɔ:ɪŋ] *n* dessin *m*; **drawing pin** *n* (BRIT) punaise *f*; **drawing room** *n* salon *m*
drawn [drɔ:n] *pp of* **draw**

dread [drɛd] *n* épouvante *f*, effroi *m* ▷ *vt* redouter, appréhender; **dreadful** *adj* épouvantable, affreux(-euse)
dream [dri:m] *n* rêve *m* ▷ *vt*, *vi* (*pt*, *pp* **~ed** *or* **~t**) rêver; **dreamer** *n* rêveur(-euse)
dreamt [drɛmt] *pt*, *pp of* **dream**
dreary ['drɪərɪ] *adj* triste; monotone
drench [drɛntʃ] *vt* tremper
dress [drɛs] *n* robe *f*; (*clothing*) habillement *m*, tenue *f* ▷ *vt* habiller; (*wound*) panser ▷ *vi*: **to get ~ed** s'habiller; **dress up** *vi* s'habiller; (*in fancy dress*) se déguiser; **dress circle** *n* (BRIT) premier balcon; **dresser** *n* (*furniture*) vaisselier *m*; (: US) coiffeuse *f*, commode *f*; **dressing** *n* (*Med*) pansement *m*; (*Culin*) sauce *f*, assaisonnement *m*; **dressing gown** *n* (BRIT) robe *f* de chambre; **dressing room** *n* (*Theat*) loge *f*; (*Sport*) vestiaire *m*; **dressing table** *n* coiffeuse *f*; **dressmaker** *n* couturière *f*
drew [dru:] *pt of* **draw**
dribble ['drɪbl] *vi* (*baby*) baver ▷ *vt* (*ball*) dribbler
dried [draɪd] *adj* (*fruit, beans*) sec (sèche); (*eggs, milk*) en poudre
drier ['draɪəʳ] *n* = **dryer**
drift [drɪft] *n* (*of current etc*) force *f*; direction *f*; (*of snow*) rafale *f*; coulée *f*; (: *on ground*) congère *f*; (*general meaning*) sens général ▷ *vi* (*boat*) aller à la dérive, dériver; (*sand, snow*) s'amonceler, s'entasser
drill [drɪl] *n* perceuse *f*; (*bit*) foret *m*; (*of dentist*) roulette *f*, fraise *f*; (*Mil*) exercice *m* ▷ *vt* percer; (*troops*) entraîner ▷ *vi* (*for oil*) faire un *or* des forage(s)
drink [drɪŋk] *n* boisson *f*; (*alcoholic*) verre *m* ▷ *vt*, *vi* (*pt* **drank**, *pp* **drunk**) boire; **to have a ~** boire quelque chose, boire un verre; **a ~ of water** un verre d'eau; **would you like a ~?** tu veux boire quelque chose?; **drink-driving** *n* conduite *f* en état d'ivresse; **drinker** *n* buveur(-euse); **drinking water** *n* eau *f* potable
drip [drɪp] *n* (*drop*) goutte *f*; (*Med: device*) goutte-à-goutte *m inv*; (: *liquid*) perfusion *f* ▷ *vi* tomber goutte à goutte; (*tap*) goutter
drive [draɪv] *n* promenade *f or* trajet *m* en voiture; (*also*: **~way**) allée *f*; (*energy*) dynamisme *m*, énergie *f*; (*push*) effort (concerté); campagne *f*; (*Comput*: *also*: **disk ~**) lecteur *m* de disquette ▷ *vb* (*pt* **drove**, *pp* **~n**) ▷ *vt* conduire; (*nail*) enfoncer; (*push*) chasser, pousser; (*Tech: motor*) actionner; entraîner ▷ *vi* (*be at the wheel*) conduire; (*travel by car*) aller en voiture; **left-/right-hand ~** (*Aut*) conduite *f* à gauche/droite; **to ~ sb mad** rendre qn fou (folle); **drive out** *vt* (*force out*) chasser; **drive-in** *adj*, *n* (*esp* US) drive-in *m*
driven ['drɪvn] *pp of* **drive**
driver ['draɪvəʳ] *n* conducteur(-trice); (*of taxi, bus*) chauffeur *m*; **driver's license** *n* (US) permis *m* de conduire
driveway ['draɪvweɪ] *n* allée *f*
driving ['draɪvɪŋ] *n* conduite *f*; **driving instructor** *n* moniteur *m* d'auto-école; **driving lesson** *n* leçon *f* de conduite; **driving licence** *n* (BRIT) permis *m* de conduire; **driving test** *n* examen *m* du permis de conduire
drizzle ['drɪzl] *n* bruine *f*, crachin *m*
droop [dru:p] *vi* (*flower*) commencer à se faner; (*shoulders, head*) tomber
drop [drɔp] *n* (*of liquid*) goutte *f*; (*fall*) baisse *f*; (*also*: **parachute ~**) saut *m* ▷ *vt* laisser tomber; (*voice, eyes, price*) baisser; (*passenger*) déposer ▷ *vi* tomber; **drop in** *vi* (*inf: visit*): **to ~ in (on)** faire un saut (chez), passer (chez); **drop off** *vi* (*sleep*) s'assoupir ▷ *vt* (*passenger*) déposer; **drop out** *vi* (*withdraw*) se retirer; (*student etc*) abandonner, décrocher
drought [draut] *n* sécheresse *f*
drove [drəuv] *pt of* **drive**
drown [draun] *vt* noyer ▷ *vi* se noyer
drowsy ['drauzɪ] *adj* somnolent(e)
drug [drʌg] *n* médicament *m*; (*narcotic*) drogue *f* ▷ *vt* droguer; **to be on ~s** se droguer; **drug addict** *n* toxicomane *m/f*; **drug dealer** *n* revendeur(-euse) de drogue; **druggist** *n* (US) pharmacien(ne)-droguiste; **drugstore** *n* (US) pharmacie-droguerie *f*, drugstore *m*
drum [drʌm] *n* tambour *m*; (*for oil, petrol*) bidon *m*; **drums** *npl* (*Mus*) batterie *f*; **drummer** *n* (joueur *m* de) tambour *m*
drunk [drʌŋk] *pp of* **drink** ▷ *adj* ivre, soûl(e) ▷ *n* (*also*: **~ard**) ivrogne *m/f*; **to get ~** se soûler; **drunken** *adj* ivre, soûl(e); (*rage, stupor*) ivrogne, d'ivrogne
dry [draɪ] *adj* sec (sèche); (*day*) sans pluie ▷ *vt* sécher; (*clothes*) faire sécher ▷ *vi* sécher; **dry off** *vi*, *vt* sécher; **dry up** *vi* (*river, supplies*) se tarir; **dry-cleaner's** *n* teinturerie *f*; **dry-cleaning** *n* (*process*) nettoyage *m* à sec; **dryer** *n* (*tumble-dryer*) sèche-linge *m inv*; (*for hair*) sèche-cheveux *m inv*
DSS *n abbr* (BRIT) = **Department of Social Security**
DTP *n abbr* (= *desktop publishing*) PAO *f*
dual ['djuəl] *adj* double; **dual carriageway** *n* (BRIT) route *f* à quatre voies
dubious ['dju:bɪəs] *adj* hésitant(e), incertain(e); (*reputation, company*) douteux(-euse)
duck [dʌk] *n* canard *m* ▷ *vi* se baisser vivement, baisser subitement la tête
due [dju:] *adj* (*money, payment*) dû (due); (*expected*) attendu(e); (*fitting*) qui convient ▷ *adv*: **~ north** droit vers le nord; **~ to** (*because of*) en raison de; (*caused by*) dû à; **the train is ~ at 8 a.m.** le train est attendu à 8 h; **she is ~ back tomorrow** elle doit rentrer demain; **he is ~ £10** on lui doit 10 livres; **to give sb his *or* her ~** être juste envers qn
duel ['djuəl] *n* duel *m*
duet [dju:'ɛt] *n* duo *m*
dug [dʌg] *pt*, *pp of* **dig**
duke [dju:k] *n* duc *m*
dull [dʌl] *adj* (*boring*) ennuyeux(-euse); (*not bright*) morne, terne; (*sound, pain*) sourd(e); (*weather, day*) gris(e), maussade ▷ *vt* (*pain, grief*) atténuer; (*mind, senses*) engourdir
dumb [dʌm] *adj* muet(te); (*stupid*) bête
dummy ['dʌmɪ] *n* (*tailor's model*) mannequin *m*; (*mock-up*) factice *m*, maquette *f*; (BRIT: *for baby*) tétine *f* ▷ *adj* faux (fausse), factice
dump [dʌmp] *n* (*also*: **rubbish ~**) décharge (publique); (*inf: place*) trou *m* ▷ *vt* (*put down*) déposer; déverser; (*get rid of*) se débarrasser de; (*Comput*) lister
dumpling ['dʌmplɪŋ] *n* boulette *f* (de pâte)
dune [dju:n] *n* dune *f*
dungarees [dʌŋgə'ri:z] *npl* bleu(s) *m(pl)*; (*for child, woman*) salopette *f*
dungeon ['dʌndʒən] *n* cachot *m*
duplex ['dju:plɛks] *n* (US: *also*: **~ apartment**) duplex *m*
duplicate *n* ['dju:plɪkət] double *m* ▷ *vt* ['dju:plɪkeɪt] faire un double de; (*on machine*) polycopier; **in ~** en deux exemplaires, en double
durable ['djuərəbl] *adj* durable; (*clothes, metal*) résistant(e), solide
duration [djuə'reɪʃən] *n* durée *f*

during ['djuərɪŋ] *prep* pendant, au cours de
dusk [dʌsk] *n* crépuscule *m*
dust [dʌst] *n* poussière *f* ▷ *vt* (*furniture*) essuyer, épousseter; (*cake etc*): **to ~ with** saupoudrer de; **dustbin** *n* (BRIT) poubelle *f*; **duster** *n* chiffon *m*; **dustman** *n* (BRIT: *irreg*) boueux *m*, éboueur *m*; **dustpan** *n* pelle *f* à poussière; **dusty** *adj* poussiéreux(-euse)
Dutch [dʌtʃ] *adj* hollandais(e), néerlandais(e) ▷ *n* (*Ling*) hollandais *m*, néerlandais *m* ▷ *adv*: **to go ~** *or* **dutch** (*inf*) partager les frais; **the Dutch** *npl* les Hollandais, les Néerlandais; **Dutchman** (*irreg*) *n* Hollandais *m*; **Dutchwoman** (*irreg*) *n* Hollandaise *f*
duty ['dju:tɪ] *n* devoir *m*; (*tax*) droit *m*, taxe *f*; **on ~** de service; (*at night etc*) de garde; **off ~** libre, pas de service *or* de garde; **duty-free** *adj* exempté(e) de douane, hors-taxe
duvet ['du:veɪ] *n* (BRIT) couette *f*
DVD *n abbr* (= *digital versatile or video disc*) DVD *m*; **DVD burner** *n* graveur *m* de DVD; **DVD player** *n* lecteur *m* de DVD; **DVD writer** *n* graveur *m* de DVD
dwarf (*pl* **dwarves**) [dwɔ:f, dwɔ:vz] *n* nain(e) ▷ *vt* écraser
dwell (*pt, pp* **dwelt**) [dwɛl, dwɛlt] *vi* demeurer; **dwell on** *vt fus* s'étendre sur
dwelt [dwɛlt] *pt, pp of* **dwell**
dwindle ['dwɪndl] *vi* diminuer, décroître
dye [daɪ] *n* teinture *f* ▷ *vt* teindre
dying ['daɪɪŋ] *adj* mourant(e), agonisant(e)
dynamic [daɪ'næmɪk] *adj* dynamique
dynamite ['daɪnəmaɪt] *n* dynamite *f*
dyslexia [dɪs'lɛksɪə] *n* dyslexie *f*
dyslexic [dɪs'lɛksɪk] *adj, n* dyslexique *m/f*

e

E [i:] *n* (*Mus*): **E** mi *m*
E111 *n abbr* (= *form E111*) formulaire *m* E111
each [i:tʃ] *adj* chaque ▷ *pron* chacun(e); **~ other** l'un l'autre; **they hate ~ other** ils se détestent (mutuellement); **they have 2 books ~** ils ont 2 livres chacun; **they cost £5 ~** ils coûtent 5 livres (la) pièce
eager ['i:gəʳ] *adj* (*person, buyer*) empressé(e); (*keen: pupil, worker*) enthousiaste; **to be ~ to do sth** (*impatient*) brûler de faire qch; (*keen*) désirer vivement faire qch; **to be ~ for** (*event*) désirer vivement; (*vengeance, affection, information*) être avide de
eagle ['i:gl] *n* aigle *m*
ear [ɪəʳ] *n* oreille *f*; (*of corn*) épi *m*; **earache** *n* mal *m* aux oreilles; **eardrum** *n* tympan *m*
earl [ə:l] *n* comte *m*
earlier ['ə:lɪəʳ] *adj* (*date etc*) plus rapproché(e); (*edition etc*) plus ancien(ne), antérieur(e) ▷ *adv* plus tôt
early ['ə:lɪ] *adv* tôt, de bonne heure; (*ahead of time*) en avance; (*near the beginning*) au début ▷ *adj* précoce, qui se manifeste (*or* se fait) tôt *or* de bonne heure; (*Christians, settlers*) premier(-ière); (*reply*) rapide; (*death*) prématuré(e); (*work*) de jeunesse; **to have an ~ night/start** se coucher/partir tôt *or* de bonne heure; **in the ~** *or* **~ in the spring/19th century** au début *or* commencement du printemps/19ème siècle; **early retirement** *n* retraite anticipée
earmark ['ɪəmɑ:k] *vt*: **to ~ sth for** réserver *or* destiner qch à
earn [ə:n] *vt* gagner; (*Comm: yield*) rapporter; **to ~ one's living** gagner sa vie
earnest ['ə:nɪst] *adj* sérieux(-euse) ▷ *n*: **in ~** *adv* sérieusement, pour de bon
earnings ['ə:nɪŋz] *npl* salaire *m*; gains *mpl*; (*of company etc*) profits *mpl*, bénéfices *mpl*
ear: **earphones** *npl* écouteurs *mpl*; **earplugs** *npl* boules *fpl* Quiès®; (*to keep out water*) protège-tympans *mpl*; **earring** *n* boucle *f* d'oreille
earth [ə:θ] *n* (*gen, also* BRIT *Elec*) terre *f* ▷ *vt* (BRIT *Elec*) relier à la terre; **earthquake** *n* tremblement *m* de terre, séisme *m*
ease [i:z] *n* facilité *f*, aisance *f*; (*comfort*) bien-être *m* ▷ *vt* (*soothe: mind*) tranquilliser; (*reduce: pain, problem*) atténuer; (*: tension*) réduire; (*loosen*) relâcher, détendre; (*help pass*): **to ~ sth in/out** faire pénétrer/sortir qch délicatement *or* avec douceur, faciliter la pénétration/la sortie de qch; **at ~** à l'aise; (*Mil*) au repos
easily ['i:zɪlɪ] *adv* facilement; (*by far*) de loin
east [i:st] *n* est *m* ▷ *adj* (*wind*) d'est; (*side*) est *inv* ▷ *adv* à l'est, vers l'est; **the E~** l'Orient *m*; (*Pol*) les pays *mpl* de l'Est; **eastbound** *adj* en direction de l'est; (*carriageway*) est *inv*
Easter ['i:stəʳ] *n* Pâques *fpl*; **Easter egg** *n* œuf *m* de Pâques
eastern ['i:stən] *adj* de l'est, oriental(e)
Easter Sunday *n* le dimanche de Pâques
easy ['i:zɪ] *adj* facile; (*manner*) aisé(e) ▷ *adv*: **to take it** *or* **things ~** (*rest*) ne pas se fatiguer; (*not worry*) ne pas (trop) s'en faire; **easy-going** *adj* accommodant(e), facile à vivre
eat (*pt* **ate**, *pp* **~en**) [i:t, eɪt, 'i:tn] *vt, vi* manger; **can we have something to ~?** est-ce qu'on peut manger quelque chose?; **eat out** *vi* manger au restaurant
eavesdrop ['i:vzdrɔp] *vi*: **to ~ (on)** écouter de façon indiscrète
e-book ['i:buk] *n* livre *m* électronique
e-business ['i:bɪznɪs] *n* (*company*) entreprise *f* électronique; (*commerce*) commerce *m* électronique
EC *n abbr* (= *European Community*) CE *f*
eccentric [ɪk'sɛntrɪk] *adj, n* excentrique *m/f*
echo, echoes ['ɛkəu] *n* écho *m* ▷ *vt* répéter ▷ *vi* résonner; faire écho
eclipse [ɪ'klɪps] *n* éclipse *f*
eco-friendly [i:kəu'frɛndlɪ] *adj* non nuisible à *or* qui ne nuit pas à l'environnement
ecological [i:kə'lɔdʒɪkəl] *adj* écologique
ecology [ɪ'kɔlədʒɪ] *n* écologie *f*
e-commerce [i:kɔmə:s] *n* commerce *m* électronique
economic [i:kə'nɔmɪk] *adj* économique; (*profitable*) rentable; **economical** *adj* économique; (*person*) économe; **economics** *n* (*Scol*) économie *f* politique ▷ *npl* (*of project etc*) côté *m* or aspect *m* économique

economist [ɪ'kɔnəmɪst] *n* économiste *m/f*
economize [ɪ'kɔnəmaɪz] *vi* économiser, faire des économies
economy [ɪ'kɔnəmɪ] *n* économie *f*; **economy class** *n* (*Aviat*) classe *f* touriste; **economy class syndrome** *n* syndrome *m* de la classe économique
ecstasy ['ɛkstəsɪ] *n* extase *f*; (*Drugs*) ecstasy *m*; **ecstatic** [ɛks'tætɪk] *adj* extatique, en extase
eczema ['ɛksɪmə] *n* eczéma *m*
edge [ɛdʒ] *n* bord *m*; (*of knife etc*) tranchant *m*, fil *m* ▷ *vt* border; **on ~** (*fig*) crispé(e), tendu(e)
edgy ['ɛdʒɪ] *adj* crispé(e), tendu(e)
edible ['ɛdɪbl] *adj* comestible; (*meal*) mangeable
Edinburgh ['ɛdɪnbərə] *n* Édimbourg
edit ['ɛdɪt] *vt* (*text, book*) éditer; (*report*) préparer; (*film*) monter; (*magazine*) diriger; (*newspaper*) être le rédacteur *or* la rédactrice en chef de; **edition** [ɪ'dɪʃən] *n* édition *f*; **editor** *n* (*of newspaper*) rédacteur(-trice), rédacteur(-trice) en chef; (*of sb's work*) éditeur(-trice); (*also*: **film editor**) monteur(-euse); **political/ foreign editor** rédacteur politique/au service étranger; **editorial** [ɛdɪ'tɔːrɪəl] *adj* de la rédaction, éditorial(e) ▷ *n* éditorial *m*
educate ['ɛdjukeɪt] *vt* (*teach*) instruire; (*bring up*) éduquer; **educated** ['ɛdjukeɪtɪd] *adj* (*person*) cultivé(e)
education [ɛdju'keɪʃən] *n* éducation *f*; (*studies*) études *fpl*; (*teaching*) enseignement *m*, instruction *f*; **educational** *adj* pédagogique; (*institution*) scolaire; (*game, toy*) éducatif(-ive)
eel [iːl] *n* anguille *f*
eerie ['ɪərɪ] *adj* inquiétant(e), spectral(e), surnaturel(le)
effect [ɪ'fɛkt] *n* effet *m* ▷ *vt* effectuer; **effects** *npl* (*property*) effets, affaires *fpl*; **to take ~** (*Law*) entrer en vigueur, prendre effet; (*drug*) agir, faire son effet; **in ~** en fait; **effective** *adj* efficace; (*actual*) véritable; **effectively** *adv* efficacement; (*in reality*) effectivement, en fait
efficiency [ɪ'fɪʃənsɪ] *n* efficacité *f*; (*of machine, car*) rendement *m*
efficient [ɪ'fɪʃənt] *adj* efficace; (*machine, car*) d'un bon rendement; **efficiently** *adv* efficacement
effort ['ɛfət] *n* effort *m*; **effortless** *adj* sans effort, aisé(e); (*achievement*) facile
e.g. *adv abbr* (= *exempli gratia*) par exemple, p. ex.
egg [ɛg] *n* œuf *m*; **hard-boiled/soft-boiled ~** œuf dur/à la coque; **eggcup** *n* coquetier *m*; **egg plant** (*US*) *n* aubergine *f*; **eggshell** *n* coquille *f* d'œuf; **egg white** *n* blanc *m* d'œuf; **egg yolk** *n* jaune *m* d'œuf
ego ['iːgəu] *n* (*self-esteem*) amour-propre *m*; (*Psych*) moi *m*
Egypt ['iːdʒɪpt] *n* Égypte *f*; **Egyptian** [ɪ'dʒɪpʃən] *adj* égyptien(ne) ▷ *n* Égyptien(ne)
Eiffel Tower ['aɪfəl-] *n* tour *f* Eiffel
eight [eɪt] *num* huit; **eighteen** *num* dix-huit; **eighteenth** *num* dix-huitième; **eighth** *num* huitième; **eightieth** ['eɪtɪɪθ] *num* quatre-vingtième
eighty ['eɪtɪ] *num* quatre-vingt(s)
Eire ['ɛərə] *n* République *f* d'Irlande
either ['aɪðəʳ] *adj* l'un ou l'autre; (*both, each*) chaque ▷ *pron*: **~ (of them)** l'un ou l'autre ▷ *adv* non plus ▷ *conj*: **~ good or bad** soit bon soit mauvais; **on ~ side** de chaque côté; **I don't like ~** je n'aime ni l'un ni l'autre; **no, I don't ~** moi non plus; **which bike do you want? - ~ will do** quel vélo voulez-vous? - n'importe lequel; **answer with ~ yes or no** répondez par oui ou par non
eject [ɪ'dʒɛkt] *vt* (*tenant etc*) expulser; (*object*) éjecter
elaborate *adj* [ɪ'læbərɪt] compliqué(e), recherché(e), minutieux(-euse) ▷ *vb* [ɪ'læbəreɪt] ▷ *vt* élaborer ▷ *vi* entrer dans les détails
elastic [ɪ'læstɪk] *adj*, *n* élastique (*m*); **elastic band** *n* (BRIT) élastique *m*
elbow ['ɛlbəu] *n* coude *m*
elder ['ɛldəʳ] *adj* aîné(e) ▷ *n* (*tree*) sureau *m*; **one's ~s** ses aînés; **elderly** *adj* âgé(e) ▷ *npl*: **the elderly** les personnes âgées
eldest ['ɛldɪst] *adj*, *n*: **the ~ (child)** l'aîné(e) (des enfants)
elect [ɪ'lɛkt] *vt* élire; (*choose*): **to ~ to do** choisir de faire ▷ *adj*: **the president ~** le président désigné; **election** *n* élection *f*; **electoral** *adj* électoral(e); **electorate** *n* électorat *m*
electric [ɪ'lɛktrɪk] *adj* électrique; **electrical** *adj* électrique; **electric blanket** *n* couverture chauffante; **electric fire** *n* (BRIT) radiateur *m* électrique; **electrician** [ɪlɛk'trɪʃən] *n* électricien *m*; **electricity** [ɪlɛk'trɪsɪtɪ] *n* électricité *f*; **electric shock** *n* choc *m or* décharge *f* électrique; **electrify** [ɪ'lɛktrɪfaɪ] *vt* (*Rail*) électrifier; (*audience*) électriser
electronic [ɪlɛk'trɔnɪk] *adj* électronique; **electronic mail** *n* courrier *m* électronique; **electronics** *n* électronique *f*
elegance ['ɛlɪgəns] *n* élégance *f*
elegant ['ɛlɪgənt] *adj* élégant(e)
element ['ɛlɪmənt] *n* (*gen*) élément *m*; (*of heater, kettle etc*) résistance *f*
elementary [ɛlɪ'mɛntərɪ] *adj* élémentaire; (*school, education*) primaire; **elementary school** *n* (US) école *f* primaire
elephant ['ɛlɪfənt] *n* éléphant *m*
elevate ['ɛlɪveɪt] *vt* élever
elevator ['ɛlɪveɪtəʳ] *n* (*in warehouse etc*) élévateur *m*, monte-charge *m inv*; (US: *lift*) ascenseur *m*
eleven [ɪ'lɛvn] *num* onze; **eleventh** *num* onzième
eligible ['ɛlɪdʒəbl] *adj* éligible; (*for membership*) admissible; **an ~ young man** un beau parti; **to be ~ for sth** remplir les conditions requises pour qch
eliminate [ɪ'lɪmɪneɪt] *vt* éliminer
elm [ɛlm] *n* orme *m*
eloquent ['ɛləkwənt] *adj* éloquent(e)
else [ɛls] *adv*: **something ~** quelque chose d'autre, autre chose; **somewhere ~** ailleurs, autre part; **everywhere ~** partout ailleurs; **everyone ~** tous les autres; **nothing ~** rien d'autre; **where ~?** à quel autre endroit?; **little ~** pas grand-chose d'autre; **elsewhere** *adv* ailleurs, autre part
elusive [ɪ'luːsɪv] *adj* insaisissable
e-mail ['iːmeɪl] *n abbr* (= *electronic mail*) e-mail *m*, courriel *m* ▷ *vt*: **to ~ sb** envoyer un e-mail *or* un courriel à qn; **e-mail address** *n* adresse *f* e-mail
embankment [ɪm'bæŋkmənt] *n* (*of road, railway*) remblai *m*, talus *m*; (*of river*) berge *f*, quai *m*; (*dyke*) digue *f*
embargo, embargoes [ɪm'bɑːgəu] *n* (*Comm, Naut*) embargo *m*; (*prohibition*) interdiction *f*
embark [ɪm'bɑːk] *vi* embarquer ▷ *vt* embarquer; **to ~ on** (*journey etc*) commencer, entreprendre; (*fig*) se lancer *or* s'embarquer dans
embarrass [ɪm'bærəs] *vt* embarrasser, gêner; **embarrassed** *adj* gêné(e); **embarrassing** *adj* gênant(e), embarrassant(e); **embarrassment** *n* embarras *m*, gêne *f*; (*embarrassing thing, person*) source *f* d'embarras
embassy ['ɛmbəsɪ] *n* ambassade *f*
embrace [ɪm'breɪs] *vt* embrasser, étreindre;

(*include*) embrasser ▷ *vi* s'embrasser, s'étreindre ▷ *n* étreinte *f*
embroider [ɪm'brɔɪdəʳ] *vt* broder; **embroidery** *n* broderie *f*
embryo ['ɛmbrɪəu] *n* (*also fig*) embryon *m*
emerald ['ɛmərəld] *n* émeraude *f*
emerge [ɪ'mə:dʒ] *vi* apparaître; (*from room, car*) surgir; (*from sleep, imprisonment*) sortir
emergency [ɪ'mə:dʒənsɪ] *n* (*crisis*) cas *m* d'urgence; (*Med*) urgence *f*; **in an ~** en cas d'urgence; **state of ~** état *m* d'urgence; **emergency brake** (*US*) *n* frein *m* à main; **emergency exit** *n* sortie *f* de secours; **emergency landing** *n* atterrissage forcé; **emergency room** *n* (*US*: *Med*) urgences *fpl*; **emergency services** *npl*: **the emergency services** (*fire, police, ambulance*) les services *mpl* d'urgence
emigrate ['ɛmɪgreɪt] *vi* émigrer; **emigration** [ɛmɪ'greɪʃən] *n* émigration *f*
eminent ['ɛmɪnənt] *adj* éminent(e)
emissions [ɪ'mɪʃənz] *npl* émissions *fpl*
emit [ɪ'mɪt] *vt* émettre
emotion [ɪ'məuʃən] *n* sentiment *m*; **emotional** *adj* (*person*) émotif(-ive), très sensible; (*needs*) affectif(-ive); (*scene*) émouvant(e); (*tone, speech*) qui fait appel aux sentiments
emperor ['ɛmpərəʳ] *n* empereur *m*
emphasis (*pl* **-ases**) ['ɛmfəsɪs, -si:z] *n* accent *m*; **to lay** *or* **place ~ on sth** (*fig*) mettre l'accent sur, insister sur
emphasize ['ɛmfəsaɪz] *vt* (*syllable, word, point*) appuyer *or* insister sur; (*feature*) souligner, accentuer
empire ['ɛmpaɪəʳ] *n* empire *m*
employ [ɪm'plɔɪ] *vt* employer; **employee** [ɪmplɔɪ'i:] *n* employé(e); **employer** *n* employeur(-euse); **employment** *n* emploi *m*; **employment agency** *n* agence *f* or bureau *m* de placement
empower [ɪm'pauəʳ] *vt*: **to ~ sb to do** autoriser *or* habiliter qn à faire
empress ['ɛmprɪs] *n* impératrice *f*
emptiness ['ɛmptɪnɪs] *n* vide *m*; (*of area*) aspect *m* désertique
empty ['ɛmptɪ] *adj* vide; (*street, area*) désert(e); (*threat, promise*) en l'air, vain(e) ▷ *vt* vider ▷ *vi* se vider; (*liquid*) s'écouler; **empty-handed** *adj* les mains vides
EMU *n abbr* (= *European Monetary Union*) UME *f*
emulsion [ɪ'mʌlʃən] *n* émulsion *f*; (*also*: **~ paint**) peinture mate
enable [ɪ'neɪbl] *vt*: **to ~ sb to do** permettre à qn de faire
enamel [ɪ'næməl] *n* émail *m*; (*also*: **~ paint**) (peinture *f*) laque *f*
enchanting [ɪn'tʃɑ:ntɪŋ] *adj* ravissant(e), enchanteur(-eresse)
encl. *abbr* (*on letters etc*: = *enclosed*) ci-joint(e); (= *enclosure*) PJ *f*
enclose [ɪn'kləuz] *vt* (*land*) clôturer; (*space, object*) entourer; (*letter etc*): **to ~ (with)** joindre (à); **please find ~d** veuillez trouver ci-joint
enclosure [ɪn'kləuʒəʳ] *n* enceinte *f*
encore [ɔŋ'kɔ:ʳ] *excl, n* bis (*m*)
encounter [ɪn'kauntəʳ] *n* rencontre *f* ▷ *vt* rencontrer
encourage [ɪn'kʌrɪdʒ] *vt* encourager; **encouragement** *n* encouragement *m*
encouraging [ɪn'kʌrɪdʒɪŋ] *adj* encourageant(e)
encyclop(a)edia [ɛnsaɪkləu'pi:dɪə] *n* encyclopédie *f*
end [ɛnd] *n* fin *f*; (*of table, street, rope etc*) bout *m*, extrémité *f* ▷ *vt* terminer; (*also*: **bring to an ~, put an ~ to**) mettre fin à ▷ *vi* se terminer, finir; **in the ~** finalement; **on ~** (*object*) debout, dressé(e); **to stand on ~** (*hair*) se dresser sur la tête; **for hours on ~** pendant des heures (et des heures); **end up** *vi*: **to ~ up in** (*condition*) finir *or* se terminer par; (*place*) finir *or* aboutir à
endanger [ɪn'deɪndʒəʳ] *vt* mettre en danger; **an ~ed species** une espèce en voie de disparition
endearing [ɪn'dɪərɪŋ] *adj* attachant(e)
endeavour (*US* **endeavor**) [ɪn'dɛvəʳ] *n* effort *m*; (*attempt*) tentative *f* ▷ *vt*: **to ~ to do** tenter *or* s'efforcer de faire
ending ['ɛndɪŋ] *n* dénouement *m*, conclusion *f*; (*Ling*) terminaison *f*
endless ['ɛndlɪs] *adj* sans fin, interminable
endorse [ɪn'dɔ:s] *vt* (*cheque*) endosser; (*approve*) appuyer, approuver, sanctionner; **endorsement** *n* (*approval*) appui *m*, aval *m*; (BRIT: *on driving licence*) contravention *f* (*portée au permis de conduire*)
endurance [ɪn'djuərəns] *n* endurance *f*
endure [ɪn'djuəʳ] *vt* (*bear*) supporter, endurer ▷ *vi* (*last*) durer
enemy ['ɛnəmɪ] *adj, n* ennemi(e)
energetic [ɛnə'dʒɛtɪk] *adj* énergique; (*activity*) très actif(-ive), qui fait se dépenser (physiquement)
energy ['ɛnədʒɪ] *n* énergie *f*
enforce [ɪn'fɔ:s] *vt* (*law*) appliquer, faire respecter
engaged [ɪn'geɪdʒd] *adj* (BRIT: *busy, in use*) occupé(e); (*betrothed*) fiancé(e); **to get ~** se fiancer; **the line's ~** la ligne est occupée; **engaged tone** *n* (BRIT *Tel*) tonalité *f* occupé *inv*
engagement [ɪn'geɪdʒmənt] *n* (*undertaking*) obligation *f*, engagement *m*; (*appointment*) rendez-vous *m inv*; (*to marry*) fiançailles *fpl*; **engagement ring** *n* bague *f* de fiançailles
engaging [ɪn'geɪdʒɪŋ] *adj* engageant(e), attirant(e)
engine ['ɛndʒɪn] *n* (*Aut*) moteur *m*; (*Rail*) locomotive *f*
engineer [ɛndʒɪ'nɪəʳ] *n* ingénieur *m*; (BRIT: *repairer*) dépanneur *m*; (*Navy, US Rail*) mécanicien *m*; **engineering** *n* engineering *m*, ingénierie *f*; (*of bridges, ships*) génie *m*; (*of machine*) mécanique *f*
England ['ɪŋglənd] *n* Angleterre *f*
English ['ɪŋglɪʃ] *adj* anglais(e) ▷ *n* (*Ling*) anglais *m*; **the ~** *npl* les Anglais; **English Channel** *n*: **the English Channel** la Manche; **Englishman** (*irreg*) *n* Anglais *m*; **Englishwoman** (*irreg*) *n* Anglaise *f*
engrave [ɪn'greɪv] *vt* graver
engraving [ɪn'greɪvɪŋ] *n* gravure *f*
enhance [ɪn'hɑ:ns] *vt* rehausser, mettre en valeur
enjoy [ɪn'dʒɔɪ] *vt* aimer, prendre plaisir à; (*have benefit of*: *health, fortune*) jouir de; (: *success*) connaître; **to ~ o.s.** s'amuser; **enjoyable** *adj* agréable; **enjoyment** *n* plaisir *m*
enlarge [ɪn'lɑ:dʒ] *vt* accroître; (*Phot*) agrandir ▷ *vi*: **to ~ on** (*subject*) s'étendre sur; **enlargement** *n* (*Phot*) agrandissement *m*
enlist [ɪn'lɪst] *vt* recruter; (*support*) s'assurer ▷ *vi* s'engager
enormous [ɪ'nɔ:məs] *adj* énorme
enough [ɪ'nʌf] *adj*: **~ time/books** assez *or* suffisamment de temps/livres ▷ *adv*: **big ~** assez *or* suffisamment grand ▷ *pron*: **have you got ~?** (en) avez-vous assez?; **~ to eat** assez à manger; **that's ~, thanks** cela suffit *or* c'est assez, merci; **I've had ~ of him** j'en ai assez de lui; **he has not worked ~**

il n'a pas assez *or* suffisamment travaillé, il n'a pas travaillé assez *or* suffisamment; **... which, funnily** *or* **oddly ~ ...** qui, chose curieuse
enquire [ɪn'kwaɪəʳ] *vt, vi* = **inquire**
enquiry [ɪn'kwaɪərɪ] *n* = **inquiry**
enrage [ɪn'reɪdʒ] *vt* mettre en fureur *or* en rage, rendre furieux(-euse)
enrich [ɪn'rɪtʃ] *vt* enrichir
enrol (*US* **enroll**) [ɪn'rəul] *vt* inscrire ▷ *vi* s'inscrire; **enrolment** (*US* **enrollment**) *n* inscription *f*
en route [ɔn'ru:t] *adv* en route, en chemin
en suite ['ɔnswi:t] *adj*: **with ~ bathroom** avec salle de bains en attenante
ensure [ɪn'ʃuəʳ] *vt* assurer, garantir
entail [ɪn'teɪl] *vt* entraîner, nécessiter
enter ['ɛntəʳ] *vt* (*room*) entrer dans, pénétrer dans; (*club, army*) entrer à; (*competition*) s'inscrire à *or* pour; (*sb for a competition*) (faire) inscrire; (*write down*) inscrire, noter; (*Comput*) entrer, introduire ▷ *vi* entrer
enterprise ['ɛntəpraɪz] *n* (*company, undertaking*) entreprise *f*; (*initiative*) (esprit *m* d')initiative *f*; **free ~** libre entreprise; **private ~** entreprise privée; **enterprising** *adj* entreprenant(e), dynamique; (*scheme*) audacieux(-euse)
entertain [ɛntə'teɪn] *vt* amuser, distraire; (*invite*) recevoir (à dîner); (*idea, plan*) envisager; **entertainer** *n* artiste *m/f* de variétés; **entertaining** *adj* amusant(e), distrayant(e); **entertainment** *n* (*amusement*) distraction *f*, divertissement *m*, amusement *m*; (*show*) spectacle *m*
enthusiasm [ɪn'θu:zɪæzəm] *n* enthousiasme *m*
enthusiast [ɪn'θu:zɪæst] *n* enthousiaste *m/f*; **enthusiastic** [ɪnθu:zɪ'æstɪk] *adj* enthousiaste; **to be enthusiastic about** être enthousiasmé(e) par
entire [ɪn'taɪəʳ] *adj* (tout) entier(-ère); **entirely** *adv* entièrement, complètement
entitle [ɪn'taɪtl] *vt*: **to ~ sb to sth** donner droit à qch à qn; **entitled** *adj* (*book*) intitulé(e); **to be entitled to do** avoir le droit de faire
entrance *n* ['ɛntrns] entrée *f* ▷ *vt* [ɪn'trɑ:ns] enchanter, ravir; **where's the ~?** où est l'entrée?; **to gain ~ to** (*university etc*) être admis à; **entrance examination** *n* examen *m* d'entrée *or* d'admission; **entrance fee** *n* (*to museum etc*) prix *m* d'entrée; (*to join club etc*) droit *m* d'inscription; **entrance ramp** *n* (*US Aut*) bretelle *f* d'accès; **entrant** *n* (*in race etc*) participant(e), concurrent(e); (*BRIT: in exam*) candidat(e)
entrepreneur ['ɔntrəprə'nə:ʳ] *n* entrepreneur *m*
entrust [ɪn'trʌst] *vt*: **to ~ sth to** confier qch à
entry ['ɛntrɪ] *n* entrée *f*; (*in register, diary*) inscription *f*; **"no ~"** "défense d'entrer", "entrée interdite"; (*Aut*) "sens interdit"; **entry phone** *n* (*BRIT*) interphone *m* (*à l'entrée d'un immeuble*)
envelope ['ɛnvələup] *n* enveloppe *f*
envious ['ɛnvɪəs] *adj* envieux(-euse)
environment [ɪn'vaɪərnmənt] *n* (*social, moral*) milieu *m*; (*natural world*): **the ~** l'environnement *m*; **environmental** [ɪnvaɪərn'mɛntl] *adj* (*of surroundings*) du milieu; (*issue, disaster*) écologique; **environmentally** [ɪnvaɪərn'mɛntlɪ] *adv*: **environmentally sound/friendly** qui ne nuit pas à l'environnement
envisage [ɪn'vɪzɪdʒ] *vt* (*foresee*) prévoir
envoy ['ɛnvɔɪ] *n* envoyé(e); (*diplomat*) ministre *m* plénipotentiaire
envy ['ɛnvɪ] *n* envie *f* ▷ *vt* envier; **to ~ sb sth** envier qch à qn
epic ['ɛpɪk] *n* épopée *f* ▷ *adj* épique
epidemic [ɛpɪ'dɛmɪk] *n* épidémie *f*
epilepsy ['ɛpɪlɛpsɪ] *n* épilepsie *f*; **epileptic** *adj, n* épileptique *m/f*; **epileptic fit** *n* crise *f* d'épilepsie
episode ['ɛpɪsəud] *n* épisode *m*
equal ['i:kwl] *adj* égal(e) ▷ *vt* égaler; **~ to** (*task*) à la hauteur de; **equality** [i:'kwɔlɪtɪ] *n* égalité *f*; **equalize** *vt, vi* (*Sport*) égaliser; **equally** *adv* également; (*share*) en parts égales; (*treat*) de la même façon; (*pay*) autant; (*just as*) tout aussi
equation [ɪ'kweɪʃən] *n* (*Math*) équation *f*
equator [ɪ'kweɪtəʳ] *n* équateur *m*
equip [ɪ'kwɪp] *vt* équiper; **to ~ sb/sth with** équiper *or* munir qn/qch de; **equipment** *n* équipement *m*; (*electrical etc*) appareillage *m*, installation *f*
equivalent [ɪ'kwɪvəlnt] *adj* équivalent(e) ▷ *n* équivalent *m*; **to be ~ to** équivaloir à, être équivalent(e) à
ER *abbr* (*BRIT: = Elizabeth Regina*) *la reine Élisabeth*; (*US: Med: = emergency room*) urgences *fpl*
era ['ɪərə] *n* ère *f*, époque *f*
erase [ɪ'reɪz] *vt* effacer; **eraser** *n* gomme *f*
erect [ɪ'rɛkt] *adj* droit(e) ▷ *vt* construire; (*monument*) ériger, élever; (*tent etc*) dresser; **erection** [ɪ'rɛkʃən] *n* (*Physiol*) érection *f*; (*of building*) construction *f*
ERM *n abbr* (*= Exchange Rate Mechanism*) mécanisme *m* des taux de change
erode [ɪ'rəud] *vt* éroder; (*metal*) ronger
erosion [ɪ'rəuʒən] *n* érosion *f*
erotic [ɪ'rɔtɪk] *adj* érotique
errand ['ɛrnd] *n* course *f*, commission *f*
erratic [ɪ'rætɪk] *adj* irrégulier(-ière), inconstant(e)
error ['ɛrəʳ] *n* erreur *f*
erupt [ɪ'rʌpt] *vi* entrer en éruption; (*fig*) éclater; **eruption** [ɪ'rʌpʃən] *n* éruption *f*; (*of anger, violence*) explosion *f*
escalate ['ɛskəleɪt] *vi* s'intensifier; (*costs*) monter en flèche
escalator ['ɛskəleɪtəʳ] *n* escalier roulant
escape [ɪ'skeɪp] *n* évasion *f*, fuite *f*; (*of gas etc*) fuite ▷ *vi* s'échapper, fuir; (*from jail*) s'évader; (*fig*) s'en tirer; (*leak*) s'échapper ▷ *vt* échapper à; **to ~ from** (*person*) échapper à; (*place*) s'échapper de; (*fig*) fuir; **his name ~s me** son nom m'échappe
escort *vt* [ɪ'skɔ:t] escorter ▷ *n* ['ɛskɔ:t] (*Mil*) escorte *f*
especially [ɪ'spɛʃlɪ] *adv* (*particularly*) particulièrement; (*above all*) surtout
espionage ['ɛspɪənɑ:ʒ] *n* espionnage *m*
essay ['ɛseɪ] *n* (*Scol*) dissertation *f*; (*Literature*) essai *m*
essence ['ɛsns] *n* essence *f*; (*Culin*) extrait *m*
essential [ɪ'sɛnʃl] *adj* essentiel(le); (*basic*) fondamental(e); **essentials** *npl* éléments essentiels; **essentially** *adv* essentiellement
establish [ɪ'stæblɪʃ] *vt* établir; (*business*) fonder, créer; (*one's power etc*) asseoir, affermir; **establishment** *n* établissement *m*; (*founding*) création *f*; (*institution*) établissement; **the Establishment** les pouvoirs établis; l'ordre établi
estate [ɪ'steɪt] *n* (*land*) domaine *m*, propriété *f*; (*Law*) biens *mpl*, succession *f*; (*BRIT: also*: **housing ~**) lotissement *m*; **estate agent** *n* (*BRIT*) agent immobilier; **estate car** *n* (*BRIT*) break *m*
estimate *n* ['ɛstɪmət] estimation *f*; (*Comm*) devis *m* ▷ *vb* ['ɛstɪmeɪt] ▷ *vt* estimer
etc *abbr* (*= et cetera*) etc
eternal [ɪ'tə:nl] *adj* éternel(le)
eternity [ɪ'tə:nɪtɪ] *n* éternité *f*
ethical ['ɛθɪkl] *adj* moral(e); **ethics** ['ɛθɪks] *n*

éthique *f* ▷ *npl* moralité *f*
Ethiopia [i:θɪ'əupɪə] *n* Éthiopie *f*
ethnic ['ɛθnɪk] *adj* ethnique; (*clothes, food*) folklorique, exotique, *propre aux minorités ethniques non-occidentales*; **ethnic minority** *n* minorité *f* ethnique
e-ticket ['i:tɪkɪt] *n* billet *m* électronique
etiquette ['ɛtɪkɛt] *n* convenances *fpl*, étiquette *f*
EU *n abbr* (= *European Union*) UE *f*
euro ['juərəu] *n* (*currency*) euro *m*
Europe ['juərəp] *n* Europe *f*; **European** [juərə'pi:ən] *adj* européen(ne) ▷ *n* Européen(ne); **European Community** *n* Communauté européenne; **European Union** *n* Union européenne
Eurostar® ['juərəustɑ:ʳ] *n* Eurostar® *m*
evacuate [ɪ'vækjueɪt] *vt* évacuer
evade [ɪ'veɪd] *vt* échapper à; (*question etc*) éluder; (*duties*) se dérober à
evaluate [ɪ'væljueɪt] *vt* évaluer
evaporate [ɪ'væpəreɪt] *vi* s'évaporer; (*fig: hopes, fear*) s'envoler; (*anger*) se dissiper
eve [i:v] *n*: **on the ~ of** à la veille de
even ['i:vn] *adj* (*level, smooth*) régulier(-ière); (*equal*) égal(e); (*number*) pair(e) ▷ *adv* même; **~ if** même si + *indic*; **~ though** alors même que + *cond*; **~ more** encore plus; **~ faster** encore plus vite; **~ so** quand même; **not ~** pas même; **~ he was there** même lui était là; **~ on Sundays** même le dimanche; **to get ~ with sb** prendre sa revanche sur qn
evening ['i:vnɪŋ] *n* soir *m*; (*as duration, event*) soirée *f*; **in the ~** le soir; **evening class** *n* cours *m* du soir; **evening dress** *n* (*man's*) tenue *f* de soirée, smoking *m*; (*woman's*) robe *f* de soirée
event [ɪ'vɛnt] *n* événement *m*; (*Sport*) épreuve *f*; **in the ~ of** en cas de; **eventful** *adj* mouvementé(e)
eventual [ɪ'vɛntʃuəl] *adj* final(e)
eventually [ɪ'vɛntʃuəlɪ] *adv* finalement
ever ['ɛvəʳ] *adv* jamais; (*at all times*) toujours; (*in questions*): **why ~ not?** mais enfin, pourquoi pas?; **the best ~** le meilleur qu'on ait jamais vu; **have you ~ seen it?** l'as-tu déjà vu?, as-tu eu l'occasion *or* t'est-il arrivé de le voir?; **~ since** (*as adv*) depuis; (*as conj*) depuis que; **~ so pretty** si joli; **evergreen** *n* arbre *m* à feuilles persistantes

 KEYWORD

every ['ɛvrɪ] *adj* **1** (*each*) chaque; **every one of them** tous (sans exception); **every shop in town was closed** tous les magasins en ville étaient fermés
2 (*all possible*) tous (toutes) les; **I gave you every assistance** j'ai fait tout mon possible pour vous aider; **I have every confidence in him** j'ai entièrement *or* pleinement confiance en lui; **we wish you every success** nous vous souhaitons beaucoup de succès
3 (*showing recurrence*) tous les; **every day** tous les jours, chaque jour; **every other car** une voiture sur deux; **every other/third day** tous les deux/trois jours; **every now and then** de temps en temps; **everybody** = **everyone**; **everyday** *adj* (*expression*) courant(e), d'usage courant; (*use*) courant; (*clothes, life*) de tous les jours; (*occurrence, problem*) quotidien(ne); **everyone** *pron* tout le monde, tous *pl*; **everything** *pron* tout; **everywhere** *adv* partout; **everywhere you go you meet ...** où qu'on aille, on rencontre ...

evict [ɪ'vɪkt] *vt* expulser
evidence ['ɛvɪdns] *n* (*proof*) preuve(s) *f(pl)*; (*of witness*) témoignage *m*; (*sign*): **to show ~ of** donner des signes de; **to give ~** témoigner, déposer
evident ['ɛvɪdnt] *adj* évident(e); **evidently** *adv* de toute évidence; (*apparently*) apparemment
evil ['i:vl] *adj* mauvais(e) ▷ *n* mal *m*
evoke [ɪ'vəuk] *vt* évoquer
evolution [i:və'lu:ʃən] *n* évolution *f*
evolve [ɪ'vɔlv] *vt* élaborer ▷ *vi* évoluer, se transformer
ewe [ju:] *n* brebis *f*
ex [eks] *n* (*inf*): **my ex** mon ex
ex- [ɛks] *prefix* ex-
exact [ɪg'zækt] *adj* exact(e) ▷ *vt*: **to ~ sth (from)** (*signature, confession*) extorquer qch (à); (*apology*) exiger qch (de); **exactly** *adv* exactement
exaggerate [ɪg'zædʒəreɪt] *vt, vi* exagérer; **exaggeration** [ɪgzædʒə'reɪʃən] *n* exagération *f*
exam [ɪg'zæm] *n abbr* (*Scol*) = **examination**
examination [ɪgzæmɪ'neɪʃən] *n* (*Scol, Med*) examen *m*; **to take** *or* **sit an ~** (BRIT) passer un examen
examine [ɪg'zæmɪn] *vt* (*gen*) examiner; (*Scol, Law: person*) interroger; **examiner** *n* examinateur(-trice)
example [ɪg'zɑ:mpl] *n* exemple *m*; **for ~** par exemple
exasperated [ɪg'zɑ:spəreɪtɪd] *adj* exaspéré(e)
excavate ['ɛkskəveɪt] *vt* (*site*) fouiller, excaver; (*object*) mettre au jour
exceed [ɪk'si:d] *vt* dépasser; (*one's powers*) outrepasser; **exceedingly** *adv* extrêmement
excel [ɪk'sɛl] *vi* exceller ▷ *vt* surpasser; **to ~ o.s.** se surpasser
excellence ['ɛksələns] *n* excellence *f*
excellent ['ɛksələnt] *adj* excellent(e)
except [ɪk'sɛpt] *prep* (*also*: **~ for, ~ing**) sauf, excepté, à l'exception de ▷ *vt* excepter; **~ if/when** sauf si/quand; **~ that** excepté que, si ce n'est que; **exception** [ɪk'sɛpʃən] *n* exception *f*; **to take exception to** s'offusquer de; **exceptional** [ɪk'sɛpʃənl] *adj* exceptionnel(le); **exceptionally** [ɪk'sɛpʃənəlɪ] *adv* exceptionnellement
excerpt ['ɛksə:pt] *n* extrait *m*
excess [ɪk'sɛs] *n* excès *m*; **excess baggage** *n* excédent *m* de bagages; **excessive** *adj* excessif(-ive)
exchange [ɪks'tʃeɪndʒ] *n* échange *m*; (*also*: **telephone ~**) central *m* ▷ *vt*: **to ~ (for)** échanger (contre); **could I ~ this, please?** est-ce que je peux échanger ceci, s'il vous plaît?; **exchange rate** *n* taux *m* de change
excite [ɪk'saɪt] *vt* exciter; **excited** *adj* (tout (toute)) excité(e); **to get excited** s'exciter; **excitement** *n* excitation *f*; **exciting** *adj* passionnant(e)
exclaim [ɪk'skleɪm] *vi* s'exclamer; **exclamation** [ɛksklə'meɪʃən] *n* exclamation *f*; **exclamation mark** (US **exclamation point**) *n* point *m* d'exclamation
exclude [ɪk'sklu:d] *vt* exclure
excluding [ɪk'sklu:dɪŋ] *prep*: **~ VAT** la TVA non comprise
exclusion [ɪk'sklu:ʒən] *n* exclusion *f*
exclusive [ɪk'sklu:sɪv] *adj* exclusif(-ive); (*club, district*) sélect(e); (*item of news*) en exclusivité; **~ of VAT** TVA non comprise; **exclusively** *adv* exclusivement
excruciating [ɪk'skru:ʃɪeɪtɪŋ] *adj* (*pain*) atroce, déchirant(e); (*embarrassing*) pénible
excursion [ɪk'skə:ʃən] *n* excursion *f*
excuse *n* [ɪk'skju:s] excuse *f* ▷ *vt* [ɪk'skju:z] (*forgive*)

excuser; **to ~ sb from** (*activity*) dispenser qn de; **~ me!** excusez-moi!, pardon!; **now if you will ~ me, ...** maintenant, si vous (le) permettez ...
ex-directory ['ɛksdɪ'rɛktərɪ] *adj* (BRIT) sur la liste rouge
execute ['ɛksɪkjuːt] *vt* exécuter; **execution** [ɛksɪ'kjuːʃən] *n* exécution *f*
executive [ɪg'zɛkjutɪv] *n* (*person*) cadre *m*; (*managing group*) bureau *m*; (*Pol*) exécutif *m* ▷ *adj* exécutif(-ive); (*position, job*) de cadre
exempt [ɪg'zɛmpt] *adj*: **~ from** exempté(e) *or* dispensé(e) de ▷ *vt*: **to ~ sb from** exempter *or* dispenser qn de
exercise ['ɛksəsaɪz] *n* exercice *m* ▷ *vt* exercer; (*patience etc*) faire preuve de; (*dog*) promener ▷ *vi* (*also*: **to take ~**) prendre de l'exercice; **exercise book** *n* cahier *m*
exert [ɪg'zəːt] *vt* exercer, employer; **to ~ o.s.** se dépenser; **exertion** [ɪg'zəːʃən] *n* effort *m*
exhale [ɛks'heɪl] *vt* exhaler ▷ *vi* expirer
exhaust [ɪg'zɔːst] *n* (*also*: **~ fumes**) gaz *mpl* d'échappement; (*also*: **~ pipe**) tuyau *m* d'échappement ▷ *vt* épuiser; **exhausted** *adj* épuisé(e); **exhaustion** [ɪg'zɔːstʃən] *n* épuisement *m*; **nervous exhaustion** fatigue nerveuse
exhibit [ɪg'zɪbɪt] *n* (*Art*) pièce *f or* objet *m* exposé(e); (*Law*) pièce à conviction ▷ *vt* (*Art*) exposer; (*courage, skill*) faire preuve de; **exhibition** [ɛksɪ'bɪʃən] *n* exposition *f*
exhilarating [ɪg'zɪləreɪtɪŋ] *adj* grisant(e), stimulant(e)
exile ['ɛksaɪl] *n* exil *m*; (*person*) exilé(e) ▷ *vt* exiler
exist [ɪg'zɪst] *vi* exister; **existence** *n* existence *f*; **existing** *adj* actuel(le)
exit ['ɛksɪt] *n* sortie *f* ▷ *vi* (*Comput, Theat*) sortir; **where's the ~?** où est la sortie?; **exit ramp** *n* (US *Aut*) bretelle *f* d'accès
exotic [ɪg'zɔtɪk] *adj* exotique
expand [ɪk'spænd] *vt* (*area*) agrandir; (*quantity*) accroître ▷ *vi* (*trade, etc*) se développer, s'accroître; (*gas, metal*) se dilater
expansion [ɪk'spænʃən] *n* (*territorial, economic*) expansion *f*; (*of trade, influence etc*) développement *m*; (*of production*) accroissement *m*; (*of population*) croissance *f*; (*of gas, metal*) expansion, dilatation *f*
expect [ɪk'spɛkt] *vt* (*anticipate*) s'attendre à, s'attendre à ce que + *sub*; (*count on*) compter sur, escompter; (*require*) demander, exiger; (*suppose*) supposer; (*await*: *also baby*) attendre ▷ *vi*: **to be ~ing** (*pregnant woman*) être enceinte; **expectation** [ɛkspɛk'teɪʃən] *n* (*hope*) attente *f*, espérance(s) *f(pl)*; (*belief*) attente
expedition [ɛkspə'dɪʃən] *n* expédition *f*
expel [ɪk'spɛl] *vt* chasser, expulser; (*Scol*) renvoyer, exclure
expenditure [ɪk'spɛndɪtʃə^r] *n* (*act of spending*) dépense *f*; (*money spent*) dépenses *fpl*
expense [ɪk'spɛns] *n* (*high cost*) coût *m*; (*spending*) dépense *f*, frais *mpl*; **expenses** *npl* frais *mpl*; dépenses; **at the ~ of** (*fig*) aux dépens de; **expense account** *n* (note *f* de) frais *mpl*
expensive [ɪk'spɛnsɪv] *adj* cher (chère), coûteux(-euse); **it's too ~** ça coûte trop cher
experience [ɪk'spɪərɪəns] *n* expérience *f* ▷ *vt* connaître; (*feeling*) éprouver; **experienced** *adj* expérimenté(e)
experiment [ɪk'spɛrɪmənt] *n* expérience *f* ▷ *vi* faire une expérience; **experimental** [ɪkspɛrɪ'mɛntl] *adj* expérimental(e)
expert ['ɛkspəːt] *adj* expert(e) ▷ *n* expert *m*; **expertise** [ɛkspəː'tiːz] *n* (grande) compétence
expire [ɪk'spaɪə^r] *vi* expirer; **expiry** *n* expiration *f*; **expiry date** *n* date *f* d'expiration; (*on label*) à utiliser avant ...
explain [ɪk'spleɪn] *vt* expliquer; **explanation** [ɛksplə'neɪʃən] *n* explication *f*
explicit [ɪk'splɪsɪt] *adj* explicite; (*definite*) formel(le)
explode [ɪk'spləud] *vi* exploser
exploit *n* ['ɛksplɔɪt] exploit *m* ▷ *vt* [ɪk'splɔɪt] exploiter; **exploitation** [ɛksplɔɪ'teɪʃən] *n* exploitation *f*
explore [ɪk'splɔː^r] *vt* explorer; (*possibilities*) étudier, examiner; **explorer** *n* explorateur(-trice)
explosion [ɪk'spləuʒən] *n* explosion *f*; **explosive** [ɪk'spləusɪv] *adj* explosif(-ive) ▷ *n* explosif *m*
export *vt* [ɛk'spɔːt] exporter ▷ *n* ['ɛkspɔːt] exportation *f* ▷ *cpd* d'exportation; **exporter** *n* exportateur *m*
expose [ɪk'spəuz] *vt* exposer; (*unmask*) démasquer, dévoiler; **exposed** *adj* (*land, house*) exposé(e); **exposure** [ɪk'spəuʒə^r] *n* exposition *f*; (*publicity*) couverture *f*; (*Phot*: *speed*) (temps *m* de) pose *f*; (: *shot*) pose; **to die of exposure** (*Med*) mourir de froid
express [ɪk'sprɛs] *adj* (*definite*) formel(le), exprès(-esse); (BRIT: *letter etc*) exprès *inv* ▷ *n* (*train*) rapide *m* ▷ *vt* exprimer; **expression** [ɪk'sprɛʃən] *n* expression *f*; **expressway** *n* (US) voie *f* express (à plusieurs files)
exquisite [ɛk'skwɪzɪt] *adj* exquis(e)
extend [ɪk'stɛnd] *vt* (*visit, street*) prolonger, remettre; (*building*) agrandir; (*offer*) présenter, offrir; (*hand, arm*) tendre ▷ *vi* (*land*) s'étendre; **extension** *n* (*of visit, street*) prolongation *f*; (*building*) annexe *f*; (*telephone*: *in offices*) poste *m*; (: *in private house*) téléphone *m* supplémentaire; **extension cable, extension lead** *n* (*Elec*) rallonge *f*; **extensive** *adj* étendu(e), vaste; (*damage, alterations*) considérable; (*inquiries*) approfondi(e)
extent [ɪk'stɛnt] *n* étendue *f*; **to some ~** dans une certaine mesure; **to the ~ of ...** au point de ...; **to what ~?** dans quelle mesure?, jusqu'à quel point?; **to such an ~ that ...** à tel point que ...
exterior [ɛk'stɪərɪə^r] *adj* extérieur(e) ▷ *n* extérieur *m*
external [ɛk'stəːnl] *adj* externe
extinct [ɪk'stɪŋkt] *adj* (*volcano*) éteint(e); (*species*) disparu(e); **extinction** *n* extinction *f*
extinguish [ɪk'stɪŋgwɪʃ] *vt* éteindre
extra ['ɛkstrə] *adj* supplémentaire, de plus ▷ *adv* (*in addition*) en plus ▷ *n* supplément *m*; (*perk*) à-coté *m*; (*Cine, Theat*) figurant(e)
extract *vt* [ɪk'strækt] extraire; (*tooth*) arracher; (*money, promise*) soutirer ▷ *n* ['ɛkstrækt] extrait *m*
extradite ['ɛkstrədaɪt] *vt* extrader
extraordinary [ɪk'strɔːdnrɪ] *adj* extraordinaire
extravagance [ɪk'strævəgəns] *n* (*excessive spending*) prodigalités *fpl*; (*thing bought*) folie *f*, dépense excessive; **extravagant** *adj* extravagant(e); (*in spending*: *person*) prodigue, dépensier(-ière); (: *tastes*) dispendieux(-euse)
extreme [ɪk'striːm] *adj, n* extrême (*m*); **extremely** *adv* extrêmement
extremist [ɪk'striːmɪst] *adj, n* extrémiste *m/f*
extrovert ['ɛkstrəvəːt] *n* extraverti(e)
eye [aɪ] *n* œil *m* ((yeux) *pl*); (*of needle*) trou *m*, chas *m* ▷ *vt* examiner; **to keep an ~ on** surveiller; **eyeball** *n* globe *m* oculaire; **eyebrow** *n* sourcil *m*; **eyedrops** *npl* gouttes *fpl* pour les yeux; **eyelash** *n* cil *m*; **eyelid**

n paupière *f*; **eyeliner** *n* eye-liner *m*; **eyeshadow** *n* ombre *f* à paupières; **eyesight** *n* vue *f*; **eye witness** *n* témoin *m* oculaire

F [ɛf] *n* (*Mus*): **F** fa *m*
fabric ['fæbrɪk] *n* tissu *m*
fabulous ['fæbjuləs] *adj* fabuleux(-euse); (*inf*: *super*) formidable, sensationnel(le)
face [feɪs] *n* visage *m*, figure *f*; (*expression*) air *m*; (*of clock*) cadran *m*; (*of cliff*) paroi *f*; (*of mountain*) face *f*; (*of building*) façade *f* ▷ *vt* faire face à; (*facts etc*) accepter; **~ down** (*person*) à plat ventre; (*card*) face en dessous; **to lose/save ~** perdre/sauver la face; **to pull a ~** faire une grimace; **in the ~ of** (*difficulties etc*) face à, devant; **on the ~ of it** à première vue; **~ to ~** face à face; **face up to** *vt fus* faire face à, affronter; **face cloth** *n* (BRIT) gant *m* de toilette; **face pack** *n* (BRIT) masque *m* (de beauté)
facial ['feɪʃl] *adj* facial(e) ▷ *n* soin complet du visage
facilitate [fə'sɪlɪteɪt] *vt* faciliter
facilities [fə'sɪlɪtɪz] *npl* installations *fpl*, équipement *m*; **credit ~** facilités de paiement
fact [fækt] *n* fait *m*; **in ~** en fait
faction ['fækʃən] *n* faction *f*
factor ['fæktəʳ] *n* facteur *m*; (*of sun cream*) indice *m* (de protection); **I'd like a ~ 15 suntan lotion** je voudrais une crème solaire d'indice 15
factory ['fæktərɪ] *n* usine *f*, fabrique *f*
factual ['fæktjuəl] *adj* basé(e) sur les faits
faculty ['fækəltɪ] *n* faculté *f*; (US: *teaching staff*) corps enseignant
fad [fæd] *n* (*personal*) manie *f*; (*craze*) engouement *m*
fade [feɪd] *vi* se décolorer, passer; (*light, sound*) s'affaiblir; (*flower*) se faner; **fade away** *vi* (*sound*) s'affaiblir
fag [fæg] *n* (BRIT *inf*: *cigarette*) clope *f*
Fahrenheit ['fɑːrənhaɪt] *n* Fahrenheit *m inv*
fail [feɪl] *vt* (*exam*) échouer à; (*candidate*) recaler; (*subj*: *courage, memory*) faire défaut à ▷ *vi* échouer; (*eyesight, health, light*: *also*: **be ~ing**) baisser, s'affaiblir; (*brakes*) lâcher; **to ~ to do sth** (*neglect*) négliger de *or* ne pas faire qch; (*be unable*) ne pas arriver *or* parvenir à faire qch; **without ~** à coup sûr; sans faute; **failing** *n* défaut *m* ▷ *prep* faute de; **failing that** à défaut, sinon; **failure** ['feɪljəʳ] *n* échec *m*; (*person*) raté(e); (*mechanical etc*) défaillance *f*
faint [feɪnt] *adj* faible; (*recollection*) vague; (*mark*) à peine visible ▷ *n* évanouissement *m* ▷ *vi* s'évanouir; **to feel ~** défaillir; **faintest** *adj*: **I haven't the faintest idea** je n'en ai pas la moindre idée; **faintly** *adv* faiblement; (*vaguely*) vaguement
fair [fɛəʳ] *adj* équitable, juste; (*hair*) blond(e); (*skin, complexion*) pâle, blanc (blanche); (*weather*) beau (belle); (*good enough*) assez bon(ne); (*sizeable*) considérable ▷ *adv*: **to play ~** jouer franc jeu ▷ *n* foire *f*; (BRIT: *funfair*) fête (foraine); **fairground** *n* champ *m* de foire; **fair-haired** *adj* (*person*) aux cheveux clairs, blond(e); **fairly** *adv* (*justly*) équitablement; (*quite*) assez; **fair trade** *n* commerce *m* équitable; **fairway** *n* (*Golf*) fairway *m*
fairy ['fɛərɪ] *n* fée *f*; **fairy tale** *n* conte *m* de fées
faith [feɪθ] *n* foi *f*; (*trust*) confiance *f*; (*sect*) culte *m*, religion *f*; **faithful** *adj* fidèle; **faithfully** *adv* fidèlement; **yours faithfully** (BRIT: *in letters*) veuillez agréer l'expression de mes salutations les plus distinguées
fake [feɪk] *n* (*painting etc*) faux *m*; (*person*) imposteur *m* ▷ *adj* faux (fausse) ▷ *vt* (*emotions*) simuler; (*painting*) faire un faux de
falcon ['fɔːlkən] *n* faucon *m*
fall [fɔːl] *n* chute *f*; (*decrease*) baisse *f*; (US: *autumn*) automne *m* ▷ *vi* (*pt* **fell**, *pp* **~en**) tomber; (*price, temperature, dollar*) baisser; **falls** *npl* (*waterfall*) chute *f* d'eau, cascade *f*; **to ~ flat** *vi* (*on one's face*) tomber de tout son long, s'étaler; (*joke*) tomber à plat; (*plan*) échouer; **fall apart** *vi* (*object*) tomber en morceaux; **fall down** *vi* (*person*) tomber; (*building*) s'effondrer, s'écrouler; **fall for** *vt fus* (*trick*) se laisser prendre à; (*person*) tomber amoureux(-euse) de; **fall off** *vi* tomber; (*diminish*) baisser, diminuer; **fall out** *vi* (*friends etc*) se brouiller; (*hair, teeth*) tomber; **fall over** *vi* tomber (par terre); **fall through** *vi* (*plan, project*) tomber à l'eau
fallen ['fɔːlən] *pp of* **fall**
fallout ['fɔːlaut] *n* retombées (radioactives)
false [fɔːls] *adj* faux (fausse); **under ~ pretences** sous un faux prétexte; **false alarm** *n* fausse alerte; **false teeth** *npl* (BRIT) fausses dents, dentier *m*
fame [feɪm] *n* renommée *f*, renom *m*
familiar [fə'mɪlɪəʳ] *adj* familier(-ière); **to be ~ with sth** connaître qch; **familiarize** [fə'mɪlɪəraɪz] *vt*: **to familiarize o.s. with** se familiariser avec
family ['fæmɪlɪ] *n* famille *f*; **family doctor** *n* médecin *m* de famille; **family planning** *n* planning familial
famine ['fæmɪn] *n* famine *f*
famous ['feɪməs] *adj* célèbre
fan [fæn] *n* (*folding*) éventail *m*; (*Elec*) ventilateur *m*; (*person*) fan *m*, admirateur(-trice); (*Sport*) supporter *m/f* ▷ *vt* éventer; (*fire, quarrel*) attiser
fanatic [fə'nætɪk] *n* fanatique *m/f*
fan belt *n* courroie *f* de ventilateur
fan club *n* fan-club *m*
fancy ['fænsɪ] *n* (*whim*) fantaisie *f*, envie *f*; (*imagination*) imagination *f* ▷ *adj* (*luxury*) de luxe; (*elaborate*: *jewellery, packaging*) fantaisie *inv* ▷ *vt* (*feel like, want*) avoir envie de; (*imagine*) imaginer; **to take a ~ to** se prendre d'affection pour; s'enticher de; **he fancies her** elle lui plaît; **fancy dress** *n* déguisement *m*, travesti *m*
fan heater *n* (BRIT) radiateur soufflant
fantasize ['fæntəsaɪz] *vi* fantasmer
fantastic [fæn'tæstɪk] *adj* fantastique
fantasy ['fæntəsɪ] *n* imagination *f*, fantaisie *f*; (*unreality*) fantasme *m*
fanzine ['fænziːn] *n* fanzine *m*
FAQ *n abbr* (= *frequently asked question*) FAQ *f inv*, faq *f inv*
far [fɑːʳ] *adj* (*distant*) lointain(e), éloigné(e) ▷ *adv* loin; **the ~ side/end** l'autre côté/bout; **it's not ~**

(from here) ce n'est pas loin (d'ici); **~ away, ~ off** au loin, dans le lointain; **~ better** beaucoup mieux; **~ from** loin de; **by ~** de loin, de beaucoup; **go as ~ as the bridge** allez jusqu'au pont; **as ~ as I know** pour autant que je sache; **how ~ is it to ...?** combien y a-t-il jusqu'à ...?; **how ~ have you got with your work?** où en êtes-vous dans votre travail?
farce [fɑːs] *n* farce *f*
fare [fɛəʳ] *n* (*on trains, buses*) prix *m* du billet; (*in taxi*) prix de la course; (*food*) table *f*, chère *f*; **half ~** demi-tarif; **full ~** plein tarif
Far East *n*: **the ~** l'Extrême-Orient *m*
farewell [fɛə'wɛl] *excl, n* adieu *m*
farm [fɑːm] *n* ferme *f* ▷ *vt* cultiver; **farmer** *n* fermier(-ière); **farmhouse** *n* (maison *f* de) ferme *f*; **farming** *n* agriculture *f*; (*of animals*) élevage *m*; **farmyard** *n* cour *f* de ferme
far-reaching ['fɑː'riːtʃɪŋ] *adj* d'une grande portée
fart [fɑːt] (*inf!*) *vi* péter
farther ['fɑːðəʳ] *adv* plus loin ▷ *adj* plus eloigné(e), plus lointain(e)
farthest ['fɑːðɪst] *superlative of* **far**
fascinate ['fæsɪneɪt] *vt* fasciner, captiver; **fascinated** *adj* fasciné(e)
fascinating ['fæsɪneɪtɪŋ] *adj* fascinant(e)
fascination [fæsɪ'neɪʃən] *n* fascination *f*
fascist ['fæʃɪst] *adj, n* fasciste *m/f*
fashion ['fæʃən] *n* mode *f*; (*manner*) façon *f*, manière *f* ▷ *vt* façonner; **in ~** à la mode; **out of ~** démodé(e); **fashionable** *adj* à la mode; **fashion show** *n* défilé *m* de mannequins *or* de mode
fast [fɑːst] *adj* rapide; (*clock*): **to be ~** avancer; (*dye, colour*) grand *or* bon teint *inv* ▷ *adv* vite, rapidement; (*stuck, held*) solidement ▷ *n* jeûne *m* ▷ *vi* jeûner; **~ asleep** profondément endormi
fasten ['fɑːsn] *vt* attacher, fixer; (*coat*) attacher, fermer ▷ *vi* se fermer, s'attacher
fast food *n* fast food *m*, restauration *f* rapide
fat [fæt] *adj* gros(se) ▷ *n* graisse *f*; (*on meat*) gras *m*; (*for cooking*) matière grasse
fatal ['feɪtl] *adj* (*mistake*) fatal(e); (*injury*) mortel(le); **fatality** [fə'tælɪtɪ] *n* (*road death etc*) victime *f*, décès *m*; **fatally** *adv* fatalement; (*injured*) mortellement
fate [feɪt] *n* destin *m*; (*of person*) sort *m*
father ['fɑːðəʳ] *n* père *m*; **Father Christmas** *n* le Père Noël; **father-in-law** *n* beau-père *m*
fatigue [fə'tiːg] *n* fatigue *f*
fattening ['fætnɪŋ] *adj* (*food*) qui fait grossir
fatty ['fætɪ] *adj* (*food*) gras(se) ▷ *n* (*inf*) gros (grosse)
faucet ['fɔːsɪt] *n* (US) robinet *m*
fault [fɔːlt] *n* faute *f*; (*defect*) défaut *m*; (*Geo*) faille *f* ▷ *vt* trouver des défauts à, prendre en défaut; **it's my ~** c'est de ma faute; **to find ~ with** trouver à redire *or* à critiquer à; **at ~** fautif(-ive), coupable; **faulty** *adj* défectueux(-euse)
fauna ['fɔːnə] *n* faune *f*
favour *etc* (US **favor** *etc*) ['feɪvəʳ] *n* faveur *f*; (*help*) service *m* ▷ *vt* (*proposition*) être en faveur de; (*pupil etc*) favoriser; (*team, horse*) donner gagnant; **to do sb a ~** rendre un service à qn; **in ~ of** en faveur de; **to find ~ with sb** trouver grâce aux yeux de qn; **favourable** *adj* favorable; **favourite** ['feɪvrɪt] *adj, n* favori(te)
fawn [fɔːn] *n* (*deer*) faon *m* ▷ *adj* (*also*: **~-coloured**) fauve ▷ *vi*: **to ~ (up)on** flatter servilement
fax [fæks] *n* (*document*) télécopie *f*; (*machine*) télécopieur *m* ▷ *vt* envoyer par télécopie
FBI *n abbr* (US: = *Federal Bureau of Investigation*) FBI *m*
fear [fɪəʳ] *n* crainte *f*, peur *f* ▷ *vt* craindre; **for ~ of** de peur que + *sub or* de + *infinitive*; **fearful** *adj* craintif(-ive); (*sight, noise*) affreux(-euse), épouvantable; **fearless** *adj* intrépide
feasible ['fiːzəbl] *adj* faisable, réalisable
feast [fiːst] *n* festin *m*, banquet *m*; (*Rel*: *also*: **~ day**) fête *f* ▷ *vi* festoyer
feat [fiːt] *n* exploit *m*, prouesse *f*
feather ['fɛðəʳ] *n* plume *f*
feature ['fiːtʃəʳ] *n* caractéristique *f*; (*article*) chronique *f*, rubrique *f* ▷ *vt* (*film*) avoir pour vedette(s) ▷ *vi* figurer (en bonne place); **features** *npl* (*of face*) traits *mpl*; **a (special) ~ on sth/sb** un reportage sur qch/qn; **feature film** *n* long métrage
Feb. *abbr* (= *February*) fév
February ['fɛbruərɪ] *n* février *m*
fed [fɛd] *pt, pp of* **feed**
federal ['fɛdərəl] *adj* fédéral(e)
federation [fɛdə'reɪʃən] *n* fédération *f*
fed up *adj*: **to be ~ (with)** en avoir marre *or* plein le dos (de)
fee [fiː] *n* rémunération *f*; (*of doctor, lawyer*) honoraires *mpl*; (*of school, college etc*) frais *mpl* de scolarité; (*for examination*) droits *mpl*
feeble ['fiːbl] *adj* faible; (*attempt, excuse*) pauvre; (*joke*) piteux(-euse)
feed [fiːd] *n* (*of animal*) nourriture *f*, pâture *f*; (*on printer*) mécanisme *m* d'alimentation ▷ *vt* (*pt, pp* **fed**) (*person*) nourrir; (BRIT: *baby*: *breastfeed*) allaiter; (: *with bottle*) donner le biberon à; (*horse etc*) donner à manger à; (*machine*) alimenter; (*data etc*): **to ~ sth into** enregistrer qch dans; **feedback** *n* (*Elec*) effet *m* Larsen; (*from person*) réactions *fpl*
feel [fiːl] *n* (*sensation*) sensation *f*; (*impression*) impression *f* ▷ *vt* (*pt, pp* **felt**) (*touch*) toucher; (*explore*) tâter, palper; (*cold, pain*) sentir; (*grief, anger*) ressentir, éprouver; (*think, believe*): **to ~ (that)** trouver que; **to ~ hungry/cold** avoir faim/froid; **to ~ lonely/better** se sentir seul/mieux; **I don't ~ well** je ne me sens pas bien; **it ~s soft** c'est doux au toucher; **to ~ like** (*want*) avoir envie de; **feeling** *n* (*physical*) sensation *f*; (*emotion, impression*) sentiment *m*; **to hurt sb's feelings** froisser qn
feet [fiːt] *npl of* **foot**
fell [fɛl] *pt of* **fall** ▷ *vt* (*tree*) abattre
fellow ['fɛləu] *n* type *m*; (*comrade*) compagnon *m*; (*of learned society*) membre *m* ▷ *cpd*: **their ~ prisoners/students** leurs camarades prisonniers/étudiants; **fellow citizen** *n* concitoyen(ne); **fellow countryman** *n* (*irreg*) compatriote *m*; **fellow men** *npl* semblables *mpl*; **fellowship** *n* (*society*) association *f*; (*comradeship*) amitié *f*, camaraderie *f*; (*Scol*) *sorte de bourse universitaire*
felony ['fɛlənɪ] *n* crime *m*, forfait *m*
felt [fɛlt] *pt, pp of* **feel** ▷ *n* feutre *m*; **felt-tip** *n* (*also*: **felt-tip pen**) stylo-feutre *m*
female ['fiːmeɪl] *n* (*Zool*) femelle *f*; (*pej*: *woman*) bonne femme ▷ *adj* (*Biol*) femelle; (*sex, character*) féminin(e); (*vote etc*) des femmes
feminine ['fɛmɪnɪn] *adj* féminin(e)
feminist ['fɛmɪnɪst] *n* féministe *m/f*
fence [fɛns] *n* barrière *f* ▷ *vi* faire de l'escrime; **fencing** *n* (*sport*) escrime *m*
fend [fɛnd] *vi*: **to ~ for o.s.** se débrouiller (tout seul); **fend off** *vt* (*attack etc*) parer; (*questions*) éluder
fender ['fɛndəʳ] *n* garde-feu *m inv*; (*on boat*) défense *f*; (US: *of car*) aile *f*
fennel ['fɛnl] *n* fenouil *m*
ferment *vi* [fə'mɛnt] fermenter ▷ *n* ['fəːmɛnt] (*fig*)

agitation *f*, effervescence *f*
fern [fə:n] *n* fougère *f*
ferocious [fə'rəuʃəs] *adj* féroce
ferret ['fɛrɪt] *n* furet *m*
ferry ['fɛrɪ] *n* (*small*) bac *m*; (*large*: *also*: **~boat**) ferry(-boat *m*) *m* ▷ *vt* transporter
fertile ['fə:taɪl] *adj* fertile; (*Biol*) fécond(e); **fertilize** ['fə:tɪlaɪz] *vt* fertiliser; (*Biol*) féconder; **fertilizer** *n* engrais *m*
festival ['fɛstɪvəl] *n* (*Rel*) fête *f*; (*Art, Mus*) festival *m*
festive ['fɛstɪv] *adj* de fête; **the ~ season** (BRIT: *Christmas*) la période des fêtes
fetch [fɛtʃ] *vt* aller chercher; (BRIT: *sell for*) rapporter
fête [feɪt] *n* fête *f*, kermesse *f*
fetus ['fi:təs] *n* (US) = **foetus**
feud [fju:d] *n* querelle *f*, dispute *f*
fever ['fi:vəʳ] *n* fièvre *f*; **feverish** *adj* fiévreux(-euse), fébrile
few [fju:] *adj* (*not many*) peu de ▷ *pron* peu; **a ~** (*as adj*) quelques; (*as pron*) quelques-uns(-unes); **quite a ~ ...** *adj* un certain nombre de ..., pas mal de ...; **in the past ~ days** ces derniers jours; **fewer** *adj* moins de; **fewest** *adj* le moins nombreux
fiancé [fɪ'ɑ̃:ŋseɪ] *n* fiancé *m*; **fiancée** *n* fiancée *f*
fiasco [fɪ'æskəu] *n* fiasco *m*
fib [fɪb] *n* bobard *m*
fibre (US **fiber**) ['faɪbəʳ] *n* fibre *f*; **fibreglass** (US **Fiberglass®**) *n* fibre *f* de verre
fickle ['fɪkl] *adj* inconstant(e), volage, capricieux(-euse)
fiction ['fɪkʃən] *n* romans *mpl*, littérature *f* romanesque; (*invention*) fiction *f*; **fictional** *adj* fictif(-ive)
fiddle ['fɪdl] *n* (*Mus*) violon *m*; (*cheating*) combine *f*; escroquerie *f* ▷ *vt* (BRIT: *accounts*) falsifier, maquiller; **fiddle with** *vt fus* tripoter
fidelity [fɪ'dɛlɪtɪ] *n* fidélité *f*
fidget ['fɪdʒɪt] *vi* se trémousser, remuer
field [fi:ld] *n* champ *m*; (*fig*) domaine *m*, champ; (*Sport*: *ground*) terrain *m*; **field marshal** *n* maréchal *m*
fierce [fɪəs] *adj* (*look, animal*) féroce, sauvage; (*wind, attack, person*) (très) violent(e); (*fighting, enemy*) acharné(e)
fifteen [fɪf'ti:n] *num* quinze; **fifteenth** *num* quinzième
fifth [fɪfθ] *num* cinquième
fiftieth ['fɪftɪɪθ] *num* cinquantième
fifty ['fɪftɪ] *num* cinquante; **fifty-fifty** *adv* moitié-moitié ▷ *adj*: **to have a fifty-fifty chance (of success)** avoir une chance sur deux (de réussir)
fig [fɪg] *n* figue *f*
fight [faɪt] *n* (*between persons*) bagarre *f*; (*argument*) dispute *f*; (*Mil*) combat *m*; (*against cancer etc*) lutte *f* ▷ *vb* (*pt, pp* **fought**) ▷ *vt* se battre contre; (*cancer, alcoholism, emotion*) combattre, lutter contre; (*election*) se présenter à ▷ *vi* se battre; (*argue*) se disputer; (*fig*): **to ~ (for/against)** lutter (pour/contre); **fight back** *vi* rendre les coups; (*after illness*) reprendre le dessus ▷ *vt* (*tears*) réprimer; **fight off** *vt* repousser; (*disease, sleep, urge*) lutter contre; **fighting** *n* combats *mpl*; (*brawls*) bagarres *fpl*
figure ['fɪgəʳ] *n* (*Drawing, Geom*) figure *f*; (*number*) chiffre *m*; (*body, outline*) silhouette *f*; (*person's shape*) ligne *f*, formes *fpl*; (*person*) personnage *m* ▷ *vt* (US: *think*) supposer ▷ *vi* (*appear*) figurer; (US: *make sense*) s'expliquer; **figure out** *vt* (*understand*) arriver à comprendre; (*plan*) calculer
file [faɪl] *n* (*tool*) lime *f*; (*dossier*) dossier *m*; (*folder*) dossier, chemise *f*; (: *binder*) classeur *m*; (*Comput*) fichier *m*; (*row*) file *f* ▷ *vt* (*nails, wood*) limer; (*papers*) classer; (*Law*: *claim*) faire enregistrer; déposer; **filing cabinet** *n* classeur *m* (*meuble*)
Filipino [fɪlɪ'pi:nəu] *adj* philippin(e) ▷ *n* (*person*) Philippin(e)
fill [fɪl] *vt* remplir; (*vacancy*) pourvoir à ▷ *n*: **to eat one's ~** manger à sa faim; **to ~ with** remplir de; **fill in** *vt* (*hole*) boucher; (*form*) remplir; **fill out** *vt* (*form, receipt*) remplir; **fill up** *vt* remplir ▷ *vi* (*Aut*) faire le plein
fillet ['fɪlɪt] *n* filet *m*; **fillet steak** *n* filet *m* de bœuf, tournedos *m*
filling ['fɪlɪŋ] *n* (*Culin*) garniture *f*, farce *f*; (*for tooth*) plombage *m*; **filling station** *n* station-service *f*, station *f* d'essence
film [fɪlm] *n* film *m*; (*Phot*) pellicule *f*, film; (*of powder, liquid*) couche *f*, pellicule ▷ *vt* (*scene*) filmer ▷ *vi* tourner; **I'd like a 36-exposure ~** je voudrais une pellicule de 36 poses; **film star** *n* vedette *f* de cinéma
filter ['fɪltəʳ] *n* filtre *m* ▷ *vt* filtrer; **filter lane** *n* (BRIT *Aut*: *at traffic lights*) voie *f* de dégagement; (: *on motorway*) voie *f* de sortie
filth [fɪlθ] *n* saleté *f*; **filthy** *adj* sale, dégoûtant(e); (*language*) ordurier(-ière), grossier(-ière)
fin [fɪn] *n* (*of fish*) nageoire *f*; (*of shark*) aileron *m*; (*of diver*) palme *f*
final ['faɪnl] *adj* final(e), dernier(-ière); (*decision, answer*) définitif(-ive) ▷ *n* (BRIT *Sport*) finale *f*; **finals** *npl* (*Scol*) examens *mpl* de dernière année; (US *Sport*) finale *f*; **finale** [fɪ'nɑ:lɪ] *n* finale *m*; **finalist** *n* (*Sport*) finaliste *m/f*; **finalize** *vt* mettre au point; **finally** *adv* (*eventually*) enfin, finalement; (*lastly*) en dernier lieu
finance [faɪ'næns] *n* finance *f* ▷ *vt* financer; **finances** *npl* finances *fpl*; **financial** [faɪ'nænʃəl] *adj* financier(-ière); **financial year** *n* année *f* budgétaire
find [faɪnd] *vt* (*pt, pp* **found**) trouver; (*lost object*) retrouver ▷ *n* trouvaille *f*, découverte *f*; **to ~ sb guilty** (*Law*) déclarer qn coupable; **find out** *vt* se renseigner sur; (*truth, secret*) découvrir; (*person*) démasquer ▷ *vi*: **to ~ out about** (*make enquiries*) se renseigner sur; (*by chance*) apprendre; **findings** *npl* (*Law*) conclusions *fpl*, verdict *m*; (*of report*) constatations *fpl*
fine [faɪn] *adj* (*weather*) beau (belle); (*excellent*) excellent(e); (*thin, subtle, not coarse*) fin(e); (*acceptable*) bien *inv* ▷ *adv* (*well*) très bien; (*small*) fin, finement ▷ *n* (*Law*) amende *f*; contravention *f* ▷ *vt* (*Law*) condamner à une amende; donner une contravention à; **he's ~** il va bien; **the weather is ~** il fait beau; **fine arts** *npl* beaux-arts *mpl*
finger ['fɪŋgəʳ] *n* doigt *m* ▷ *vt* palper, toucher; **index ~** index *m*; **fingernail** *n* ongle *m* (de la main); **fingerprint** *n* empreinte digitale; **fingertip** *n* bout *m* du doigt
finish ['fɪnɪʃ] *n* fin *f*; (*Sport*) arrivée *f*; (*polish etc*) finition *f* ▷ *vt* finir, terminer ▷ *vi* finir, se terminer; **to ~ doing sth** finir de faire qch; **to ~ third** arriver *or* terminer troisième; **when does the show ~?** quand est-ce que le spectacle se termine?; **finish off** *vt* finir, terminer; (*kill*) achever; **finish up** *vi, vt* finir
Finland ['fɪnlənd] *n* Finlande *f*; **Finn** *n* Finnois(e), Finlandais(e); **Finnish** *adj* finnois(e), finlandais(e) ▷ *n* (*Ling*) finnois *m*
fir [fə:ʳ] *n* sapin *m*
fire ['faɪəʳ] *n* feu *m*; (*accidental*) incendie *m*; (*heater*)

radiateur *m* ▷ *vt* (*discharge*): **to ~ a gun** tirer un coup de feu; (*fig: interest*) enflammer, animer; (*inf: dismiss*) mettre à la porte, renvoyer ▷ *vi* (*shoot*) tirer, faire feu; **~!** au feu!; **on ~** en feu; **to set ~ to sth, set sth on ~** mettre le feu à qch; **fire alarm** *n* avertisseur *m* d'incendie; **firearm** *n* arme *f* à feu; **fire brigade** *n* (*US* **fire department**) (régiment *m* de sapeurs-)pompiers *mpl*; **fire engine** *n* (BRIT) pompe *f* à incendie; **fire escape** *n* escalier *m* de secours; **fire exit** *n* issue *f* or sortie *f* de secours; **fire extinguisher** *n* extincteur *m*; **fireman** (*irreg*) *n* pompier *m*; **fireplace** *n* cheminée *f*; **fire station** *n* caserne *f* de pompiers; **fire truck** (*US*) *n* = **fire engine**; **firewall** *n* (*Internet*) pare-feu *m*; **firewood** *n* bois *m* de chauffage; **fireworks** *npl* (*display*) feu(x) *m(pl)* d'artifice

firm [fəːm] *adj* ferme ▷ *n* compagnie *f*, firme *f*; **firmly** *adv* fermement

first [fəːst] *adj* premier(-ière) ▷ *adv* (*before other people*) le premier, la première; (*before other things*) en premier, d'abord; (*when listing reasons etc*) en premier lieu, premièrement; (*in the beginning*) au début ▷ *n* (*person: in race*) premier(-ière); (BRIT *Scol*) mention *f* très bien; (*Aut*) première *f*; **the ~ of January** le premier janvier; **at ~** au commencement, au début; **~ of all** tout d'abord, pour commencer; **first aid** *n* premiers secours *or* soins; **first-aid kit** *n* trousse *f* à pharmacie; **first-class** *adj* (*ticket etc*) de première classe; (*excellent*) excellent(e), exceptionnel(le); (*post*) en tarif prioritaire; **first-hand** *adj* de première main; **first lady** *n* (*US*) femme *f* du président; **firstly** *adv* premièrement, en premier lieu; **first name** *n* prénom *m*; **first-rate** *adj* excellent(e)

fiscal [ˈfɪskl] *adj* fiscal(e); **fiscal year** *n* exercice financier

fish [fɪʃ] *n* (*pl inv*) poisson *m* ▷ *vt, vi* pêcher; **~ and chips** poisson frit et frites; **fisherman** (*irreg*) *n* pêcheur *m*; **fish fingers** *npl* (BRIT) bâtonnets de poisson (congelés); **fishing** *n* pêche *f*; **to go fishing** aller à la pêche; **fishing boat** *n* barque *f* de pêche; **fishing line** *n* ligne *f* (de pêche); **fishmonger** *n* (BRIT) marchand *m* de poisson; **fishmonger's (shop)** *n* (BRIT) poissonnerie *f*; **fish sticks** *npl* (*US*) = **fish fingers**; **fishy** *adj* (*inf*) suspect(e), louche

fist [fɪst] *n* poing *m*

fit [fɪt] *adj* (*Med, Sport*) en (bonne) forme; (*proper*) convenable; approprié(e) ▷ *vt* (*subj: clothes*) aller à; (*put in, attach*) installer, poser; (*equip*) équiper, garnir, munir; (*suit*) convenir à ▷ *vi* (*clothes*) aller; (*parts*) s'adapter; (*in space, gap*) entrer, s'adapter ▷ *n* (*Med*) accès *m*, crise *f*; (*of anger*) accès; (*of hysterics, jealousy*) crise; **~ to** (*ready to*) en état de; **~ for** (*worthy*) digne de; (*capable*) apte à; **to keep ~** se maintenir en forme; **this dress is a tight/good ~** cette robe est un peu juste/(me) va très bien; **a ~ of coughing** une quinte de toux; **by ~s and starts** par à-coups; **fit in** *vi* (*add up*) cadrer; (*integrate*) s'intégrer; (*to new situation*) s'adapter; **fitness** *n* (*Med*) forme *f* physique; **fitted** *adj* (*jacket, shirt*) ajusté(e); **fitted carpet** *n* moquette *f*; **fitted kitchen** *n* (BRIT) cuisine équipée; **fitted sheet** *n* drap-housse *m*; **fitting** *adj* approprié(e) ▷ *n* (*of dress*) essayage *m*; (*of piece of equipment*) pose *f*, installation *f*; **fitting room** *n* (*in shop*) cabine *f* d'essayage; **fittings** *npl* installations *fpl*

five [faɪv] *num* cinq; **fiver** *n* (*inf*: BRIT) billet *m* de cinq livres; (: *US*) billet de cinq dollars

fix [fɪks] *vt* (*date, amount etc*) fixer; (*sort out*) arranger; (*mend*) réparer; (*make ready: meal, drink*) préparer ▷ *n*: **to be in a ~** être dans le pétrin; **fix up** *vt* (*meeting*) arranger; **to ~ sb up with sth** faire avoir qch à qn; **fixed** *adj* (*prices etc*) fixe; **fixture** *n* installation *f* (fixe); (*Sport*) rencontre *f* (au programme)

fizzy [ˈfɪzɪ] *adj* pétillant(e), gazeux(-euse)

flag [flæg] *n* drapeau *m*; (*also*: **~stone**) dalle *f* ▷ *vi* faiblir; fléchir; **flag down** *vt* héler, faire signe (de s'arrêter) à; **flagpole** *n* mât *m*

flair [flɛəʳ] *n* flair *m*

flak [flæk] *n* (*Mil*) tir antiaérien; (*inf: criticism*) critiques *fpl*

flake [fleɪk] *n* (*of rust, paint*) écaille *f*; (*of snow, soap powder*) flocon *m* ▷ *vi* (*also*: **~ off**) s'écailler

flamboyant [flæmˈbɔɪənt] *adj* flamboyant(e), éclatant(e); (*person*) haut(e) en couleur

flame [fleɪm] *n* flamme *f*

flamingo [fləˈmɪŋgəu] *n* flamant *m* (rose)

flammable [ˈflæməbl] *adj* inflammable

flan [flæn] *n* (BRIT) tarte *f*

flank [flæŋk] *n* flanc *m* ▷ *vt* flanquer

flannel [ˈflænl] *n* (BRIT: *also*: **face ~**) gant *m* de toilette; (*fabric*) flanelle *f*

flap [flæp] *n* (*of pocket, envelope*) rabat *m* ▷ *vt* (*wings*) battre (de) ▷ *vi* (*sail, flag*) claquer

flare [flɛəʳ] *n* (*signal*) signal lumineux; (*Mil*) fusée éclairante; (*in skirt etc*) évasement *m*; **flares** *npl* (*trousers*) pantalon *m* à pattes d'éléphant; **flare up** *vi* s'embraser; (*fig: person*) se mettre en colère, s'emporter; (: *revolt*) éclater

flash [flæʃ] *n* éclair *m*; (*also*: **news ~**) flash *m* (d'information); (*Phot*) flash ▷ *vt* (*switch on*) allumer (brièvement); (*direct*): **to ~ sth at** braquer qch sur; (*send: message*) câbler; (*smile*) lancer ▷ *vi* briller; jeter des éclairs; (*light on ambulance etc*) clignoter; **a ~ of lightning** un éclair; **in a ~** en un clin d'œil; **to ~ one's headlights** faire un appel de phares; **he ~ed by *or* past** il passa (devant nous) comme un éclair; **flashback** *n* flashback *m*, retour *m* en arrière; **flashbulb** *n* ampoule *f* de flash; **flashlight** *n* lampe *f* de poche

flask [flɑːsk] *n* flacon *m*, bouteille *f*; (*also*: **vacuum ~**) bouteille *f* thermos®

flat [flæt] *adj* plat(e); (*tyre*) dégonflé(e), à plat; (*beer*) éventé(e); (*battery*) à plat; (*denial*) catégorique; (*Mus*) bémol *inv*; (: *voice*) faux (fausse) ▷ *n* (BRIT: *apartment*) appartement *m*; (*Aut*) crevaison *f*, pneu crevé; (*Mus*) bémol *m*; **~ out** (*work*) sans relâche; (*race*) à fond; **flatten** *vt* (*also*: **flatten out**) aplatir; (*crop*) coucher; (*house, city*) raser

flatter [ˈflætəʳ] *vt* flatter; **flattering** *adj* flatteur(-euse); (*clothes etc*) seyant(e)

flaunt [flɔːnt] *vt* faire étalage de

flavour *etc* (*US* **flavor** *etc*) [ˈfleɪvəʳ] *n* goût *m*, saveur *f*; (*of ice cream etc*) parfum *m* ▷ *vt* parfumer, aromatiser; **vanilla-~ed** à l'arôme de vanille, vanillé(e); **what ~s do you have?** quels parfums avez-vous?; **flavouring** *n* arôme *m* (synthétique)

flaw [flɔː] *n* défaut *m*; **flawless** *adj* sans défaut

flea [fliː] *n* puce *f*; **flea market** *n* marché *m* aux puces

flee (*pt, pp* **fled**) [fliː, flɛd] *vt* fuir, s'enfuir de ▷ *vi* fuir, s'enfuir

fleece [fliːs] *n* (*of sheep*) toison *f*; (*top*) (laine *f*) polaire *f* ▷ *vt* (*inf*) voler, filouter

fleet [fliːt] *n* flotte *f*; (*of lorries, cars etc*) parc *m*; convoi *m*

fleeting [ˈfliːtɪŋ] *adj* fugace, fugitif(-ive); (*visit*) très bref (brève)

Flemish [ˈflɛmɪʃ] *adj* flamand(e) ▷ *n* (*Ling*) flamand

m; **the ~** *npl* les Flamands
flesh [flɛʃ] *n* chair *f*
flew [flu:] *pt of* **fly**
flex [flɛks] *n* fil *m or* câble *m* électrique (souple) ▷ *vt* (*knee*) fléchir; (*muscles*) tendre; **flexibility** *n* flexibilité *f*; **flexible** *adj* flexible; (*person, schedule*) souple; **flexitime** (*US* **flextime**) *n* horaire *m* variable *or* à la carte
flick [flɪk] *n* petit coup; (*with finger*) chiquenaude *f* ▷ *vt* donner un petit coup à; (*switch*) appuyer sur; **flick through** *vt fus* feuilleter
flicker ['flɪkəʳ] *vi* (*light, flame*) vaciller
flies [flaɪz] *npl of* **fly**
flight [flaɪt] *n* vol *m*; (*escape*) fuite *f*; (*also*: **~ of steps**) escalier *m*; **flight attendant** *n* steward *m*, hôtesse *f* de l'air
flimsy ['flɪmzɪ] *adj* peu solide; (*clothes*) trop léger(-ère); (*excuse*) pauvre, mince
flinch [flɪntʃ] *vi* tressaillir; **to ~ from** se dérober à, reculer devant
fling [flɪŋ] *vt* (*pt, pp* **flung**) jeter, lancer
flint [flɪnt] *n* silex *m*; (*in lighter*) pierre *f* (à briquet)
flip [flɪp] *vt* (*throw*) donner une chiquenaude à; (*switch*) appuyer sur; (*US*: *pancake*) faire sauter; **to ~ sth over** retourner qch
flip-flops ['flɪpflɔps] *npl* (*esp* BRIT) tongs *fpl*
flipper ['flɪpəʳ] *n* (*of animal*) nageoire *f*; (*for swimmer*) palme *f*
flirt [flə:t] *vi* flirter ▷ *n* flirteur(-euse)
float [fləut] *n* flotteur *m*; (*in procession*) char *m*; (*sum of money*) réserve *f* ▷ *vi* flotter
flock [flɔk] *n* (*of sheep*) troupeau *m*; (*of birds*) vol *m*; (*of people*) foule *f*
flood [flʌd] *n* inondation *f*; (*of letters, refugees etc*) flot *m* ▷ *vt* inonder ▷ *vi* (*place*) être inondé; (*people*): **to ~ into** envahir; **flooding** *n* inondation *f*; **floodlight** *n* projecteur *m*
floor [flɔ:ʳ] *n* sol *m*; (*storey*) étage *m*; (*of sea, valley*) fond *m* ▷ *vt* (*knock down*) terrasser; (*baffle*) désorienter; **ground ~** (*US*): **first ~** rez-de-chaussée *m*; **first ~** (*US*): **second ~** premier étage; **what ~ is it on?** c'est à quel étage?; **floorboard** *n* planche *f* (*du plancher*); **flooring** *n* sol *m*; (*wooden*) plancher *m*; (*covering*) revêtement *m* de sol; **floor show** *n* spectacle *m* de variétés
flop [flɔp] *n* fiasco *m* ▷ *vi* (*fail*) faire fiasco; (*fall*) s'affaler, s'effondrer; **floppy** *adj* lâche, flottant(e) ▷ *n* (*Comput*: *also*: **floppy disk**) disquette *f*
flora ['flɔ:rə] *n* flore *f*
floral ['flɔ:rl] *adj* floral(e); (*dress*) à fleurs
florist ['flɔrɪst] *n* fleuriste *m/f*; **florist's (shop)** *n* magasin *m or* boutique *f* de fleuriste
flotation [fləu'teɪʃən] *n* (*of shares*) émission *f*; (*of company*) lancement *m* (en Bourse)
flour ['flauəʳ] *n* farine *f*
flourish ['flʌrɪʃ] *vi* prospérer ▷ *n* (*gesture*) moulinet *m*
flow [fləu] *n* (*of water, traffic etc*) écoulement *m*; (*tide, influx*) flux *m*; (*of blood, Elec*) circulation *f*; (*of river*) courant *m* ▷ *vi* couler; (*traffic*) s'écouler; (*robes, hair*) flotter
flower ['flauəʳ] *n* fleur *f* ▷ *vi* fleurir; **flower bed** *n* plate-bande *f*; **flowerpot** *n* pot *m* (à fleurs)
flown [fləun] *pp of* **fly**
fl. oz. *abbr* = **fluid ounce**
flu [flu:] *n* grippe *f*
fluctuate ['flʌktjueɪt] *vi* varier, fluctuer
fluent ['flu:ənt] *adj* (*speech, style*) coulant(e), aisé(e); **he speaks ~ French, he's ~ in French** il parle le français couramment
fluff [flʌf] *n* duvet *m*; (*on jacket, carpet*) peluche *f*; **fluffy** *adj* duveteux(-euse); (*toy*) en peluche
fluid ['flu:ɪd] *n* fluide *m*; (*in diet*) liquide *m* ▷ *adj* fluide; **fluid ounce** *n* (BRIT) = 0.028 *l*; 0.05 *pints*
fluke [flu:k] *n* coup *m* de veine
flung [flʌŋ] *pt, pp of* **fling**
fluorescent [fluə'rɛsnt] *adj* fluorescent(e)
fluoride ['fluəraɪd] *n* fluor *m*
flurry ['flʌrɪ] *n* (*of snow*) rafale *f*, bourrasque *f*; **a ~ of activity** un affairement soudain
flush [flʌʃ] *n* (*on face*) rougeur *f*; (*fig*: *of youth etc*) éclat *m* ▷ *vt* nettoyer à grande eau ▷ *vi* rougir ▷ *adj* (*level*): **~ with** au ras de, de niveau avec; **to ~ the toilet** tirer la chasse (d'eau)
flute [flu:t] *n* flûte *f*
flutter ['flʌtəʳ] *n* (*of panic, excitement*) agitation *f*; (*of wings*) battement *m* ▷ *vi* (*bird*) battre des ailes, voleter
fly [flaɪ] *n* (*insect*) mouche *f*; (*on trousers*: *also*: **flies**) braguette *f* ▷ *vb* (*pt* **flew**, *pp* **flown**) ▷ *vt* (*plane*) piloter; (*passengers, cargo*) transporter (par avion); (*distance*) parcourir ▷ *vi* voler; (*passengers*) aller en avion; (*escape*) s'enfuir, fuir; (*flag*) se déployer; **fly away, fly off** *vi* s'envoler; **fly-drive** *n* formule *f* avion plus voiture; **flying** *n* (*activity*) aviation *f*; (*action*) vol *m* ▷ *adj*: **flying visit** visite *f* éclair *inv*; **with flying colours** haut la main; **flying saucer** *n* soucoupe volante; **flyover** *n* (BRIT: *overpass*) pont routier
FM *abbr* (*Radio*: = *frequency modulation*) FM
foal [fəul] *n* poulain *m*
foam [fəum] *n* écume *f*; (*on beer*) mousse *f*; (*also*: **~ rubber**) caoutchouc *m* mousse ▷ *vi* (*liquid*) écumer; (*soapy water*) mousser
focus ['fəukəs] *n* (*pl* **~es**) foyer *m*; (*of interest*) centre *m* ▷ *vt* (*field glasses etc*) mettre au point ▷ *vi*: **to ~ (on)** (*with camera*) régler la mise au point (sur); (*with eyes*) fixer son regard (sur); (*fig*: *concentrate*) se concentrer; **out of/in ~** (*picture*) flou(e)/net(te); (*camera*) pas au point/au point
foetus (*US* **fetus**) ['fi:təs] *n* fœtus *m*
fog [fɔg] *n* brouillard *m*; **foggy** *adj*: **it's foggy** il y a du brouillard; **fog lamp** (*US* **fog light**) *n* (*Aut*) phare *m* anti-brouillard
foil [fɔɪl] *vt* déjouer, contrecarrer ▷ *n* feuille *f* de métal; (*kitchen foil*) papier *m* d'alu(minium); **to act as a ~ to** (*fig*) servir de repoussoir *or* de faire-valoir à
fold [fəuld] *n* (*bend, crease*) pli *m*; (*Agr*) parc *m* à moutons; (*fig*) bercail *m* ▷ *vt* plier; **to ~ one's arms** croiser les bras; **fold up** *vi* (*map etc*) se plier, se replier; (*business*) fermer boutique ▷ *vt* (*map etc*) plier, replier; **folder** *n* (*for papers*) chemise *f*; (: *binder*) classeur *m*; (*Comput*) dossier *m*; **folding** *adj* (*chair, bed*) pliant(e)
foliage ['fəulɪɪdʒ] *n* feuillage *m*
folk [fəuk] *npl* gens *mpl* ▷ *cpd* folklorique; **folks** *npl* (*inf*: *parents*) famille *f*, parents *mpl*; **folklore** ['fəuklɔ:ʳ] *n* folklore *m*; **folk music** *n* musique *f* folklorique; (*contemporary*) musique folk, folk *m*; **folk song** *n* chanson *f* folklorique; (*contemporary*) chanson folk *inv*
follow ['fɔləu] *vt* suivre ▷ *vi* suivre; (*result*) s'ensuivre; **to ~ suit** (*fig*) faire de même; **follow up** *vt* (*letter, offer*) donner suite à; (*case*) suivre; **follower** *n* disciple *m/f*, partisan(e); **following** *adj* suivant(e) ▷ *n* partisans *mpl*, disciples *mpl*; **follow-up** *n* suite *f*; (*on file, case*) suivi *m*
fond [fɔnd] *adj* (*memory, look*) tendre,

affectueux(-euse); (*hopes, dreams*) un peu fou (folle); **to be ~ of** aimer beaucoup

food [fu:d] *n* nourriture *f*; **food mixer** *n* mixeur *m*; **food poisoning** *n* intoxication *f* alimentaire; **food processor** *n* robot *m* de cuisine; **food stamp** *n* (*US*) bon *m* de nourriture (*pour indigents*)

fool [fu:l] *n* idiot(e); (*Culin*) mousse *f* de fruits ▷ *vt* berner, duper; **fool about, fool around** *vi* (*pej*: *waste time*) traînailler, glandouiller; (: *behave foolishly*) faire l'idiot *or* l'imbécile; **foolish** *adj* idiot(e), stupide; (*rash*) imprudent(e); **foolproof** *adj* (*plan etc*) infaillible

foot (*pl* **feet**) [fut, fi:t] *n* pied *m*; (*of animal*) patte *f*; (*measure*) pied (*= 30.48 cm; 12 inches*) ▷ *vt* (*bill*) payer; **on ~** à pied; **footage** *n* (*Cine*: *length*) ≈ métrage *m*; (: *material*) séquences *fpl*; **foot-and-mouth (disease)** [futənd'mauθ-] *n* fièvre aphteuse; **football** *n* (*ball*) ballon *m* (de football); (*sport*: BRIT) football *m*; (: US) football américain; **footballer** *n* (BRIT) = **football player**; **football match** *n* (BRIT) match *m* de foot(ball); **football player** *n* footballeur(-euse), joueur(-euse) de football; (*US*) joueur(-euse) de football américain; **footbridge** *n* passerelle *f*; **foothills** *npl* contreforts *mpl*; **foothold** *n* prise *f* (de pied); **footing** *n* (*fig*) position *f*; **to lose one's footing** perdre pied; **footnote** *n* note *f* (en bas de page); **footpath** *n* sentier *m*; **footprint** *n* trace *f* (de pied); **footstep** *n* pas *m*; **footwear** *n* chaussures *fpl*

KEYWORD

for [fɔ:ʳ] *prep* **1** (*indicating destination, intention, purpose*) pour; **the train for London** le train pour (*or* à destination de) Londres; **he left for Rome** il est parti pour Rome; **he went for the paper** il est allé chercher le journal; **is this for me?** c'est pour moi?; **it's time for lunch** c'est l'heure du déjeuner; **what's it for?** ça sert à quoi?; **what for?** (*why*) pourquoi?; (*to what end*) pour quoi faire?, à quoi bon?; **for sale** à vendre; **to pray for peace** prier pour la paix

2 (*on behalf of, representing*) pour; **the MP for Hove** le député de Hove; **to work for sb/sth** travailler pour qn/qch; **I'll ask him for you** je vais lui demander pour toi; **G for George** G comme Georges

3 (*because of*) pour; **for this reason** pour cette raison; **for fear of being criticized** de peur d'être critiqué

4 (*with regard to*) pour; **it's cold for July** il fait froid pour juillet; **a gift for languages** un don pour les langues

5 (*in exchange for*): **I sold it for £5** je l'ai vendu 5 livres; **to pay 50 pence for a ticket** payer un billet 50 pence

6 (*in favour of*) pour; **are you for or against us?** êtes-vous pour ou contre nous?; **I'm all for it** je suis tout à fait pour; **vote for X** votez pour X

7 (*referring to distance*) pendant, sur; **there are roadworks for 5 km** il y a des travaux sur *or* pendant 5 km; **we walked for miles** nous avons marché pendant des kilomètres

8 (*referring to time*) pendant; depuis; pour; **he was away for 2 years** il a été absent pendant 2 ans; **she will be away for a month** elle sera absente (pendant) un mois; **it hasn't rained for 3 weeks** ça fait 3 semaines qu'il ne pleut pas, il ne pleut pas depuis 3 semaines; **I have known her for years** je la connais depuis des années; **can you do it for tomorrow?** est-ce que tu peux le faire pour demain?

9 (*with infinitive clauses*): **it is not for me to decide** ce n'est pas à moi de décider; **it would be best for you to leave** le mieux serait que vous partiez; **there is still time for you to do it** vous avez encore le temps de le faire; **for this to be possible ...** pour que cela soit possible ..

10 (*in spite of*): **for all that** malgré cela, néanmoins; **for all his work/efforts** malgré tout son travail/ tous ses efforts; **for all his complaints, he's very fond of her** il a beau se plaindre, il l'aime beaucoup ▷ *conj* (*since, as*: *rather formal*) car

forbid (*pt* **forbad(e)**, *pp* **~den**) [fə'bɪd, -'bæd, -'bɪdn] *vt* défendre, interdire; **to ~ sb to do** défendre *or* interdire à qn de faire; **forbidden** *adj* défendu(e)

force [fɔ:s] *n* force *f* ▷ *vt* forcer; (*push*) pousser (de force); **to ~ o.s. to do** se forcer à faire; **in ~** (*being used*: *rule, law, prices*) en vigueur; (*in large numbers*) en force; **forced** *adj* forcé(e); **forceful** *adj* énergique

ford [fɔ:d] *n* gué *m*

fore [fɔ:ʳ] *n*: **to the ~** en évidence; **forearm** *n* avant-bras *m inv*; **forecast** *n* prévision *f*; (*also*: **weather forecast**) prévisions *fpl* météorologiques, météo *f* ▷ *vt* (*irreg*: *like* **cast**) prévoir; **forecourt** *n* (*of garage*) devant *m*; **forefinger** *n* index *m*; **forefront** *n*: **in the forefront of** au premier rang *or* plan de; **foreground** *n* premier plan; **forehead** ['fɔrɪd] *n* front *m*

foreign ['fɔrɪn] *adj* étranger(-ère); (*trade*) extérieur(e); (*travel*) à l'étranger; **foreign currency** *n* devises étrangères; **foreigner** *n* étranger(-ère); **foreign exchange** *n* (*system*) change *m*; (*money*) devises *fpl*; **Foreign Office** *n* (BRIT) ministère *m* des Affaires étrangères; **Foreign Secretary** *n* (BRIT) ministre *m* des Affaires étrangères

fore: **foreman** (*irreg*) *n* (*in construction*) contremaître *m*; **foremost** *adj* le (la) plus en vue, premier(-ière) ▷ *adv*: **first and foremost** avant tout, tout d'abord; **forename** *n* prénom *m*

forensic [fə'rɛnsɪk] *adj*: **~ medicine** médecine légale

foresee (*pt* **foresaw**, *pp* **~n**) [fɔ:'si:, -'sɔ:, -'si:n] *vt* prévoir; **foreseeable** *adj* prévisible

forest ['fɔrɪst] *n* forêt *f*; **forestry** *n* sylviculture *f*

forever [fə'rɛvəʳ] *adv* pour toujours; (*fig*: *endlessly*) continuellement

foreword ['fɔ:wə:d] *n* avant-propos *m inv*

forfeit ['fɔ:fɪt] *vt* perdre

forgave [fə'geɪv] *pt of* **forgive**

forge [fɔ:dʒ] *n* forge *f* ▷ *vt* (*signature*) contrefaire; (*wrought iron*) forger; **to ~ money** (BRIT) fabriquer de la fausse monnaie; **forger** *n* faussaire *m*; **forgery** *n* faux *m*, contrefaçon *f*

forget (*pt* **forgot**, *pp* **forgotten**) [fə'gɛt, -'gɔt, -'gɔtn] *vt, vi* oublier; **I've forgotten my key/passport** j'ai oublié ma clé/mon passeport; **forgetful** *adj* distrait(e), étourdi(e)

forgive (*pt* **forgave**, *pp* **~n**) [fə'gɪv, -'geɪv, -'gɪvn] *vt* pardonner; **to ~ sb for sth/for doing sth** pardonner qch à qn/à qn de faire qch

forgot [fə'gɔt] *pt of* **forget**

forgotten [fə'gɔtn] *pp of* **forget**

fork [fɔ:k] *n* (*for eating*) fourchette *f*; (*for gardening*) fourche *f*; (*of roads*) bifurcation *f* ▷ *vi* (*road*) bifurquer

forlorn [fə'lɔ:n] *adj* (*deserted*) abandonné(e); (*hope, attempt*) désespéré(e)

form [fɔ:m] *n* forme *f*; (*Scol*) classe *f*; (*questionnaire*) formulaire *m* ▷ *vt* former; (*habit*) contracter; **to ~ part of sth** faire partie de qch; **on top ~** en pleine forme

formal ['fɔ:məl] *adj* (*offer, receipt*) en bonne et due forme; (*person*) cérémonieux(-euse); (*occasion, dinner*) officiel(le); (*garden*) à la française; (*clothes*) de soirée; **formality** [fɔ:'mælɪtɪ] *n* formalité *f*
format ['fɔ:mæt] *n* format *m* ▷ *vt* (*Comput*) formater
formation [fɔ:'meɪʃən] *n* formation *f*
former ['fɔ:məʳ] *adj* ancien(ne); (*before n*) précédent(e); **the ~ ... the latter** le premier ... le second, celui-là ... celui-ci; **formerly** *adv* autrefois
formidable ['fɔ:mɪdəbl] *adj* redoutable
formula ['fɔ:mjulə] *n* formule *f*
fort [fɔ:t] *n* fort *m*
forthcoming [fɔ:θ'kʌmɪŋ] *adj* qui va paraître *or* avoir lieu prochainement; (*character*) ouvert(e), communicatif(-ive); (*available*) disponible
fortieth ['fɔ:tɪɪθ] *num* quarantième
fortify ['fɔ:tɪfaɪ] *vt* (*city*) fortifier; (*person*) remonter
fortnight ['fɔ:tnaɪt] *n* (BRIT) quinzaine *f*, quinze jours *mpl*; **fortnightly** *adj* bimensuel(le) ▷ *adv* tous les quinze jours
fortress ['fɔ:trɪs] *n* forteresse *f*
fortunate ['fɔ:tʃənɪt] *adj* heureux(-euse); (*person*) chanceux(-euse); **it is ~ that** c'est une chance que, il est heureux que; **fortunately** *adv* heureusement, par bonheur
fortune ['fɔ:tʃən] *n* chance *f*; (*wealth*) fortune *f*; **fortune-teller** *n* diseuse *f* de bonne aventure
forty ['fɔ:tɪ] *num* quarante
forum ['fɔ:rəm] *n* forum *m*, tribune *f*
forward ['fɔ:wəd] *adj* (*movement, position*) en avant, vers l'avant; (*not shy*) effronté(e); (*in time*) en avance ▷ *adv* (*also*: **~s**) en avant ▷ *n* (*Sport*) avant *m* ▷ *vt* (*letter*) faire suivre; (*parcel, goods*) expédier; (*fig*) promouvoir, favoriser; **to move ~** avancer; **forwarding address** *n* adresse *f* de réexpédition
forward slash *n* barre *f* oblique
fossil ['fɔsl] *adj, n* fossile *m*
foster ['fɔstəʳ] *vt* (*encourage*) encourager, favoriser; (*child*) élever (*sans adopter*); **foster child** *n* *enfant élevé dans une famille d'accueil*
foster parent *n* *parent qui élève un enfant sans l'adopter*
fought [fɔ:t] *pt, pp of* **fight**
foul [faul] *adj* (*weather, smell, food*) infect(e); (*language*) ordurier(-ière) ▷ *n* (*Football*) faute *f* ▷ *vt* (*dirty*) salir, encrasser; **he's got a ~ temper** il a un caractère de chien; **foul play** *n* (*Law*) acte criminel
found [faund] *pt, pp of* **find** ▷ *vt* (*establish*) fonder; **foundation** [faun'deɪʃən] *n* (*act*) fondation *f*; (*base*) fondement *m*; (*also*: **foundation cream**) fond *m* de teint; **foundations** *npl* (*of building*) fondations *fpl*
founder ['faundəʳ] *n* fondateur *m* ▷ *vi* couler, sombrer
fountain ['fauntɪn] *n* fontaine *f*; **fountain pen** *n* stylo *m* (à encre)
four [fɔ:ʳ] *num* quatre; **on all ~s** à quatre pattes; **four-letter word** *n* obscénité *f*, gros mot; **four-poster** *n* (*also*: **four-poster bed**) lit *m* à baldaquin; **fourteen** *num* quatorze; **fourteenth** *num* quatorzième; **fourth** *num* quatrième ▷ *n* (*Aut*: *also*: **fourth gear**) quatrième *f*; **four-wheel drive** *n* (*Aut*: *car*) voiture *f* à quatre roues motrices
fowl [faul] *n* volaille *f*
fox [fɔks] *n* renard *m* ▷ *vt* mystifier
foyer ['fɔɪeɪ] *n* (*in hotel*) vestibule *m*; (*Theat*) foyer *m*
fraction ['frækʃən] *n* fraction *f*
fracture ['fræktʃəʳ] *n* fracture *f* ▷ *vt* fracturer
fragile ['frædʒaɪl] *adj* fragile
fragment ['frægmənt] *n* fragment *m*
fragrance ['freɪgrəns] *n* parfum *m*
frail [freɪl] *adj* fragile, délicat(e); (*person*) frêle
frame [freɪm] *n* (*of building*) charpente *f*; (*of human, animal*) charpente, ossature *f*; (*of picture*) cadre *m*; (*of door, window*) encadrement *m*, chambranle *m*; (*of spectacles*: *also*: **~s**) monture *f* ▷ *vt* (*picture*) encadrer; **~ of mind** disposition *f* d'esprit; **framework** *n* structure *f*
France [frɑ:ns] *n* la France
franchise ['fræntʃaɪz] *n* (*Pol*) droit *m* de vote; (*Comm*) franchise *f*
frank [fræŋk] *adj* franc (franche) ▷ *vt* (*letter*) affranchir; **frankly** *adv* franchement
frantic ['fræntɪk] *adj* (*hectic*) frénétique; (*distraught*) hors de soi
fraud [frɔ:d] *n* supercherie *f*, fraude *f*, tromperie *f*; (*person*) imposteur *m*
fraught [frɔ:t] *adj* (*tense*: *person*) très tendu(e); (: *situation*) pénible; **~ with** (*difficulties etc*) chargé(e) de, plein(e) de
fray [freɪ] *vt* effilocher ▷ *vi* s'effilocher
freak [fri:k] *n* (*eccentric person*) phénomène *m*; (*unusual event*) hasard *m* extraordinaire; (*pej*: *fanatic*): **health food ~** fana *m/f or* obsédé(e) de l'alimentation saine ▷ *adj* (*storm*) exceptionnel(le); (*accident*) bizarre
freckle ['frɛkl] *n* tache *f* de rousseur
free [fri:] *adj* libre; (*gratis*) gratuit(e) ▷ *vt* (*prisoner etc*) libérer; (*jammed object or person*) dégager; **is this seat ~?** la place est libre?; **~ (of charge)** gratuitement; **freedom** *n* liberté *f*; **Freefone®** *n* numéro vert; **free gift** *n* prime *f*; **free kick** *n* (*Sport*) coup franc; **freelance** *adj* (*journalist etc*) indépendant(e), free-lance *inv* ▷ *adv* en free-lance; **freely** *adv* librement; (*liberally*) libéralement; **Freepost®** *n* (BRIT) port payé; **free-range** *adj* (*egg*) de ferme; (*chicken*) fermier; **freeway** *n* (US) autoroute *f*; **free will** *n* libre arbitre *m*; **of one's own free will** de son plein gré
freeze [fri:z] *vb* (*pt* **froze**, *pp* **frozen**) ▷ *vi* geler ▷ *vt* geler; (*food*) congeler; (*prices, salaries*) bloquer, geler ▷ *n* gel *m*; (*of prices, salaries*) blocage *m*; **freezer** *n* congélateur *m*; **freezing** *adj*: **freezing (cold)** (*room etc*) glacial(e); (*person, hands*) gelé(e), glacé(e) ▷ *n*: **3 degrees below freezing** 3 degrés au-dessous de zéro; **it's freezing** il fait un froid glacial; **freezing point** *n* point *m* de congélation
freight [freɪt] *n* (*goods*) fret *m*, cargaison *f*; (*money charged*) fret, prix *m* du transport; **freight train** *n* (US) train *m* de marchandises
French [frɛntʃ] *adj* français(e) ▷ *n* (*Ling*) français *m*; **the ~** *npl* les Français; **what's the ~ (word) for ...?** comment dit-on ... en français?; **French bean** *n* (BRIT) haricot vert; **French bread** *n* pain *m* français; **French dressing** *n* (*Culin*) vinaigrette *f*; **French fried potatoes** (US **French fries**) *npl* (pommes de terre *fpl*) frites *fpl*; **Frenchman** (*irreg*) *n* Français *m*; **French stick** *n* ≈ baguette *f*; **French window** *n* porte-fenêtre *f*; **Frenchwoman** (*irreg*) *n* Française *f*
frenzy ['frɛnzɪ] *n* frénésie *f*
frequency ['fri:kwənsɪ] *n* fréquence *f*
frequent *adj* ['fri:kwənt] fréquent(e) ▷ *vt* [frɪ'kwɛnt] fréquenter; **frequently** ['fri:kwəntlɪ] *adv* fréquemment
fresh [frɛʃ] *adj* frais (fraîche); (*new*) nouveau (nouvelle); (*cheeky*) familier(-ière), culotté(e); **freshen** *vi* (*wind, air*) fraîchir; **freshen up** *vi* faire un brin de toilette; **fresher** *n* (BRIT *University*: *inf*)

bizuth *m*, étudiant(e) de première année; **freshly** *adv* nouvellement, récemment; **freshman** (*US*: *irreg*) *n* = **fresher**; **freshwater** *adj* (*fish*) d'eau douce
fret [frɛt] *vi* s'agiter, se tracasser
Fri *abbr* (= *Friday*) ve
friction ['frɪkʃən] *n* friction *f*, frottement *m*
Friday ['fraɪdɪ] *n* vendredi *m*
fridge [frɪdʒ] *n* (BRIT) frigo *m*, frigidaire® *m*
fried [fraɪd] *adj* frit(e); **~ egg** œuf *m* sur le plat
friend [frɛnd] *n* ami(e); **friendly** *adj* amical(e); (*kind*) sympathique, gentil(le); (*place*) accueillant(e); (*Pol*: *country*) ami(e) ▷ *n* (*also*: **friendly match**) match amical; **friendship** *n* amitié *f*
fries [fraɪz] (*esp US*) *npl* = **French fried potatoes**
frigate ['frɪgɪt] *n* frégate *f*
fright [fraɪt] *n* peur *f*, effroi *m*; **to give sb a ~** faire peur à qn; **to take ~** prendre peur, s'effrayer; **frighten** *vt* effrayer, faire peur à; **frightened** *adj*: **to be frightened (of)** avoir peur (de); **frightening** *adj* effrayant(e); **frightful** *adj* affreux(-euse)
frill [frɪl] *n* (*of dress*) volant *m*; (*of shirt*) jabot *m*
fringe [frɪndʒ] *n* (BRIT: *of hair*) frange *f*; (*edge*: *of forest etc*) bordure *f*
Frisbee® ['frɪzbɪ] *n* Frisbee® *m*
fritter ['frɪtəʳ] *n* beignet *m*
frivolous ['frɪvələs] *adj* frivole
fro [frəu] *see* **to**
frock [frɔk] *n* robe *f*
frog [frɔg] *n* grenouille *f*; **frogman** (*irreg*) *n* homme-grenouille *m*

KEYWORD

from [frɔm] *prep* **1** (*indicating starting place, origin etc*) de; **where do you come from?**, **where are you from?** d'où venez-vous?; **where has he come from?** d'où arrive-t-il?; **from London to Paris** de Londres à Paris; **to escape from sb/sth** échapper à qn/qch; **a letter/telephone call from my sister** une lettre/un appel de ma sœur; **to drink from the bottle** boire à (même) la bouteille; **tell him from me that ...** dites-lui de ma part que ...
2 (*indicating time*) (à partir) de; **from one o'clock to** *or* **until** *or* **till two** d'une heure à deux heures; **from January (on)** à partir de janvier
3 (*indicating distance*) de; **the hotel is one kilometre from the beach** l'hôtel est à un kilomètre de la plage
4 (*indicating price, number etc*) de; **prices range from £10 to £50** les prix varient entre 10 livres et 50 livres; **the interest rate was increased from 9% to 10%** le taux d'intérêt est passé de 9% à 10%
5 (*indicating difference*) de; **he can't tell red from green** il ne peut pas distinguer le rouge du vert; **to be different from sb/sth** être différent de qn/qch
6 (*because of, on the basis of*): **from what he says** d'après ce qu'il dit; **weak from hunger** affaibli par la faim

front [frʌnt] *n* (*of house, dress*) devant *m*; (*of coach, train*) avant *m*; (*promenade*: *also*: **sea ~**) bord *m* de mer; (*Mil, Pol, Meteorology*) front *m*; (*fig*: *appearances*) contenance *f*, façade *f* ▷ *adj* de devant; (*seat, wheel*) avant *inv* ▷ *vi*: **in ~ (of)** devant; **front door** *n* porte *f* d'entrée; (*of car*) portière *f* avant; **frontier** ['frʌntɪəʳ] *n* frontière *f*; **front page** *n* première page; **front-wheel drive** *n* traction *f* avant
frost [frɔst] *n* gel *m*, gelée *f*; (*also*: **hoar~**) givre *m*; **frostbite** *n* gelures *fpl*; **frosting** *n* (*esp US*: *on cake*) glaçage *m*; **frosty** *adj* (*window*) couvert(e) de givre; (*weather, welcome*) glacial(e)
froth [frɔθ] *n* mousse *f*; écume *f*
frown [fraun] *n* froncement *m* de sourcils ▷ *vi* froncer les sourcils
froze [frəuz] *pt of* **freeze**
frozen ['frəuzn] *pp of* **freeze** ▷ *adj* (*food*) congelé(e); (*very cold*: *person*: *Comm*: *assets*) gelé(e)
fruit [fru:t] *n* (*pl inv*) fruit *m*; **fruit juice** *n* jus *m* de fruit; **fruit machine** *n* (BRIT) machine *f* à sous; **fruit salad** *n* salade *f* de fruits
frustrate [frʌs'treɪt] *vt* frustrer; **frustrated** *adj* frustré(e)
fry (*pt, pp* **fried**) [fraɪ, -d] *vt* (faire) frire; **small ~** le menu fretin; **frying pan** *n* poêle *f* (à frire)
ft. *abbr* = **foot**; **feet**
fudge [fʌdʒ] *n* (*Culin*) *sorte de confiserie à base de sucre, de beurre et de lait*
fuel [fjuəl] *n* (*for heating*) combustible *m*; (*for engine*) carburant *m*; **fuel tank** *n* (*in vehicle*) réservoir *m* de *or* à carburant
fulfil (*US* **fulfill**) [ful'fɪl] *vt* (*function, condition*) remplir; (*order*) exécuter; (*wish, desire*) satisfaire, réaliser
full [ful] *adj* plein(e); (*details, hotel, bus*) complet(-ète); (*busy*: *day*) chargé(e); (*skirt*) ample, large ▷ *adv*: **to know ~ well that** savoir fort bien que; **I'm ~ (up)** j'ai bien mangé; **~ employment/ fare** plein emploi/tarif; **a ~ two hours** deux bonnes heures; **at ~ speed** à toute vitesse; **in ~** (*reproduce, quote, pay*) intégralement; (*write name etc*) en toutes lettres; **full-length** *adj* (*portrait*) en pied; (*coat*) long(ue); **full-length film** long métrage; **full moon** *n* pleine lune; **full-scale** *adj* (*model*) grandeur nature *inv*; (*search, retreat*) complet(-ète), total(e); **full stop** *n* point *m*; **full-time** *adj, adv* (*work*) à plein temps; **fully** *adv* entièrement, complètement; (*at least*)
fumble ['fʌmbl] *vi* fouiller, tâtonner; **fumble with** *vt fus* tripoter
fume [fju:m] *vi* (*rage*) rager; **fumes** *npl* vapeurs *fpl*, émanations *fpl*, gaz *mpl*
fun [fʌn] *n* amusement *m*, divertissement *m*; **to have ~** s'amuser; **for ~** pour rire; **to make ~ of** se moquer de
function ['fʌŋkʃən] *n* fonction *f*; (*reception, dinner*) cérémonie *f*, soirée officielle ▷ *vi* fonctionner
fund [fʌnd] *n* caisse *f*, fonds *m*; (*source, store*) source *f*, mine *f*; **funds** *npl* (*money*) fonds *mpl*
fundamental [fʌndə'mɛntl] *adj* fondamental(e)
funeral ['fju:nərəl] *n* enterrement *m*, obsèques *fpl* (*more formal occasion*); **funeral director** *n* entrepreneur *m* des pompes funèbres; **funeral parlour** [-'pɑ:ləʳ] *n* (BRIT) dépôt *m* mortuaire
funfair ['fʌnfɛəʳ] *n* (BRIT) fête (foraine)
fungus (*pl* **fungi**) ['fʌŋgəs, -gaɪ] *n* champignon *m*; (*mould*) moisissure *f*
funnel ['fʌnl] *n* entonnoir *m*; (*of ship*) cheminée *f*
funny ['fʌnɪ] *adj* amusant(e), drôle; (*strange*) curieux(-euse), bizarre
fur [fə:ʳ] *n* fourrure *f*; (BRIT: *in kettle etc*) (dépôt *m* de) tartre *m*; **fur coat** *n* manteau *m* de fourrure
furious ['fjuərɪəs] *adj* furieux(-euse); (*effort*) acharné(e)
furnish ['fə:nɪʃ] *vt* meubler; (*supply*) fournir; **furnishings** *npl* mobilier *m*, articles *mpl* d'ameublement
furniture ['fə:nɪtʃəʳ] *n* meubles *mpl*, mobilier *m*; **piece of ~** meuble *m*

furry ['fəːrɪ] *adj* (*animal*) à fourrure; (*toy*) en peluche
further ['fəːðəʳ] *adj* supplémentaire, autre; nouveau (nouvelle) ▷ *adv* plus loin; (*more*) davantage; (*moreover*) de plus ▷ *vt* faire avancer *or* progresser, promouvoir; **further education** *n* enseignement *m* postscolaire (*recyclage, formation professionnelle*); **furthermore** *adv* de plus, en outre
furthest ['fəːðɪst] *superlative of* **far**
fury ['fjuərɪ] *n* fureur *f*
fuse (US **fuze**) [fjuːz] *n* fusible *m*; (*for bomb etc*) amorce *f*, détonateur *m* ▷ *vt*, *vi* (*metal*) fondre; (BRIT: *Elec*): **to ~ the lights** faire sauter les fusibles *or* les plombs; **fuse box** *n* boîte *f* à fusibles
fusion ['fjuːʒən] *n* fusion *f*
fuss [fʌs] *n* (*anxiety, excitement*) chichis *mpl*, façons *fpl*; (*commotion*) tapage *m*; (*complaining, trouble*) histoire(s) *f(pl)*; **to make a ~** faire des façons (*or* des histoires); **to make a ~ of sb** dorloter qn; **fussy** *adj* (*person*) tatillon(ne), difficile, chichiteux(-euse); (*dress, style*) tarabiscoté(e)
future ['fjuːtʃəʳ] *adj* futur(e) ▷ *n* avenir *m*; (*Ling*) futur *m*; **futures** *npl* (*Comm*) opérations *fpl* à terme; **in (the) ~** à l'avenir
fuze [fjuːz] *n*, *vt*, *vi* (US) = **fuse**
fuzzy ['fʌzɪ] *adj* (*Phot*) flou(e); (*hair*) crépu(e)

g

G [dʒiː] *n* (*Mus*): **G** sol *m*
g. *abbr* (= *gram*) g
gadget ['gædʒɪt] *n* gadget *m*
Gaelic ['geɪlɪk] *adj*, *n* (*Ling*) gaélique (*m*)
gag [gæg] *n* (*on mouth*) bâillon *m*; (*joke*) gag *m* ▷ *vt* (*prisoner etc*) bâillonner
gain [geɪn] *n* (*improvement*) gain *m*; (*profit*) gain, profit *m* ▷ *vt* gagner ▷ *vi* (*watch*) avancer; **to ~ from/by** gagner de/à; **to ~ on sb** (*catch up*) rattraper qn; **to ~ 3lbs (in weight)** prendre 3 livres; **to ~ ground** gagner du terrain
gal. *abbr* = **gallon**
gala ['gɑːlə] *n* gala *m*
galaxy ['gæləksɪ] *n* galaxie *f*
gale [geɪl] *n* coup *m* de vent
gall bladder ['gɔːl-] *n* vésicule *f* biliaire
gallery ['gælərɪ] *n* (*also*: **art ~**) musée *m*; (: *private*) galerie; (: *in theatre*) dernier balcon
gallon ['gæln] *n* gallon *m* (BRIT = 4.543 *l*; US = 3.785 *l*)
gallop ['gæləp] *n* galop *m* ▷ *vi* galoper
gallstone ['gɔːlstəun] *n* calcul *m* (biliaire)
gamble ['gæmbl] *n* pari *m*, risque calculé ▷ *vt*, *vi* jouer; **to ~ on** (*fig*) miser sur; **gambler** *n* joueur *m*; **gambling** *n* jeu *m*
game [geɪm] *n* jeu *m*; (*event*) match *m*; (*of tennis, chess, cards*) partie *f*; (*Hunting*) gibier *m* ▷ *adj* (*willing*): **to be ~ (for)** être prêt(e) (à *or* pour); **big ~** gros gibier; **games** *npl* (*Scol*) sport *m*; (*sport event*) jeux; **games console** ['geɪmz-] *n* console *f* de jeux vidéo; **game show** *n* jeu télévisé
gammon ['gæmən] *n* (*bacon*) quartier *m* de lard fumé; (*ham*) jambon fumé *or* salé
gang [gæŋ] *n* bande *f*; (*of workmen*) équipe *f*
gangster ['gæŋstəʳ] *n* gangster *m*, bandit *m*
gap [gæp] *n* trou *m*; (*in time*) intervalle *m*; (*difference*): **~ (between)** écart *m* (entre)
gape [geɪp] *vi* (*person*) être *or* rester bouche bée; (*hole, shirt*) être ouvert(e)
gap year *n année que certains étudiants prennent pour voyager ou pour travailler avant d'entrer à l'université*
garage ['gærɑːʒ] *n* garage *m*; **garage sale** *n* vide-grenier *m*
garbage ['gɑːbɪdʒ] *n* (US: *rubbish*) ordures *fpl*, détritus *mpl*; (*inf*: *nonsense*) âneries *fpl*; **garbage can** *n* (US) poubelle *f*, boîte *f* à ordures; **garbage collector** *n* (US) éboueur *m*
garden ['gɑːdn] *n* jardin *m*; **gardens** *npl* (*public*) jardin public; (*private*) parc *m*; **garden centre** (BRIT) *n* pépinière *f*, jardinerie *f*; **gardener** *n* jardinier *m*; **gardening** *n* jardinage *m*
garlic ['gɑːlɪk] *n* ail *m*
garment ['gɑːmənt] *n* vêtement *m*
garnish ['gɑːnɪʃ] (*Culin*) *vt* garnir ▷ *n* décoration *f*
garrison ['gærɪsn] *n* garnison *f*
gas [gæs] *n* gaz *m*; (US: *gasoline*) essence *f* ▷ *vt* asphyxier; **I can smell ~** ça sent le gaz; **gas cooker** *n* (BRIT) cuisinière *f* à gaz; **gas cylinder** *n* bouteille *f* de gaz; **gas fire** *n* (BRIT) radiateur *m* à gaz
gasket ['gæskɪt] *n* (*Aut*) joint *m* de culasse
gasoline ['gæsəliːn] *n* (US) essence *f*
gasp [gɑːsp] *n* halètement *m*; (*of shock etc*): **she gave a small ~ of pain** la douleur lui coupa le souffle ▷ *vi* haleter; (*fig*) avoir le souffle coupé
gas: **gas pedal** *n* (US) accélérateur *m*; **gas station** *n* (US) station-service *f*; **gas tank** *n* (US *Aut*) réservoir *m* d'essence
gate [geɪt] *n* (*of garden*) portail *m*; (*of field, at level crossing*) barrière *f*; (*of building, town, at airport*) porte *f*
gateau (*pl* **~x**) ['gætəu, -z] *n* gros gâteau à la crème
gatecrash ['geɪtkræʃ] *vt* s'introduire sans invitation dans
gateway ['geɪtweɪ] *n* porte *f*
gather ['gæðəʳ] *vt* (*flowers, fruit*) cueillir; (*pick up*) ramasser; (*assemble*: *objects*) rassembler; (: *people*) réunir; (: *information*) recueillir; (*understand*) comprendre; (*Sewing*) froncer ▷ *vi* (*assemble*) se rassembler; **to ~ speed** prendre de la vitesse; **gathering** *n* rassemblement *m*
gauge [geɪdʒ] *n* (*instrument*) jauge *f* ▷ *vt* jauger; (*fig*) juger de
gave [geɪv] *pt of* **give**
gay [geɪ] *adj* (*homosexual*) homosexuel(le); (*colour*) gai, vif (vive)
gaze [geɪz] *n* regard *m* fixe ▷ *vi*: **to ~ at** *vt* fixer du regard
GB *abbr* = **Great Britain**
GCSE *n abbr* (BRIT: = *General Certificate of Secondary Education*) *examen passé à l'âge de 16 ans sanctionnant les connaissances de l'élève*
gear [gɪəʳ] *n* matériel *m*, équipement *m*; (*Tech*) engrenage *m*; (*Aut*) vitesse *f* ▷ *vt* (*fig*: *adapt*) adapter; **top** *or* (US) **high/low ~** quatrième (*or* cinquième)/ première vitesse; **in ~** en prise; **gear up** *vi*: **to ~ up (to do)** se préparer (à faire); **gear box** *n* boîte *f* de

vitesse; **gear lever** *n* levier *m* de vitesse; **gear shift** (US) *n* = **gear lever**; **gear stick** (BRIT) *n* = **gear lever**
geese [gi:s] *npl of* **goose**
gel [dʒɛl] *n* gelée *f*
gem [dʒɛm] *n* pierre précieuse
Gemini ['dʒɛmɪnaɪ] *n* les Gémeaux *mpl*
gender ['dʒɛndəʳ] *n* genre *m*; (*person's sex*) sexe *m*
gene [dʒi:n] *n* (*Biol*) gène *m*
general ['dʒɛnərl] *n* général *m* ▷ *adj* général(e); **in ~** en général; **general anaesthetic** (US **general anesthetic**) *n* anesthésie générale; **general election** *n* élection(s) législative(s); **generalize** *vi* généraliser; **generally** *adv* généralement; **general practitioner** *n* généraliste *m/f*; **general store** *n* épicerie *f*
generate ['dʒɛnəreɪt] *vt* engendrer; (*electricity*) produire
generation [dʒɛnə'reɪʃən] *n* génération *f*; (*of electricity etc*) production *f*
generator ['dʒɛnəreɪtəʳ] *n* générateur *m*
generosity [dʒɛnə'rɔsɪtɪ] *n* générosité *f*
generous ['dʒɛnərəs] *adj* généreux(-euse); (*copious*) copieux(-euse)
genetic [dʒɪ'nɛtɪk] *adj* génétique; **~ engineering** ingénierie *m* génétique; **~ fingerprinting** système *m* d'empreinte génétique; **genetically modified** *adj* (*food etc*) génétiquement modifié(e); **genetics** *n* génétique *f*
Geneva [dʒɪ'ni:və] *n* Genève
genitals ['dʒɛnɪtlz] *npl* organes génitaux
genius ['dʒi:nɪəs] *n* génie *m*
gent [dʒɛnt] *n abbr* (BRIT *inf*) = **gentleman**
gentle ['dʒɛntl] *adj* doux (douce); (*breeze, touch*) léger(-ère)
gentleman (*irreg*) ['dʒɛntlmən] *n* monsieur *m*; (*well-bred man*) gentleman *m*
gently ['dʒɛntlɪ] *adv* doucement
gents [dʒɛnts] *n* W.-C. *mpl* (pour hommes)
genuine ['dʒɛnjuɪn] *adj* véritable, authentique; (*person, emotion*) sincère; **genuinely** *adv* sincèrement, vraiment
geographic(al) [dʒɪə'græfɪk(l)] *adj* géographique
geography [dʒɪ'ɔgrəfɪ] *n* géographie *f*
geology [dʒɪ'ɔlədʒɪ] *n* géologie *f*
geometry [dʒɪ'ɔmətrɪ] *n* géométrie *f*
geranium [dʒɪ'reɪnɪəm] *n* géranium *m*
geriatric [dʒɛrɪ'ætrɪk] *adj* gériatrique ▷ *n* patient(e) gériatrique
germ [dʒə:m] *n* (*Med*) microbe *m*
German ['dʒə:mən] *adj* allemand(e) ▷ *n* Allemand(e); (*Ling*) allemand *m*; **German measles** *n* rubéole *f*
Germany ['dʒə:mənɪ] *n* Allemagne *f*
gesture ['dʒɛstjəʳ] *n* geste *m*

KEYWORD

get [gɛt] (*pt, pp* **got**, *pp* **gotten** (US)) *vi* **1** (*become, be*) devenir; **to get old/tired** devenir vieux/fatigué, vieillir/se fatiguer; **to get drunk** s'enivrer; **to get dirty** se salir; **to get married** se marier; **when do I get paid?** quand est-ce que je serai payé?; **it's getting late** il se fait tard
2 (*go*): **to get to/from** aller à/de; **to get home** rentrer chez soi; **how did you get here?** comment es-tu arrivé ici?
3 (*begin*) commencer *or* se mettre à; **to get to know sb** apprendre à connaître qn; **I'm getting to like him** je commence à l'apprécier; **let's get going** *or* **started** allons-y
4 (*modal aux vb*): **you've got to do it** il faut que vous le fassiez; **I've got to tell the police** je dois le dire à la police
▷ *vt* **1**: **to get sth done** (*do*) faire qch; (*have done*) faire faire qch; **to get sth/sb ready** préparer qch/qn; **to get one's hair cut** se faire couper les cheveux; **to get the car going** *or* **to go** (faire) démarrer la voiture; **to get sb to do sth** faire faire qch à qn
2 (*obtain: money, permission, results*) obtenir, avoir; (*buy*) acheter; (*find: job, flat*) trouver; (*fetch: person, doctor, object*) aller chercher; **to get sth for sb** procurer qch à qn; **get me Mr Jones, please** (*on phone*) passez-moi Mr Jones, s'il vous plaît; **can I get you a drink?** est-ce que je peux vous servir à boire?
3 (*receive: present, letter*) recevoir, avoir; (*acquire: reputation*) avoir; (*prize*) obtenir; **what did you get for your birthday?** qu'est-ce que tu as eu pour ton anniversaire?; **how much did you get for the painting?** combien avez-vous vendu le tableau?
4 (*catch*) prendre, saisir, attraper; (*hit: target etc*) atteindre; **to get sb by the arm/throat** prendre *or* saisir *or* attraper qn par le bras/à la gorge; **get him!** arrête-le!; **the bullet got him in the leg** il a pris la balle dans la jambe
5 (*take, move*): **to get sth to sb** faire parvenir qch à qn; **do you think we'll get it through the door?** on arrivera à le faire passer par la porte?
6 (*catch, take: plane, bus etc*) prendre; **where do I get the train for Birmingham?** où prend-on le train pour Birmingham?
7 (*understand*) comprendre, saisir; (*hear*) entendre; **I've got it!** j'ai compris!; **I don't get your meaning** je ne vois *or* comprends pas ce que vous voulez dire; **I didn't get your name** je n'ai pas entendu votre nom
8 (*have, possess*): **to have got** avoir; **how many have you got?** vous en avez combien?
9 (*illness*) avoir; **I've got a cold** j'ai le rhume; **she got pneumonia and died** elle a fait une pneumonie et elle en est morte
get away *vi* partir, s'en aller; (*escape*) s'échapper
get away with *vt fus* (*punishment*) en être quitte pour; (*crime etc*) se faire pardonner
get back *vi* (*return*) rentrer
▷ *vt* récupérer, recouvrer; **when do we get back?** quand serons-nous de retour?
get in *vi* entrer; (*arrive home*) rentrer; (*train*) arriver
get into *vt fus* entrer dans; (*car, train etc*) monter dans; (*clothes*) mettre, enfiler, endosser; **to get into bed/a rage** se mettre au lit/en colère
get off *vi* (*from train etc*) descendre; (*depart: person, car*) s'en aller
▷ *vt* (*remove: clothes, stain*) enlever
▷ *vt fus* (*train, bus*) descendre de; **where do I get off?** où est-ce que je dois descendre?
get on *vi* (*at exam etc*) se débrouiller; (*agree*): **to get on (with)** s'entendre (avec); **how are you getting on?** comment ça va?
▷ *vt fus* monter dans; (*horse*) monter sur
get out *vi* sortir; (*of vehicle*) descendre
▷ *vt* sortir
get out of *vt fus* sortir de; (*duty etc*) échapper à, se soustraire à
get over *vt fus* (*illness*) se remettre de
get through *vi* (*Tel*) avoir la communication; **to get through to sb** atteindre qn

get up *vi* (*rise*) se lever
▷ *vt fus* monter

getaway ['gɛtəweɪ] *n* fuite *f*
Ghana ['gɑːnə] *n* Ghana *m*
ghastly ['gɑːstlɪ] *adj* atroce, horrible
ghetto ['gɛtəu] *n* ghetto *m*
ghost [gəust] *n* fantôme *m*, revenant *m*
giant ['dʒaɪənt] *n* géant(e) ▷ *adj* géant(e), énorme
gift [gɪft] *n* cadeau *m*; (*donation, talent*) don *m*; **gifted** *adj* doué(e); **gift shop** (*US* **gift store**) *n* boutique *f* de cadeaux; **gift token, gift voucher** *n* chèque-cadeau *m*
gig [gɪg] *n* (*inf: concert*) concert *m*
gigabyte ['dʒɪgəbaɪt] *n* gigaoctet *m*
gigantic [dʒaɪ'gæntɪk] *adj* gigantesque
giggle ['gɪgl] *vi* pouffer, ricaner sottement
gills [gɪlz] *npl* (*of fish*) ouïes *fpl*, branchies *fpl*
gilt [gɪlt] *n* dorure *f* ▷ *adj* doré(e)
gimmick ['gɪmɪk] *n* truc *m*
gin [dʒɪn] *n* gin *m*
ginger ['dʒɪndʒəʳ] *n* gingembre *m*
gipsy ['dʒɪpsɪ] *n* = **gypsy**
giraffe [dʒɪ'rɑːf] *n* girafe *f*
girl [gəːl] *n* fille *f*, fillette *f*; (*young unmarried woman*) jeune fille; (*daughter*) fille; **an English ~** une jeune Anglaise; **girl band** *n* girls band *m*; **girlfriend** *n* (*of girl*) amie *f*; (*of boy*) petite amie; **Girl Guide** *n* (BRIT) éclaireuse *f*; (*Roman Catholic*) guide *f*; **Girl Scout** *n* (US) = **Girl Guide**
gist [dʒɪst] *n* essentiel *m*
give [gɪv] *vb* (*pt* **gave**, *pp* **~n**) ▷ *vt* donner ▷ *vi* (*break*) céder; (*stretch: fabric*) se prêter; **to ~ sb sth, ~ sth to sb** donner qch à qn; (*gift*) offrir qch à qn; (*message*) transmettre qch à qn; **to ~ sb a call/kiss** appeler/embrasser qn; **to ~ a cry/sigh** pousser un cri/un soupir; **give away** *vt* donner; (*give free*) faire cadeau de; (*betray*) donner, trahir; (*disclose*) révéler; **give back** *vt* rendre; **give in** *vi* céder ▷ *vt* donner; **give out** *vt* (*food etc*) distribuer; **give up** *vi* renoncer ▷ *vt* renoncer à; **to ~ up smoking** arrêter de fumer; **to ~ o.s. up** se rendre
given ['gɪvn] *pp of* **give** ▷ *adj* (*fixed: time, amount*) donné(e), déterminé(e) ▷ *conj*: **~ the circumstances ...** étant donné les circonstances ..., vu les circonstances ...; **~ that ...** étant donné que ...
glacier ['glæsɪəʳ] *n* glacier *m*
glad [glæd] *adj* content(e); **gladly** ['glædlɪ] *adv* volontiers
glamorous ['glæmərəs] *adj* (*person*) séduisant(e); (*job*) prestigieux(-euse)
glamour (*US* **glamor**) ['glæməʳ] *n* éclat *m*, prestige *m*
glance [glɑːns] *n* coup *m* d'œil ▷ *vi*: **to ~ at** jeter un coup d'œil à
gland [glænd] *n* glande *f*
glare [glɛəʳ] *n* (*of anger*) regard furieux; (*of light*) lumière éblouissante; (*of publicity*) feux *mpl* ▷ *vi* briller d'un éclat aveuglant; **to ~ at** lancer un regard *or* des regards furieux à; **glaring** *adj* (*mistake*) criant(e), qui saute aux yeux
glass [glɑːs] *n* verre *m*; **glasses** *npl* (*spectacles*) lunettes *fpl*
glaze [gleɪz] *vt* (*door*) vitrer; (*pottery*) vernir ▷ *n* vernis *m*
gleam [gliːm] *vi* luire, briller
glen [glɛn] *n* vallée *f*
glide [glaɪd] *vi* glisser; (*Aviat, bird*) planer; **glider** *n* (*Aviat*) planeur *m*
glimmer ['glɪməʳ] *n* lueur *f*
glimpse [glɪmps] *n* vision passagère, aperçu *m* ▷ *vt* entrevoir, apercevoir
glint [glɪnt] *vi* étinceler
glisten ['glɪsn] *vi* briller, luire
glitter ['glɪtəʳ] *vi* scintiller, briller
global ['gləubl] *adj* (*world-wide*) mondial(e); (*overall*) global(e); **globalization** *n* mondialisation *f*; **global warming** *n* réchauffement *m* de la planète
globe [gləub] *n* globe *m*
gloom [gluːm] *n* obscurité *f*; (*sadness*) tristesse *f*, mélancolie *f*; **gloomy** *adj* (*person*) morose; (*place, outlook*) sombre
glorious ['glɔːrɪəs] *adj* glorieux(-euse); (*beautiful*) splendide
glory ['glɔːrɪ] *n* gloire *f*; splendeur *f*
gloss [glɔs] *n* (*shine*) brillant *m*, vernis *m*; (*also*: **~ paint**) peinture brillante *or* laquée
glossary ['glɔsərɪ] *n* glossaire *m*, lexique *m*
glossy ['glɔsɪ] *adj* brillant(e), luisant(e) ▷ *n* (*also*: **~ magazine**) revue *f* de luxe
glove [glʌv] *n* gant *m*; **glove compartment** *n* (*Aut*) boîte *f* à gants, vide-poches *m inv*
glow [gləu] *vi* rougeoyer; (*face*) rayonner; (*eyes*) briller
glucose ['gluːkəus] *n* glucose *m*
glue [gluː] *n* colle *f* ▷ *vt* coller
GM *abbr* (= *genetically modified*) génétiquement modifié(e)
gm *abbr* (= *gram*) g
GMO *n abbr* (= *genetically modified organism*) OGM *m*
GMT *abbr* (= *Greenwich Mean Time*) GMT
gnaw [nɔː] *vt* ronger
go [gəu] *vb* (*pt* **went**, *pp* **gone**) ▷ *vi* aller; (*depart*) partir, s'en aller; (*work*) marcher; (*break*) céder; (*time*) passer; (*be sold*): **to go for £10** se vendre 10 livres; (*become*): **to go pale/mouldy** pâlir/moisir ▷ *n* (*pl* **goes**): **to have a go (at)** essayer (de faire); **to be on the go** être en mouvement; **whose go is it?** à qui est-ce de jouer?; **he's going to do it** il va le faire, il est sur le point de le faire; **to go for a walk** aller se promener; **to go dancing/shopping** aller danser/faire les courses; **to go and see sb, go to see sb** aller voir qn; **how did it go?** comment est-ce que ça s'est passé?; **to go round the back/by the shop** passer par derrière/devant le magasin; **... to go** (*US: food*) ... à emporter; **go ahead** *vi* (*take place*) avoir lieu; (*get going*) y aller; **go away** *vi* partir, s'en aller; **go back** *vi* rentrer; revenir; (*go again*) retourner; **go by** *vi* (*years, time*) passer, s'écouler ▷ *vt fus* s'en tenir à; (*believe*) en croire; **go down** *vi* descendre; (*number, price, amount*) baisser; (*ship*) couler; (*sun*) se coucher ▷ *vt fus* descendre; **go for** *vt fus* (*fetch*) aller chercher; (*like*) aimer; (*attack*) s'en prendre à; attaquer; **go in** *vi* entrer; **go into** *vt fus* entrer dans; (*investigate*) étudier, examiner; (*embark on*) se lancer dans; **go off** *vi* partir, s'en aller; (*food*) se gâter; (*milk*) tourner; (*bomb*) sauter; (*alarm clock*) sonner; (*alarm*) se déclencher; (*lights etc*) s'éteindre; (*event*) se dérouler ▷ *vt fus* ne plus aimer; **the gun went off** le coup est parti; **go on** *vi* continuer; (*happen*) se passer; (*lights*) s'allumer ▷ *vt fus*: **to go on doing** continuer à faire; **go out** *vi* sortir; (*fire, light*) s'éteindre; (*tide*) descendre; **to go out with sb** sortir avec qn; **go over** *vi, vt fus* (*check*) revoir, vérifier; **go past** *vt fus*: **to go past sth** passer devant qch; **go round** *vi* (*circulate: news, rumour*) circuler; (*revolve*) tourner; (*suffice*) suffire (pour tout le monde); (*visit*): **to go round to sb's** passer chez qn; aller chez qn;

(*make a detour*): **to go round (by)** faire un détour (par); **go through** *vt fus* (*town etc*) traverser; (*search through*) fouiller; (*suffer*) subir; **go up** *vi* monter; (*price*) augmenter ▷ *vt fus* gravir; **go with** *vt fus* aller avec; **go without** *vt fus* se passer de

go-ahead ['gəuəhɛd] *adj* dynamique, entreprenant(e) ▷ *n* feu vert

goal [gəul] *n* but *m*; **goalkeeper** *n* gardien *m* de but; **goal-post** *n* poteau *m* de but

goat [gəut] *n* chèvre *f*

gobble ['gɔbl] *vt* (*also*: **~ down, ~ up**) engloutir

god [gɔd] *n* dieu *m*; **G~** Dieu; **godchild** *n* filleul(e); **goddaughter** *n* filleule *f*; **goddess** *n* déesse *f*; **godfather** *n* parrain *m*; **godmother** *n* marraine *f*; **godson** *n* filleul *m*

goggles ['gɔglz] *npl* (*for skiing etc*) lunettes (protectrices); (*for swimming*) lunettes de piscine

going ['gəuɪŋ] *n* (*conditions*) état *m* du terrain ▷ *adj*: **the ~ rate** le tarif (en vigueur)

gold [gəuld] *n* or *m* ▷ *adj* en or; (*reserves*) d'or; **golden** *adj* (*made of gold*) en or; (*gold in colour*) doré(e); **goldfish** *n* poisson *m* rouge; **goldmine** *n* mine *f* d'or; **gold-plated** *adj* plaqué(e) or *inv*

golf [gɔlf] *n* golf *m*; **golf ball** *n* balle *f* de golf; (*on typewriter*) boule *f*; **golf club** *n* club *m* de golf; (*stick*) club *m*, crosse *f* de golf; **golf course** *n* terrain *m* de golf; **golfer** *n* joueur(-euse) de golf

gone [gɔn] *pp of* **go**

gong [gɔŋ] *n* gong *m*

good [gud] *adj* bon(ne); (*kind*) gentil(le); (*child*) sage; (*weather*) beau (belle) ▷ *n* bien *m*; **goods** *npl* marchandise *f*, articles *mpl*; **~!** bon!, très bien!; **to be ~ at** être bon en; **to be ~ for** être bon pour; **it's no ~ complaining** cela ne sert à rien de se plaindre; **to make ~** (*deficit*) combler; (*losses*) compenser; **for ~** (*for ever*) pour de bon, une fois pour toutes; **would you be ~ enough to ...?** auriez-vous la bonté *or* l'amabilité de ...?; **is this any ~?** (*will it do?*) est-ce que ceci fera l'affaire?, est-ce que cela peut vous rendre service?; (*what's it like?*) qu'est-ce que ça vaut?; **a ~ deal (of)** beaucoup (de); **a ~ many** beaucoup (de); **~ morning/afternoon!** bonjour!; **~ evening!** bonsoir!; **~ night!** bonsoir!; (*on going to bed*) bonne nuit!; **goodbye** *excl* au revoir!; **to say goodbye to sb** dire au revoir à qn; **Good Friday** *n* Vendredi saint; **good-looking** *adj* beau (belle), bien *inv*; **good-natured** *adj* (*person*) qui a un bon naturel; **goodness** *n* (*of person*) bonté *f*; **for goodness sake!** je vous en prie!; **goodness gracious!** mon Dieu!; **goods train** *n* (BRIT) train *m* de marchandises; **goodwill** *n* bonne volonté

goose (*pl* **geese**) [gu:s, gi:s] *n* oie *f*

gooseberry ['guzbərɪ] *n* groseille *f* à maquereau; **to play ~** (BRIT) tenir la chandelle

goose bumps, goose pimples *npl* chair *f* de poule

gorge [gɔ:dʒ] *n* gorge *f* ▷ *vt*: **to ~ o.s. (on)** se gorger (de)

gorgeous ['gɔ:dʒəs] *adj* splendide, superbe

gorilla [gə'rɪlə] *n* gorille *m*

gosh (*inf*) [gɔʃ] *excl* mince alors!

gospel ['gɔspl] *n* évangile *m*

gossip ['gɔsɪp] *n* (*chat*) bavardages *mpl*; (*malicious*) commérage *m*, cancans *mpl*; (*person*) commère *f* ▷ *vi* bavarder; cancaner, faire des commérages; **gossip column** *n* (*Press*) échos *mpl*

got [gɔt] *pt, pp of* **get**

gotten ['gɔtn] (US) *pp of* **get**

gourmet ['guəmeɪ] *n* gourmet *m*, gastronome *m/f*

govern ['gʌvən] *vt* gouverner; (*influence*) déterminer; **government** *n* gouvernement *m*; (BRIT: *ministers*) ministère *m*; **governor** *n* (*of colony, state, bank*) gouverneur *m*; (*of school, hospital etc*) administrateur(-trice); (BRIT: *of prison*) directeur(-trice)

gown [gaun] *n* robe *f*; (*of teacher*, BRIT: *of judge*) toge *f*

G.P. *n abbr* (*Med*) = **general practitioner**

grab [græb] *vt* saisir, empoigner ▷ *vi*: **to ~ at** essayer de saisir

grace [greɪs] *n* grâce *f* ▷ *vt* (*honour*) honorer; (*adorn*) orner; **5 days' ~** un répit de 5 jours; **graceful** *adj* gracieux(-euse), élégant(e); **gracious** ['greɪʃəs] *adj* bienveillant(e)

grade [greɪd] *n* (*Comm: quality*) qualité *f*; (*size*) calibre *m*; (*type*) catégorie *f*; (*in hierarchy*) grade *m*, échelon *m*; (*Scol*) note *f*; (US: *school class*) classe *f*; (: *gradient*) pente *f* ▷ *vt* classer; (*by size*) calibrer; **grade crossing** *n* (US) passage *m* à niveau; **grade school** *n* (US) école *f* primaire

gradient ['greɪdɪənt] *n* inclinaison *f*, pente *f*

gradual ['grædjuəl] *adj* graduel(le), progressif(-ive); **gradually** *adv* peu à peu, graduellement

graduate *n* ['grædjuɪt] diplômé(e) d'université; (US: *of high school*) diplômé(e) de fin d'études ▷ *vi* ['grædjueɪt] obtenir un diplôme d'université (*or* de fin d'études); **graduation** [grædju'eɪʃən] *n* cérémonie *f* de remise des diplômes

graffiti [grə'fi:tɪ] *npl* graffiti *mpl*

graft [grɑ:ft] *n* (*Agr, Med*) greffe *f*; (*bribery*) corruption *f* ▷ *vt* greffer; **hard ~** (BRIT: *inf*) boulot acharné

grain [greɪn] *n* (*single piece*) grain *m*; (*no pl: cereals*) céréales *fpl*; (US: *corn*) blé *m*

gram [græm] *n* gramme *m*

grammar ['græmə^r] *n* grammaire *f*; **grammar school** *n* (BRIT) ≈ lycée *m*

gramme [græm] *n* = **gram**

gran (*inf*) [græn] *n* (BRIT) mamie *f* (*inf*), mémé *f* (*inf*)

grand [grænd] *adj* magnifique, splendide; (*gesture etc*) noble; **grandad** (*inf*) *n* = **granddad**; **grandchild** (*pl* **~ren**) *n* petit-fils *m*, petite-fille *f*; **grandchildren** *npl* petits-enfants; **granddad** *n* (*inf*) papy *m* (*inf*), papi *m* (*inf*), pépé *m* (*inf*); **granddaughter** *n* petite-fille *f*; **grandfather** *n* grand-père *m*; **grandma** *n* (*inf*) = **gran**; **grandmother** *n* grand-mère *f*; **grandpa** *n* (*inf*) = **granddad**; **grandparents** *npl* grands-parents *mpl*; **grand piano** *n* piano *m* à queue; **Grand Prix** ['grɑ̃:'pri:] *n* (*Aut*) grand prix automobile; **grandson** *n* petit-fils *m*

granite ['grænɪt] *n* granit *m*

granny ['grænɪ] *n* (*inf*) = **gran**

grant [grɑ:nt] *vt* accorder; (*a request*) accéder à; (*admit*) concéder ▷ *n* (*Scol*) bourse *f*; (*Admin*) subside *m*, subvention *f*; **to take sth for ~ed** considérer qch comme acquis; **to take sb for ~ed** considérer qn comme faisant partie du décor

grape [greɪp] *n* raisin *m*

grapefruit ['greɪpfru:t] *n* pamplemousse *m*

graph [grɑ:f] *n* graphique *m*, courbe *f*; **graphic** ['græfɪk] *adj* graphique; (*vivid*) vivant(e); **graphics** *n* (*art*) arts *mpl* graphiques; (*process*) graphisme *m* ▷ *npl* (*drawings*) illustrations *fpl*

grasp [grɑ:sp] *vt* saisir ▷ *n* (*grip*) prise *f*; (*fig*) compréhension *f*, connaissance *f*

grass [grɑ:s] *n* herbe *f*; (*lawn*) gazon *m*; **grasshopper** *n* sauterelle *f*

grate [greɪt] *n* grille *f* de cheminée ▷ *vi* grincer ▷ *vt* (*Culin*) râper

grateful ['greɪtful] *adj* reconnaissant(e)

grater ['greɪtə^r] *n* râpe *f*

gratitude ['grætɪtjuːd] *n* gratitude *f*
grave [greɪv] *n* tombe *f* ▷ *adj* grave, sérieux(-euse)
gravel ['grævl] *n* gravier *m*
gravestone ['greɪvstəun] *n* pierre tombale
graveyard ['greɪvjɑːd] *n* cimetière *m*
gravity ['grævɪtɪ] *n* (*Physics*) gravité *f*; pesanteur *f*; (*seriousness*) gravité
gravy ['greɪvɪ] *n* jus *m* (de viande), sauce *f* (au jus de viande)
gray [greɪ] *adj* (US) = **grey**
graze [greɪz] *vi* paître, brouter ▷ *vt* (*touch lightly*) frôler, effleurer; (*scrape*) écorcher ▷ *n* écorchure *f*
grease [griːs] *n* (*fat*) graisse *f*; (*lubricant*) lubrifiant *m* ▷ *vt* graisser; lubrifier; **greasy** *adj* gras(se), graisseux(-euse); (*hands, clothes*) graisseux
great [greɪt] *adj* grand(e); (*heat, pain etc*) très fort(e), intense; (*inf*) formidable; **Great Britain** *n* Grande-Bretagne *f*; **great-grandfather** *n* arrière-grand-père *m*; **great-grandmother** *n* arrière-grand-mère *f*; **greatly** *adv* très, grandement; (*with verbs*) beaucoup
Greece [griːs] *n* Grèce *f*
greed [griːd] *n* (*also*: **~iness**) avidité *f*; (*for food*) gourmandise *f*; **greedy** *adj* avide; (*for food*) gourmand(e)
Greek [griːk] *adj* grec (grecque) ▷ *n* Grec (Grecque); (*Ling*) grec *m*
green [griːn] *adj* vert(e); (*inexperienced*) (bien) jeune, naïf(-ïve); (*ecological*: *product etc*) écologique ▷ *n* (*colour*) vert *m*; (*on golf course*) green *m*; (*stretch of grass*) pelouse *f*; **greens** *npl* (*vegetables*) légumes verts; **green card** *n* (*Aut*) carte verte; (US: *work permit*) permis *m* de travail; **greengage** *n* reine-claude *f*; **greengrocer** *n* (BRIT) marchand *m* de fruits et légumes; **greengrocer's (shop)** *n* magasin *m* de fruits et légumes; **greenhouse** *n* serre *f*; **greenhouse effect** *n*: **the greenhouse effect** l'effet *m* de serre
Greenland ['griːnlənd] *n* Groenland *m*
green salad *n* salade verte
greet [griːt] *vt* accueillir; **greeting** *n* salutation *f*; **Christmas/birthday greetings** souhaits *mpl* de Noël/de bon anniversaire; **greeting(s) card** *n* carte *f* de vœux
grew [gruː] *pt of* **grow**
grey (US **gray**) [greɪ] *adj* gris(e); (*dismal*) sombre; **grey-haired** *adj* aux cheveux gris; **greyhound** *n* lévrier *m*
grid [grɪd] *n* grille *f*; (*Elec*) réseau *m*; **gridlock** *n* (*traffic jam*) embouteillage *m*
grief [griːf] *n* chagrin *m*, douleur *f*
grievance ['griːvəns] *n* doléance *f*, grief *m*; (*cause for complaint*) grief
grieve [griːv] *vi* avoir du chagrin; se désoler ▷ *vt* faire de la peine à, affliger; **to ~ for sb** pleurer qn
grill [grɪl] *n* (*on cooker*) gril *m*; (*also*: **mixed ~**) grillade(s) *f(pl)* ▷ *vt* (BRIT) griller; (*inf*: *question*) cuisiner
grille [grɪl] *n* grillage *m*; (*Aut*) calandre *f*
grim [grɪm] *adj* sinistre, lugubre; (*serious, stern*) sévère
grime [graɪm] *n* crasse *f*
grin [grɪn] *n* large sourire *m* ▷ *vi* sourire
grind [graɪnd] *vb* (*pt, pp* **ground**) ▷ *vt* écraser; (*coffee, pepper etc*) moudre; (US: *meat*) hacher ▷ *n* (*work*) corvée *f*
grip [grɪp] *n* (*handclasp*) poigne *f*; (*control*) prise *f*; (*handle*) poignée *f*; (*holdall*) sac *m* de voyage ▷ *vt* saisir, empoigner; (*viewer, reader*) captiver; **to come to ~s with** se colleter avec, en venir aux prises avec; **to ~ the road** (*Aut*) adhérer à la route; **gripping** *adj* prenant(e), palpitant(e)
grit [grɪt] *n* gravillon *m*; (*courage*) cran *m* ▷ *vt* (*road*) sabler; **to ~ one's teeth** serrer les dents
grits [grɪts] *npl* (US) gruau *m* de maïs
groan [grəun] *n* (*of pain*) gémissement *m* ▷ *vi* gémir
grocer ['grəusə[r]] *n* épicier *m*; **groceries** *npl* provisions *fpl*; **grocer's (shop), grocery** *n* épicerie *f*
groin [grɔɪn] *n* aine *f*
groom [gruːm] *n* (*for horses*) palefrenier *m*; (*also*: **bride~**) marié *m* ▷ *vt* (*horse*) panser; (*fig*): **to ~ sb for** former qn pour
groove [gruːv] *n* sillon *m*, rainure *f*
grope [grəup] *vi* tâtonner; **to ~ for** chercher à tâtons
gross [grəus] *adj* grossier(-ière); (*Comm*) brut(e); **grossly** *adv* (*greatly*) très, grandement
grotesque [grə'tɛsk] *adj* grotesque
ground [graund] *pt, pp of* **grind** ▷ *n* sol *m*, terre *f*; (*land*) terrain *m*, terres *fpl*; (*Sport*) terrain; (*reason*: *gen pl*) raison *f*; (US: *also*: **~ wire**) terre *f* ▷ *vt* (*plane*) empêcher de décoller, retenir au sol; (US *Elec*) équiper d'une prise de terre; **grounds** *npl* (*gardens etc*) parc *m*, domaine *m*; (*of coffee*) marc *m*; **on the ~**, **to the ~** par terre; **to gain/lose ~** gagner/perdre du terrain; **ground floor** *n* (BRIT) rez-de-chaussée *m*; **groundsheet** *n* (BRIT) tapis *m* de sol; **groundwork** *n* préparation *f*
group [gruːp] *n* groupe *m* ▷ *vt* (*also*: **~ together**) grouper ▷ *vi* (*also*: **~ together**) se grouper
grouse [graus] *n* (*pl inv*: *bird*) grouse *f* (*sorte de coq de bruyère*) ▷ *vi* (*complain*) rouspéter, râler
grovel ['grɔvl] *vi* (*fig*): **to ~ (before)** ramper (devant)
grow (*pt* **grew**, *pp* **~n**) [grəu, gruː, grəun] *vi* (*plant*) pousser, croître; (*person*) grandir; (*increase*) augmenter, se développer; (*become*) devenir; **to ~ rich/weak** s'enrichir/s'affaiblir ▷ *vt* cultiver, faire pousser; (*hair, beard*) laisser pousser; **grow on** *vt fus*: **that painting is ~ing on me** je finirai par aimer ce tableau; **grow up** *vi* grandir
growl [graul] *vi* grogner
grown [grəun] *pp of* **grow**; **grown-up** *n* adulte *m/f*, grande personne
growth [grəuθ] *n* croissance *f*, développement *m*; (*what has grown*) pousse *f*; poussée *f*; (*Med*) grosseur *f*, tumeur *f*
grub [grʌb] *n* larve *f*; (*inf*: *food*) bouffe *f*
grubby ['grʌbɪ] *adj* crasseux(-euse)
grudge [grʌdʒ] *n* rancune *f* ▷ *vt*: **to ~ sb sth** (*in giving*) donner qch à qn à contre-cœur; (*resent*) reprocher qch à qn; **to bear sb a ~ (for)** garder rancune *or* en vouloir à qn (de)
gruelling (US **grueling**) ['gruəlɪŋ] *adj* exténuant(e)
gruesome ['gruːsəm] *adj* horrible
grumble ['grʌmbl] *vi* rouspéter, ronchonner
grumpy ['grʌmpɪ] *adj* grincheux(-euse)
grunt [grʌnt] *vi* grogner
guarantee [gærən'tiː] *n* garantie *f* ▷ *vt* garantir
guard [gɑːd] *n* garde *f*; (*one man*) garde *m*; (BRIT *Rail*) chef *m* de train; (*safety device*: *on machine*) dispositif *m* de sûreté; (*also*: **fire~**) garde-feu *m inv* ▷ *vt* garder, surveiller; (*protect*): **to ~ sb/sth (against** *or* **from)** protéger qn/qch (contre); **to be on one's ~** (*fig*) être sur ses gardes; **guardian** *n* gardien(ne); (*of minor*) tuteur(-trice)
guerrilla [gə'rɪlə] *n* guérillero *m*
guess [gɛs] *vi* deviner ▷ *vt* deviner; (*estimate*) évaluer; (US) croire, penser ▷ *n* supposition *f*,

hypothèse *f*; **to take** *or* **have a ~** essayer de deviner
guest [gɛst] *n* invité(e); (*in hotel*) client(e); **guest house** *n* pension *f*; **guest room** *n* chambre *f* d'amis
guidance ['gaɪdəns] *n* (*advice*) conseils *mpl*
guide [gaɪd] *n* (*person*) guide *m/f*; (*book*) guide *m*; (*also*: **Girl G~**) éclaireuse *f*; (*Roman Catholic*) guide *f* ▷ *vt* guider; **is there an English-speaking ~?** est-ce que l'un des guides parle anglais?; **guidebook** *n* guide *m*; **guide dog** *n* chien *m* d'aveugle; **guided tour** *n* visite guidée; **what time does the guided tour start?** la visite guidée commence à quelle heure?; **guidelines** *npl* (*advice*) instructions générales, conseils *mpl*
guild [gɪld] *n* (*History*) corporation *f*; (*sharing interests*) cercle *m*, association *f*
guilt [gɪlt] *n* culpabilité *f*; **guilty** *adj* coupable
guinea pig ['gɪnɪ-] *n* cobaye *m*
guitar [gɪ'tɑːʳ] *n* guitare *f*; **guitarist** *n* guitariste *m/f*
gulf [gʌlf] *n* golfe *m*; (*abyss*) gouffre *m*
gull [gʌl] *n* mouette *f*
gulp [gʌlp] *vi* avaler sa salive; (*from emotion*) avoir la gorge serrée, s'étrangler ▷ *vt* (*also*: **~ down**) avaler
gum [gʌm] *n* (*Anat*) gencive *f*; (*glue*) colle *f*; (*also*: **chewing-~**) chewing-gum *m* ▷ *vt* coller
gun [gʌn] *n* (*small*) revolver *m*, pistolet *m*; (*rifle*) fusil *m*, carabine *f*; (*cannon*) canon *m*; **gunfire** *n* fusillade *f*; **gunman** (*irreg*) *n* bandit armé; **gunpoint** *n*: **at gunpoint** sous la menace du pistolet (*or* fusil); **gunpowder** *n* poudre *f* à canon; **gunshot** *n* coup *m* de feu
gush [gʌʃ] *vi* jaillir; (*fig*) se répandre en effusions
gust [gʌst] *n* (*of wind*) rafale *f*
gut [gʌt] *n* intestin *m*, boyau *m*; **guts** *npl* (*Anat*) boyaux *mpl*; (*inf*: *courage*) cran *m*
gutter ['gʌtəʳ] *n* (*of roof*) gouttière *f*; (*in street*) caniveau *m*
guy [gaɪ] *n* (*inf*: *man*) type *m*; (*also*: **~rope**) corde *f*; (*figure*) *effigie de Guy Fawkes*
Guy Fawkes' Night [gaɪ'fɔːks-] *n*: **gym** [dʒɪm] *n* (*also*: **~nasium**) gymnase *m*; (*also*: **~nastics**) gym *f*; **gymnasium** *n* gymnase *m*; **gymnast** *n* gymnaste *m/f*; **gymnastics** *n*, *npl* gymnastique *f*; **gym shoes** *npl* chaussures *fpl* de gym(nastique)
gynaecologist (US **gynecologist**) [gaɪnɪ'kɔlədʒɪst] *n* gynécologue *m/f*
gypsy ['dʒɪpsɪ] *n* gitan(e), bohémien(ne)

h

haberdashery [hæbə'dæʃərɪ] *n* (BRIT) mercerie *f*
habit ['hæbɪt] *n* habitude *f*; (*costume*: *Rel*) habit *m*
habitat ['hæbɪtæt] *n* habitat *m*
hack [hæk] *vt* hacher, tailler ▷ *n* (*pej*: *writer*) nègre *m*; **hacker** *n* (*Comput*) pirate *m* (informatique)
had [hæd] *pt*, *pp of* **have**
haddock (*pl* **~** *or* **~s**) ['hædək] *n* églefin *m*; **smoked ~** haddock *m*
hadn't ['hædnt] = **had not**
haemorrhage (US **hemorrhage**) ['hɛmərɪdʒ] *n* hémorragie *f*
haemorrhoids (US **hemorrhoids**) ['hɛmərɔɪdz] *npl* hémorroïdes *fpl*
haggle ['hægl] *vi* marchander
Hague [heɪg] *n*: **The ~** La Haye
hail [heɪl] *n* grêle *f* ▷ *vt* (*call*) héler; (*greet*) acclamer ▷ *vi* grêler; **hailstone** *n* grêlon *m*
hair [hɛəʳ] *n* cheveux *mpl*; (*on body*) poils *mpl*; (*of animal*) pelage *m*; (*single hair*: *on head*) cheveu *m*; (*: on body, of animal*) poil *m*; **to do one's ~** se coiffer; **hairband** *n* (*elasticated*) bandeau *m*; (*plastic*) serre-tête *m*; **hairbrush** *n* brosse *f* à cheveux; **haircut** *n* coupe *f* (de cheveux); **hairdo** *n* coiffure *f*; **hairdresser** *n* coiffeur(-euse); **hairdresser's** *n* salon *m* de coiffure, coiffeur *m*; **hair dryer** *n* sèche-cheveux *m*, séchoir *m*; **hair gel** *n* gel *m* pour cheveux; **hair spray** *n* laque *f* (pour les cheveux); **hairstyle** *n* coiffure *f*; **hairy** *adj* poilu(e), chevelu(e); (*inf*: *frightening*) effrayant(e)
hake (*pl* **~** *or* **~s**) [heɪk] *n* colin *m*, merlu *m*
half [hɑːf] *n* (*pl* **halves**) moitié *f*; (*of beer*: *also*: **~ pint**) ≈ demi *m*; (*Rail*, *bus*: *also*: **~ fare**) demi-tarif *m*; (*Sport*: *of match*) mi-temps *f* ▷ *adj* demi(e) ▷ *adv* (à) moitié, à demi; **~ an hour** une demi-heure; **~ a dozen** une demi-douzaine; **~ a pound** une demi-livre, ≈ 250 g; **two and a ~** deux et demi; **to cut sth in ~** couper qch en deux; **half board** *n* (BRIT: *in hotel*) demi-pension *f*; **half-brother** *n* demi-frère *m*; **half day** *n* demi-journée *f*; **half fare** *n* demi-tarif *m*; **half-hearted** *adj* tiède, sans enthousiasme; **half-hour** *n* demi-heure *f*; **half-price** *adj* à moitié prix ▷ *adv* (*also*: **at half-price**) à moitié prix; **half term** *n* (BRIT *Scol*) vacances *fpl* (*de demi-trimestre*); **half-time** *n* mi-temps *f*; **halfway** *adv* à mi-chemin; **halfway through sth** au milieu de qch
hall [hɔːl] *n* salle *f*; (*entrance way*: *big*) hall *m*; (*small*) entrée *f*; (US: *corridor*) couloir *m*; (*mansion*) château *m*, manoir *m*
hallmark ['hɔːlmɑːk] *n* poinçon *m*; (*fig*) marque *f*
hallo [hə'ləu] *excl* = **hello**
hall of residence *n* (BRIT) pavillon *m or* résidence *f* universitaire
Halloween, Hallowe'en ['hæləu'iːn] *n* veille *f* de la Toussaint
hallucination [həluːsɪ'neɪʃən] *n* hallucination *f*
hallway ['hɔːlweɪ] *n* (*entrance*) vestibule *m*; (*corridor*) couloir *m*
halo ['heɪləu] *n* (*of saint etc*) auréole *f*
halt [hɔːlt] *n* halte *f*, arrêt *m* ▷ *vt* faire arrêter; (*progress etc*) interrompre ▷ *vi* faire halte, s'arrêter
halve [hɑːv] *vt* (*apple etc*) partager *or* diviser en deux; (*reduce by half*) réduire de moitié
halves [hɑːvz] *npl of* **half**
ham [hæm] *n* jambon *m*
hamburger ['hæmbəːgəʳ] *n* hamburger *m*
hamlet ['hæmlɪt] *n* hameau *m*
hammer ['hæməʳ] *n* marteau *m* ▷ *vt* (*nail*) enfoncer; (*fig*) éreinter, démolir ▷ *vi* (*at door*) frapper à coups redoublés; **to ~ a point home to sb** faire rentrer qch dans la tête de qn
hammock ['hæmək] *n* hamac *m*
hamper ['hæmpəʳ] *vt* gêner ▷ *n* panier *m* (d'osier)
hamster ['hæmstəʳ] *n* hamster *m*
hamstring ['hæmstrɪŋ] *n* (*Anat*) tendon *m* du jarret

hand [hænd] *n* main *f*; (*of clock*) aiguille *f*; (*handwriting*) écriture *f*; (*at cards*) jeu *m*; (*worker*) ouvrier(-ière) ▷ *vt* passer, donner; **to give sb a ~** donner un coup de main à qn; **at ~** à portée de la main; **in ~** (*situation*) en main; (*work*) en cours; **to be on ~** (*person*) être disponible; (*emergency services*) se tenir prêt(e) (à intervenir); **to ~** (*information etc*) sous la main, à portée de la main; **on the one ~ ..., on the other ~** d'une part ..., d'autre part; **hand down** *vt* passer; (*tradition, heirloom*) transmettre; (*US: sentence, verdict*) prononcer; **hand in** *vt* remettre; **hand out** *vt* distribuer; **hand over** *vt* remettre; (*powers etc*) transmettre; **handbag** *n* sac *m* à main; **hand baggage** *n* = **hand luggage**; **handbook** *n* manuel *m*; **handbrake** *n* frein *m* à main; **handcuffs** *npl* menottes *fpl*; **handful** *n* poignée *f*

handicap ['hændɪkæp] *n* handicap *m* ▷ *vt* handicaper; **mentally/physically ~ped** handicapé(e) mentalement/physiquement

handkerchief ['hæŋkətʃɪf] *n* mouchoir *m*

handle ['hændl] *n* (*of door etc*) poignée *f*; (*of cup etc*) anse *f*; (*of knife etc*) manche *m*; (*of saucepan*) queue *f*; (*for winding*) manivelle *f* ▷ *vt* toucher, manier; (*deal with*) s'occuper de; (*treat: people*) prendre; **"~ with care"** "fragile"; **to fly off the ~** s'énerver; **handlebar(s)** *n(pl)* guidon *m*

hand: **hand luggage** *n* bagages *mpl* à main; **handmade** *adj* fait(e) à la main; **handout** *n* (*money*) aide *f*, don *m*; (*leaflet*) prospectus *m*; (*at lecture*) polycopié *m*; **hands-free** *adj* (*phone*) mains libres *inv* ▷ *n* (*also*: **hands-free kit**) kit *m* mains libres *inv*

handsome ['hænsəm] *adj* beau (belle); (*profit*) considérable

handwriting ['hændraɪtɪŋ] *n* écriture *f*

handy ['hændɪ] *adj* (*person*) adroit(e); (*close at hand*) sous la main; (*convenient*) pratique

hang (*pt, pp* **hung**) [hæŋ, hʌŋ] *vt* accrocher; (*criminal*): (*pt, pp* **~ed**) pendre ▷ *vi* pendre; (*hair, drapery*) tomber ▷ *n*: **to get the ~ of (doing) sth** (*inf*) attraper le coup pour faire qch; **hang about, hang around** *vi* traîner; **hang down** *vi* pendre; **hang on** *vi* (*wait*) attendre; **hang out** *vt* (*washing*) étendre (dehors) ▷ *vi* (*inf: live*) habiter, percher; (*: spend time*) traîner; **hang round** *vi* = **hang around**; **hang up** *vi* (*Tel*) raccrocher ▷ *vt* (*coat, painting etc*) accrocher, suspendre

hanger ['hæŋə^r] *n* cintre *m*, portemanteau *m*

hang-gliding ['hæŋglaɪdɪŋ] *n* vol *m* libre *or* sur aile delta

hangover ['hæŋəuvə^r] *n* (*after drinking*) gueule *f* de bois

hankie, hanky ['hæŋkɪ] *n abbr* = **handkerchief**

happen ['hæpən] *vi* arriver, se passer, se produire; **what's ~ing?** que se passe-t-il?; **she ~ed to be free** il s'est trouvé (*or* se trouvait) qu'elle était libre; **as it ~s** justement

happily ['hæpɪlɪ] *adv* heureusement; (*cheerfully*) joyeusement

happiness ['hæpɪnɪs] *n* bonheur *m*

happy ['hæpɪ] *adj* heureux(-euse); **~ with** (*arrangements etc*) satisfait(e) de; **to be ~ to do** faire volontiers; **~ birthday!** bon anniversaire!

harass ['hærəs] *vt* accabler, tourmenter; **harassment** *n* tracasseries *fpl*

harbour (*US* **harbor**) ['hɑːbə^r] *n* port *m* ▷ *vt* héberger, abriter; (*hopes, suspicions*) entretenir

hard [hɑːd] *adj* dur(e); (*question, problem*) difficile; (*facts, evidence*) concret(-ète) ▷ *adv* (*work*) dur; (*think, try*) sérieusement; **to look ~ at** regarder fixement; (*thing*) regarder de près; **no ~ feelings!** sans rancune!; **to be ~ of hearing** être dur(e) d'oreille; **to be ~ done by** être traité(e) injustement; **hardback** *n* livre relié; **hardboard** *n* Isorel® *m*; **hard disk** *n* (*Comput*) disque dur; **harden** *vt* durcir; (*fig*) endurcir ▷ *vi* (*substance*) durcir

hardly ['hɑːdlɪ] *adv* (*scarcely*) à peine; (*harshly*) durement; **~ anywhere/ever** presque nulle part/jamais

hard: **hardship** *n* (*difficulties*) épreuves *fpl*; (*deprivation*) privations *fpl*; **hard shoulder** *n* (BRIT *Aut*) accotement stabilisé; **hard-up** *adj* (*inf*) fauché(e); **hardware** *n* quincaillerie *f*; (*Comput, Mil*) matériel *m*; **hardware shop** (*US* **hardware store**) *n* quincaillerie *f*; **hard-working** *adj* travailleur(-euse), consciencieux(-euse)

hardy ['hɑːdɪ] *adj* robuste; (*plant*) résistant(e) au gel

hare [hɛə^r] *n* lièvre *m*

harm [hɑːm] *n* mal *m*; (*wrong*) tort *m* ▷ *vt* (*person*) faire du mal *or* du tort à; (*thing*) endommager; **out of ~'s way** à l'abri du danger, en lieu sûr; **harmful** *adj* nuisible; **harmless** *adj* inoffensif(-ive)

harmony ['hɑːmənɪ] *n* harmonie *f*

harness ['hɑːnɪs] *n* harnais *m* ▷ *vt* (*horse*) harnacher; (*resources*) exploiter

harp [hɑːp] *n* harpe *f* ▷ *vi*: **to ~ on about** revenir toujours sur

harsh [hɑːʃ] *adj* (*hard*) dur(e); (*severe*) sévère; (*unpleasant: sound*) discordant(e); (*: light*) cru(e)

harvest ['hɑːvɪst] *n* (*of corn*) moisson *f*; (*of fruit*) récolte *f*; (*of grapes*) vendange *f* ▷ *vt* moissonner; récolter; vendanger

has [hæz] *vb see* **have**

hasn't ['hæznt] = **has not**

hassle ['hæsl] *n* (*inf: fuss*) histoire(s) *f(pl)*

haste [heɪst] *n* hâte *f*, précipitation *f*; **hasten** ['heɪsn] *vt* hâter, accélérer ▷ *vi* se hâter, s'empresser; **hastily** *adv* à la hâte; (*leave*) précipitamment; **hasty** *adj* (*decision, action*) hâtif(-ive); (*departure, escape*) précipité(e)

hat [hæt] *n* chapeau *m*

hatch [hætʃ] *n* (*Naut: also*: **~way**) écoutille *f*; (BRIT: *also*: **service ~**) passe-plats *m inv* ▷ *vi* éclore

hatchback ['hætʃbæk] *n* (*Aut*) modèle *m* avec hayon arrière

hate [heɪt] *vt* haïr, détester ▷ *n* haine *f*; **hatred** ['heɪtrɪd] *n* haine *f*

haul [hɔːl] *vt* traîner, tirer ▷ *n* (*of fish*) prise *f*; (*of stolen goods etc*) butin *m*

haunt [hɔːnt] *vt* (*subj: ghost, fear*) hanter; (*: person*) fréquenter ▷ *n* repaire *m*; **haunted** *adj* (*castle etc*) hanté(e); (*look*) égaré(e), hagard(e)

 KEYWORD

have [hæv] (*pt, pp* **had**) *aux vb* **1** (*gen*) avoir; être; **to have eaten/slept** avoir mangé/dormi; **to have arrived/gone** être arrivé(e)/allé(e); **having finished** *or* **when he had finished, he left** quand il a eu fini, il est parti; **we'd already eaten** nous avions déjà mangé

2 (*in tag questions*): **you've done it, haven't you?** vous l'avez fait, n'est-ce pas?

3 (*in short answers and questions*): **no I haven't!/yes we have!** mais non!/mais si!; **so I have!** ah oui!, oui c'est vrai!; **I've been there before, have you?** j'y suis déjà allé, et vous?

▷ *modal aux vb* (*be obliged*): **to have (got) to do sth**

devoir faire qch, être obligé(e) de faire qch; **she has (got) to do it** elle doit le faire, il faut qu'elle le fasse; **you haven't to tell her** vous n'êtes pas obligé de le lui dire; (*must not*) ne le lui dites surtout pas; **do you have to book?** il faut réserver?
▷ *vt* **1** (*possess*) avoir; **he has (got) blue eyes/dark hair** il a les yeux bleus/les cheveux bruns
2 (*referring to meals etc*): **to have breakfast** prendre le petit déjeuner; **to have dinner/lunch** dîner/déjeuner; **to have a drink** prendre un verre; **to have a cigarette** fumer une cigarette
3 (*receive*) avoir, recevoir; (*obtain*) avoir; **may I have your address?** puis-je avoir votre adresse?; **you can have it for £5** vous pouvez l'avoir pour 5 livres; **I must have it for tomorrow** il me le faut pour demain; **to have a baby** avoir un bébé
4 (*maintain, allow*): **I won't have it!** ça ne se passera pas comme ça!; **we can't have that** nous ne tolérerons pas ça
5 (*by sb else*): **to have sth done** faire faire qch; **to have one's hair cut** se faire couper les cheveux; **to have sb do sth** faire faire qch à qn
6 (*experience, suffer*) avoir; **to have a cold/flu** avoir un rhume/la grippe; **to have an operation** se faire opérer; **she had her bag stolen** elle s'est fait voler son sac
7 (*+noun*): **to have a swim/walk** nager/se promener; **to have a bath/shower** prendre un bain/une douche; **let's have a look** regardons; **to have a meeting** se réunir; **to have a party** organiser une fête; **let me have a try** laissez-moi essayer

haven ['heɪvn] *n* port *m*; (*fig*) havre *m*
haven't ['hævnt] = **have not**
havoc ['hævək] *n* ravages *mpl*
Hawaii [hə'waɪ:] *n* (îles *fpl*) Hawaï *m*
hawk [hɔ:k] *n* faucon *m*
hawthorn ['hɔ:θɔ:n] *n* aubépine *f*
hay [heɪ] *n* foin *m*; **hay fever** *n* rhume *m* des foins; **haystack** *n* meule *f* de foin
hazard ['hæzəd] *n* (*risk*) danger *m*, risque *m* ▷ *vt* risquer, hasarder; **hazardous** *adj* hasardeux(-euse), risqué(e); **hazard warning lights** *npl* (*Aut*) feux *mpl* de détresse
haze [heɪz] *n* brume *f*
hazel [heɪzl] *n* (*tree*) noisetier *m* ▷ *adj* (*eyes*) noisette *inv*; **hazelnut** *n* noisette *f*
hazy ['heɪzɪ] *adj* brumeux(-euse); (*idea*) vague
he [hi:] *pron* il; **it is he who ...** c'est lui qui ...; **here he is** le voici
head [hɛd] *n* tête *f*; (*leader*) chef *m*; (*of school*) directeur(-trice); (*of secondary school*) proviseur *m* ▷ *vt* (*list*) être en tête de; (*group, company*) être à la tête de; **~s or tails** pile ou face; **~ first** la tête la première; **~ over heels in love** follement *or* éperdument amoureux(-euse); **to ~ the ball** faire une tête; **head for** *vt fus* se diriger vers; (*disaster*) aller à; **head off** *vt* (*threat, danger*) détourner; **headache** *n* mal *m* de tête; **to have a headache** avoir mal à la tête; **heading** *n* titre *m*; (*subject title*) rubrique *f*; **headlamp** (BRIT) *n* = **headlight**; **headlight** *n* phare *m*; **headline** *n* titre *m*; **head office** *n* siège *m*, bureau *m* central; **headphones** *npl* casque *m* (à écouteurs); **headquarters** *npl* (*of business*) bureau *or* siège central; (*Mil*) quartier général; **headroom** *n* (*in car*) hauteur *f* de plafond; (*under bridge*) hauteur limite; **headscarf** *n* foulard *m*; **headset** *n* = **headphones**; **headteacher** *n* directeur(-trice); (*of secondary school*) proviseur *m*; **head waiter** *n* maître *m* d'hôtel
heal [hi:l] *vt, vi* guérir
health [hɛlθ] *n* santé *f*; **health care** *n* services médicaux; **health centre** *n* (BRIT) centre *m* de santé; **health food** *n* aliment(s) naturel(s); **Health Service** *n*: **the Health Service** (BRIT) ≈ la Sécurité Sociale; **healthy** *adj* (*person*) en bonne santé; (*climate, food, attitude etc*) sain(e)
heap [hi:p] *n* tas *m* ▷ *vt* (*also*: **~ up**) entasser, amonceler; **she ~ed her plate with cakes** elle a chargé son assiette de gâteaux; **~s (of)** (*inf*: *lots*) des tas (de)
hear (*pt, pp* **~d**) [hɪəʳ, hə:d] *vt* entendre; (*news*) apprendre ▷ *vi* entendre; **to ~ about** entendre parler de; (*have news of*) avoir des nouvelles de; **to ~ from sb** recevoir des nouvelles de qn
heard [hə:d] *pt, pp of* **hear**
hearing ['hɪərɪŋ] *n* (*sense*) ouïe *f*; (*of witnesses*) audition *f*; (*of a case*) audience *f*; **hearing aid** *n* appareil *m* acoustique
hearse [hə:s] *n* corbillard *m*
heart [hɑ:t] *n* cœur *m*; **hearts** *npl* (*Cards*) cœur; **at ~** au fond; **by ~** (*learn, know*) par cœur; **to lose/take ~** perdre/prendre courage; **heart attack** *n* crise *f* cardiaque; **heartbeat** *n* battement *m* de cœur; **heartbroken** *adj*: **to be heartbroken** avoir beaucoup de chagrin; **heartburn** *n* brûlures *fpl* d'estomac; **heart disease** *n* maladie *f* cardiaque
hearth [hɑ:θ] *n* foyer *m*, cheminée *f*
heartless ['hɑ:tlɪs] *adj* (*person*) sans cœur, insensible; (*treatment*) cruel(le)
hearty ['hɑ:tɪ] *adj* chaleureux(-euse); (*appetite*) solide; (*dislike*) cordial(e); (*meal*) copieux(-euse)
heat [hi:t] *n* chaleur *f*; (*Sport*: *also*: **qualifying ~**) éliminatoire *f* ▷ *vt* chauffer; **heat up** *vi* (*liquid*) chauffer; (*room*) se réchauffer ▷ *vt* réchauffer; **heated** *adj* chauffé(e); (*fig*) passionné(e), échauffé(e), excité(e); **heater** *n* appareil *m* de chauffage; radiateur *m*; (*in car*) chauffage *m*; (*water heater*) chauffe-eau *m*
heather ['hɛðəʳ] *n* bruyère *f*
heating ['hi:tɪŋ] *n* chauffage *m*
heatwave ['hi:tweɪv] *n* vague *f* de chaleur
heaven ['hɛvn] *n* ciel *m*, paradis *m*; (*fig*) paradis; **heavenly** *adj* céleste, divin(e)
heavily ['hɛvɪlɪ] *adv* lourdement; (*drink, smoke*) beaucoup; (*sleep, sigh*) profondément
heavy ['hɛvɪ] *adj* lourd(e); (*work, rain, user, eater*) gros(se); (*drinker, smoker*) grand(e); (*schedule, week*) chargé(e)
Hebrew ['hi:bru:] *adj* hébraïque ▷ *n* (*Ling*) hébreu *m*
Hebrides ['hɛbrɪdi:z] *npl*: **the ~** les Hébrides *fpl*
hectare ['hɛktɑ:ʳ] *n* (BRIT) hectare *m*
hectic ['hɛktɪk] *adj* (*schedule*) très chargé(e); (*day*) mouvementé(e); (*lifestyle*) trépidant(e)
he'd [hi:d] = **he would**; **he had**
hedge [hɛdʒ] *n* haie *f* ▷ *vi* se dérober ▷ *vt*: **to ~ one's bets** (*fig*) se couvrir
hedgehog ['hɛdʒhɔg] *n* hérisson *m*
heed [hi:d] *vt* (*also*: **take ~ of**) tenir compte de, prendre garde à
heel [hi:l] *n* talon *m* ▷ *vt* retalonner
hefty ['hɛftɪ] *adj* (*person*) costaud(e); (*parcel*) lourd(e); (*piece, price*) gros(se)
height [haɪt] *n* (*of person*) taille *f*, grandeur *f*; (*of object*) hauteur *f*; (*of plane, mountain*) altitude *f*; (*high ground*) hauteur, éminence *f*; (*fig*: *of glory, fame, power*) sommet *m*; (: *of luxury, stupidity*) comble *m*;

at the ~ of summer au cœur de l'été; **heighten** *vt* hausser, surélever; (*fig*) augmenter
heir [ɛəʳ] *n* héritier *m*; **heiress** *n* héritière *f*
held [hɛld] *pt, pp of* **hold**
helicopter ['hɛlɪkɔptəʳ] *n* hélicoptère *m*
hell [hɛl] *n* enfer *m*; **oh ~!** (*inf*) merde!
he'll [hi:l] = **he will**; **he shall**
hello [hə'ləu] *excl* bonjour!; (*to attract attention*) hé!; (*surprise*) tiens!
helmet ['hɛlmɪt] *n* casque *m*
help [hɛlp] *n* aide *f*; (*cleaner etc*) femme *f* de ménage ▷ *vt, vi* aider; **~!** au secours!; **~ yourself** servez-vous; **can you ~ me?** pouvez-vous m'aider?; **can I ~ you?** (*in shop*) vous désirez?; **he can't ~ it** il n'y peut rien; **help out** *vi* aider ▷ *vt*: **to ~ sb out** aider qn; **helper** *n* aide *m/f*, assistant(e); **helpful** *adj* serviable, obligeant(e); (*useful*) utile; **helping** *n* portion *f*; **helpless** *adj* impuissant(e); (*baby*) sans défense; **helpline** *n* service *m* d'assistance téléphonique; (*free*) ≈ numéro vert
hem [hɛm] *n* ourlet *m* ▷ *vt* ourler
hemisphere ['hɛmɪsfɪəʳ] *n* hémisphère *m*
hemorrhage ['hɛmərɪdʒ] *n* (US) = **haemorrhage**
hemorrhoids ['hɛmərɔɪdz] *npl* (US) = **haemorrhoids**
hen [hɛn] *n* poule *f*; (*female bird*) femelle *f*
hence [hɛns] *adv* (*therefore*) d'où, de là; **2 years ~** d'ici 2 ans
hen night, hen party *n* soirée *f* entre filles (*avant le mariage de l'une d'elles*)
hepatitis [hɛpə'taɪtɪs] *n* hépatite *f*
her [hə:ʳ] *pron* (*direct*) la, l' + *vowel or h mute*; (*indirect*) lui; (*stressed, after prep*) elle ▷ *adj* son (sa), ses *pl*; *see also* **me; my**
herb [hə:b] *n* herbe *f*; **herbal** *adj* à base de plantes; **herbal tea** *n* tisane *f*
herd [hə:d] *n* troupeau *m*
here [hɪəʳ] *adv* ici; (*time*) alors ▷ *excl* tiens!, tenez!; **~!** (*present*) présent!; **~ is**, **~ are** voici; **~ he/she is** le (la) voici
hereditary [hɪ'rɛdɪtrɪ] *adj* héréditaire
heritage ['hɛrɪtɪdʒ] *n* héritage *m*, patrimoine *m*
hernia ['hə:nɪə] *n* hernie *f*
hero (*pl* **~es**) ['hɪərəu] *n* héros *m*; **heroic** [hɪ'rəuɪk] *adj* héroïque
heroin ['hɛrəuɪn] *n* héroïne *f* (*drogue*)
heroine ['hɛrəuɪn] *n* héroïne *f* (*femme*)
heron ['hɛrən] *n* héron *m*
herring ['hɛrɪŋ] *n* hareng *m*
hers [hə:z] *pron* le (la) sien(ne), les siens (siennes); *see also* **mine¹**
herself [hə:'sɛlf] *pron* (*reflexive*) se; (*emphatic*) elle-même; (*after prep*) elle; *see also* **oneself**
he's [hi:z] = **he is**; **he has**
hesitant ['hɛzɪtənt] *adj* hésitant(e), indécis(e)
hesitate ['hɛzɪteɪt] *vi*: **to ~ (about/to do)** hésiter (sur/à faire); **hesitation** [hɛzɪ'teɪʃən] *n* hésitation *f*
heterosexual ['hɛtərəu'sɛksjuəl] *adj, n* hétérosexuel(le)
hexagon ['hɛksəgən] *n* hexagone *m*
hey [heɪ] *excl* hé!
heyday ['heɪdeɪ] *n*: **the ~ of** l'âge *m* d'or de, les beaux jours de
HGV *n abbr* = **heavy goods vehicle**
hi [haɪ] *excl* salut!; (*to attract attention*) hé!
hibernate ['haɪbəneɪt] *vi* hiberner
hiccough, hiccup ['hɪkʌp] *vi* hoqueter ▷ *n*: **to have (the) ~s** avoir le hoquet
hid [hɪd] *pt of* **hide**
hidden ['hɪdn] *pp of* **hide** ▷ *adj*: **~ agenda** intentions non déclarées
hide [haɪd] *n* (*skin*) peau *f* ▷ *vb* (*pt* **hid**, *pp* **hidden**) ▷ *vt* cacher ▷ *vi*: **to ~ (from sb)** se cacher (de qn)
hideous ['hɪdɪəs] *adj* hideux(-euse), atroce
hiding ['haɪdɪŋ] *n* (*beating*) correction *f*, volée *f* de coups; **to be in ~** (*concealed*) se tenir caché(e)
hi-fi ['haɪfaɪ] *adj, n abbr* (= *high fidelity*) hi-fi *f inv*
high [haɪ] *adj* haut(e); (*speed, respect, number*) grand(e); (*price*) élevé(e); (*wind*) fort(e), violent(e); (*voice*) aigu(ë) ▷ *adv* haut, en haut; **20 m ~** haut(e) de 20 m; **~ in the air** haut dans le ciel; **highchair** *n* (*child's*) chaise haute; **high-class** *adj* (*neighbourhood, hotel*) chic *inv*, de grand standing; **higher education** *n* études supérieures; **high heels** *npl* talons hauts, hauts talons; **high jump** *n* (*Sport*) saut *m* en hauteur; **highlands** ['haɪləndz] *npl* région montagneuse; **the Highlands** (*in Scotland*) les Highlands *mpl*; **highlight** *n* (*fig: of event*) point culminant ▷ *vt* (*emphasize*) faire ressortir, souligner; **highlights** *npl* (*in hair*) reflets *mpl*; **highlighter** *n* (*pen*) surligneur (lumineux); **highly** *adv* extrêmement, très; (*unlikely*) fort; (*recommended, skilled, qualified*) hautement; **to speak highly of** dire beaucoup de bien de; **highness** *n*: **His/Her Highness** son Altesse *f*; **high-rise** *n* (*also*: **high-rise block, high-rise building**) tour *f* (d'habitation); **high school** *n* lycée *m*; (US) établissement *m* d'enseignement supérieur; **high season** *n* (BRIT) haute saison; **high street** *n* (BRIT) grand-rue *f*; **high-tech** (*inf*) *adj* de pointe; **highway** *n* (BRIT) route *f*; (US) route nationale; **Highway Code** *n* (BRIT) code *m* de la route
hijack ['haɪdʒæk] *vt* détourner (*par la force*); **hijacker** *n* auteur *m* d'un détournement d'avion, pirate *m* de l'air
hike [haɪk] *vi* faire des excursions à pied ▷ *n* excursion *f* à pied, randonnée *f*; **hiker** *n* promeneur(-euse), excursionniste *m/f*; **hiking** *n* excursions *fpl* à pied, randonnée *f*
hilarious [hɪ'lɛərɪəs] *adj* (*behaviour, event*) désopilant(e)
hill [hɪl] *n* colline *f*; (*fairly high*) montagne *f*; (*on road*) côte *f*; **hillside** *n* (flanc *m* de) coteau *m*; **hill walking** *n* randonnée *f* de basse montagne; **hilly** *adj* vallonné(e), montagneux(-euse)
him [hɪm] *pron* (*direct*) le, l' + *vowel or h mute*; (*stressed, indirect, after prep*) lui; *see also* **me**; **himself** *pron* (*reflexive*) se; (*emphatic*) lui-même; (*after prep*) lui; *see also* **oneself**
hind [haɪnd] *adj* de derrière
hinder ['hɪndəʳ] *vt* gêner; (*delay*) retarder
hindsight ['haɪndsaɪt] *n*: **with (the benefit of) ~** avec du recul, rétrospectivement
Hindu ['hɪndu:] *n* Hindou(e); **Hinduism** *n* (*Rel*) hindouisme *m*
hinge [hɪndʒ] *n* charnière *f* ▷ *vi* (*fig*): **to ~ on** dépendre de
hint [hɪnt] *n* allusion *f*; (*advice*) conseil *m*; (*clue*) indication *f* ▷ *vt*: **to ~ that** insinuer que ▷ *vi*: **to ~ at** faire une allusion à
hip [hɪp] *n* hanche *f*
hippie, hippy ['hɪpɪ] *n* hippie *m/f*
hippo ['hɪpəu] (*pl* **~s**) *n* hippopotame *m*
hippopotamus [hɪpə'pɔtəməs] (*pl* **~es** *or* **hippopotami**) *n* hippopotame *m*
hippy ['hɪpɪ] *n* = **hippie**
hire ['haɪəʳ] *vt* (BRIT: *car, equipment*) louer; (*worker*) embaucher, engager ▷ *n* location *f*; **for ~** à louer;

(*taxi*) libre; **I'd like to ~ a car** je voudrais louer une voiture; **hire(d) car** *n* (BRIT) voiture *f* de location; **hire purchase** *n* (BRIT) achat *m* (*or* vente *f*) à tempérament *or* crédit

his [hɪz] *pron* le (la) sien(ne), les siens (siennes) ▷ *adj* son (sa), ses *pl*; *see also* **mine**¹; *see also* **my**

Hispanic [hɪs'pænɪk] *adj* (*in US*) hispano-américain(e) ▷ *n* Hispano-Américain(e)

hiss [hɪs] *vi* siffler

historian [hɪ'stɔːrɪən] *n* historien(ne)

historic(al) [hɪ'stɔrɪk(l)] *adj* historique

history ['hɪstərɪ] *n* histoire *f*

hit [hɪt] *vt* (*pt, pp* ~) frapper; (*reach: target*) atteindre, toucher; (*collide with: car*) entrer en collision avec, heurter; (*fig: affect*) toucher ▷ *n* coup *m*; (*success*) succès *m*; (*song*) tube *m*; (*to website*) visite *f*; (*on search engine*) résultat *m* de recherche; **to ~ it off with sb** bien s'entendre avec qn; **hit back** *vi*: **to ~ back at sb** prendre sa revanche sur qn

hitch [hɪtʃ] *vt* (*fasten*) accrocher, attacher; (*also*: ~ **up**) remonter d'une saccade ▷ *vi* faire de l'autostop ▷ *n* (*difficulty*) anicroche *f*, contretemps *m*; **to ~ a lift** faire du stop; **hitch-hike** *vi* faire de l'auto-stop; **hitch-hiker** *n* auto-stoppeur(-euse); **hitch-hiking** *n* auto-stop *m*, stop *m* (*inf*)

hi-tech ['haɪ'tɛk] *adj* de pointe

hitman ['hɪtmæn] (*irreg*) *n* (*inf*) tueur *m* à gages

HIV *n abbr* (= *human immunodeficiency virus*) HIV *m*, VIH *m*; **~-negative/positive** séronégatif(-ive)/positif(-ive)

hive [haɪv] *n* ruche *f*

hoard [hɔːd] *n* (*of food*) provisions *fpl*, réserves *fpl*; (*of money*) trésor *m* ▷ *vt* amasser

hoarse [hɔːs] *adj* enroué(e)

hoax [həuks] *n* canular *m*

hob [hɔb] *n* plaque chauffante

hobble ['hɔbl] *vi* boitiller

hobby ['hɔbɪ] *n* passe-temps favori

hobo ['həubəu] *n* (US) vagabond *m*

hockey ['hɔkɪ] *n* hockey *m*; **hockey stick** *n* crosse *f* de hockey

hog [hɔg] *n* porc (châtré) ▷ *vt* (*fig*) accaparer; **to go the whole ~** aller jusqu'au bout

Hogmanay [hɔgmə'neɪ] *n* réveillon *m* du jour de l'An, Saint-Sylvestre *f*

hoist [hɔɪst] *n* palan *m* ▷ *vt* hisser

hold [həuld] (*pt, pp* **held**) *vt* tenir; (*contain*) contenir; (*meeting*) tenir; (*keep back*) retenir; (*believe*) considérer; (*possess*) avoir ▷ *vi* (*withstand pressure*) tenir (bon); (*be valid*) valoir; (*on telephone*) attendre ▷ *n* prise *f*; (*find*) influence *f*; (*Naut*) cale *f*; **to catch** *or* **get (a) ~ of** saisir; **to get ~ of** (*find*) trouver; **~ the line!** (*Tel*) ne quittez pas!; **to ~ one's own** (*fig*) (bien) se défendre; **hold back** *vt* retenir; (*secret*) cacher; **hold on** *vi* tenir bon; (*wait*) attendre; **~ on!** (*Tel*) ne quittez pas!; **to ~ on to sth** (*grasp*) se cramponner à qch; (*keep*) conserver *or* garder qch; **hold out** *vt* offrir ▷ *vi* (*resist*): **to ~ out (against)** résister (devant), tenir bon (devant); **hold up** *vt* (*raise*) lever; (*support*) soutenir; (*delay*) retarder; (: *traffic*) ralentir; (*rob*) braquer; **holdall** *n* (BRIT) fourre-tout *m inv*; **holder** *n* (*container*) support *m*; (*of ticket, record*) détenteur(-trice); (*of office, title, passport etc*) titulaire *m/f*

hole [həul] *n* trou *m*

holiday ['hɔlədɪ] *n* (BRIT: *vacation*) vacances *fpl*; (*day off*) jour *m* de congé; (*public*) jour férié; **to be on ~** être en vacances; **I'm here on ~** je suis ici en vacances; **holiday camp** *n* (*also*: **holiday centre**) camp *m* de vacances; **holiday job** *n* (BRIT) boulot *m* (*inf*) de vacances; **holiday-maker** *n* (BRIT) vacancier(-ière); **holiday resort** *n* centre *m* de villégiature *or* de vacances

Holland ['hɔlənd] *n* Hollande *f*

hollow ['hɔləu] *adj* creux(-euse); (*fig*) faux (fausse) ▷ *n* creux *m*; (*in land*) dépression *f* (de terrain), cuvette *f* ▷ *vt*: **to ~ out** creuser, évider

holly ['hɔlɪ] *n* houx *m*

Hollywood ['hɔlɪwud] *n* Hollywood

holocaust ['hɔləkɔːst] *n* holocauste *m*

holy ['həulɪ] *adj* saint(e); (*bread, water*) bénit(e); (*ground*) sacré(e)

home [həum] *n* foyer *m*, maison *f*; (*country*) pays natal, patrie *f*; (*institution*) maison ▷ *adj* de famille; (*Econ, Pol*) national(e), intérieur(e); (*Sport: team*) qui reçoit; (: *match, win*) sur leur (*or* notre) terrain ▷ *adv* chez soi, à la maison; au pays natal; (*right in: nail etc*) à fond; **at ~** chez soi, à la maison; **to go (***or* **come) ~** rentrer (chez soi), rentrer à la maison (*or* au pays); **make yourself at ~** faites comme chez vous; **home address** *n* domicile permanent; **homeland** *n* patrie *f*; **homeless** *adj* sans foyer, sans abri; **homely** *adj* (*plain*) simple, sans prétention; (*welcoming*) accueillant(e); **home-made** *adj* fait(e) à la maison; **home match** *n* match *m* à domicile; **Home Office** *n* (BRIT) ministère *m* de l'Intérieur; **home owner** *n* propriétaire occupant; **home page** *n* (*Comput*) page *f* d'accueil; **Home Secretary** *n* (BRIT) ministre *m* de l'Intérieur; **homesick** *adj*: **to be homesick** avoir le mal du pays; (*missing one's family*) s'ennuyer de sa famille; **home town** *n* ville natale; **homework** *n* devoirs *mpl*

homicide ['hɔmɪsaɪd] *n* (US) homicide *m*

homoeopathic (US **homeopathic**) [həumɪɔ'pəθɪk] *adj* (*medicine*) homéopathique; (*doctor*) homéopathe

homoeopathy (US **homeopathy**) [həumɪ'ɔpəθɪ] *n* homéopathie *f*

homosexual [hɔməu'sɛksjuəl] *adj, n* homosexuel(le)

honest ['ɔnɪst] *adj* honnête; (*sincere*) franc (franche); **honestly** *adv* honnêtement; franchement; **honesty** *n* honnêteté *f*

honey ['hʌnɪ] *n* miel *m*; **honeymoon** *n* lune *f* de miel, voyage *m* de noces; **we're on honeymoon** nous sommes en voyage de noces; **honeysuckle** *n* chèvrefeuille *m*

Hong Kong ['hɔŋ'kɔŋ] *n* Hong Kong

honorary ['ɔnərərɪ] *adj* honoraire; (*duty, title*) honorifique; **~ degree** diplôme *m* honoris causa

honour (US **honor**) ['ɔnə^r] *vt* honorer ▷ *n* honneur *m*; **to graduate with ~s** obtenir sa licence avec mention; **honourable** (US **honorable**) *adj* honorable; **honours degree** *n* (*Scol*) ≈ licence *f* avec mention

hood [hud] *n* capuchon *m*; (*of cooker*) hotte *f*; (BRIT *Aut*) capote *f*; (US *Aut*) capot *m*; **hoodie** ['hudɪ] *n* (*top*) sweat *m* à capuche

hoof (*pl* **~s** *or* **hooves**) [huːf, huːvz] *n* sabot *m*

hook [huk] *n* crochet *m*; (*on dress*) agrafe *f*; (*for fishing*) hameçon *m* ▷ *vt* accrocher; **off the ~** (*Tel*) décroché

hooligan ['huːlɪgən] *n* voyou *m*

hoop [huːp] *n* cerceau *m*

hooray [huː'reɪ] *excl* = **hurray**

hoot [huːt] *vi* (BRIT: *Aut*) klaxonner; (*siren*) mugir; (*owl*) hululer

Hoover® ['huːvə^r] *n* (BRIT) aspirateur *m* ▷ *vt*: **to hoover** (*room*) passer l'aspirateur dans; (*carpet*)

passer l'aspirateur sur
hooves [hu:vz] *npl of* **hoof**
hop [hɔp] *vi* sauter; (*on one foot*) sauter à cloche-pied; (*bird*) sautiller
hope [həup] *vt, vi* espérer ▷ *n* espoir *m*; **I ~ so** je l'espère; **I ~ not** j'espère que non; **hopeful** *adj* (*person*) plein(e) d'espoir; (*situation*) prometteur(-euse), encourageant(e); **hopefully** *adv* (*expectantly*) avec espoir, avec optimisme; (*one hopes*) avec un peu de chance; **hopeless** *adj* désespéré(e); (*useless*) nul(le)
hops [hɔps] *npl* houblon *m*
horizon [hə'raɪzn] *n* horizon *m*; **horizontal** [hɔrɪ'zɔntl] *adj* horizontal(e)
hormone ['hɔ:məun] *n* hormone *f*
horn [hɔ:n] *n* corne *f*; (*Mus*) cor *m*; (*Aut*) klaxon *m*
horoscope ['hɔrəskəup] *n* horoscope *m*
horrendous [hə'rɛndəs] *adj* horrible, affreux(-euse)
horrible ['hɔrɪbl] *adj* horrible, affreux(-euse)
horrid ['hɔrɪd] *adj* (*person*) détestable; (*weather, place, smell*) épouvantable
horrific [hɔ'rɪfɪk] *adj* horrible
horrifying ['hɔrɪfaɪɪŋ] *adj* horrifiant(e)
horror ['hɔrəʳ] *n* horreur *f*; **horror film** *n* film *m* d'épouvante
hors d'œuvre [ɔ:'də:vrə] *n* hors d'œuvre *m*
horse [hɔ:s] *n* cheval *m*; **horseback**: **on horseback** *adj, adv* à cheval; **horse chestnut** *n* (*nut*) marron *m* (d'Inde); (*tree*) marronnier *m* (d'Inde); **horsepower** *n* puissance *f* (en chevaux); (*unit*) cheval-vapeur *m* (CV); **horse-racing** *n* courses *fpl* de chevaux; **horseradish** *n* raifort *m*; **horse riding** *n* (BRIT) équitation *f*
hose [həuz] *n* (*also*: **~pipe**) tuyau *m*; (*also*: **garden ~**) tuyau d'arrosage; **hosepipe** *n* tuyau *m*; (*in garden*) tuyau d'arrosage
hospital ['hɔspɪtl] *n* hôpital *m*; **in ~** à l'hôpital; **where's the nearest ~?** où est l'hôpital le plus proche?
hospitality [hɔspɪ'tælɪtɪ] *n* hospitalité *f*
host [həust] *n* hôte *m*; (*TV, Radio*) présentateur(-trice), animateur(-trice); (*large number*): **a ~ of** une foule de; (*Rel*) hostie *f*
hostage ['hɔstɪdʒ] *n* otage *m*
hostel ['hɔstl] *n* foyer *m*; (*also*: **youth ~**) auberge *f* de jeunesse
hostess ['həustɪs] *n* hôtesse *f*; (BRIT: *also*: **air ~**) hôtesse de l'air; (*TV, Radio*) animatrice *f*
hostile ['hɔstaɪl] *adj* hostile
hostility [hɔ'stɪlɪtɪ] *n* hostilité *f*
hot [hɔt] *adj* chaud(e); (*as opposed to only warm*) très chaud; (*spicy*) fort(e); (*fig*: *contest*) acharné(e); (*topic*) brûlant(e); (*temper*) violent(e), passionné(e); **to be ~** (*person*) avoir chaud; (*thing*) être (très) chaud; (*weather*) faire chaud; **hot dog** *n* hot-dog *m*
hotel [həu'tɛl] *n* hôtel *m*
hot-water bottle [hɔt'wɔ:tə-] *n* bouillotte *f*
hound [haund] *vt* poursuivre avec acharnement ▷ *n* chien courant
hour ['auəʳ] *n* heure *f*; **hourly** *adj* toutes les heures; (*rate*) horaire
house *n* [haus] maison *f*; (*Pol*) chambre *f*; (*Theat*) salle *f*; auditoire *m* ▷ *vt* [hauz] (*person*) loger, héberger; **on the ~** (*fig*) aux frais de la maison; **household** *n* (*Admin etc*) ménage *m*; (*people*) famille *f*, maisonnée *f*; **householder** *n* propriétaire *m/f*; (*head of house*) chef *m* de famille; **housekeeper** *n* gouvernante *f*; **housekeeping** *n* (*work*) ménage *m*; **housewife** (*irreg*) *n* ménagère *f*; femme *f* au foyer; **house wine** *n* cuvée *f* maison *or* du patron; **housework** *n* (travaux *mpl* du) ménage *m*
housing ['hauzɪŋ] *n* logement *m*; **housing development** (BRIT **housing estate**) *n* (*blocks of flats*) cité *f*; (*houses*) lotissement *m*
hover ['hɔvəʳ] *vi* planer; **hovercraft** *n* aéroglisseur *m*, hovercraft *m*
how [hau] *adv* comment; **~ are you?** comment allez-vous?; **~ do you do?** bonjour; (*on being introduced*) enchanté(e); **~ long have you been here?** depuis combien de temps êtes-vous là?; **~ lovely/awful!** que *or* comme c'est joli/affreux!; **~ much time/many people?** combien de temps/gens?; **~ much does it cost?** ça coûte combien?; **~ old are you?** quel âge avez-vous?; **~ tall is he?** combien mesure-t-il?; **~ is school?** ça va à l'école?; **~ was the film?** comment était le film?
however [hau'ɛvəʳ] *conj* pourtant, cependant ▷ *adv*: **~ I do it** de quelque manière que je m'y prenne; **~ cold it is** même s'il fait très froid; **~ did you do it?** comment y êtes-vous donc arrivé?
howl [haul] *n* hurlement *m* ▷ *vi* hurler; (*wind*) mugir
H.P. *n abbr* (BRIT) = **hire purchase**
h.p. *abbr* (*Aut*) = **horsepower**
HQ *n abbr* (= *headquarters*) QG *m*
hr(s) *abbr* (= *hour(s)*) h
HTML *n abbr* (= *hypertext markup language*) HTML *m*
hubcap [hʌbkæp] *n* (*Aut*) enjoliveur *m*
huddle ['hʌdl] *vi*: **to ~ together** se blottir les uns contre les autres
huff [hʌf] *n*: **in a ~** fâché(e)
hug [hʌg] *vt* serrer dans ses bras; (*shore, kerb*) serrer ▷ *n*: **to give sb a ~** serrer qn dans ses bras
huge [hju:dʒ] *adj* énorme, immense
hull [hʌl] *n* (*of ship*) coque *f*
hum [hʌm] *vt* (*tune*) fredonner ▷ *vi* fredonner; (*insect*) bourdonner; (*plane, tool*) vrombir
human ['hju:mən] *adj* humain(e) ▷ *n* (*also*: **~ being**) être humain
humane [hju:'meɪn] *adj* humain(e), humanitaire
humanitarian [hju:mænɪ'tɛərɪən] *adj* humanitaire
humanity [hju:'mænɪtɪ] *n* humanité *f*
human rights *npl* droits *mpl* de l'homme
humble ['hʌmbl] *adj* humble, modeste
humid ['hju:mɪd] *adj* humide; **humidity** [hju:'mɪdɪtɪ] *n* humidité *f*
humiliate [hju:'mɪlɪeɪt] *vt* humilier
humiliating [hju:'mɪlɪeɪtɪŋ] *adj* humiliant(e)
humiliation [hju:mɪlɪ'eɪʃən] *n* humiliation *f*
hummus ['huməs] *n* houm(m)ous *m*
humorous ['hju:mərəs] *adj* humoristique
humour (US **humor**) ['hju:məʳ] *n* humour *m*; (*mood*) humeur *f* ▷ *vt* (*person*) faire plaisir à; se prêter aux caprices de
hump [hʌmp] *n* bosse *f*
hunch [hʌntʃ] *n* (*premonition*) intuition *f*
hundred ['hʌndrəd] *num* cent; **~s of** des centaines de; **hundredth** [-ɪdθ] *num* centième
hung [hʌŋ] *pt, pp of* **hang**
Hungarian [hʌŋ'gɛərɪən] *adj* hongrois(e) ▷ *n* Hongrois(e); (*Ling*) hongrois *m*
Hungary ['hʌŋgərɪ] *n* Hongrie *f*
hunger ['hʌŋgəʳ] *n* faim *f* ▷ *vi*: **to ~ for** avoir faim de, désirer ardemment
hungry ['hʌŋgrɪ] *adj* affamé(e); **to be ~** avoir faim; **~ for** (*fig*) avide de
hunt [hʌnt] *vt* (*seek*) chercher; (*Sport*) chasser ▷ *vi* (*search*): **to ~ for** chercher (partout); (*Sport*) chasser

▷ *n* (*Sport*) chasse *f*; **hunter** *n* chasseur *m*; **hunting** *n* chasse *f*
hurdle ['hə:dl] *n* (*Sport*) haie *f*; (*fig*) obstacle *m*
hurl [hə:l] *vt* lancer (avec violence); (*abuse, insults*) lancer
hurrah, hurray [hu'rɑ:, hu'reɪ] *excl* hourra!
hurricane ['hʌrɪkən] *n* ouragan *m*
hurry ['hʌrɪ] *n* hâte *f*, précipitation *f* ▷ *vi* se presser, se dépêcher ▷ *vt* (*person*) faire presser, faire se dépêcher; (*work*) presser; **to be in a ~** être pressé(e); **to do sth in a ~** faire qch en vitesse; **hurry up** *vi* se dépêcher
hurt [hə:t] (*pt, pp* **~**) *vt* (*cause pain to*) faire mal à; (*injure, fig*) blesser ▷ *vi* faire mal ▷ *adj* blessé(e); **my arm ~s** j'ai mal au bras; **to ~ o.s.** se faire mal
husband ['hʌzbənd] *n* mari *m*
hush [hʌʃ] *n* calme *m*, silence *m* ▷ *vt* faire taire; **~!** chut!
husky ['hʌskɪ] *adj* (*voice*) rauque ▷ *n* chien *m* esquimau *or* de traîneau
hut [hʌt] *n* hutte *f*; (*shed*) cabane *f*
hyacinth ['haɪəsɪnθ] *n* jacinthe *f*
hydrangea [haɪ'dreɪndʒə] *n* hortensia *m*
hydrofoil ['haɪdrəfɔɪl] *n* hydrofoil *m*
hydrogen ['haɪdrədʒən] *n* hydrogène *m*
hygiene ['haɪdʒi:n] *n* hygiène *f*; **hygienic** [haɪ'dʒi:nɪk] *adj* hygiénique
hymn [hɪm] *n* hymne *m*; cantique *m*
hype [haɪp] *n* (*inf*) matraquage *m* publicitaire *or* médiatique
hypermarket ['haɪpəmɑ:kɪt] (*BRIT*) *n* hypermarché *m*
hyphen ['haɪfn] *n* trait *m* d'union
hypnotize ['hɪpnətaɪz] *vt* hypnotiser
hypocrite ['hɪpəkrɪt] *n* hypocrite *m/f*
hypocritical [hɪpə'krɪtɪkl] *adj* hypocrite
hypothesis (*pl* **hypotheses**) [haɪ'pɔθɪsɪs, -si:z] *n* hypothèse *f*
hysterical [hɪ'stɛrɪkl] *adj* hystérique; (*funny*) hilarant(e)
hysterics [hɪ'stɛrɪks] *npl*: **to be in/have ~** (*anger, panic*) avoir une crise de nerfs; (*laughter*) attraper un fou rire

I

I [aɪ] *pron* je; (*before vowel*) j'; (*stressed*) moi
ice [aɪs] *n* glace *f*; (*on road*) verglas *m* ▷ *vt* (*cake*) glacer ▷ *vi* (*also*: **~ over**) geler; (*also*: **~ up**) se givrer; **iceberg** *n* iceberg *m*; **ice cream** *n* glace *f*; **ice cube** *n* glaçon *m*; **ice hockey** *n* hockey *m* sur glace
Iceland ['aɪslənd] *n* Islande *f*; **Icelander** *n* Islandais(e); **Icelandic** [aɪs'lændɪk] *adj* islandais(e) ▷ *n* (*Ling*) islandais *m*
ice: **ice lolly** *n* (*BRIT*) esquimau *m*; **ice rink** *n* patinoire *f*; **ice skating** *n* patinage *m* (sur glace)
icing ['aɪsɪŋ] *n* (*Culin*) glaçage *m*; **icing sugar** *n* (*BRIT*) sucre *m* glace
icon ['aɪkɔn] *n* icône *f*
ICT *n abbr* (*BRIT*: *Scol*: = *information and communications technology*) TIC *fpl*
icy ['aɪsɪ] *adj* glacé(e); (*road*) verglacé(e); (*weather, temperature*) glacial(e)
I'd [aɪd] = **I would**; **I had**
ID card *n* carte *f* d'identité
idea [aɪ'dɪə] *n* idée *f*
ideal [aɪ'dɪəl] *n* idéal *m* ▷ *adj* idéal(e); **ideally** [aɪ'dɪəlɪ] *adv* (*preferably*) dans l'idéal; (*perfectly*): **he is ideally suited to the job** il est parfait pour ce poste
identical [aɪ'dɛntɪkl] *adj* identique
identification [aɪdɛntɪfɪ'keɪʃən] *n* identification *f*; **means of ~** pièce *f* d'identité
identify [aɪ'dɛntɪfaɪ] *vt* identifier
identity [aɪ'dɛntɪtɪ] *n* identité *f*; **identity card** *n* carte *f* d'identité; **identity theft** *n* usurpation *f* d'identité
ideology [aɪdɪ'ɔlədʒɪ] *n* idéologie *f*
idiom ['ɪdɪəm] *n* (*phrase*) expression *f* idiomatique; (*style*) style *m*
idiot ['ɪdɪət] *n* idiot(e), imbécile *m/f*
idle ['aɪdl] *adj* (*doing nothing*) sans occupation, désœuvré(e); (*lazy*) oisif(-ive), paresseux(-euse); (*unemployed*) au chômage; (*machinery*) au repos; (*question, pleasures*) vain(e), futile ▷ *vi* (*engine*) tourner au ralenti
idol ['aɪdl] *n* idole *f*
idyllic [ɪ'dɪlɪk] *adj* idyllique
i.e. *abbr* (= *id est*: *that is*) c. à d., c'est-à-dire
if [ɪf] *conj* si; **if necessary** si nécessaire, le cas échéant; **if so** si c'est le cas; **if not** sinon; **if only I could!** si seulement je pouvais!; *see also* **as; even**
ignite [ɪg'naɪt] *vt* mettre le feu à, enflammer ▷ *vi* s'enflammer
ignition [ɪg'nɪʃən] *n* (*Aut*) allumage *m*; **to switch on/off the ~** mettre/couper le contact
ignorance ['ɪgnərəns] *n* ignorance *f*
ignorant ['ɪgnərənt] *adj* ignorant(e); **to be ~ of** (*subject*) ne rien connaître en; (*events*) ne pas être au courant de
ignore [ɪg'nɔ:ʳ] *vt* ne tenir aucun compte de; (*mistake*) ne pas relever; (*person*: *pretend to not see*) faire semblant de ne pas reconnaître; (: *pay no attention to*) ignorer
ill [ɪl] *adj* (*sick*) malade; (*bad*) mauvais(e) ▷ *n* mal *m* ▷ *adv*: **to speak/think ~ of sb** dire/penser du mal de qn; **to be taken ~** tomber malade
I'll [aɪl] = **I will**; **I shall**
illegal [ɪ'li:gl] *adj* illégal(e)
illegible [ɪ'lɛdʒɪbl] *adj* illisible
illegitimate [ɪlɪ'dʒɪtɪmət] *adj* illégitime
ill health *n* mauvaise santé
illiterate [ɪ'lɪtərət] *adj* illettré(e)
illness ['ɪlnɪs] *n* maladie *f*
illuminate [ɪ'lu:mɪneɪt] *vt* (*room, street*) éclairer; (*for special effect*) illuminer
illusion [ɪ'lu:ʒən] *n* illusion *f*
illustrate ['ɪləstreɪt] *vt* illustrer
illustration [ɪlə'streɪʃən] *n* illustration *f*
I'm [aɪm] = **I am**
image ['ɪmɪdʒ] *n* image *f*; (*public face*) image de marque
imaginary [ɪ'mædʒɪnərɪ] *adj* imaginaire
imagination [ɪmædʒɪ'neɪʃən] *n* imagination *f*

imaginative [ɪ'mædʒɪnətɪv] *adj* imaginatif(-ive); (*person*) plein(e) d'imagination
imagine [ɪ'mædʒɪn] *vt* s'imaginer; (*suppose*) imaginer, supposer
imbalance [ɪm'bæləns] *n* déséquilibre *m*
imitate ['ɪmɪteɪt] *vt* imiter; **imitation** [ɪmɪ'teɪʃən] *n* imitation *f*
immaculate [ɪ'mækjulət] *adj* impeccable; (*Rel*) immaculé(e)
immature [ɪmə'tjuəʳ] *adj* (*fruit*) qui n'est pas mûr(e); (*person*) qui manque de maturité
immediate [ɪ'mi:dɪət] *adj* immédiat(e); **immediately** *adv* (*at once*) immédiatement; **immediately next to** juste à côté de
immense [ɪ'mɛns] *adj* immense, énorme; **immensely** *adv* (*+adj*) extrêmement; (*+vb*) énormément
immerse [ɪ'mə:s] *vt* immerger, plonger; **to be ~d in** (*fig*) être plongé dans
immigrant ['ɪmɪgrənt] *n* immigrant(e); (*already established*) immigré(e); **immigration** [ɪmɪ'greɪʃən] *n* immigration *f*
imminent ['ɪmɪnənt] *adj* imminent(e)
immoral [ɪ'mɔrl] *adj* immoral(e)
immortal [ɪ'mɔ:tl] *adj*, *n* immortel(le)
immune [ɪ'mju:n] *adj*: **~ (to)** immunisé(e) (contre); **immune system** *n* système *m* immunitaire
immunize ['ɪmjunaɪz] *vt* immuniser
impact ['ɪmpækt] *n* choc *m*, impact *m*; (*fig*) impact
impair [ɪm'pɛəʳ] *vt* détériorer, diminuer
impartial [ɪm'pɑ:ʃl] *adj* impartial(e)
impatience [ɪm'peɪʃəns] *n* impatience *f*
impatient [ɪm'peɪʃənt] *adj* impatient(e); **to get** *or* **grow ~** s'impatienter
impeccable [ɪm'pɛkəbl] *adj* impeccable, parfait(e)
impending [ɪm'pɛndɪŋ] *adj* imminent(e)
imperative [ɪm'pɛrətɪv] *adj* (*need*) urgent(e), pressant(e); (*tone*) impérieux(-euse) ▷ *n* (*Ling*) impératif *m*
imperfect [ɪm'pə:fɪkt] *adj* imparfait(e); (*goods etc*) défectueux(-euse) ▷ *n* (*Ling*: *also*: **~ tense**) imparfait *m*
imperial [ɪm'pɪərɪəl] *adj* impérial(e); (BRIT: *measure*) légal(e)
impersonal [ɪm'pə:sənl] *adj* impersonnel(le)
impersonate [ɪm'pə:səneɪt] *vt* se faire passer pour; (*Theat*) imiter
impetus ['ɪmpətəs] *n* impulsion *f*; (*of runner*) élan *m*
implant [ɪm'plɑ:nt] *vt* (*Med*) implanter; (*fig*: *idea, principle*) inculquer
implement *n* ['ɪmplɪmənt] outil *m*, instrument *m*; (*for cooking*) ustensile *m* ▷ *vt* ['ɪmplɪmɛnt] exécuter
implicate ['ɪmplɪkeɪt] *vt* impliquer, compromettre
implication [ɪmplɪ'keɪʃən] *n* implication *f*; **by ~** indirectement
implicit [ɪm'plɪsɪt] *adj* implicite; (*complete*) absolu(e), sans réserve
imply [ɪm'plaɪ] *vt* (*hint*) suggérer, laisser entendre; (*mean*) indiquer, supposer
impolite [ɪmpə'laɪt] *adj* impoli(e)
import *vt* [ɪm'pɔ:t] importer ▷ *n* ['ɪmpɔ:t] (*Comm*) importation *f*; (*meaning*) portée *f*, signification *f*
importance [ɪm'pɔ:tns] *n* importance *f*
important [ɪm'pɔ:tnt] *adj* important(e); **it's not ~** c'est sans importance, ce n'est pas important
importer [ɪm'pɔ:təʳ] *n* importateur(-trice)
impose [ɪm'pəuz] *vt* imposer ▷ *vi*: **to ~ on sb** abuser de la gentillesse de qn; **imposing** *adj* imposant(e), impressionnant(e)
impossible [ɪm'pɔsɪbl] *adj* impossible
impotent ['ɪmpətnt] *adj* impuissant(e)
impoverished [ɪm'pɔvərɪʃt] *adj* pauvre, appauvri(e)
impractical [ɪm'præktɪkl] *adj* pas pratique; (*person*) qui manque d'esprit pratique
impress [ɪm'prɛs] *vt* impressionner, faire impression sur; (*mark*) imprimer, marquer; **to ~ sth on sb** faire bien comprendre qch à qn
impression [ɪm'prɛʃən] *n* impression *f*; (*of stamp, seal*) empreinte *f*; (*imitation*) imitation *f*; **to be under the ~ that** avoir l'impression que
impressive [ɪm'prɛsɪv] *adj* impressionnant(e)
imprison [ɪm'prɪzn] *vt* emprisonner, mettre en prison; **imprisonment** *n* emprisonnement *m*; (*period*): **to sentence sb to 10 years' imprisonment** condamner qn à 10 ans de prison
improbable [ɪm'prɔbəbl] *adj* improbable; (*excuse*) peu plausible
improper [ɪm'prɔpəʳ] *adj* (*unsuitable*) déplacé(e), de mauvais goût; (*indecent*) indécent(e); (*dishonest*) malhonnête
improve [ɪm'pru:v] *vt* améliorer ▷ *vi* s'améliorer; (*pupil etc*) faire des progrès; **improvement** *n* amélioration *f*; (*of pupil etc*) progrès *m*
improvise ['ɪmprəvaɪz] *vt*, *vi* improviser
impulse ['ɪmpʌls] *n* impulsion *f*; **on ~** impulsivement, sur un coup de tête; **impulsive** [ɪm'pʌlsɪv] *adj* impulsif(-ive)

KEYWORD

in [ɪn] *prep* **1** (*indicating place, position*) dans; **in the house/the fridge** dans la maison/le frigo; **in the garden** dans le *or* au jardin; **in town** en ville; **in the country** à la campagne; **in school** à l'école; **in here/there** ici/là
2 (*with place names*: *of town, region, country*): **in London** à Londres; **in England** en Angleterre; **in Japan** au Japon; **in the United States** aux États-Unis
3 (*indicating time*: *during*): **in spring** au printemps; **in summer** en été; **in May/2005** en mai/2005; **in the afternoon** (dans) l'après-midi; **at 4 o'clock in the afternoon** à 4 heures de l'après-midi
4 (*indicating time*: *in the space of*) en; (*: future*) dans; **I did it in 3 hours/days** je l'ai fait en 3 heures/jours; **I'll see you in 2 weeks** *or* **in 2 weeks' time** je te verrai dans 2 semaines
5 (*indicating manner etc*) à; **in a loud/soft voice** à voix haute/basse; **in pencil** au crayon; **in writing** par écrit; **in French** en français; **the boy in the blue shirt** le garçon à *or* avec la chemise bleue
6 (*indicating circumstances*): **in the sun** au soleil; **in the shade** à l'ombre; **in the rain** sous la pluie; **a change in policy** un changement de politique
7 (*indicating mood, state*): **in tears** en larmes; **in anger** sous le coup de la colère; **in despair** au désespoir; **in good condition** en bon état; **to live in luxury** vivre dans le luxe
8 (*with ratios, numbers*): **1 in 10 households, 1 household in 10** 1 ménage sur 10; **20 pence in the pound** 20 pence par livre sterling; **they lined up in twos** ils se mirent en rangs (deux) par deux; **in hundreds** par centaines
9 (*referring to people, works*) chez; **the disease is common in children** c'est une maladie courante chez les enfants; **in (the works of) Dickens** chez Dickens, dans (l'œuvre de) Dickens

10 (*indicating profession etc*) dans; **to be in teaching** être dans l'enseignement
11 (*after superlative*) de; **the best pupil in the class** le meilleur élève de la classe
12 (*with present participle*): **in saying this** en disant ceci
▷ *adv*: **to be in** (*person: at home, work*) être là; (*train, ship, plane*) être arrivé(e); (*in fashion*) être à la mode; **to ask sb in** inviter qn à entrer; **to run/limp** *etc* **in** entrer en courant/boitant *etc*
▷ *n*: **the ins and outs (of)** (*of proposal, situation etc*) les tenants et aboutissants (de)

inability [ɪnə'bɪlɪtɪ] *n* incapacité *f*; **~ to pay** incapacité de payer
inaccurate [ɪn'ækjurət] *adj* inexact(e); (*person*) qui manque de précision
inadequate [ɪn'ædɪkwət] *adj* insuffisant(e), inadéquat(e)
inadvertently [ɪnəd'və:tntlɪ] *adv* par mégarde
inappropriate [ɪnə'prəuprɪət] *adj* inopportun(e), mal à propos; (*word, expression*) impropre
inaugurate [ɪ'nɔ:gjureɪt] *vt* inaugurer; (*president, official*) investir de ses fonctions
Inc. *abbr* = **incorporated**
incapable [ɪn'keɪpəbl] *adj*: **~ (of)** incapable (de)
incense *n* ['ɪnsɛns] encens *m* ▷ *vt* [ɪn'sɛns] (*anger*) mettre en colère
incentive [ɪn'sɛntɪv] *n* encouragement *m*, raison *f* de se donner de la peine
inch [ɪntʃ] *n* pouce *m* (*=25 mm; 12 in a foot*); **within an ~ of** à deux doigts de; **he wouldn't give an ~** (*fig*) il n'a pas voulu céder d'un pouce
incidence ['ɪnsɪdns] *n* (*of crime, disease*) fréquence *f*
incident ['ɪnsɪdnt] *n* incident *m*
incidentally [ɪnsɪ'dɛntəlɪ] *adv* (*by the way*) à propos
inclination [ɪnklɪ'neɪʃən] *n* inclination *f*; (*desire*) envie *f*
incline *n* ['ɪnklaɪn] pente *f*, plan incliné ▷ *vb* [ɪn'klaɪn] ▷ *vt* incliner ▷ *vi* (*surface*) s'incliner; **to be ~d to do** (*have a tendency to do*) avoir tendance à faire
include [ɪn'klu:d] *vt* inclure, comprendre; **service is/is not ~d** le service est compris/n'est pas compris; **including** *prep* y compris; **inclusion** *n* inclusion *f*; **inclusive** *adj* inclus(e), compris(e); **inclusive of tax** taxes comprises
income ['ɪnkʌm] *n* revenu *m*; (*from property etc*) rentes *fpl*; **income support** *n* (BRIT) ≈ revenu *m* minimum d'insertion, RMI *m*; **income tax** *n* impôt *m* sur le revenu
incoming ['ɪnkʌmɪŋ] *adj* (*passengers, mail*) à l'arrivée; (*government, tenant*) nouveau (nouvelle)
incompatible [ɪnkəm'pætɪbl] *adj* incompatible
incompetence [ɪn'kɔmpɪtns] *n* incompétence *f*, incapacité *f*
incompetent [ɪn'kɔmpɪtnt] *adj* incompétent(e), incapable
incomplete [ɪnkəm'pli:t] *adj* incomplet(-ète)
inconsistent [ɪnkən'sɪstnt] *adj* qui manque de constance; (*work*) irrégulier(-ière); (*statement*) peu cohérent(e); **~ with** en contradiction avec
inconvenience [ɪnkən'vi:njəns] *n* inconvénient *m*; (*trouble*) dérangement *m* ▷ *vt* déranger
inconvenient [ɪnkən'vi:njənt] *adj* malcommode; (*time, place*) mal choisi(e), qui ne convient pas; (*visitor*) importun(e)
incorporate [ɪn'kɔ:pəreɪt] *vt* incorporer; (*contain*) contenir
incorrect [ɪnkə'rɛkt] *adj* incorrect(e); (*opinion, statement*) inexact(e)
increase *n* ['ɪnkri:s] augmentation *f* ▷ *vi, vt* [ɪn'kri:s] augmenter; **increasingly** *adv* de plus en plus
incredible [ɪn'krɛdɪbl] *adj* incroyable; **incredibly** *adv* incroyablement
incur [ɪn'kə:ʳ] *vt* (*expenses*) encourir; (*anger, risk*) s'exposer à; (*debt*) contracter; (*loss*) subir
indecent [ɪn'di:snt] *adj* indécent(e), inconvenant(e)
indeed [ɪn'di:d] *adv* (*confirming, agreeing*) en effet, effectivement; (*for emphasis*) vraiment; (*furthermore*) d'ailleurs; **yes ~!** certainement!
indefinitely [ɪn'dɛfɪnɪtlɪ] *adv* (*wait*) indéfiniment
independence [ɪndɪ'pɛndns] *n* indépendance *f*; **Independence Day** *n* (US) *fête de l'Indépendance américaine*
independent [ɪndɪ'pɛndnt] *adj* indépendant(e); (*radio*) libre; **independent school** *n* (BRIT) école privée
index ['ɪndɛks] *n* (*pl* **~es**) (*in book*) index *m*; (*: in library etc*) catalogue *m*; (*pl* **indices**) (*ratio, sign*) indice *m*
India ['ɪndɪə] *n* Inde *f*; **Indian** *adj* indien(ne) ▷ *n* Indien(ne); **(American) Indian** Indien(ne) (d'Amérique)
indicate ['ɪndɪkeɪt] *vt* indiquer ▷ *vi* (BRIT *Aut*): **to ~ left/right** mettre son clignotant à gauche/à droite; **indication** [ɪndɪ'keɪʃən] *n* indication *f*, signe *m*; **indicative** [ɪn'dɪkətɪv] *adj*: **to be indicative of sth** être symptomatique de qch ▷ *n* (*Ling*) indicatif *m*; **indicator** *n* (*sign*) indicateur *m*; (*Aut*) clignotant *m*
indices ['ɪndɪsi:z] *npl of* **index**
indict [ɪn'daɪt] *vt* accuser; **indictment** *n* accusation *f*
indifference [ɪn'dɪfrəns] *n* indifférence *f*
indifferent [ɪn'dɪfrənt] *adj* indifférent(e); (*poor*) médiocre, quelconque
indigenous [ɪn'dɪdʒɪnəs] *adj* indigène
indigestion [ɪndɪ'dʒɛstʃən] *n* indigestion *f*, mauvaise digestion
indignant [ɪn'dɪgnənt] *adj*: **~ (at sth/with sb)** indigné(e) (de qch/contre qn)
indirect [ɪndɪ'rɛkt] *adj* indirect(e)
indispensable [ɪndɪ'spɛnsəbl] *adj* indispensable
individual [ɪndɪ'vɪdjuəl] *n* individu *m* ▷ *adj* individuel(le); (*characteristic*) particulier(-ière), original(e); **individually** *adv* individuellement
Indonesia [ɪndə'ni:zɪə] *n* Indonésie *f*
indoor ['ɪndɔ:ʳ] *adj* d'intérieur; (*plant*) d'appartement; (*swimming pool*) couvert(e); (*sport, games*) pratiqué(e) en salle; **indoors** [ɪn'dɔ:z] *adv* à l'intérieur
induce [ɪn'dju:s] *vt* (*persuade*) persuader; (*bring about*) provoquer; (*labour*) déclencher
indulge [ɪn'dʌldʒ] *vt* (*whim*) céder à, satisfaire; (*child*) gâter ▷ *vi*: **to ~ in sth** (*luxury*) s'offrir qch, se permettre qch; (*fantasies etc*) se livrer à qch; **indulgent** *adj* indulgent(e)
industrial [ɪn'dʌstrɪəl] *adj* industriel(le); (*injury*) du travail; (*dispute*) ouvrier(-ière); **industrial estate** *n* (BRIT) zone industrielle; **industrialist** *n* industriel *m*; **industrial park** *n* (US) zone industrielle
industry ['ɪndəstrɪ] *n* industrie *f*; (*diligence*) zèle *m*, application *f*
inefficient [ɪnɪ'fɪʃənt] *adj* inefficace
inequality [ɪnɪ'kwɔlɪtɪ] *n* inégalité *f*
inevitable [ɪn'ɛvɪtəbl] *adj* inévitable; **inevitably** *adv* inévitablement, fatalement
inexpensive [ɪnɪk'spɛnsɪv] *adj* bon marché *inv*

inexperienced [ɪnɪk'spɪərɪənst] *adj* inexpérimenté(e)
inexplicable [ɪnɪk'splɪkəbl] *adj* inexplicable
infamous ['ɪnfəməs] *adj* infâme, abominable
infant ['ɪnfənt] *n* (*baby*) nourrisson *m*; (*young child*) petit(e) enfant
infantry ['ɪnfəntrɪ] *n* infanterie *f*
infant school *n* (BRIT) classes *fpl* préparatoires (*entre 5 et 7 ans*)
infect [ɪn'fɛkt] *vt* (*wound*) infecter; (*person, blood*) contaminer; **infection** [ɪn'fɛkʃən] *n* infection *f*; (*contagion*) contagion *f*; **infectious** [ɪn'fɛkʃəs] *adj* infectieux(-euse); (*also fig*) contagieux(-euse)
infer [ɪn'fəːʳ] *vt*: **to ~ (from)** conclure (de), déduire (de)
inferior [ɪn'fɪərɪəʳ] *adj* inférieur(e); (*goods*) de qualité inférieure ▷ *n* inférieur(e); (*in rank*) subalterne *m/f*
infertile [ɪn'fəːtaɪl] *adj* stérile
infertility [ɪnfəː'tɪlɪtɪ] *n* infertilité *f*, stérilité *f*
infested [ɪn'fɛstɪd] *adj*: **~ (with)** infesté(e) (de)
infinite ['ɪnfɪnɪt] *adj* infini(e); (*time, money*) illimité(e); **infinitely** *adv* infiniment
infirmary [ɪn'fəːmərɪ] *n* hôpital *m*; (*in school, factory*) infirmerie *f*
inflamed [ɪn'fleɪmd] *adj* enflammé(e)
inflammation [ɪnflə'meɪʃən] *n* inflammation *f*
inflatable [ɪn'fleɪtəbl] *adj* gonflable
inflate [ɪn'fleɪt] *vt* (*tyre, balloon*) gonfler; (*fig: exaggerate*) grossir; (*: increase*) gonfler; **inflation** [ɪn'fleɪʃən] *n* (*Econ*) inflation *f*
inflexible [ɪn'flɛksɪbl] *adj* inflexible, rigide
inflict [ɪn'flɪkt] *vt*: **to ~ on** infliger à
influence ['ɪnfluəns] *n* influence *f* ▷ *vt* influencer; **under the ~ of alcohol** en état d'ébriété; **influential** [ɪnflu'ɛnʃl] *adj* influent(e)
influenza [ɪnflu'ɛnzə] *n* grippe *f*
influx ['ɪnflʌks] *n* afflux *m*
info (*inf*) ['ɪnfəu] *n* (*= information*) renseignements *mpl*
inform [ɪn'fɔːm] *vt*: **to ~ sb (of)** informer *or* avertir qn (de) ▷ *vi*: **to ~ on sb** dénoncer qn, informer contre qn
informal [ɪn'fɔːml] *adj* (*person, manner, party*) simple; (*visit, discussion*) dénué(e) de formalités; (*announcement, invitation*) non officiel(le); (*colloquial*) familier(-ère)
information [ɪnfə'meɪʃən] *n* information(s) *f(pl)*; renseignements *mpl*; (*knowledge*) connaissances *fpl*; **a piece of ~** un renseignement; **information office** *n* bureau *m* de renseignements; **information technology** *n* informatique *f*
informative [ɪn'fɔːmətɪv] *adj* instructif(-ive)
infra-red [ɪnfrə'rɛd] *adj* infrarouge
infrastructure ['ɪnfrəstrʌktʃəʳ] *n* infrastructure *f*
infrequent [ɪn'friːkwənt] *adj* peu fréquent(e), rare
infuriate [ɪn'fjuərɪeɪt] *vt* mettre en fureur
infuriating [ɪn'fjuərɪeɪtɪŋ] *adj* exaspérant(e)
ingenious [ɪn'dʒiːnjəs] *adj* ingénieux(-euse)
ingredient [ɪn'griːdɪənt] *n* ingrédient *m*; (*fig*) élément *m*
inhabit [ɪn'hæbɪt] *vt* habiter; **inhabitant** *n* habitant(e)
inhale [ɪn'heɪl] *vt* inhaler; (*perfume*) respirer; (*smoke*) avaler ▷ *vi* (*breathe in*) aspirer; (*in smoking*) avaler la fumée; **inhaler** *n* inhalateur *m*
inherent [ɪn'hɪərənt] *adj*: **~ (in *or* to)** inhérent(e) (à)
inherit [ɪn'hɛrɪt] *vt* hériter (de); **inheritance** *n* héritage *m*
inhibit [ɪn'hɪbɪt] *vt* (*Psych*) inhiber; (*growth*) freiner; **inhibition** [ɪnhɪ'bɪʃən] *n* inhibition *f*
initial [ɪ'nɪʃl] *adj* initial(e) ▷ *n* initiale *f* ▷ *vt* parafer; **initials** *npl* initiales *fpl*; (*as signature*) parafe *m*; **initially** *adv* initialement, au début
initiate [ɪ'nɪʃɪeɪt] *vt* (*start*) entreprendre; amorcer; (*enterprise*) lancer; (*person*) initier; **to ~ proceedings against sb** (*Law*) intenter une action à qn, engager des poursuites contre qn
initiative [ɪ'nɪʃətɪv] *n* initiative *f*
inject [ɪn'dʒɛkt] *vt* injecter; (*person*): **to ~ sb with sth** faire une piqûre de qch à qn; **injection** [ɪn'dʒɛkʃən] *n* injection *f*, piqûre *f*
injure ['ɪndʒəʳ] *vt* blesser; (*damage: reputation etc*) compromettre; **to ~ o.s.** se blesser; **injured** *adj* (*person, leg etc*) blessé(e); **injury** *n* blessure *f*; (*wrong*) tort *m*
injustice [ɪn'dʒʌstɪs] *n* injustice *f*
ink [ɪŋk] *n* encre *f*; **ink-jet printer** ['ɪŋkdʒɛt-] *n* imprimante *f* à jet d'encre
inland *adj* ['ɪnlənd] intérieur(e) ▷ *adv* [ɪn'lænd] à l'intérieur, dans les terres; **Inland Revenue** *n* (BRIT) fisc *m*
in-laws ['ɪnlɔːz] *npl* beaux-parents *mpl*; belle famille
inmate ['ɪnmeɪt] *n* (*in prison*) détenu(e); (*in asylum*) interné(e)
inn [ɪn] *n* auberge *f*
inner ['ɪnəʳ] *adj* intérieur(e); **inner-city** *adj* (*schools, problems*) de quartiers déshérités
inning ['ɪnɪŋ] *n* (US: *Baseball*) tour *m* de batte; **innings** *npl* (*Cricket*) tour de batte
innocence ['ɪnəsns] *n* innocence *f*
innocent ['ɪnəsnt] *adj* innocent(e)
innovation [ɪnəu'veɪʃən] *n* innovation *f*
innovative ['ɪnəu'veɪtɪv] *adj* novateur(-trice); (*product*) innovant(e)
in-patient ['ɪnpeɪʃənt] *n* malade hospitalisé(e)
input ['ɪnput] *n* (*contribution*) contribution *f*; (*resources*) ressources *fpl*; (*Comput*) entrée *f* (de données); (*: data*) données *fpl* ▷ *vt* (*Comput*) introduire, entrer
inquest ['ɪnkwɛst] *n* enquête (criminelle); (*coroner's*) enquête judiciaire
inquire [ɪn'kwaɪəʳ] *vi* demander ▷ *vt* demander; **to ~ about** s'informer de, se renseigner sur; **to ~ when/where/whether** demander quand/ où/si; **inquiry** *n* demande *f* de renseignements; (*Law*) enquête *f*, investigation *f*; **"inquiries"** "renseignements"
ins. *abbr* = **inches**
insane [ɪn'seɪn] *adj* fou (folle); (*Med*) aliéné(e)
insanity [ɪn'sænɪtɪ] *n* folie *f*; (*Med*) aliénation (mentale)
insect ['ɪnsɛkt] *n* insecte *m*; **insect repellent** *n* crème *f* anti-insectes
insecure [ɪnsɪ'kjuəʳ] *adj* (*person*) anxieux(-euse); (*job*) précaire; (*building etc*) peu sûr(e)
insecurity [ɪnsɪ'kjuərɪtɪ] *n* insécurité *f*
insensitive [ɪn'sɛnsɪtɪv] *adj* insensible
insert *vt* [ɪn'səːt] insérer ▷ *n* ['ɪnsəːt] insertion *f*
inside ['ɪn'saɪd] *n* intérieur *m* ▷ *adj* intérieur(e) ▷ *adv* à l'intérieur, dedans ▷ *prep* à l'intérieur de; (*of time*): **~ 10 minutes** en moins de 10 minutes; **to go ~** rentrer; **inside lane** *n* (*Aut: in Britain*) voie *f* de gauche; (*: in US, Europe*) voie *f* de droite; **inside out** *adv* à l'envers; (*know*) à fond; **to turn sth inside out** retourner qch
insight ['ɪnsaɪt] *n* perspicacité *f*; (*glimpse, idea*) aperçu *m*

insignificant [ɪnsɪɡ'nɪfɪknt] *adj* insignifiant(e)
insincere [ɪnsɪn'sɪəʳ] *adj* hypocrite
insist [ɪn'sɪst] *vi* insister; **to ~ on doing** insister pour faire; **to ~ on sth** exiger qch; **to ~ that** insister pour que + *sub*; (*claim*) maintenir *or* soutenir que; **insistent** *adj* insistant(e), pressant(e); (*noise, action*) ininterrompu(e)
insomnia [ɪn'sɔmnɪə] *n* insomnie *f*
inspect [ɪn'spɛkt] *vt* inspecter; (BRIT: *ticket*) contrôler; **inspection** [ɪn'spɛkʃən] *n* inspection *f*; (BRIT: *of tickets*) contrôle *m*; **inspector** *n* inspecteur(-trice); (BRIT: *on buses, trains*) contrôleur(-euse)
inspiration [ɪnspə'reɪʃən] *n* inspiration *f*; **inspire** [ɪn'spaɪəʳ] *vt* inspirer; **inspiring** *adj* inspirant(e)
instability [ɪnstə'bɪlɪtɪ] *n* instabilité *f*
install (US **instal**) [ɪn'stɔːl] *vt* installer; **installation** [ɪnstə'leɪʃən] *n* installation *f*
instalment (US **installment**) [ɪn'stɔːlmənt] *n* (*payment*) acompte *m*, versement partiel; (*of TV serial etc*) épisode *m*; **in ~s** (*pay*) à tempérament; (*receive*) en plusieurs fois
instance ['ɪnstəns] *n* exemple *m*; **for ~** par exemple; **in the first ~** tout d'abord, en premier lieu
instant ['ɪnstənt] *n* instant *m* ▷ *adj* immédiat(e), urgent(e); (*coffee, food*) instantané(e), en poudre; **instantly** *adv* immédiatement, tout de suite; **instant messaging** *n* messagerie *f* instantanée
instead [ɪn'stɛd] *adv* au lieu de cela; **~ of** au lieu de; **~ of sb** à la place de qn
instinct ['ɪnstɪŋkt] *n* instinct *m*; **instinctive** *adj* instinctif(-ive)
institute ['ɪnstɪtjuːt] *n* institut *m* ▷ *vt* instituer, établir; (*inquiry*) ouvrir; (*proceedings*) entamer
institution [ɪnstɪ'tjuːʃən] *n* institution *f*; (*school*) établissement *m* (scolaire); (*for care*) établissement (psychiatrique *etc*)
instruct [ɪn'strʌkt] *vt*: **to ~ sb in sth** enseigner qch à qn; **to ~ sb to do** charger qn *or* ordonner à qn de faire; **instruction** [ɪn'strʌkʃən] *n* instruction *f*; **instructions** *npl* (*orders*) directives *fpl*; **instructions for use** mode *m* d'emploi; **instructor** *n* professeur *m*; (*for skiing, driving*) moniteur *m*
instrument ['ɪnstrumənt] *n* instrument *m*; **instrumental** [ɪnstru'mɛntl] *adj* (*Mus*) instrumental(e); **to be instrumental in sth/in doing sth** contribuer à qch/à faire qch
insufficient [ɪnsə'fɪʃənt] *adj* insuffisant(e)
insulate ['ɪnsjuleɪt] *vt* isoler; (*against sound*) insonoriser; **insulation** [ɪnsju'leɪʃən] *n* isolation *f*; (*against sound*) insonorisation *f*
insulin ['ɪnsjulɪn] *n* insuline *f*
insult *n* ['ɪnsʌlt] insulte *f*, affront *m* ▷ *vt* [ɪn'sʌlt] insulter, faire un affront à; **insulting** *adj* insultant(e), injurieux(-euse)
insurance [ɪn'ʃuərəns] *n* assurance *f*; **fire/life ~** assurance-incendie/-vie; **insurance company** *n* compagnie *f or* société *f* d'assurances; **insurance policy** *n* police *f* d'assurance
insure [ɪn'ʃuəʳ] *vt* assurer; **to ~ (o.s.) against** (*fig*) parer à
intact [ɪn'tækt] *adj* intact(e)
intake ['ɪnteɪk] *n* (*Tech*) admission *f*; (*consumption*) consommation *f*; (BRIT *Scol*): **an ~ of 200 a year** 200 admissions par an
integral ['ɪntɪɡrəl] *adj* (*whole*) intégral(e); (*part*) intégrant(e)
integrate ['ɪntɪɡreɪt] *vt* intégrer ▷ *vi* s'intégrer
integrity [ɪn'tɛɡrɪtɪ] *n* intégrité *f*
intellect ['ɪntəlɛkt] *n* intelligence *f*; **intellectual** [ɪntə'lɛktjuəl] *adj, n* intellectuel(le)
intelligence [ɪn'tɛlɪdʒəns] *n* intelligence *f*; (*Mil etc*) informations *fpl*, renseignements *mpl*
intelligent [ɪn'tɛlɪdʒənt] *adj* intelligent(e)
intend [ɪn'tɛnd] *vt* (*gift etc*): **to ~ sth for** destiner qch à; **to ~ to do** avoir l'intention de faire
intense [ɪn'tɛns] *adj* intense; (*person*) véhément(e)
intensify [ɪn'tɛnsɪfaɪ] *vt* intensifier
intensity [ɪn'tɛnsɪtɪ] *n* intensité *f*
intensive [ɪn'tɛnsɪv] *adj* intensif(-ive); **intensive care** *n*: **to be in intensive care** être en réanimation; **intensive care unit** *n* service *m* de réanimation
intent [ɪn'tɛnt] *n* intention *f* ▷ *adj* attentif(-ive), absorbé(e); **to all ~s and purposes** en fait, pratiquement; **to be ~ on doing sth** être (bien) décidé à faire qch
intention [ɪn'tɛnʃən] *n* intention *f*; **intentional** *adj* intentionnel(le), délibéré(e)
interact [ɪntər'ækt] *vi* avoir une action réciproque; (*people*) communiquer; **interaction** [ɪntər'ækʃən] *n* interaction *f*; **interactive** *adj* (*Comput*) interactif, conversationnel(le)
intercept [ɪntə'sɛpt] *vt* intercepter; (*person*) arrêter au passage
interchange *n* ['ɪntətʃeɪndʒ] (*exchange*) échange *m*; (*on motorway*) échangeur *m*
intercourse ['ɪntəkɔːs] *n*: **sexual ~** rapports sexuels
interest ['ɪntrɪst] *n* intérêt *m*; (*Comm: stake, share*) participation *f*, intérêts *mpl* ▷ *vt* intéresser; **interested** *adj* intéressé(e); **to be interested in sth** s'intéresser à qch; **I'm interested in going** ça m'intéresse d'y aller; **interesting** *adj* intéressant(e); **interest rate** *n* taux *m* d'intérêt
interface ['ɪntəfeɪs] *n* (*Comput*) interface *f*
interfere [ɪntə'fɪəʳ] *vi*: **to ~ in** (*quarrel*) s'immiscer dans; (*other people's business*) se mêler de; **to ~ with** (*object*) tripoter, toucher à; (*plans*) contrecarrer; (*duty*) être en conflit avec; **interference** *n* (*gen*) ingérence *f*; (*Radio, TV*) parasites *mpl*
interim ['ɪntərɪm] *adj* provisoire; (*post*) intérimaire ▷ *n*: **in the ~** dans l'intérim
interior [ɪn'tɪərɪəʳ] *n* intérieur *m* ▷ *adj* intérieur(e); (*minister, department*) de l'intérieur; **interior design** *n* architecture *f* d'intérieur
intermediate [ɪntə'miːdɪət] *adj* intermédiaire; (*Scol: course, level*) moyen(ne)
intermission [ɪntə'mɪʃən] *n* pause *f*; (*Theat, Cine*) entracte *m*
intern *vt* [ɪn'təːn] interner ▷ *n* ['ɪntəːn] (US) interne *m/f*
internal [ɪn'təːnl] *adj* interne; (*dispute, reform etc*) intérieur(e); **Internal Revenue Service** *n* (US) fisc *m*
international [ɪntə'næʃənl] *adj* international(e) ▷ *n* (BRIT *Sport*) international *m*
Internet [ɪntə'nɛt] *n*: **the ~** l'Internet *m*; **Internet café** *n* cybercafé *m*; **Internet Service Provider** *n* fournisseur *m* d'accès à Internet; **Internet user** *n* internaute *m/f*
interpret [ɪn'təːprɪt] *vt* interpréter ▷ *vi* servir d'interprète; **interpretation** [ɪntəːprɪ'teɪʃən] *n* interprétation *f*; **interpreter** *n* interprète *m/f*; **could you act as an interpreter for us?** pourriez-vous nous servir d'interprète?
interrogate [ɪn'tɛrəugeɪt] *vt* interroger; (*suspect etc*) soumettre à un interrogatoire; **interrogation** [ɪntɛrəu'geɪʃən] *n* interrogation *f*; (*by police*)

interrogatoire *m*
interrogative [ɪntə'rɔgətɪv] *adj* interrogateur(-trice) ▷ *n* (*Ling*) interrogatif *m*
interrupt [ɪntə'rʌpt] *vt, vi* interrompre; **interruption** [ɪntə'rʌpʃən] *n* interruption *f*
intersection [ɪntə'sɛkʃən] *n* (*of roads*) croisement *m*
interstate ['ɪntərsteɪt] (US) *n* autoroute *f* (qui relie plusieurs États)
interval ['ɪntəvl] *n* intervalle *m*; (BRIT: *Theat*) entracte *m*; (: *Sport*) mi-temps *f*; **at ~s** par intervalles
intervene [ɪntə'vi:n] *vi* (*time*) s'écouler (entre-temps); (*event*) survenir; (*person*) intervenir
interview ['ɪntəvju:] *n* (*Radio, TV etc*) interview *f*; (*for job*) entrevue *f* ▷ *vt* interviewer; avoir une entrevue avec; **interviewer** *n* (*Radio, TV etc*) interviewer *m*
intimate *adj* ['ɪntɪmət] intime; (*friendship*) profond(e); (*knowledge*) approfondi(e) ▷ *vt* ['ɪntɪmeɪt] suggérer, laisser entendre; (*announce*) faire savoir
intimidate [ɪn'tɪmɪdeɪt] *vt* intimider
intimidating [ɪn'tɪmɪdeɪtɪŋ] *adj* intimidant(e)
into ['ɪntu] *prep* dans; **~ pieces/French** en morceaux/français
intolerant [ɪn'tɔlərnt] *adj*: **~ (of)** intolérant(e) (de)
intranet [ɪn'trənɛt] *n* intranet *m*
intransitive [ɪn'trænsɪtɪv] *adj* intransitif(-ive)
intricate ['ɪntrɪkət] *adj* complexe, compliqué(e)
intrigue [ɪn'tri:g] *n* intrigue *f* ▷ *vt* intriguer; **intriguing** *adj* fascinant(e)
introduce [ɪntrə'dju:s] *vt* introduire; (*TV show etc*) présenter; **to ~ sb (to sb)** présenter qn (à qn); **to ~ sb to** (*pastime, technique*) initier qn à; **introduction** [ɪntrə'dʌkʃən] *n* introduction *f*; (*of person*) présentation *f*; (*to new experience*) initiation *f*; **introductory** [ɪntrə'dʌktərɪ] *adj* préliminaire, introductif(-ive)
intrude [ɪn'tru:d] *vi* (*person*) être importun(e); **to ~ on** *or* **into** (*conversation etc*) s'immiscer dans; **intruder** *n* intrus(e)
intuition [ɪntju:'ɪʃən] *n* intuition *f*
inundate ['ɪnʌndeɪt] *vt*: **to ~ with** inonder de
invade [ɪn'veɪd] *vt* envahir
invalid *n* ['ɪnvəlɪd] malade *m/f*; (*with disability*) invalide *m/f* ▷ *adj* [ɪn'vælɪd] (*not valid*) invalide, non valide
invaluable [ɪn'væljuəbl] *adj* inestimable, inappréciable
invariably [ɪn'vɛərɪəblɪ] *adv* invariablement; **she is ~ late** elle est toujours en retard
invasion [ɪn'veɪʒən] *n* invasion *f*
invent [ɪn'vɛnt] *vt* inventer; **invention** [ɪn'vɛnʃən] *n* invention *f*; **inventor** *n* inventeur(-trice)
inventory ['ɪnvəntrɪ] *n* inventaire *m*
inverted commas [ɪn'və:tɪd-] *npl* (BRIT) guillemets *mpl*
invest [ɪn'vɛst] *vt* investir ▷ *vi*: **to ~ in** placer de l'argent *or* investir dans; (*fig: acquire*) s'offrir, faire l'acquisition de
investigate [ɪn'vɛstɪgeɪt] *vt* étudier, examiner; (*crime*) faire une enquête sur; **investigation** [ɪnvɛstɪ'geɪʃən] *n* (*of crime*) enquête *f*, investigation *f*
investigator [ɪn'vɛstɪgeɪtə^r] *n* investigateur(-trice); **private ~** détective privé
investment [ɪn'vɛstmənt] *n* investissement *m*, placement *m*
investor [ɪn'vɛstə^r] *n* épargnant(e); (*shareholder*) actionnaire *m/f*
invisible [ɪn'vɪzɪbl] *adj* invisible
invitation [ɪnvɪ'teɪʃən] *n* invitation *f*
invite [ɪn'vaɪt] *vt* inviter; (*opinions etc*) demander; **inviting** *adj* engageant(e), attrayant(e)
invoice ['ɪnvɔɪs] *n* facture *f* ▷ *vt* facturer
involve [ɪn'vɔlv] *vt* (*entail*) impliquer; (*concern*) concerner; (*require*) nécessiter; **to ~ sb in** (*theft etc*) impliquer qn dans; (*activity, meeting*) faire participer qn à; **involved** *adj* (*complicated*) complexe; **to be involved in** (*take part*) participer à; **involvement** *n* (*personal role*) rôle *m*; (*participation*) participation *f*; (*enthusiasm*) enthousiasme *m*
inward ['ɪnwəd] *adj* (*movement*) vers l'intérieur; (*thought, feeling*) profond(e), intime ▷ *adv* = **inwards**; **inwards** *adv* vers l'intérieur
IQ *n abbr* (= *intelligence quotient*) Q.I. *m*
IRA *n abbr* (= *Irish Republican Army*) IRA *f*
Iran [ɪ'rɑ:n] *n* Iran *m*; **Iranian** [ɪ'reɪnɪən] *adj* iranien(ne) ▷ *n* Iranien(ne)
Iraq [ɪ'rɑ:k] *n* Irak *m*; **Iraqi** *adj* irakien(ne) ▷ *n* Irakien(ne)
Ireland ['aɪələnd] *n* Irlande *f*
iris, irises ['aɪrɪs, -ɪz] *n* iris *m*
Irish ['aɪrɪʃ] *adj* irlandais(e) ▷ *npl*: **the ~** les Irlandais; **Irishman** (*irreg*) *n* Irlandais *m*; **Irishwoman** (*irreg*) *n* Irlandaise *f*
iron ['aɪən] *n* fer *m*; (*for clothes*) fer *m* à repasser ▷ *adj* de *or* en fer ▷ *vt* (*clothes*) repasser
ironic(al) [aɪ'rɔnɪk(l)] *adj* ironique; **ironically** *adv* ironiquement
ironing ['aɪənɪŋ] *n* (*activity*) repassage *m*; (*clothes: ironed*) linge repassé; (: *to be ironed*) linge à repasser; **ironing board** *n* planche *f* à repasser
irony ['aɪrənɪ] *n* ironie *f*
irrational [ɪ'ræʃənl] *adj* irrationnel(le); (*person*) qui n'est pas rationnel
irregular [ɪ'rɛgjulə^r] *adj* irrégulier(-ière); (*surface*) inégal(e); (*action, event*) peu orthodoxe
irrelevant [ɪ'rɛləvənt] *adj* sans rapport, hors de propos
irresistible [ɪrɪ'zɪstɪbl] *adj* irrésistible
irresponsible [ɪrɪ'spɔnsɪbl] *adj* (*act*) irréfléchi(e); (*person*) qui n'a pas le sens des responsabilités
irrigation [ɪrɪ'geɪʃən] *n* irrigation *f*
irritable ['ɪrɪtəbl] *adj* irritable
irritate ['ɪrɪteɪt] *vt* irriter; **irritating** *adj* irritant(e); **irritation** [ɪrɪ'teɪʃən] *n* irritation *f*
IRS *n abbr* (US) = **Internal Revenue Service**
is [ɪz] *vb see* **be**
ISDN *n abbr* (= *Integrated Services Digital Network*) RNIS *m*
Islam ['ɪzlɑ:m] *n* Islam *m*; **Islamic** [ɪz'lɑ:mɪk] *adj* islamique
island ['aɪlənd] *n* île *f*; (*also*: **traffic ~**) refuge *m* (pour piétons); **islander** *n* habitant(e) d'une île, insulaire *m/f*
isle [aɪl] *n* île *f*
isn't ['ɪznt] = **is not**
isolated ['aɪsəleɪtɪd] *adj* isolé(e)
isolation [aɪsə'leɪʃən] *n* isolement *m*
ISP *n abbr* = **Internet Service Provider**
Israel ['ɪzreɪl] *n* Israël *m*; **Israeli** [ɪz'reɪlɪ] *adj* israélien(ne) ▷ *n* Israélien(ne)
issue ['ɪʃu:] *n* question *f*, problème *m*; (*of banknotes*) émission *f*; (*of newspaper*) numéro *m*; (*of book*) publication *f*, parution *f* ▷ *vt* (*rations, equipment*) distribuer; (*orders*) donner; (*statement*) publier, faire; (*certificate, passport*) délivrer; (*banknotes, cheques, stamps*) émettre, mettre en circulation; **at ~** en jeu,

en cause; **to take ~ with sb (over sth)** exprimer son désaccord avec qn (sur qch)
IT *n abbr* = **information technology**

KEYWORD

it [ɪt] *pron* **1** (*specific: subject*) il (elle); (*: direct object*) le (la, l'); (*: indirect object*) lui; **it's on the table** c'est *or* il (*or* elle) est sur la table; **I can't find it** je n'arrive pas à le trouver; **give it to me** donne-le-moi
2 (*after prep*): **about/from/of it** en; **I spoke to him about it** je lui en ai parlé; **what did you learn from it?** qu'est-ce que vous en avez retiré?; **I'm proud of it** j'en suis fier; **in/to it** y; **put the book in it** mettez-y le livre; **he agreed to it** il y a consenti; **did you go to it?** (*party, concert etc*) est-ce que vous y êtes allé(s)?
3 (*impersonal*) il; ce, cela, ça; **it's raining** il pleut; **it's Friday tomorrow** demain, c'est vendredi *or* nous sommes, vendredi; **it's 6 o'clock** il est 6 heures; **how far is it? — it's 10 miles** c'est loin? — c'est à 10 miles; **who is it? — it's me** qui est-ce? — c'est moi

Italian [ɪ'tæljən] *adj* italien(ne) ▷ *n* Italien(ne); (*Ling*) italien *m*
italics [ɪ'tælɪks] *npl* italique *m*
Italy ['ɪtəlɪ] *n* Italie *f*
itch [ɪtʃ] *n* démangeaison *f* ▷ *vi* (*person*) éprouver des démangeaisons; (*part of body*) démanger; **I'm ~ing to do** l'envie me démange de faire; **itchy** *adj*: **my back is itchy** j'ai le dos qui me démange
it'd ['ɪtd] = **it would**; **it had**
item ['aɪtəm] *n* (*gen*) article *m*; (*on agenda*) question *f*, point *m*; (*also*: **news ~**) nouvelle *f*
itinerary [aɪ'tɪnərərɪ] *n* itinéraire *m*
it'll ['ɪtl] = **it will**; **it shall**
its [ɪts] *adj* son (sa), ses *pl*
it's [ɪts] = **it is**; **it has**
itself [ɪt'sɛlf] *pron* (*reflexive*) se; (*emphatic*) lui-même (elle-même)
ITV *n abbr* (BRIT: = *Independent Television*) *chaîne de télévision commerciale*
I've [aɪv] = **I have**
ivory ['aɪvərɪ] *n* ivoire *m*
ivy ['aɪvɪ] *n* lierre *m*

jab [dʒæb] *vt*: **to ~ sth into** enfoncer *or* planter qch dans ▷ *n* (*Med: inf*) piqûre *f*
jack [dʒæk] *n* (*Aut*) cric *m*; (*Cards*) valet *m*
jacket ['dʒækɪt] *n* veste *f*, veston *m*; (*of book*) couverture *f*, jaquette *f*; **jacket potato** *n* pomme *f* de terre en robe des champs
jackpot ['dʒækpɔt] *n* gros lot
Jacuzzi® [dʒə'kuːzɪ] *n* jacuzzi® *m*
jagged ['dʒægɪd] *adj* dentelé(e)
jail [dʒeɪl] *n* prison *f* ▷ *vt* emprisonner, mettre en prison; **jail sentence** *n* peine *f* de prison
jam [dʒæm] *n* confiture *f*; (*also*: **traffic ~**) embouteillage *m* ▷ *vt* (*passage etc*) encombrer, obstruer; (*mechanism, drawer etc*) bloquer, coincer; (*Radio*) brouiller ▷ *vi* (*mechanism, sliding part*) se coincer, se bloquer; (*gun*) s'enrayer; **to be in a ~** (*inf*) être dans le pétrin; **to ~ sth into** (*stuff*) entasser *or* comprimer qch dans; (*thrust*) enfoncer qch dans
Jamaica [dʒə'meɪkə] *n* Jamaïque *f*
jammed [dʒæmd] *adj* (*window etc*) coincé(e)
Jan *abbr* (= *January*) janv
janitor ['dʒænɪtə^r] *n* (*caretaker*) concierge *m*
January ['dʒænjuərɪ] *n* janvier *m*
Japan [dʒə'pæn] *n* Japon *m*; **Japanese** [dʒæpə'niːz] *adj* japonais(e) ▷ *n* (*pl inv*) Japonais(e); (*Ling*) japonais *m*
jar [dʒɑː^r] *n* (*stone, earthenware*) pot *m*; (*glass*) bocal *m* ▷ *vi* (*sound*) produire un son grinçant *or* discordant; (*colours etc*) détonner, jurer
jargon ['dʒɑːgən] *n* jargon *m*
javelin ['dʒævlɪn] *n* javelot *m*
jaw [dʒɔː] *n* mâchoire *f*
jazz [dʒæz] *n* jazz *m*
jealous ['dʒɛləs] *adj* jaloux(-ouse); **jealousy** *n* jalousie *f*
jeans [dʒiːnz] *npl* jean *m*
Jello® ['dʒɛləu] (US) *n* gelée *f*
jelly ['dʒɛlɪ] *n* (*dessert*) gelée *f*; (US: *jam*) confiture *f*; **jellyfish** *n* méduse *f*
jeopardize ['dʒɛpədaɪz] *vt* mettre en danger *or* péril
jerk [dʒəːk] *n* secousse *f*, saccade *f*; (*of muscle*) spasme *m*; (*inf*) pauvre type *m* ▷ *vt* (*shake*) donner une secousse à; (*pull*) tirer brusquement ▷ *vi* (*vehicles*) cahoter
jersey ['dʒəːzɪ] *n* tricot *m*; (*fabric*) jersey *m*
Jesus ['dʒiːzəs] *n* Jésus
jet [dʒɛt] *n* (*of gas, liquid*) jet *m*; (*Aviat*) avion *m* à réaction, jet *m*; **jet lag** *n* décalage *m* horaire; **jet-ski** *vi* faire du jet-ski *or* scooter des mers
jetty ['dʒɛtɪ] *n* jetée *f*, digue *f*
Jew [dʒuː] *n* Juif *m*
jewel ['dʒuːəl] *n* bijou *m*, joyau *m*; (*in watch*) rubis *m*; **jeweller** (US **jeweler**) *n* bijoutier(-ière), joaillier *m*; **jeweller's (shop)** (US **jewelry store**) *n* bijouterie *f*, joaillerie *f*; **jewellery** (US **jewelry**) *n* bijoux *mpl*
Jewish ['dʒuːɪʃ] *adj* juif (juive)
jigsaw ['dʒɪgsɔː] *n* (*also*: **~ puzzle**) puzzle *m*
job [dʒɔb] *n* (*chore, task*) travail *m*, tâche *f*; (*employment*) emploi *m*, poste *m*, place *f*; **it's a good ~ that ...** c'est heureux *or* c'est une chance que ... + *sub*; **just the ~!** (c'est) juste *or* exactement ce qu'il faut!; **job centre** (BRIT) *n* ≈ ANPE *f*, ≈ Agence nationale pour l'emploi; **jobless** *adj* sans travail, au chômage
jockey ['dʒɔkɪ] *n* jockey *m* ▷ *vi*: **to ~ for position** manœuvrer pour être bien placé
jog [dʒɔg] *vt* secouer ▷ *vi* (*Sport*) faire du jogging; **to ~ sb's memory** rafraîchir la mémoire de qn; **jogging** *n* jogging *m*
join [dʒɔɪn] *vt* (*put together*) unir, assembler; (*become member of*) s'inscrire à; (*meet*) rejoindre, retrouver; (*queue*) se joindre à ▷ *vi* (*roads, rivers*) se rejoindre, se rencontrer ▷ *n* raccord *m*; **join in** *vi* se mettre de la partie ▷ *vt fus* se mêler à; **join up** *vi* (*meet*) se rejoindre; (*Mil*) s'engager
joiner ['dʒɔɪnə^r] (BRIT) *n* menuisier *m*

joint [dʒɔɪnt] *n* (*Tech*) jointure *f*; joint *m*; (*Anat*) articulation *f*, jointure; (BRIT *Culin*) rôti *m*; (*inf*: *place*) boîte *f*; (*of cannabis*) joint ▷ *adj* commun(e); (*committee*) mixte, paritaire; (*winner*) ex aequo; **joint account** *n* compte joint; **jointly** *adv* ensemble, en commun
joke [dʒəuk] *n* plaisanterie *f*; (*also*: **practical ~**) farce *f* ▷ *vi* plaisanter; **to play a ~ on** jouer un tour à, faire une farce à; **joker** *n* (*Cards*) joker *m*
jolly ['dʒɔlɪ] *adj* gai(e), enjoué(e); (*enjoyable*) amusant(e), plaisant(e) ▷ *adv* (BRIT *inf*) rudement, drôlement
jolt [dʒəult] *n* cahot *m*, secousse *f*; (*shock*) choc *m* ▷ *vt* cahoter, secouer
Jordan [dʒɔ:dən] *n* (*country*) Jordanie *f*
journal ['dʒə:nl] *n* journal *m*; **journalism** *n* journalisme *m*; **journalist** *n* journaliste *m/f*
journey ['dʒə:nɪ] *n* voyage *m*; (*distance covered*) trajet *m*; **the ~ takes two hours** le trajet dure deux heures; **how was your ~?** votre voyage s'est bien passé?
joy [dʒɔɪ] *n* joie *f*; **joyrider** *n* voleur(-euse) de voiture (*qui fait une virée dans le véhicule volé*); **joy stick** *n* (*Aviat*) manche *m* à balai; (*Comput*) manche à balai, manette *f* (de jeu)
Jr *abbr* = **junior**
judge [dʒʌdʒ] *n* juge *m* ▷ *vt* juger; (*estimate*: *weight, size etc*) apprécier; (*consider*) estimer
judo ['dʒu:dəu] *n* judo *m*
jug [dʒʌg] *n* pot *m*, cruche *f*
juggle ['dʒʌgl] *vi* jongler; **juggler** *n* jongleur *m*
juice [dʒu:s] *n* jus *m*; **juicy** *adj* juteux(-euse)
Jul *abbr* (= *July*) juil
July [dʒu:'laɪ] *n* juillet *m*
jumble ['dʒʌmbl] *n* fouillis *m* ▷ *vt* (*also*: **~ up, ~ together**) mélanger, brouiller; **jumble sale** *n* (BRIT) vente *f* de charité
jumbo ['dʒʌmbəu] *adj* (*also*: **~ jet**) (avion) gros porteur (à réaction)
jump [dʒʌmp] *vi* sauter, bondir; (*with fear etc*) sursauter; (*increase*) monter en flèche ▷ *vt* sauter, franchir ▷ *n* saut *m*, bond *m*; (*with fear etc*) sursaut *m*; (*fence*) obstacle *m*; **to ~ the queue** (BRIT) passer avant son tour
jumper ['dʒʌmpə^r] *n* (BRIT: *pullover*) pull-over *m*; (US: *pinafore dress*) robe-chasuble *f*
jump leads (US **jumper cables**) *npl* câbles *mpl* de démarrage
Jun. *abbr* = **June**; **junior**
junction ['dʒʌŋkʃən] *n* (BRIT: *of roads*) carrefour *m*; (*of rails*) embranchement *m*
June [dʒu:n] *n* juin *m*
jungle ['dʒʌŋgl] *n* jungle *f*
junior ['dʒu:nɪə^r] *adj*, *n*: **he's ~ to me (by 2 years)**, **he's my ~ (by 2 years)** il est mon cadet (de 2 ans), il est plus jeune que moi (de 2 ans); **he's ~ to me** (*seniority*) il est en dessous de moi (dans la hiérarchie), j'ai plus d'ancienneté que lui; **junior high school** *n* (US) ≈ collège *m* d'enseignement secondaire; *see also* **high school**; **junior school** *n* (BRIT) école *f* primaire, cours moyen
junk [dʒʌŋk] *n* (*rubbish*) camelote *f*; (*cheap goods*) bric-à-brac *m inv*; **junk food** *n* snacks vite prêts (*sans valeur nutritive*)
junkie ['dʒʌŋkɪ] *n* (*inf*) junkie *m*, drogué(e)
junk mail *n* prospectus *mpl*; (*Comput*) messages *mpl* publicitaires
Jupiter ['dʒu:pɪtə^r] *n* (*planet*) Jupiter *f*
jurisdiction [dʒuərɪs'dɪkʃən] *n* juridiction *f*; **it falls** *or* **comes within/outside our ~** cela est/n'est pas de notre compétence *or* ressort
jury ['dʒuərɪ] *n* jury *m*
just [dʒʌst] *adj* juste ▷ *adv*: **he's ~ done it/left** il vient de le faire/partir; **~ right/two o'clock** exactement *or* juste ce qu'il faut/deux heures; **we were ~ going** nous partions; **I was ~ about to phone** j'allais téléphoner; **~ as he was leaving** au moment *or* à l'instant précis où il partait; **~ before/enough/here** juste avant/assez/là; **it's ~ me/a mistake** ce n'est que moi/(rien) qu'une erreur; **~ missed/caught** manqué/attrapé de justesse; **~ listen to this!** écoutez un peu ça!; **she's ~ as clever as you** elle est tout aussi intelligente que vous; **it's ~ as well that you ...** heureusement que vous ...; **~ a minute!**, **~ one moment!** un instant (s'il vous plaît)!
justice ['dʒʌstɪs] *n* justice *f*; (US: *judge*) juge *m* de la Cour suprême
justification [dʒʌstɪfɪ'keɪʃən] *n* justification *f*
justify ['dʒʌstɪfaɪ] *vt* justifier
jut [dʒʌt] *vi* (*also*: **~ out**) dépasser, faire saillie
juvenile ['dʒu:vənaɪl] *adj* juvénile; (*court, books*) pour enfants ▷ *n* adolescent(e)

k

K, k [keɪ] *abbr* (= *one thousand*) K; (= *kilobyte*) Ko
kangaroo [kæŋgə'ru:] *n* kangourou *m*
karaoke [kɑ:rə'əukɪ] *n* karaoké *m*
karate [kə'rɑ:tɪ] *n* karaté *m*
kebab [kə'bæb] *n* kébab *m*
keel [ki:l] *n* quille *f*; **on an even ~** (*fig*) à flot
keen [ki:n] *adj* (*eager*) plein(e) d'enthousiasme; (*interest, desire, competition*) vif (vive); (*eye, intelligence*) pénétrant(e); (*edge*) effilé(e); **to be ~ to do** *or* **on doing sth** désirer vivement faire qch, tenir beaucoup à faire qch; **to be ~ on sth/sb** aimer beaucoup qch/qn
keep [ki:p] (*pt, pp* **kept**) *vt* (*retain, preserve*) garder; (*hold back*) retenir; (*shop, accounts, promise, diary*) tenir; (*support*) entretenir; (*chickens, bees, pigs etc*) élever ▷ *vi* (*food*) se conserver; (*remain*: *in a certain state or place*) rester ▷ *n* (*of castle*) donjon *m*; (*food etc*): **enough for his ~** assez pour (assurer) sa subsistance; **to ~ doing sth** (*continue*) continuer à faire qch; (*repeatedly*) ne pas arrêter de faire qch; **to ~ sb from doing/sth from happening** empêcher qn de faire *or* que qn (ne) fasse/que qch (n')arrive; **to ~ sb happy/a place tidy** faire que qn soit content/qu'un endroit reste propre; **to ~ sth to o.s.** garder qch pour soi, tenir qch secret; **to ~ sth from sb** cacher qch à qn; **to ~ time** (*clock*) être à l'heure, ne pas retarder; **for ~s** (*inf*) pour de

bon, pour toujours; **keep away** *vt*: **to ~ sth/sb away from sb** tenir qch/qn éloigné de qn ▷ *vi*: **to ~ away (from)** ne pas s'approcher (de); **keep back** *vt* (*crowds, tears, money*) retenir; (*conceal: information*): **to ~ sth back from sb** cacher qch à qn ▷ *vi* rester en arrière; **keep off** *vt* (*dog, person*) éloigner ▷ *vi*: **if the rain ~s off** s'il ne pleut pas; **~ your hands off!** pas touche! (*inf*); **"~ off the grass"** "pelouse interdite"; **keep on** *vi* continuer; **to ~ on doing** continuer à faire; **don't ~ on about it!** arrête (d'en parler)!; **keep out** *vt* empêcher d'entrer ▷ *vi* (*stay out*) rester en dehors; **"~ out"** "défense d'entrer"; **keep up** *vi* (*fig: in comprehension*) suivre ▷ *vt* continuer, maintenir; **to ~ up with sb** (*in work etc*) se maintenir au même niveau que qn; (*in race etc*) aller aussi vite que qn; **keeper** *n* gardien(ne); **keep-fit** *n* gymnastique *f* (d'entretien); **keeping** *n* (*care*) garde *f*; **in keeping with** en harmonie avec

kennel ['kɛnl] *n* niche *f*; **kennels** *npl* (*for boarding*) chenil *m*

Kenya ['kɛnjə] *n* Kenya *m*

kept [kɛpt] *pt, pp of* **keep**

kerb [kə:b] *n* (BRIT) bordure *f* du trottoir

kerosene ['kɛrəsi:n] *n* kérosène *m*

ketchup ['kɛtʃəp] *n* ketchup *m*

kettle ['kɛtl] *n* bouilloire *f*

key [ki:] *n* (*gen;: Mus*) clé *f*; (*of piano, typewriter*) touche *f*; (*on map*) légende *f* ▷ *adj* (*factor, role, area*) clé *inv* ▷ *vt* (*also*: **~ in**: *text*) saisir; **can I have my ~?** je peux avoir ma clé?; **a ~ issue** un problème fondamental; **keyboard** *n* clavier *m*; **keyhole** *n* trou *m* de la serrure; **keyring** *n* porte-clés *m*

kg *abbr* (= *kilogram*) K

khaki ['kɑ:kɪ] *adj, n* kaki *m*

kick [kɪk] *vt* donner un coup de pied à ▷ *vi* (*horse*) ruer ▷ *n* coup *m* de pied; (*inf: thrill*): **he does it for ~s** il le fait parce que ça l'excite, il le fait pour le plaisir; **to ~ the habit** (*inf*) arrêter; **kick off** *vi* (*Sport*) donner le coup d'envoi; **kick-off** *n* (*Sport*) coup *m* d'envoi

kid [kɪd] *n* (*inf: child*) gamin(e), gosse *m/f*; (*animal, leather*) chevreau *m* ▷ *vi* (*inf*) plaisanter, blaguer

kidnap ['kɪdnæp] *vt* enlever, kidnapper; **kidnapping** *n* enlèvement *m*

kidney ['kɪdnɪ] *n* (*Anat*) rein *m*; (*Culin*) rognon *m*; **kidney bean** *n* haricot *m* rouge

kill [kɪl] *vt* tuer ▷ *n* mise *f* à mort; **to ~ time** tuer le temps; **killer** *n* tueur(-euse); (*murderer*) meurtrier(-ière); **killing** *n* meurtre *m*; (*of group of people*) tuerie *f*, massacre *m*; (*inf*): **to make a killing** se remplir les poches, réussir un beau coup

kiln [kɪln] *n* four *m*

kilo ['ki:ləu] *n* kilo *m*; **kilobyte** *n* (*Comput*) kilo-octet *m*; **kilogram(me)** *n* kilogramme *m*; **kilometre** (US **kilometer**) ['kɪləmi:təʳ] *n* kilomètre *m*; **kilowatt** *n* kilowatt *m*

kilt [kɪlt] *n* kilt *m*

kin [kɪn] *n see* **next-of-kin**

kind [kaɪnd] *adj* gentil(le), aimable ▷ *n* sorte *f*, espèce *f*; (*species*) genre *m*; **to be two of a ~** se ressembler; **in ~** (*Comm*) en nature; **~ of** (*inf: rather*) plutôt; **a ~ of** une sorte de; **what ~ of ...?** quelle sorte de ...?

kindergarten ['kɪndəgɑ:tn] *n* jardin *m* d'enfants

kindly ['kaɪndlɪ] *adj* bienveillant(e), plein(e) de gentillesse ▷ *adv* avec bonté; **will you ~ ...** auriez-vous la bonté *or* l'obligeance de ...

kindness ['kaɪndnɪs] *n* (*quality*) bonté *f*, gentillesse *f*

king [kɪŋ] *n* roi *m*; **kingdom** *n* royaume *m*; **kingfisher** *n* martin-pêcheur *m*; **king-size(d) bed** *n* grand lit (*de 1,95 m de large*)

kiosk ['ki:ɔsk] *n* kiosque *m*; (BRIT: *also*: **telephone ~**) cabine *f* (téléphonique)

kipper ['kɪpəʳ] *n* hareng fumé et salé

kiss [kɪs] *n* baiser *m* ▷ *vt* embrasser; **to ~ (each other)** s'embrasser; **kiss of life** *n* (BRIT) bouche à bouche *m*

kit [kɪt] *n* équipement *m*, matériel *m*; (*set of tools etc*) trousse *f*; (*for assembly*) kit *m*

kitchen ['kɪtʃɪn] *n* cuisine *f*

kite [kaɪt] *n* (*toy*) cerf-volant *m*

kitten ['kɪtn] *n* petit chat, chaton *m*

kitty ['kɪtɪ] *n* (*money*) cagnotte *f*

kiwi ['ki:wi:] *n* (*also*: **~ fruit**) kiwi *m*

km *abbr* (= *kilometre*) km

km/h *abbr* (= *kilometres per hour*) km/h

knack [næk] *n*: **to have the ~ (of doing)** avoir le coup (pour faire)

knee [ni:] *n* genou *m*; **kneecap** *n* rotule *f*

kneel (*pt, pp* **knelt**) [ni:l, nɛlt] *vi* (*also*: **~ down**) s'agenouiller

knelt [nɛlt] *pt, pp of* **kneel**

knew [nju:] *pt of* **know**

knickers ['nɪkəz] *npl* (BRIT) culotte *f* (de femme)

knife [naɪf] *n* (*pl* **knives**) couteau *m* ▷ *vt* poignarder, frapper d'un coup de couteau

knight [naɪt] *n* chevalier *m*; (*Chess*) cavalier *m*

knit [nɪt] *vt* tricoter ▷ *vi* tricoter; (*broken bones*) se ressouder; **to ~ one's brows** froncer les sourcils; **knitting** *n* tricot *m*; **knitting needle** *n* aiguille *f* à tricoter; **knitwear** *n* tricots *mpl*, lainages *mpl*

knives [naɪvz] *npl of* **knife**

knob [nɔb] *n* bouton *m*; (BRIT): **a ~ of butter** une noix de beurre

knock [nɔk] *vt* frapper; (*bump into*) heurter; (*fig: col*) dénigrer ▷ *vi* (*at door etc*): **to ~ at/on** frapper à/sur ▷ *n* coup *m*; **knock down** *vt* renverser; (*price*) réduire; **knock off** *vi* (*inf: finish*) s'arrêter (de travailler) ▷ *vt* (*vase, object*) faire tomber; (*inf: steal*) piquer; (*fig: from price etc*): **to ~ off £10** faire une remise de 10 livres; **knock out** *vt* assommer; (*Boxing*) mettre k.-o.; (*in competition*) éliminer; **knock over** *vt* (*object*) faire tomber; (*pedestrian*) renverser; **knockout** *n* (*Boxing*) knock-out *m*, K.-O. *m*; **knockout competition** (BRIT) compétition *f* avec épreuves éliminatoires

knot [nɔt] *n* (*gen*) nœud *m* ▷ *vt* nouer

know [nəu] *vt* (*pt* **knew**, *pp* **~n**) savoir; (*person, place*) connaître; **to ~ that** savoir que; **to ~ how to do** savoir faire; **to ~ how to swim** savoir nager; **to ~ about/of sth** (*event*) être au courant de qch; (*subject*) connaître qch; **I don't ~** je ne sais pas; **do you ~ where I can ...?** savez-vous où je peux ...?; **know-all** *n* (BRIT *pej*) je-sais-tout *m/f*; **know-how** *n* savoir-faire *m*, technique *f*, compétence *f*; **knowing** *adj* (*look etc*) entendu(e); **knowingly** *adv* (*on purpose*) sciemment; (*smile, look*) d'un air entendu; **know-it-all** *n* (US) = **know-all**

knowledge ['nɔlɪdʒ] *n* connaissance *f*; (*learning*) connaissances, savoir *m*; **without my ~** à mon insu; **knowledgeable** *adj* bien informé(e)

known [nəun] *pp of* **know** ▷ *adj* (*thief, facts*) notoire; (*expert*) célèbre

knuckle ['nʌkl] *n* articulation *f* (des phalanges), jointure *f*

koala [kəu'ɑ:lə] *n* (*also*: **~ bear**) koala *m*

Koran [kɔ'rɑ:n] *n* Coran *m*

Korea [kə'rɪə] *n* Corée *f*; **Korean** *adj* coréen(ne) ▷ *n*

Coréen(ne)
kosher ['kəuʃə^r] *adj* kascher *inv*
Kosovar, Kosovan ['kɔsəvɑ^r, 'kɔsəvən] *adj* kosovar(e)
Kosovo ['kɔsɔvəu] *n* Kosovo *m*
Kuwait [ku'weɪt] *n* Koweït *m*

l

L *abbr* (BRIT *Aut*: = *learner*) *signale un conducteur débutant*
l. *abbr* (= *litre*) l
lab [læb] *n abbr* (= *laboratory*) labo *m*
label ['leɪbl] *n* étiquette *f*; (*brand*: *of record*) marque *f* ▷ *vt* étiqueter
labor *etc* ['leɪbə^r] (US) = **labour** *etc*
laboratory [lə'bɔrətərɪ] *n* laboratoire *m*
Labor Day *n* (US, CANADA) fête *f* du travail (*le premier lundi de septembre*)
labor union *n* (US) syndicat *m*
Labour ['leɪbə^r] *n* (BRIT *Pol*: *also*: **the ~ Party**) le parti travailliste, les travaillistes *mpl*
labour (US **labor**) ['leɪbə^r] *n* (*work*) travail *m*; (*workforce*) main-d'œuvre *f* ▷ *vi*: **to ~ (at)** travailler dur (à), peiner (sur) ▷ *vt*: **to ~ a point** insister sur un point; **in ~** (*Med*) en travail; **labourer** *n* manœuvre *m*; **farm labourer** ouvrier *m* agricole
lace [leɪs] *n* dentelle *f*; (*of shoe etc*) lacet *m* ▷ *vt* (*shoe*: *also*: **~ up**) lacer
lack [læk] *n* manque *m* ▷ *vt* manquer de; **through** *or* **for ~ of** faute de, par manque de; **to be ~ing** manquer, faire défaut; **to be ~ing in** manquer de
lacquer ['lækə^r] *n* laque *f*
lacy ['leɪsɪ] *adj* (*of lace*) en dentelle; (*like lace*) comme de la dentelle
lad [læd] *n* garçon *m*, gars *m*
ladder ['lædə^r] *n* échelle *f*; (BRIT: *in tights*) maille filée ▷ *vt*, *vi* (BRIT: *tights*) filer
ladle ['leɪdl] *n* louche *f*
lady ['leɪdɪ] *n* dame *f*; **"ladies and gentlemen ..."** "Mesdames (et) Messieurs ..."; **young ~** jeune fille *f*; (*married*) jeune femme *f*; **the ladies' (room)** les toilettes *fpl* des dames; **ladybird** (US **ladybug**) *n* coccinelle *f*
lag [læg] *n* retard *m* ▷ *vi* (*also*: **~ behind**) rester en arrière, traîner; (*fig*) rester à la traîne ▷ *vt* (*pipes*) calorifuger
lager ['lɑːgə^r] *n* bière blonde
lagoon [lə'guːn] *n* lagune *f*
laid [leɪd] *pt*, *pp of* **lay**; **laid back** *adj* (*inf*) relaxe, décontracté(e)
lain [leɪn] *pp of* **lie**
lake [leɪk] *n* lac *m*
lamb [læm] *n* agneau *m*
lame [leɪm] *adj* (*also fig*) boiteux(-euse)
lament [lə'mɛnt] *n* lamentation *f* ▷ *vt* pleurer, se lamenter sur
lamp [læmp] *n* lampe *f*; **lamppost** *n* (BRIT) réverbère *m*; **lampshade** *n* abat-jour *m inv*
land [lænd] *n* (*as opposed to sea*) terre *f* (ferme); (*country*) pays *m*; (*soil*) terre; (*piece of land*) terrain *m*; (*estate*) terre(s), domaine(s) *m(pl)* ▷ *vi* (*from ship*) débarquer; (*Aviat*) atterrir; (*fig*: *fall*) (re)tomber ▷ *vt* (*passengers, goods*) débarquer; (*obtain*) décrocher; **to ~ sb with sth** (*inf*) coller qch à qn; **landing** *n* (*from ship*) débarquement *m*; (*Aviat*) atterrissage *m*; (*of staircase*) palier *m*; **landing card** *n* carte *f* de débarquement; **landlady** *n* propriétaire *f*, logeuse *f*; (*of pub*) patronne *f*; **landlord** *n* propriétaire *m*, logeur *m*; (*of pub etc*) patron *m*; **landmark** *n* (point *m* de) repère *m*; **to be a landmark** (*fig*) faire date *or* époque; **landowner** *n* propriétaire foncier *or* terrien; **landscape** *n* paysage *m*; **landslide** *n* (*Geo*) glissement *m* (de terrain); (*fig*: *Pol*) raz-de-marée (électoral)
lane [leɪn] *n* (*in country*) chemin *m*; (*Aut*: *of road*) voie *f*; (: *line of traffic*) file *f*; (*in race*) couloir *m*
language ['læŋgwɪdʒ] *n* langue *f*; (*way one speaks*) langage *m*; **what ~s do you speak?** quelles langues parlez-vous?; **bad ~** grossièretés *fpl*, langage grossier; **language laboratory** *n* laboratoire *m* de langues; **language school** *n* école *f* de langue
lantern ['læntn] *n* lanterne *f*
lap [læp] *n* (*of track*) tour *m* (de piste); (*of body*): **in** *or* **on one's ~** sur les genoux ▷ *vt* (*also*: **~ up**) laper ▷ *vi* (*waves*) clapoter
lapel [lə'pɛl] *n* revers *m*
lapse [læps] *n* défaillance *f*; (*in behaviour*) écart *m* (de conduite) ▷ *vi* (*Law*) cesser d'être en vigueur; (*contract*) expirer; **to ~ into bad habits** prendre de mauvaises habitudes; **~ of time** laps *m* de temps, intervalle *m*
laptop (computer) ['læptɔp-] *n* portable *m*
lard [lɑːd] *n* saindoux *m*
larder ['lɑːdə^r] *n* garde-manger *m inv*
large [lɑːdʒ] *adj* grand(e); (*person, animal*) gros (grosse); **at ~** (*free*) en liberté; (*generally*) en général; pour la plupart; *see also* **by**; **largely** *adv* en grande partie; (*principally*) surtout; **large-scale** *adj* (*map, drawing etc*) à grande échelle; (*fig*) important(e)
lark [lɑːk] *n* (*bird*) alouette *f*; (*joke*) blague *f*, farce *f*
laryngitis [lærɪn'dʒaɪtɪs] *n* laryngite *f*
lasagne [lə'zænjə] *n* lasagne *f*
laser ['leɪzə^r] *n* laser *m*; **laser printer** *n* imprimante *f* laser
lash [læʃ] *n* coup *m* de fouet; (*also*: **eye~**) cil *m* ▷ *vt* fouetter; (*tie*) attacher; **lash out** *vi*: **to ~ out (at** *or* **against sb/sth)** attaquer violemment (qn/qch)
lass [læs] (BRIT) *n* (jeune) fille *f*
last [lɑːst] *adj* dernier(-ière) ▷ *adv* en dernier; (*most recently*) la dernière fois; (*finally*) finalement ▷ *vi* durer; **~ week** la semaine dernière; **~ night** (*evening*) hier soir; (*night*) la nuit dernière; **at ~** enfin; **~ but one** avant-dernier(-ière); **lastly** *adv* en dernier lieu, pour finir; **last-minute** *adj* de dernière minute
latch [lætʃ] *n* loquet *m*; **latch onto** *vt fus* (*cling to*: *person, group*) s'accrocher à; (*idea*) se mettre en tête
late [leɪt] *adj* (*not on time*) en retard; (*far on in day etc*) tardif(-ive); (: *edition, delivery*) dernier(-ière); (*dead*) défunt(e) ▷ *adv* tard; (*behind time, schedule*) en retard; **to be 10 minutes ~** avoir 10 minutes de retard; **sorry I'm ~** désolé d'être en retard; **it's too ~** il est trop tard; **of ~** dernièrement; **in ~ May**

vers la fin (du mois) de mai, fin mai; **the ~ Mr X** feu M. X; **latecomer** *n* retardataire *m/f*; **lately** *adv* récemment; **later** *adj* (*date etc*) ultérieur(e); (*version etc*) plus récent(e) ▷ *adv* plus tard; **latest** ['leɪtɪst] *adj* tout(e) dernier(-ière); **at the latest** au plus tard
lather ['lɑ:ðəʳ] *n* mousse *f* (de savon) ▷ *vt* savonner
Latin ['lætɪn] *n* latin *m* ▷ *adj* latin(e); **Latin America** *n* Amérique latine; **Latin American** *adj* latino-américain(e), d'Amérique latine ▷ *n* Latino-Américain(e)
latitude ['lætɪtju:d] *n* (*also fig*) latitude *f*
latter ['lætəʳ] *adj* deuxième, dernier(-ière) ▷ *n*: **the ~** ce dernier, celui-ci
laugh [lɑ:f] *n* rire *m* ▷ *vi* rire; **(to do sth) for a ~** (faire qch) pour rire; **laugh at** *vt fus* se moquer de; (*joke*) rire de; **laughter** *n* rire *m*; (*of several people*) rires *mpl*
launch [lɔ:ntʃ] *n* lancement *m*; (*also*: **motor ~**) vedette *f* ▷ *vt* (*ship, rocket, plan*) lancer; **launch into** *vt fus* se lancer dans
launder ['lɔ:ndəʳ] *vt* laver; (*fig*: *money*) blanchir
Launderette® [lɔ:n'drɛt] (BRIT: US **Laundromat®**) ['lɔ:ndrəmæt] *n* laverie *f* (automatique)
laundry ['lɔ:ndrɪ] *n* (*clothes*) linge *m*; (*business*) blanchisserie *f*; (*room*) buanderie *f*; **to do the ~** faire la lessive
lava ['lɑ:və] *n* lave *f*
lavatory ['lævətərɪ] *n* toilettes *fpl*
lavender ['lævəndəʳ] *n* lavande *f*
lavish ['lævɪʃ] *adj* (*amount*) copieux(-euse); (*person*: *giving freely*): **~ with** prodigue de ▷ *vt*: **to ~ sth on sb** prodiguer qch à qn; (*money*) dépenser qch sans compter pour qn
law [lɔ:] *n* loi *f*; (*science*) droit *m*; **lawful** *adj* légal(e), permis(e); **lawless** *adj* (*action*) illégal(e); (*place*) sans loi
lawn [lɔ:n] *n* pelouse *f*; **lawnmower** *n* tondeuse *f* à gazon
lawsuit ['lɔ:su:t] *n* procès *m*
lawyer ['lɔ:jəʳ] *n* (*consultant, with company*) juriste *m*; (*for sales, wills etc*) ≈ notaire *m*; (*partner, in court*) ≈ avocat *m*
lax [læks] *adj* relâché(e)
laxative ['læksətɪv] *n* laxatif *m*
lay [leɪ] *pt of* **lie** ▷ *adj* laïque; (*not expert*) profane ▷ *vt* (*pt, pp* **laid**) poser, mettre; (*eggs*) pondre; (*trap*) tendre; (*plans*) élaborer; **to ~ the table** mettre la table; **lay down** *vt* poser; (*rules etc*) établir; **to ~ down the law** (*fig*) faire la loi; **lay off** *vt* (*workers*) licencier; (*provide*: *meal etc*) fournir; **lay out** *vt* (*design*) dessiner, concevoir; (*display*) disposer; (*spend*) dépenser; **lay-by** *n* (BRIT) aire *f* de stationnement (sur le bas-côté)
layer ['leɪəʳ] *n* couche *f*
layman ['leɪmən] (*irreg*) *n* (*Rel*) laïque *m*; (*non-expert*) profane *m*
layout ['leɪaut] *n* disposition *f*, plan *m*, agencement *m*; (*Press*) mise *f* en page
lazy ['leɪzɪ] *adj* paresseux(-euse)
lb. *abbr* (*weight*) = **pound**
lead[1] [li:d] *n* (*front position*) tête *f*; (*distance, time ahead*) avance *f*; (*clue*) piste *f*; (*Elec*) fil *m*; (*for dog*) laisse *f*; (*Theat*) rôle principal ▷ *vb* (*pt, pp* **led**) ▷ *vt* (*guide*) mener, conduire; (*be leader of*) être à la tête de ▷ *vi* (*Sport*) mener, être en tête; **to ~ to** (*road, pipe*) mener à, conduire à; (*result in*) conduire à; aboutir à; **to be in the ~** (*Sport*: *in race*) mener, être en tête; (: *in match*) mener (à la marque); **to ~ sb to do sth** amener qn à faire qch; **to ~ the way** montrer le chemin; **lead up to** *vt* conduire à; (*in conversation*) en venir à
lead[2] [lɛd] *n* (*metal*) plomb *m*; (*in pencil*) mine *f*
leader ['li:dəʳ] *n* (*of team*) chef *m*; (*of party etc*) dirigeant(e), leader *m*; (*Sport*: *in league*) leader; (: *in race*) coureur *m* de tête; **leadership** *n* (*position*) direction *f*; **under the leadership of ...** sous la direction de ...; **qualities of leadership** qualités *fpl* de chef *or* de meneur
lead-free ['lɛdfri:] *adj* sans plomb
leading ['li:dɪŋ] *adj* de premier plan; (*main*) principal(e); (*in race*) de tête
lead singer [li:d-] *n* (*in pop group*) (chanteur *m*) vedette *f*
leaf (*pl* **leaves**) [li:f, li:vz] *n* feuille *f*; (*of table*) rallonge *f*; **to turn over a new ~** (*fig*) changer de conduite *or* d'existence; **leaf through** *vt* (*book*) feuilleter
leaflet ['li:flɪt] *n* prospectus *m*, brochure *f*; (*Pol, Rel*) tract *m*
league [li:g] *n* ligue *f*; (*Football*) championnat *m*; **to be in ~ with** avoir partie liée avec, être de mèche avec
leak [li:k] *n* (*out*: *also fig*) fuite *f* ▷ *vi* (*pipe, liquid etc*) fuir; (*shoes*) prendre l'eau; (*ship*) faire eau ▷ *vt* (*liquid*) répandre; (*information*) divulguer
lean [li:n] *adj* maigre ▷ *vb* (*pt, pp* **~ed** *or* **~t**) ▷ *vt*: **to ~ sth on** appuyer qch sur ▷ *vi* (*slope*) pencher; (*rest*): **to ~ against** s'appuyer contre; être appuyé(e) contre; **to ~ on** s'appuyer sur; **lean forward** *vi* se pencher en avant; **lean over** *vi* se pencher; **leaning** *n*: **leaning (towards)** penchant *m* (pour)
leant [lɛnt] *pt, pp of* **lean**
leap [li:p] *n* bond *m*, saut *m* ▷ *vi* (*pt, pp* **~ed** *or* **~t**) bondir, sauter
leapt [lɛpt] *pt, pp of* **leap**
leap year *n* année *f* bissextile
learn (*pt, pp* **~ed** *or* **~t**) [lə:n, -t] *vt, vi* apprendre; **to ~ (how) to do sth** apprendre à faire qch; **to ~ about sth** (*Scol*) étudier qch; (*hear, read*) apprendre qch; **learner** *n* débutant(e); (BRIT: *also*: **learner driver**) (conducteur(-trice)) débutant(e); **learning** *n* savoir *m*
learnt [lə:nt] *pp of* **learn**
lease [li:s] *n* bail *m* ▷ *vt* louer à bail
leash [li:ʃ] *n* laisse *f*
least [li:st] *adj*: **the ~** (+ *noun*) le (la) plus petit(e), le (la) moindre; (*smallest amount of*) le moins de ▷ *pron*: **(the) ~** le moins ▷ *adv* (+ *verb*) le moins; (+ *adj*): **the ~** le (la) moins; **the ~ money** le moins d'argent; **the ~ expensive** le (la) moins cher (chère); **the ~ possible effort** le moins d'effort possible; **at ~** au moins; (*or rather*) du moins; **you could at ~ have written** tu aurais au moins pu écrire; **not in the ~** pas le moins du monde
leather ['lɛðəʳ] *n* cuir *m*
leave [li:v] (*vb*: *pt, pp* **left**) *vt* laisser; (*go away from*) quitter; (*forget*) oublier ▷ *vi* partir, s'en aller ▷ *n* (*time off*) congé *m*; (*Mil, also*: *consent*) permission *f*; **what time does the train/bus ~?** le train/le bus part à quelle heure?; **to ~ sth to sb** (*money etc*) laisser qch à qn; **to be left** rester; **there's some milk left over** il reste du lait; **~ it to me!** laissez-moi faire!, je m'en occupe!; **on ~** en permission; **leave behind** *vt* (*also fig*) laisser; (*forget*) laisser, oublier; **leave out** *vt* oublier, omettre
leaves [li:vz] *npl of* **leaf**
Lebanon ['lɛbənən] *n* Liban *m*
lecture ['lɛktʃəʳ] *n* conférence *f*; (*Scol*) cours

(magistral) ▷ *vi* donner des cours; enseigner ▷ *vt* (*scold*) sermonner, réprimander; **to give a ~ (on)** faire une conférence (sur), faire un cours (sur); **lecture hall** *n* amphithéâtre *m*; **lecturer** *n* (*speaker*) conférencier(-ière); (BRIT: *at university*) professeur *m* (d'université), prof *m/f* de fac (*inf*); **lecture theatre** *n* = **lecture hall**

led [lɛd] *pt, pp of* **lead'**

ledge [lɛdʒ] *n* (*of window, on wall*) rebord *m*; (*of mountain*) saillie *f*, corniche *f*

leek [liːk] *n* poireau *m*

left [lɛft] *pt, pp of* **leave** ▷ *adj* gauche ▷ *adv* à gauche ▷ *n* gauche *f*; **there are two ~** il en reste deux; **on the ~**, **to the ~** à gauche; **the L~** (*Pol*) la gauche; **left-hand** *adj*: **the left-hand side** la gauche; **left-hand drive** *n* (BRIT: *vehicle*) véhicule *m* avec la conduite à gauche; **left-handed** *adj* gaucher(-ère); (*scissors etc*) pour gauchers; **left-luggage locker** *n* (BRIT) (casier *m* à) consigne *f* automatique; **left-luggage (office)** *n* (BRIT) consigne *f*; **left-overs** *npl* restes *mpl*; **left-wing** *adj* (*Pol*) de gauche

leg [lɛg] *n* jambe *f*; (*of animal*) patte *f*; (*of furniture*) pied *m*; (*Culin*: *of chicken*) cuisse *f*; (*of journey*) étape *f*; **1st/2nd ~** (*Sport*) match *m* aller/retour; **~ of lamb** (*Culin*) gigot *m* d'agneau

legacy ['lɛgəsɪ] *n* (*also fig*) héritage *m*, legs *m*

legal ['liːgl] *adj* (*permitted by law*) légal(e); (*relating to law*) juridique; **legal holiday** (US) *n* jour férié; **legalize** *vt* légaliser; **legally** *adv* légalement

legend ['lɛdʒənd] *n* légende *f*; **legendary** ['lɛdʒəndərɪ] *adj* légendaire

leggings ['lɛgɪŋz] *npl* caleçon *m*

legible ['lɛdʒəbl] *adj* lisible

legislation [lɛdʒɪs'leɪʃən] *n* législation *f*

legislative ['lɛdʒɪslətɪv] *adj* législatif(-ive)

legitimate [lɪ'dʒɪtɪmət] *adj* légitime

leisure ['lɛʒə^r] *n* (*free time*) temps libre, loisirs *mpl*; **at ~** (tout) à loisir; **at your ~** (*later*) à tête reposée; **leisure centre** *n* (BRIT) centre *m* de loisirs; **leisurely** *adj* tranquille, fait(e) sans se presser

lemon ['lɛmən] *n* citron *m*; **lemonade** *n* (*fizzy*) limonade *f*; **lemon tea** *n* thé *m* au citron

lend (*pt, pp* **lent**) [lɛnd, lɛnt] *vt*: **to ~ sth (to sb)** prêter qch (à qn); **could you ~ me some money?** pourriez-vous me prêter de l'argent?

length [lɛŋθ] *n* longueur *f*; (*section*: *of road, pipe etc*) morceau *m*, bout *m*; **~ of time** durée *f*; **it is 2 metres in ~** cela fait 2 mètres de long; **at ~** (*at last*) enfin, à la fin; (*lengthily*) longuement; **lengthen** *vt* allonger, prolonger ▷ *vi* s'allonger; **lengthways** *adv* dans le sens de la longueur, en long; **lengthy** *adj* (très) long (longue)

lens [lɛnz] *n* lentille *f*; (*of spectacles*) verre *m*; (*of camera*) objectif *m*

Lent [lɛnt] *n* carême *m*

lent [lɛnt] *pt, pp of* **lend**

lentil ['lɛntl] *n* lentille *f*

Leo ['liːəu] *n* le Lion

leopard ['lɛpəd] *n* léopard *m*

leotard ['liːətɑːd] *n* justaucorps *m*

leprosy ['lɛprəsɪ] *n* lèpre *f*

lesbian ['lɛzbɪən] *n* lesbienne *f* ▷ *adj* lesbien(ne)

less [lɛs] *adj* moins de ▷ *pron, adv* moins ▷ *prep*: **~ tax/10% discount** avant impôt/moins 10% de remise; **~ than that/you** moins que cela/vous; **~ than half** moins de la moitié; **~ than ever** moins que jamais; **~ and ~** de moins en moins; **the ~ he works ...** moins il travaille ...; **lessen** *vi* diminuer, s'amoindrir, s'atténuer ▷ *vt* diminuer, réduire, atténuer; **lesser** ['lɛsə^r] *adj* moindre; **to a lesser extent** *or* **degree** à un degré moindre

lesson ['lɛsn] *n* leçon *f*; **to teach sb a ~** (*fig*) donner une bonne leçon à qn

let (*pt, pp* **~**) [lɛt] *vt* laisser; (BRIT: *lease*) louer; **to ~ sb do sth** laisser qn faire qch; **to ~ sb know sth** faire savoir qch à qn, prévenir qn de qch; **to ~ go** lâcher prise; **to ~ go of sth**, **to ~ sth go** lâcher qch; **~'s go** allons-y; **~ him come** qu'il vienne; **"to ~"** (BRIT) "à louer"; **let down** *vt* (*lower*) baisser; (BRIT: *tyre*) dégonfler; (*disappoint*) décevoir; **let in** *vt* laisser entrer; (*visitor etc*) faire entrer; **let off** *vt* (*allow to leave*) laisser partir; (*not punish*) ne pas punir; (*firework etc*) faire partir; (*bomb*) faire exploser; **let out** *vt* laisser sortir; (*scream*) laisser échapper; (BRIT: *rent out*) louer

lethal ['liːθl] *adj* mortel(le), fatal(e); (*weapon*) meurtrier(-ère)

letter ['lɛtə^r] *n* lettre *f*; **letterbox** *n* (BRIT) boîte *f* aux *or* à lettres

lettuce ['lɛtɪs] *n* laitue *f*, salade *f*

leukaemia (US **leukemia**) [luː'kiːmɪə] *n* leucémie *f*

level ['lɛvl] *adj* (*flat*) plat(e), plan(e), uni(e); (*horizontal*) horizontal(e) ▷ *n* niveau *m* ▷ *vt* niveler, aplanir; **"A" ~s** *npl* (BRIT) ≈ baccalauréat *m*; **to be ~ with** être au même niveau que; **to draw ~ with** (*runner, car*) arriver à la hauteur de, rattraper; **on the ~** (*fig*: *honest*) régulier(-ière); **level crossing** *n* (BRIT) passage *m* à niveau

lever ['liːvə^r] *n* levier *m*; **leverage** *n* (*influence*): **leverage (on** *or* **with)** prise *f* (sur)

levy ['lɛvɪ] *n* taxe *f*, impôt *m* ▷ *vt* (*tax*) lever; (*fine*) infliger

liability [laɪə'bɪlətɪ] *n* responsabilité *f*; (*handicap*) handicap *m*

liable ['laɪəbl] *adj* (*subject*): **~ to** sujet(te) à, passible de; (*responsible*): **~ (for)** responsable (de); (*likely*): **~ to do** susceptible de faire

liaise [liː'eɪz] *vi*: **to ~ with** assurer la liaison avec

liar ['laɪə^r] *n* menteur(-euse)

libel ['laɪbl] *n* diffamation *f*; (*document*) écrit *m* diffamatoire ▷ *vt* diffamer

liberal ['lɪbərl] *adj* libéral(e); (*generous*): **~ with** prodigue de, généreux(-euse) avec ▷ *n*: **L~** (*Pol*) libéral(e); **Liberal Democrat** *n* (BRIT) libéral(e)-démocrate *m/f*

liberate ['lɪbəreɪt] *vt* libérer

liberation [lɪbə'reɪʃən] *n* libération *f*

liberty ['lɪbətɪ] *n* liberté *f*; **to be at ~** (*criminal*) être en liberté; **at ~ to do** libre de faire; **to take the ~ of** prendre la liberté de, se permettre de

Libra ['liːbrə] *n* la Balance

librarian [laɪ'brɛərɪən] *n* bibliothécaire *m/f*

library ['laɪbrərɪ] *n* bibliothèque *f*

Libya ['lɪbɪə] *n* Libye *f*

lice [laɪs] *npl of* **louse**

licence (US **license**) ['laɪsns] *n* autorisation *f*, permis *m*; (*Comm*) licence *f*; (*Radio, TV*) redevance *f*; (*also*: **driving ~**: US: *also*: **driver's license**) permis *m* (de conduire)

license ['laɪsns] *n* (US) = **licence**; **licensed** *adj* (*for alcohol*) patenté(e) pour la vente des spiritueux, qui a une patente de débit de boissons; (*car*) muni(e) de la vignette; **license plate** *n* (US *Aut*) plaque *f* minéralogique; **licensing hours** (BRIT) *npl* heures *fpl* d'ouvertures (*des pubs*)

lick [lɪk] *vt* lécher; (*inf*: *defeat*) écraser, flanquer une piquette *or* raclée à; **to ~ one's lips** (*fig*) se frotter les mains

lid [lɪd] *n* couvercle *m*; (*eyelid*) paupière *f*
lie [laɪ] *n* mensonge *m* ▷ *vi* (*pt, pp* **~d**) (*tell lies*) mentir; (*pt* **lay**, *pp* **lain**) (*rest*) être étendu(e) *or* allongé(e) *or* couché(e); (*object: be situated*) se trouver, être; **to ~ low** (*fig*) se cacher, rester caché(e); **to tell ~s** mentir; **lie about, lie around** *vi* (*things*) traîner; (BRIT: *person*) traînasser, flemmarder; **lie down** *vi* se coucher, s'étendre
Liechtenstein ['lɪktənstaɪn] *n* Liechtenstein *m*
lie-in ['laɪɪn] *n* (BRIT): **to have a ~** faire la grasse matinée
lieutenant [lɛf'tɛnənt] (US) [lu:'tɛnənt] *n* lieutenant *m*
life (*pl* **lives**) [laɪf, laɪvz] *n* vie *f*; **to come to ~** (*fig*) s'animer; **life assurance** *n* (BRIT) = **life insurance**; **lifeboat** *n* canot *m or* chaloupe *f* de sauvetage; **lifeguard** *n* surveillant *m* de baignade; **life insurance** *n* assurance-vie *f*; **life jacket** *n* gilet *m or* ceinture *f* de sauvetage; **lifelike** *adj* qui semble vrai(e) *or* vivant(e), ressemblant(e); (*painting*) réaliste; **life preserver** *n* (US) gilet *m or* ceinture *f* de sauvetage; **life sentence** *n* condamnation *f* à vie *or* à perpétuité; **lifestyle** *n* style *m* de vie; **lifetime** *n*: **in his lifetime** de son vivant
lift [lɪft] *vt* soulever, lever; (*end*) supprimer, lever ▷ *vi* (*fog*) se lever ▷ *n* (BRIT: *elevator*) ascenseur *m*; **to give sb a ~** (BRIT) emmener *or* prendre qn en voiture; **can you give me a ~ to the station?** pouvez-vous m'emmener à la gare?; **lift up** *vt* soulever; **lift-off** *n* décollage *m*
light [laɪt] *n* lumière *f*; (*lamp*) lampe *f*; (*Aut: rear light*) feu *m*; (*: headlamp*) phare *m*; (*for cigarette etc*): **have you got a ~?** avez-vous du feu? ▷ *vt* (*pt, pp* **~ed** *or* **lit**) (*candle, cigarette, fire*) allumer; (*room*) éclairer ▷ *adj* (*room, colour*) clair(e); (*not heavy, also fig*) léger(-ère); (*not strenuous*) peu fatigant(e); **lights** *npl* (*traffic lights*) feux *mpl*; **to come to ~** être dévoilé(e) *or* découvert(e); **in the ~ of** à la lumière de; étant donné; **light up** *vi* s'allumer; (*face*) s'éclairer; (*smoke*) allumer une cigarette *or* une pipe *etc* ▷ *vt* (*illuminate*) éclairer, illuminer; **light bulb** *n* ampoule *f*; **lighten** *vt* (*light up*) éclairer; (*make lighter*) éclaircir; (*make less heavy*) alléger; **lighter** *n* (*also*: **cigarette lighter**) briquet *m*; **light-hearted** *adj* gai(e), joyeux(-euse), enjoué(e); **lighthouse** *n* phare *m*; **lighting** *n* éclairage *m*; (*in theatre*) éclairages; **lightly** *adv* légèrement; **to get off lightly** s'en tirer à bon compte
lightning ['laɪtnɪŋ] *n* foudre *f*; (*flash*) éclair *m*
lightweight ['laɪtweɪt] *adj* (*suit*) léger(-ère) ▷ *n* (*Boxing*) poids léger
like [laɪk] *vt* aimer (bien) ▷ *prep* comme ▷ *adj* semblable, pareil(le) ▷ *n*: **the ~** (*pej*) (d')autres du même genre *or* acabit; **his ~s and dislikes** ses goûts *mpl or* préférences *fpl*; **I would ~, I'd ~** je voudrais, j'aimerais; **would you ~ a coffee?** voulez-vous du café?; **to be/look ~ sb/sth** ressembler à qn/qch; **what's he ~?** comment est-il?; **what does it look ~?** de quoi est-ce que ça a l'air?; **what does it taste ~?** quel goût est-ce que ça a?; **that's just ~ him** c'est bien de lui, ça lui ressemble; **do it ~ this** fais-le comme ceci; **it's nothing ~ ...** ce n'est pas du tout comme ...; **likeable** *adj* sympathique, agréable
likelihood ['laɪklɪhud] *n* probabilité *f*
likely ['laɪklɪ] *adj* (*result, outcome*) probable; (*excuse*) plausible; **he's ~ to leave** il va sûrement partir, il risque fort de partir; **not ~!** (*inf*) pas de danger!
likewise ['laɪkwaɪz] *adv* de même, pareillement
liking ['laɪkɪŋ] *n* (*for person*) affection *f*; (*for thing*) penchant *m*, goût *m*; **to be to sb's ~** être au goût de qn, plaire à qn
lilac ['laɪlək] *n* lilas *m*
Lilo® ['laɪləu] *n* matelas *m* pneumatique
lily ['lɪlɪ] *n* lis *m*; **~ of the valley** muguet *m*
limb [lɪm] *n* membre *m*
limbo ['lɪmbəu] *n*: **to be in ~** (*fig*) être tombé(e) dans l'oubli
lime [laɪm] *n* (*tree*) tilleul *m*; (*fruit*) citron vert, lime *f*; (*Geo*) chaux *f*
limelight ['laɪmlaɪt] *n*: **in the ~** (*fig*) en vedette, au premier plan
limestone ['laɪmstəun] *n* pierre *f* à chaux; (*Geo*) calcaire *m*
limit ['lɪmɪt] *n* limite *f* ▷ *vt* limiter; **limited** *adj* limité(e), restreint(e); **to be limited to** se limiter à, ne concerner que
limousine ['lɪməzi:n] *n* limousine *f*
limp [lɪmp] *n*: **to have a ~** boiter ▷ *vi* boiter ▷ *adj* mou (molle)
line [laɪn] *n* (*gen*) ligne *f*; (*stroke*) trait *m*; (*wrinkle*) ride *f*; (*rope*) corde *f*; (*wire*) fil *m*; (*of poem*) vers *m*; (*row, series*) rangée *f*; (*of people*) file *f*, queue *f*; (*railway track*) voie *f*; (*Comm: series of goods*) article(s) *m(pl)*, ligne de produits; (*work*) métier *m* ▷ *vt*: **to ~ (with)** (*clothes*) doubler (de); (*box*) garnir *or* tapisser (de); (*subj: trees, crowd*) border; **to stand in ~** (US) faire la queue; **in his ~ of business** dans sa partie, dans son rayon; **to be in ~ for sth** (*fig*) être en lice pour qch; **in ~ with** en accord avec, en conformité avec; **in a ~** aligné(e); **line up** *vi* s'aligner, se mettre en rang(s); (*in queue*) faire la queue ▷ *vt* aligner; (*event*) prévoir; (*find*) trouver; **to have sb/sth ~d up** avoir qn/qch en vue *or* de prévu(e)
linear ['lɪnɪəʳ] *adj* linéaire
linen ['lɪnɪn] *n* linge *m* (de corps *or* de maison); (*cloth*) lin *m*
liner ['laɪnəʳ] *n* (*ship*) paquebot *m* de ligne; (*for bin*) sac-poubelle *m*
line-up ['laɪnʌp] *n* (US: *queue*) file *f*; (*also*: **police ~**) parade *f* d'identification; (*Sport*) (composition *f* de l')équipe *f*
linger ['lɪŋgəʳ] *vi* s'attarder; traîner; (*smell, tradition*) persister
lingerie ['læn ʒəri:] *n* lingerie *f*
linguist ['lɪŋgwɪst] *n* linguiste *m/f*; **to be a good ~** être doué(e) pour les langues; **linguistic** *adj* linguistique
lining ['laɪnɪŋ] *n* doublure *f*; (*of brakes*) garniture *f*
link [lɪŋk] *n* (*connection*) lien *m*, rapport *m*; (*Internet*) lien; (*of a chain*) maillon *m* ▷ *vt* relier, lier, unir; **links** *npl* (*Golf*) (terrain *m* de) golf *m*; **link up** *vt* relier ▷ *vi* (*people*) se rejoindre; (*companies etc*) s'associer
lion ['laɪən] *n* lion *m*; **lioness** *n* lionne *f*
lip [lɪp] *n* lèvre *f*; (*of cup etc*) rebord *m*; **lipread** *vi* lire sur les lèvres; **lip salve** [-sælv] *n* pommade *f* pour les lèvres, pommade rosat; **lipstick** *n* rouge *m* à lèvres
liqueur [lɪ'kjuəʳ] *n* liqueur *f*
liquid ['lɪkwɪd] *n* liquide *m* ▷ *adj* liquide; **liquidizer** ['lɪkwɪdaɪzəʳ] *n* (BRIT *Culin*) mixer *m*
liquor ['lɪkəʳ] *n* spiritueux *m*, alcool *m*; **liquor store** (US) *n* magasin *m* de vins et spiritueux
Lisbon ['lɪzbən] *n* Lisbonne
lisp [lɪsp] *n* zézaiement *m* ▷ *vi* zézayer
list [lɪst] *n* liste *f* ▷ *vt* (*write down*) inscrire; (*make list of*) faire la liste de; (*enumerate*) énumérer
listen ['lɪsn] *vi* écouter; **to ~ to** écouter; **listener** *n* auditeur(-trice)

lit [lɪt] *pt, pp of* **light**
liter ['li:tə^r] *n* (US) = **litre**
literacy ['lɪtərəsɪ] *n* degré *m* d'alphabétisation, fait *m* de savoir lire et écrire
literal ['lɪtərl] *adj* littéral(e); **literally** *adv* littéralement; (*really*) réellement
literary ['lɪtərərɪ] *adj* littéraire
literate ['lɪtərət] *adj* qui sait lire et écrire; (*educated*) instruit(e)
literature ['lɪtrɪtʃə^r] *n* littérature *f*; (*brochures etc*) copie *f* publicitaire, prospectus *mpl*
litre (US **liter**) ['li:tə^r] *n* litre *m*
litter ['lɪtə^r] *n* (*rubbish*) détritus *mpl*; (*dirtier*) ordures *fpl*; (*young animals*) portée *f*; **litter bin** *n* (BRIT) poubelle *f*; **littered** *adj*: **littered with** (*scattered*) jonché(e) de
little ['lɪtl] *adj* (*small*) petit(e); (*not much*): **~ milk** peu de lait ▷ *adv* peu; **a ~** un peu (de); **a ~ milk** un peu de lait; **a ~ bit** un peu; **as ~ as possible** le moins possible; **~ by ~** petit à petit, peu à peu; **little finger** *n* auriculaire *m*, petit doigt
live¹ [laɪv] *adj* (*animal*) vivant(e), en vie; (*wire*) sous tension; (*broadcast*) (transmis(e)) en direct; (*unexploded*) non explosé(e)
live² [lɪv] *vi* vivre; (*reside*) vivre, habiter; **to ~ in London** habiter (à) Londres; **where do you ~?** où habitez-vous?; **live together** vivre ensemble, cohabiter; **live up to** *vt fus* se montrer à la hauteur de
livelihood ['laɪvlɪhud] *n* moyens *mpl* d'existence
lively ['laɪvlɪ] *adj* vif (vive), plein(e) d'entrain; (*place, book*) vivant(e)
liven up ['laɪvn-] *vt* (*room etc*) égayer; (*discussion, evening*) animer ▷ *vi* s'animer
liver ['lɪvə^r] *n* foie *m*
lives [laɪvz] *npl of* **life**
livestock ['laɪvstɔk] *n* cheptel *m*, bétail *m*
living ['lɪvɪŋ] *adj* vivant(e), en vie ▷ *n*: **to earn** *or* **make a ~** gagner sa vie; **living room** *n* salle *f* de séjour
lizard ['lɪzəd] *n* lézard *m*
load [ləud] *n* (*weight*) poids *m*; (*thing carried*) chargement *m*, charge *f*; (*Elec, Tech*) charge ▷ *vt*: **to ~ (with)** (*also*: **~ up**: *lorry, ship*) charger (de); (*gun, camera*) charger (avec); (*Comput*) charger; **a ~ of, ~s of** (*fig*) un *or* des tas de, des masses de; **to talk a ~ of rubbish** (*inf*) dire des bêtises; **loaded** *adj* (*dice*) pipé(e); (*question*) insidieux(-euse); (*inf*: *rich*) bourré(e) de fric
loaf (*pl* **loaves**) [ləuf, ləuvz] *n* pain *m*, miche *f* ▷ *vi* (*also*: **~ about, ~ around**) fainéanter, traîner
loan [ləun] *n* prêt *m* ▷ *vt* prêter; **on ~** prêté(e), en prêt
loathe [ləuð] *vt* détester, avoir en horreur
loaves [ləuvz] *npl of* **loaf**
lobby ['lɔbɪ] *n* hall *m*, entrée *f*; (*Pol*) groupe *m* de pression, lobby *m* ▷ *vt* faire pression sur
lobster ['lɔbstə^r] *n* homard *m*
local ['ləukl] *adj* local(e) ▷ *n* (BRIT: *pub*) pub *m or* café *m* du coin; **the locals** *npl* les gens *mpl* du pays *or* du coin; **local anaesthetic** *n* anesthésie locale; **local authority** *n* collectivité locale, municipalité *f*; **local government** *n* administration locale *or* municipale; **locally** ['ləukəlɪ] *adv* localement; dans les environs *or* la région
locate [ləu'keɪt] *vt* (*find*) trouver, repérer; (*situate*) situer; **to be ~d in** être situé à *or* en
location [ləu'keɪʃən] *n* emplacement *m*; **on ~** (*Cine*) en extérieur
loch [lɔx] *n* lac *m*, loch *m*
lock [lɔk] *n* (*of door, box*) serrure *f*; (*of canal*) écluse *f*; (*of hair*) mèche *f*, boucle *f* ▷ *vt* (*with key*) fermer à clé ▷ *vi* (*door etc*) fermer à clé; (*wheels*) se bloquer; **lock in** *vt* enfermer; **lock out** *vt* enfermer dehors; (*on purpose*) mettre à la porte; **lock up** *vt* (*person*) enfermer; (*house*) fermer à clé ▷ *vi* tout fermer (à clé)
locker ['lɔkə^r] *n* casier *m*; (*in station*) consigne *f* automatique; **locker-room** (US) *n* (*Sport*) vestiaire *m*
locksmith ['lɔksmɪθ] *n* serrurier *m*
locomotive [ləukə'məutɪv] *n* locomotive *f*
locum ['ləukəm] *n* (*Med*) suppléant(e) de médecin *etc*
lodge [lɔdʒ] *n* pavillon *m* (de gardien); (*also*: **hunting ~**) pavillon de chasse ▷ *vi* (*person*): **to ~ with** être logé(e) chez, être en pension chez; (*bullet*) se loger ▷ *vt* (*appeal etc*) présenter; déposer; **to ~ a complaint** porter plainte; **lodger** *n* locataire *m/f*; (*with room and meals*) pensionnaire *m/f*
lodging ['lɔdʒɪŋ] *n* logement *m*
loft [lɔft] *n* grenier *m*; (*apartment*) grenier aménagé (en appartement) (*gén dans ancien entrepôt ou fabrique*)
log [lɔg] *n* (*of wood*) bûche *f*; (*Naut*) livre *m or* journal *m* de bord; (*of car*) ≈ carte grise ▷ *vt* enregistrer; **log in, log on** *vi* (*Comput*) ouvrir une session, entrer dans le système; **log off, log out** *vi* (*Comput*) clore une session, sortir du système
logic ['lɔdʒɪk] *n* logique *f*; **logical** *adj* logique
logo ['ləugəu] *n* logo *m*
Loire [lwa:] *n*: **the (River) ~** la Loire
lollipop ['lɔlɪpɔp] *n* sucette *f*; **lollipop man/lady** (BRIT: *irreg*) *n contractuel qui fait traverser la rue aux enfants*
lolly ['lɔlɪ] *n* (*inf*: *ice*) esquimau *m*; (: *lollipop*) sucette *f*
London ['lʌndən] *n* Londres; **Londoner** *n* Londonien(ne)
lone [ləun] *adj* solitaire
loneliness ['ləunlɪnɪs] *n* solitude *f*, isolement *m*
lonely ['ləunlɪ] *adj* seul(e); (*childhood etc*) solitaire; (*place*) solitaire, isolé(e)
long [lɔŋ] *adj* long (longue) ▷ *adv* longtemps ▷ *vi*: **to ~ for sth/to do sth** avoir très envie de qch/de faire qch, attendre qch avec impatience/attendre avec impatience de faire qch; **how ~ is this river/course?** quelle est la longueur de ce fleuve/la durée de ce cours?; **6 metres ~** (long) de 6 mètres; **6 months ~** qui dure 6 mois, de 6 mois; **all night ~** toute la nuit; **he no ~er comes** il ne vient plus; **I can't stand it any ~er** je ne peux plus le supporter; **~ before** longtemps avant; **before ~** (+ *future*) avant peu, dans peu de temps; (+ *past*) peu de temps après; **don't be ~!** fais vite!, dépêche-toi!; **I shan't be ~** je n'en ai pas pour longtemps; **at ~ last** enfin; **so** *or* **as ~ as** à condition que + *sub*; **long-distance** *adj* (*race*) de fond; (*call*) interurbain(e); **long-haul** *adj* (*flight*) long-courrier; **longing** *n* désir *m*, envie *f*; (*nostalgia*) nostalgie *f* ▷ *adj* plein(e) d'envie *or* de nostalgie
longitude ['lɔŋgɪtju:d] *n* longitude *f*
long: **long jump** *n* saut *m* en longueur; **long-life** *adj* (*batteries etc*) longue durée *inv*; (*milk*) longue conservation; **long-sighted** *adj* (BRIT) presbyte; (*fig*) prévoyant(e); **long-standing** *adj* de longue date; **long-term** *adj* à long terme
loo [lu:] *n* (BRIT *inf*) w.-c *mpl*, petit coin
look [luk] *vi* regarder; (*seem*) sembler, paraître, avoir l'air; (*building etc*): **to ~ south/on to the sea**

donner au sud/sur la mer ▷ *n* regard *m*; (*appearance*) air *m*, allure *f*, aspect *m*; **looks** *npl* (*good looks*) physique *m*, beauté *f*; **to ~ like** ressembler à; **to have a ~** regarder; **to have a ~ at sth** jeter un coup d'œil à qch; **~ (here)!** (*annoyance*) écoutez!; **look after** *vt fus* s'occuper de; (*luggage etc: watch over*) garder, surveiller; **look around** *vi* regarder autour de soi; **look at** *vt fus* regarder; (*problem etc*) examiner; **look back** *vi*: **to ~ back at sth/sb** se retourner pour regarder qch/qn; **to ~ back on** (*event, period*) évoquer, repenser à; **look down on** *vt fus* (*fig*) regarder de haut, dédaigner; **look for** *vt fus* chercher; **we're ~ing for a hotel/restaurant** nous cherchons un hôtel/restaurant; **look forward to** *vt fus* attendre avec impatience; **~ing forward to hearing from you** (*in letter*) dans l'attente de vous lire; **look into** *vt fus* (*matter, possibility*) examiner, étudier; **look out** *vi* (*beware*): **to ~ out (for)** prendre garde (à), faire attention (à); **~ out!** attention!; **look out for** *vt fus* (*seek*) être à la recherche de; (*try to spot*) guetter; **look round** *vt fus* (*house, shop*) faire le tour de ▷ *vi* (*turn*) regarder derrière soi, se retourner; **look through** *vt fus* (*papers, book*) examiner; (*: briefly*) parcourir; **look up** *vi* lever les yeux; (*improve*) s'améliorer ▷ *vt* (*word*) chercher; **look up to** *vt fus* avoir du respect pour; **lookout** *n* (*tower etc*) poste *m* de guet; (*person*) guetteur *m*; **to be on the lookout (for)** guetter

loom [lu:m] *vi* (*also*: **~ up**) surgir; (*event*) paraître imminent(e); (*threaten*) menacer

loony ['lu:nɪ] *adj*, *n* (*inf*) timbré(e), cinglé(e) *m/f*

loop [lu:p] *n* boucle *f* ▷ *vt*: **to ~ sth round sth** passer qch autour de qch; **loophole** *n* (*fig*) porte *f* de sortie; échappatoire *f*

loose [lu:s] *adj* (*knot, screw*) desserré(e); (*clothes*) vague, ample, lâche; (*hair*) dénoué(e), épars(e); (*not firmly fixed*) pas solide; (*morals, discipline*) relâché(e); (*translation*) approximatif(-ive) ▷ *n*: **to be on the ~** être en liberté; **~ connection** (*Elec*) mauvais contact; **to be at a ~ end** *or* (US) **at ~ ends** (*fig*) ne pas trop savoir quoi faire; **loosely** *adv* sans serrer; (*imprecisely*) approximativement; **loosen** *vt* desserrer, relâcher, défaire

loot [lu:t] *n* butin *m* ▷ *vt* piller

lop-sided ['lɔp'saɪdɪd] *adj* de travers, asymétrique

lord [lɔ:d] *n* seigneur *m*; **L~ Smith** lord Smith; **the L~** (*Rel*) le Seigneur; **my L~** (*to noble*) Monsieur le comte/le baron; (*to judge*) Monsieur le juge; (*to bishop*) Monseigneur; **good L~!** mon Dieu!; **Lords** *npl* (BRIT: *Pol*): **the (House of) Lords** (BRIT) la Chambre des Lords

lorry ['lɔrɪ] *n* (BRIT) camion *m*; **lorry driver** *n* (BRIT) camionneur *m*, routier *m*

lose (*pt, pp* **lost**) [lu:z, lɔst] *vt* perdre ▷ *vi* perdre; **I've lost my wallet/passport** j'ai perdu mon portefeuille/passeport; **to ~ (time)** (*clock*) retarder; **lose out** *vi* être perdant(e); **loser** *n* perdant(e)

loss [lɔs] *n* perte *f*; **to make a ~** enregistrer une perte; **to be at a ~** être perplexe *or* embarrassé(e)

lost [lɔst] *pt, pp of* **lose** ▷ *adj* perdu(e); **to get ~** *vi* se perdre; **I'm ~** je me suis perdu; **~ and found property** *n* (US) objets trouvés; **~ and found** *n* (US) (bureau *m* des) objets trouvés; **lost property** *n* (BRIT) objets trouvés; **lost property office** *or* **department** (bureau *m* des) objets trouvés

lot [lɔt] *n* (*at auctions, set*) lot *m*; (*destiny*) sort *m*, destinée *f*; **the ~** (*everything*) le tout; (*everyone*) tous *mpl*, toutes *fpl*; **a ~** beaucoup; **a ~ of** beaucoup de; **~s of** des tas de; **to draw ~s (for sth)** tirer (qch) au sort

lotion ['ləuʃən] *n* lotion *f*

lottery ['lɔtərɪ] *n* loterie *f*

loud [laud] *adj* bruyant(e), sonore; (*voice*) fort(e); (*condemnation etc*) vigoureux(-euse); (*gaudy*) voyant(e), tapageur(-euse) ▷ *adv* (*speak etc*) fort; **out ~** tout haut; **loudly** *adv* fort, bruyamment; **loudspeaker** *n* haut-parleur *m*

lounge [laundʒ] *n* salon *m*; (*of airport*) salle *f*; (BRIT: *also*: **~ bar**) (salle de) café *m or* bar *m* ▷ *vi* (*also*: **~ about** *or* **around**) se prélasser, paresser

louse (*pl* **lice**) [laus, laɪs] *n* pou *m*

lousy ['lauzɪ] (*inf*) *adj* (*bad quality*) infect(e), moche; **I feel ~** je suis mal fichu(e)

love [lʌv] *n* amour *m* ▷ *vt* aimer; (*caringly, kindly*) aimer beaucoup; **I ~ chocolate** j'adore le chocolat; **to ~ to do** aimer beaucoup *or* adorer faire; **"15 ~"** (*Tennis*) "15 à rien *or* zéro"; **to be/fall in ~ with** être/tomber amoureux(-euse) de; **to make ~** faire l'amour; **~ from Anne, ~, Anne** affectueusement, Anne; **I ~ you** je t'aime; **love affair** *n* liaison (amoureuse); **love life** *n* vie sentimentale

lovely ['lʌvlɪ] *adj* (*pretty*) ravissant(e); (*friend, wife*) charmant(e); (*holiday, surprise*) très agréable, merveilleux(-euse)

lover ['lʌvəʳ] *n* amant *m*; (*person in love*) amoureux(-euse); (*amateur*): **a ~ of** un(e) ami(e) de, un(e) amoureux(-euse) de

loving ['lʌvɪŋ] *adj* affectueux(-euse), tendre, aimant(e)

low [ləu] *adj* bas (basse); (*quality*) mauvais(e), inférieur(e) ▷ *adv* bas ▷ *n* (*Meteorology*) dépression *f*; **to feel ~** se sentir déprimé(e); **he's very ~** (*ill*) il est bien bas *or* très affaibli; **to turn (down) ~** *vt* baisser; **to be ~ on** (*supplies etc*) être à court de; **to reach a new** *or* **an all-time ~** tomber au niveau le plus bas; **low-alcohol** *adj* à faible teneur en alcool, peu alcoolisé(e); **low-calorie** *adj* hypocalorique

lower ['ləuəʳ] *adj* inférieur(e) ▷ *vt* baisser; (*resistance*) diminuer; **to ~ o.s. to** s'abaisser à

low-fat ['ləu'fæt] *adj* maigre

loyal ['lɔɪəl] *adj* loyal(e), fidèle; **loyalty** *n* loyauté *f*, fidélité *f*; **loyalty card** *n* carte *f* de fidélité

L.P. *n abbr* = **long-playing record**

L-plates ['ɛlpleɪts] *npl* (BRIT) plaques *fpl* (obligatoires) d'apprenti conducteur

Lt *abbr* (= *lieutenant*) Lt.

Ltd *abbr* (*Comm: company: = limited*) ≈ S.A.

luck [lʌk] *n* chance *f*; **bad ~** malchance *f*, malheur *m*; **good ~!** bonne chance!; **bad** *or* **hard** *or* **tough ~!** pas de chance!; **luckily** *adv* heureusement, par bonheur; **lucky** *adj* (*person*) qui a de la chance; (*coincidence*) heureux(-euse); (*number etc*) qui porte bonheur

lucrative ['lu:krətɪv] *adj* lucratif(-ive), rentable, qui rapporte

ludicrous ['lu:dɪkrəs] *adj* ridicule, absurde

luggage ['lʌgɪdʒ] *n* bagages *mpl*; **our ~ hasn't arrived** nos bagages ne sont pas arrivés; **could you send someone to collect our ~?** pourriez-vous envoyer quelqu'un chercher nos bagages?; **luggage rack** *n* (*in train*) porte-bagages *m inv*; (*: on car*) galerie *f*

lukewarm ['lu:kwɔ:m] *adj* tiède

lull [lʌl] *n* accalmie *f*; (*in conversation*) pause *f* ▷ *vt*: **to ~ sb to sleep** bercer qn pour qu'il s'endorme; **to be ~ed into a false sense of security** s'endormir dans une fausse sécurité

lullaby ['lʌləbaɪ] *n* berceuse *f*

lumber ['lʌmbəʳ] *n* (*wood*) bois *m* de charpente;

(*junk*) bric-à-brac *m inv* ▷ *vt* (BRIT *inf*): **to ~ sb with sth/sb** coller *or* refiler qch/qn à qn
luminous ['lu:mɪnəs] *adj* lumineux(-euse)
lump [lʌmp] *n* morceau *m*; (*in sauce*) grumeau *m*; (*swelling*) grosseur *f* ▷ *vt* (*also*: **~ together**) réunir, mettre en tas; **lump sum** *n* somme globale *or* forfaitaire; **lumpy** *adj* (*sauce*) qui a des grumeaux; (*bed*) défoncé(e), peu confortable
lunatic ['lu:nətɪk] *n* fou (folle), dément(e) ▷ *adj* fou (folle), dément(e)
lunch [lʌntʃ] *n* déjeuner *m* ▷ *vi* déjeuner; **lunch break, lunch hour** *n* pause *f* de midi, heure *f* du déjeuner; **lunchtime** *n*: **it's lunchtime** c'est l'heure du déjeuner
lung [lʌŋ] *n* poumon *m*
lure [luə^r] *n* (*attraction*) attrait *m*, charme *m*; (*in hunting*) appât *m*, leurre *m* ▷ *vt* attirer *or* persuader par la ruse
lurk [lə:k] *vi* se tapir, se cacher
lush [lʌʃ] *adj* luxuriant(e)
lust [lʌst] *n* (*sexual*) désir (sexuel); (*Rel*) luxure *f*; (*fig*): **~ for** soif *f* de
Luxembourg ['lʌksəmbə:g] *n* Luxembourg *m*
luxurious [lʌg'zjuərɪəs] *adj* luxueux(-euse)
luxury ['lʌkʃərɪ] *n* luxe *m* ▷ *cpd* de luxe
Lycra® ['laɪkrə] *n* Lycra® *m*
lying ['laɪɪŋ] *n* mensonge(s) *m(pl)* ▷ *adj* (*statement, story*) mensonger(-ère), faux (fausse); (*person*) menteur(-euse)
Lyons ['ljɔ̃] *n* Lyon
lyrics ['lɪrɪks] *npl* (*of song*) paroles *fpl*

m. *abbr* (= *metre*) m; (= *million*) M; (= *mile*) mi
M.A. *n abbr* (*Scol*) = **Master of Arts**
ma [mɑ:] (*inf*) *n* maman *f*
mac [mæk] *n* (BRIT) imper(méable *m*) *m*
macaroni [mækə'rəunɪ] *n* macaronis *mpl*
Macedonia [mæsɪ'dəunɪə] *n* Macédoine *f*; **Macedonian** [mæsɪ'dəunɪən] *adj* macédonien(ne) ▷ *n* Macédonien(ne); (*Ling*) macédonien *m*
machine [mə'ʃi:n] *n* machine *f* ▷ *vt* (*dress etc*) coudre à la machine; (*Tech*) usiner; **machine gun** *n* mitrailleuse *f*; **machinery** *n* machinerie *f*, machines *fpl*; (*fig*) mécanisme(s) *m(pl)*; **machine washable** *adj* (*garment*) lavable en machine
macho ['mætʃəu] *adj* macho *inv*
mackerel ['mækrl] *n* (*pl inv*) maquereau *m*
mackintosh ['mækɪntɔʃ] *n* (BRIT) imperméable *m*
mad [mæd] *adj* fou (folle); (*foolish*) insensé(e); (*angry*) furieux(-euse); **to be ~ (keen) about** *or* **on sth** (*inf*) être follement passionné de qch, être fou de qch
Madagascar [mædə'gæskə^r] *n* Madagascar *m*
madam ['mædəm] *n* madame *f*
mad cow disease *n* maladie *f* des vaches folles
made [meɪd] *pt, pp of* **make**; **made-to-measure** *adj* (BRIT) fait(e) sur mesure; **made-up** ['meɪdʌp] *adj* (*story*) inventé(e), fabriqué(e)
madly ['mædlɪ] *adv* follement; **~ in love** éperdument amoureux(-euse)
madman ['mædmən] (*irreg*) *n* fou *m*, aliéné *m*
madness ['mædnɪs] *n* folie *f*
Madrid [mə'drɪd] *n* Madrid
Mafia ['mæfɪə] *n* maf(f)ia *f*
mag [mæg] *n abbr* (BRIT *inf*: = *magazine*) magazine *m*
magazine [mægə'zi:n] *n* (*Press*) magazine *m*, revue *f*; (*Radio, TV*) magazine
maggot ['mægət] *n* ver *m*, asticot *m*
magic ['mædʒɪk] *n* magie *f* ▷ *adj* magique; **magical** *adj* magique; (*experience, evening*) merveilleux(-euse); **magician** [mə'dʒɪʃən] *n* magicien(ne)
magistrate ['mædʒɪstreɪt] *n* magistrat *m*; juge *m*
magnet ['mægnɪt] *n* aimant *m*; **magnetic** [mæg'nɛtɪk] *adj* magnétique
magnificent [mæg'nɪfɪsnt] *adj* superbe, magnifique; (*splendid*: *robe, building*) somptueux(-euse), magnifique
magnify ['mægnɪfaɪ] *vt* grossir; (*sound*) amplifier; **magnifying glass** *n* loupe *f*
magpie ['mægpaɪ] *n* pie *f*
mahogany [mə'hɔgənɪ] *n* acajou *m*
maid [meɪd] *n* bonne *f*; (*in hotel*) femme *f* de chambre; **old ~** (*pej*) vieille fille
maiden name *n* nom *m* de jeune fille
mail [meɪl] *n* poste *f*; (*letters*) courrier *m* ▷ *vt* envoyer (par la poste); **by ~** par la poste; **mailbox** *n* (US: *also Comput*) boîte *f* aux lettres; **mailing list** *n* liste *f* d'adresses; **mailman** (*irreg*) *n* (US) facteur *m*; **mail-order** *n* vente *f* or achat *m* par correspondance
main [meɪn] *adj* principal(e) ▷ *n* (*pipe*) conduite principale, canalisation *f*; **the ~s** (*Elec*) le secteur; **the ~ thing** l'essentiel *m*; **in the ~** dans l'ensemble; **main course** *n* (*Culin*) plat *m* de résistance; **mainland** *n* continent *m*; **mainly** *adv* principalement, surtout; **main road** *n* grand axe, route nationale; **mainstream** *n* (*fig*) courant principal; **main street** *n* rue *f* principale
maintain [meɪn'teɪn] *vt* entretenir; (*continue*) maintenir, préserver; (*affirm*) soutenir; **maintenance** ['meɪntənəns] *n* entretien *m*; (*Law*: *alimony*) pension *f* alimentaire
maisonette [meɪzə'nɛt] *n* (BRIT) appartement *m* en duplex
maize [meɪz] *n* (BRIT) maïs *m*
majesty ['mædʒɪstɪ] *n* majesté *f*; (*title*): **Your M~** Votre Majesté
major ['meɪdʒə^r] *n* (*Mil*) commandant *m* ▷ *adj* (*important*) important(e); (*most important*) principal(e); (*Mus*) majeur(e) ▷ *vi* (US *Scol*): **to ~ (in)** se spécialiser (en)
Majorca [mə'jɔ:kə] *n* Majorque *f*
majority [mə'dʒɔrɪtɪ] *n* majorité *f*
make [meɪk] *vt* (*pt, pp* **made**) faire; (*manufacture*) faire, fabriquer; (*earn*) gagner; (*decision*) prendre; (*friend*) se faire; (*speech*) faire, prononcer; (*cause to be*): **to ~ sb sad** *etc* rendre qn triste *etc*; (*force*): **to ~ sb do sth** obliger qn à faire qch, faire faire qch à qn; (*equal*): **2 and 2 ~ 4** 2 et 2 font 4 ▷ *n* (*manufacture*) fabrication *f*; (*brand*) marque *f*; **to ~ the bed** faire le lit; **to ~ a fool of sb** (*ridicule*) ridiculiser qn; (*trick*)

avoir *or* duper qn; **to ~ a profit** faire un *or* des bénéfice(s); **to ~ a loss** essuyer une perte; **to ~ it** (*in time etc*) y arriver; (*succeed*) réussir; **what time do you ~ it?** quelle heure avez-vous?; **I ~ it £249** d'après mes calculs ça fait 249 livres; **to be made of** être en; **to ~ do with** se contenter de; se débrouiller avec; **make off** *vi* filer; **make out** *vt* (*write out: cheque*) faire; (*decipher*) déchiffrer; (*understand*) comprendre; (*see*) distinguer; (*claim, imply*) prétendre, vouloir faire croire; **make up** *vt* (*invent*) inventer, imaginer; (*constitute*) constituer; (*parcel, bed*) faire ▷ *vi* se réconcilier; (*with cosmetics*) se maquiller, se farder; **to be made up of** se composer de; **make up for** *vt fus* compenser; (*lost time*) rattraper; **makeover** ['meɪkəuvəʳ] *n* (*by beautician*) soins *mpl* de maquillage; (*change of image*) changement *m* d'image; **maker** *n* fabricant *m*; (*of film, programme*) réalisateur(-trice); **makeshift** *adj* provisoire, improvisé(e); **make-up** *n* maquillage *m*

making ['meɪkɪŋ] *n* (*fig*): **in the ~** en formation *or* gestation; **to have the ~s of** (*actor, athlete*) avoir l'étoffe de

malaria [mə'lɛərɪə] *n* malaria *f*, paludisme *m*

Malaysia [mə'leɪzɪə] *n* Malaisie *f*

male [meɪl] *n* (*Biol, Elec*) mâle *m* ▷ *adj* (*sex, attitude*) masculin(e); (*animal*) mâle; (*child etc*) du sexe masculin

malicious [mə'lɪʃəs] *adj* méchant(e), malveillant(e)

malignant [mə'lɪgnənt] *adj* (*Med*) malin(-igne)

mall [mɔːl] *n* (*also*: **shopping ~**) centre commercial

mallet ['mælɪt] *n* maillet *m*

malnutrition [mælnjuː'trɪʃən] *n* malnutrition *f*

malpractice [mæl'præktɪs] *n* faute professionnelle; négligence *f*

malt [mɔːlt] *n* malt *m* ▷ *cpd* (*whisky*) pur malt

Malta ['mɔːltə] *n* Malte *f*; **Maltese** [mɔːl'tiːz] *adj* maltais(e) ▷ *n* (*pl inv*) Maltais(e)

mammal ['mæml] *n* mammifère *m*

mammoth ['mæməθ] *n* mammouth *m* ▷ *adj* géant(e), monstre

man (*pl* **men**) [mæn, mɛn] *n* homme *m*; (*Sport*) joueur *m*; (*Chess*) pièce *f* ▷ *vt* (*Naut: ship*) garnir d'hommes; (*machine*) assurer le fonctionnement de; (*Mil: gun*) servir; (*: post*) être de service à; **an old ~** un vieillard; **~ and wife** mari et femme

manage ['mænɪdʒ] *vi* se débrouiller; (*succeed*) y arriver, réussir ▷ *vt* (*business*) gérer; (*team, operation*) diriger; (*control: ship*) manier, manœuvrer; (*: person*) savoir s'y prendre avec; **to ~ to do** se débrouiller pour faire; (*succeed*) réussir à faire; **manageable** *adj* maniable; (*task etc*) faisable; (*number*) raisonnable; **management** *n* (*running*) administration *f*, direction *f*; (*people in charge: of business, firm*) dirigeants *mpl*, cadres *mpl*; (*: of hotel, shop, theatre*) direction; **manager** *n* (*of business*) directeur *m*; (*of institution etc*) administrateur *m*; (*of department, unit*) responsable *m/f*, chef *m*; (*of hotel etc*) gérant *m*; (*Sport*) manager *m*; (*of artist*) impresario *m*; **manageress** *n* directrice *f*; (*of hotel etc*) gérante *f*; **managerial** [mænɪ'dʒɪərɪəl] *adj* directorial(e); (*skills*) de cadre, de gestion; **managing director** *n* directeur général

mandarin ['mændərɪn] *n* (*also*: **~ orange**) mandarine *f*

mandate ['mændeɪt] *n* mandat *m*

mandatory ['mændətərɪ] *adj* obligatoire

mane [meɪn] *n* crinière *f*

maneuver [mə'nuːvəʳ] (*US*) = **manoeuvre**

mangetout ['mɔnʒ'tuː] *n* mange-tout *m inv*

mango (*pl* **~es**) ['mæŋgəu] *n* mangue *f*

man: **manhole** *n* trou *m* d'homme; **manhood** *n* (*age*) âge *m* d'homme; (*manliness*) virilité *f*

mania ['meɪnɪə] *n* manie *f*; **maniac** ['meɪnɪæk] *n* maniaque *m/f*; (*fig*) fou (folle)

manic ['mænɪk] *adj* maniaque

manicure ['mænɪkjuəʳ] *n* manucure *f*

manifest ['mænɪfɛst] *vt* manifester ▷ *adj* manifeste, évident(e)

manifesto [mænɪ'fɛstəu] *n* (*Pol*) manifeste *m*

manipulate [mə'nɪpjuleɪt] *vt* manipuler; (*system, situation*) exploiter

man: **mankind** [mæn'kaɪnd] *n* humanité *f*, genre humain; **manly** *adj* viril(e); **man-made** *adj* artificiel(le); (*fibre*) synthétique

manner ['mænəʳ] *n* manière *f*, façon *f*; (*behaviour*) attitude *f*, comportement *m*; **manners** *npl*: **(good) ~s** (bonnes) manières; **bad ~s** mauvaises manières; **all ~ of** toutes sortes de

manoeuvre (*US* **maneuver**) [mə'nuːvəʳ] *vt* (*move*) manœuvrer; (*manipulate: person*) manipuler; (*: situation*) exploiter ▷ *n* manœuvre *f*

manpower ['mænpauəʳ] *n* main-d'œuvre *f*

mansion ['mænʃən] *n* château *m*, manoir *m*

manslaughter ['mænslɔːtəʳ] *n* homicide *m* involontaire

mantelpiece ['mæntlpiːs] *n* cheminée *f*

manual ['mænjuəl] *adj* manuel(le) ▷ *n* manuel *m*

manufacture [mænju'fæktʃəʳ] *vt* fabriquer ▷ *n* fabrication *f*; **manufacturer** *n* fabricant *m*

manure [mə'njuəʳ] *n* fumier *m*; (*artificial*) engrais *m*

manuscript ['mænjuskrɪpt] *n* manuscrit *m*

many ['mɛnɪ] *adj* beaucoup de, de nombreux(-euses) ▷ *pron* beaucoup, un grand nombre; **a great ~** un grand nombre (de); **~ a ...** bien des ..., plus d'un(e) ...

map [mæp] *n* carte *f*; (*of town*) plan *m*; **can you show it to me on the ~?** pouvez-vous me l'indiquer sur la carte?; **map out** *vt* tracer; (*fig: task*) planifier

maple ['meɪpl] *n* érable *m*

Mar *abbr* = **March**

mar [mɑːʳ] *vt* gâcher, gâter

marathon ['mærəθən] *n* marathon *m*

marble ['mɑːbl] *n* marbre *m*; (*toy*) bille *f*

March [mɑːtʃ] *n* mars *m*

march [mɑːtʃ] *vi* marcher au pas; (*demonstrators*) défiler ▷ *n* marche *f*; (*demonstration*) manifestation *f*

mare [mɛəʳ] *n* jument *f*

margarine [mɑːdʒə'riːn] *n* margarine *f*

margin ['mɑːdʒɪn] *n* marge *f*; **marginal** *adj* marginal(e); **marginal seat** (*Pol*) siège disputé; **marginally** *adv* très légèrement, sensiblement

marigold ['mærɪgəuld] *n* souci *m*

marijuana [mærɪ'wɑːnə] *n* marijuana *f*

marina [mə'riːnə] *n* marina *f*

marinade *n* [mærɪ'neɪd] marinade *f*

marinate ['mærɪneɪt] *vt* (faire) mariner

marine [mə'riːn] *adj* marin(e) ▷ *n* fusilier marin; (*US*) marine *m*

marital ['mærɪtl] *adj* matrimonial(e); **marital status** *n* situation *f* de famille

maritime ['mærɪtaɪm] *adj* maritime

marjoram ['mɑːdʒərəm] *n* marjolaine *f*

mark [mɑːk] *n* marque *f*; (*of skid etc*) trace *f*; (*BRIT Scol*) note *f*; (*oven temperature*): **(gas) ~ 4** thermostat *m* 4 ▷ *vt* (*also Sport: player*) marquer; (*stain*) tacher; (*BRIT Scol*) corriger, noter; **to ~ time** marquer le pas; **marked** *adj* (*obvious*) marqué(e), net(te); **marker** *n* (*sign*) jalon *m*; (*bookmark*) signet *m*

market ['mɑːkɪt] *n* marché *m* ▷ *vt* (*Comm*) commercialiser; **marketing** *n* marketing *m*; **marketplace** *n* place *f* du marché; (*Comm*) marché *m*; **market research** *n* étude *f* de marché
marmalade ['mɑːməleɪd] *n* confiture *f* d'oranges
maroon [mə'ruːn] *vt*: **to be ~ed** être abandonné(e); (*fig*) être bloqué(e) ▷ *adj* (*colour*) bordeaux *inv*
marquee [mɑː'kiː] *n* chapiteau *m*
marriage ['mærɪdʒ] *n* mariage *m*; **marriage certificate** *n* extrait *m* d'acte de mariage
married ['mærɪd] *adj* marié(e); (*life, love*) conjugal(e)
marrow ['mærəu] *n* (*of bone*) moelle *f*; (*vegetable*) courge *f*
marry ['mærɪ] *vt* épouser, se marier avec; (*subj*: *father, priest etc*) marier ▷ *vi* (*also*: **get married**) se marier
Mars [mɑːz] *n* (*planet*) Mars *f*
Marseilles [mɑː'seɪ] *n* Marseille
marsh [mɑːʃ] *n* marais *m*, marécage *m*
marshal ['mɑːʃl] *n* maréchal *m*; (*US*: *fire, police*) ≈ capitaine *m*; (*for demonstration, meeting*) membre *m* du service d'ordre ▷ *vt* rassembler
martyr ['mɑːtəʳ] *n* martyr(e)
marvel ['mɑːvl] *n* merveille *f* ▷ *vi*: **to ~ (at)** s'émerveiller (de); **marvellous** (*US* **marvelous**) *adj* merveilleux(-euse)
Marxism ['mɑːksɪzəm] *n* marxisme *m*
Marxist ['mɑːksɪst] *adj, n* marxiste (*m/f*)
marzipan ['mɑːzɪpæn] *n* pâte *f* d'amandes
mascara [mæs'kɑːrə] *n* mascara *m*
mascot ['mæskət] *n* mascotte *f*
masculine ['mæskjulɪn] *adj* masculin(e) ▷ *n* masculin *m*
mash [mæʃ] *vt* (*Culin*) faire une purée de; **mashed potato(es)** *n(pl)* purée *f* de pommes de terre
mask [mɑːsk] *n* masque *m* ▷ *vt* masquer
mason ['meɪsn] *n* (*also*: **stone~**) maçon *m*; (*also*: **free~**) franc-maçon *m*; **masonry** *n* maçonnerie *f*
mass [mæs] *n* multitude *f*, masse *f*; (*Physics*) masse; (*Rel*) messe *f* ▷ *cpd* (*communication*) de masse; (*unemployment*) massif(-ive) ▷ *vi* se masser; **masses** *npl*: **the ~es** les masses; **~es of** (*inf*) des tas de
massacre ['mæsəkəʳ] *n* massacre *m*
massage ['mæsɑːʒ] *n* massage *m* ▷ *vt* masser
massive ['mæsɪv] *adj* énorme, massif(-ive)
mass media *npl* mass-media *mpl*
mass-produce ['mæsprə'djuːs] *vt* fabriquer en série
mast [mɑːst] *n* mât *m*; (*Radio, TV*) pylône *m*
master ['mɑːstəʳ] *n* maître *m*; (*in secondary school*) professeur *m*; (*in primary school*) instituteur *m*; (*title for boys*): **M~ X** Monsieur X ▷ *vt* maîtriser; (*learn*) apprendre à fond; **M~ of Arts/Science (MA/MSc)** *n* ≈ titulaire *m/f* d'une maîtrise (en lettres/science); **M~ of Arts/Science degree (MA/MSc)** *n* ≈ maîtrise *f*; **mastermind** *n* esprit supérieur ▷ *vt* diriger, être le cerveau de; **masterpiece** *n* chef-d'œuvre *m*
masturbate ['mæstəbeɪt] *vi* se masturber
mat [mæt] *n* petit tapis; (*also*: **door~**) paillasson *m*; (*also*: **table~**) set *m* de table ▷ *adj* = **matt**
match [mætʃ] *n* allumette *f*; (*game*) match *m*, partie *f*; (*fig*) égal(e) ▷ *vt* (*also*: **~ up**) assortir; (*go well with*) aller bien avec, s'assortir à; (*equal*) égaler, valoir ▷ *vi* être assorti(e); **to be a good ~** être bien assorti(e); **matchbox** *n* boîte *f* d'allumettes; **matching** *adj* assorti(e)
mate [meɪt] *n* (*inf*) copain (copine); (*animal*) partenaire *m/f*, mâle (femelle); (*in merchant navy*) second *m* ▷ *vi* s'accoupler
material [mə'tɪərɪəl] *n* (*substance*) matière *f*, matériau *m*; (*cloth*) tissu *m*, étoffe *f*; (*information, data*) données *fpl* ▷ *adj* matériel(le); (*relevant*: *evidence*) pertinent(e); **materials** *npl* (*equipment*) matériaux *mpl*
materialize [mə'tɪərɪəlaɪz] *vi* se matérialiser, se réaliser
maternal [mə'təːnl] *adj* maternel(le)
maternity [mə'təːnɪtɪ] *n* maternité *f*; **maternity hospital** *n* maternité *f*; **maternity leave** *n* congé *m* de maternité
math [mæθ] *n* (*US*: = *mathematics*) maths *fpl*
mathematical [mæθə'mætɪkl] *adj* mathématique
mathematician [mæθəmə'tɪʃən] *n* mathématicien(ne)
mathematics [mæθə'mætɪks] *n* mathématiques *fpl*
maths [mæθs] *n abbr* (*BRIT*: = *mathematics*) maths *fpl*
matinée ['mætɪneɪ] *n* matinée *f*
matron ['meɪtrən] *n* (*in hospital*) infirmière-chef *f*; (*in school*) infirmière *f*
matt [mæt] *adj* mat(e)
matter ['mætəʳ] *n* question *f*; (*Physics*) matière *f*, substance *f*; (*Med*: *pus*) pus *m* ▷ *vi* importer; **matters** *npl* (*affairs, situation*) la situation; **it doesn't ~** cela n'a pas d'importance; (*I don't mind*) cela ne fait rien; **what's the ~?** qu'est-ce qu'il y a?, qu'est-ce qui ne va pas?; **no ~ what** quoi qu'il arrive; **as a ~ of course** tout naturellement; **as a ~ of fact** en fait; **reading ~** (*BRIT*) de quoi lire, de la lecture
mattress ['mætrɪs] *n* matelas *m*
mature [mə'tjuəʳ] *adj* mûr(e); (*cheese*) fait(e); (*wine*) arrivé(e) à maturité ▷ *vi* mûrir; (*cheese, wine*) se faire; **mature student** *n étudiant(e) plus âgé(e) que la moyenne*; **maturity** *n* maturité *f*
maul [mɔːl] *vt* lacérer
mauve [məuv] *adj* mauve
max *abbr* = **maximum**
maximize ['mæksɪmaɪz] *vt* (*profits etc, chances*) maximiser
maximum ['mæksɪməm] (*pl* **maxima**) *adj* maximum ▷ *n* maximum *m*
May [meɪ] *n* mai *m*
may [meɪ] (*conditional* **might**) *vi* (*indicating possibility*): **he ~ come** il se peut qu'il vienne; (*be allowed to*): **~ I smoke?** puis-je fumer?; (*wishes*): **~ God bless you!** (que) Dieu vous bénisse!; **you ~ as well go** vous feriez aussi bien d'y aller
maybe ['meɪbiː] *adv* peut-être; **~ he'll ...** peut-être qu'il ...
May Day *n* le Premier mai
mayhem ['meɪhɛm] *n* grabuge *m*
mayonnaise [meɪə'neɪz] *n* mayonnaise *f*
mayor [mɛəʳ] *n* maire *m*; **mayoress** *n* (*female mayor*) maire *m*; (*wife of mayor*) épouse *f* du maire
maze [meɪz] *n* labyrinthe *m*, dédale *m*
MD *n abbr* (*Comm*) = **managing director**
me [miː] *pron* me, m' + *vowel or h mute*; (*stressed, after prep*) moi; **it's me** c'est moi; **he heard me** il m'a entendu; **give me a book** donnez-moi un livre; **it's for me** c'est pour moi
meadow ['mɛdəu] *n* prairie *f*, pré *m*
meagre (*US* **meager**) ['miːgəʳ] *adj* maigre
meal [miːl] *n* repas *m*; (*flour*) farine *f*; **mealtime** *n* heure *f* du repas
mean [miːn] *adj* (*with money*) avare, radin(e); (*unkind*) mesquin(e), méchant(e); (*shabby*)

misérable; (*average*) moyen(ne) ▷ *vt* (*pt, pp* **~t**) (*signify*) signifier, vouloir dire; (*refer to*) faire allusion à, parler de; (*intend*): **to ~ to do** avoir l'intention de faire ▷ *n* moyenne *f*; **means** *npl* (*way, money*) moyens *mpl*; **by ~s of** (*instrument*) au moyen de; **by all ~s** je vous en prie; **to be ~t for** être destiné(e) à; **do you ~ it?** vous êtes sérieux?; **what do you ~?** que voulez-vous dire?
meaning ['mi:nɪŋ] *n* signification *f*, sens *m*; **meaningful** *adj* significatif(-ive); (*relationship*) valable; **meaningless** *adj* dénué(e) de sens
meant [mɛnt] *pt, pp of* **mean**
meantime ['mi:ntaɪm] *adv* (*also*: **in the ~**) pendant ce temps
meanwhile ['mi:nwaɪl] *adv* = **meantime**
measles ['mi:zlz] *n* rougeole *f*
measure ['mɛʒə^r] *vt, vi* mesurer ▷ *n* mesure *f*; (*ruler*) règle (graduée)
measurements ['mɛʒəməntz] *npl* mesures *fpl*; **chest/hip ~** tour *m* de poitrine/hanches
meat [mi:t] *n* viande *f*; **I don't eat ~** je ne mange pas de viande; **cold ~s** (BRIT) viandes froides; **meatball** *n* boulette *f* de viande
Mecca ['mɛkə] *n* la Mecque
mechanic [mɪ'kænɪk] *n* mécanicien *m*; **can you send a ~?** pouvez-vous nous envoyer un mécanicien?; **mechanical** *adj* mécanique
mechanism ['mɛkənɪzəm] *n* mécanisme *m*
medal ['mɛdl] *n* médaille *f*; **medallist** (US **medalist**) *n* (*Sport*) médaillé(e)
meddle ['mɛdl] *vi*: **to ~ in** se mêler de, s'occuper de; **to ~ with** toucher à
media ['mi:dɪə] *npl* media *mpl* ▷ *npl of* **medium**
mediaeval [mɛdɪ'i:vl] *adj* = **medieval**
mediate ['mi:dɪeɪt] *vi* servir d'intermédiaire
medical ['mɛdɪkl] *adj* médical(e) ▷ *n* (*also*: **~ examination**) visite médicale; (*private*) examen médical; **medical certificate** *n* certificat médical
medicated ['mɛdɪkeɪtɪd] *adj* traitant(e), médicamenteux(-euse)
medication [mɛdɪ'keɪʃən] *n* (*drugs etc*) médication *f*
medicine ['mɛdsɪn] *n* médecine *f*; (*drug*) médicament *m*
medieval [mɛdɪ'i:vl] *adj* médiéval(e)
mediocre [mi:dɪ'əukə^r] *adj* médiocre
meditate ['mɛdɪteɪt] *vi*: **to ~ (on)** méditer (sur)
meditation [mɛdɪ'teɪʃən] *n* méditation *f*
Mediterranean [mɛdɪtə'reɪnɪən] *adj* méditerranéen(ne); **the ~ (Sea)** la (mer) Méditerranée
medium ['mi:dɪəm] *adj* moyen(ne) ▷ *n* (*pl* **media**) (*means*) moyen *m*; (*pl* **~s**) (*person*) médium *m*; **the happy ~** le juste milieu; **medium-sized** *adj* de taille moyenne; **medium wave** *n* (*Radio*) ondes moyennes, petites ondes
meek [mi:k] *adj* doux (douce), humble
meet (*pt, pp* **met**) [mi:t, mɛt] *vt* rencontrer; (*by arrangement*) retrouver, rejoindre; (*for the first time*) faire la connaissance de; (*go and fetch*): **I'll ~ you at the station** j'irai te chercher à la gare; (*opponent, danger, problem*) faire face à; (*requirements*) satisfaire à, répondre à ▷ *vi* (*friends*) se rencontrer; se retrouver; (*in session*) se réunir; (*join: lines, roads*) se joindre; **nice ~ing you** ravi d'avoir fait votre connaissance; **meet up** *vi*: **to ~ up with sb** rencontrer qn; **meet with** *vt fus* (*difficulty*) rencontrer; **to ~ with success** être couronné(e) de succès; **meeting** *n* (*of group of people*) réunion *f*; (*between individuals*) rendez-vous *m*; **she's at** *or* **in a meeting** (*Comm*) elle est en réunion; **meeting place** *n* lieu *m* de (la) réunion; (*for appointment*) lieu de rendez-vous
megabyte ['mɛgəbaɪt] *n* (*Comput*) méga-octet *m*
megaphone ['mɛgəfəun] *n* porte-voix *m inv*
megapixel ['mɛgəpɪksl] *n* mégapixel *m*
melancholy ['mɛlənkəlɪ] *n* mélancolie *f* ▷ *adj* mélancolique
melody ['mɛlədɪ] *n* mélodie *f*
melon ['mɛlən] *n* melon *m*
melt [mɛlt] *vi* fondre ▷ *vt* faire fondre
member ['mɛmbə^r] *n* membre *m*; **Member of Congress** (US) *n* membre *m* du Congrès, ≈ député *m*; **Member of Parliament (MP)** *n* (BRIT) député *m*; **Member of the European Parliament (MEP)** *n* Eurodéputé *m*; **Member of the House of Representatives (MHR)** *n* (US) membre *m* de la Chambre des représentants; **Member of the Scottish Parliament (MSP)** *n* (BRIT) député *m* au Parlement écossais; **membership** *n* (*becoming a member*) adhésion *f*; admission *f*; (*the members*) membres *mpl*, adhérents *mpl*; **membership card** *n* carte *f* de membre
memento [mə'mɛntəu] *n* souvenir *m*
memo ['mɛməu] *n* note *f* (de service)
memorable ['mɛmərəbl] *adj* mémorable
memorandum (*pl* **memoranda**) [mɛmə'rændəm, -də] *n* note *f* (de service)
memorial [mɪ'mɔ:rɪəl] *n* mémorial *m* ▷ *adj* commémoratif(-ive)
memorize ['mɛməraɪz] *vt* apprendre *or* retenir par cœur
memory ['mɛmərɪ] *n* (*also Comput*) mémoire *f*; (*recollection*) souvenir *m*; **in ~ of** à la mémoire de; **memory card** *n* (*for digital camera*) carte *f* mémoire
men [mɛn] *npl of* **man**
menace ['mɛnɪs] *n* menace *f*; (*inf: nuisance*) peste *f*, plaie *f* ▷ *vt* menacer
mend [mɛnd] *vt* réparer; (*darn*) raccommoder, repriser ▷ *n*: **on the ~** en voie de guérison; **to ~ one's ways** s'amender
meningitis [mɛnɪn'dʒaɪtɪs] *n* méningite *f*
menopause ['mɛnəupɔ:z] *n* ménopause *f*
men's room (US) *n*: **the men's room** les toilettes *fpl* pour hommes
menstruation [mɛnstru'eɪʃən] *n* menstruation *f*
menswear ['mɛnzwɛə^r] *n* vêtements *mpl* d'hommes
mental ['mɛntl] *adj* mental(e); **mental hospital** *n* hôpital *m* psychiatrique; **mentality** [mɛn'tælɪtɪ] *n* mentalité *f*; **mentally** *adv*: **to be mentally handicapped** être handicapé(e) mental(e); **the mentally ill** les malades mentaux
menthol ['mɛnθɔl] *n* menthol *m*
mention ['mɛnʃən] *n* mention *f* ▷ *vt* mentionner, faire mention de; **don't ~ it!** je vous en prie, il n'y a pas de quoi!
menu ['mɛnju:] *n* (*set menu, Comput*) menu *m*; (*list of dishes*) carte *f*; **could we see the ~?** est-ce qu'on peut voir la carte?
MEP *n abbr* = **Member of the European Parliament**
mercenary ['mə:sɪnərɪ] *adj* (*person*) intéressé(e), mercenaire ▷ *n* mercenaire *m*
merchandise ['mə:tʃəndaɪz] *n* marchandises *fpl*
merchant ['mə:tʃənt] *n* négociant *m*, marchand *m*; **merchant bank** *n* (BRIT) banque *f* d'affaires; **merchant navy** (US **merchant marine**) *n* marine marchande

merciless ['mə:sɪlɪs] *adj* impitoyable, sans pitié
mercury ['mə:kjurɪ] *n* mercure *m*
mercy ['mə:sɪ] *n* pitié *f*, merci *f*; (*Rel*) miséricorde *f*; **at the ~ of** à la merci de
mere [mɪə^r] *adj* simple; (*chance*) pur(e); **a ~ two hours** seulement deux heures; **merely** *adv* simplement, purement
merge [mə:dʒ] *vt* unir; (*Comput*) fusionner, interclasser ▷ *vi* (*colours, shapes, sounds*) se mêler; (*roads*) se joindre; (*Comm*) fusionner; **merger** *n* (*Comm*) fusion *f*
meringue [mə'ræŋ] *n* meringue *f*
merit ['mɛrɪt] *n* mérite *m*, valeur *f* ▷ *vt* mériter
mermaid ['mə:meɪd] *n* sirène *f*
merry ['mɛrɪ] *adj* gai(e); **M~ Christmas!** joyeux Noël!; **merry-go-round** *n* manège *m*
mesh [mɛʃ] *n* mailles *fpl*
mess [mɛs] *n* désordre *m*, fouillis *m*, pagaille *f*; (*muddle: of life*) gâchis *m*; (*: of economy*) pagaille *f*; (*dirt*) saleté *f*; (*Mil*) mess *m*, cantine *f*; **to be (in) a ~** être en désordre; **to be/get o.s. in a ~** (*fig*) être/se mettre dans le pétrin; **mess about** *or* **around** (*inf*) *vi* perdre son temps; **mess up** *vt* (*dirty*) salir; (*spoil*) gâcher; **mess with** (*inf*) *vt fus* (*challenge, confront*) se frotter à; (*interfere with*) toucher à
message ['mɛsɪdʒ] *n* message *m*; **can I leave a ~?** est-ce que je peux laisser un message?; **are there any ~s for me?** est-ce que j'ai des messages?
messenger ['mɛsɪndʒə^r] *n* messager *m*
Messrs, Messrs. ['mɛsəz] *abbr* (*on letters: = messieurs*) MM
messy ['mɛsɪ] *adj* (*dirty*) sale; (*untidy*) en désordre
met [mɛt] *pt, pp of* **meet**
metabolism [mɛ'tæbəlɪzəm] *n* métabolisme *m*
metal ['mɛtl] *n* métal *m* ▷ *cpd* en métal; **metallic** [mɛ'tælɪk] *adj* métallique
metaphor ['mɛtəfə^r] *n* métaphore *f*
meteor ['mi:tɪə^r] *n* météore *m*; **meteorite** ['mi:tɪəraɪt] *n* météorite *m or f*
meteorology [mi:tɪə'rɔlədʒɪ] *n* météorologie *f*
meter ['mi:tə^r] *n* (*instrument*) compteur *m*; (*also*: **parking ~**) parc(o)mètre *m*; (*US: unit*) = **metre** ▷ *vt* (*US Post*) affranchir à la machine
method ['mɛθəd] *n* méthode *f*; **methodical** [mɪ'θɔdɪkl] *adj* méthodique
methylated spirit ['mɛθɪleɪtɪd-] *n* (BRIT: *also*: **meths**) alcool *m* à brûler
meticulous [mɛ'tɪkjuləs] *adj* méticuleux(-euse)
metre (US **meter**) ['mi:tə^r] *n* mètre *m*
metric ['mɛtrɪk] *adj* métrique
metro ['metrəu] *n* métro *m*
metropolitan [mɛtrə'pɔlɪtən] *adj* métropolitain(e); **the M~ Police** (BRIT) la police londonienne
Mexican ['mɛksɪkən] *adj* mexicain(e) ▷ *n* Mexicain(e)
Mexico ['mɛksɪkəu] *n* Mexique *m*
mg *abbr* (= *milligram*) mg
mice [maɪs] *npl of* **mouse**
micro... [maɪkrəu] *prefix*: **microchip** *n* (*Elec*) puce *f*; **microphone** *n* microphone *m*; **microscope** *n* microscope *m*; **microwave** *n* (*also*: **microwave oven**) four *m* à micro-ondes
mid [mɪd] *adj*: **~ May** la mi-mai; **~ afternoon** le milieu de l'après-midi; **in ~ air** en plein ciel; **he's in his ~ thirties** il a dans les trente-cinq ans; **midday** *n* midi *m*
middle ['mɪdl] *n* milieu *m*; (*waist*) ceinture *f*, taille *f* ▷ *adj* du milieu; (*average*) moyen(ne); **in the ~ of the night** au milieu de la nuit; **middle-aged** *adj* d'un certain âge, ni vieux ni jeune; **Middle Ages** *npl*: **the Middle Ages** le moyen âge; **middle-class** *adj* bourgeois(e); **middle class(es)** *n(pl)*: **the middle class(es)** ≈ les classes moyennes; **Middle East** *n*: **the Middle East** le Proche-Orient, le Moyen-Orient; **middle name** *n* second prénom; **middle school** *n* (US) *école pour les enfants de 12 à 14 ans*, ≈ collège *m*; (BRIT) *école pour les enfants de 8 à 14 ans*
midge [mɪdʒ] *n* moucheron *m*
midget ['mɪdʒɪt] *n* nain(e)
midnight ['mɪdnaɪt] *n* minuit *m*
midst [mɪdst] *n*: **in the ~ of** au milieu de
midsummer [mɪd'sʌmə^r] *n* milieu *m* de l'été
midway [mɪd'weɪ] *adj, adv*: **~ (between)** à mi-chemin (entre); **~ through ...** au milieu de ..., en plein(e) ...
midweek [mɪd'wi:k] *adv* au milieu de la semaine, en pleine semaine
midwife (*pl* **midwives**) ['mɪdwaɪf, -vz] *n* sage-femme *f*
midwinter [mɪd'wɪntə^r] *n* milieu *m* de l'hiver
might [maɪt] *vb see* **may** ▷ *n* puissance *f*, force *f*; **mighty** *adj* puissant(e)
migraine ['mi:greɪn] *n* migraine *f*
migrant ['maɪgrənt] *n* (*bird, animal*) migrateur *m*; (*person*) migrant(e) ▷ *adj* migrateur(-trice); migrant(e); (*worker*) saisonnier(-ière)
migrate [maɪ'greɪt] *vi* migrer
migration [maɪ'greɪʃən] *n* migration *f*
mike [maɪk] *n abbr* (= *microphone*) micro *m*
mild [maɪld] *adj* doux (douce); (*reproach, infection*) léger(-ère); (*illness*) bénin(-igne); (*interest*) modéré(e); (*taste*) peu relevé(e); **mildly** ['maɪldlɪ] *adv* doucement; légèrement; **to put it mildly** (*inf*) c'est le moins qu'on puisse dire
mile [maɪl] *n* mil(l)e *m* (= 1609 *m*); **mileage** *n* distance *f* en milles, ≈ kilométrage *m*; **mileometer** [maɪ'lɔmɪtə^r] *n* compteur *m* kilométrique; **milestone** *n* borne *f*; (*fig*) jalon *m*
military ['mɪlɪtərɪ] *adj* militaire
militia [mɪ'lɪʃə] *n* milice *f*
milk [mɪlk] *n* lait *m* ▷ *vt* (*cow*) traire; (*fig: person*) dépouiller, plumer; (*: situation*) exploiter à fond; **milk chocolate** *n* chocolat *m* au lait; **milkman** (*irreg*) *n* laitier *m*; **milky** *adj* (*drink*) au lait; (*colour*) laiteux(-euse)
mill [mɪl] *n* moulin *m*; (*factory*) usine *f*, fabrique *f*; (*spinning mill*) filature *f*; (*flour mill*) minoterie *f* ▷ *vt* moudre, broyer ▷ *vi* (*also*: **~ about**) grouiller
millennium (*pl* **~s** *or* **millennia**) [mɪ'lɛnɪəm, -'lɛnɪə] *n* millénaire *m*
milli... ['mɪlɪ] *prefix* milli...: **milligram(me)** *n* milligramme *m*; **millilitre** (US **milliliter**) ['mɪlɪli:tə^r] *n* millilitre *m*; **millimetre** (US **millimeter**) *n* millimètre *m*
million ['mɪljən] *n* million *m*; **a ~ pounds** un million de livres sterling; **millionaire** [mɪljə'nɛə^r] *n* millionnaire *m*; **millionth** [-θ] *num* millionième
milometer [maɪ'lɔmɪtə^r] *n* = **mileometer**
mime [maɪm] *n* mime *m* ▷ *vt, vi* mimer
mimic ['mɪmɪk] *n* imitateur(-trice) ▷ *vt, vi* imiter, contrefaire
min. *abbr* (= *minute(s)*) mn.; (= *minimum*) min.
mince [mɪns] *vt* hacher ▷ *n* (BRIT *Culin*) viande hachée, hachis *m*; **mincemeat** *n* *hachis de fruits secs utilisés en pâtisserie*; (US) viande hachée, hachis *m*; **mince pie** *n* *sorte de tarte aux fruits secs*
mind [maɪnd] *n* esprit *m* ▷ *vt* (*attend to, look after*)

s'occuper de; (*be careful*) faire attention à; (*object to*): **I don't ~ the noise** je ne crains pas le bruit, le bruit ne me dérange pas; **it is on my ~** cela me préoccupe; **to change one's ~** changer d'avis; **to my ~** à mon avis, selon moi; **to bear sth in ~** tenir compte de qch; **to have sb/sth in ~** avoir qn/qch en tête; **to make up one's ~** se décider; **do you ~ if ...?** est-ce que cela vous gêne si ...?; **I don't ~** cela ne me dérange pas; (*don't care*) ça m'est égal; **~ you, ...** remarquez, ...; **never ~** peu importe, ça ne fait rien; (*don't worry*) ne vous en faites pas; **"~ the step"** "attention à la marche"; **mindless** *adj* irréfléchi(e); (*violence, crime*) insensé(e); (*boring: job*) idiot(e)

mine[1] [maɪn] *pron* le (la) mien(ne), les miens (miennes); **a friend of ~** un de mes amis, un ami à moi; **this book is ~** ce livre est à moi

mine[2] [maɪn] *n* mine *f* ▷ *vt* (*coal*) extraire; (*ship, beach*) miner; **minefield** *n* champ *m* de mines; **miner** *n* mineur *m*

mineral ['mɪnərəl] *adj* minéral(e) ▷ *n* minéral *m*; **mineral water** *n* eau minérale

mingle ['mɪŋgl] *vi*: **to ~ with** se mêler à

miniature ['mɪnətʃəʳ] *adj* (en) miniature ▷ *n* miniature *f*

minibar ['mɪnɪbɑːʳ] *n* minibar *m*

minibus ['mɪnɪbʌs] *n* minibus *m*

minicab ['mɪnɪkæb] *n* (BRIT) taxi *m* indépendant

minimal ['mɪnɪml] *adj* minimal(e)

minimize ['mɪnɪmaɪz] *vt* (*reduce*) réduire au minimum; (*play down*) minimiser

minimum ['mɪnɪməm] *n* (*pl* **minima**) minimum *m* ▷ *adj* minimum

mining ['maɪnɪŋ] *n* exploitation minière

miniskirt ['mɪnɪskəːt] *n* mini-jupe *f*

minister ['mɪnɪstəʳ] *n* (BRIT *Pol*) ministre *m*; (*Rel*) pasteur *m*

ministry ['mɪnɪstrɪ] *n* (BRIT *Pol*) ministère *m*; (*Rel*): **to go into the ~** devenir pasteur

minor ['maɪnəʳ] *adj* petit(e), de peu d'importance; (*Mus, poet, problem*) mineur(e) ▷ *n* (*Law*) mineur(e)

minority [maɪ'nɔrɪtɪ] *n* minorité *f*

mint [mɪnt] *n* (*plant*) menthe *f*; (*sweet*) bonbon *m* à la menthe ▷ *vt* (*coins*) battre; **the (Royal) M~, the (US) M~** ≈ l'hôtel *m* de la Monnaie; **in ~ condition** à l'état de neuf

minus ['maɪnəs] *n* (*also*: **~ sign**) signe *m* moins ▷ *prep* moins; **12 ~ 6 equals 6** 12 moins 6 égal 6; **~ 24°C** moins 24°C

minute[1] *n* ['mɪnɪt] minute *f*; **minutes** *npl* (*of meeting*) procès-verbal *m*, compte rendu; **wait a ~!** (attendez) un instant!; **at the last ~** à la dernière minute

minute[2] *adj* [maɪ'njuːt] minuscule; (*detailed*) minutieux(-euse); **in ~ detail** par le menu

miracle ['mɪrəkl] *n* miracle *m*

miraculous [mɪ'rækjuləs] *adj* miraculeux(-euse)

mirage ['mɪrɑːʒ] *n* mirage *m*

mirror ['mɪrəʳ] *n* miroir *m*, glace *f*; (*in car*) rétroviseur *m*

misbehave [mɪsbɪ'heɪv] *vi* mal se conduire

misc. *abbr* = **miscellaneous**

miscarriage ['mɪskærɪdʒ] *n* (*Med*) fausse couche; **~ of justice** erreur *f* judiciaire

miscellaneous [mɪsɪ'leɪnɪəs] *adj* (*items, expenses*) divers(es); (*selection*) varié(e)

mischief ['mɪstʃɪf] *n* (*naughtiness*) sottises *fpl*; (*playfulness*) espièglerie *f*; (*harm*) mal *m*, dommage *m*; (*maliciousness*) méchanceté *f*; **mischievous** ['mɪstʃɪvəs] *adj* (*playful, naughty*) coquin(e), espiègle

misconception ['mɪskən'sɛpʃən] *n* idée fausse

misconduct [mɪs'kɔndʌkt] *n* inconduite *f*; **professional ~** faute professionnelle

miser ['maɪzəʳ] *n* avare *m/f*

miserable ['mɪzərəbl] *adj* (*person, expression*) malheureux(-euse); (*conditions*) misérable; (*weather*) maussade; (*offer, donation*) minable; (*failure*) pitoyable

misery ['mɪzərɪ] *n* (*unhappiness*) tristesse *f*; (*pain*) souffrances *fpl*; (*wretchedness*) misère *f*

misfortune [mɪs'fɔːtʃən] *n* malchance *f*, malheur *m*

misgiving [mɪs'gɪvɪŋ] *n* (*apprehension*) craintes *fpl*; **to have ~s about sth** avoir des doutes quant à qch

misguided [mɪs'gaɪdɪd] *adj* malavisé(e)

mishap ['mɪshæp] *n* mésaventure *f*

misinterpret [mɪsɪn'təːprɪt] *vt* mal interpréter

misjudge [mɪs'dʒʌdʒ] *vt* méjuger, se méprendre sur le compte de

mislay [mɪs'leɪ] *vt* (*irreg: like* **lay**) égarer

mislead [mɪs'liːd] *vt* (*irreg: like* **lead**) induire en erreur; **misleading** *adj* trompeur(-euse)

misplace [mɪs'pleɪs] *vt* égarer; **to be ~d** (*trust etc*) être mal placé(e)

misprint ['mɪsprɪnt] *n* faute *f* d'impression

misrepresent [mɪsrɛprɪ'zɛnt] *vt* présenter sous un faux jour

Miss [mɪs] *n* Mademoiselle

miss [mɪs] *vt* (*fail to get, attend, see*) manquer, rater; (*regret the absence of*): **I ~ him/it** il/cela me manque ▷ *vi* manquer ▷ *n* (*shot*) coup manqué; **we ~ed our train** nous avons raté notre train; **you can't ~ it** vous ne pouvez pas vous tromper; **miss out** *vt* (BRIT) oublier; **miss out on** *vt fus* (*fun, party*) rater, manquer; (*chance, bargain*) laisser passer

missile ['mɪsaɪl] *n* (*Aviat*) missile *m*; (*object thrown*) projectile *m*

missing ['mɪsɪŋ] *adj* manquant(e); (*after escape, disaster: person*) disparu(e); **to go ~** disparaître; **~ in action** (*Mil*) porté(e) disparu(e)

mission ['mɪʃən] *n* mission *f*; **on a ~ to sb** en mission auprès de qn; **missionary** *n* missionnaire *m/f*

misspell ['mɪs'spɛl] *vt* (*irreg: like* **spell**) mal orthographier

mist [mɪst] *n* brume *f* ▷ *vi* (*also*: **~ over**, **~ up**) devenir brumeux(-euse); (BRIT: *windows*) s'embuer

mistake [mɪs'teɪk] *n* erreur *f*, faute *f* ▷ *vt* (*irreg: like* **take**) (*meaning*) mal comprendre; (*intentions*) se méprendre sur; **to ~ for** prendre pour; **by ~** par erreur, par inadvertance; **to make a ~** (*in writing*) faire une faute; (*in calculating etc*) faire une erreur; **there must be some ~** il doit y avoir une erreur, se tromper; **mistaken** *pp of* **mistake** ▷ *adj* (*idea etc*) erroné(e); **to be mistaken** faire erreur, se tromper

mister ['mɪstəʳ] *n* (*inf*) Monsieur *m*; *see* **Mr**

mistletoe ['mɪsltəu] *n* gui *m*

mistook [mɪs'tuk] *pt of* **mistake**

mistress ['mɪstrɪs] *n* maîtresse *f*; (BRIT: *in primary school*) institutrice *f*; (: *in secondary school*) professeur *m*

mistrust [mɪs'trʌst] *vt* se méfier de

misty ['mɪstɪ] *adj* brumeux(-euse); (*glasses, window*) embué(e)

misunderstand [mɪsʌndə'stænd] *vt, vi* (*irreg: like* **stand**) mal comprendre; **misunderstanding** *n* méprise *f*, malentendu *m*; **there's been a misunderstanding** il y a eu un malentendu

misunderstood [mɪsʌndə'stud] *pt, pp of* **misunderstand** ▷ *adj* (*person*) incompris(e)

misuse *n* [mɪs'ju:s] mauvais emploi; (*of power*) abus *m* ▷ *vt* [mɪs'ju:z] mal employer; abuser de
mitt(en) ['mɪt(n)] *n* moufle *f*; (*fingerless*) mitaine *f*
mix [mɪks] *vt* mélanger; (*sauce, drink etc*) préparer ▷ *vi* se mélanger; (*socialize*): **he doesn't ~ well** il est peu sociable ▷ *n* mélange *m*; **to ~ sth with sth** mélanger qch à qch; **cake ~** préparation *f* pour gâteau; **mix up** *vt* mélanger; (*confuse*) confondre; **to be ~ed up in sth** être mêlé(e) à qch *or* impliqué(e) dans qch; **mixed** *adj* (*feelings, reactions*) contradictoire; (*school, marriage*) mixte; **mixed grill** *n* (BRIT) assortiment *m* de grillades; **mixed salad** *n* salade *f* de crudités; **mixed-up** *adj* (*person*) désorienté(e), embrouillé(e); **mixer** *n* (*for food*) batteur *m*, mixeur *m*; (*drink*) boisson gazeuse (*servant à couper un alcool*); (*person*): **he is a good mixer** il est très sociable; **mixture** *n* assortiment *m*, mélange *m*; (*Med*) préparation *f*; **mix-up** *n*: **there was a mix-up** il y a eu confusion
ml *abbr* (= *millilitre(s)*) ml
mm *abbr* (= *millimetre*) mm
moan [məun] *n* gémissement *m* ▷ *vi* gémir; (*inf: complain*): **to ~ (about)** se plaindre (de)
moat [məut] *n* fossé *m*, douves *fpl*
mob [mɔb] *n* foule *f*; (*disorderly*) cohue *f* ▷ *vt* assaillir
mobile ['məubaɪl] *adj* mobile ▷ *n* (*Art*) mobile *m*; **mobile home** *n* caravane *f*; **mobile phone** *n* téléphone portatif
mobility [məu'bɪlɪtɪ] *n* mobilité *f*
mobilize ['məubɪlaɪz] *vt, vi* mobiliser
mock [mɔk] *vt* ridiculiser; (*laugh at*) se moquer de ▷ *adj* faux (fausse); **mocks** *npl* (BRIT: *Scol*) examens blancs; **mockery** *n* moquerie *f*, raillerie *f*
mod cons ['mɔd'kɔnz] *npl abbr* (BRIT) = **modern conveniences**; *see* **convenience**
mode [məud] *n* mode *m*; (*of transport*) moyen *m*
model ['mɔdl] *n* modèle *m*; (*person: for fashion*) mannequin *m*; (*: for artist*) modèle ▷ *vt* (*with clay etc*) modeler ▷ *vi* travailler comme mannequin ▷ *adj* (*railway: toy*) modèle réduit *inv*; (*child, factory*) modèle; **to ~ clothes** présenter des vêtements; **to ~ o.s. on** imiter
modem ['məudɛm] *n* modem *m*
moderate *adj* ['mɔdərət] modéré(e); (*amount, change*) peu important(e) ▷ *vb* ['mɔdəreɪt] ▷ *vi* se modérer, se calmer ▷ *vt* modérer
moderation [mɔdə'reɪʃən] *n* modération *f*, mesure *f*; **in ~** à dose raisonnable, pris(e) *or* pratiqué(e) modérément
modern ['mɔdən] *adj* moderne; **modernize** *vt* moderniser; **modern languages** *npl* langues vivantes
modest ['mɔdɪst] *adj* modeste; **modesty** *n* modestie *f*
modification [mɔdɪfɪ'keɪʃən] *n* modification *f*
modify ['mɔdɪfaɪ] *vt* modifier
module ['mɔdju:l] *n* module *m*
mohair ['məuhɛə^r] *n* mohair *m*
Mohammed [mə'hæmɛd] *n* Mahomet *m*
moist [mɔɪst] *adj* humide, moite; **moisture** ['mɔɪstʃə^r] *n* humidité *f*; (*on glass*) buée *f*; **moisturizer** ['mɔɪstʃəraɪzə^r] *n* crème hydratante
mold *etc* [məuld] (US) = **mould** *etc*
mole [məul] *n* (*animal, spy*) taupe *f*; (*spot*) grain *m* de beauté
molecule ['mɔlɪkju:l] *n* molécule *f*
molest [məu'lɛst] *vt* (*assault sexually*) attenter à la pudeur de
molten ['məultən] *adj* fondu(e); (*rock*) en fusion
mom [mɔm] *n* (US) = **mum**
moment ['məumənt] *n* moment *m*, instant *m*; **at the ~** en ce moment; **momentarily** ['məuməntrɪlɪ] *adv* momentanément; (US: *soon*) bientôt; **momentary** *adj* momentané(e), passager(-ère); **momentous** [məu'mɛntəs] *adj* important(e), capital(e)
momentum [məu'mɛntəm] *n* élan *m*, vitesse acquise; (*fig*) dynamique *f*; **to gather ~** prendre de la vitesse; (*fig*) gagner du terrain
mommy ['mɔmɪ] *n* (US: *mother*) maman *f*
Mon *abbr* (= *Monday*) l.
Monaco ['mɔnəkəu] *n* Monaco *f*
monarch ['mɔnək] *n* monarque *m*; **monarchy** *n* monarchie *f*
monastery ['mɔnəstərɪ] *n* monastère *m*
Monday ['mʌndɪ] *n* lundi *m*
monetary ['mʌnɪtərɪ] *adj* monétaire
money ['mʌnɪ] *n* argent *m*; **to make ~** (*person*) gagner de l'argent; (*business*) rapporter; **money belt** *n* ceinture-portefeuille *f*; **money order** *n* mandat *m*
mongrel ['mʌŋgrəl] *n* (*dog*) bâtard *m*
monitor ['mɔnɪtə^r] *n* (*TV, Comput*) écran *m*, moniteur *m* ▷ *vt* contrôler; (*foreign station*) être à l'écoute de; (*progress*) suivre de près
monk [mʌŋk] *n* moine *m*
monkey ['mʌŋkɪ] *n* singe *m*
monologue ['mɔnəlɔg] *n* monologue *m*
monopoly [mə'nɔpəlɪ] *n* monopole *m*
monosodium glutamate [mɔnə'səudɪəm 'glu:təmeɪt] *n* glutamate *m* de sodium
monotonous [mə'nɔtənəs] *adj* monotone
monsoon [mɔn'su:n] *n* mousson *f*
monster ['mɔnstə^r] *n* monstre *m*
month [mʌnθ] *n* mois *m*; **monthly** *adj* mensuel(le) ▷ *adv* mensuellement
Montreal [mɔntrɪ'ɔ:l] *n* Montréal
monument ['mɔnjumənt] *n* monument *m*
mood [mu:d] *n* humeur *f*, disposition *f*; **to be in a good/bad ~** être de bonne/mauvaise humeur; **moody** *adj* (*variable*) d'humeur changeante, lunatique; (*sullen*) morose, maussade
moon [mu:n] *n* lune *f*; **moonlight** *n* clair *m* de lune
moor [muə^r] *n* lande *f* ▷ *vt* (*ship*) amarrer ▷ *vi* mouiller
moose [mu:s] *n* (*pl inv*) élan *m*
mop [mɔp] *n* balai *m* à laver; (*for dishes*) lavette *f* à vaisselle ▷ *vt* éponger, essuyer; **~ of hair** tignasse *f*; **mop up** *vt* éponger
mope [məup] *vi* avoir le cafard, se morfondre
moped ['məupɛd] *n* cyclomoteur *m*
moral ['mɔrl] *adj* moral(e) ▷ *n* morale *f*; **morals** *npl* moralité *f*
morale [mɔ'rɑ:l] *n* moral *m*
morality [mə'rælɪtɪ] *n* moralité *f*
morbid ['mɔ:bɪd] *adj* morbide

KEYWORD

more [mɔ:^{r}] *adj* **1** (*greater in number etc*) plus (de), davantage (de); **more people/work (than)** plus de gens/de travail (que)
2 (*additional*) encore (de); **do you want (some) more tea?** voulez-vous encore du thé?; **is there any more wine?** reste-t-il du vin?; **I have no** *or* **I don't have any more money** je n'ai plus d'argent; **it'll take a few more weeks** ça prendra encore quelques semaines

▷ *pron* plus, davantage; **more than 10** plus de 10; **it cost more than we expected** cela a coûté plus que prévu; **I want more** j'en veux plus *or* davantage; **is there any more?** est-ce qu'il en reste?; **there's no more** il n'y en a plus; **a little more** un peu plus; **many/much more** beaucoup plus, bien davantage ▷ *adv* plus; **more dangerous/easily (than)** plus dangereux/facilement (que); **more and more expensive** de plus en plus cher; **more or less** plus ou moins; **more than ever** plus que jamais; **once more** encore une fois, une fois de plus

moreover [mɔː'rəuvəʳ] *adv* de plus
morgue [mɔːg] *n* morgue *f*
morning ['mɔːnɪŋ] *n* matin *m*; (*as duration*) matinée *f* ▷ *cpd* matinal(e); (*paper*) du matin; **in the ~** le matin; **7 o'clock in the ~** 7 heures du matin; **morning sickness** *n* nausées matinales
Moroccan [mə'rɔkən] *adj* marocain(e) ▷ *n* Marocain(e)
Morocco [mə'rɔkəu] *n* Maroc *m*
moron ['mɔːrɔn] *n* idiot(e), minus *m/f*
morphine ['mɔːfiːn] *n* morphine *f*
morris dancing ['mɔrɪs-] *n* (BRIT) *danses folkloriques anglaises*
Morse [mɔːs] *n* (*also*: **~ code**) morse *m*
mortal ['mɔːtl] *adj*, *n* mortel(le)
mortar ['mɔːtəʳ] *n* mortier *m*
mortgage ['mɔːgɪdʒ] *n* hypothèque *f*; (*loan*) prêt *m* (*or* crédit *m*) hypothécaire ▷ *vt* hypothéquer
mortician [mɔː'tɪʃən] *n* (US) entrepreneur *m* de pompes funèbres
mortified ['mɔːtɪfaɪd] *adj* mort(e) de honte
mortuary ['mɔːtjuərɪ] *n* morgue *f*
mosaic [məu'zeɪɪk] *n* mosaïque *f*
Moscow ['mɔskəu] *n* Moscou
Moslem ['mɔzləm] *adj*, *n* = **Muslim**
mosque [mɔsk] *n* mosquée *f*
mosquito (*pl* **~es**) [mɔs'kiːtəu] *n* moustique *m*
moss [mɔs] *n* mousse *f*
most [məust] *adj* (*majority of*) la plupart de; (*greatest amount of*) le plus de ▷ *pron* la plupart ▷ *adv* le plus; (*very*) très, extrêmement; **the ~** le plus; **~ fish** la plupart des poissons; **the ~ beautiful woman in the world** la plus belle femme du monde; **~ of** (*with plural*) la plupart de; (*with singular*) la plus grande partie de; **~ of them** la plupart d'entre eux; **~ of the time** la plupart du temps; **I saw ~** (*a lot but not all*) j'en ai vu la plupart; (*more than anyone else*) c'est moi qui en ai vu le plus; **at the (very) ~** au plus; **to make the ~ of** profiter au maximum de; **mostly** *adv* (*chiefly*) surtout, principalement; (*usually*) généralement
MOT *n abbr* (BRIT) = **Ministry of Transport**; **the ~ (test)** *visite technique (annuelle) obligatoire des véhicules à moteur*
motel [məu'tɛl] *n* motel *m*
moth [mɔθ] *n* papillon *m* de nuit; (*in clothes*) mite *f*
mother ['mʌðəʳ] *n* mère *f* ▷ *vt* (*pamper, protect*) dorloter; **motherhood** *n* maternité *f*; **mother-in-law** *n* belle-mère *f*; **mother-of-pearl** *n* nacre *f*; **Mother's Day** *n* fête *f* des Mères; **mother-to-be** *n* future maman; **mother tongue** *n* langue maternelle
motif [məu'tiːf] *n* motif *m*
motion ['məuʃən] *n* mouvement *m*; (*gesture*) geste *m*; (*at meeting*) motion *f* ▷ *vt*, *vi*: **to ~ (to) sb to do** faire signe à qn de faire; **motionless** *adj* immobile, sans mouvement; **motion picture** *n* film *m*
motivate ['məutɪveɪt] *vt* motiver
motivation [məutɪ'veɪʃən] *n* motivation *f*
motive ['məutɪv] *n* motif *m*, mobile *m*
motor ['məutəʳ] *n* moteur *m*; (BRIT *inf*: *vehicle*) auto *f*; **motorbike** *n* moto *f*; **motorboat** *n* bateau *m* à moteur; **motorcar** *n* (BRIT) automobile *f*; **motorcycle** *n* moto *f*; **motorcyclist** *n* motocycliste *m/f*; **motoring** (BRIT) *n* tourisme *m* automobile; **motorist** *n* automobiliste *m/f*; **motor racing** *n* (BRIT) course *f* automobile; **motorway** *n* (BRIT) autoroute *f*
motto (*pl* **~es**) ['mɔtəu] *n* devise *f*
mould (US **mold**) [məuld] *n* moule *m*; (*mildew*) moisissure *f* ▷ *vt* mouler, modeler; (*fig*) façonner; **mouldy** *adj* moisi(e); (*smell*) de moisi
mound [maund] *n* monticule *m*, tertre *m*
mount [maunt] *n* (*hill*) mont *m*, montagne *f*; (*horse*) monture *f*; (*for picture*) carton *m* de montage ▷ *vt* monter; (*horse*) monter à; (*bike*) monter sur; (*picture*) monter sur carton ▷ *vi* (*inflation, tension*) augmenter; **mount up** *vi* s'élever, monter; (*bills, problems, savings*) s'accumuler
mountain ['mauntɪn] *n* montagne *f* ▷ *cpd* de (la) montagne; **mountain bike** *n* VTT *m*, vélo *m* tout terrain; **mountaineer** *n* alpiniste *m/f*; **mountaineering** *n* alpinisme *m*; **mountainous** *adj* montagneux(-euse); **mountain range** *n* chaîne *f* de montagnes
mourn [mɔːn] *vt* pleurer ▷ *vi*: **to ~ for sb** pleurer qn; **to ~ for sth** se lamenter sur qch; **mourner** *n* parent(e) *or* ami(e) du défunt; personne *f* en deuil *or* venue rendre hommage au défunt; **mourning** *n* deuil *m*; **in mourning** en deuil
mouse (*pl* **mice**) [maus, maɪs] *n* (*also Comput*) souris *f*; **mouse mat** *n* (*Comput*) tapis *m* de souris
moussaka [mu'sɑːkə] *n* moussaka *f*
mousse [muːs] *n* mousse *f*
moustache (US **mustache**) [məs'tɑːʃ] *n* moustache(s) *f(pl)*
mouth [mauθ, (*pl*) mauðz] *n* bouche *f*; (*of dog, cat*) gueule *f*; (*of river*) embouchure *f*; (*of hole, cave*) ouverture *f*; **mouthful** *n* bouchée *f*; **mouth organ** *n* harmonica *m*; **mouthpiece** *n* (*of musical instrument*) bec *m*, embouchure *f*; (*spokesperson*) porte-parole *m inv*; **mouthwash** *n* eau *f* dentifrice
move [muːv] *n* (*movement*) mouvement *m*; (*in game*) coup *m*; (: *turn to play*) tour *m*; (*change of house*) déménagement *m*; (*change of job*) changement *m* d'emploi ▷ *vt* déplacer, bouger; (*emotionally*) émouvoir; (*Pol*: *resolution etc*) proposer ▷ *vi* (*gen*) bouger, remuer; (*traffic*) circuler; (*also*: **~ house**) déménager; (*in game*) jouer; **can you ~ your car, please?** pouvez-vous déplacer votre voiture, s'il vous plaît?; **to ~ sb to do sth** pousser *or* inciter qn à faire qch; **to get a ~ on** se dépêcher, se remuer; **move back** *vi* revenir, retourner; **move in** *vi* (*to a house*) emménager; (*police, soldiers*) intervenir; **move off** *vi* s'éloigner, s'en aller; **move on** *vi* se remettre en route; **move out** *vi* (*of house*) déménager; **move over** *vi* se pousser, se déplacer; **move up** *vi* avancer; (*employee*) avoir de l'avancement; (*pupil*) passer dans la classe supérieure; **movement** *n* mouvement *m*
movie ['muːvɪ] *n* film *m*; **movies** *npl*: **the ~s** le cinéma; **movie theater** (US) *n* cinéma *m*
moving ['muːvɪŋ] *adj* en mouvement; (*touching*) émouvant(e)
mow (*pt* **~ed**, *pp* **~ed** *or* **~n**) [məu, -d, -n] *vt* faucher; (*lawn*) tondre; **mower** *n* (*also*: **lawnmower**)

tondeuse *f* à gazon
Mozambique [məuzəm'bi:k] *n* Mozambique *m*
MP *n abbr* (BRIT) = **Member of Parliament**
MP3 *n* mp3 *m*; **MP3 player** *n* lecteur *m* mp3
mpg *n abbr* (= *miles per gallon*) (30 mpg = 9,4 l. aux 100 km)
m.p.h. *abbr* (= *miles per hour*) (60 mph = 96 km/h)
Mr (US **Mr.**) ['mɪstə^r] *n*: **Mr X** Monsieur X, M. X
Mrs (US **Mrs.**) ['mɪsɪz] *n*: **~ X** Madame X, Mme X
Ms (US **Ms.**) [mɪz] *n* (*Miss or Mrs*): **Ms X** Madame X, Mme X
MSP *n abbr* (= *Member of the Scottish Parliament*) député *m* au Parlement écossais
Mt *abbr* (*Geo*: = *mount*) Mt
much [mʌtʃ] *adj* beaucoup de ▷ *adv, n or pron* beaucoup; **we don't have ~ time** nous n'avons pas beaucoup de temps; **how ~ is it?** combien est-ce que ça coûte?; **it's not ~** ce n'est pas beaucoup; **too ~** trop (de); **so ~** tant (de); **I like it very/so ~** j'aime beaucoup/tellement ça; **as ~ as** autant de; **that's ~ better** c'est beaucoup mieux
muck [mʌk] *n* (*mud*) boue *f*; (*dirt*) ordures *fpl*; **muck up** *vt* (*inf*: *ruin*) gâcher, esquinter; (: *dirty*) salir; (: *exam, interview*) se planter à; **mucky** *adj* (*dirty*) boueux(-euse), sale
mucus ['mju:kəs] *n* mucus *m*
mud [mʌd] *n* boue *f*
muddle ['mʌdl] *n* (*mess*) pagaille *f*, fouillis *m*; (*mix-up*) confusion *f* ▷ *vt* (*also*: **~ up**) brouiller, embrouiller; **to get in a ~** (*while explaining etc*) s'embrouiller
muddy ['mʌdɪ] *adj* boueux(-euse)
mudguard ['mʌdgɑ:d] *n* garde-boue *m inv*
muesli ['mju:zlɪ] *n* muesli *m*
muffin ['mʌfɪn] *n* (*roll*) *petit pain rond et plat*; (*cake*) *petit gâteau au chocolat ou aux fruits*
muffled ['mʌfld] *adj* étouffé(e), voilé(e)
muffler ['mʌflə^r] *n* (*scarf*) cache-nez *m inv*; (US *Aut*) silencieux *m*
mug [mʌg] *n* (*cup*) tasse *f* (*sans soucoupe*); (: *for beer*) chope *f*; (*inf*: *face*) bouille *f*; (: *fool*) poire *f* ▷ *vt* (*assault*) agresser; **mugger** ['mʌgə^r] *n* agresseur *m*; **mugging** *n* agression *f*
muggy ['mʌgɪ] *adj* lourd(e), moite
mule [mju:l] *n* mule *f*
multicoloured (US **multicolored**) ['mʌltɪkʌləd] *adj* multicolore
multimedia ['mʌltɪ'mi:dɪə] *adj* multimédia *inv*
multinational [mʌltɪ'næʃənl] *n* multinationale *f* ▷ *adj* multinational(e)
multiple ['mʌltɪpl] *adj* multiple ▷ *n* multiple *m*; **multiple choice (test)** *n* QCM *m*, questionnaire *m* à choix multiple; **multiple sclerosis** [-sklɪ'rəusɪs] *n* sclérose *f* en plaques
multiplex (cinema) ['mʌltɪplɛks-] *n* (cinéma *m*) multisalles *m*
multiplication [mʌltɪplɪ'keɪʃən] *n* multiplication *f*
multiply ['mʌltɪplaɪ] *vt* multiplier ▷ *vi* se multiplier
multistorey ['mʌltɪ'stɔ:rɪ] *adj* (BRIT: *building*) à étages; (: *car park*) à étages *or* niveaux multiples
mum [mʌm] *n* (BRIT) maman *f* ▷ *adj*: **to keep ~** ne pas souffler mot
mumble ['mʌmbl] *vt, vi* marmotter, marmonner
mummy ['mʌmɪ] *n* (BRIT: *mother*) maman *f*; (*embalmed*) momie *f*
mumps [mʌmps] *n* oreillons *mpl*
munch [mʌntʃ] *vt, vi* mâcher
municipal [mju:'nɪsɪpl] *adj* municipal(e)
mural ['mjuərl] *n* peinture murale
murder ['mə:də^r] *n* meurtre *m*, assassinat *m* ▷ *vt* assassiner; **murderer** *n* meurtrier *m*, assassin *m*
murky ['mə:kɪ] *adj* sombre, ténébreux(-euse); (*water*) trouble
murmur ['mə:mə^r] *n* murmure *m* ▷ *vt, vi* murmurer
muscle ['mʌsl] *n* muscle *m*; (*fig*) force *f*; **muscular** ['mʌskjulə^r] *adj* musculaire; (*person, arm*) musclé(e)
museum [mju:'zɪəm] *n* musée *m*
mushroom ['mʌʃrum] *n* champignon *m* ▷ *vi* (*fig*) pousser comme un (*or* des) champignon(s)
music ['mju:zɪk] *n* musique *f*; **musical** *adj* musical(e); (*person*) musicien(ne) ▷ *n* (*show*) comédie musicale; **musical instrument** *n* instrument *m* de musique; **musician** [mju:'zɪʃən] *n* musicien(ne)
Muslim ['mʌzlɪm] *adj, n* musulman(e)
muslin ['mʌzlɪn] *n* mousseline *f*
mussel ['mʌsl] *n* moule *f*
must [mʌst] *aux vb* (*obligation*): **I ~ do it** je dois le faire, il faut que je le fasse; (*probability*): **he ~ be there by now** il doit y être maintenant, il y est probablement maintenant; (*suggestion, invitation*): **you ~ come and see me** il faut que vous veniez me voir ▷ *n* nécessité *f*, impératif *m*; **it's a ~** c'est indispensable; **I ~ have made a mistake** j'ai dû me tromper
mustache ['mʌstæʃ] *n* (US) = **moustache**
mustard ['mʌstəd] *n* moutarde *f*
mustn't ['mʌsnt] = **must not**
mute [mju:t] *adj, n* muet(te)
mutilate ['mju:tɪleɪt] *vt* mutiler
mutiny ['mju:tɪnɪ] *n* mutinerie *f* ▷ *vi* se mutiner
mutter ['mʌtə^r] *vt, vi* marmonner, marmotter
mutton ['mʌtn] *n* mouton *m*
mutual ['mju:tʃuəl] *adj* mutuel(le), réciproque; (*benefit, interest*) commun(e)
muzzle ['mʌzl] *n* museau *m*; (*protective device*) muselière *f*; (*of gun*) gueule *f* ▷ *vt* museler
my [maɪ] *adj* mon (ma), mes *pl*; **my house/car/gloves** ma maison/ma voiture/mes gants; **I've washed my hair/cut my finger** je me suis lavé les cheveux/coupé le doigt; **is this my pen or yours?** c'est mon stylo ou c'est le vôtre?
myself [maɪ'sɛlf] *pron* (*reflexive*) me; (*emphatic*) moi-même; (*after prep*) moi; *see also* **oneself**
mysterious [mɪs'tɪərɪəs] *adj* mystérieux(-euse)
mystery ['mɪstərɪ] *n* mystère *m*
mystical ['mɪstɪkl] *adj* mystique
mystify ['mɪstɪfaɪ] *vt* (*deliberately*) mystifier; (*puzzle*) ébahir
myth [mɪθ] *n* mythe *m*; **mythology** [mɪ'θɔlədʒɪ] *n* mythologie *f*

n/a *abbr* (= *not applicable*) n.a.
nag [næg] *vt* (*scold*) être toujours après, reprendre sans arrêt
nail [neɪl] *n* (*human*) ongle *m*; (*metal*) clou *m* ▷ *vt* clouer; **to ~ sth to sth** clouer qch à qch; **to ~ sb down to a date/price** contraindre qn à accepter *or* donner une date/un prix; **nailbrush** *n* brosse *f* à ongles; **nailfile** *n* lime *f* à ongles; **nail polish** *n* vernis *m* à ongles; **nail polish remover** *n* dissolvant *m*; **nail scissors** *npl* ciseaux *mpl* à ongles; **nail varnish** *n* (BRIT) = **nail polish**
naïve [naɪ'i:v] *adj* naïf(-ïve)
naked ['neɪkɪd] *adj* nu(e)
name [neɪm] *n* nom *m*; (*reputation*) réputation *f* ▷ *vt* nommer; (*identify: accomplice etc*) citer; (*price, date*) fixer, donner; **by ~** par son nom; de nom; **in the ~ of** au nom de; **what's your ~?** comment vous appelez-vous?, quel est votre nom?; **namely** *adv* à savoir
nanny ['nænɪ] *n* bonne *f* d'enfants
nap [næp] *n* (*sleep*) (petit) somme
napkin ['næpkɪn] *n* serviette *f* (de table)
nappy ['næpɪ] *n* (BRIT) couche *f*
narcotics [nɑ:'kɔtɪkz] *npl* (*illegal drugs*) stupéfiants *mpl*
narrative ['nærətɪv] *n* récit *m* ▷ *adj* narratif(-ive)
narrator [nə'reɪtə^r] *n* narrateur(-trice)
narrow ['nærəu] *adj* étroit(e); (*fig*) restreint(e), limité(e) ▷ *vi* (*road*) devenir plus étroit, se rétrécir; (*gap, difference*) se réduire; **to have a ~ escape** l'échapper belle; **narrow down** *vt* restreindre; **narrowly** *adv*: **he narrowly missed injury/the tree** il a failli se blesser/rentrer dans l'arbre; **he only narrowly missed the target** il a manqué la cible de peu *or* de justesse; **narrow-minded** *adj* à l'esprit étroit, borné(e); (*attitude*) borné(e)
nasal ['neɪzl] *adj* nasal(e)
nasty ['nɑ:stɪ] *adj* (*person: malicious*) méchant(e); (: *rude*) très désagréable; (*smell*) dégoûtant(e); (*wound, situation*) mauvais(e), vilain(e)
nation ['neɪʃən] *n* nation *f*
national ['næʃənl] *adj* national(e) ▷ *n* (*abroad*) ressortissant(e); (*when home*) national(e); **national anthem** *n* hymne national; **national dress** *n* costume national; **National Health Service** *n* (BRIT) *service national de santé*, ≈ Sécurité Sociale; **National Insurance** *n* (BRIT) ≈ Sécurité Sociale; **nationalist** *adj, n* nationaliste *m/f*; **nationality** [næʃə'nælɪtɪ] *n* nationalité *f*; **nationalize** *vt* nationaliser; **national park** *n* parc national; **National Trust** *n* (BRIT) ≈ Caisse *f* nationale des monuments historiques et des sites
nationwide ['neɪʃənwaɪd] *adj* s'étendant à l'ensemble du pays; (*problem*) à l'échelle du pays entier

native ['neɪtɪv] *n* habitant(e) du pays, autochtone *m/f* ▷ *adj* du pays, indigène; (*country*) natal(e); (*language*) maternel(le); (*ability*) inné(e); **Native American** *n* Indien(ne) d'Amérique ▷ *adj* amérindien(ne); **native speaker** *n* locuteur natif
NATO ['neɪtəu] *n abbr* (= *North Atlantic Treaty Organization*) OTAN *f*
natural ['nætʃrəl] *adj* naturel(le); **natural gas** *n* gaz naturel; **natural history** *n* histoire naturelle; **naturally** *adv* naturellement; **natural resources** *npl* ressources naturelles
nature ['neɪtʃə^r] *n* nature *f*; **by ~** par tempérament, de nature; **nature reserve** *n* (BRIT) réserve naturelle
naughty ['nɔ:tɪ] *adj* (*child*) vilain(e), pas sage
nausea ['nɔ:sɪə] *n* nausée *f*
naval ['neɪvl] *adj* naval(e)
navel ['neɪvl] *n* nombril *m*
navigate ['nævɪgeɪt] *vt* (*steer*) diriger, piloter ▷ *vi* naviguer; (*Aut*) indiquer la route à suivre; **navigation** [nævɪ'geɪʃən] *n* navigation *f*
navy ['neɪvɪ] *n* marine *f*
navy-blue ['neɪvɪ'blu:] *adj* bleu marine *inv*
Nazi ['nɑ:tsɪ] *n* Nazi(e)
NB *abbr* (= *nota bene*) NB
near [nɪə^r] *adj* proche ▷ *adv* près ▷ *prep* (*also*: **~ to**) près de ▷ *vt* approcher de; **in the ~ future** dans un proche avenir; **nearby** [nɪə'baɪ] *adj* proche ▷ *adv* tout près, à proximité; **nearly** *adv* presque; **I nearly fell** j'ai failli tomber; **it's not nearly big enough** ce n'est vraiment pas assez grand, c'est loin d'être assez grand; **near-sighted** *adj* myope
neat [ni:t] *adj* (*person, work*) soigné(e); (*room etc*) bien tenu(e) *or* rangé(e); (*solution, plan*) habile; (*spirits*) pur(e); **neatly** *adv* avec soin *or* ordre; (*skilfully*) habilement
necessarily ['nɛsɪsrɪlɪ] *adv* nécessairement; **not ~** pas nécessairement *or* forcément
necessary ['nɛsɪsrɪ] *adj* nécessaire; **if ~** si besoin est, le cas échéant
necessity [nɪ'sɛsɪtɪ] *n* nécessité *f*; chose nécessaire *or* essentielle
neck [nɛk] *n* cou *m*; (*of horse, garment*) encolure *f*; (*of bottle*) goulot *m*; **~ and ~** à égalité; **necklace** ['nɛklɪs] *n* collier *m*; **necktie** ['nɛktaɪ] *n* (*esp* US) cravate *f*
nectarine ['nɛktərɪn] *n* brugnon *m*, nectarine *f*
need [ni:d] *n* besoin *m* ▷ *vt* avoir besoin de; **to ~ to do** devoir faire; avoir besoin de faire; **you don't ~ to go** vous n'avez pas besoin *or* vous n'êtes pas obligé de partir; **a signature is ~ed** il faut une signature; **there's no ~ to do ....** il n'y a pas lieu de faire ..., il n'est pas nécessaire de faire ...
needle ['ni:dl] *n* aiguille *f* ▷ *vt* (*inf*) asticoter, tourmenter
needless ['ni:dlɪs] *adj* inutile; **~ to say, ...** inutile de dire que ...
needlework ['ni:dlwə:k] *n* (*activity*) travaux *mpl* d'aiguille; (*object*) ouvrage *m*
needn't ['ni:dnt] = **need not**
needy ['ni:dɪ] *adj* nécessiteux(-euse)
negative ['nɛgətɪv] *n* (*Phot, Elec*) négatif *m*; (*Ling*) terme *m* de négation ▷ *adj* négatif(-ive)
neglect [nɪ'glɛkt] *vt* négliger; (*garden*) ne pas entretenir; (*duty*) manquer à ▷ *n* (*of person, duty, garden*) le fait de négliger; **(state of) ~** abandon *m*; **to ~ to do sth** négliger *or* omettre de faire qch; **to ~ one's appearance** se négliger
negotiate [nɪ'gəuʃɪeɪt] *vi* négocier ▷ *vt* négocier;

(*obstacle*) franchir, négocier; **to ~ with sb for sth** négocier avec qn en vue d'obtenir qch
negotiation [nɪgəuʃɪ'eɪʃən] *n* négociation *f*, pourparlers *mpl*
negotiator [nɪ'gəuʃɪeɪtəʳ] *n* négociateur(-trice)
neighbour (*US* **neighbor** *etc*) ['neɪbəʳ] *n* voisin(e); **neighbourhood** *n* (*place*) quartier *m*; (*people*) voisinage *m*; **neighbouring** *adj* voisin(e), avoisinant(e)
neither ['naɪðəʳ] *adj, pron* aucun(e) (des deux), ni l'un(e) ni l'autre ▷ *conj*: **~ do I** moi non plus ▷ *adv*: **~ good nor bad** ni bon ni mauvais; **~ of them** ni l'un ni l'autre
neon ['ni:ɔn] *n* néon *m*
Nepal [nɪ'pɔ:l] *n* Népal *m*
nephew ['nɛvju:] *n* neveu *m*
nerve [nə:v] *n* nerf *m*; (*bravery*) sang-froid *m*, courage *m*; (*cheek*) aplomb *m*, toupet *m*; **nerves** *npl* (*nervousness*) nervosité *f*; **he gets on my ~s** il m'énerve
nervous ['nə:vəs] *adj* nerveux(-euse); (*anxious*) inquiet(-ète), plein(e) d'appréhension; (*timid*) intimidé(e); **nervous breakdown** *n* dépression nerveuse
nest [nɛst] *n* nid *m* ▷ *vi* (se) nicher, faire son nid
Net [nɛt] *n* (*Comput*): **the ~** (*Internet*) le Net
net [nɛt] *n* filet *m*; (*fabric*) tulle *f* ▷ *adj* net(te) ▷ *vt* (*fish etc*) prendre au filet; **netball** *n* netball *m*
Netherlands ['nɛðələndz] *npl*: **the ~** les Pays-Bas *mpl*
nett [nɛt] *adj* = **net**
nettle ['nɛtl] *n* ortie *f*
network ['nɛtwə:k] *n* réseau *m*
neurotic [njuə'rɔtɪk] *adj* névrosé(e)
neuter ['nju:təʳ] *adj* neutre ▷ *vt* (*cat etc*) châtrer, couper
neutral ['nju:trəl] *adj* neutre ▷ *n* (*Aut*) point mort
never ['nɛvəʳ] *adv* (ne ...) jamais; **I ~ went** je n'y suis pas allé; **I've ~ been to Spain** je ne suis jamais allé en Espagne; **~ again** plus jamais; **~ in my life** jamais de ma vie; *see also* **mind**; **never-ending** *adj* interminable; **nevertheless** [nɛvəðə'lɛs] *adv* néanmoins, malgré tout
new [nju:] *adj* nouveau (nouvelle); (*brand new*) neuf (neuve); **New Age** *n* New Age *m*; **newborn** *adj* nouveau-né(e); **newcomer** ['nju:kʌməʳ] *n* nouveau venu (nouvelle venue); **newly** *adv* nouvellement, récemment
news [nju:z] *n* nouvelle(s) *f(pl)*; (*Radio, TV*) informations *fpl*, actualités *fpl*; **a piece of ~** une nouvelle; **news agency** *n* agence *f* de presse; **newsagent** *n* (*BRIT*) marchand *m* de journaux; **newscaster** *n* (*Radio, TV*) présentateur(-trice); **news dealer** *n* (*US*) marchand *m* de journaux; **newsletter** *n* bulletin *m*; **newspaper** *n* journal *m*; **newsreader** *n* = **newscaster**
newt [nju:t] *n* triton *m*
New Year *n* Nouvel An; **Happy ~!** Bonne Année!; **New Year's Day** *n* le jour de l'An; **New Year's Eve** *n* la Saint-Sylvestre
New York [-'jɔ:k] *n* New York
New Zealand [-'zi:lənd] *n* Nouvelle-Zélande *f*; **New Zealander** *n* Néo-Zélandais(e)
next [nɛkst] *adj* (*in time*) prochain(e); (*seat, room*) voisin(e), d'à côté; (*meeting, bus stop*) suivant(e) ▷ *adv* la fois suivante; la prochaine fois; (*afterwards*) ensuite; **~ to** *prep* à côté de; **~ to nothing** presque rien; **~ time** *adv* la prochaine fois; **the ~ day** le lendemain, le jour suivant *or* d'après; **~ year** l'année prochaine; **~ please!** (*at doctor's etc*) au suivant!; **the week after ~** dans deux semaines; **next door** *adv* à côté ▷ *adj* (*neighbour*) d'à côté; **next-of-kin** *n* parent *m* le plus proche
NHS *n abbr* (*BRIT*) = **National Health Service**
nibble ['nɪbl] *vt* grignoter
nice [naɪs] *adj* (*holiday, trip, taste*) agréable; (*flat, picture*) joli(e); (*person*) gentil(le); (*distinction, point*) subtil(e); **nicely** *adv* agréablement; joliment; gentiment; subtilement
niche [ni:ʃ] *n* (*Archit*) niche *f*
nick [nɪk] *n* (*indentation*) encoche *f*; (*wound*) entaille *f*; (*BRIT inf*): **in good ~** en bon état ▷ *vt* (*cut*): **to ~ o.s.** se couper; (*inf: steal*) faucher, piquer; **in the ~ of time** juste à temps
nickel ['nɪkl] *n* nickel *m*; (*US*) pièce *f* de 5 cents
nickname ['nɪkneɪm] *n* surnom *m* ▷ *vt* surnommer
nicotine ['nɪkəti:n] *n* nicotine *f*
niece [ni:s] *n* nièce *f*
Nigeria [naɪ'dʒɪərɪə] *n* Nigéria *m or f*
night [naɪt] *n* nuit *f*; (*evening*) soir *m*; **at ~** la nuit; **by ~** de nuit; **last ~** (*evening*) hier soir; (*night-time*) la nuit dernière; **night club** *n* boîte *f* de nuit; **nightdress** *n* chemise *f* de nuit; **nightie** ['naɪtɪ] *n* chemise *f* de nuit; **nightlife** *n* vie *f* nocturne; **nightly** *adj* (*news*) du soir; (*by night*) nocturne ▷ *adv* (*every evening*) tous les soirs; (*every night*) toutes les nuits; **nightmare** *n* cauchemar *m*; **night school** *n* cours *mpl* du soir; **night shift** *n* équipe *f* de nuit; **night-time** *n* nuit *f*
nil [nɪl] *n* (*BRIT Sport*) zéro *m*
nine [naɪn] *num* neuf; **nineteen** *num* dix-neuf; **nineteenth** [naɪn'ti:nθ] *num* dix-neuvième; **ninetieth** ['naɪntɪɪθ] *num* quatre-vingt-dixième; **ninety** *num* quatre-vingt-dix
ninth [naɪnθ] *num* neuvième
nip [nɪp] *vt* pincer ▷ *vi* (*BRIT inf*): **to ~ out/down/up** sortir/descendre/monter en vitesse
nipple ['nɪpl] *n* (*Anat*) mamelon *m*, bout *m* du sein
nitrogen ['naɪtrədʒən] *n* azote *m*

KEYWORD

no [nəu] (*pl* **noes**) *adv* (*opposite of "yes"*) non; **are you coming? — no (I'm not)** est-ce que vous venez? — non; **would you like some more? — no thank you** vous en voulez encore? — non merci
▷ *adj* (*not any*) (ne ...) pas de, (ne ...) aucun(e); **I have no money/books** je n'ai pas d'argent/de livres; **no student would have done it** aucun étudiant ne l'aurait fait; **"no smoking"** "défense de fumer"; **"no dogs"** "les chiens ne sont pas admis"
▷ *n* non *m*

nobility [nəu'bɪlɪtɪ] *n* noblesse *f*
noble ['nəubl] *adj* noble
nobody ['nəubədɪ] *pron* (ne ...) personne
nod [nɔd] *vi* faire un signe de (la) tête (*affirmatif ou amical*); (*sleep*) somnoler ▷ *vt*: **to ~ one's head** faire un signe de (la) tête; (*in agreement*) faire signe que oui ▷ *n* signe *m* de (la) tête; **nod off** *vi* s'assoupir
noise [nɔɪz] *n* bruit *m*; **I can't sleep for the ~** je n'arrive pas à dormir à cause du bruit; **noisy** *adj* bruyant(e)
nominal ['nɔmɪnl] *adj* (*rent, fee*) symbolique; (*value*) nominal(e)
nominate ['nɔmɪneɪt] *vt* (*propose*) proposer; (*appoint*) nommer; **nomination** [nɔmɪ'neɪʃən] *n* nomination *f*; **nominee** [nɔmɪ'ni:] *n* candidat agréé; personne nommée

none [nʌn] *pron* aucun(e); **~ of you** aucun d'entre vous, personne parmi vous; **I have ~ left** je n'en ai plus; **he's ~ the worse for it** il ne s'en porte pas plus mal
nonetheless ['nʌnðə'lɛs] *adv* néanmoins
non-fiction [nɔn'fɪkʃən] *n* littérature *f* non-romanesque
nonsense ['nɔnsəns] *n* absurdités *fpl*, idioties *fpl*; **~!** ne dites pas d'idioties!
non: **non-smoker** *n* non-fumeur *m*; **non-smoking** *adj* non-fumeur; **non-stick** *adj* qui n'attache pas
noodles ['nu:dlz] *npl* nouilles *fpl*
noon [nu:n] *n* midi *m*
no-one ['nəuwʌn] *pron* = **nobody**
nor [nɔ:ʳ] *conj* = **neither** ▷ *adv see* **neither**
norm [nɔ:m] *n* norme *f*
normal ['nɔ:ml] *adj* normal(e); **normally** *adv* normalement
Normandy ['nɔ:məndɪ] *n* Normandie *f*
north [nɔ:θ] *n* nord *m* ▷ *adj* nord *inv*; (*wind*) du nord ▷ *adv* au *or* vers le nord; **North Africa** *n* Afrique *f* du Nord; **North African** *adj* nord-africain(e), d'Afrique du Nord ▷ *n* Nord-Africain(e); **North America** *n* Amérique *f* du Nord; **North American** *n* Nord-Américain(e) ▷ *adj* nord-américain(e), d'Amérique du Nord; **northbound** ['nɔ:θbaund] *adj* (*traffic*) en direction du nord; (*carriageway*) nord *inv*; **north-east** *n* nord-est *m*; **northeastern** *adj* (du) nord-est *inv*; **northern** ['nɔ:ðən] *adj* du nord, septentrional(e); **Northern Ireland** *n* Irlande *f* du Nord; **North Korea** *n* Corée *f* du Nord; **North Pole** *n*: **the North Pole** le pôle Nord; **North Sea** *n*: **the North Sea** la mer du Nord; **north-west** *n* nord-ouest *m*; **northwestern** ['nɔ:θ'wɛstən] *adj* (du) nord-ouest *inv*
Norway ['nɔ:weɪ] *n* Norvège *f*; **Norwegian** [nɔ:'wi:dʒən] *adj* norvégien(ne) ▷ *n* Norvégien(ne); (*Ling*) norvégien *m*
nose [nəuz] *n* nez *m*; (*of dog, cat*) museau *m*; (*fig*) flair *m*; **nose about, nose around** *vi* fouiner *or* fureter (partout); **nosebleed** *n* saignement *m* de nez; **nosey** *adj* (*inf*) curieux(-euse)
nostalgia [nɔs'tældʒɪə] *n* nostalgie *f*
nostalgic [nɔs'tældʒɪk] *adj* nostalgique
nostril ['nɔstrɪl] *n* narine *f*; (*of horse*) naseau *m*
nosy ['nəuzɪ] (*inf*) *adj* = **nosey**
not [nɔt] *adv* (ne ...) pas; **he is ~** *or* **isn't here** il n'est pas ici; **you must ~** *or* **mustn't do that** tu ne dois pas faire ça; **I hope ~** j'espère que non; **~ at all** pas du tout; (*after thanks*) de rien; **it's too late, isn't it?** c'est trop tard, n'est-ce pas?; **~ yet/now** pas encore/maintenant; *see also* **only**
notable ['nəutəbl] *adj* notable; **notably** *adv* (*particularly*) en particulier; (*markedly*) spécialement
notch [nɔtʃ] *n* encoche *f*
note [nəut] *n* note *f*; (*letter*) mot *m*; (*banknote*) billet *m* ▷ *vt* (*also*: **~ down**) noter; (*notice*) constater; **notebook** *n* carnet *m*; (*for shorthand etc*) bloc-notes *m*; **noted** ['nəutɪd] *adj* réputé(e); **notepad** *n* bloc-notes *m*; **notepaper** *n* papier *m* à lettres
nothing ['nʌθɪŋ] *n* rien *m*; **he does ~** il ne fait rien; **~ new** rien de nouveau; **for ~** (*free*) pour rien, gratuitement; (*in vain*) pour rien; **~ at all** rien du tout; **~ much** pas grand-chose
notice ['nəutɪs] *n* (*announcement, warning*) avis *m* ▷ *vt* remarquer, s'apercevoir de; **advance ~** préavis *m*; **at short ~** dans un délai très court; **until further ~** jusqu'à nouvel ordre; **to give ~, hand in one's ~** (*employee*) donner sa démission, démissionner; **to take ~ of** prêter attention à; **to bring sth to sb's ~** porter qch à la connaissance de qn; **noticeable** *adj* visible
notice board *n* (BRIT) panneau *m* d'affichage
notify ['nəutɪfaɪ] *vt*: **to ~ sb of sth** avertir qn de qch
notion ['nəuʃən] *n* idée *f*; (*concept*) notion *f*; **notions** *npl* (US: *haberdashery*) mercerie *f*
notorious [nəu'tɔ:rɪəs] *adj* notoire (*souvent en mal*)
notwithstanding [nɔtwɪθ'stændɪŋ] *adv* néanmoins ▷ *prep* en dépit de
nought [nɔ:t] *n* zéro *m*
noun [naun] *n* nom *m*
nourish ['nʌrɪʃ] *vt* nourrir; **nourishment** *n* nourriture *f*
Nov. *abbr* (= *November*) nov
novel ['nɔvl] *n* roman *m* ▷ *adj* nouveau (nouvelle), original(e); **novelist** *n* romancier *m*; **novelty** *n* nouveauté *f*
November [nəu'vɛmbəʳ] *n* novembre *m*
novice ['nɔvɪs] *n* novice *m/f*
now [nau] *adv* maintenant ▷ *conj*: **~ (that)** maintenant (que); **right ~** tout de suite; **by ~** à l'heure qu'il est; **just ~**: **that's the fashion just ~** c'est la mode en ce moment *or* maintenant; **~ and then, ~ and again** de temps en temps; **from ~ on** dorénavant; **nowadays** ['nauədeɪz] *adv* de nos jours
nowhere ['nəuwɛəʳ] *adv* (ne ...) nulle part
nozzle ['nɔzl] *n* (*of hose*) jet *m*, lance *f*; (*of vacuum cleaner*) suceur *m*
nr *abbr* (BRIT) = **near**
nuclear ['nju:klɪəʳ] *adj* nucléaire
nucleus (*pl* **nuclei**) ['nju:klɪəs, 'nju:klɪaɪ] *n* noyau *m*
nude [nju:d] *adj* nu(e) ▷ *n* (*Art*) nu *m*; **in the ~** (tout(e)) nu(e)
nudge [nʌdʒ] *vt* donner un (petit) coup de coude à
nudist ['nju:dɪst] *n* nudiste *m/f*
nudity ['nju:dɪtɪ] *n* nudité *f*
nuisance ['nju:sns] *n*: **it's a ~** c'est (très) ennuyeux *or* gênant; **he's a ~** il est assommant *or* casse-pieds; **what a ~!** quelle barbe!
numb [nʌm] *adj* engourdi(e); (*with fear*) paralysé(e)
number ['nʌmbəʳ] *n* nombre *m*; (*numeral*) chiffre *m*; (*of house, car, telephone, newspaper*) numéro *m* ▷ *vt* numéroter; (*amount to*) compter; **a ~ of** un certain nombre de; **they were seven in ~** ils étaient (au nombre de) sept; **to be ~ed among** compter parmi; **number plate** *n* (BRIT *Aut*) plaque *f* minéralogique *or* d'immatriculation; **Number Ten** *n* (BRIT: 10 *Downing Street*) *résidence du Premier ministre*
numerical [nju:'mɛrɪkl] *adj* numérique
numerous ['nju:mərəs] *adj* nombreux(-euse)
nun [nʌn] *n* religieuse *f*, sœur *f*
nurse [nə:s] *n* infirmière *f*; (*also*: **~maid**) bonne *f* d'enfants ▷ *vt* (*patient, cold*) soigner
nursery ['nə:sərɪ] *n* (*room*) nursery *f*; (*institution*) crèche *f*, garderie *f*; (*for plants*) pépinière *f*; **nursery rhyme** *n* comptine *f*, chansonnette *f* pour enfants; **nursery school** *n* école maternelle; **nursery slope** *n* (BRIT *Ski*) piste *f* pour débutants
nursing ['nə:sɪŋ] *n* (*profession*) profession *f* d'infirmière; (*care*) soins *mpl*; **nursing home** *n* clinique *f*; (*for convalescence*) maison *f* de convalescence *or* de repos; (*for old people*) maison de retraite
nurture ['nə:tʃəʳ] *vt* élever
nut [nʌt] *n* (*of metal*) écrou *m*; (*fruit*: *walnut*) noix *f*; (: *hazelnut*) noisette *f*; (: *peanut*) cacahuète *f* (*terme générique en anglais*)

nutmeg ['nʌtmɛg] *n* (noix *f*) muscade *f*
nutrient ['nju:trɪənt] *n* substance nutritive
nutrition [nju:'trɪʃən] *n* nutrition *f*, alimentation *f*
nutritious [nju:'trɪʃəs] *adj* nutritif(-ive), nourrissant(e)
nuts [nʌts] (*inf*) *adj* dingue
NVQ *n abbr* (BRIT) = **National Vocational Qualification**
nylon ['naɪlɔn] *n* nylon *m* ▷ *adj* de *or* en nylon

oak [əuk] *n* chêne *m* ▷ *cpd* de *or* en (bois de) chêne
O.A.P. *n abbr* (BRIT) = **old age pensioner**
oar [ɔ:ʳ] *n* aviron *m*, rame *f*
oasis (*pl* **oases**) [əu'eɪsɪs, əu'eɪsi:z] *n* oasis *f*
oath [əuθ] *n* serment *m*; (*swear word*) juron *m*; **on** (BRIT) *or* **under ~** sous serment; assermenté(e)
oatmeal ['əutmi:l] *n* flocons *mpl* d'avoine
oats [əuts] *n* avoine *f*
obedience [ə'bi:dɪəns] *n* obéissance *f*
obedient [ə'bi:dɪənt] *adj* obéissant(e)
obese [əu'bi:s] *adj* obèse
obesity [əu'bi:sɪtɪ] *n* obésité *f*
obey [ə'beɪ] *vt* obéir à; (*instructions, regulations*) se conformer à ▷ *vi* obéir
obituary [ə'bɪtjuərɪ] *n* nécrologie *f*
object *n* ['ɔbdʒɪkt] objet *m*; (*purpose*) but *m*, objet; (*Ling*) complément *m* d'objet ▷ *vi* [əb'dʒɛkt]: **to ~ to** (*attitude*) désapprouver; (*proposal*) protester contre, élever une objection contre; **I ~!** je proteste!; **he ~ed that ...** il a fait valoir *or* a objecté que ...; **money is no ~** l'argent n'est pas un problème; **objection** [əb'dʒɛkʃən] *n* objection *f*; **if you have no objection** si vous n'y voyez pas d'inconvénient; **objective** *n* objectif *m* ▷ *adj* objectif(-ive)
obligation [ɔblɪ'geɪʃən] *n* obligation *f*, devoir *m*; (*debt*) dette *f* (de reconnaissance)
obligatory [ə'blɪgətərɪ] *adj* obligatoire
oblige [ə'blaɪdʒ] *vt* (*force*): **to ~ sb to do** obliger *or* forcer qn à faire; (*do a favour*) rendre service à, obliger; **to be ~d to sb for sth** être obligé(e) à qn de qch
oblique [ə'bli:k] *adj* oblique; (*allusion*) indirect(e)
obliterate [ə'blɪtəreɪt] *vt* effacer
oblivious [ə'blɪvɪəs] *adj*: **~ of** oublieux(-euse) de
oblong ['ɔblɔŋ] *adj* oblong(ue) ▷ *n* rectangle *m*
obnoxious [əb'nɔkʃəs] *adj* odieux(-euse); (*smell*) nauséabond(e)
oboe ['əubəu] *n* hautbois *m*
obscene [əb'si:n] *adj* obscène
obscure [əb'skjuəʳ] *adj* obscur(e) ▷ *vt* obscurcir; (*hide: sun*) cacher
observant [əb'zə:vnt] *adj* observateur(-trice)
observation [ɔbzə'veɪʃən] *n* observation *f*; (*by police etc*) surveillance *f*
observatory [əb'zə:vətrɪ] *n* observatoire *m*
observe [əb'zə:v] *vt* observer; (*remark*) faire observer *or* remarquer; **observer** *n* observateur(-trice)
obsess [əb'sɛs] *vt* obséder; **obsession** [əb'sɛʃən] *n* obsession *f*; **obsessive** *adj* obsédant(e)
obsolete ['ɔbsəli:t] *adj* dépassé(e), périmé(e)
obstacle ['ɔbstəkl] *n* obstacle *m*
obstinate ['ɔbstɪnɪt] *adj* obstiné(e); (*pain, cold*) persistant(e)
obstruct [əb'strʌkt] *vt* (*block*) boucher, obstruer; (*hinder*) entraver; **obstruction** [əb'strʌkʃən] *n* obstruction *f*; (*to plan, progress*) obstacle *m*
obtain [əb'teɪn] *vt* obtenir
obvious ['ɔbvɪəs] *adj* évident(e), manifeste; **obviously** *adv* manifestement; (*of course*): **obviously!** bien sûr!; **obviously not!** évidemment pas!, bien sûr que non!
occasion [ə'keɪʒən] *n* occasion *f*; (*event*) événement *m*; **occasional** *adj* pris(e) (*or* fait(e) *etc*) de temps en temps; (*worker, spending*) occasionnel(le); **occasionally** *adv* de temps en temps, quelquefois
occult [ɔ'kʌlt] *adj* occulte ▷ *n*: **the ~** le surnaturel
occupant ['ɔkjupənt] *n* occupant *m*
occupation [ɔkju'peɪʃən] *n* occupation *f*; (*job*) métier *m*, profession *f*
occupy ['ɔkjupaɪ] *vt* occuper; **to ~ o.s. with** *or* **by doing** s'occuper à faire
occur [ə'kə:ʳ] *vi* se produire; (*difficulty, opportunity*) se présenter; (*phenomenon, error*) se rencontrer; **to ~ to sb** venir à l'esprit de qn; **occurrence** [ə'kʌrəns] *n* (*existence*) présence *f*, existence *f*; (*event*) cas *m*, fait *m*
ocean ['əuʃən] *n* océan *m*
o'clock [ə'klɔk] *adv*: **it is 5 o'clock** il est 5 heures
Oct. *abbr* (= *October*) oct
October [ɔk'təubəʳ] *n* octobre *m*
octopus ['ɔktəpəs] *n* pieuvre *f*
odd [ɔd] *adj* (*strange*) bizarre, curieux(-euse); (*number*) impair(e); (*not of a set*) dépareillé(e); **60-~** 60 et quelques; **at ~ times** de temps en temps; **the ~ one out** l'exception *f*; **oddly** *adv* bizarrement, curieusement; **odds** *npl* (*in betting*) cote *f*; **it makes no odds** cela n'a pas d'importance; **odds and ends** de petites choses; **at odds** en désaccord
odometer [ɔ'dɔmɪtəʳ] *n* (US) odomètre *m*
odour (US **odor**) ['əudəʳ] *n* odeur *f*

KEYWORD

of [ɔv, əv] *prep* **1** (*gen*) de; **a friend of ours** un de nos amis; **a boy of 10** un garçon de 10 ans; **that was kind of you** c'était gentil de votre part
2 (*expressing quantity, amount, dates etc*) de; **a kilo of flour** un kilo de farine; **how much of this do you need?** combien vous en faut-il?; **there were three of them** (*people*) ils étaient 3; (*objects*) il y en avait 3; **three of us went** 3 d'entre nous y sont allé(e)s; **the 5th of July** le 5 juillet; **a quarter of 4** (US) 4 heures moins le quart
3 (*from, out of*) en, de; **a statue of marble** une statue de *or* en marbre; **made of wood** (fait) en bois

off [ɔf] *adj, adv* (*engine*) coupé(e); (*light, TV*) éteint(e); (*tap*) fermé(e); (BRIT: *food*) mauvais(e), avancé(e); (: *milk*) tourné(e); (*absent*) absent(e); (*cancelled*) annulé(e); (*removed*): **the lid was ~** le couvercle était retiré *or* n'était pas mis; (*away*): **to run/drive**

~ partir en courant/en voiture ▷ *prep* de; **to be ~** (*to leave*) partir, s'en aller; **to be ~ sick** être absent pour cause de maladie; **a day ~** un jour de congé; **to have an ~ day** n'être pas en forme; **he had his coat ~** il avait enlevé son manteau; **10% ~** (*Comm*) 10% de rabais; **5 km ~ (the road)** à 5 km (de la route); **~ the coast** au large de la côte; **it's a long way ~** c'est loin (d'ici); **I'm ~ meat** je ne mange plus de viande; je n'aime plus la viande; **on the ~ chance** à tout hasard; **~ and on, on and ~** de temps à autre

offence (us **offense**) [ə'fɛns] *n* (*crime*) délit *m*, infraction *f*; **to take ~ at** se vexer de, s'offenser de

offend [ə'fɛnd] *vt* (*person*) offenser, blesser; **offender** *n* délinquant(e); (*against regulations*) contrevenant(e)

offense [ə'fɛns] *n* (us) = **offence**

offensive [ə'fɛnsɪv] *adj* offensant(e), choquant(e); (*smell etc*) très déplaisant(e); (*weapon*) offensif(-ive) ▷ *n* (*Mil*) offensive *f*

offer ['ɔfə^r] *n* offre *f*, proposition *f* ▷ *vt* offrir, proposer; **"on ~"** (*Comm*) "en promotion"

offhand [ɔf'hænd] *adj* désinvolte ▷ *adv* spontanément

office ['ɔfɪs] *n* (*place*) bureau *m*; (*position*) charge *f*, fonction *f*; **doctor's ~** (us) cabinet (médical); **to take ~** entrer en fonctions; **office block** (us **office building**) *n* immeuble *m* de bureaux; **office hours** *npl* heures *fpl* de bureau; (us *Med*) heures de consultation

officer ['ɔfɪsə^r] *n* (*Mil etc*) officier *m*; (*also*: **police ~**) agent *m* (de police); (*of organization*) membre *m* du bureau directeur

office worker *n* employé(e) de bureau

official [ə'fɪʃl] *adj* (*authorized*) officiel(le) ▷ *n* officiel *m*; (*civil servant*) fonctionnaire *m/f*; (*of railways, post office, town hall*) employé(e)

off: **off-licence** *n* (BRIT: *shop*) débit *m* de vins et de spiritueux; **off-line** *adj* (*Comput*) (en mode) autonome; (: *switched off*) non connecté(e); **off-peak** *adj* aux heures creuses; (*electricity, ticket*) au tarif heures creuses; **off-putting** *adj* (BRIT: *remark*) rébarbatif(-ive); (*person*) rebutant(e), peu engageant(e); **off-season** *adj, adv* hors-saison *inv*

offset ['ɔfsɛt] *vt* (*irreg: like* **set**) (*counteract*) contrebalancer, compenser

offshore [ɔf'ʃɔː^r] *adj* (*breeze*) de terre; (*island*) proche du littoral; (*fishing*) côtier(-ière)

offside ['ɔf'saɪd] *adj* (*Sport*) hors jeu; (*Aut: in Britain*) de droite; (: *in US, Europe*) de gauche

offspring ['ɔfsprɪŋ] *n* progéniture *f*

often ['ɔfn] *adv* souvent; **how ~ do you go?** vous y allez tous les combien?; **every so ~** de temps en temps, de temps à autre

oh [əu] *excl* ô!, oh!, ah!

oil [ɔɪl] *n* huile *f*; (*petroleum*) pétrole *m*; (*for central heating*) mazout *m* ▷ *vt* (*machine*) graisser; **oil filter** *n* (*Aut*) filtre *m* à huile; **oil painting** *n* peinture *f* à l'huile; **oil refinery** *n* raffinerie *f* de pétrole; **oil rig** *n* derrick *m*; (*at sea*) plate-forme pétrolière; **oil slick** *n* nappe *f* de mazout; **oil tanker** *n* (*ship*) pétrolier *m*; (*truck*) camion-citerne *m*; **oil well** *n* puits *m* de pétrole; **oily** *adj* huileux(-euse); (*food*) gras(se)

ointment ['ɔɪntmənt] *n* onguent *m*

O.K., okay ['əu'keɪ] (*inf*) *excl* d'accord! ▷ *vt* approuver, donner son accord à ▷ *adj* (*not bad*) pas mal; **is it O.K.?, are you O.K.?** ça va?

old [əuld] *adj* vieux (vieille); (*person*) vieux, âgé(e); (*former*) ancien(ne), vieux; **how ~ are you?** quel âge avez-vous?; **he's 10 years ~** il a 10 ans, il est âgé de 10 ans; **~er brother/sister** frère/sœur aîné(e); **old age** *n* vieillesse *f*; **old-age pension** *n* (BRIT) (pension *f* de) retraite *f* (*de la sécurité sociale*); **old-age pensioner** *n* (BRIT) retraité(e); **old-fashioned** *adj* démodé(e); (*person*) vieux jeu *inv*; **old people's home** *n* (*esp* BRIT) maison *f* de retraite

olive ['ɔlɪv] *n* (*fruit*) olive *f*; (*tree*) olivier *m* ▷ *adj* (*also*: **~-green**) (vert) olive *inv*; **olive oil** *n* huile *f* d'olive

Olympic [əu'lɪmpɪk] *adj* olympique; **the ~ Games, the ~s** les Jeux *mpl* olympiques

omelet(te) ['ɔmlɪt] *n* omelette *f*

omen ['əumən] *n* présage *m*

ominous ['ɔmɪnəs] *adj* menaçant(e), inquiétant(e); (*event*) de mauvais augure

omit [əu'mɪt] *vt* omettre

 KEYWORD

on [ɔn] *prep* **1** (*indicating position*) sur; **on the table** sur la table; **on the wall** sur le *or* au mur; **on the left** à gauche

2 (*indicating means, method, condition etc*): **on foot** à pied; **on the train/plane** (*be*) dans le train/l'avion; (*go*) en train/avion; **on the telephone/radio/television** au téléphone/à la radio/à la télévision; **to be on drugs** se droguer; **on holiday** (BRIT): **on vacation** (us) en vacances

3 (*referring to time*): **on Friday** vendredi; **on Fridays** le vendredi; **on June 20th** le 20 juin; **a week on Friday** vendredi en huit; **on arrival** à l'arrivée; **on seeing this** en voyant cela

4 (*about, concerning*) sur, de; **a book on Balzac/physics** un livre sur Balzac/de physique

▷ *adv* **1** (*referring to dress*): **to have one's coat on** avoir (mis) son manteau; **to put one's coat on** mettre son manteau; **what's she got on?** qu'est-ce qu'elle porte?

2 (*referring to covering*): **screw the lid on tightly** vissez bien le couvercle

3 (*further, continuously*): **to walk** *etc* **on** continuer à marcher *etc*; **from that day on** depuis ce jour

▷ *adj* **1** (*in operation*: *machine*) en marche; (: *radio, TV, light*) allumé(e); (: *tap, gas*) ouvert(e); (: *brakes*) mis(e); **is the meeting still on?** (*not cancelled*) est-ce que la réunion a bien lieu?; (*in progress*) la réunion dure-t-elle encore?; **when is this film on?** quand passe ce film?

2 (*inf*): **that's not on!** (*not acceptable*) cela ne se fait pas!; (*not possible*) pas question!

once [wʌns] *adv* une fois; (*formerly*) autrefois ▷ *conj* une fois que + *sub*; **~ he had left/it was done** une fois qu'il fut parti/ que ce fut terminé; **at ~** tout de suite, immédiatement; (*simultaneously*) à la fois; **all at ~** *adv* tout d'un coup; **~ a week** une fois par semaine; **~ more** encore une fois; **~ and for all** une fois pour toutes; **~ upon a time there was ...** il y avait une fois ..., il était une fois ...

oncoming ['ɔnkʌmɪŋ] *adj* (*traffic*) venant en sens inverse

 KEYWORD

one [wʌn] *num* un(e); **one hundred and fifty** cent cinquante; **one by one** un(e) à *or* par un(e); **one day** un jour

▷ *adj* **1** (*sole*) seul(e), unique; **the one book which** l'unique *or* le seul livre qui; **the one man who** le seul (homme) qui

2 (*same*) même; **they came in the one car** ils sont venus dans la même voiture
▷ *pron* **1**: **this one** celui-ci (celle-ci); **that one** celui-là (celle-là); **I've already got one/a red one** j'en ai déjà un(e)/un(e) rouge; **which one do you want?** lequel voulez-vous?
2: **one another** l'un(e) l'autre; **to look at one another** se regarder
3 (*impersonal*) on; **one never knows** on ne sait jamais; **to cut one's finger** se couper le doigt; **one needs to eat** il faut manger

one-off [wʌn'ɔf] *n* (BRIT *inf*) exemplaire *m* unique
oneself [wʌn'sɛlf] *pron* se; (*after prep, also emphatic*) soi-même; **to hurt ~** se faire mal; **to keep sth for ~** garder qch pour soi; **to talk to ~** se parler à soi-même; **by ~** tout seul
one: **one-shot** [wʌn'ʃɔt] (US) *n* = **one-off**; **one-sided** *adj* (*argument, decision*) unilatéral(e); **one-to-one** *adj* (*relationship*) univoque; **one-way** *adj* (*street, traffic*) à sens unique
ongoing ['ɔngəuɪŋ] *adj* en cours; (*relationship*) suivi(e)
onion ['ʌnjən] *n* oignon *m*
on-line ['ɔnlaɪn] *adj* (*Comput*) en ligne; (*: switched on*) connecté(e)
onlooker ['ɔnlukə^r] *n* spectateur(-trice)
only ['əunlɪ] *adv* seulement ▷ *adj* seul(e), unique ▷ *conj* seulement, mais; **an ~ child** un enfant unique; **not ~ ... but also** non seulement ... mais aussi; **I ~ took one** j'en ai seulement pris un, je n'en ai pris qu'un
on-screen [ɔn'skri:n] *adj* à l'écran
onset ['ɔnsɛt] *n* début *m*; (*of winter, old age*) approche *f*
onto ['ɔntu] *prep* = **on to**
onward(s) ['ɔnwəd(z)] *adv* (*move*) en avant; **from that time ~** à partir de ce moment
oops [ups] *excl* houp!
ooze [u:z] *vi* suinter
opaque [əu'peɪk] *adj* opaque
open ['əupn] *adj* ouvert(e); (*car*) découvert(e); (*road, view*) dégagé(e); (*meeting*) public(-ique); (*admiration*) manifeste ▷ *vt* ouvrir ▷ *vi* (*flower, eyes, door, debate*) s'ouvrir; (*shop, bank, museum*) ouvrir; (*book etc: commence*) commencer, débuter; **is it ~ to public?** est-ce ouvert au public?; **what time do you ~?** à quelle heure ouvrez-vous?; **in the ~ (air)** en plein air; **open up** *vt* ouvrir; (*blocked road*) dégager ▷ *vi* s'ouvrir; **open-air** *adj* en plein air; **opening** *n* ouverture *f*; (*opportunity*) occasion *f*; (*work*) débouché *m*; (*job*) poste vacant; **opening hours** *npl* heures *fpl* d'ouverture; **open learning** *n enseignement universitaire à la carte, notamment par correspondance*; (*distance learning*) télé-enseignement *m*; **openly** *adv* ouvertement; **open-minded** *adj* à l'esprit ouvert; **open-necked** *adj* à col ouvert; **open-plan** *adj* sans cloisons; **Open University** *n* (BRIT) *cours universitaires par correspondance*
opera ['ɔpərə] *n* opéra *m*; **opera house** *n* opéra *m*; **opera singer** *n* chanteur(-euse) d'opéra
operate ['ɔpəreɪt] *vt* (*machine*) faire marcher, faire fonctionner ▷ *vi* fonctionner; **to ~ on sb (for)** (*Med*) opérer qn (de)
operating room *n* (US: *Med*) salle *f* d'opération
operating theatre *n* (BRIT: *Med*) salle *f* d'opération
operation [ɔpə'reɪʃən] *n* opération *f*; (*of machine*) fonctionnement *m*; **to have an ~ (for)** se faire opérer (de); **to be in ~** (*machine*) être en service; (*system*) être en vigueur; **operational** *adj* opérationnel(le); (*ready for use*) en état de marche
operative ['ɔpərətɪv] *adj* (*measure*) en vigueur ▷ *n* (*in factory*) ouvrier(-ière)
operator ['ɔpəreɪtə^r] *n* (*of machine*) opérateur(-trice); (*Tel*) téléphoniste *m/f*
opinion [ə'pɪnjən] *n* opinion *f*, avis *m*; **in my ~** à mon avis; **opinion poll** *n* sondage *m* d'opinion
opponent [ə'pəunənt] *n* adversaire *m/f*
opportunity [ɔpə'tju:nɪtɪ] *n* occasion *f*; **to take the ~ to do** *or* **of doing** profiter de l'occasion pour faire
oppose [ə'pəuz] *vt* s'opposer à; **to be ~d to sth** être opposé(e) à qch; **as ~d to** par opposition à
opposite ['ɔpəzɪt] *adj* opposé(e); (*house etc*) d'en face ▷ *adv* en face ▷ *prep* en face de ▷ *n* opposé *m*, contraire *m*; (*of word*) contraire
opposition [ɔpə'zɪʃən] *n* opposition *f*
oppress [ə'prɛs] *vt* opprimer
opt [ɔpt] *vi*: **to ~ for** opter pour; **to ~ to do** choisir de faire; **opt out** *vi*: **to ~ out of** choisir de ne pas participer à *or* de ne pas faire
optician [ɔp'tɪʃən] *n* opticien(ne)
optimism ['ɔptɪmɪzəm] *n* optimisme *m*
optimist ['ɔptɪmɪst] *n* optimiste *m/f*; **optimistic** [ɔptɪ'mɪstɪk] *adj* optimiste
optimum ['ɔptɪməm] *adj* optimum
option ['ɔpʃən] *n* choix *m*, option *f*; (*Scol*) matière *f* à option; **optional** *adj* facultatif(-ive)
or [ɔ:^r] *conj* ou; (*with negative*): **he hasn't seen or heard anything** il n'a rien vu ni entendu; **or else** sinon; ou bien
oral ['ɔ:rəl] *adj* oral(e) ▷ *n* oral *m*
orange ['ɔrɪndʒ] *n* (*fruit*) orange *f* ▷ *adj* orange *inv*; **orange juice** *n* jus *m* d'orange; **orange squash** *n* orangeade *f*
orbit ['ɔ:bɪt] *n* orbite *f* ▷ *vt* graviter autour de
orchard ['ɔ:tʃəd] *n* verger *m*
orchestra ['ɔ:kɪstrə] *n* orchestre *m*; (US: *seating*) (fauteils *mpl* d')orchestre
orchid ['ɔ:kɪd] *n* orchidée *f*
ordeal [ɔ:'di:l] *n* épreuve *f*
order ['ɔ:də^r] *n* ordre *m*; (*Comm*) commande *f* ▷ *vt* ordonner; (*Comm*) commander; **in ~** en ordre; (*of document*) en règle; **out of ~** (*not in correct order*) en désordre; (*machine*) hors service; (*telephone*) en dérangement; **a machine in working ~** une machine en état de marche; **in ~ to do/that** pour faire/que + *sub*; **could I ~ now, please?** je peux commander, s'il vous plaît?; **to be on ~** être en commande; **to ~ sb to do** ordonner à qn de faire; **order form** *n* bon *m* de commande; **orderly** *n* (*Mil*) ordonnance *f*; (*Med*) garçon *m* de salle ▷ *adj* (*room*) en ordre; (*mind*) méthodique; (*person*) qui a de l'ordre
ordinary ['ɔ:dnrɪ] *adj* ordinaire, normal(e); (*pej*) ordinaire, quelconque; **out of the ~** exceptionnel(le)
ore [ɔ:^r] *n* minerai *m*
oregano [ɔrɪ'gɑ:nəu] *n* origan *m*
organ ['ɔ:gən] *n* organe *m*; (*Mus*) orgue *m*, orgues *fpl*; **organic** [ɔ:'gænɪk] *adj* organique; (*crops etc*) biologique, naturel(le); **organism** *n* organisme *m*
organization [ɔ:gənaɪ'zeɪʃən] *n* organisation *f*
organize ['ɔ:gənaɪz] *vt* organiser; **organized** ['ɔ:gənaɪzd] *adj* (*planned*) organisé(e); (*efficient*) bien organisé; **organizer** *n* organisateur(-trice)
orgasm ['ɔ:gæzəm] *n* orgasme *m*
orgy ['ɔ:dʒɪ] *n* orgie *f*

oriental [ɔ:rɪ'ɛntl] *adj* oriental(e)
orientation [ɔ:rɪen'teɪʃən] *n* (*attitudes*) tendance *f*; (*in job*) orientation *f*; (*of building*) orientation, exposition *f*
origin ['ɔrɪdʒɪn] *n* origine *f*
original [ə'rɪdʒɪnl] *adj* original(e); (*earliest*) originel(le) ▷ *n* original *m*; **originally** *adv* (*at first*) à l'origine
originate [ə'rɪdʒɪneɪt] *vi*: **to ~ from** être originaire de; (*suggestion*) provenir de; **to ~ in** (*custom*) prendre naissance dans, avoir son origine dans
Orkney ['ɔ:knɪ] *n* (*also*: **the ~s, the ~ Islands**) les Orcades *fpl*
ornament ['ɔ:nəmənt] *n* ornement *m*; (*trinket*) bibelot *m*; **ornamental** [ɔ:nə'mɛntl] *adj* décoratif(-ive); (*garden*) d'agrément
ornate [ɔ:'neɪt] *adj* très orné(e)
orphan ['ɔ:fn] *n* orphelin(e)
orthodox ['ɔ:θədɔks] *adj* orthodoxe
orthopaedic (US **orthopedic**) [ɔ:θə'pi:dɪk] *adj* orthopédique
osteopath ['ɔstɪəpæθ] *n* ostéopathe *m/f*
ostrich ['ɔstrɪtʃ] *n* autruche *f*
other ['ʌðə^r] *adj* autre ▷ *pron*: **the ~ (one)** l'autre; **~s** (*other people*) d'autres ▷ *adv*: **~ than** autrement que; à part; **the ~ day** l'autre jour; **otherwise** *adv*, *conj* autrement
Ottawa ['ɔtəwə] *n* Ottawa
otter ['ɔtə^r] *n* loutre *f*
ouch [autʃ] *excl* aïe!
ought (*pt* **~**) [ɔ:t] *aux vb*: **I ~ to do it** je devrais le faire, il faudrait que je le fasse; **this ~ to have been corrected** cela aurait dû être corrigé; **he ~ to win** (*probability*) il devrait gagner
ounce [auns] *n* once *f* (*28.35g; 16 in a pound*)
our ['auə^r] *adj* notre, nos *pl*; *see also* **my**; **ours** *pron* le (la) nôtre, les nôtres; *see also* **mine'**; **ourselves** *pron pl* (*reflexive, after preposition*) nous; (*emphatic*) nous-mêmes; *see also* **oneself**
oust [aust] *vt* évincer
out [aut] *adv* dehors; (*published, not at home etc*) sorti(e); (*light, fire*) éteint(e); **~ there** là-bas; **he's ~** (*absent*) il est sorti; **to be ~ in one's calculations** s'être trompé dans ses calculs; **to run/back** *etc* **~** sortir en courant/en reculant *etc*; **~ loud** *adv* à haute voix; **~ of** *prep* (*outside*) en dehors de; (*because of: anger etc*) par; (*from among*): **10 ~ of 10** 10 sur 10; (*without*): **~ of petrol** sans essence, à court d'essence; **~ of order** (*machine*) en panne; (*Tel: line*) en dérangement; **outback** *n* (*in Australia*) intérieur *m*; **outbound** *adj*: **outbound (from/for)** en partance (de/pour); **outbreak** *n* (*of violence*) éruption *f*, explosion *f*; (*of disease*) de nombreux cas; **the outbreak of war south of the border** la guerre qui s'est déclarée au sud de la frontière; **outburst** *n* explosion *f*, accès *m*; **outcast** *n* exilé(e); (*socially*) paria *m*; **outcome** *n* issue *f*, résultat *m*; **outcry** *n* tollé (général); **outdated** *adj* démodé(e); **outdoor** *adj* de *or* en plein air; **outdoors** *adv* dehors; au grand air
outer ['autə^r] *adj* extérieur(e); **outer space** *n* espace *m* cosmique
outfit ['autfɪt] *n* (*clothes*) tenue *f*
out: **outgoing** *adj* (*president, tenant*) sortant(e); (*character*) ouvert(e), extraverti(e); **outgoings** *npl* (BRIT: *expenses*) dépenses *fpl*; **outhouse** *n* appentis *m*, remise *f*
outing ['autɪŋ] *n* sortie *f*; excursion *f*
out: **outlaw** *n* hors-la-loi *m inv* ▷ *vt* (*person*) mettre hors la loi; (*practice*) proscrire; **outlay** *n* dépenses *fpl*; (*investment*) mise *f* de fonds; **outlet** *n* (*for liquid etc*) issue *f*, sortie *f*; (*for emotion*) exutoire *m*; (*also*: **retail outlet**) point *m* de vente; (US: *Elec*) prise *f* de courant; **outline** *n* (*shape*) contour *m*; (*summary*) esquisse *f*, grandes lignes ▷ *vt* (*fig: theory, plan*) exposer à grands traits; **outlook** *n* perspective *f*; (*point of view*) attitude *f*; **outnumber** *vt* surpasser en nombre; **out-of-date** *adj* (*passport, ticket*) périmé(e); (*theory, idea*) dépassé(e); (*custom*) désuet(-ète); (*clothes*) démodé(e); **out-of-doors** *adv* = **outdoors**; **out-of-the-way** *adj* loin de tout; **out-of-town** *adj* (*shopping centre etc*) en périphérie; **outpatient** *n* malade *m/f* en consultation externe; **outpost** *n* avant-poste *m*; **output** *n* rendement *m*, production *f*; (*Comput*) sortie *f* ▷ *vt* (*Comput*) sortir
outrage ['autreɪdʒ] *n* (*anger*) indignation *f*; (*violent act*) atrocité *f*, acte *m* de violence; (*scandal*) scandale *m* ▷ *vt* outrager; **outrageous** [aut'reɪdʒəs] *adj* atroce; (*scandalous*) scandaleux(-euse)
outright *adv* [aut'raɪt] complètement; (*deny, refuse*) catégoriquement; (*ask*) carrément; (*kill*) sur le coup ▷ *adj* ['autraɪt] complet(-ète); catégorique
outset ['autsɛt] *n* début *m*
outside [aut'saɪd] *n* extérieur *m* ▷ *adj* extérieur(e) ▷ *adv* (au) dehors, à l'extérieur ▷ *prep* hors de, à l'extérieur de; (*in front of*) devant; **at the ~** (*fig*) au plus *or* maximum; **outside lane** *n* (*Aut: in Britain*) voie *f* de droite; (*: in US, Europe*) voie de gauche; **outside line** *n* (*Tel*) ligne extérieure; **outsider** *n* (*stranger*) étranger(-ère)
out: **outsize** *adj* énorme; (*clothes*) grande taille *inv*; **outskirts** *npl* faubourgs *mpl*; **outspoken** *adj* très franc (franche); **outstanding** *adj* remarquable, exceptionnel(le); (*unfinished: work, business*) en suspens, en souffrance; (*debt*) impayé(e); (*problem*) non réglé(e)
outward ['autwəd] *adj* (*sign, appearances*) extérieur(e); (*journey*) (d')aller; **outwards** *adv* (*esp* BRIT) = **outward**
outweigh [aut'weɪ] *vt* l'emporter sur
oval ['əuvl] *adj*, *n* ovale *m*
ovary ['əuvərɪ] *n* ovaire *m*
oven ['ʌvn] *n* four *m*; **oven glove** *n* gant *m* de cuisine; **ovenproof** *adj* allant au four; **oven-ready** *adj* prêt(e) à cuire
over ['əuvə^r] *adv* (par-)dessus ▷ *adj* (*or adv*) (*finished*) fini(e), terminé(e); (*too much*) en plus ▷ *prep* sur; par-dessus; (*above*) au-dessus de; (*on the other side of*) de l'autre côté de; (*more than*) plus de; (*during*) pendant; (*about, concerning*): **they fell out ~ money/her** ils se sont brouillés pour des questions d'argent/à cause d'elle; **~ here** ici; **~ there** là-bas; **all ~** (*everywhere*) partout; **~ and ~ (again)** à plusieurs reprises; **~ and above** en plus de; **to ask sb ~** inviter qn (à passer); **to fall ~** tomber; **to turn sth ~** retourner qch
overall ['əuvərɔ:l] *adj* (*length*) total(e); (*study, impression*) d'ensemble ▷ *n* (BRIT) blouse *f* ▷ *adv* [əuvər'ɔ:l] dans l'ensemble, en général; **overalls** *npl* (*boiler suit*) bleus *mpl* (de travail)
overboard ['əuvəbɔ:d] *adv* (*Naut*) par-dessus bord
overcame [əuvə'keɪm] *pt of* **overcome**
overcast ['əuvəkɑ:st] *adj* couvert(e)
overcharge [əuvə'tʃɑ:dʒ] *vt*: **to ~ sb for sth** faire payer qch trop cher à qn
overcoat ['əuvəkəut] *n* pardessus *m*
overcome [əuvə'kʌm] *vt* (*irreg: like* **come**) (*defeat*) triompher de; (*difficulty*) surmonter ▷ *adj* (*emotionally*) bouleversé(e); **~ with grief** accablé(e)

de douleur
over: **overcrowded** *adj* bondé(e); (*city, country*) surpeuplé(e); **overdo** *vt* (*irreg: like* **do**) exagérer; (*overcook*) trop cuire; **to overdo it, to overdo things** (*work too hard*) en faire trop, se surmener; **overdone** [əuvə'dʌn] *adj* (*vegetables, steak*) trop cuit(e); **overdose** *n* dose excessive; **overdraft** *n* découvert *m*; **overdrawn** *adj* (*account*) à découvert; **overdue** *adj* en retard; (*bill*) impayé(e); (*change*) qui tarde; **overestimate** *vt* surestimer
overflow *vi* [əuvə'fləu] déborder ▷ *n* ['əuvəfləu] (*also*: **~ pipe**) tuyau *m* d'écoulement, trop-plein *m*
overgrown [əuvə'grəun] *adj* (*garden*) envahi(e) par la végétation
overhaul *vt* [əuvə'hɔ:l] réviser ▷ *n* ['əuvəhɔ:l] révision *f*
overhead *adv* [əuvə'hɛd] au-dessus ▷ *adj, n* ['əuvəhɛd] ▷ *adj* aérien(ne); (*lighting*) vertical(e) ▷ *n* (*US*) = **overheads**; **overhead projector** *n* rétroprojecteur *m*; **overheads** *npl* (*BRIT*) frais généraux
over: **overhear** *vt* (*irreg: like* **hear**) entendre (par hasard); **overheat** *vi* (*engine*) chauffer; **overland** *adj, adv* par voie de terre; **overlap** *vi* se chevaucher; **overleaf** *adv* au verso; **overload** *vt* surcharger; **overlook** *vt* (*have view of*) donner sur; (*miss*) oublier, négliger; (*forgive*) fermer les yeux sur
overnight *adv* [əuvə'naɪt] (*happen*) durant la nuit; (*fig*) soudain ▷ *adj* ['əuvənaɪt] d'une (*or* de) nuit; soudain(e); **to stay ~ (with sb)** passer la nuit (chez qn); **overnight bag** *n* nécessaire *m* de voyage
overpass ['əuvəpɑ:s] *n* (*US: for cars*) pont autoroutier; (*: for pedestrians*) passerelle *f*, pont *m*
overpower [əuvə'pauəʳ] *vt* vaincre; (*fig*) accabler; **overpowering** *adj* irrésistible; (*heat, stench*) suffocant(e)
over: **overreact** [əuvəri:'ækt] *vi* réagir de façon excessive; **overrule** *vt* (*decision*) annuler; (*claim*) rejeter; (*person*) rejeter l'avis de; **overrun** *vt* (*irreg: like* **run**) (*Mil: country etc*) occuper; (*time limit etc*) dépasser ▷ *vi* dépasser le temps imparti
overseas [əuvə'si:z] *adv* outre-mer; (*abroad*) à l'étranger ▷ *adj* (*trade*) extérieur(e); (*visitor*) étranger(-ère)
oversee [əuvə'si:] *vt* (*irreg: like* **see**) surveiller
overshadow [əuvə'ʃædəu] *vt* (*fig*) éclipser
oversight ['əuvəsaɪt] *n* omission *f*, oubli *m*
oversleep [əuvə'sli:p] *vi* (*irreg: like* **sleep**) se réveiller (trop) tard
overspend [əuvə'spɛnd] *vi* (*irreg: like* **spend**) dépenser de trop
overt [əu'və:t] *adj* non dissimulé(e)
overtake [əuvə'teɪk] *vt* (*irreg: like* **take**) dépasser; (*BRIT: Aut*) dépasser, doubler
over: **overthrow** *vt* (*irreg: like* **throw**) (*government*) renverser; **overtime** *n* heures *fpl* supplémentaires
overtook [əuvə'tuk] *pt of* **overtake**
over: **overturn** *vt* renverser; (*decision, plan*) annuler ▷ *vi* se retourner; **overweight** *adj* (*person*) trop gros(se); **overwhelm** *vt* (*subj: emotion*) accabler, submerger; (*enemy, opponent*) écraser; **overwhelming** *adj* (*victory, defeat*) écrasant(e); (*desire*) irrésistible
ow [au] *excl* aïe!
owe [əu] *vt* devoir; **to ~ sb sth, to ~ sth to sb** devoir qch à qn; **how much do I ~ you?** combien est-ce que je vous dois?; **owing to** *prep* à cause de, en raison de
owl [aul] *n* hibou *m*
own [əun] *vt* posséder ▷ *adj* propre; **a room of my ~** une chambre à moi, ma propre chambre; **to get one's ~ back** prendre sa revanche; **on one's ~** tout(e) seul(e); **own up** *vi* avouer; **owner** *n* propriétaire *m/f*; **ownership** *n* possession *f*
ox (*pl* **oxen**) [ɔks, 'ɔksn] *n* bœuf *m*
Oxbridge ['ɔksbrɪdʒ] *n* (*BRIT*) *les universités d'Oxford et de Cambridge*
oxen ['ɔksən] *npl of* **ox**
oxygen ['ɔksɪdʒən] *n* oxygène *m*
oyster ['ɔɪstəʳ] *n* huître *f*
oz. *abbr* = **ounce(s)**
ozone ['əuzəun] *n* ozone *m*; **ozone friendly** *adj* qui n'attaque pas *or* qui préserve la couche d'ozone; **ozone layer** *n* couche *f* d'ozone

p

p *abbr* (*BRIT*) = **penny**; **pence**
P.A. *n abbr* = **personal assistant**; **public address system**
p.a. *abbr* = **per annum**
pace [peɪs] *n* pas *m*; (*speed*) allure *f*; vitesse *f* ▷ *vi*: **to ~ up and down** faire les cent pas; **to keep ~ with** aller à la même vitesse que; (*events*) se tenir au courant de; **pacemaker** *n* (*Med*) stimulateur *m* cardiaque; (*Sport: also*: **pacesetter**) meneur(-euse) de train
Pacific [pə'sɪfɪk] *n*: **the ~ (Ocean)** le Pacifique, l'océan *m* Pacifique
pacifier ['pæsɪfaɪəʳ] *n* (*US: dummy*) tétine *f*
pack [pæk] *n* paquet *m*; (*of hounds*) meute *f*; (*of thieves, wolves etc*) bande *f*; (*of cards*) jeu *m*; (*US: of cigarettes*) paquet; (*back pack*) sac *m* à dos ▷ *vt* (*goods*) empaqueter, emballer; (*in suitcase etc*) emballer; (*box*) remplir; (*cram*) entasser ▷ *vi*: **to ~ (one's bags)** faire ses bagages; **pack in** (*BRIT inf*) *vi* (*machine*) tomber en panne ▷ *vt* (*boyfriend*) plaquer; **~ it in!** laisse tomber!; **pack off** *vt*: **to ~ sb off to** expédier qn à; **pack up** *vi* (*BRIT inf: machine*) tomber en panne; (*: person*) se tirer ▷ *vt* (*belongings*) ranger; (*goods, presents*) empaqueter, emballer
package ['pækɪdʒ] *n* paquet *m*; (*also*: **~ deal**: *agreement*) marché global; (*: purchase*) forfait *m*; (*Comput*) progiciel *m* ▷ *vt* (*goods*) conditionner; **package holiday** *n* (*BRIT*) vacances organisées; **package tour** *n* voyage organisé
packaging ['pækɪdʒɪŋ] *n* (*wrapping materials*) emballage *m*
packed [pækt] *adj* (*crowded*) bondé(e); **packed lunch** (*BRIT*) *n* repas froid
packet ['pækɪt] *n* paquet *m*
packing ['pækɪŋ] *n* emballage *m*
pact [pækt] *n* pacte *m*, traité *m*
pad [pæd] *n* bloc(-notes *m*) *m*; (*to prevent friction*)

tampon *m* ▷ *vt* rembourrer; **padded** *adj* (*jacket*) matelassé(e); (*bra*) rembourré(e)
paddle ['pædl] *n* (*oar*) pagaie *f*; (US: *for table tennis*) raquette *f* de ping-pong ▷ *vi* (*with feet*) barboter, faire trempette ▷ *vt*: **to ~ a canoe** *etc* pagayer; **paddling pool** *n* petit bassin
paddock ['pædək] *n* enclos *m*; (*Racing*) paddock *m*
padlock ['pædlɔk] *n* cadenas *m*
paedophile (US **pedophile**) ['pi:dəufaɪl] *n* pédophile *m*
page [peɪdʒ] *n* (*of book*) page *f*; (*also*: **~ boy**) groom *m*, chasseur *m*; (*at wedding*) garçon *m* d'honneur ▷ *vt* (*in hotel etc*) (faire) appeler
pager ['peɪdʒəʳ] *n* bip *m* (*inf*), Alphapage® *m*
paid [peɪd] *pt, pp of* **pay** ▷ *adj* (*work, official*) rémunéré(e); (*holiday*) payé(e); **to put ~ to** (BRIT) mettre fin à, mettre par terre
pain [peɪn] *n* douleur *f*; (*inf*: *nuisance*) plaie *f*; **to be in ~** souffrir, avoir mal; **to take ~s to do** se donner du mal pour faire; **painful** *adj* douloureux(-euse); (*difficult*) difficile, pénible; **painkiller** *n* calmant *m*, analgésique *m*; **painstaking** ['peɪnzteɪkɪŋ] *adj* (*person*) soigneux(-euse); (*work*) soigné(e)
paint [peɪnt] *n* peinture *f* ▷ *vt* peindre; **to ~ the door blue** peindre la porte en bleu; **paintbrush** *n* pinceau *m*; **painter** *n* peintre *m*; **painting** *n* peinture *f*; (*picture*) tableau *m*
pair [pɛəʳ] *n* (*of shoes, gloves etc*) paire *f*; (*of people*) couple *m*; **~ of scissors** (paire de) ciseaux *mpl*; **~ of trousers** pantalon *m*
pajamas [pə'dʒɑ:məz] *npl* (US) pyjama(s) *m(pl)*
Pakistan [pɑ:kɪ'stɑ:n] *n* Pakistan *m*; **Pakistani** *adj* pakistanais(e) ▷ *n* Pakistanais(e)
pal [pæl] *n* (*inf*) copain (copine)
palace ['pæləs] *n* palais *m*
pale [peɪl] *adj* pâle; **~ blue** *adj* bleu pâle *inv*
Palestine ['pælɪstaɪn] *n* Palestine *f*; **Palestinian** [pælɪs'tɪnɪən] *adj* palestinien(ne) ▷ *n* Palestinien(ne)
palm [pɑ:m] *n* (*Anat*) paume *f*; (*also*: **~ tree**) palmier *m* ▷ *vt*: **to ~ sth off on sb** (*inf*) refiler qch à qn
pamper ['pæmpəʳ] *vt* gâter, dorloter
pamphlet ['pæmflət] *n* brochure *f*
pan [pæn] *n* (*also*: **sauce~**) casserole *f*; (*also*: **frying ~**) poêle *f*
pancake ['pænkeɪk] *n* crêpe *f*
panda ['pændə] *n* panda *m*
pane [peɪn] *n* carreau *m* (de fenêtre), vitre *f*
panel ['pænl] *n* (*of wood, cloth etc*) panneau *m*; (*Radio, TV*) panel *m*, invités *mpl*; (*for interview, exams*) jury *m*
panhandler ['pænhændləʳ] *n* (US *inf*) mendiant(e)
panic ['pænɪk] *n* panique *f*, affolement *m* ▷ *vi* s'affoler, paniquer
panorama [pænə'rɑ:mə] *n* panorama *m*
pansy ['pænzɪ] *n* (*Bot*) pensée *f*
pant [pænt] *vi* haleter
panther ['pænθəʳ] *n* panthère *f*
panties ['pæntɪz] *npl* slip *m*, culotte *f*
pantomime ['pæntəmaɪm] *n* (BRIT) spectacle *m* de Noël
pants [pænts] *n* (BRIT: *woman's*) culotte *f*, slip *m*; (: *man's*) slip, caleçon *m*; (US: *trousers*) pantalon *m*
pantyhose ['pæntɪhəuz] (US) *npl* collant *m*
paper ['peɪpəʳ] *n* papier *m*; (*also*: **wall~**) papier peint; (*also*: **news~**) journal *m*; (*academic essay*) article *m*; (*exam*) épreuve écrite ▷ *adj* en *or* de papier ▷ *vt* tapisser (de papier peint); **papers** *npl* (*also*: **identity ~s**) papiers *mpl* (d'identité); **paperback** *n* livre broché *or* non relié; (*small*) livre *m* de poche; **paper bag** *n* sac *m* en papier; **paper clip** *n* trombone *m*; **paper shop** *n* (BRIT) marchand *m* de journaux; **paperwork** *n* papiers *mpl*; (*pej*) paperasserie *f*
paprika ['pæprɪkə] *n* paprika *m*
par [pɑ:ʳ] *n* pair *m*; (*Golf*) normale *f* du parcours; **on a ~ with** à égalité avec, au même niveau que
paracetamol [pærə'si:təmɔl] (BRIT) *n* paracétamol *m*
parachute ['pærəʃu:t] *n* parachute *m*
parade [pə'reɪd] *n* défilé *m* ▷ *vt* (*fig*) faire étalage de ▷ *vi* défiler
paradise ['pærədaɪs] *n* paradis *m*
paradox ['pærədɔks] *n* paradoxe *m*
paraffin ['pærəfɪn] *n* (BRIT): **~ (oil)** pétrole (lampant)
paragraph ['pærəgrɑ:f] *n* paragraphe *m*
parallel ['pærəlɛl] *adj*: **~ (with** *or* **to)** parallèle (à); (*fig*) analogue (à) ▷ *n* (*line*) parallèle *f*; (*fig, Geo*) parallèle *m*
paralysed ['pærəlaɪzd] *adj* paralysé(e)
paralysis (*pl* **paralyses**) [pə'rælɪsɪs, -si:z] *n* paralysie *f*
paramedic [pærə'mɛdɪk] *n* auxiliaire *m/f* médical(e)
paranoid ['pærənɔɪd] *adj* (*Psych*) paranoïaque; (*neurotic*) paranoïde
parasite ['pærəsaɪt] *n* parasite *m*
parcel ['pɑ:sl] *n* paquet *m*, colis *m* ▷ *vt* (*also*: **~ up**) empaqueter
pardon ['pɑ:dn] *n* pardon *m*; (*Law*) grâce *f* ▷ *vt* pardonner à; (*Law*) gracier; **~!** pardon!; **~ me!** (*after burping etc*) excusez-moi!; **I beg your ~!** (*I'm sorry*) pardon!, je suis désolé!; **(I beg your) ~?** (US): **~ me?** (*what did you say?*) pardon?
parent ['pɛərənt] *n* (*father*) père *m*; (*mother*) mère *f*; **parents** *npl* parents *mpl*; **parental** [pə'rɛntl] *adj* parental(e), des parents
Paris ['pærɪs] *n* Paris
parish ['pærɪʃ] *n* paroisse *f*; (BRIT: *civil*) ≈ commune *f*
Parisian [pə'rɪzɪən] *adj* parisien(ne), de Paris ▷ *n* Parisien(ne)
park [pɑ:k] *n* parc *m*, jardin public ▷ *vt* garer ▷ *vi* se garer; **can I ~ here?** est-ce que je peux me garer ici?
parking ['pɑ:kɪŋ] *n* stationnement *m*; **"no ~"** "stationnement interdit"; **parking lot** *n* (US) parking *m*, parc *m* de stationnement; **parking meter** *n* parc(o)mètre *m*; **parking ticket** *n* P.-V. *m*
parkway ['pɑ:kweɪ] *n* (US) route *f* express (*en site vert ou aménagé*)
parliament ['pɑ:ləmənt] *n* parlement *m*; **parliamentary** [pɑ:lə'mɛntərɪ] *adj* parlementaire
Parmesan [pɑ:mɪ'zæn] *n* (*also*: **~ cheese**) Parmesan *m*
parole [pə'rəul] *n*: **on ~** en liberté conditionnelle
parrot ['pærət] *n* perroquet *m*
parsley ['pɑ:slɪ] *n* persil *m*
parsnip ['pɑ:snɪp] *n* panais *m*
parson ['pɑ:sn] *n* ecclésiastique *m*; (*Church of England*) pasteur *m*
part [pɑ:t] *n* partie *f*; (*of machine*) pièce *f*; (*Theat etc*) rôle *m*; (*of serial*) épisode *m*; (US: *in hair*) raie *f* ▷ *adv* = **partly** ▷ *vt* séparer ▷ *vi* (*people*) se séparer; (*crowd*) s'ouvrir; **to take ~ in** participer à, prendre part à; **to take sb's ~** prendre le parti de qn, prendre parti pour qn; **for my ~** en ce qui me concerne; **for the most ~** en grande partie; dans la plupart des cas; **in ~** en partie; **to take sth in good/bad ~** prendre qch du bon/mauvais côté; **part with** *vt fus* (*person*) se

séparer de; (*possessions*) se défaire de
partial ['pɑːʃl] *adj* (*incomplete*) partiel(le); **to be ~ to** aimer, avoir un faible pour
participant [pɑː'tɪsɪpənt] *n* (*in competition, campaign*) participant(e)
participate [pɑː'tɪsɪpeɪt] *vi*: **to ~ (in)** participer (à), prendre part (à)
particle ['pɑːtɪkl] *n* particule *f*; (*of dust*) grain *m*
particular [pə'tɪkjulə^r] *adj* (*specific*) particulier(-ière); (*special*) particulier, spécial(e); (*fussy*) difficile, exigeant(e); (*careful*) méticuleux(-euse); **in ~** en particulier, surtout; **particularly** *adv* particulièrement; (*in particular*) en particulier; **particulars** *npl* détails *mpl*; (*information*) renseignements *mpl*
parting ['pɑːtɪŋ] *n* séparation *f*; (BRIT: *in hair*) raie *f*
partition [pɑː'tɪʃən] *n* (*Pol*) partition *f*, division *f*; (*wall*) cloison *f*
partly ['pɑːtlɪ] *adv* en partie, partiellement
partner ['pɑːtnə^r] *n* (*Comm*) associé(e); (*Sport*) partenaire *m/f*; (*spouse*) conjoint(e); (*lover*) ami(e); (*at dance*) cavalier(-ière); **partnership** *n* association *f*
part of speech *n* (*Ling*) partie *f* du discours
partridge ['pɑːtrɪdʒ] *n* perdrix *f*
part-time ['pɑː't'taɪm] *adj, adv* à mi-temps, à temps partiel
party ['pɑːtɪ] *n* (*Pol*) parti *m*; (*celebration*) fête *f*; (: *formal*) réception *f*; (: *in evening*) soirée *f*; (*group*) groupe *m*; (*Law*) partie *f*
pass [pɑːs] *vt* (*time, object*) passer; (*place*) passer devant; (*friend*) croiser; (*exam*) être reçu(e) à, réussir; (*overtake*) dépasser; (*approve*) approuver, accepter ▷ *vi* passer; (*Scol*) être reçu(e) *or* admis(e), réussir ▷ *n* (*permit*) laissez-passer *m inv*; (*membership card*) carte *f* d'accès *or* d'abonnement; (*in mountains*) col *m*; (*Sport*) passe *f*; (*Scol*: *also*: **~ mark**): **to get a ~** être reçu(e) (sans mention); **to ~ sb sth** passer qch à qn; **could you ~ the salt/oil, please?** pouvez-vous me passer le sel/l'huile, s'il vous plaît?; **to make a ~ at sb** (*inf*) faire des avances à qn; **pass away** *vi* mourir; **pass by** *vi* passer ▷ *vt* (*ignore*) négliger; **pass on** *vt* (*hand on*): **to ~ on (to)** transmettre (à); **pass out** *vi* s'évanouir; **pass over** *vt* (*ignore*) passer sous silence; **pass up** *vt* (*opportunity*) laisser passer; **passable** *adj* (*road*) praticable; (*work*) acceptable
passage ['pæsɪdʒ] *n* (*also*: **~way**) couloir *m*; (*gen, in book*) passage *m*; (*by boat*) traversée *f*
passenger ['pæsɪndʒə^r] *n* passager(-ère)
passer-by [pɑːsə'baɪ] *n* passant(e)
passing place *n* (*Aut*) aire *f* de croisement
passion ['pæʃən] *n* passion *f*; **passionate** *adj* passionné(e); **passion fruit** *n* fruit *m* de la passion
passive ['pæsɪv] *adj* (*also Ling*) passif(-ive)
passport ['pɑːspɔːt] *n* passeport *m*; **passport control** *n* contrôle *m* des passeports; **passport office** *n* bureau *m* de délivrance des passeports
password ['pɑːswəːd] *n* mot *m* de passe
past [pɑːst] *prep* (*in front of*) devant; (*further than*) au delà de, plus loin que; après; (*later than*) après ▷ *adv*: **to run ~** passer en courant ▷ *adj* passé(e); (*president etc*) ancien(ne) ▷ *n* passé *m*; **he's ~ forty** il a dépassé la quarantaine, il a plus de *or* passé quarante ans; **ten/quarter ~ eight** huit heures dix/un *or* et quart; **for the ~ few/3 days** depuis quelques/3 jours; ces derniers/3 derniers jours
pasta ['pæstə] *n* pâtes *fpl*
paste [peɪst] *n* pâte *f*; (*Culin*: *meat*) pâté *m* (à tartiner); (: *tomato*) purée *f*, concentré *m*; (*glue*) colle *f* (de pâte) ▷ *vt* coller
pastel ['pæstl] *adj* pastel *inv* ▷ *n* (*Art*: *pencil*) (crayon *m*) pastel *m*; (: *drawing*) (dessin *m* au) pastel; (*colour*) ton *m* pastel *inv*
pasteurized ['pæstəraɪzd] *adj* pasteurisé(e)
pastime ['pɑːstaɪm] *n* passe-temps *m inv*, distraction *f*
pastor ['pɑːstə^r] *n* pasteur *m*
past participle [-'pɑːtɪsɪpl] *n* (*Ling*) participe passé
pastry ['peɪstrɪ] *n* pâte *f*; (*cake*) pâtisserie *f*
pasture ['pɑːstʃə^r] *n* pâturage *m*
pasty[1] *n* ['pæstɪ] petit pâté (en croûte)
pasty[2] ['peɪstɪ] *adj* (*complexion*) terreux(-euse)
pat [pæt] *vt* donner une petite tape à; (*dog*) caresser
patch [pætʃ] *n* (*of material*) pièce *f*; (*eye patch*) cache *m*; (*spot*) tache *f*; (*of land*) parcelle *f*; (*on tyre*) rustine *f* ▷ *vt* (*clothes*) rapiécer; **a bad ~** (BRIT) une période difficile; **patchy** *adj* inégal(e); (*incomplete*) fragmentaire
pâté ['pæteɪ] *n* pâté *m*, terrine *f*
patent ['peɪtnt] (US) ['pætnt] *n* brevet *m* (d'invention) ▷ *vt* faire breveter ▷ *adj* patent(e), manifeste
paternal [pə'təːnl] *adj* paternel(le)
paternity leave [pə'təːnɪtɪ-] *n* congé *m* de paternité
path [pɑːθ] *n* chemin *m*, sentier *m*; (*in garden*) allée *f*; (*of missile*) trajectoire *f*
pathetic [pə'θɛtɪk] *adj* (*pitiful*) pitoyable; (*very bad*) lamentable, minable
pathway ['pɑːθweɪ] *n* chemin *m*, sentier *m*; (*in garden*) allée *f*
patience ['peɪʃns] *n* patience *f*; (BRIT: *Cards*) réussite *f*
patient ['peɪʃnt] *n* malade *m/f*; (*of dentist etc*) patient(e) ▷ *adj* patient(e)
patio ['pætɪəu] *n* patio *m*
patriotic [pætrɪ'ɔtɪk] *adj* patriotique; (*person*) patriote
patrol [pə'trəul] *n* patrouille *f* ▷ *vt* patrouiller dans; **patrol car** *n* voiture *f* de police
patron ['peɪtrən] *n* (*in shop*) client(e); (*of charity*) patron(ne); **~ of the arts** mécène *m*
patronizing ['pætrənaɪzɪŋ] *adj* condescendant(e)
pattern ['pætən] *n* (*Sewing*) patron *m*; (*design*) motif *m*; **patterned** *adj* à motifs
pause [pɔːz] *n* pause *f*, arrêt *m* ▷ *vi* faire une pause, s'arrêter
pave [peɪv] *vt* paver, daller; **to ~ the way for** ouvrir la voie à
pavement ['peɪvmənt] *n* (BRIT) trottoir *m*; (US) chaussée *f*
pavilion [pə'vɪlɪən] *n* pavillon *m*; (*Sport*) stand *m*
paving ['peɪvɪŋ] *n* (*material*) pavé *m*, dalle *f*
paw [pɔː] *n* patte *f*
pawn [pɔːn] *n* (*Chess, also fig*) pion *m* ▷ *vt* mettre en gage; **pawnbroker** *n* prêteur *m* sur gages
pay [peɪ] *n* salaire *m*; (*of manual worker*) paie *f* ▷ *vb* (*pt, pp* **paid**) ▷ *vt* payer ▷ *vi* payer; (*be profitable*) être rentable; **can I ~ by credit card?** est-ce que je peux payer par carte de crédit?; **to ~ attention (to)** prêter attention (à); **to ~ sb a visit** rendre visite à qn; **to ~ one's respects to sb** présenter ses respects à qn; **pay back** *vt* rembourser; **pay for** *vt fus* payer; **pay in** *vt* verser; **pay off** *vt* (*debts*) régler, acquitter; (*person*) rembourser ▷ *vi* (*scheme, decision*) se révéler payant(e); **pay out** *vt* (*money*) payer, sortir de sa poche; **pay up** *vt* (*amount*) payer; **payable** *adj* payable; **to make a cheque payable to sb**

établir un chèque à l'ordre de qn; **pay day** *n* jour *m* de paie; **pay envelope** *n* (US) paie *f*; **payment** *n* paiement *m*; (*of bill*) règlement *m*; (*of deposit, cheque*) versement *m*; **monthly payment** mensualité *f*; **payout** *n* (*from insurance*) dédommagement *m*; (*in competition*) prix *m*; **pay packet** *n* (BRIT) paie *f*; **pay phone** *n* cabine *f* téléphonique, téléphone public; **pay raise** *n* (US) = **pay rise**; **pay rise** *n* (BRIT) augmentation *f* (de salaire); **payroll** *n* registre *m* du personnel; **pay slip** *n* (BRIT) bulletin *m* de paie, feuille *f* de paie; **pay television** *n* chaînes *fpl* payantes

PC *n abbr* = **personal computer**; (BRIT) = **police constable** ▷ *adj abbr* = **politically correct**

p.c. *abbr* = **per cent**

PDA *n abbr* (= *personal digital assistant*) agenda *m* électronique

PE *n abbr* (= *physical education*) EPS *f*

pea [piː] *n* (petit) pois

peace [piːs] *n* paix *f*; (*calm*) calme *m*, tranquillité *f*; **peaceful** *adj* paisible, calme

peach [piːtʃ] *n* pêche *f*

peacock ['piːkɔk] *n* paon *m*

peak [piːk] *n* (*mountain*) pic *m*, cime *f*; (*of cap*) visière *f*; (*fig: highest level*) maximum *m*; (*: of career, fame*) apogée *m*; **peak hours** *npl* heures *fpl* d'affluence *or* de pointe

peanut ['piːnʌt] *n* arachide *f*, cacahuète *f*; **peanut butter** *n* beurre *m* de cacahuète

pear [pɛəʳ] *n* poire *f*

pearl [pəːl] *n* perle *f*

peasant ['pɛznt] *n* paysan(ne)

peat [piːt] *n* tourbe *f*

pebble ['pɛbl] *n* galet *m*, caillou *m*

peck [pɛk] *vt* (*also*: **~ at**) donner un coup de bec à; (*food*) picorer ▷ *n* coup *m* de bec; (*kiss*) bécot *m*; **peckish** *adj* (BRIT *inf*): **I feel peckish** je mangerais bien quelque chose, j'ai la dent

peculiar [pɪ'kjuːlɪəʳ] *adj* (*odd*) étrange, bizarre, curieux(-euse); (*particular*) particulier(-ière); **~ to** particulier à

pedal ['pɛdl] *n* pédale *f* ▷ *vi* pédaler

pedalo ['pɛdələu] *n* pédalo *m*

pedestal ['pɛdəstl] *n* piédestal *m*

pedestrian [pɪ'dɛstrɪən] *n* piéton *m*; **pedestrian crossing** *n* (BRIT) passage clouté; **pedestrianized** *adj*: **a pedestrianized street** une rue piétonne; **pedestrian precinct** (US **pedestrian zone**) *n* (BRIT) zone piétonne

pedigree ['pɛdɪgriː] *n* ascendance *f*; (*of animal*) pedigree *m* ▷ *cpd* (*animal*) de race

pedophile ['piːdəufaɪl] (US) *n* = **paedophile**

pee [piː] *vi* (*inf*) faire pipi, pisser

peek [piːk] *vi* jeter un coup d'œil (furtif)

peel [piːl] *n* pelure *f*, épluchure *f*; (*of orange, lemon*) écorce *f* ▷ *vt* peler, éplucher ▷ *vi* (*paint etc*) s'écailler; (*wallpaper*) se décoller; (*skin*) peler

peep [piːp] *n* (BRIT: *look*) coup d'œil furtif; (*sound*) pépiement *m* ▷ *vi* (BRIT) jeter un coup d'œil (furtif)

peer [pɪəʳ] *vi*: **to ~ at** regarder attentivement, scruter ▷ *n* (*noble*) pair *m*; (*equal*) pair, égal(e)

peg [pɛg] *n* (*for coat etc*) patère *f*; (BRIT: *also*: **clothes ~**) pince *f* à linge

pelican ['pɛlɪkən] *n* pélican *m*; **pelican crossing** *n* (BRIT *Aut*) feu *m* à commande manuelle

pelt [pɛlt] *vt*: **to ~ sb (with)** bombarder qn (de) ▷ *vi* (*rain*) tomber à seaux; (*inf: run*) courir à toutes jambes ▷ *n* peau *f*

pelvis ['pɛlvɪs] *n* bassin *m*

pen [pɛn] *n* (*for writing*) stylo *m*; (*for sheep*) parc *m*

penalty ['pɛnltɪ] *n* pénalité *f*; sanction *f*; (*fine*) amende *f*; (*Sport*) pénalisation *f*; (*Football*) penalty *m*; (*Rugby*) pénalité *f*

pence [pɛns] *npl of* **penny**

pencil ['pɛnsl] *n* crayon *m*; **pencil in** *vt* noter provisoirement; **pencil case** *n* trousse *f* (d'écolier); **pencil sharpener** *n* taille-crayon(s) *m inv*

pendant ['pɛndnt] *n* pendentif *m*

pending ['pɛndɪŋ] *prep* en attendant ▷ *adj* en suspens

penetrate ['pɛnɪtreɪt] *vt* pénétrer dans; (*enemy territory*) entrer en

penfriend ['pɛnfrɛnd] *n* (BRIT) correspondant(e)

penguin ['pɛŋgwɪn] *n* pingouin *m*

penicillin [pɛnɪ'sɪlɪn] *n* pénicilline *f*

peninsula [pə'nɪnsjulə] *n* péninsule *f*

penis ['piːnɪs] *n* pénis *m*, verge *f*

penitentiary [pɛnɪ'tɛnʃərɪ] *n* (US) prison *f*

penknife ['pɛnnaɪf] *n* canif *m*

penniless ['pɛnɪlɪs] *adj* sans le sou

penny (*pl* **pennies** *or* **pence**) ['pɛnɪ, 'pɛnɪz, pɛns] *n* (BRIT) penny *m*; (US) cent *m*

penpal ['pɛnpæl] *n* correspondant(e)

pension ['pɛnʃən] *n* (*from company*) retraite *f*; **pensioner** *n* (BRIT) retraité(e)

pentagon ['pɛntəgən] *n*: **the P~** (US *Pol*) le Pentagone

penthouse ['pɛnthaus] *n* appartement *m* (de luxe) en attique

penultimate [pɪ'nʌltɪmət] *adj* pénultième, avant-dernier(-ière)

people ['piːpl] *npl* gens *mpl*; personnes *fpl*; (*inhabitants*) population *f*; (*Pol*) peuple *m* ▷ *n* (*nation, race*) peuple *m*; **several ~ came** plusieurs personnes sont venues; **~ say that ...** on dit *or* les gens disent que ...

pepper ['pɛpəʳ] *n* poivre *m*; (*vegetable*) poivron *m* ▷ *vt* (*Culin*) poivrer; **peppermint** *n* (*sweet*) pastille *f* de menthe

per [pəːʳ] *prep* par; **~ hour** (*miles etc*) à l'heure; (*fee*) (de) l'heure; **~ kilo** *etc* le kilo *etc*; **~ day/person** par jour/personne; **~ annum** per an

perceive [pə'siːv] *vt* percevoir; (*notice*) remarquer, s'apercevoir de

per cent *adv* pour cent

percentage [pə'sɛntɪdʒ] *n* pourcentage *m*

perception [pə'sɛpʃən] *n* perception *f*; (*insight*) sensibilité *f*

perch [pəːtʃ] *n* (*fish*) perche *f*; (*for bird*) perchoir *m* ▷ *vi* (se) percher

percussion [pə'kʌʃən] *n* percussion *f*

perennial [pə'rɛnɪəl] *n* (*Bot*) (plante *f*) vivace *f*, plante pluriannuelle

perfect ['pəːfɪkt] *adj* parfait(e) ▷ *n* (*also*: **~ tense**) parfait *m* ▷ *vt* [pə'fɛkt] (*technique, skill, work of art*) parfaire; (*method, plan*) mettre au point; **perfection** [pə'fɛkʃən] *n* perfection *f*; **perfectly** ['pəːfɪktlɪ] *adv* parfaitement

perform [pə'fɔːm] *vt* (*carry out*) exécuter; (*concert etc*) jouer, donner ▷ *vi* (*actor, musician*) jouer; **performance** *n* représentation *f*, spectacle *m*; (*of an artist*) interprétation *f*; (*Sport: of car, engine*) performance *f*; (*of company, economy*) résultats *mpl*; **performer** *n* artiste *m/f*

perfume ['pəːfjuːm] *n* parfum *m*

perhaps [pə'hæps] *adv* peut-être

perimeter [pə'rɪmɪtəʳ] *n* périmètre *m*

period ['pɪərɪəd] *n* période *f*; (*History*) époque *f*;

(*Scol*) cours *m*; (*full stop*) point *m*; (*Med*) règles *fpl* ▷ *adj* (*costume, furniture*) d'époque; **periodical** [pɪərɪ'ɔdɪkl] *n* périodique *m*; **periodically** *adv* périodiquement
perish ['pɛrɪʃ] *vi* périr, mourir; (*decay*) se détériorer
perjury ['pə:dʒərɪ] *n* (*Law: in court*) faux témoignage; (*breach of oath*) parjure *m*
perk [pə:k] *n* (*inf*) avantage *m*, à-côté *m*
perm [pə:m] *n* (*for hair*) permanente *f*
permanent ['pə:mənənt] *adj* permanent(e); **permanently** *adv* de façon permanente; (*move abroad*) définitivement; (*open, closed*) en permanence; (*tired, unhappy*) constamment
permission [pə'mɪʃən] *n* permission *f*, autorisation *f*
permit *n* ['pə:mɪt] permis *m*
perplex [pə'plɛks] *vt* (*person*) rendre perplexe
persecute ['pə:sɪkju:t] *vt* persécuter
persecution [pə:sɪ'kju:ʃən] *n* persécution *f*
persevere [pə:sɪ'vɪə^r] *vi* persévérer
Persian ['pə:ʃən] *adj* persan(e); **the ~ Gulf** le golfe Persique
persist [pə'sɪst] *vi*: **to ~ (in doing)** persister (à faire), s'obstiner (à faire); **persistent** *adj* persistant(e), tenace
person ['pə:sn] *n* personne *f*; **in ~** en personne; **personal** *adj* personnel(le); **personal assistant** *n* secrétaire personnel(le); **personal computer** *n* ordinateur individuel, PC *m*; **personality** [pə:sə'nælɪtɪ] *n* personnalité *f*; **personally** *adv* personnellement; **to take sth personally** se sentir visé(e) par qch; **personal organizer** *n* agenda (personnel) (*style Filofax®*); (*electronic*) agenda électronique; **personal stereo** *n* Walkman® *m*, baladeur *m*
personnel [pə:sə'nɛl] *n* personnel *m*
perspective [pə'spɛktɪv] *n* perspective *f*
perspiration [pə:spɪ'reɪʃən] *n* transpiration *f*
persuade [pə'sweɪd] *vt*: **to ~ sb to do sth** persuader qn de faire qch, amener *or* décider qn à faire qch
persuasion [pə'sweɪʒən] *n* persuasion *f*; (*creed*) conviction *f*
persuasive [pə'sweɪsɪv] *adj* persuasif(-ive)
perverse [pə'və:s] *adj* pervers(e); (*contrary*) entêté(e), contrariant(e)
pervert *n* ['pə:və:t] perverti(e) ▷ *vt* [pə'və:t] pervertir; (*words*) déformer
pessimism ['pɛsɪmɪzəm] *n* pessimisme *m*
pessimist ['pɛsɪmɪst] *n* pessimiste *m/f*; **pessimistic** [pɛsɪ'mɪstɪk] *adj* pessimiste
pest [pɛst] *n* animal *m* (*or* insecte *m*) nuisible; (*fig*) fléau *m*
pester ['pɛstə^r] *vt* importuner, harceler
pesticide ['pɛstɪsaɪd] *n* pesticide *m*
pet [pɛt] *n* animal familier ▷ *cpd* (*favourite*) favori(e) ▷ *vt* (*stroke*) caresser, câliner; **teacher's ~** chouchou *m* du professeur; **~ hate** bête noire
petal ['pɛtl] *n* pétale *m*
petite [pə'ti:t] *adj* menu(e)
petition [pə'tɪʃən] *n* pétition *f*
petrified ['pɛtrɪfaɪd] *adj* (*fig*) mort(e) de peur
petrol ['pɛtrəl] *n* (BRIT) essence *f*; **I've run out of ~** je suis en panne d'essence
petroleum [pə'trəulɪəm] *n* pétrole *m*
petrol: **petrol pump** *n* (BRIT: *in car, at garage*) pompe *f* à essence; **petrol station** *n* (BRIT) station-service *f*; **petrol tank** *n* (BRIT) réservoir *m* d'essence
petticoat ['pɛtɪkəut] *n* jupon *m*
petty ['pɛtɪ] *adj* (*mean*) mesquin(e); (*unimportant*) insignifiant(e), sans importance
pew [pju:] *n* banc *m* (d'église)
pewter ['pju:tə^r] *n* étain *m*
phantom ['fæntəm] *n* fantôme *m*
pharmacist ['fɑ:məsɪst] *n* pharmacien(ne)
pharmacy ['fɑ:məsɪ] *n* pharmacie *f*
phase [feɪz] *n* phase *f*, période *f*; **phase in** *vt* introduire progressivement; **phase out** *vt* supprimer progressivement
Ph.D. *abbr* = **Doctor of Philosophy**
pheasant ['fɛznt] *n* faisan *m*
phenomena [fə'nɔmɪnə] *npl of* **phenomenon**
phenomenal [fɪ'nɔmɪnl] *adj* phénoménal(e)
phenomenon (*pl* **phenomena**) [fə'nɔmɪnən, -nə] *n* phénomène *m*
Philippines ['fɪlɪpi:nz] *npl* (*also*: **Philippine Islands**): **the ~** les Philippines *fpl*
philosopher [fɪ'lɔsəfə^r] *n* philosophe *m*
philosophical [fɪlə'sɔfɪkl] *adj* philosophique
philosophy [fɪ'lɔsəfɪ] *n* philosophie *f*
phlegm [flɛm] *n* flegme *m*
phobia ['fəubjə] *n* phobie *f*
phone [fəun] *n* téléphone *m* ▷ *vt* téléphoner à ▷ *vi* téléphoner; **to be on the ~** avoir le téléphone; (*be calling*) être au téléphone; **phone back** *vt*, *vi* rappeler; **phone up** *vt* téléphoner à ▷ *vi* téléphoner; **phone book** *n* annuaire *m*; **phone box** (US **phone booth**) *n* cabine *f* téléphonique; **phone call** *n* coup *m* de fil *or* de téléphone; **phonecard** *n* télécarte *f*; **phone number** *n* numéro *m* de téléphone
phonetics [fə'nɛtɪks] *n* phonétique *f*
phoney ['fəunɪ] *adj* faux (fausse), factice; (*person*) pas franc (franche)
photo ['fəutəu] *n* photo *f*; **photo album** *n* album *m* de photos; **photocopier** *n* copieur *m*; **photocopy** *n* photocopie *f* ▷ *vt* photocopier
photograph ['fəutəgræf] *n* photographie *f* ▷ *vt* photographier; **photographer** [fə'tɔgrəfə^r] *n* photographe *m/f*; **photography** [fə'tɔgrəfɪ] *n* photographie *f*
phrase [freɪz] *n* expression *f*; (*Ling*) locution *f* ▷ *vt* exprimer; **phrase book** *n* recueil *m* d'expressions (pour touristes)
physical ['fɪzɪkl] *adj* physique; **physical education** *n* éducation *f* physique; **physically** *adv* physiquement
physician [fɪ'zɪʃən] *n* médecin *m*
physicist ['fɪzɪsɪst] *n* physicien(ne)
physics ['fɪzɪks] *n* physique *f*
physiotherapist [fɪzɪəu'θɛrəpɪst] *n* kinésithérapeute *m/f*
physiotherapy [fɪzɪəu'θɛrəpɪ] *n* kinésithérapie *f*
physique [fɪ'zi:k] *n* (*appearance*) physique *m*; (*health etc*) constitution *f*
pianist ['pi:ənɪst] *n* pianiste *m/f*
piano [pɪ'ænəu] *n* piano *m*
pick [pɪk] *n* (*tool*: *also*: **~-axe**) pic *m*, pioche *f* ▷ *vt* choisir; (*gather*) cueillir; (*remove*) prendre; (*lock*) forcer; **take your ~** faites votre choix; **the ~ of** le (la) meilleur(e) de; **to ~ one's nose** se mettre les doigts dans le nez; **to ~ one's teeth** se curer les dents; **to ~ a quarrel with sb** chercher noise à qn; **pick on** *vt fus* (*person*) harceler; **pick out** *vt* choisir; (*distinguish*) distinguer; **pick up** *vi* (*improve*) remonter, s'améliorer ▷ *vt* ramasser; (*collect*) passer prendre; (*Aut: give lift to*) prendre; (*learn*) apprendre; (*Radio*) capter; **to ~ up speed** prendre de la vitesse; **to ~ o.s. up** se relever

pickle ['pɪkl] *n* (*also*: **~s**: *as condiment*) pickles *mpl* ▷ *vt* conserver dans du vinaigre *or* dans de la saumure; **in a ~** (*fig*) dans le pétrin
pickpocket ['pɪkpɔkɪt] *n* pickpocket *m*
pick-up ['pɪkʌp] *n* (*also*: **~ truck**) pick-up *m inv*
picnic ['pɪknɪk] *n* pique-nique *m* ▷ *vi* pique-niquer; **picnic area** *n* aire *f* de pique-nique
picture ['pɪktʃəʳ] *n* (*also TV*) image *f*; (*painting*) peinture *f*, tableau *m*; (*photograph*) photo(graphie) *f*; (*drawing*) dessin *m*; (*film*) film *m*; (*fig*: *description*) description *f* ▷ *vt* (*imagine*) se représenter; **pictures** *npl*: **the ~s** (BRIT) le cinéma; **to take a ~ of sb/sth** prendre qn/qch en photo; **would you take a ~ of us, please?** pourriez-vous nous prendre en photo, s'il vous plaît?; **picture frame** *n* cadre *m*; **picture messaging** *n* picture messaging *m*, messagerie *f* d'images
picturesque [pɪktʃə'rɛsk] *adj* pittoresque
pie [paɪ] *n* tourte *f*; (*of fruit*) tarte *f*; (*of meat*) pâté *m* en croûte
piece [pi:s] *n* morceau *m*; (*item*): **a ~ of furniture/advice** un meuble/conseil ▷ *vt*: **to ~ together** rassembler; **to take to ~s** démonter
pie chart *n* graphique *m* à secteurs, camembert *m*
pier [pɪəʳ] *n* jetée *f*
pierce [pɪəs] *vt* percer, transpercer; **pierced** *adj* (*ears*) percé(e)
pig [pɪg] *n* cochon *m*, porc *m*; (*pej*: *unkind person*) mufle *m*; (: *greedy person*) goinfre *m*
pigeon ['pɪdʒən] *n* pigeon *m*
piggy bank ['pɪgɪ-] *n* tirelire *f*
pigsty ['pɪgstaɪ] *n* porcherie *f*
pigtail ['pɪgteɪl] *n* natte *f*, tresse *f*
pike [paɪk] *n* (*fish*) brochet *m*
pilchard ['pɪltʃəd] *n* pilchard *m* (*sorte de sardine*)
pile [paɪl] *n* (*pillar, of books*) pile *f*; (*heap*) tas *m*; (*of carpet*) épaisseur *f*; **pile up** *vi* (*accumulate*) s'entasser, s'accumuler ▷ *vt* (*put in heap*) empiler, entasser; (*accumulate*) accumuler; **piles** *npl* hémorroïdes *fpl*; **pile-up** *n* (*Aut*) télescopage *m*, collision *f* en série
pilgrim ['pɪlgrɪm] *n* pèlerin *m*
pilgrimage ['pɪlgrɪmɪdʒ] *n* pèlerinage *m*
pill [pɪl] *n* pilule *f*; **the ~** la pilule
pillar ['pɪləʳ] *n* pilier *m*
pillow ['pɪləu] *n* oreiller *m*; **pillowcase, pillowslip** *n* taie *f* d'oreiller
pilot ['paɪlət] *n* pilote *m* ▷ *cpd* (*scheme etc*) pilote, expérimental(e) ▷ *vt* piloter; **pilot light** *n* veilleuse *f*
pimple ['pɪmpl] *n* bouton *m*
PIN *n abbr* (= *personal identification number*) code *m* confidentiel
pin [pɪn] *n* épingle *f*; (*Tech*) cheville *f* ▷ *vt* épingler; **~s and needles** fourmis *fpl*; **to ~ sb down** (*fig*) coincer qn; **to ~ sth on sb** (*fig*) mettre qch sur le dos de qn
pinafore ['pɪnəfɔ:ʳ] *n* tablier *m*
pinch [pɪntʃ] *n* pincement *m*; (*of salt etc*) pincée *f* ▷ *vt* pincer; (*inf*: *steal*) piquer, chiper ▷ *vi* (*shoe*) serrer; **at a ~** à la rigueur
pine [paɪn] *n* (*also*: **~ tree**) pin *m* ▷ *vi*: **to ~ for** aspirer à, désirer ardemment
pineapple ['paɪnæpl] *n* ananas *m*
ping [pɪŋ] *n* (*noise*) tintement *m*; **ping-pong®** *n* ping-pong® *m*
pink [pɪŋk] *adj* rose ▷ *n* (*colour*) rose *m*
pinpoint ['pɪnpɔɪnt] *vt* indiquer (avec précision)
pint [paɪnt] *n* pinte *f* (BRIT = 0,57 l; US = 0,47 l); (BRIT *inf*) ≈ demi *m*, ≈ pot *m*
pioneer [paɪə'nɪəʳ] *n* pionnier *m*
pious ['paɪəs] *adj* pieux(-euse)
pip [pɪp] *n* (*seed*) pépin *m*; **pips** *npl*: **the ~s** (BRIT: *time signal on radio*) le top
pipe [paɪp] *n* tuyau *m*, conduite *f*; (*for smoking*) pipe *f* ▷ *vt* amener par tuyau; **pipeline** *n* (*for gas*) gazoduc *m*, pipeline *m*; (*for oil*) oléoduc *m*, pipeline; **piper** *n* (*flautist*) joueur(-euse) de pipeau; (*of bagpipes*) joueur(-euse) de cornemuse
pirate ['paɪərət] *n* pirate *m* ▷ *vt* (*CD, video, book*) pirater
Pisces ['paɪsi:z] *n* les Poissons *mpl*
piss [pɪs] *vi* (*inf!*) pisser (!); **pissed** (*inf!*) *adj* (BRIT: *drunk*) bourré(e); (US: *angry*) furieux(-euse)
pistol ['pɪstl] *n* pistolet *m*
piston ['pɪstən] *n* piston *m*
pit [pɪt] *n* trou *m*, fosse *f*; (*also*: **coal ~**) puits *m* de mine; (*also*: **orchestra ~**) fosse d'orchestre; (US: *fruit stone*) noyau *m* ▷ *vt*: **to ~ o.s.** *or* **one's wits against** se mesurer à
pitch [pɪtʃ] *n* (BRIT *Sport*) terrain *m*; (*Mus*) ton *m*; (*fig*: *degree*) degré *m*; (*tar*) poix *f* ▷ *vt* (*throw*) lancer; (*tent*) dresser ▷ *vi* (*fall*): **to ~ into/off** tomber dans/de; **pitch-black** *adj* noir(e) comme poix
pitfall ['pɪtfɔ:l] *n* piège *m*
pith [pɪθ] *n* (*of orange etc*) intérieur *m* de l'écorce
pitiful ['pɪtɪful] *adj* (*touching*) pitoyable; (*contemptible*) lamentable
pity ['pɪtɪ] *n* pitié *f* ▷ *vt* plaindre; **what a ~!** quel dommage!
pizza ['pi:tsə] *n* pizza *f*
placard ['plækɑ:d] *n* affiche *f*; (*in march*) pancarte *f*
place [pleɪs] *n* endroit *m*, lieu *m*; (*proper position, job, rank, seat*) place *f*; (*home*): **at/to his ~** chez lui ▷ *vt* (*position*) placer, mettre; (*identify*) situer; reconnaître; **to take ~** avoir lieu; **to change ~s with sb** changer de place avec qn; **out of ~** (*not suitable*) déplacé(e), inopportun(e); **in the first ~** d'abord, en premier; **place mat** *n* set *m* de table; (*in linen etc*) napperon *m*; **placement** *n* (*during studies*) stage *m*
placid ['plæsɪd] *adj* placide
plague [pleɪg] *n* (*Med*) peste *f* ▷ *vt* (*fig*) tourmenter
plaice [pleɪs] *n* (*pl inv*) carrelet *m*
plain [pleɪn] *adj* (*in one colour*) uni(e); (*clear*) clair(e), évident(e); (*simple*) simple; (*not handsome*) quelconque, ordinaire ▷ *adv* franchement, carrément ▷ *n* plaine *f*; **plain chocolate** *n* chocolat *m* à croquer; **plainly** *adv* clairement; (*frankly*) carrément, sans détours
plaintiff ['pleɪntɪf] *n* plaignant(e)
plait [plæt] *n* tresse *f*, natte *f*
plan [plæn] *n* plan *m*; (*scheme*) projet *m* ▷ *vt* (*think in advance*) projeter; (*prepare*) organiser ▷ *vi* faire des projets; **to ~ to do** projeter de faire
plane [pleɪn] *n* (*Aviat*) avion *m*; (*also*: **~ tree**) platane *m*; (*tool*) rabot *m*; (*Art, Math etc*) plan *m*; (*fig*) niveau *m*, plan ▷ *vt* (*with tool*) raboter
planet ['plænɪt] *n* planète *f*
plank [plæŋk] *n* planche *f*
planning ['plænɪŋ] *n* planification *f*; **family ~** planning familial
plant [plɑ:nt] *n* plante *f*; (*machinery*) matériel *m*; (*factory*) usine *f* ▷ *vt* planter; (*bomb*) déposer, poser; (*microphone, evidence*) cacher
plantation [plæn'teɪʃən] *n* plantation *f*
plaque [plæk] *n* plaque *f*
plaster ['plɑ:stəʳ] *n* plâtre *m*; (*also*: **~ of Paris**) plâtre à mouler; (BRIT: *also*: **sticking ~**) pansement adhésif ▷ *vt* plâtrer; (*cover*): **to ~ with** couvrir de; **plaster cast** *n* (*Med*) plâtre *m*; (*model, statue*) moule *m*
plastic ['plæstɪk] *n* plastique *m* ▷ *adj* (*made of*

plastic) en plastique; **plastic bag** *n* sac *m* en plastique; **plastic surgery** *n* chirurgie *f* esthétique

plate [pleɪt] *n* (*dish*) assiette *f*; (*sheet of metal, on door: Phot*) plaque *f*; (*in book*) gravure *f*; (*dental*) dentier *m*

plateau (*pl* **~s** *or* **~x**) ['plætəu, -z] *n* plateau *m*

platform ['plætfɔ:m] *n* (*at meeting*) tribune *f*; (*stage*) estrade *f*; (*Rail*) quai *m*; (*Pol*) plateforme *f*

platinum ['plætɪnəm] *n* platine *m*

platoon [plə'tu:n] *n* peloton *m*

platter ['plætəʳ] *n* plat *m*

plausible ['plɔ:zɪbl] *adj* plausible; (*person*) convaincant(e)

play [pleɪ] *n* jeu *m*; (*Theat*) pièce *f* (de théâtre) ▷ *vt* (*game*) jouer à; (*team, opponent*) jouer contre; (*instrument*) jouer de; (*part, piece of music, note*) jouer; (*CD etc*) passer ▷ *vi* jouer; **to ~ safe** ne prendre aucun risque; **play back** *vt* repasser, réécouter; **play up** *vi* (*cause trouble*) faire des siennes; **player** *n* joueur(-euse); (*Mus*) musicien(ne); **playful** *adj* enjoué(e); **playground** *n* cour *f* de récréation; (*in park*) aire *f* de jeux; **playgroup** *n* garderie *f*; **playing card** *n* carte *f* à jouer; **playing field** *n* terrain *m* de sport; **playschool** *n* = **playgroup**; **playtime** *n* (*Scol*) récréation *f*; **playwright** *n* dramaturge *m*

plc *abbr* (BRIT: = *public limited company*) ≈ SARL *f*

plea [pli:] *n* (*request*) appel *m*; (*Law*) défense *f*

plead [pli:d] *vt* plaider; (*give as excuse*) invoquer ▷ *vi* (*Law*) plaider; (*beg*): **to ~ with sb (for sth)** implorer qn (d'accorder qch); **to ~ guilty/not guilty** plaider coupable/non coupable

pleasant ['plɛznt] *adj* agréable

please [pli:z] *excl* s'il te (*or* vous) plaît ▷ *vt* plaire à ▷ *vi* (*think fit*): **do as you ~** faites comme il vous plaira; **~ yourself!** (*inf*) (faites) comme vous voulez!; **pleased** *adj*: **pleased (with)** content(e) (de); **pleased to meet you** enchanté (de faire votre connaissance)

pleasure ['plɛʒəʳ] *n* plaisir *m*; **"it's a ~"** "je vous en prie"

pleat [pli:t] *n* pli *m*

pledge [plɛdʒ] *n* (*promise*) promesse *f* ▷ *vt* promettre

plentiful ['plɛntɪful] *adj* abondant(e), copieux(-euse)

plenty ['plɛntɪ] *n*: **~ of** beaucoup de; (*sufficient*) (bien) assez de

pliers ['plaɪəz] *npl* pinces *fpl*

plight [plaɪt] *n* situation *f* critique

plod [plɔd] *vi* avancer péniblement; (*fig*) peiner

plonk [plɔŋk] (*inf*) *n* (BRIT: *wine*) pinard *m*, piquette *f* ▷ *vt*: **to ~ sth down** poser brusquement qch

plot [plɔt] *n* complot *m*, conspiration *f*; (*of story, play*) intrigue *f*; (*of land*) lot *m* de terrain, lopin *m* ▷ *vt* (*mark out*) tracer point par point; (*Naut*) pointer; (*make graph of*) faire le graphique de; (*conspire*) comploter ▷ *vi* comploter

plough (US **plow**) [plau] *n* charrue *f* ▷ *vt* (*earth*) labourer; **to ~ money into** investir dans; **ploughman's lunch** *n* (BRIT) *assiette froide avec du pain, du fromage et des pickles*

plow [plau] (US) = **plough**

ploy [plɔɪ] *n* stratagème *m*

pluck [plʌk] *vt* (*fruit*) cueillir; (*musical instrument*) pincer; (*bird*) plumer; **to ~ one's eyebrows** s'épiler les sourcils; **to ~ up courage** prendre son courage à deux mains

plug [plʌg] *n* (*stopper*) bouchon *m*, bonde *f*; (*Elec*) prise *f* de courant; (*Aut: also*: **spark(ing) ~**) bougie *f* ▷ *vt* (*hole*) boucher; (*inf: advertise*) faire du battage pour, matraquer; **plug in** *vt* (*Elec*) brancher; **plughole** *n* (BRIT) trou *m* (d'écoulement)

plum [plʌm] *n* (*fruit*) prune *f*

plumber ['plʌməʳ] *n* plombier *m*

plumbing ['plʌmɪŋ] *n* (*trade*) plomberie *f*; (*piping*) tuyauterie *f*

plummet ['plʌmɪt] *vi* (*person, object*) plonger; (*sales, prices*) dégringoler

plump [plʌmp] *adj* rondelet(te), dodu(e), bien en chair; **plump for** *vt fus* (*inf: choose*) se décider pour

plunge [plʌndʒ] *n* plongeon *m*; (*fig*) chute *f* ▷ *vt* plonger ▷ *vi* (*fall*) tomber, dégringoler; (*dive*) plonger; **to take the ~** se jeter à l'eau

pluperfect [plu:'pə:fɪkt] *n* (*Ling*) plus-que-parfait *m*

plural ['pluərl] *adj* pluriel(le) ▷ *n* pluriel *m*

plus [plʌs] *n* (*also*: **~ sign**) signe *m* plus; (*advantage*) atout *m* ▷ *prep* plus; **ten/twenty ~** plus de dix/vingt

ply [plaɪ] *n* (*of wool*) fil *m* ▷ *vt* (*a trade*) exercer ▷ *vi* (*ship*) faire la navette; **to ~ sb with drink** donner continuellement à boire à qn; **plywood** *n* contreplaqué *m*

P.M. *n abbr* (BRIT) = **prime minister**

p.m. *adv abbr* (= *post meridiem*) de l'après-midi

PMS *n abbr* (= *premenstrual syndrome*) syndrome prémenstruel

PMT *n abbr* (= *premenstrual tension*) syndrome prémenstruel

pneumatic drill [nju:'mætɪk-] *n* marteau-piqueur *m*

pneumonia [nju:'məunɪə] *n* pneumonie *f*

poach [pəutʃ] *vt* (*cook*) pocher; (*steal*) pêcher (*or* chasser) sans permis ▷ *vi* braconner; **poached** *adj* (*egg*) poché(e)

P.O. Box *n abbr* = **post office box**

pocket ['pɔkɪt] *n* poche *f* ▷ *vt* empocher; **to be (£5) out of ~** (BRIT) en être de sa poche (pour 5 livres); **pocketbook** *n* (US: *wallet*) portefeuille *m*; **pocket money** *n* argent *m* de poche

pod [pɔd] *n* cosse *f*

podcast *n* podcast *m*

podiatrist [pɔ'di:ətrɪst] *n* (US) pédicure *m/f*

podium ['pəudɪəm] *n* podium *m*

poem ['pəuɪm] *n* poème *m*

poet ['pəuɪt] *n* poète *m*; **poetic** [pəu'ɛtɪk] *adj* poétique; **poetry** *n* poésie *f*

poignant ['pɔɪnjənt] *adj* poignant(e)

point [pɔɪnt] *n* point *m*; (*tip*) pointe *f*; (*in time*) moment *m*; (*in space*) endroit *m*; (*subject, idea*) point, sujet *m*; (*purpose*) but *m*; (*also*: **decimal ~**): **2 ~ 3 (2.3)** 2 virgule 3 (2,3); (BRIT *Elec: also*: **power ~**) prise *f* (de courant) ▷ *vt* (*show*) indiquer; (*gun etc*): **to ~ sth at** braquer *or* diriger qch sur ▷ *vi*: **to ~ at** montrer du doigt; **points** *npl* (*Rail*) aiguillage *m*; **to make a ~ of doing sth** ne pas manquer de faire qch; **to get/miss the ~** comprendre/ne pas comprendre; **to come to the ~** en venir au fait; **there's no ~ (in doing)** cela ne sert à rien (de faire), à quoi ça sert?; **to be on the ~ of doing sth** être sur le point de faire qch; **point out** *vt* (*mention*) faire remarquer, souligner; **point-blank** *adv* (*fig*) catégoriquement; (*also*: **at point-blank range**) à bout portant; **pointed** *adj* (*shape*) pointu(e); (*remark*) plein(e) de sous-entendus; **pointer** *n* (*needle*) aiguille *f*; (*clue*) indication *f*; (*advice*) tuyau *m*; **pointless** *adj* inutile, vain(e); **point of view** *n* point *m* de vue

poison ['pɔɪzn] *n* poison *m* ▷ *vt* empoisonner; **poisonous** *adj* (*snake*) venimeux(-euse); (*substance, plant*) vénéneux(-euse); (*fumes*) toxique

poke [pəuk] *vt* (*jab with finger, stick etc*) piquer; pousser du doigt; (*put*): **to ~ sth in(to)** fourrer *or* enfoncer qch dans; **poke about** *vi* fureter; **poke out** *vi* (*stick out*) sortir
poker ['pəukəʳ] *n* tisonnier *m*; (*Cards*) poker *m*
Poland ['pəulənd] *n* Pologne *f*
polar ['pəuləʳ] *adj* polaire; **polar bear** *n* ours blanc
Pole [pəul] *n* Polonais(e)
pole [pəul] *n* (*of wood*) mât *m*, perche *f*; (*Elec*) poteau *m*; (*Geo*) pôle *m*; **pole bean** *n* (*US*) haricot *m* (à rames); **pole vault** *n* saut *m* à la perche
police [pə'li:s] *npl* police *f* ▷ *vt* maintenir l'ordre dans; **police car** *n* voiture *f* de police; **police constable** *n* (BRIT) agent *m* de police; **police force** *n* police *f*, forces *fpl* de l'ordre; **policeman** (*irreg*) *n* agent *m* de police, policier *m*; **police officer** *n* agent *m* de police; **police station** *n* commissariat *m* de police; **policewoman** (*irreg*) *n* femme-agent *f*
policy ['pɔlɪsɪ] *n* politique *f*; (*also*: **insurance ~**) police *f* (d'assurance)
polio ['pəulɪəu] *n* polio *f*
Polish ['pəulɪʃ] *adj* polonais(e) ▷ *n* (*Ling*) polonais *m*
polish ['pɔlɪʃ] *n* (*for shoes*) cirage *m*; (*for floor*) cire *f*, encaustique *f*; (*for nails*) vernis *m*; (*shine*) éclat *m*, poli *m*; (*fig*: *refinement*) raffinement *m* ▷ *vt* (*put polish on*: *shoes, wood*) cirer; (*make shiny*) astiquer, faire briller; **polish off** *vt* (*food*) liquider; **polished** *adj* (*fig*) raffiné(e)
polite [pə'laɪt] *adj* poli(e); **politeness** *n* politesse *f*
political [pə'lɪtɪkl] *adj* politique; **politically** *adv* politiquement; **politically correct** politiquement correct(e)
politician [pɔlɪ'tɪʃən] *n* homme/femme politique, politicien(ne)
politics ['pɔlɪtɪks] *n* politique *f*
poll [pəul] *n* scrutin *m*, vote *m*; (*also*: **opinion ~**) sondage *m* (d'opinion) ▷ *vt* (*votes*) obtenir
pollen ['pɔlən] *n* pollen *m*
polling station *n* (BRIT) bureau *m* de vote
pollute [pə'lu:t] *vt* polluer
pollution [pə'lu:ʃən] *n* pollution *f*
polo ['pəuləu] *n* polo *m*; **polo-neck** *adj* à col roulé ▷ *n* (*sweater*) pull *m* à col roulé; **polo shirt** *n* polo *m*
polyester [pɔlɪ'ɛstəʳ] *n* polyester *m*
polystyrene [pɔlɪ'staɪri:n] *n* polystyrène *m*
polythene ['pɔlɪθi:n] *n* (BRIT) polyéthylène *m*; **polythene bag** *n* sac *m* en plastique
pomegranate ['pɔmɪgrænɪt] *n* grenade *f*
pompous ['pɔmpəs] *adj* pompeux(-euse)
pond [pɔnd] *n* étang *m*; (*stagnant*) mare *f*
ponder ['pɔndəʳ] *vt* considérer, peser
pony ['pəunɪ] *n* poney *m*; **ponytail** *n* queue *f* de cheval; **pony trekking** *n* (BRIT) randonnée *f* équestre *or* à cheval
poodle ['pu:dl] *n* caniche *m*
pool [pu:l] *n* (*of rain*) flaque *f*; (*pond*) mare *f*; (*artificial*) bassin *m*; (*also*: **swimming ~**) piscine *f*; (*sth shared*) fonds commun; (*billiards*) poule *f* ▷ *vt* mettre en commun; **pools** *npl* (*football*) ≈ loto sportif
poor [puəʳ] *adj* pauvre; (*mediocre*) médiocre, faible, mauvais(e) ▷ *npl*: **the ~** les pauvres *mpl*; **poorly** *adv* (*badly*) mal, médiocrement ▷ *adj* souffrant(e), malade
pop [pɔp] *n* (*noise*) bruit sec; (*Mus*) musique *f* pop; (*inf*: *drink*) soda *m*; (*US inf*: *father*) papa *m* ▷ *vt* (*put*) fourrer, mettre (rapidement) ▷ *vi* éclater; (*cork*) sauter; **pop in** *vi* entrer en passant; **pop out** *vi* sortir; **popcorn** *n* pop-corn *m*
pope [pəup] *n* pape *m*
poplar ['pɔpləʳ] *n* peuplier *m*
popper ['pɔpəʳ] *n* (BRIT) bouton-pression *m*
poppy ['pɔpɪ] *n* (*wild*) coquelicot *m*; (*cultivated*) pavot *m*
Popsicle® ['pɔpsɪkl] *n* (*US*) esquimau *m* (*glace*)
pop star *n* pop star *f*
popular ['pɔpjuləʳ] *adj* populaire; (*fashionable*) à la mode; **popularity** [pɔpju'lærɪtɪ] *n* popularité *f*
population [pɔpju'leɪʃən] *n* population *f*
pop-up *adj* (*Comput*: *menu, window*) pop up *inv* ▷ *n* pop up *m inv*, fenêtre *f* pop up
porcelain ['pɔ:slɪn] *n* porcelaine *f*
porch [pɔ:tʃ] *n* porche *m*; (*US*) véranda *f*
pore [pɔ:ʳ] *n* pore *m* ▷ *vi*: **to ~ over** s'absorber dans, être plongé(e) dans
pork [pɔ:k] *n* porc *m*; **pork chop** *n* côte *f* de porc; **pork pie** *n* pâté *m* de porc en croûte
porn [pɔ:n] *adj* (*inf*) porno ▷ *n* (*inf*) porno *m*; **pornographic** [pɔ:nə'græfɪk] *adj* pornographique; **pornography** [pɔ:'nɔgrəfɪ] *n* pornographie *f*
porridge ['pɔrɪdʒ] *n* porridge *m*
port [pɔ:t] *n* (*harbour*) port *m*; (*Naut*: *left side*) bâbord *m*; (*wine*) porto *m*; (*Comput*) port *m*, accès *m*; **~ of call** (port d')escale *f*
portable ['pɔ:təbl] *adj* portatif(-ive)
porter ['pɔ:təʳ] *n* (*for luggage*) porteur *m*; (*doorkeeper*) gardien(ne); portier *m*
portfolio [pɔ:t'fəulɪəu] *n* portefeuille *m*; (*of artist*) portfolio *m*
portion ['pɔ:ʃən] *n* portion *f*, part *f*
portrait ['pɔ:treɪt] *n* portrait *m*
portray [pɔ:'treɪ] *vt* faire le portrait de; (*in writing*) dépeindre, représenter; (*subj*: *actor*) jouer
Portugal ['pɔ:tjugl] *n* Portugal *m*
Portuguese [pɔ:tju'gi:z] *adj* portugais(e) ▷ *n* (*pl inv*) Portugais(e); (*Ling*) portugais *m*
pose [pəuz] *n* pose *f* ▷ *vi* poser; (*pretend*): **to ~ as** se faire passer pour ▷ *vt* poser; (*problem*) créer
posh [pɔʃ] *adj* (*inf*) chic *inv*
position [pə'zɪʃən] *n* position *f*; (*job, situation*) situation *f* ▷ *vt* mettre en place *or* en position
positive ['pɔzɪtɪv] *adj* positif(-ive); (*certain*) sûr(e), certain(e); (*definite*) formel(le), catégorique; **positively** *adv* (*affirmatively, enthusiastically*) de façon positive; (*inf*: *really*) carrément
possess [pə'zɛs] *vt* posséder; **possession** [pə'zɛʃən] *n* possession *f*; **possessions** *npl* (*belongings*) affaires *fpl*; **possessive** *adj* possessif(-ive)
possibility [pɔsɪ'bɪlɪtɪ] *n* possibilité *f*; (*event*) éventualité *f*
possible ['pɔsɪbl] *adj* possible; **as big as ~** aussi gros que possible; **possibly** *adv* (*perhaps*) peut-être; **I cannot possibly come** il m'est impossible de venir
post [pəust] *n* (BRIT: *mail*) poste *f*; (: *letters, delivery*) courrier *m*; (*job, situation*) poste *m*; (*pole*) poteau *m* ▷ *vt* (BRIT: *send by post*) poster; (: *appoint*): **to ~ to** affecter à; **where can I ~ these cards?** où est-ce que je peux poster ces cartes postales?; **postage** *n* tarifs *mpl* d'affranchissement; **postal** *adj* postal(e); **postal order** *n* mandat(-poste *m*) *m*; **postbox** *n* (BRIT) boîte *f* aux lettres (*publique*); **postcard** *n* carte postale; **postcode** *n* (BRIT) code postal
poster ['pəustəʳ] *n* affiche *f*
postgraduate ['pəust'grædjuət] *n* ≈ étudiant(e) de troisième cycle
postman ['pəustmən] (BRIT: *irreg*) *n* facteur *m*
postmark ['pəustmɑ:k] *n* cachet *m* (de la poste)
post-mortem [pəust'mɔ:təm] *n* autopsie *f*
post office *n* (*building*) poste *f*; (*organization*): **the**

Post Office les postes *fpl*
postpone [pəs'pəun] *vt* remettre (à plus tard), reculer
posture ['pɔstʃə^r] *n* posture *f*; (*fig*) attitude *f*
postwoman [pəust'wumən] (BRIT: *irreg*) *n* factrice *f*
pot [pɔt] *n* (*for cooking*) marmite *f*; casserole *f*; (*teapot*) théière *f*; (*for coffee*) cafetière *f*; (*for plants, jam*) pot *m*; (*inf*: *marijuana*) herbe *f* ▷ *vt* (*plant*) mettre en pot; **to go to ~** (*inf*) aller à vau-l'eau
potato (*pl* **~es**) [pə'teɪtəu] *n* pomme *f* de terre; **potato peeler** *n* épluche-légumes *m*
potent ['pəutnt] *adj* puissant(e); (*drink*) fort(e), très alcoolisé(e); (*man*) viril
potential [pə'tɛnʃl] *adj* potentiel(le) ▷ *n* potentiel *m*
pothole ['pɔthəul] *n* (*in road*) nid *m* de poule; (BRIT: *underground*) gouffre *m*, caverne *f*
pot plant *n* plante *f* d'appartement
potter ['pɔtə^r] *n* potier *m* ▷ *vi* (BRIT): **to ~ around** *or* **about** bricoler; **pottery** *n* poterie *f*
potty ['pɔtɪ] *n* (*child's*) pot *m*
pouch [pautʃ] *n* (*Zool*) poche *f*; (*for tobacco*) blague *f*; (*for money*) bourse *f*
poultry ['pəultrɪ] *n* volaille *f*
pounce [pauns] *vi*: **to ~ (on)** bondir (sur), fondre (sur)
pound [paund] *n* livre *f* (*weight* = *453g*, *16 ounces*; *money* = *100 pence*); (*for dogs, cars*) fourrière *f* ▷ *vt* (*beat*) bourrer de coups, marteler; (*crush*) piler, pulvériser ▷ *vi* (*heart*) battre violemment, taper; **pound sterling** *n* livre *f* sterling
pour [pɔ:^r] *vt* verser ▷ *vi* couler à flots; (*rain*) pleuvoir à verse; **to ~ sb a drink** verser *or* servir à boire à qn; **pour in** *vi* (*people*) affluer, se précipiter; (*news, letters*) arriver en masse; **pour out** *vi* (*people*) sortir en masse ▷ *vt* vider; (*fig*) déverser; (*serve*: *a drink*) verser; **pouring** *adj*: **pouring rain** pluie torrentielle
pout [paut] *vi* faire la moue
poverty ['pɔvətɪ] *n* pauvreté *f*, misère *f*
powder ['paudə^r] *n* poudre *f* ▷ *vt* poudrer; **powdered milk** *n* lait *m* en poudre
power ['pauə^r] *n* (*strength, nation*) puissance *f*, force *f*; (*ability, Pol*: *of party, leader*) pouvoir *m*; (*of speech, thought*) faculté *f*; (*Elec*) courant *m*; **to be in ~** être au pouvoir; **power cut** *n* (BRIT) coupure *f* de courant; **power failure** *n* panne *f* de courant; **powerful** *adj* puissant(e); (*performance etc*) très fort(e); **powerless** *adj* impuissant(e); **power point** *n* (BRIT) prise *f* de courant; **power station** *n* centrale *f* électrique
p.p. *abbr* (= *per procurationem*: *by proxy*) p.p.
PR *n abbr* = **public relations**
practical ['præktɪkl] *adj* pratique; **practical joke** *n* farce *f*; **practically** *adv* (*almost*) pratiquement
practice ['præktɪs] *n* pratique *f*; (*of profession*) exercice *m*; (*at football etc*) entraînement *m*; (*business*) cabinet *m* ▷ *vt*, *vi* (US) = **practise**; **in ~** (*in reality*) en pratique; **out of ~** rouillé(e)
practise (US **practice**) ['præktɪs] *vt* (*work at*: *piano, backhand etc*) s'exercer à, travailler; (*train for*: *sport*) s'entraîner à; (*a sport, religion, method*) pratiquer; (*profession*) exercer ▷ *vi* s'exercer, travailler; (*train*) s'entraîner; (*lawyer, doctor*) exercer; **practising** (US **practicing**) *adj* (*Christian etc*) pratiquant(e); (*lawyer*) en exercice
practitioner [præk'tɪʃənə^r] *n* praticien(ne)
pragmatic [præg'mætɪk] *adj* pragmatique
prairie ['prɛərɪ] *n* savane *f*
praise [preɪz] *n* éloge(s) *m(pl)*, louange(s) *f(pl)* ▷ *vt* louer, faire l'éloge de
pram [præm] *n* (BRIT) landau *m*, voiture *f* d'enfant
prank [præŋk] *n* farce *f*
prawn [prɔ:n] *n* crevette *f* (rose); **prawn cocktail** *n* cocktail *m* de crevettes
pray [preɪ] *vi* prier; **prayer** [prɛə^r] *n* prière *f*
preach [pri:tʃ] *vi* prêcher; **preacher** *n* prédicateur *m*; (US: *clergyman*) pasteur *m*
precarious [prɪ'kɛərɪəs] *adj* précaire
precaution [prɪ'kɔ:ʃən] *n* précaution *f*
precede [prɪ'si:d] *vt*, *vi* précéder; **precedent** ['prɛsɪdənt] *n* précédent *m*; **preceding** [prɪ'si:dɪŋ] *adj* qui précède (*or* précédait)
precinct ['pri:sɪŋkt] *n* (US: *district*) circonscription *f*, arrondissement *m*; **pedestrian ~** (BRIT) zone piétonnière; **shopping ~** (BRIT) centre commercial
precious ['prɛʃəs] *adj* précieux(-euse)
precise [prɪ'saɪs] *adj* précis(e); **precisely** *adv* précisément
precision [prɪ'sɪʒən] *n* précision *f*
predator ['prɛdətə^r] *n* prédateur *m*, rapace *m*
predecessor ['pri:dɪsɛsə^r] *n* prédécesseur *m*
predicament [prɪ'dɪkəmənt] *n* situation *f* difficile
predict [prɪ'dɪkt] *vt* prédire; **predictable** *adj* prévisible; **prediction** [prɪ'dɪkʃən] *n* prédiction *f*
predominantly [prɪ'dɔmɪnəntlɪ] *adv* en majeure partie; (*especially*) surtout
preface ['prɛfəs] *n* préface *f*
prefect ['pri:fɛkt] *n* (BRIT: *in school*) *élève chargé de certaines fonctions de discipline*
prefer [prɪ'fə:^r] *vt* préférer; **preferable** ['prɛfrəbl] *adj* préférable; **preferably** ['prɛfrəblɪ] *adv* de préférence; **preference** ['prɛfrəns] *n* préférence *f*
prefix ['pri:fɪks] *n* préfixe *m*
pregnancy ['prɛgnənsɪ] *n* grossesse *f*
pregnant ['prɛgnənt] *adj* enceinte *adj f*; (*animal*) pleine
prehistoric ['pri:hɪs'tɔrɪk] *adj* préhistorique
prejudice ['prɛdʒudɪs] *n* préjugé *m*; **prejudiced** *adj* (*person*) plein(e) de préjugés; (*in a matter*) partial(e)
preliminary [prɪ'lɪmɪnərɪ] *adj* préliminaire
prelude ['prɛlju:d] *n* prélude *m*
premature ['prɛmətʃuə^r] *adj* prématuré(e)
premier ['prɛmɪə^r] *adj* premier(-ière), principal(e) ▷ *n* (*Pol*: *Prime Minister*) premier ministre; (*Pol*: *President*) chef *m* de l'État
premiere ['prɛmɪɛə^r] *n* première *f*
Premier League *n* première division
premises ['prɛmɪsɪz] *npl* locaux *mpl*; **on the ~** sur les lieux; sur place
premium ['pri:mɪəm] *n* prime *f*; **to be at a ~** (*fig*: *housing etc*) être très demandé(e), être rarissime
premonition [prɛmə'nɪʃən] *n* prémonition *f*
preoccupied [pri:'ɔkjupaɪd] *adj* préoccupé(e)
prepaid [pri:'peɪd] *adj* payé(e) d'avance
preparation [prɛpə'reɪʃən] *n* préparation *f*; **preparations** *npl* (*for trip, war*) préparatifs *mpl*
preparatory school *n* école primaire privée; (US) lycée privé
prepare [prɪ'pɛə^r] *vt* préparer ▷ *vi*: **to ~ for** se préparer à
prepared [prɪ'pɛəd] *adj*: **~ for** préparé(e) à; **~ to** prêt(e) à
preposition [prɛpə'zɪʃən] *n* préposition *f*
prep school *n* = **preparatory school**
prerequisite [pri:'rɛkwɪzɪt] *n* condition *f* préalable
preschool ['pri:'sku:l] *adj* préscolaire; (*child*) d'âge préscolaire
prescribe [prɪ'skraɪb] *vt* prescrire
prescription [prɪ'skrɪpʃən] *n* (*Med*) ordonnance *f*; (:

medicine) médicament *m* (obtenu sur ordonnance); **could you write me a ~?** pouvez-vous me faire une ordonnance?
presence ['prɛzns] *n* présence *f*; **in sb's ~** en présence de qn; **~ of mind** présence d'esprit
present ['prɛznt] *adj* présent(e); (*current*) présent, actuel(le) ▷ *n* cadeau *m*; (*actuality*) présent *m* ▷ *vt* [prɪ'zɛnt] présenter; (*prize, medal*) remettre; (*give*): **to ~ sb with sth** offrir qch à qn; **at ~** en ce moment; **to give sb a ~** offrir un cadeau à qn; **presentable** [prɪ'zɛntəbl] *adj* présentable; **presentation** [prɛzn'teɪʃən] *n* présentation *f*; (*ceremony*) remise *f* du cadeau (*or* de la médaille *etc*); **present-day** *adj* contemporain(e), actuel(le); **presenter** [prɪ'zɛntəʳ] *n* (BRIT *Radio, TV*) présentateur(-trice); **presently** *adv* (*soon*) tout à l'heure, bientôt; (*with verb in past*) peu après; (*at present*) en ce moment; **present participle** [-'pɑ:tɪsɪpl] *n* participe *m* présent
preservation [prɛzə'veɪʃən] *n* préservation *f*, conservation *f*
preservative [prɪ'zə:vətɪv] *n* agent *m* de conservation
preserve [prɪ'zə:v] *vt* (*keep safe*) préserver, protéger; (*maintain*) conserver, garder; (*food*) mettre en conserve ▷ *n* (*for game, fish*) réserve *f*; (*often pl: jam*) confiture *f*
preside [prɪ'zaɪd] *vi* présider
president ['prɛzɪdənt] *n* président(e); **presidential** [prɛzɪ'dɛnʃl] *adj* présidentiel(le)
press [prɛs] *n* (*tool, machine, newspapers*) presse *f*; (*for wine*) pressoir *m* ▷ *vt* (*push*) appuyer sur; (*squeeze*) presser, serrer; (*clothes: iron*) repasser; (*insist*): **to ~ sth on sb** presser qn d'accepter qch; (*urge, entreat*): **to ~ sb to do** *or* **into doing sth** pousser qn à faire qch ▷ *vi* appuyer; **we are ~ed for time** le temps nous manque; **to ~ for sth** faire pression pour obtenir qch; **press conference** *n* conférence *f* de presse; **pressing** *adj* urgent(e), pressant(e); **press stud** *n* (BRIT) bouton-pression *m*; **press-up** *n* (BRIT) traction *f*
pressure ['prɛʃəʳ] *n* pression *f*; (*stress*) tension *f*; **to put ~ on sb (to do sth)** faire pression sur qn (pour qu'il fasse qch); **pressure cooker** *n* cocotte-minute *f*; **pressure group** *n* groupe *m* de pression
prestige [prɛs'ti:ʒ] *n* prestige *m*
prestigious [prɛs'tɪdʒəs] *adj* prestigieux(-euse)
presumably [prɪ'zju:məblɪ] *adv* vraisemblablement
presume [prɪ'zju:m] *vt* présumer, supposer
pretence (US **pretense**) [prɪ'tɛns] *n* (*claim*) prétention *f*; **under false ~s** sous des prétextes fallacieux
pretend [prɪ'tɛnd] *vt* (*feign*) feindre, simuler ▷ *vi* (*feign*) faire semblant
pretense [prɪ'tɛns] *n* (US) = **pretence**
pretentious [prɪ'tɛnʃəs] *adj* prétentieux(-euse)
pretext ['pri:tɛkst] *n* prétexte *m*
pretty ['prɪtɪ] *adj* joli(e) ▷ *adv* assez
prevail [prɪ'veɪl] *vi* (*win*) l'emporter, prévaloir; (*be usual*) avoir cours; **prevailing** *adj* (*widespread*) courant(e), répandu(e); (*wind*) dominant(e)
prevalent ['prɛvələnt] *adj* répandu(e), courant(e)
prevent [prɪ'vɛnt] *vt*: **to ~ (from doing)** empêcher (de faire); **prevention** [prɪ'vɛnʃən] *n* prévention *f*; **preventive** *adj* préventif(-ive)
preview ['pri:vju:] *n* (*of film*) avant-première *f*
previous ['pri:vɪəs] *adj* (*last*) précédent(e); (*earlier*) antérieur(e); **previously** *adv* précédemment, auparavant
prey [preɪ] *n* proie *f* ▷ *vi*: **to ~ on** s'attaquer à; **it was ~ing on his mind** ça le rongeait *or* minait
price [praɪs] *n* prix *m* ▷ *vt* (*goods*) fixer le prix de; **priceless** *adj* sans prix, inestimable; **price list** *n* tarif *m*
prick [prɪk] *n* (*sting*) piqûre *f* ▷ *vt* piquer; **to ~ up one's ears** dresser *or* tendre l'oreille
prickly ['prɪklɪ] *adj* piquant(e), épineux(-euse); (*fig: person*) irritable
pride [praɪd] *n* fierté *f*; (*pej*) orgueil *m* ▷ *vt*: **to ~ o.s. on** se flatter de; s'enorgueillir de
priest [pri:st] *n* prêtre *m*
primarily ['praɪmərɪlɪ] *adv* principalement, essentiellement
primary ['praɪmərɪ] *adj* primaire; (*first in importance*) premier(-ière), primordial(e) ▷ *n* (US: *election*) (élection *f*) primaire *f*; **primary school** *n* (BRIT) école *f* primaire
prime [praɪm] *adj* primordial(e), fondamental(e); (*excellent*) excellent(e) ▷ *vt* (*fig*) mettre au courant ▷ *n*: **in the ~ of life** dans la fleur de l'âge; **Prime Minister** *n* Premier ministre
primitive ['prɪmɪtɪv] *adj* primitif(-ive)
primrose ['prɪmrəuz] *n* primevère *f*
prince [prɪns] *n* prince *m*
princess [prɪn'sɛs] *n* princesse *f*
principal ['prɪnsɪpl] *adj* principal(e) ▷ *n* (*head teacher*) directeur *m*, principal *m*; **principally** *adv* principalement
principle ['prɪnsɪpl] *n* principe *m*; **in ~** en principe; **on ~** par principe
print [prɪnt] *n* (*mark*) empreinte *f*; (*letters*) caractères *mpl*; (*fabric*) imprimé *m*; (*Art*) gravure *f*, estampe *f*; (*Phot*) épreuve *f* ▷ *vt* imprimer; (*publish*) publier; (*write in capitals*) écrire en majuscules; **out of ~** épuisé(e); **print out** *vt* (*Comput*) imprimer; **printer** *n* (*machine*) imprimante *f*; (*person*) imprimeur *m*; **printout** *n* (*Comput*) sortie *f* imprimante
prior ['praɪəʳ] *adj* antérieur(e), précédent(e); (*more important*) prioritaire ▷ *adv*: **~ to doing** avant de faire
priority [praɪ'ɔrɪtɪ] *n* priorité *f*; **to have** *or* **take ~ over sth/sb** avoir la priorité sur qch/qn
prison ['prɪzn] *n* prison *f* ▷ *cpd* pénitentiaire; **prisoner** *n* prisonnier(-ière); **prisoner of war** *n* prisonnier(-ière) de guerre
pristine ['prɪsti:n] *adj* virginal(e)
privacy ['prɪvəsɪ] *n* intimité *f*, solitude *f*
private ['praɪvɪt] *adj* (*not public*) privé(e); (*personal*) personnel(le); (*house, car, lesson*) particulier(-ière); (*quiet: place*) tranquille ▷ *n* soldat *m* de deuxième classe; **"~"** (*on envelope*) "personnelle"; (*on door*) "privé"; **in ~** en privé; **privately** *adv* en privé; (*within oneself*) intérieurement; **private property** *n* propriété privée; **private school** *n* école privée
privatize ['praɪvɪtaɪz] *vt* privatiser
privilege ['prɪvɪlɪdʒ] *n* privilège *m*
prize [praɪz] *n* prix *m* ▷ *adj* (*example, idiot*) parfait(e); (*bull, novel*) primé(e) ▷ *vt* priser, faire grand cas de; **prize-giving** *n* distribution *f* des prix; **prizewinner** *n* gagnant(e)
pro [prəu] *n* (*inf: Sport*) professionnel(le) ▷ *prep* pro ...; **pros** *npl*: **the ~s and cons** le pour et le contre
probability [prɔbə'bɪlɪtɪ] *n* probabilité *f*; **in all ~** très probablement
probable ['prɔbəbl] *adj* probable
probably ['prɔbəblɪ] *adv* probablement
probation [prə'beɪʃən] *n*: **on ~** (*employee*) à l'essai; (*Law*) en liberté surveillée

probe [prəub] *n* (*Med, Space*) sonde *f*; (*enquiry*) enquête *f*, investigation *f* ▷ *vt* sonder, explorer
problem ['prɔbləm] *n* problème *m*
procedure [prə'si:dʒə^r] *n* (*Admin, Law*) procédure *f*; (*method*) marche *f* à suivre, façon *f* de procéder
proceed [prə'si:d] *vi* (*go forward*) avancer; (*act*) procéder; (*continue*): **to ~ (with)** continuer, poursuivre; **to ~ to do** se mettre à faire; **proceedings** *npl* (*measures*) mesures *fpl*; (*Law: against sb*) poursuites *fpl*; (*meeting*) réunion *f*, séance *f*; (*records*) compte rendu; actes *mpl*; **proceeds** ['prəusi:dz] *npl* produit *m*, recette *f*
process ['prəusɛs] *n* processus *m*; (*method*) procédé *m* ▷ *vt* traiter
procession [prə'sɛʃən] *n* défilé *m*, cortège *m*; **funeral ~** (*on foot*) cortège funèbre; (*in cars*) convoi *m* mortuaire
proclaim [prə'kleɪm] *vt* déclarer, proclamer
prod [prɔd] *vt* pousser
produce *n* ['prɔdju:s] (*Agr*) produits *mpl* ▷ *vt* [prə'dju:s] produire; (*show*) présenter; (*cause*) provoquer, causer; (*Theat*) monter, mettre en scène; (*TV: programme*) réaliser; (*: play, film*) mettre en scène; (*Radio: programme*) réaliser; (*: play*) mettre en ondes; **producer** *n* (*Theat*) metteur *m* en scène; (*Agr, Comm, Cine*) producteur *m*; (*TV: of programme*) réalisateur *m*; (*: of play, film*) metteur en scène; (*Radio: of programme*) réalisateur; (*: of play*) metteur en ondes
product ['prɔdʌkt] *n* produit *m*; **production** [prə'dʌkʃən] *n* production *f*; (*Theat*) mise *f* en scène; **productive** [prə'dʌktɪv] *adj* productif(-ive); **productivity** [prɔdʌk'tɪvɪtɪ] *n* productivité *f*
Prof. [prɔf] *abbr* (= *professor*) Prof
profession [prə'fɛʃən] *n* profession *f*; **professional** *n* professionnel(le) ▷ *adj* professionnel(le); (*work*) de professionnel
professor [prə'fɛsə^r] *n* professeur *m* (*titulaire d'une chaire*); (*US: teacher*) professeur *m*
profile ['prəufaɪl] *n* profil *m*
profit ['prɔfɪt] *n* (*from trading*) bénéfice *m*; (*advantage*) profit *m* ▷ *vi*: **to ~ (by** *or* **from)** profiter (de); **profitable** *adj* lucratif(-ive), rentable
profound [prə'faund] *adj* profond(e)
programme (*US* **program**) ['prəugræm] *n* (*Comput*: ALSO BRIT) programme *m*; (*Radio, TV*) émission *f* ▷ *vt* programmer; **programmer** (*US* **programer**) *n* programmeur(-euse); **programming** (*US* **programing**) *n* programmation *f*
progress *n* ['prəugrɛs] progrès *m(pl)* ▷ *vi* [prə'grɛs] progresser, avancer; **in ~** en cours; **progressive** [prə'grɛsɪv] *adj* progressif(-ive); (*person*) progressiste
prohibit [prə'hɪbɪt] *vt* interdire, défendre
project *n* ['prɔdʒɛkt] (*plan*) projet *m*, plan *m*; (*venture*) opération *f*, entreprise *f*; (*Scol: research*) étude *f*, dossier *m* ▷ *vb* [prə'dʒɛkt] ▷ *vt* projeter ▷ *vi* (*stick out*) faire saillie, s'avancer; **projection** [prə'dʒɛkʃən] *n* projection *f*; (*overhang*) saillie *f*; **projector** [prə'dʒɛktə^r] *n* projecteur *m*
prolific [prə'lɪfɪk] *adj* prolifique
prolong [prə'lɔŋ] *vt* prolonger
prom [prɔm] *n abbr* = **promenade**; (*US: ball*) bal *m* d'étudiants; **the P~s** *série de concerts de musique classique*
promenade [prɔmə'nɑ:d] *n* (*by sea*) esplanade *f*, promenade *f*
prominent ['prɔmɪnənt] *adj* (*standing out*) proéminent(e); (*important*) important(e)
promiscuous [prə'mɪskjuəs] *adj* (*sexually*) de mœurs légères
promise ['prɔmɪs] *n* promesse *f* ▷ *vt, vi* promettre; **promising** *adj* prometteur(-euse)
promote [prə'məut] *vt* promouvoir; (*new product*) lancer; **promotion** [prə'məuʃən] *n* promotion *f*
prompt [prɔmpt] *adj* rapide ▷ *n* (*Comput*) message *m* (de guidage) ▷ *vt* (*cause*) entraîner, provoquer; (*Theat*) souffler (son rôle *or* ses répliques) à; **at 8 o'clock ~** à 8 heures précises; **to ~ sb to do** inciter *or* pousser qn à faire; **promptly** *adv* (*quickly*) rapidement, sans délai; (*on time*) ponctuellement
prone [prəun] *adj* (*lying*) couché(e) (face contre terre); (*liable*): **~ to** enclin(e) à
prong [prɔŋ] *n* (*of fork*) dent *f*
pronoun ['prəunaun] *n* pronom *m*
pronounce [prə'nauns] *vt* prononcer; **how do you ~ it?** comment est-ce que ça se prononce?
pronunciation [prənʌnsɪ'eɪʃən] *n* prononciation *f*
proof [pru:f] *n* preuve *f* ▷ *adj*: **~ against** à l'épreuve de
prop [prɔp] *n* support *m*, étai *m*; (*fig*) soutien *m* ▷ *vt* (*also*: **~ up**) étayer, soutenir; **props** *npl* accessoires *mpl*
propaganda [prɔpə'gændə] *n* propagande *f*
propeller [prə'pɛlə^r] *n* hélice *f*
proper ['prɔpə^r] *adj* (*suited, right*) approprié(e), bon (bonne); (*seemly*) correct(e), convenable; (*authentic*) vrai(e), véritable; (*referring to place*): **the village ~** le village proprement dit; **properly** *adv* correctement, convenablement; **proper noun** *n* nom *m* propre
property ['prɔpətɪ] *n* (*possessions*) biens *mpl*; (*house etc*) propriété *f*; (*land*) terres *fpl*, domaine *m*
prophecy ['prɔfɪsɪ] *n* prophétie *f*
prophet ['prɔfɪt] *n* prophète *m*
proportion [prə'pɔ:ʃən] *n* proportion *f*; (*share*) part *f*; partie *f*; **proportions** *npl* (*size*) dimensions *fpl*; **proportional, proportionate** *adj* proportionnel(le)
proposal [prə'pəuzl] *n* proposition *f*, offre *f*; (*plan*) projet *m*; (*of marriage*) demande *f* en mariage
propose [prə'pəuz] *vt* proposer, suggérer ▷ *vi* faire sa demande en mariage; **to ~ to do** avoir l'intention de faire
proposition [prɔpə'zɪʃən] *n* proposition *f*
proprietor [prə'praɪətə^r] *n* propriétaire *m/f*
prose [prəuz] *n* prose *f*; (*Scol: translation*) thème *m*
prosecute ['prɔsɪkju:t] *vt* poursuivre; **prosecution** [prɔsɪ'kju:ʃən] *n* poursuites *fpl* judiciaires; (*accusing side: in criminal case*) accusation *f*; (*: in civil case*) la partie plaignante; **prosecutor** *n* (*lawyer*) procureur *m*; (*also*: **public prosecutor**) ministère public; (*US: plaintiff*) plaignant(e)
prospect *n* ['prɔspɛkt] perspective *f*; (*hope*) espoir *m*, chances *fpl* ▷ *vt, vi* [prə'spɛkt] prospecter; **prospects** *npl* (*for work etc*) possibilités *fpl* d'avenir, débouchés *mpl*; **prospective** [prə'spɛktɪv] *adj* (*possible*) éventuel(le); (*future*) futur(e)
prospectus [prə'spɛktəs] *n* prospectus *m*
prosper ['prɔspə^r] *vi* prospérer; **prosperity** [prɔ'spɛrɪtɪ] *n* prospérité *f*; **prosperous** *adj* prospère
prostitute ['prɔstɪtju:t] *n* prostituée *f*; **male ~** prostitué *m*
protect [prə'tɛkt] *vt* protéger; **protection** [prə'tɛkʃən] *n* protection *f*; **protective** *adj* protecteur(-trice); (*clothing*) de protection
protein ['prəuti:n] *n* protéine *f*
protest *n* ['prəutɛst] protestation *f* ▷ *vb* [prə'tɛst]

▷ *vi*: **to ~ against/about** protester contre/à propos de; **to ~ (that)** protester que
Protestant ['prɔtɪstənt] *adj, n* protestant(e)
protester, protestor [prə'tɛstəʳ] *n* (*in demonstration*) manifestant(e)
protractor [prə'træktəʳ] *n* (*Geom*) rapporteur *m*
proud [praud] *adj* fier(-ère); (*pej*) orgueilleux(-euse)
prove [pru:v] *vt* prouver, démontrer ▷ *vi*: **to ~ correct** *etc* s'avérer juste *etc*; **to ~ o.s.** montrer ce dont on est capable
proverb ['prɔvə:b] *n* proverbe *m*
provide [prə'vaɪd] *vt* fournir; **to ~ sb with sth** fournir qch à qn; **provide for** *vt fus* (*person*) subvenir aux besoins de; (*future event*) prévoir; **provided** *conj*: **provided (that)** à condition que + *sub*; **providing** [prə'vaɪdɪŋ] *conj* à condition que + *sub*
province ['prɔvɪns] *n* province *f*; (*fig*) domaine *m*; **provincial** [prə'vɪnʃəl] *adj* provincial(e)
provision [prə'vɪʒən] *n* (*supplying*) fourniture *f*; approvisionnement *m*; (*stipulation*) disposition *f*; **provisions** *npl* (*food*) provisions *fpl*; **provisional** *adj* provisoire
provocative [prə'vɔkətɪv] *adj* provocateur(-trice), provocant(e)
provoke [prə'vəuk] *vt* provoquer
prowl [praul] *vi* (*also*: **~ about, ~ around**) rôder
proximity [prɔk'sɪmɪtɪ] *n* proximité *f*
proxy ['prɔksɪ] *n*: **by ~** par procuration
prudent ['pru:dnt] *adj* prudent(e)
prune [pru:n] *n* pruneau *m* ▷ *vt* élaguer
pry [praɪ] *vi*: **to ~ into** fourrer son nez dans
PS *n abbr* (= *postscript*) PS *m*
pseudonym ['sju:dənɪm] *n* pseudonyme *m*
PSHE *n abbr* (BRIT: *Scol*: = *personal, social and health education*) *cours d'éducation personnelle, sanitaire et sociale préparant à la vie adulte*
psychiatric [saɪkɪ'ætrɪk] *adj* psychiatrique
psychiatrist [saɪ'kaɪətrɪst] *n* psychiatre *m/f*
psychic ['saɪkɪk] *adj* (*also*: **~al**) (méta)psychique; (*person*) doué(e) de télépathie *or* d'un sixième sens
psychoanalysis (*pl* **-ses**) [saɪkəuə'næləsɪs, -si:z] *n* psychanalyse *f*
psychological [saɪkə'lɔdʒɪkl] *adj* psychologique
psychologist [saɪ'kɔlədʒɪst] *n* psychologue *m/f*
psychology [saɪ'kɔlədʒɪ] *n* psychologie *f*
psychotherapy [saɪkəu'θɛrəpɪ] *n* psychothérapie *f*
pt *abbr* = **pint(s)**; **point(s)**
PTO *abbr* (= *please turn over*) TSVP
pub [pʌb] *n abbr* (= *public house*) pub *m*
puberty ['pju:bətɪ] *n* puberté *f*
public ['pʌblɪk] *adj* public(-ique) ▷ *n* public *m*; **in ~** en public; **to make ~** rendre public
publication [pʌblɪ'keɪʃən] *n* publication *f*
public: **public company** *n* société *f* anonyme; **public convenience** *n* (BRIT) toilettes *fpl*; **public holiday** *n* (BRIT) jour férié; **public house** *n* (BRIT) pub *m*
publicity [pʌb'lɪsɪtɪ] *n* publicité *f*
publicize ['pʌblɪsaɪz] *vt* (*make known*) faire connaître, rendre public; (*advertise*) faire de la publicité pour
public: **public limited company** *n* ≈ société *f* anonyme (SA) (*cotée en Bourse*); **publicly** *adv* publiquement, en public; **public opinion** *n* opinion publique; **public relations** *n or npl* relations publiques (RP); **public school** *n* (BRIT) école privée; (US) école publique; **public transport** (US **public transportation**) *n* transports *mpl* en commun
publish ['pʌblɪʃ] *vt* publier; **publisher** *n* éditeur *m*; **publishing** *n* (*industry*) édition *f*
pub lunch *n* repas *m* de bistrot
pudding ['pudɪŋ] *n* (BRIT: *dessert*) dessert *m*, entremets *m*; (*sweet dish*) pudding *m*, gâteau *m*
puddle ['pʌdl] *n* flaque *f* d'eau
puff [pʌf] *n* bouffée *f* ▷ *vt* (*also*: **~ out**: *sails, cheeks*) gonfler ▷ *vi* (*pant*) haleter; **puff pastry** (US **puff paste**) *n* pâte feuilletée
pull [pul] *n* (*tug*): **to give sth a ~** tirer sur qch ▷ *vt* tirer; (*trigger*) presser; (*strain*: *muscle, tendon*) se claquer ▷ *vi* tirer; **to ~ to pieces** mettre en morceaux; **to ~ one's punches** (*also fig*) ménager son adversaire; **to ~ one's weight** y mettre du sien; **to ~ o.s. together** se ressaisir; **to ~ sb's leg** (*fig*) faire marcher qn; **pull apart** *vt* (*break*) mettre en pièces, démantibuler; **pull away** *vi* (*vehicle*: *move off*) partir; (*draw back*) s'éloigner; **pull back** *vt* (*lever etc*) tirer sur; (*curtains*) ouvrir ▷ *vi* (*refrain*) s'abstenir; (*Mil*: *withdraw*) se retirer; **pull down** *vt* baisser, abaisser; (*house*) démolir; **pull in** *vi* (*Aut*) se ranger; (*Rail*) entrer en gare; **pull off** *vt* enlever, ôter; (*deal etc*) conclure; **pull out** *vi* démarrer, partir; (*Aut*: *come out of line*) déboîter ▷ *vt* (*from bag, pocket*) sortir; (*remove*) arracher; **pull over** *vi* (*Aut*) se ranger; **pull up** *vi* (*stop*) s'arrêter ▷ *vt* remonter; (*uproot*) déraciner, arracher
pulley ['pulɪ] *n* poulie *f*
pullover ['puləuvəʳ] *n* pull-over *m*, tricot *m*
pulp [pʌlp] *n* (*of fruit*) pulpe *f*; (*for paper*) pâte *f* à papier
pulpit ['pulpɪt] *n* chaire *f*
pulse [pʌls] *n* (*of blood*) pouls *m*; (*of heart*) battement *m*; **pulses** *npl* (*Culin*) légumineuses *fpl*
puma ['pju:mə] *n* puma *m*
pump [pʌmp] *n* pompe *f*; (*shoe*) escarpin *m* ▷ *vt* pomper; **pump up** *vt* gonfler
pumpkin ['pʌmpkɪn] *n* potiron *m*, citrouille *f*
pun [pʌn] *n* jeu *m* de mots, calembour *m*
punch [pʌntʃ] *n* (*blow*) coup *m* de poing; (*tool*) poinçon *m*; (*drink*) punch *m* ▷ *vt* (*make a hole in*) poinçonner, perforer; (*hit*): **to ~ sb/sth** donner un coup de poing à qn/sur qch; **punch-up** *n* (BRIT *inf*) bagarre *f*
punctual ['pʌŋktjuəl] *adj* ponctuel(le)
punctuation [pʌŋktju'eɪʃən] *n* ponctuation *f*
puncture ['pʌŋktʃəʳ] *n* (BRIT) crevaison *f* ▷ *vt* crever
punish ['pʌnɪʃ] *vt* punir; **punishment** *n* punition *f*, châtiment *m*
punk [pʌŋk] *n* (*person*: *also*: **~ rocker**) punk *m/f*; (*music*: *also*: **~ rock**) le punk; (US *inf*: *hoodlum*) voyou *m*
pup [pʌp] *n* chiot *m*
pupil ['pju:pl] *n* élève *m/f*; (*of eye*) pupille *f*
puppet ['pʌpɪt] *n* marionnette *f*, pantin *m*
puppy ['pʌpɪ] *n* chiot *m*, petit chien
purchase ['pə:tʃɪs] *n* achat *m* ▷ *vt* acheter
pure [pjuəʳ] *adj* pur(e); **purely** *adv* purement
purify ['pjuərɪfaɪ] *vt* purifier, épurer
purity ['pjuərɪtɪ] *n* pureté *f*
purple ['pə:pl] *adj* violet(te); (*face*) cramoisi(e)
purpose ['pə:pəs] *n* intention *f*, but *m*; **on ~** exprès
purr [pə:ʳ] *vi* ronronner
purse [pə:s] *n* (BRIT: *for money*) porte-monnaie *m inv*; (US: *handbag*) sac *m* (à main) ▷ *vt* serrer, pincer
pursue [pə'sju:] *vt* poursuivre
pursuit [pə'sju:t] *n* poursuite *f*; (*occupation*) occupation *f*, activité *f*
pus [pʌs] *n* pus *m*
push [puʃ] *n* poussée *f* ▷ *vt* pousser; (*button*)

appuyer sur; (*fig: product*) mettre en avant, faire de la publicité pour ▷ *vi* pousser; **to ~ for** (*better pay, conditions*) réclamer; **push in** *vi* s'introduire de force; **push off** *vi* (*inf*) filer, ficher le camp; **push on** *vi* (*continue*) continuer; **push over** *vt* renverser; **push through** *vi* (*in crowd*) se frayer un chemin; **pushchair** *n* (BRIT) poussette *f*; **pusher** *n* (*also*: **drug pusher**) revendeur(-euse) (de drogue), ravitailleur(-euse) (en drogue); **push-up** *n* (US) traction *f*

pussy(-cat) ['pusı-] *n* (*inf*) minet *m*

put (*pt, pp* **~**) [put] *vt* mettre; (*place*) poser, placer; (*say*) dire, exprimer; (*a question*) poser; (*case, view*) exposer, présenter; (*estimate*) estimer; **put aside** *vt* mettre de côté; **put away** *vt* (*store*) ranger; **put back** *vt* (*replace*) remettre, replacer; (*postpone*) remettre; **put by** *vt* (*money*) mettre de côté, économiser; **put down** *vt* (*parcel etc*) poser, déposer; (*in writing*) mettre par écrit, inscrire; (*suppress: revolt etc*) réprimer, écraser; (*attribute*) attribuer; (*animal*) abattre; (*cat, dog*) faire piquer; **put forward** *vt* (*ideas*) avancer, proposer; **put in** *vt* (*complaint*) soumettre; (*time, effort*) consacrer; **put off** *vt* (*postpone*) remettre à plus tard, ajourner; (*discourage*) dissuader; **put on** *vt* (*clothes, lipstick, CD*) mettre; (*light etc*) allumer; (*play etc*) monter; (*weight*) prendre; (*assume: accent, manner*) prendre; **put out** *vt* (*take outside*) mettre dehors; (*one's hand*) tendre; (*light etc*) éteindre; (*person: inconvenience*) déranger, gêner; **put through** *vt* (*Tel: caller*) mettre en communication; (*: call*) passer; (*plan*) faire accepter; **put together** *vt* mettre ensemble; (*assemble: furniture*) monter, assembler; (*meal*) préparer; **put up** *vt* (*raise*) lever, relever, remonter; (*hang*) accrocher; (*build*) construire, ériger; (*increase*) augmenter; (*accommodate*) loger; **put up with** *vt fus* supporter

putt [pʌt] *n* putt *m*; **putting green** *n* green *m*

puzzle ['pʌzl] *n* énigme *f*, mystère *m*; (*game*) jeu *m*, casse-tête *m*; (*jigsaw*) puzzle *m*; (*also*: **crossword ~**) mots croisés ▷ *vt* intriguer, rendre perplexe ▷ *vi*: **to ~ over** chercher à comprendre; **puzzled** *adj* perplexe; **puzzling** *adj* déconcertant(e), inexplicable

pyjamas [pı'dʒɑ:məz] *npl* (BRIT) pyjama *m*

pylon ['paılən] *n* pylône *m*

pyramid ['pırəmıd] *n* pyramide *f*

Pyrenees [pırə'ni:z] *npl* Pyrénées *fpl*

q

quack [kwæk] *n* (*of duck*) coin-coin *m inv*; (*pej: doctor*) charlatan *m*

quadruple [kwɔ'dru:pl] *vt, vi* quadrupler

quail [kweıl] *n* (*Zool*) caille *f* ▷ *vi*: **to ~ at** *or* **before** reculer devant

quaint [kweınt] *adj* bizarre; (*old-fashioned*) désuet(-ète); (*picturesque*) au charme vieillot, pittoresque

quake [kweık] *vi* trembler ▷ *n abbr* = **earthquake**

qualification [kwɔlıfı'keıʃən] *n* (*often pl: degree etc*) diplôme *m*; (*training*) qualification(s) *f(pl)*; (*ability*) compétence(s) *f(pl)*; (*limitation*) réserve *f*, restriction *f*

qualified ['kwɔlıfaıd] *adj* (*trained*) qualifié(e); (*professionally*) diplômé(e); (*fit, competent*) compétent(e), qualifié(e); (*limited*) conditionnel(le)

qualify ['kwɔlıfaı] *vt* qualifier; (*modify*) atténuer, nuancer ▷ *vi*: **to ~ (as)** obtenir son diplôme (de); **to ~ (for)** remplir les conditions requises (pour); (*Sport*) se qualifier (pour)

quality ['kwɔlıtı] *n* qualité *f*

qualm [kwɑ:m] *n* doute *m*; scrupule *m*

quantify ['kwɔntıfaı] *vt* quantifier

quantity ['kwɔntıtı] *n* quantité *f*

quarantine ['kwɔrnti:n] *n* quarantaine *f*

quarrel ['kwɔrl] *n* querelle *f*, dispute *f* ▷ *vi* se disputer, se quereller

quarry ['kwɔrı] *n* (*for stone*) carrière *f*; (*animal*) proie *f*, gibier *m*

quart [kwɔ:t] *n* ≈ litre *m*

quarter ['kwɔ:tə^r] *n* quart *m*; (*of year*) trimestre *m*; (*district*) quartier *m*; (US, CANADA: *25 cents*) (pièce *f* de) vingt-cinq cents *mpl* ▷ *vt* partager en quartiers *or* en quatre; (*Mil*) caserner, cantonner; **quarters** *npl* logement *m*; (*Mil*) quartiers *mpl*, cantonnement *m*; **a ~ of an hour** un quart d'heure; **quarter final** *n* quart *m* de finale; **quarterly** *adj* trimestriel(le) ▷ *adv* tous les trois mois

quartet(te) [kwɔ:'tɛt] *n* quatuor *m*; (*jazz players*) quartette *m*

quartz [kwɔ:ts] *n* quartz *m*

quay [ki:] *n* (*also*: **~side**) quai *m*

queasy ['kwi:zı] *adj*: **to feel ~** avoir mal au cœur

Quebec [kwı'bɛk] *n* (*city*) Québec; (*province*) Québec *m*

queen [kwi:n] *n* (*gen*) reine *f*; (*Cards etc*) dame *f*

queer [kwıə^r] *adj* étrange, curieux(-euse); (*suspicious*) louche ▷ *n* (*inf: highly offensive*) homosexuel *m*

quench [kwɛntʃ] *vt*: **to ~ one's thirst** se désaltérer

query ['kwıərı] *n* question *f* ▷ *vt* (*disagree with, dispute*) mettre en doute, questionner

quest [kwɛst] *n* recherche *f*, quête *f*

question ['kwɛstʃən] *n* question *f* ▷ *vt* (*person*) interroger; (*plan, idea*) mettre en question *or* en doute; **beyond ~** sans aucun doute; **out of the ~** hors de question; **questionable** *adj* discutable; **question mark** *n* point *m* d'interrogation; **questionnaire** [kwɛstʃə'nɛə^r] *n* questionnaire *m*

queue [kju:] (BRIT) *n* queue *f*, file *f* ▷ *vi* (*also*: **~ up**) faire la queue

quiche [ki:ʃ] *n* quiche *f*

quick [kwık] *adj* rapide; (*mind*) vif (vive); (*agile*) agile, vif (vive) ▷ *n*: **cut to the ~** (*fig*) touché(e) au vif; **be ~!** dépêche-toi!; **quickly** *adv* (*fast*) vite, rapidement; (*immediately*) tout de suite

quid [kwıd] *n* (*pl inv*: BRIT *inf*) livre *f*

quiet ['kwaıət] *adj* tranquille, calme; (*voice*) bas(se); (*ceremony, colour*) discret(-ète) ▷ *n* tranquillité *f*, calme *m*; (*silence*) silence *m*; **quietly** *adv* tranquillement; (*silently*) silencieusement; (*discreetly*) discrètement

quilt [kwılt] *n* édredon *m*; (*continental quilt*) couette *f*

quirky ['kwɜːkɪ] *adj* singulier(-ère)
quit [kwɪt] (*pt, pp* ~ *or* **~ted**) *vt* quitter ▷ *vi* (*give up*) abandonner, renoncer; (*resign*) démissionner
quite [kwaɪt] *adv* (*rather*) assez, plutôt; (*entirely*) complètement, tout à fait; **~ a few of them** un assez grand nombre d'entre eux; **that's not ~ right** ce n'est pas tout à fait juste; **~ (so)!** exactement!
quits [kwɪts] *adj*: **~ (with)** quitte (envers); **let's call it ~** restons-en là
quiver ['kwɪvəʳ] *vi* trembler, frémir
quiz [kwɪz] *n* (*on TV*) jeu-concours *m* (télévisé); (*in magazine etc*) test *m* de connaissances ▷ *vt* interroger
quota ['kwəutə] *n* quota *m*
quotation [kwəu'teɪʃən] *n* citation *f*; (*estimate*) devis *m*; **quotation marks** *npl* guillemets *mpl*
quote [kwəut] *n* citation *f*; (*estimate*) devis *m* ▷ *vt* (*sentence, author*) citer; (*price*) donner, soumettre ▷ *vi*: **to ~ from** citer; **quotes** *npl* (*inverted commas*) guillemets *mpl*

r

Rabat [rə'bɑːt] *n* Rabat
rabbi ['ræbaɪ] *n* rabbin *m*
rabbit ['ræbɪt] *n* lapin *m*
rabies ['reɪbiːz] *n* rage *f*
RAC *n abbr* (BRIT: = *Royal Automobile Club*) ≈ ACF *m*
rac(c)oon [rə'kuːn] *n* raton *m* laveur
race [reɪs] *n* (*species*) race *f*; (*competition, rush*) course *f* ▷ *vt* (*person*) faire la course avec ▷ *vi* (*compete*) faire la course, courir; (*pulse*) battre très vite; **race car** *n* (US) = **racing car**; **racecourse** *n* champ *m* de courses; **racehorse** *n* cheval *m* de course; **racetrack** *n* piste *f*
racial ['reɪʃl] *adj* racial(e)
racing ['reɪsɪŋ] *n* courses *fpl*; **racing car** *n* (BRIT) voiture *f* de course; **racing driver** *n* (BRIT) pilote *m* de course
racism ['reɪsɪzəm] *n* racisme *m*; **racist** ['reɪsɪst] *adj*, *n* raciste *m/f*
rack [ræk] *n* (*for guns, tools*) râtelier *m*; (*for clothes*) portant *m*; (*for bottles*) casier *m*; (*also*: **luggage ~**) filet *m* à bagages; (*also*: **roof ~**) galerie *f*; (*also*: **dish ~**) égouttoir *m* ▷ *vt* tourmenter; **to ~ one's brains** se creuser la cervelle
racket ['rækɪt] *n* (*for tennis*) raquette *f*; (*noise*) tapage *m*, vacarme *m*; (*swindle*) escroquerie *f*
racquet ['rækɪt] *n* raquette *f*
radar ['reɪdɑːʳ] *n* radar *m*
radiation [reɪdɪ'eɪʃən] *n* rayonnement *m*; (*radioactive*) radiation *f*
radiator ['reɪdɪeɪtəʳ] *n* radiateur *m*
radical ['rædɪkl] *adj* radical(e)
radio ['reɪdɪəu] *n* radio *f* ▷ *vt* (*person*) appeler par radio; **on the ~** à la radio; **radioactive** *adj* radioactif(-ive); **radio station** *n* station *f* de radio
radish ['rædɪʃ] *n* radis *m*
RAF *n abbr* (BRIT) = **Royal Air Force**
raffle ['ræfl] *n* tombola *f*
raft [rɑːft] *n* (*craft*: *also*: **life ~**) radeau *m*; (*logs*) train *m* de flottage
rag [ræg] *n* chiffon *m*; (*pej*: *newspaper*) feuille *f*, torchon *m*; (*for charity*) *attractions organisées par les étudiants au profit d'œuvres de charité*; **rags** *npl* haillons *mpl*
rage [reɪdʒ] *n* (*fury*) rage *f*, fureur *f* ▷ *vi* (*person*) être fou (folle) de rage; (*storm*) faire rage, être déchaîné(e); **it's all the ~** cela fait fureur
ragged ['rægɪd] *adj* (*edge*) inégal(e), qui accroche; (*clothes*) en loques; (*appearance*) déguenillé(e)
raid [reɪd] *n* (*Mil*) raid *m*; (*criminal*) hold-up *m inv*; (*by police*) descente *f*, rafle *f* ▷ *vt* faire un raid sur *or* un hold-up dans *or* une descente dans
rail [reɪl] *n* (*on stair*) rampe *f*; (*on bridge, balcony*) balustrade *f*; (*of ship*) bastingage *m*; (*for train*) rail *m*; **railcard** *n* (BRIT) carte *f* de chemin de fer; **railing(s)** *n(pl)* grille *f*; **railway** (US **railroad**) *n* chemin *m* de fer; (*track*) voie *f* ferrée; **railway line** *n* (BRIT) ligne *f* de chemin de fer; (*track*) voie ferrée; **railway station** *n* (BRIT) gare *f*
rain [reɪn] *n* pluie *f* ▷ *vi* pleuvoir; **in the ~** sous la pluie; **it's ~ing** il pleut; **rainbow** *n* arc-en-ciel *m*; **raincoat** *n* imperméable *m*; **raindrop** *n* goutte *f* de pluie; **rainfall** *n* chute *f* de pluie; (*measurement*) hauteur *f* des précipitations; **rainforest** *n* forêt tropicale; **rainy** *adj* pluvieux(-euse)
raise [reɪz] *n* augmentation *f* ▷ *vt* (*lift*) lever; hausser; (*increase*) augmenter; (*morale*) remonter; (*standards*) améliorer; (*a protest, doubt*) provoquer, causer; (*a question*) soulever; (*cattle, family*) élever; (*crop*) faire pousser; (*army, funds*) rassembler; (*loan*) obtenir; **to ~ one's voice** élever la voix
raisin ['reɪzn] *n* raisin sec
rake [reɪk] *n* (*tool*) râteau *m*; (*person*) débauché *m* ▷ *vt* (*garden*) ratisser
rally ['rælɪ] *n* (*Pol etc*) meeting *m*, rassemblement *m*; (*Aut*) rallye *m*; (*Tennis*) échange *m* ▷ *vt* rassembler, rallier; (*support*) gagner ▷ *vi* (*sick person*) aller mieux; (*Stock Exchange*) reprendre
RAM [ræm] *n abbr* (*Comput*: = *random access memory*) mémoire vive
ram [ræm] *n* bélier *m* ▷ *vt* (*push*) enfoncer; (*crash into*: *vehicle*) emboutir; (: *lamppost etc*) percuter
Ramadan [ræmə'dæn] *n* Ramadan *m*
ramble ['ræmbl] *n* randonnée *f* ▷ *vi* (*walk*) se promener, faire une randonnée; (*pej*: *also*: **~ on**) discourir, pérorer; **rambler** *n* promeneur(-euse), randonneur(-euse); **rambling** *adj* (*speech*) décousu(e); (*house*) plein(e) de coins et de recoins; (*Bot*) grimpant(e)
ramp [ræmp] *n* (*incline*) rampe *f*; (*Aut*) dénivellation *f*; (*in garage*) pont *m*; **on/off ~** (US *Aut*) bretelle *f* d'accès
rampage [ræm'peɪdʒ] *n*: **to be on the ~** se déchaîner
ran [ræn] *pt of* **run**
ranch [rɑːntʃ] *n* ranch *m*
random ['rændəm] *adj* fait(e) *or* établi(e) au hasard; (*Comput, Math*) aléatoire ▷ *n*: **at ~** au hasard
rang [ræŋ] *pt of* **ring**
range [reɪndʒ] *n* (*of mountains*) chaîne *f*; (*of missile, voice*) portée *f*; (*of products*) choix *m*, gamme *f*;

(*also*: **shooting ~**) champ *m* de tir; (*also*: **kitchen ~**) fourneau *m* (de cuisine) ▷ *vt* (*place*) mettre en rang, placer ▷ *vi*: **to ~ over** couvrir; **to ~ from ... to** aller de ... à
ranger ['reɪndʒəʳ] *n* garde *m* forestier
rank [ræŋk] *n* rang *m*; (*Mil*) grade *m*; (BRIT: *also*: **taxi ~**) station *f* de taxis ▷ *vi*: **to ~ among** compter *or* se classer parmi ▷ *adj* (*smell*) nauséabond(e); **the ~ and file** (*fig*) la masse, la base
ransom ['rænsəm] *n* rançon *f*; **to hold sb to ~** (*fig*) exercer un chantage sur qn
rant [rænt] *vi* fulminer
rap [ræp] *n* (*music*) rap *m* ▷ *vt* (*door*) frapper sur *or* à; (*table etc*) taper sur
rape [reɪp] *n* viol *m*; (*Bot*) colza *m* ▷ *vt* violer
rapid ['ræpɪd] *adj* rapide; **rapidly** *adv* rapidement; **rapids** *npl* (*Geo*) rapides *mpl*
rapist ['reɪpɪst] *n* auteur *m* d'un viol
rapport [ræ'pɔːʳ] *n* entente *f*
rare [rɛəʳ] *adj* rare; (*Culin*: *steak*) saignant(e); **rarely** *adv* rarement
rash [ræʃ] *adj* imprudent(e), irréfléchi(e) ▷ *n* (*Med*) rougeur *f*, éruption *f*; (*of events*) série *f* (noire)
rasher ['ræʃəʳ] *n* fine tranche (de lard)
raspberry ['rɑːzbərɪ] *n* framboise *f*
rat [ræt] *n* rat *m*
rate [reɪt] *n* (*ratio*) taux *m*, pourcentage *m*; (*speed*) vitesse *f*, rythme *m*; (*price*) tarif *m* ▷ *vt* (*price*) évaluer, estimer; (*people*) classer; **rates** *npl* (BRIT: *property tax*) impôts locaux; **to ~ sb/sth as** considérer qn/qch comme
rather ['rɑːðəʳ] *adv* (*somewhat*) assez, plutôt; (*to some extent*) un peu; **it's ~ expensive** c'est assez cher; (*too much*) c'est un peu cher; **there's ~ a lot** il y en a beaucoup; **I would** *or* **I'd ~ go** j'aimerais mieux *or* je préférerais partir; **or ~** (*more accurately*) ou plutôt
rating ['reɪtɪŋ] *n* (*assessment*) évaluation *f*; (*score*) classement *m*; (*Finance*) cote *f*; **ratings** *npl* (*Radio*) indice(s) *m(pl)* d'écoute; (*TV*) Audimat® *m*
ratio ['reɪʃɪəu] *n* proportion *f*; **in the ~ of 100 to 1** dans la proportion de 100 contre 1
ration ['ræʃən] *n* ration *f* ▷ *vt* rationner; **rations** *npl* (*food*) vivres *mpl*
rational ['ræʃənl] *adj* raisonnable, sensé(e); (*solution, reasoning*) logique; (*Med*: *person*) lucide
rat race *n* foire *f* d'empoigne
rattle ['rætl] *n* (*of door, window*) battement *m*; (*of coins, chain*) cliquetis *m*; (*of train, engine*) bruit *m* de ferraille; (*for baby*) hochet *m* ▷ *vi* cliqueter; (*car, bus*): **to ~ along** rouler en faisant un bruit de ferraille ▷ *vt* agiter (bruyamment); (*inf*: *disconcert*) décontenancer
rave [reɪv] *vi* (*in anger*) s'emporter; (*with enthusiasm*) s'extasier; (*Med*) délirer ▷ *n* (*inf*: *party*) rave *f*, soirée *f* techno
raven ['reɪvən] *n* grand corbeau
ravine [rə'viːn] *n* ravin *m*
raw [rɔː] *adj* (*uncooked*) cru(e); (*not processed*) brut(e); (*sore*) à vif, irrité(e); (*inexperienced*) inexpérimenté(e); **~ materials** matières premières
ray [reɪ] *n* rayon *m*; **~ of hope** lueur *f* d'espoir
razor ['reɪzəʳ] *n* rasoir *m*; **razor blade** *n* lame *f* de rasoir
Rd *abbr* = **road**
RE *n abbr* (BRIT) = **religious education**
re [riː] *prep* concernant
reach [riːtʃ] *n* portée *f*, atteinte *f*; (*of river etc*) étendue *f* ▷ *vt* atteindre, arriver à; (*conclusion, decision*) parvenir à ▷ *vi* s'étendre; **out of/within ~** (*object*) hors de/à portée; **reach out** *vt* tendre ▷ *vi*: **to ~ out (for)** allonger le bras (pour prendre)
react [riː'ækt] *vi* réagir; **reaction** [riː'ækʃən] *n* réaction *f*; **reactor** [riː'æktəʳ] *n* réacteur *m*
read (*pt, pp* **~**) [riːd, rɛd] *vi* lire ▷ *vt* lire; (*understand*) comprendre, interpréter; (*study*) étudier; (*meter*) relever; (*subj*: *instrument etc*) indiquer, marquer; **read out** *vt* lire à haute voix; **reader** *n* lecteur(-trice)
readily ['rɛdɪlɪ] *adv* volontiers, avec empressement; (*easily*) facilement
reading ['riːdɪŋ] *n* lecture *f*; (*understanding*) interprétation *f*; (*on instrument*) indications *fpl*
ready ['rɛdɪ] *adj* prêt(e); (*willing*) prêt, disposé(e); (*available*) disponible ▷ *n*: **at the ~** (*Mil*) prêt à faire feu; **when will my photos be ~?** quand est-ce que mes photos seront prêtes?; **to get ~** (*as vi*) se préparer; (*as vt*) préparer; **ready-cooked** *adj* précuit(e); **ready-made** *adj* tout(e) faite(e)
real [rɪəl] *adj* (*world, life*) réel(le); (*genuine*) véritable; (*proper*) vrai(e) ▷ *adv* (*US inf*: *very*) vraiment; **real ale** *n* bière traditionnelle; **real estate** *n* biens fonciers *or* immobiliers; **realistic** [rɪə'lɪstɪk] *adj* réaliste; **reality** [riː'ælɪtɪ] *n* réalité *f*
reality TV *n* téléréalité *f*
realization [rɪəlaɪ'zeɪʃən] *n* (*awareness*) prise *f* de conscience; (*fulfilment*: *also*: *of asset*) réalisation *f*
realize ['rɪəlaɪz] *vt* (*understand*) se rendre compte de, prendre conscience de; (*a project, Comm*: *asset*) réaliser
really ['rɪəlɪ] *adv* vraiment; **~?** vraiment?, c'est vrai?
realm [rɛlm] *n* royaume *m*; (*fig*) domaine *m*
realtor ['rɪəltɔːʳ] *n* (US) agent immobilier
reappear [riːə'pɪəʳ] *vi* réapparaître, reparaître
rear [rɪəʳ] *adj* de derrière, arrière *inv*; (*Aut*: *wheel etc*) arrière ▷ *n* arrière *m* ▷ *vt* (*cattle, family*) élever ▷ *vi* (*also*: **~ up**: *animal*) se cabrer
rearrange [riːə'reɪndʒ] *vt* réarranger
rear: **rear-view mirror** *n* (*Aut*) rétroviseur *m*; **rear-wheel drive** *n* (*Aut*) traction *f* arrière
reason ['riːzn] *n* raison *f* ▷ *vi*: **to ~ with sb** raisonner qn, faire entendre raison à qn; **it stands to ~ that** il va sans dire que; **reasonable** *adj* raisonnable; (*not bad*) acceptable; **reasonably** *adv* (*behave*) raisonnablement; (*fairly*) assez; **reasoning** *n* raisonnement *m*
reassurance [riːə'ʃuərəns] *n* (*factual*) assurance *f*, garantie *f*; (*emotional*) réconfort *m*
reassure [riːə'ʃuəʳ] *vt* rassurer
rebate ['riːbeɪt] *n* (*on tax etc*) dégrèvement *m*
rebel *n* ['rɛbl] rebelle *m/f* ▷ *vi* [rɪ'bɛl] se rebeller, se révolter; **rebellion** [rɪ'bɛljən] *n* rébellion *f*, révolte *f*; **rebellious** [rɪ'bɛljəs] *adj* rebelle
rebuild [riː'bɪld] *vt* (*irreg*: *like* **build**) reconstruire
recall *vt* [rɪ'kɔːl] rappeler; (*remember*) se rappeler, se souvenir de ▷ *n* ['riːkɔl] rappel *m*; (*ability to remember*) mémoire *f*
rec'd *abbr of* **received**
receipt [rɪ'siːt] *n* (*document*) reçu *m*; (*for parcel etc*) accusé *m* de réception; (*act of receiving*) réception *f*; **receipts** *npl* (*Comm*) recettes *fpl*; **can I have a ~, please?** je peux avoir un reçu, s'il vous plaît?
receive [rɪ'siːv] *vt* recevoir; (*guest*) recevoir, accueillir; **receiver** *n* (*Tel*) récepteur *m*, combiné *m*; (*Radio*) récepteur; (*of stolen goods*) receleur *m*; (*for bankruptcies*) administrateur *m* judiciaire
recent ['riːsnt] *adj* récent(e); **recently** *adv* récemment

reception [rɪ'sɛpʃən] *n* réception *f*; (*welcome*) accueil *m*, réception; **reception desk** *n* réception *f*; **receptionist** *n* réceptionniste *m/f*
recession [rɪ'sɛʃən] *n* (*Econ*) récession *f*
recharge [riː'tʃɑːdʒ] *vt* (*battery*) recharger
recipe ['rɛsɪpɪ] *n* recette *f*
recipient [rɪ'sɪpɪənt] *n* (*of payment*) bénéficiaire *m/f*; (*of letter*) destinataire *m/f*
recital [rɪ'saɪtl] *n* récital *m*
recite [rɪ'saɪt] *vt* (*poem*) réciter
reckless ['rɛkləs] *adj* (*driver etc*) imprudent(e); (*spender etc*) insouciant(e)
reckon ['rɛkən] *vt* (*count*) calculer, compter; (*consider*) considérer, estimer; (*think*): **I ~ (that) ...** je pense (que) ..., j'estime (que) ...
reclaim [rɪ'kleɪm] *vt* (*land: from sea*) assécher; (*demand back*) réclamer (le remboursement *or* la restitution de); (*waste materials*) récupérer
recline [rɪ'klaɪn] *vi* être allongé(e) *or* étendu(e)
recognition [rɛkəg'nɪʃən] *n* reconnaissance *f*; **transformed beyond ~** méconnaissable
recognize ['rɛkəgnaɪz] *vt*: **to ~ (by/as)** reconnaître (à/comme étant)
recollection [rɛkə'lɛkʃən] *n* souvenir *m*
recommend [rɛkə'mɛnd] *vt* recommander; **can you ~ a good restaurant?** pouvez-vous me conseiller un bon restaurant?; **recommendation** [rɛkəmɛn'deɪʃən] *n* recommandation *f*
reconcile ['rɛkənsaɪl] *vt* (*two people*) réconcilier; (*two facts*) concilier, accorder; **to ~ o.s. to** se résigner à
reconsider [riːkən'sɪdəʳ] *vt* reconsidérer
reconstruct [riːkən'strʌkt] *vt* (*building*) reconstruire; (*crime, system*) reconstituer
record *n* ['rɛkɔːd] rapport *m*, récit *m*; (*of meeting etc*) procès-verbal *m*; (*register*) registre *m*; (*file*) dossier *m*; (*Comput*) article *m*; (*also*: **police ~**) casier *m* judiciaire; (*Mus: disc*) disque *m*; (*Sport*) record *m* ▷ *adj* record *inv* ▷ *vt* [rɪ'kɔːd] (*set down*) noter; (*Mus: song etc*) enregistrer; **public ~s** archives *fpl*; **in ~ time** dans un temps record; **recorded delivery** *n* (BRIT *Post*): **to send sth recorded delivery** ≈ envoyer qch en recommandé; **recorder** *n* (*Mus*) flûte *f* à bec; **recording** *n* (*Mus*) enregistrement *m*; **record player** *n* tourne-disque *m*
recount [rɪ'kaunt] *vt* raconter
recover [rɪ'kʌvəʳ] *vt* récupérer ▷ *vi* (*from illness*) se rétablir; (*from shock*) se remettre; **recovery** *n* récupération *f*; rétablissement *m*; (*Econ*) redressement *m*
recreate [riːkrɪ'eɪt] *vt* recréer
recreation [rɛkrɪ'eɪʃən] *n* (*leisure*) récréation *f*, détente *f*; **recreational drug** *n* drogue récréative; **recreational vehicle** *n* (US) camping-car *m*
recruit [rɪ'kruːt] *n* recrue *f* ▷ *vt* recruter; **recruitment** *n* recrutement *m*
rectangle ['rɛktæŋgl] *n* rectangle *m*; **rectangular** [rɛk'tæŋgjuləʳ] *adj* rectangulaire
rectify ['rɛktɪfaɪ] *vt* (*error*) rectifier, corriger
rector ['rɛktəʳ] *n* (*Rel*) pasteur *m*
recur [rɪ'kəːʳ] *vi* se reproduire; (*idea, opportunity*) se retrouver; (*symptoms*) réapparaître; **recurring** *adj* (*problem*) périodique, fréquent(e); (*Math*) périodique
recyclable [riː'saɪkləbl] *adj* recyclable
recycle [riː'saɪkl] *vt, vi* recycler
recycling [riː'saɪklɪŋ] *n* recyclage *m*
red [rɛd] *n* rouge *m*; (*Pol: pej*) rouge *m/f* ▷ *adj* rouge; (*hair*) roux (rousse); **in the ~** (*account*) à découvert; (*business*) en déficit; **Red Cross** *n* Croix-Rouge *f*; **redcurrant** *n* groseille *f* (rouge)
redeem [rɪ'diːm] *vt* (*debt*) rembourser; (*sth in pawn*) dégager; (*fig, also Rel*) racheter
red: **red-haired** *adj* roux (rousse); **redhead** *n* roux (rousse); **red-hot** *adj* chauffé(e) au rouge, brûlant(e); **red light** *n*: **to go through a red light** (*Aut*) brûler un feu rouge; **red-light district** *n* quartier mal famé
red meat *n* viande *f* rouge
reduce [rɪ'djuːs] *vt* réduire; (*lower*) abaisser; **"~ speed now"** (*Aut*) "ralentir"; **to ~ sb to tears** faire pleurer qn; **reduced** *adj* réduit(e); **"greatly reduced prices"** "gros rabais"; **at a reduced price** (*goods*) au rabais; (*ticket etc*) à prix réduit; **reduction** [rɪ'dʌkʃən] *n* réduction *f*; (*of price*) baisse *f*; (*discount*) rabais *m*; réduction; **is there a reduction for children/students?** y a-t-il une réduction pour les enfants/les étudiants?
redundancy [rɪ'dʌndənsɪ] *n* (BRIT) licenciement *m*, mise *f* au chômage
redundant [rɪ'dʌndnt] *adj* (BRIT: *worker*) licencié(e), mis(e) au chômage; (*detail, object*) superflu(e); **to be made ~** (*worker*) être licencié, être mis au chômage
reed [riːd] *n* (*Bot*) roseau *m*
reef [riːf] *n* (*at sea*) récif *m*, écueil *m*
reel [riːl] *n* bobine *f*; (*Fishing*) moulinet *m*; (*Cine*) bande *f*; (*dance*) quadrille écossais ▷ *vi* (*sway*) chanceler
ref [rɛf] *n abbr* (*inf*: = *referee*) arbitre *m*
refectory [rɪ'fɛktərɪ] *n* réfectoire *m*
refer [rɪ'fəːʳ] *vt*: **to ~ sb to** (*inquirer, patient*) adresser qn à; (*reader: to text*) renvoyer qn à ▷ *vi*: **to ~ to** (*allude to*) parler de, faire allusion à; (*consult*) se reporter à; (*apply to*) s'appliquer à
referee [rɛfə'riː] *n* arbitre *m*; (BRIT: *for job application*) répondant(e) ▷ *vt* arbitrer
reference ['rɛfrəns] *n* référence *f*, renvoi *m*; (*mention*) allusion *f*, mention *f*; (*for job application: letter*) références; lettre *f* de recommandation; **with ~ to** en ce qui concerne; (*Comm: in letter*) me référant à; **reference number** *n* (*Comm*) numéro *m* de référence
refill *vt* [riː'fɪl] remplir à nouveau; (*pen, lighter etc*) recharger ▷ *n* ['riːfɪl] (*for pen etc*) recharge *f*
refine [rɪ'faɪn] *vt* (*sugar, oil*) raffiner; (*taste*) affiner; (*idea, theory*) peaufiner; **refined** *adj* (*person, taste*) raffiné(e); **refinery** *n* raffinerie *f*
reflect [rɪ'flɛkt] *vt* (*light, image*) réfléchir, refléter ▷ *vi* (*think*) réfléchir, méditer; **it ~s badly on him** cela le discrédite; **it ~s well on him** c'est tout à son honneur; **reflection** [rɪ'flɛkʃən] *n* réflexion *f*; (*image*) reflet *m*; **on reflection** réflexion faite
reflex ['riːflɛks] *adj, n* réflexe (*m*)
reform [rɪ'fɔːm] *n* réforme *f* ▷ *vt* réformer
refrain [rɪ'freɪn] *vi*: **to ~ from doing** s'abstenir de faire ▷ *n* refrain *m*
refresh [rɪ'frɛʃ] *vt* rafraîchir; (*subj: food, sleep etc*) redonner des forces à; **refreshing** *adj* (*drink*) rafraîchissant(e); (*sleep*) réparateur(-trice); **refreshments** *npl* rafraîchissements *mpl*
refrigerator [rɪ'frɪdʒəreɪtəʳ] *n* réfrigérateur *m*, frigidaire *m*
refuel [riː'fjuəl] *vi* se ravitailler en carburant
refuge ['rɛfjuːdʒ] *n* refuge *m*; **to take ~ in** se réfugier dans; **refugee** [rɛfju'dʒiː] *n* réfugié(e)
refund *n* ['riːfʌnd] remboursement *m* ▷ *vt* [rɪ'fʌnd] rembourser
refurbish [riː'fəːbɪʃ] *vt* remettre à neuf
refusal [rɪ'fjuːzəl] *n* refus *m*; **to have first ~ on sth**

avoir droit de préemption sur qch
refuse¹ [ˈrɛfjuːs] *n* ordures *fpl*, détritus *mpl*
refuse² [rɪˈfjuːz] *vt, vi* refuser; **to ~ to do sth** refuser de faire qch
regain [rɪˈgeɪn] *vt* (*lost ground*) regagner; (*strength*) retrouver
regard [rɪˈgɑːd] *n* respect *m*, estime *f*, considération *f* ▷ *vt* considérer; **to give one's ~s to** faire ses amitiés à; **"with kindest ~s"** "bien amicalement"; **as ~s, with ~ to** en ce qui concerne; **regarding** *prep* en ce qui concerne; **regardless** *adv* quand même; **regardless of** sans se soucier de
regenerate [rɪˈdʒɛnəreɪt] *vt* régénérer ▷ *vi* se régénérer
reggae [ˈrɛgeɪ] *n* reggae *m*
regiment [ˈrɛdʒɪmənt] *n* régiment *m*
region [ˈriːdʒən] *n* région *f*; **in the ~ of** (*fig*) aux alentours de; **regional** *adj* régional(e)
register [ˈrɛdʒɪstəʳ] *n* registre *m*; (*also*: **electoral ~**) liste électorale ▷ *vt* enregistrer, inscrire; (*birth*) déclarer; (*vehicle*) immatriculer; (*letter*) envoyer en recommandé; (*subj*: *instrument*) marquer ▷ *vi* s'inscrire; (*at hotel*) signer le registre; (*make impression*) être (bien) compris(e); **registered** *adj* (BRIT: *letter*) recommandé(e)
registered trademark *n* marque déposée
registrar [ˈrɛdʒɪstrɑːʳ] *n* officier *m* de l'état civil
registration [rɛdʒɪsˈtreɪʃən] *n* (*act*) enregistrement *m*; (*of student*) inscription *f*; (BRIT *Aut*: *also*: **~ number**) numéro *m* d'immatriculation
registry office [ˈrɛdʒɪstrɪ-] *n* (BRIT) bureau *m* de l'état civil; **to get married in a ~** ≈ se marier à la mairie
regret [rɪˈgrɛt] *n* regret *m* ▷ *vt* regretter; **regrettable** *adj* regrettable, fâcheux(-euse)
regular [ˈrɛgjuləʳ] *adj* régulier(-ière); (*usual*) habituel(le), normal(e); (*soldier*) de métier; (*Comm*: *size*) ordinaire ▷ *n* (*client etc*) habitué(e); **regularly** *adv* régulièrement
regulate [ˈrɛgjuleɪt] *vt* régler; **regulation** [rɛgjuˈleɪʃən] *n* (*rule*) règlement *m*; (*adjustment*) réglage *m*
rehabilitation [ˈriːəbɪlɪˈteɪʃən] *n* (*of offender*) réhabilitation *f*; (*of addict*) réadaptation *f*
rehearsal [rɪˈhəːsəl] *n* répétition *f*
rehearse [rɪˈhəːs] *vt* répéter
reign [reɪn] *n* règne *m* ▷ *vi* régner
reimburse [riːɪmˈbəːs] *vt* rembourser
rein [reɪn] *n* (*for horse*) rêne *f*
reincarnation [riːɪnkɑːˈneɪʃən] *n* réincarnation *f*
reindeer [ˈreɪndɪəʳ] *n* (*pl inv*) renne *m*
reinforce [riːɪnˈfɔːs] *vt* renforcer; **reinforcements** *npl* (*Mil*) renfort(s) *m(pl)*
reinstate [riːɪnˈsteɪt] *vt* rétablir, réintégrer
reject *n* [ˈriːdʒɛkt] (*Comm*) article *m* de rebut ▷ *vt* [rɪˈdʒɛkt] refuser; (*idea*) rejeter; **rejection** [rɪˈdʒɛkʃən] *n* rejet *m*, refus *m*
rejoice [rɪˈdʒɔɪs] *vi*: **to ~ (at** *or* **over)** se réjouir (de)
relate [rɪˈleɪt] *vt* (*tell*) raconter; (*connect*) établir un rapport entre ▷ *vi*: **to ~ to** (*connect*) se rapporter à; **to ~ to sb** (*interact*) entretenir des rapports avec qn; **related** *adj* apparenté(e); **related to** (*subject*) lié(e) à; **relating to** *prep* concernant
relation [rɪˈleɪʃən] *n* (*person*) parent(e); (*link*) rapport *m*, lien *m*; **relations** *npl* (*relatives*) famille *f*; **relationship** *n* rapport *m*, lien *m*; (*personal ties*) relations *fpl*, rapports; (*also*: **family relationship**) lien de parenté; (*affair*) liaison *f*
relative [ˈrɛlətɪv] *n* parent(e) ▷ *adj* relatif(-ive); (*respective*) respectif(-ive); **relatively** *adv* relativement
relax [rɪˈlæks] *vi* (*muscle*) se relâcher; (*person*: *unwind*) se détendre ▷ *vt* relâcher; (*mind, person*) détendre; **relaxation** [riːlækˈseɪʃən] *n* relâchement *m*; (*of mind*) détente *f*; (*recreation*) détente, délassement *m*; **relaxed** *adj* relâché(e); détendu(e); **relaxing** *adj* délassant(e)
relay [ˈriːleɪ] *n* (*Sport*) course *f* de relais ▷ *vt* (*message*) retransmettre, relayer
release [rɪˈliːs] *n* (*from prison, obligation*) libération *f*; (*of gas etc*) émission *f*; (*of film etc*) sortie *f*; (*new recording*) disque *m* ▷ *vt* (*prisoner*) libérer; (*book, film*) sortir; (*report, news*) rendre public, publier; (*gas etc*) émettre, dégager; (*free*: *from wreckage etc*) dégager; (*Tech*: *catch, spring etc*) déclencher; (*let go*: *person, animal*) relâcher; (: *hand, object*) lâcher; (: *grip, brake*) desserrer
relegate [ˈrɛləgeɪt] *vt* reléguer; (BRIT *Sport*): **to be ~d** descendre dans une division inférieure
relent [rɪˈlɛnt] *vi* se laisser fléchir; **relentless** *adj* implacable; (*non-stop*) continuel(le)
relevant [ˈrɛləvənt] *adj* (*question*) pertinent(e); (*corresponding*) approprié(e); (*fact*) significatif(-ive); (*information*) utile
reliable [rɪˈlaɪəbl] *adj* (*person, firm*) sérieux(-euse), fiable; (*method, machine*) fiable; (*news, information*) sûr(e)
relic [ˈrɛlɪk] *n* (*Rel*) relique *f*; (*of the past*) vestige *m*
relief [rɪˈliːf] *n* (*from pain, anxiety*) soulagement *m*; (*help, supplies*) secours *m(pl)*; (*Art, Geo*) relief *m*
relieve [rɪˈliːv] *vt* (*pain, patient*) soulager; (*fear, worry*) dissiper; (*bring help*) secourir; (*take over from*: *gen*) relayer; (: *guard*) relever; **to ~ sb of sth** débarrasser qn de qch; **to ~ o.s.** (*euphemism*) se soulager, faire ses besoins; **relieved** *adj* soulagé(e)
religion [rɪˈlɪdʒən] *n* religion *f*
religious [rɪˈlɪdʒəs] *adj* religieux(-euse); (*book*) de piété; **religious education** *n* instruction religieuse
relish [ˈrɛlɪʃ] *n* (*Culin*) condiment *m*; (*enjoyment*) délectation *f* ▷ *vt* (*food etc*) savourer; **to ~ doing** se délecter à faire
relocate [riːləuˈkeɪt] *vt* (*business*) transférer ▷ *vi* se transférer, s'installer *or* s'établir ailleurs
reluctance [rɪˈlʌktəns] *n* répugnance *f*
reluctant [rɪˈlʌktənt] *adj* peu disposé(e), qui hésite; **reluctantly** *adv* à contrecœur, sans enthousiasme
rely on [rɪˈlaɪ-] *vt fus* (*be dependent on*) dépendre de; (*trust*) compter sur
remain [rɪˈmeɪn] *vi* rester; **remainder** *n* reste *m*; (*Comm*) fin *f* de série; **remaining** *adj* qui reste; **remains** *npl* restes *mpl*
remand [rɪˈmɑːnd] *n*: **on ~** en détention préventive ▷ *vt*: **to be ~ed in custody** être placé(e) en détention préventive
remark [rɪˈmɑːk] *n* remarque *f*, observation *f* ▷ *vt* (faire) remarquer, dire; **remarkable** *adj* remarquable
remarry [riːˈmærɪ] *vi* se remarier
remedy [ˈrɛmədɪ] *n*: **~ (for)** remède *m* (contre *or* à) ▷ *vt* remédier à
remember [rɪˈmɛmbəʳ] *vt* se rappeler, se souvenir de; (*send greetings*): **~ me to him** saluez-le de ma part; **Remembrance Day** [rɪˈmɛmbrəns-] *n* (BRIT) ≈ (le jour de) l'Armistice *m*, ≈ le 11 novembre
remind [rɪˈmaɪnd] *vt*: **to ~ sb of sth** rappeler qch à qn; **to ~ sb to do** faire penser à qn à faire, rappeler à qn qu'il doit faire; **reminder** *n* (*Comm*: *letter*) rappel *m*; (*note etc*) pense-bête *m*; (*souvenir*) souvenir *m*

reminiscent [rɛmɪ'nɪsnt] *adj*: **~ of** qui rappelle, qui fait penser à
remnant ['rɛmnənt] *n* reste *m*, restant *m*; (*of cloth*) coupon *m*
remorse [rɪ'mɔːs] *n* remords *m*
remote [rɪ'məut] *adj* éloigné(e), lointain(e); (*person*) distant(e); (*possibility*) vague; **remote control** *n* télécommande *f*; **remotely** *adv* au loin; (*slightly*) très vaguement
removal [rɪ'muːvəl] *n* (*taking away*) enlèvement *m*; suppression *f*; (BRIT: *from house*) déménagement *m*; (*from office: dismissal*) renvoi *m*; (*of stain*) nettoyage *m*; (*Med*) ablation *f*; **removal man** (*irreg*) *n* (BRIT) déménageur *m*; **removal van** *n* (BRIT) camion *m* de déménagement
remove [rɪ'muːv] *vt* enlever, retirer; (*employee*) renvoyer; (*stain*) faire partir; (*abuse*) supprimer; (*doubt*) chasser
Renaissance [rɪ'neɪsɑ̃ns] *n*: **the ~** la Renaissance
rename [riː'neɪm] *vt* rebaptiser
render ['rɛndəʳ] *vt* rendre
rendezvous ['rɔndɪvuː] *n* rendez-vous *m inv*
renew [rɪ'njuː] *vt* renouveler; (*negotiations*) reprendre; (*acquaintance*) renouer
renovate ['rɛnəveɪt] *vt* rénover; (*work of art*) restaurer
renowned [rɪ'naund] *adj* renommé(e)
rent [rɛnt] *pt, pp of* **rend** ▷ *n* loyer *m* ▷ *vt* louer; **rental** *n* (*for television, car*) (prix *m* de) location *f*
reorganize [riː'ɔːgənaɪz] *vt* réorganiser
rep [rɛp] *n abbr* (*Comm*) = **representative**
repair [rɪ'pɛəʳ] *n* réparation *f* ▷ *vt* réparer; **in good/bad ~** en bon/mauvais état; **where can I get this ~ed?** où est-ce que je peux faire réparer ceci?; **repair kit** *n* trousse *f* de réparations
repay [riː'peɪ] *vt* (*irreg: like* **pay**) (*money, creditor*) rembourser; (*sb's efforts*) récompenser; **repayment** *n* remboursement *m*
repeat [rɪ'piːt] *n* (*Radio, TV*) reprise *f* ▷ *vt* répéter; (*promise, attack, also Comm: order*) renouveler; (*Scol: a class*) redoubler ▷ *vi* répéter; **can you ~ that, please?** pouvez-vous répéter, s'il vous plaît?; **repeatedly** *adv* souvent, à plusieurs reprises; **repeat prescription** *n* (BRIT): **I'd like a repeat prescription** je voudrais renouveler mon ordonnance
repellent [rɪ'pɛlənt] *adj* repoussant(e) ▷ *n*: **insect ~** insectifuge *m*
repercussions [riːpə'kʌʃənz] *npl* répercussions *fpl*
repetition [rɛpɪ'tɪʃən] *n* répétition *f*
repetitive [rɪ'pɛtɪtɪv] *adj* (*movement, work*) répétitif(-ive); (*speech*) plein(e) de redites
replace [rɪ'pleɪs] *vt* (*put back*) remettre, replacer; (*take the place of*) remplacer; **replacement** *n* (*substitution*) remplacement *m*; (*person*) remplaçant(e)
replay ['riːpleɪ] *n* (*of match*) match rejoué; (*of tape, film*) répétition *f*
replica ['rɛplɪkə] *n* réplique *f*, copie exacte
reply [rɪ'plaɪ] *n* réponse *f* ▷ *vi* répondre
report [rɪ'pɔːt] *n* rapport *m*; (*Press etc*) reportage *m*; (BRIT: *also*: **school ~**) bulletin *m* (scolaire); (*of gun*) détonation *f* ▷ *vt* rapporter, faire un compte rendu de; (*Press etc*) faire un reportage sur; (*notify: accident*) signaler; (*: culprit*) dénoncer ▷ *vi* (*make a report*) faire un rapport; **I'd like to ~ a theft** je voudrais signaler un vol; (*present o.s.*): **to ~ (to sb)** se présenter (chez qn); **report card** *n* (US, SCOTTISH) bulletin *m* (scolaire); **reportedly** *adv*: **she is reportedly living in Spain** elle habiterait en Espagne; **he reportedly told them to ...** il leur aurait dit de ...; **reporter** *n* reporter *m*
represent [rɛprɪ'zɛnt] *vt* représenter; (*view, belief*) présenter, expliquer; (*describe*): **to ~ sth as** présenter *or* décrire qch comme; **representation** [rɛprɪzɛn'teɪʃən] *n* représentation *f*; **representative** *n* représentant(e); (*US Pol*) député *m* ▷ *adj* représentatif(-ive), caractéristique
repress [rɪ'prɛs] *vt* réprimer; **repression** [rɪ'prɛʃən] *n* répression *f*
reprimand ['rɛprɪmɑːnd] *n* réprimande *f* ▷ *vt* réprimander
reproduce [riːprə'djuːs] *vt* reproduire ▷ *vi* se reproduire; **reproduction** [riːprə'dʌkʃən] *n* reproduction *f*
reptile ['rɛptaɪl] *n* reptile *m*
republic [rɪ'pʌblɪk] *n* république *f*; **republican** *adj, n* républicain(e)
reputable ['rɛpjutəbl] *adj* de bonne réputation; (*occupation*) honorable
reputation [rɛpju'teɪʃən] *n* réputation *f*
request [rɪ'kwɛst] *n* demande *f*; (*formal*) requête *f* ▷ *vt*: **to ~ (of** *or* **from sb)** demander (à qn); **request stop** *n* (BRIT: *for bus*) arrêt facultatif
require [rɪ'kwaɪəʳ] *vt* (*need: subj: person*) avoir besoin de; (*: thing, situation*) nécessiter, demander; (*want*) exiger; (*order*): **to ~ sb to do sth/sth of sb** exiger que qn fasse qch/qch de qn; **requirement** *n* (*need*) exigence *f*; besoin *m*; (*condition*) condition *f* (requise)
resat [riː'sæt] *pt, pp of* **resit**
rescue ['rɛskjuː] *n* (*from accident*) sauvetage *m*; (*help*) secours *mpl* ▷ *vt* sauver
research [rɪ'səːtʃ] *n* recherche(s) *f(pl)* ▷ *vt* faire des recherches sur
resemblance [rɪ'zɛmbləns] *n* ressemblance *f*
resemble [rɪ'zɛmbl] *vt* ressembler à
resent [rɪ'zɛnt] *vt* être contrarié(e) par; **resentful** *adj* irrité(e), plein(e) de ressentiment; **resentment** *n* ressentiment *m*
reservation [rɛzə'veɪʃən] *n* (*booking*) réservation *f*; **to make a ~ (in an hotel/a restaurant/on a plane)** réserver *or* retenir une chambre/une table/une place; **reservation desk** *n* (US: *in hotel*) réception *f*
reserve [rɪ'zəːv] *n* réserve *f*; (*Sport*) remplaçant(e) ▷ *vt* (*seats etc*) réserver, retenir; **reserved** *adj* réservé(e)
reservoir ['rɛzəvwɑːʳ] *n* réservoir *m*
reshuffle [riː'ʃʌfl] *n*: **Cabinet ~** (*Pol*) remaniement ministériel
residence ['rɛzɪdəns] *n* résidence *f*; **residence permit** *n* (BRIT) permis *m* de séjour
resident ['rɛzɪdənt] *n* (*of country*) résident(e); (*of area, house*) habitant(e); (*in hotel*) pensionnaire ▷ *adj* résidant(e); **residential** [rɛzɪ'dɛnʃəl] *adj* de résidence; (*area*) résidentiel(le); (*course*) avec hébergement sur place
residue ['rɛzɪdjuː] *n* reste *m*; (*Chem, Physics*) résidu *m*
resign [rɪ'zaɪn] *vt* (*one's post*) se démettre de ▷ *vi* démissionner; **to ~ o.s. to** (*endure*) se résigner à; **resignation** [rɛzɪg'neɪʃən] *n* (*from post*) démission *f*; (*state of mind*) résignation *f*
resin ['rɛzɪn] *n* résine *f*
resist [rɪ'zɪst] *vt* résister à; **resistance** *n* résistance *f*
resit *vt* [riː'sɪt] (BRIT): (*pt, pp* **resat**) (*exam*) repasser ▷ *n* ['riːsɪt] deuxième session *f* (*d'un examen*)
resolution [rɛzə'luːʃən] *n* résolution *f*
resolve [rɪ'zɔlv] *n* résolution *f* ▷ *vt* (*decide*): **to ~ to**

do résoudre *or* décider de faire; (*problem*) résoudre
resort [rɪ'zɔ:t] *n* (*seaside town*) station *f* balnéaire; (*for skiing*) station de ski; (*recourse*) recours *m* ▷ *vi*: **to ~ to** avoir recours à; **in the last ~** en dernier ressort
resource [rɪ'sɔ:s] *n* ressource *f*; **resourceful** *adj* ingénieux(-euse), débrouillard(e)
respect [rɪs'pɛkt] *n* respect *m* ▷ *vt* respecter; **respectable** *adj* respectable; (*quite good*: *result etc*) honorable; **respectful** *adj* respectueux(-euse); **respective** *adj* respectif(-ive); **respectively** *adv* respectivement
respite ['rɛspaɪt] *n* répit *m*
respond [rɪs'pɔnd] *vi* répondre; (*react*) réagir; **response** [rɪs'pɔns] *n* réponse *f*; (*reaction*) réaction *f*
responsibility [rɪspɔnsɪ'bɪlɪtɪ] *n* responsabilité *f*
responsible [rɪs'pɔnsɪbl] *adj* (*liable*): **~ (for)** responsable (de); (*person*) digne de confiance; (*job*) qui comporte des responsabilités; **responsibly** *adv* avec sérieux
responsive [rɪs'pɔnsɪv] *adj* (*student, audience*) réceptif(-ive); (*brakes, steering*) sensible
rest [rɛst] *n* repos *m*; (*stop*) arrêt *m*, pause *f*; (*Mus*) silence *m*; (*support*) support *m*, appui *m*; (*remainder*) reste *m*, restant *m* ▷ *vi* se reposer; (*be supported*): **to ~ on** appuyer *or* reposer sur ▷ *vt* (*lean*): **to ~ sth on/against** appuyer qch sur/contre; **the ~ of them** les autres
restaurant ['rɛstərɔŋ] *n* restaurant *m*; **restaurant car** *n* (BRIT *Rail*) wagon-restaurant *m*
restless ['rɛstlɪs] *adj* agité(e)
restoration [rɛstə'reɪʃən] *n* (*of building*) restauration *f*; (*of stolen goods*) restitution *f*
restore [rɪ'stɔ:ʳ] *vt* (*building*) restaurer; (*sth stolen*) restituer; (*peace, health*) rétablir; **to ~ to** (*former state*) ramener à
restrain [rɪs'treɪn] *vt* (*feeling*) contenir; (*person*): **to ~ (from doing)** retenir (de faire); **restraint** *n* (*restriction*) contrainte *f*; (*moderation*) retenue *f*; (*of style*) sobriété *f*
restrict [rɪs'trɪkt] *vt* restreindre, limiter; **restriction** [rɪs'trɪkʃən] *n* restriction *f*, limitation *f*
rest room *n* (US) toilettes *fpl*
restructure [ri:'strʌktʃəʳ] *vt* restructurer
result [rɪ'zʌlt] *n* résultat *m* ▷ *vi*: **to ~ in** aboutir à, se terminer par; **as a ~ of** à la suite de
resume [rɪ'zju:m] *vt* (*work, journey*) reprendre ▷ *vi* (*work etc*) reprendre
résumé ['reɪzju:meɪ] *n* (*summary*) résumé *m*; (US: *curriculum vitae*) curriculum vitae *m inv*
resuscitate [rɪ'sʌsɪteɪt] *vt* (*Med*) réanimer
retail ['ri:teɪl] *adj* de *or* au détail ▷ *adv* au détail; **retailer** *n* détaillant(e)
retain [rɪ'teɪn] *vt* (*keep*) garder, conserver
retaliation [rɪtælɪ'eɪʃən] *n* représailles *fpl*, vengeance *f*
retarded [rɪ'tɑ:dɪd] *adj* retardé(e)
retire [rɪ'taɪəʳ] *vi* (*give up work*) prendre sa retraite; (*withdraw*) se retirer, partir; (*go to bed*) (aller) se coucher; **retired** *adj* (*person*) retraité(e); **retirement** *n* retraite *f*
retort [rɪ'tɔ:t] *vi* riposter
retreat [rɪ'tri:t] *n* retraite *f* ▷ *vi* battre en retraite
retrieve [rɪ'tri:v] *vt* (*sth lost*) récupérer; (*situation, honour*) sauver; (*error, loss*) réparer; (*Comput*) rechercher
retrospect ['rɛtrəspɛkt] *n*: **in ~** rétrospectivement, après coup; **retrospective** [rɛtrə'spɛktɪv] *adj* rétrospectif(-ive); (*law*) rétroactif(-ive) ▷ *n* (*Art*) rétrospective *f*
return [rɪ'tə:n] *n* (*going or coming back*) retour *m*; (*of sth stolen etc*) restitution *f*; (*Finance*: *from land, shares*) rapport *m* ▷ *cpd* (*journey*) de retour; (BRIT: *ticket*) aller et retour; (*match*) retour ▷ *vi* (*person etc*: *come back*) revenir; (: *go back*) retourner ▷ *vt* rendre; (*bring back*) rapporter; (*send back*) renvoyer; (*put back*) remettre; (*Pol*: *candidate*) élire; **returns** *npl* (*Comm*) recettes *fpl*; (*Finance*) bénéfices *mpl*; **many happy ~s (of the day)!** bon anniversaire!; **by ~ (of post)** par retour (du courrier); **in ~ (for)** en échange (de); **a ~ (ticket) for ...** un billet aller et retour pour ...; **return ticket** *n* (*esp* BRIT) billet *m* aller-retour
reunion [ri:'ju:nɪən] *n* réunion *f*
reunite [ri:ju:'naɪt] *vt* réunir
revamp [ri:'væmp] *vt* (*house*) retaper; (*firm*) réorganiser
reveal [rɪ'vi:l] *vt* (*make known*) révéler; (*display*) laisser voir; **revealing** *adj* révélateur(-trice); (*dress*) au décolleté généreux *or* suggestif
revel ['rɛvl] *vi*: **to ~ in sth/in doing** se délecter de qch/à faire
revelation [rɛvə'leɪʃən] *n* révélation *f*
revenge [rɪ'vɛndʒ] *n* vengeance *f*; (*in game etc*) revanche *f* ▷ *vt* venger; **to take ~ (on)** se venger (sur)
revenue ['rɛvənju:] *n* revenu *m*
Reverend ['rɛvərənd] *adj* (*in titles*): **the ~ John Smith** (*Anglican*) le révérend John Smith; (*Catholic*) l'abbé (John) Smith; (*Protestant*) le pasteur (John) Smith
reversal [rɪ'və:sl] *n* (*of opinion*) revirement *m*; (*of order*) renversement *m*; (*of direction*) changement *m*
reverse [rɪ'və:s] *n* contraire *m*, opposé *m*; (*back*) dos *m*, envers *m*; (*of paper*) verso *m*; (*of coin*) revers *m*; (*Aut*: *also*: **~ gear**) marche *f* arrière ▷ *adj* (*order, direction*) opposé(e), inverse ▷ *vt* (*order, position*) changer, inverser; (*direction, policy*) changer complètement de; (*decision*) annuler; (*roles*) renverser ▷ *vi* (BRIT *Aut*) faire marche arrière; **reverse-charge call** *n* (BRIT *Tel*) communication *f* en PCV; **reversing lights** *npl* (BRIT *Aut*) feux *mpl* de marche arrière *or* de recul
revert [rɪ'və:t] *vi*: **to ~ to** revenir à, retourner à
review [rɪ'vju:] *n* revue *f*; (*of book, film*) critique *f*; (*of situation, policy*) examen *m*, bilan *m*; (US: *examination*) examen ▷ *vt* passer en revue; faire la critique de; examiner
revise [rɪ'vaɪz] *vt* réviser, modifier; (*manuscript*) revoir, corriger ▷ *vi* (*study*) réviser; **revision** [rɪ'vɪʒən] *n* révision *f*
revival [rɪ'vaɪvəl] *n* reprise *f*; (*recovery*) rétablissement *m*; (*of faith*) renouveau *m*
revive [rɪ'vaɪv] *vt* (*person*) ranimer; (*custom*) rétablir; (*economy*) relancer; (*hope, courage*) raviver, faire renaître; (*play, fashion*) reprendre ▷ *vi* (*person*) reprendre connaissance; (: *from ill health*) se rétablir; (*hope etc*) renaître; (*activity*) reprendre
revolt [rɪ'vəult] *n* révolte *f* ▷ *vi* se révolter, se rebeller ▷ *vt* révolter, dégoûter; **revolting** *adj* dégoûtant(e)
revolution [rɛvə'lu:ʃən] *n* révolution *f*; (*of wheel etc*) tour *m*, révolution; **revolutionary** *adj, n* révolutionnaire (*m/f*)
revolve [rɪ'vɔlv] *vi* tourner
revolver [rɪ'vɔlvəʳ] *n* revolver *m*
reward [rɪ'wɔ:d] *n* récompense *f* ▷ *vt*: **to ~ (for)** récompenser (de); **rewarding** *adj* (*fig*) qui (en) vaut la peine, gratifiant(e)
rewind [ri:'waɪnd] *vt* (*irreg*: *like* **wind**) (*tape*)

réembobiner
rewritable [riːˈraɪtəbl] *adj* (*CD, DVD*) réinscriptible
rewrite [riːˈraɪt] (*pt* **rewrote**, *pp* **rewritten**) *vt* récrire
rheumatism [ˈruːmətɪzəm] *n* rhumatisme *m*
Rhine [raɪn] *n*: **the (River) ~** le Rhin
rhinoceros [raɪˈnɔsərəs] *n* rhinocéros *m*
Rhône [rəun] *n*: **the (River) ~** le Rhône
rhubarb [ˈruːbɑːb] *n* rhubarbe *f*
rhyme [raɪm] *n* rime *f*; (*verse*) vers *mpl*
rhythm [ˈrɪðm] *n* rythme *m*
rib [rɪb] *n* (*Anat*) côte *f*
ribbon [ˈrɪbən] *n* ruban *m*; **in ~s** (*torn*) en lambeaux
rice [raɪs] *n* riz *m*; **rice pudding** *n* riz *m* au lait
rich [rɪtʃ] *adj* riche; (*gift, clothes*) somptueux(-euse); **to be ~ in sth** être riche en qch
rid [rɪd] (*pt, pp* **~**) *vt*: **to ~ sb of** débarrasser qn de; **to get ~ of** se débarrasser de
riddle [ˈrɪdl] *n* (*puzzle*) énigme *f* ▷ *vt*: **to be ~d with** être criblé(e) de; (*fig*) être en proie à
ride [raɪd] *n* promenade *f*, tour *m*; (*distance covered*) trajet *m* ▷ *vb* (*pt* **rode**, *pp* **ridden**) ▷ *vi* (*as sport*) monter (à cheval), faire du cheval; (*go somewhere: on horse, bicycle*) aller (à cheval *or* bicyclette *etc*); (*travel: on bicycle, motor cycle, bus*) rouler ▷ *vt* (*a horse*) monter; (*distance*) parcourir, faire; **to ~ a horse/bicycle** monter à cheval/à bicyclette; **to take sb for a ~** (*fig*) faire marcher qn; (*cheat*) rouler qn; **rider** *n* cavalier(-ière); (*in race*) jockey *m*; (*on bicycle*) cycliste *m/f*; (*on motorcycle*) motocycliste *m/f*
ridge [rɪdʒ] *n* (*of hill*) faîte *m*; (*of roof, mountain*) arête *f*; (*on object*) strie *f*
ridicule [ˈrɪdɪkjuːl] *n* ridicule *m*; dérision *f* ▷ *vt* ridiculiser, tourner en dérision; **ridiculous** [rɪˈdɪkjuləs] *adj* ridicule
riding [ˈraɪdɪŋ] *n* équitation *f*; **riding school** *n* manège *m*, école *f* d'équitation
rife [raɪf] *adj* répandu(e); **~ with** abondant(e) en
rifle [ˈraɪfl] *n* fusil *m* (à canon rayé) ▷ *vt* vider, dévaliser
rift [rɪft] *n* fente *f*, fissure *f*; (*fig: disagreement*) désaccord *m*
rig [rɪg] *n* (*also*: **oil ~**: *on land*) derrick *m*; (*: at sea*) plate-forme pétrolière ▷ *vt* (*election etc*) truquer
right [raɪt] *adj* (*true*) juste, exact(e); (*correct*) bon (bonne); (*suitable*) approprié(e), convenable; (*just*) juste, équitable; (*morally good*) bien *inv*; (*not left*) droit(e) ▷ *n* (*moral good*) bien *m*; (*title, claim*) droit *m*; (*not left*) droite *f* ▷ *adv* (*answer*) correctement; (*treat*) bien, comme il faut; (*not on the left*) à droite ▷ *vt* redresser ▷ *excl* bon!; **do you have the ~ time?** avez-vous l'heure juste *or* exacte?; **to be ~** (*person*) avoir raison; (*answer*) être juste *or* correct(e); **by ~s** en toute justice; **on the ~** à droite; **to be in the ~** avoir raison; **~ in the middle** en plein milieu; **~ away** immédiatement; **right angle** *n* (*Math*) angle droit; **rightful** *adj* (*heir*) légitime; **right-hand** *adj*: **the right-hand side** la droite; **right-hand drive** *n* (BRIT) conduite *f* à droite; (*vehicle*) véhicule *m* avec la conduite à droite; **right-handed** *adj* (*person*) droitier(-ière); **rightly** *adv* bien, correctement; (*with reason*) à juste titre; **right of way** *n* (*on path etc*) droit *m* de passage; (*Aut*) priorité *f*; **right-wing** *adj* (*Pol*) de droite
rigid [ˈrɪdʒɪd] *adj* rigide; (*principle, control*) strict(e)
rigorous [ˈrɪgərəs] *adj* rigoureux(-euse)
rim [rɪm] *n* bord *m*; (*of spectacles*) monture *f*; (*of wheel*) jante *f*
rind [raɪnd] *n* (*of bacon*) couenne *f*; (*of lemon etc*) écorce *f*, zeste *m*; (*of cheese*) croûte *f*
ring [rɪŋ] *n* anneau *m*; (*on finger*) bague *f*; (*also*: **wedding ~**) alliance *f*; (*of people, objects*) cercle *m*; (*of spies*) réseau *m*; (*of smoke etc*) rond *m*; (*arena*) piste *f*, arène *f*; (*for boxing*) ring *m*; (*sound of bell*) sonnerie *f* ▷ *vb* (*pt* **rang**, *pp* **rung**) ▷ *vi* (*telephone, bell*) sonner; (*person: by telephone*) téléphoner; (*ears*) bourdonner; (*also*: **~ out**: *voice, words*) retentir ▷ *vt* (BRIT *Tel*: *also*: **~ up**) téléphoner à, appeler; **to ~ the bell** sonner; **to give sb a ~** (*Tel*) passer un coup de téléphone *or* de fil à qn; **ring back** *vt, vi* (BRIT *Tel*) rappeler; **ring off** *vi* (BRIT *Tel*) raccrocher; **ring up** (BRIT) *vt* (*Tel*) téléphoner à, appeler; **ringing tone** *n* (BRIT *Tel*) tonalité *f* d'appel; **ringleader** *n* (*of gang*) chef *m*, meneur *m*; **ring road** *n* (BRIT) rocade *f*; (*motorway*) périphérique *m*; **ringtone** *n* (*on mobile*) sonnerie *f* (*de téléphone portable*)
rink [rɪŋk] *n* (*also*: **ice ~**) patinoire *f*
rinse [rɪns] *n* rinçage *m* ▷ *vt* rincer
riot [ˈraɪət] *n* émeute *f*, bagarres *fpl* ▷ *vi* (*demonstrators*) manifester avec violence; (*population*) se soulever, se révolter; **to run ~** se déchaîner
rip [rɪp] *n* déchirure *f* ▷ *vt* déchirer ▷ *vi* se déchirer; **rip off** *vt* (*inf: cheat*) arnaquer; **rip up** *vt* déchirer
ripe [raɪp] *adj* (*fruit*) mûr(e); (*cheese*) fait(e)
rip-off [ˈrɪpɔf] *n* (*inf*): **it's a ~!** c'est du vol manifeste!, c'est de l'arnaque!
ripple [ˈrɪpl] *n* ride *f*, ondulation *f*; (*of applause, laughter*) cascade *f* ▷ *vi* se rider, onduler
rise [raɪz] *n* (*slope*) côte *f*, pente *f*; (*hill*) élévation *f*; (*increase: in wages*: BRIT) augmentation *f*; (*: in prices, temperature*) hausse *f*, augmentation; (*fig: to power etc*) ascension *f* ▷ *vi* (*pt* **rose**, *pp* **~n**) s'élever, monter; (*prices, numbers*) augmenter, monter; (*waters, river*) monter; (*sun, wind, person: from chair, bed*) se lever; (*also*: **~ up**: *tower, building*) s'élever; (*: rebel*) se révolter; se rebeller; (*in rank*) s'élever; **to give ~ to** donner lieu à; **to ~ to the occasion** se montrer à la hauteur; **risen** [ˈrɪzn] *pp of* **rise**; **rising** *adj* (*increasing: number, prices*) en hausse; (*tide*) montant(e); (*sun, moon*) levant(e)
risk [rɪsk] *n* risque *m* ▷ *vt* risquer; **to take** *or* **run the ~ of doing** courir le risque de faire; **at ~** en danger; **at one's own ~** à ses risques et périls; **risky** *adj* risqué(e)
rite [raɪt] *n* rite *m*; **the last ~s** les derniers sacrements
ritual [ˈrɪtjuəl] *adj* rituel(le) ▷ *n* rituel *m*
rival [ˈraɪvl] *n* rival(e); (*in business*) concurrent(e) ▷ *adj* rival(e); qui fait concurrence ▷ *vt* (*match*) égaler; **rivalry** *n* rivalité *f*; (*in business*) concurrence *f*
river [ˈrɪvəʳ] *n* rivière *f*; (*major: also fig*) fleuve *m* ▷ *cpd* (*port, traffic*) fluvial(e); **up/down ~** en amont/aval; **riverbank** *n* rive *f*, berge *f*
rivet [ˈrɪvɪt] *n* rivet *m* ▷ *vt* (*fig*) river, fixer
Riviera [rɪvɪˈɛərə] *n*: **the (French) ~** la Côte d'Azur
road [rəud] *n* route *f*; (*in town*) rue *f*; (*fig*) chemin, voie *f* ▷ *cpd* (*accident*) de la route; **major/minor ~** route principale *or* à priorité/voie secondaire; **which ~ do I take for ...?** quelle route dois-je prendre pour aller à...?; **roadblock** *n* barrage routier; **road map** *n* carte routière; **road rage** *n* *comportement très agressif de certains usagers de la route*; **road safety** *n* sécurité routière; **roadside** *n* bord *m* de la route, bas-côté *m*; **roadsign** *n* panneau *m* de signalisation; **road tax** *n* (BRIT *Aut*) taxe *f* sur les automobiles; **roadworks** *npl* travaux *mpl* (de réfection des routes)

roam [rəum] *vi* errer, vagabonder
roar [rɔːʳ] *n* rugissement *m*; (*of crowd*) hurlements *mpl*; (*of vehicle, thunder, storm*) grondement *m* ▷ *vi* rugir; hurler; gronder; **to ~ with laughter** rire à gorge déployée; **to do a ~ing trade** faire des affaires en or
roast [rəust] *n* rôti *m* ▷ *vt* (*meat*) (faire) rôtir; (*coffee*) griller, torréfier; **roast beef** *n* rôti *m* de bœuf, rosbif *m*
rob [rɔb] *vt* (*person*) voler; (*bank*) dévaliser; **to ~ sb of sth** voler *or* dérober qch à qn; (*fig: deprive*) priver qn de qch; **robber** *n* bandit *m*, voleur *m*; **robbery** *n* vol *m*
robe [rəub] *n* (*for ceremony etc*) robe *f*; (*also*: **bath~**) peignoir *m*; (US: *rug*) couverture *f* ▷ *vt* revêtir (d'une robe)
robin ['rɔbɪn] *n* rouge-gorge *m*
robot ['rəubɔt] *n* robot *m*
robust [rəu'bʌst] *adj* robuste; (*material, appetite*) solide
rock [rɔk] *n* (*substance*) roche *f*, roc *m*; (*boulder*) rocher *m*, roche; (US: *small stone*) caillou *m*; (BRIT: *sweet*) ≈ sucre *m* d'orge ▷ *vt* (*swing gently: cradle*) balancer; (*: child*) bercer; (*shake*) ébranler, secouer ▷ *vi* se balancer, être ébranlé(e) *or* secoué(e); **on the ~s** (*drink*) avec des glaçons; (*marriage etc*) en train de craquer; **rock and roll** *n* rock (and roll) *m*, rock'n'roll *m*; **rock climbing** *n* varappe *f*
rocket ['rɔkɪt] *n* fusée *f*; (*Mil*) fusée, roquette *f*; (*Culin*) roquette
rocking chair ['rɔkɪŋ-] *n* fauteuil *m* à bascule
rocky ['rɔkɪ] *adj* (*hill*) rocheux(-euse); (*path*) rocailleux(-euse)
rod [rɔd] *n* (*metallic*) tringle *f*; (*Tech*) tige *f*; (*wooden*) baguette *f*; (*also*: **fishing ~**) canne *f* à pêche
rode [rəud] *pt of* **ride**
rodent ['rəudnt] *n* rongeur *m*
rogue [rəug] *n* coquin(e)
role [rəul] *n* rôle *m*; **role-model** *n* modèle *m* à émuler
roll [rəul] *n* rouleau *m*; (*of banknotes*) liasse *f*; (*also*: **bread ~**) petit pain; (*register*) liste *f*; (*sound: of drums etc*) roulement *m* ▷ *vt* rouler; (*also*: **~ up**: *string*) enrouler; (*also*: **~ out**: *pastry*) étendre au rouleau, abaisser ▷ *vi* rouler; **roll over** *vi* se retourner; **roll up** *vi* (*inf: arrive*) arriver, s'amener ▷ *vt* (*carpet, cloth, map*) rouler; (*sleeves*) retrousser; **roller** *n* rouleau *m*; (*wheel*) roulette *f*; (*for road*) rouleau compresseur; (*for hair*) bigoudi *m*; **roller coaster** *n* montagnes *fpl* russes; **roller skates** *npl* patins *mpl* à roulettes; **roller-skating** *n* patin *m* à roulettes; **to go roller-skating** faire du patin à roulettes; **rolling pin** *n* rouleau *m* à pâtisserie
ROM [rɔm] *n abbr* (*Comput*: = *read-only memory*) mémoire morte, ROM *f*
Roman ['rəumən] *adj* romain(e) ▷ *n* Romain(e); **Roman Catholic** *adj, n* catholique (*m/f*)
romance [rə'mæns] *n* (*love affair*) idylle *f*; (*charm*) poésie *f*; (*novel*) roman *m* à l'eau de rose
Romania *etc* [rəu'meɪnɪə] = **Rumania** *etc*
Roman numeral *n* chiffre romain
romantic [rə'mæntɪk] *adj* romantique; (*novel, attachment*) sentimental(e)
Rome [rəum] *n* Rome
roof [ruːf] *n* toit *m*; (*of tunnel, cave*) plafond *m* ▷ *vt* couvrir (d'un toit); **the ~ of the mouth** la voûte du palais; **roof rack** *n* (*Aut*) galerie *f*
rook [ruk] *n* (*bird*) freux *m*; (*Chess*) tour *f*
room [ruːm] *n* (*in house*) pièce *f*; (*also*: **bed~**) chambre *f* (à coucher); (*in school etc*) salle *f*; (*space*) place *f*; **roommate** *n* camarade *m/f* de chambre; **room service** *n* service *m* des chambres (*dans un hôtel*); **roomy** *adj* spacieux(-euse); (*garment*) ample
rooster ['ruːstəʳ] *n* coq *m*
root [ruːt] *n* (*Bot, Math*) racine *f*; (*fig: of problem*) origine *f*, fond *m* ▷ *vi* (*plant*) s'enraciner
rope [rəup] *n* corde *f*; (*Naut*) cordage *m* ▷ *vt* (*tie up or together*) attacher; (*climbers: also*: **~ together**) encorder; (*area: also*: **~ off**) interdire l'accès de; (*: divide off*) séparer; **to know the ~s** (*fig*) être au courant, connaître les ficelles
rose [rəuz] *pt of* **rise** ▷ *n* rose *f*; (*also*: **~bush**) rosier *m*
rosé ['rəuzeɪ] *n* rosé *m*
rosemary ['rəuzmərɪ] *n* romarin *m*
rosy ['rəuzɪ] *adj* rose; **a ~ future** un bel avenir
rot [rɔt] *n* (*decay*) pourriture *f*; (*fig: pej: nonsense*) idioties *fpl*, balivernes *fpl* ▷ *vt, vi* pourrir
rota ['rəutə] *n* liste *f*, tableau *m* de service
rotate [rəu'teɪt] *vt* (*revolve*) faire tourner; (*change round: crops*) alterner; (*: jobs*) faire à tour de rôle ▷ *vi* (*revolve*) tourner
rotten ['rɔtn] *adj* (*decayed*) pourri(e); (*dishonest*) corrompu(e); (*inf: bad*) mauvais(e), moche; **to feel ~** (*ill*) être mal fichu(e)
rough [rʌf] *adj* (*cloth, skin*) rêche, rugueux(-euse); (*terrain*) accidenté(e); (*path*) rocailleux(-euse); (*voice*) rauque, rude; (*person, manner: coarse*) rude, fruste; (*: violent*) brutal(e); (*district, weather*) mauvais(e); (*sea*) houleux(-euse); (*plan*) ébauché(e); (*guess*) approximatif(-ive) ▷ *n* (*Golf*) rough *m* ▷ *vt*: **to ~ it** vivre à la dure; **to sleep ~** (BRIT) coucher à la dure; **roughly** *adv* (*handle*) rudement, brutalement; (*speak*) avec brusquerie; (*make*) grossièrement; (*approximately*) à peu près, en gros
roulette [ruː'lɛt] *n* roulette *f*
round [raund] *adj* rond(e) ▷ *n* rond *m*, cercle *m*; (BRIT: *of toast*) tranche *f*; (*duty: of policeman, milkman etc*) tournée *f*; (*: of doctor*) visites *fpl*; (*game: of cards, in competition*) partie *f*; (*Boxing*) round *m*; (*of talks*) série *f* ▷ *vt* (*corner*) tourner ▷ *prep* autour de ▷ *adv*: **right ~, all ~** tout autour; **~ of ammunition** cartouche *f*; **~ of applause** applaudissements *mpl*; **~ of drinks** tournée *f*; **~ of sandwiches** (BRIT) sandwich *m*; **the long way ~** (par) le chemin le plus long; **all (the) year ~** toute l'année; **it's just ~ the corner** (*fig*) c'est tout près; **to go ~ to sb's (house)** aller chez qn; **go ~ the back** passez par derrière; **enough to go ~** assez pour tout le monde; **she arrived ~ (about) noon** (BRIT) elle est arrivée vers midi; **~ the clock** 24 heures sur 24; **round off** *vt* (*speech etc*) terminer; **round up** *vt* rassembler; (*criminals*) effectuer une rafle de; (*prices*) arrondir (au chiffre supérieur); **roundabout** *n* (BRIT *Aut*) rond-point *m* (à sens giratoire); (*at fair*) manège *m* (de chevaux de bois) ▷ *adj* (*route, means*) détourné(e); **round trip** *n* (voyage *m*) aller et retour *m*; **roundup** *n* rassemblement *m*; (*of criminals*) rafle *f*
rouse [rauz] *vt* (*wake up*) réveiller; (*stir up*) susciter, provoquer; (*interest*) éveiller; (*suspicions*) susciter, éveiller
route [ruːt] *n* itinéraire *m*; (*of bus*) parcours *m*; (*of trade, shipping*) route *f*
routine [ruː'tiːn] *adj* (*work*) ordinaire, courant(e); (*procedure*) d'usage ▷ *n* (*habits*) habitudes *fpl*; (*pej*) train-train *m*; (*Theat*) numéro *m*
row¹ [rəu] *n* (*line*) rangée *f*; (*of people, seats, Knitting*) rang *m*; (*behind one another: of cars, people*) file *f* ▷ *vi* (*in boat*) ramer; (*as sport*) faire de l'aviron ▷ *vt* (*boat*) faire aller à la rame *or* à l'aviron; **in a ~** (*fig*) d'affilée

row² [rau] *n* (*noise*) vacarme *m*; (*dispute*) dispute *f*, querelle *f*; (*scolding*) réprimande *f*, savon *m* ▷ *vi* (*also*: **to have a ~**) se disputer, se quereller
rowboat ['rəubəut] *n* (US) canot *m* (à rames)
rowing ['rəuɪŋ] *n* canotage *m*; (*as sport*) aviron *m*; **rowing boat** *n* (BRIT) canot *m* (à rames)
royal ['rɔɪəl] *adj* royal(e); **royalty** *n* (*royal persons*) (membres *mpl* de la) famille royale; (*payment*: *to author*) droits *mpl* d'auteur; (: *to inventor*) royalties *fpl*
rpm *abbr* (= *revolutions per minute*) t/mn (= *tours/minute*)
R.S.V.P. *abbr* (= *répondez s'il vous plaît*) RSVP
Rt. Hon. *abbr* (BRIT: = *Right Honourable*) *titre donné aux députés de la Chambre des communes*
rub [rʌb] *n*: **to give sth a ~** donner un coup de chiffon *or* de torchon à qch ▷ *vt* frotter; (*person*) frictionner; (*hands*) se frotter; **to ~ sb up** (BRIT) *or* **to ~ sb** (US)) **the wrong way** prendre qn à rebrousse-poil; **rub in** *vt* (*ointment*) faire pénétrer; **rub off** *vi* partir; **rub out** *vt* effacer
rubber ['rʌbəʳ] *n* caoutchouc *m*; (BRIT: *eraser*) gomme *f* (à effacer); **rubber band** *n* élastique *m*; **rubber gloves** *npl* gants *mpl* en caoutchouc
rubbish ['rʌbɪʃ] *n* (*from household*) ordures *fpl*; (*fig*: *pej*) choses *fpl* sans valeur; camelote *f*; (*nonsense*) bêtises *fpl*, idioties *fpl*; **rubbish bin** *n* (BRIT) boîte *f* à ordures, poubelle *f*; **rubbish dump** *n* (BRIT: *in town*) décharge publique, dépotoir *m*
rubble ['rʌbl] *n* décombres *mpl*; (*smaller*) gravats *mpl*; (*Constr*) blocage *m*
ruby ['ru:bɪ] *n* rubis *m*
rucksack ['rʌksæk] *n* sac *m* à dos
rudder ['rʌdəʳ] *n* gouvernail *m*
rude [ru:d] *adj* (*impolite*: *person*) impoli(e); (: *word, manners*) grossier(-ière); (*shocking*) indécent(e), inconvenant(e)
ruffle ['rʌfl] *vt* (*hair*) ébouriffer; (*clothes*) chiffonner; (*fig*: *person*): **to get ~d** s'énerver
rug [rʌg] *n* petit tapis; (BRIT: *blanket*) couverture *f*
rugby ['rʌgbɪ] *n* (*also*: **~ football**) rugby *m*
rugged ['rʌgɪd] *adj* (*landscape*) accidenté(e); (*features, character*) rude
ruin ['ru:ɪn] *n* ruine *f* ▷ *vt* ruiner; (*spoil*: *clothes*) abîmer; (: *event*) gâcher; **ruins** *npl* (*of building*) ruine(s)
rule [ru:l] *n* règle *f*; (*regulation*) règlement *m*; (*government*) autorité *f*, gouvernement *m* ▷ *vt* (*country*) gouverner; (*person*) dominer; (*decide*) décider ▷ *vi* commander; (*Law*): **as a ~** normalement, en règle générale; **rule out** *vt* exclure; **ruler** *n* (*sovereign*) souverain(e); (*leader*) chef *m* (d'État); (*for measuring*) règle *f*; **ruling** *adj* (*party*) au pouvoir; (*class*) dirigeant(e) ▷ *n* (*Law*) décision *f*
rum [rʌm] *n* rhum *m*
Rumania [ru:'meɪnɪə] *n* Roumanie *f*; **Rumanian** *adj* roumain(e) ▷ *n* Roumain(e); (*Ling*) roumain *m*
rumble ['rʌmbl] *n* grondement *m*; (*of stomach, pipe*) gargouillement *m* ▷ *vi* gronder; (*stomach, pipe*) gargouiller
rumour (US **rumor**) ['ru:məʳ] *n* rumeur *f*, bruit *m* (qui court) ▷ *vt*: **it is ~ed that** le bruit court que
rump steak *n* romsteck *m*
run [rʌn] *n* (*race*) course *f*; (*outing*) tour *m or* promenade *f* (en voiture); (*distance travelled*) parcours *m*, trajet *m*; (*series*) suite *f*, série *f*; (*Theat*) série de représentations; (*Ski*) piste *f*; (*Cricket, Baseball*) point *m*; (*in tights, stockings*) maille filée, échelle *f* ▷ *vb* (*pt* **ran**, *pp* **~**) ▷ *vt* (*business*) diriger; (*competition, course*) organiser; (*hotel, house*) tenir; (*race*) participer à; (*Comput*: *program*) exécuter; (*to pass*: *hand, finger*): **to ~ sth over** promener *or* passer qch sur; (*water, bath*) faire couler; (*Press*: *feature*) publier ▷ *vi* courir; (*pass*: *road etc*) passer; (*work*: *machine, factory*) marcher; (*bus, train*) circuler; (*continue*: *play*) se jouer, être à l'affiche; (: *contract*) être valide *or* en vigueur; (*flow*: *river, bath, nose*) couler; (*colours, washing*) déteindre; (*in election*) être candidat, se présenter; **at a ~** au pas de course; **to go for a ~** aller courir *or* faire un peu de course à pied; (*in car*) faire un tour *or* une promenade (en voiture); **there was a ~ on** (*meat, tickets*) les gens se sont rués sur; **in the long ~** à la longue; **on the ~** en fuite; **I'll ~ you to the station** je vais vous emmener *or* conduire à la gare; **to ~ a risk** courir un risque; **run after** *vt fus* (*to catch up*) courir après; (*chase*) poursuivre; **run away** *vi* s'enfuir; **run down** *vt* (*Aut*: *knock over*) renverser; (BRIT: *reduce*: *production*) réduire progressivement; (: *factory/shop*) réduire progressivement la production/l'activité de; (*criticize*) critiquer, dénigrer; **to be ~ down** (*tired*) être fatigué(e) *or* à plat; **run into** *vt fus* (*meet*: *person*) rencontrer par hasard; (: *trouble*) se heurter à; (*collide with*) heurter; **run off** *vi* s'enfuir ▷ *vt* (*water*) laisser s'écouler; (*copies*) tirer; **run out** *vi* (*person*) sortir en courant; (*liquid*) couler; (*lease*) expirer; (*money*) être épuisé(e); **run out of** *vt fus* se trouver à court de; **run over** *vt* (*Aut*) écraser ▷ *vt fus* (*revise*) revoir, reprendre; **run through** *vt fus* (*recap*) reprendre, revoir; (*play*) répéter; **run up** *vi*: **to ~ up against** (*difficulties*) se heurter à; **runaway** *adj* (*horse*) emballé(e); (*truck*) fou (folle); (*person*) fugitif(-ive); (*child*) fugueur(-euse)
rung [rʌŋ] *pp of* **ring** ▷ *n* (*of ladder*) barreau *m*
runner ['rʌnəʳ] *n* (*in race*: *person*) coureur(-euse); (: *horse*) partant *m*; (*on sledge*) patin *m*; (*for drawer etc*) coulisseau *m*; **runner bean** *n* (BRIT) haricot *m* (à rames); **runner-up** *n* second(e)
running ['rʌnɪŋ] *n* (*in race etc*) course *f*; (*of business, organization*) direction *f*, gestion *f* ▷ *adj* (*water*) courant(e); (*commentary*) suivi(e); **6 days ~** 6 jours de suite; **to be in/out of the ~ for sth** être/ne pas être sur les rangs pour qch
runny ['rʌnɪ] *adj* qui coule
run-up ['rʌnʌp] *n* (BRIT): **~ to sth** période *f* précédant qch
runway ['rʌnweɪ] *n* (*Aviat*) piste *f* (d'envol *or* d'atterrissage)
rupture ['rʌptʃəʳ] *n* (*Med*) hernie *f*
rural ['ruərl] *adj* rural(e)
rush [rʌʃ] *n* (*of crowd, Comm*: *sudden demand*) ruée *f*; (*hurry*) hâte *f*; (*of anger, joy*) accès *m*; (*current*) flot *m*; (*Bot*) jonc *m* ▷ *vt* (*hurry*) transporter *or* envoyer d'urgence ▷ *vi* se précipiter; **to ~ sth off** (*do quickly*) faire qch à la hâte; **rush hour** *n* heures *fpl* de pointe *or* d'affluence
Russia ['rʌʃə] *n* Russie *f*; **Russian** *adj* russe ▷ *n* Russe *m/f*; (*Ling*) russe *m*
rust [rʌst] *n* rouille *f* ▷ *vi* rouiller
rusty ['rʌstɪ] *adj* rouillé(e)
ruthless ['ru:θlɪs] *adj* sans pitié, impitoyable
RV *n abbr* (US) = **recreational vehicle**
rye [raɪ] *n* seigle *m*

S

Sabbath ['sæbəθ] *n* (*Jewish*) sabbat *m*; (*Christian*) dimanche *m*
sabotage ['sæbətɑ:ʒ] *n* sabotage *m* ▷ *vt* saboter
saccharin(e) ['sækərɪn] *n* saccharine *f*
sachet ['sæʃeɪ] *n* sachet *m*
sack [sæk] *n* (*bag*) sac *m* ▷ *vt* (*dismiss*) renvoyer, mettre à la porte; (*plunder*) piller, mettre à sac; **to get the ~** être renvoyé(e) *or* mis(e) à la porte
sacred ['seɪkrɪd] *adj* sacré(e)
sacrifice ['sækrɪfaɪs] *n* sacrifice *m* ▷ *vt* sacrifier
sad [sæd] *adj* (*unhappy*) triste; (*deplorable*) triste, fâcheux(-euse); (*inf: pathetic: thing*) triste, lamentable; (*: person*) minable
saddle ['sædl] *n* selle *f* ▷ *vt* (*horse*) seller; **to be ~d with sth** (*inf*) avoir qch sur les bras
sadistic [sə'dɪstɪk] *adj* sadique
sadly ['sædlɪ] *adv* tristement; (*unfortunately*) malheureusement; (*seriously*) fort
sadness ['sædnɪs] *n* tristesse *f*
s.a.e. *n abbr* (BRIT: *= stamped addressed envelope*) *enveloppe affranchie pour la réponse*
safari [sə'fɑ:rɪ] *n* safari *m*
safe [seɪf] *adj* (*out of danger*) hors de danger, en sécurité; (*not dangerous*) sans danger; (*cautious*) prudent(e); (*sure: bet etc*) assuré(e) ▷ *n* coffre-fort *m*; **could you put this in the ~, please?** pourriez-vous mettre ceci dans le coffre-fort?; **~ and sound** sain(e) et sauf (sauve); **(just) to be on the ~ side** pour plus de sûreté, par précaution; **safely** *adv* (*assume, say*) sans risque d'erreur; (*drive, arrive*) sans accident; **safe sex** *n* rapports sexuels protégés
safety ['seɪftɪ] *n* sécurité *f*; **safety belt** *n* ceinture *f* de sécurité; **safety pin** *n* épingle *f* de sûreté *or* de nourrice
saffron ['sæfrən] *n* safran *m*
sag [sæg] *vi* s'affaisser, fléchir; (*hem, breasts*) pendre
sage [seɪdʒ] *n* (*herb*) sauge *f*; (*person*) sage *m*
Sagittarius [sædʒɪ'tɛərɪəs] *n* le Sagittaire
Sahara [sə'hɑ:rə] *n*: **the ~ (Desert)** le (désert du) Sahara *m*
said [sɛd] *pt, pp of* **say**
sail [seɪl] *n* (*on boat*) voile *f*; (*trip*): **to go for a ~** faire un tour en bateau ▷ *vt* (*boat*) manœuvrer, piloter ▷ *vi* (*travel: ship*) avancer, naviguer; (*set off*) partir, prendre la mer; (*Sport*) faire de la voile; **they ~ed into Le Havre** ils sont entrés dans le port du Havre; **sailboat** *n* (US) bateau *m* à voiles, voilier *m*; **sailing** *n* (*Sport*) voile *f*; **to go sailing** faire de la voile; **sailing boat** *n* bateau *m* à voiles, voilier *m*; **sailor** *n* marin *m*, matelot *m*
saint [seɪnt] *n* saint(e)
sake [seɪk] *n*: **for the ~ of** (*out of concern for*) pour (l'amour de), dans l'intérêt de; (*out of consideration for*) par égard pour
salad ['sæləd] *n* salade *f*; **salad cream** *n* (BRIT) (sorte *f* de) mayonnaise *f*; **salad dressing** *n* vinaigrette *f*
salami [sə'lɑ:mɪ] *n* salami *m*
salary ['sælərɪ] *n* salaire *m*, traitement *m*
sale [seɪl] *n* vente *f*; (*at reduced prices*) soldes *mpl*; **sales** *npl* (*total amount sold*) chiffre *m* de ventes; **"for ~"** "à vendre"; **on ~** en vente; **sales assistant** (US **sales clerk**) *n* vendeur(-euse); **salesman** (*irreg*) *n* (*in shop*) vendeur *m*; **salesperson** (*irreg*) *n* (*in shop*) vendeur(-euse); **sales rep** *n* (*Comm*) représentant(e) *m/f*; **saleswoman** (*irreg*) *n* (*in shop*) vendeuse *f*
saline ['seɪlaɪn] *adj* salin(e)
saliva [sə'laɪvə] *n* salive *f*
salmon ['sæmən] *n* (*pl inv*) saumon *m*
salon ['sælɔn] *n* salon *m*
saloon [sə'lu:n] *n* (US) bar *m*; (BRIT *Aut*) berline *f*; (*ship's lounge*) salon *m*
salt [sɔ:lt] *n* sel *m* ▷ *vt* saler; **saltwater** *adj* (*fish etc*) (d'eau) de mer; **salty** *adj* salé(e)
salute [sə'lu:t] *n* salut *m*; (*of guns*) salve *f* ▷ *vt* saluer
salvage ['sælvɪdʒ] *n* (*saving*) sauvetage *m*; (*things saved*) biens sauvés *or* récupérés ▷ *vt* sauver, récupérer
Salvation Army [sæl'veɪʃən-] *n* Armée *f* du Salut
same [seɪm] *adj* même ▷ *pron*: **the ~** le (la) même, les mêmes; **the ~ book as** le même livre que; **at the ~ time** en même temps; (*yet*) néanmoins; **all** *or* **just the ~** tout de même, quand même; **to do the ~** faire de même, en faire autant; **to do the ~ as sb** faire comme qn; **and the ~ to you!** et à vous de même!; (*after insult*) toi-même!
sample ['sɑ:mpl] *n* échantillon *m*; (*Med*) prélèvement *m* ▷ *vt* (*food, wine*) goûter
sanction ['sæŋkʃən] *n* approbation *f*, sanction *f* ▷ *vt* cautionner, sanctionner; **sanctions** *npl* (*Pol*) sanctions
sanctuary ['sæŋktjuərɪ] *n* (*holy place*) sanctuaire *m*; (*refuge*) asile *m*; (*for wildlife*) réserve *f*
sand [sænd] *n* sable *m* ▷ *vt* (*also*: **~ down**: *wood etc*) poncer
sandal ['sændl] *n* sandale *f*
sand: **sandbox** *n* (US: *for children*) tas *m* de sable; **sandcastle** *n* château *m* de sable; **sand dune** *n* dune *f* de sable; **sandpaper** *n* papier *m* de verre; **sandpit** *n* (BRIT: *for children*) tas *m* de sable; **sands** *npl* plage *f* (de sable); **sandstone** ['sændstəun] *n* grès *m*
sandwich ['sændwɪtʃ] *n* sandwich *m* ▷ *vt* (*also*: **~ in**) intercaler; **~ed between** pris en sandwich entre; **cheese/ham ~** sandwich au fromage/jambon
sandy ['sændɪ] *adj* sablonneux(-euse); (*colour*) sable *inv*, blond roux *inv*
sane [seɪn] *adj* (*person*) sain(e) d'esprit; (*outlook*) sensé(e), sain(e)
sang [sæŋ] *pt of* **sing**
sanitary towel (US **sanitary napkin**) ['sænɪtərɪ-] *n* serviette *f* hygiénique
sanity ['sænɪtɪ] *n* santé mentale; (*common sense*) bon sens
sank [sæŋk] *pt of* **sink**
Santa Claus [sæntə'klɔ:z] *n* le Père Noël
sap [sæp] *n* (*of plants*) sève *f* ▷ *vt* (*strength*) saper, miner
sapphire ['sæfaɪəʳ] *n* saphir *m*
sarcasm ['sɑ:kæzm] *n* sarcasme *m*, raillerie *f*
sarcastic [sɑ:'kæstɪk] *adj* sarcastique
sardine [sɑ:'di:n] *n* sardine *f*

SASE *n abbr* (US: *= self-addressed stamped envelope*) *enveloppe affranchie pour la réponse*
sat [sæt] *pt, pp of* **sit**
Sat. *abbr* (*= Saturday*) sa
satchel ['sætʃl] *n* cartable *m*
satellite ['sætəlaɪt] *n* satellite *m*; **satellite dish** *n* antenne *f* parabolique; **satellite television** *n* télévision *f* par satellite
satin ['sætɪn] *n* satin *m* ▷ *adj* en *or* de satin, satiné(e)
satire ['sætaɪəʳ] *n* satire *f*
satisfaction [sætɪs'fækʃən] *n* satisfaction *f*
satisfactory [sætɪs'fæktərɪ] *adj* satisfaisant(e)
satisfied ['sætɪsfaɪd] *adj* satisfait(e); **to be ~ with sth** être satisfait de qch
satisfy ['sætɪsfaɪ] *vt* satisfaire, contenter; (*convince*) convaincre, persuader
Saturday ['sætədɪ] *n* samedi *m*
sauce [sɔːs] *n* sauce *f*; **saucepan** *n* casserole *f*
saucer ['sɔːsəʳ] *n* soucoupe *f*
Saudi Arabia ['saudɪ-] *n* Arabie *f* Saoudite
sauna ['sɔːnə] *n* sauna *m*
sausage ['sɔsɪdʒ] *n* saucisse *f*; (*salami etc*) saucisson *m*; **sausage roll** *n* friand *m*
sautéed ['səuteɪd] *adj* sauté(e)
savage ['sævɪdʒ] *adj* (*cruel, fierce*) brutal(e), féroce; (*primitive*) primitif(-ive), sauvage ▷ *n* sauvage *m/f* ▷ *vt* attaquer férocement
save [seɪv] *vt* (*person, belongings*) sauver; (*money*) mettre de côté, économiser; (*time*) (faire) gagner; (*keep*) garder; (*Comput*) sauvegarder; (*Sport: stop*) arrêter; (*avoid: trouble*) éviter ▷ *vi* (*also*: **~ up**) mettre de l'argent de côté ▷ *n* (*Sport*) arrêt *m* (du ballon) ▷ *prep* sauf, à l'exception de
savings ['seɪvɪŋz] *npl* économies *fpl*; **savings account** *n* compte *m* d'épargne; **savings and loan association** (US) *n* ≈ société *f* de crédit immobilier
savoury (US **savory**) ['seɪvərɪ] *adj* savoureux(-euse); (*dish: not sweet*) salé(e)
saw [sɔː] *pt of* **see** ▷ *n* (*tool*) scie *f* ▷ *vt* (*pt* **~ed**, *pp* **~ed** *or* **~n**) scier; **sawdust** *n* sciure *f*
sawn [sɔːn] *pp of* **saw**
saxophone ['sæksəfəun] *n* saxophone *m*
say [seɪ] *n*: **to have one's ~** dire ce qu'on a à dire ▷ *vt* (*pt, pp* **said**) dire; **to have a ~** avoir voix au chapitre; **could you ~ that again?** pourriez-vous répéter ce que vous venez de dire?; **to ~ yes/no** dire oui/non; **my watch ~s 3 o'clock** ma montre indique 3 heures, il est 3 heures à ma montre; **that is to ~** c'est-à-dire, cela va sans dire, cela va de soi; **saying** *n* dicton *m*, proverbe *m*
scab [skæb] *n* croûte *f*; (*pej*) jaune *m*
scaffolding ['skæfəldɪŋ] *n* échafaudage *m*
scald [skɔːld] *n* brûlure *f* ▷ *vt* ébouillanter
scale [skeɪl] *n* (*of fish*) écaille *f*; (*Mus*) gamme *f*; (*of ruler, thermometer etc*) graduation *f*, échelle (graduée); (*of salaries, fees etc*) barème *m*; (*of map, also size, extent*) échelle ▷ *vt* (*mountain*) escalader; **scales** *npl* balance *f*; (*larger*) bascule *f*; (*also*: **bathroom ~s**) pèse-personne *m inv*; **~ of charges** tableau *m* des tarifs; **on a large ~** sur une grande échelle, en grand
scallion ['skæljən] *n* (US: *salad onion*) ciboule *f*
scallop ['skɔləp] *n* coquille *f* Saint-Jacques; (*Sewing*) feston *m*
scalp [skælp] *n* cuir chevelu ▷ *vt* scalper
scalpel ['skælpl] *n* scalpel *m*
scam [skæm] *n* (*inf*) arnaque *f*
scampi ['skæmpɪ] *npl* langoustines (frites), scampi *mpl*
scan [skæn] *vt* (*examine*) scruter, examiner; (*glance at quickly*) parcourir; (*TV, Radar*) balayer ▷ *n* (*Med*) scanographie *f*
scandal ['skændl] *n* scandale *m*; (*gossip*) ragots *mpl*
Scandinavia [skændɪ'neɪvɪə] *n* Scandinavie *f*; **Scandinavian** *adj* scandinave ▷ *n* Scandinave *m/f*
scanner ['skænəʳ] *n* (*Radar, Med*) scanner *m*, scanographe *m*; (*Comput*) scanner, numériseur *m*
scapegoat ['skeɪpgəut] *n* bouc *m* émissaire
scar [skɑːʳ] *n* cicatrice *f* ▷ *vt* laisser une cicatrice *or* une marque à
scarce [skɛəs] *adj* rare, peu abondant(e); **to make o.s. ~** (*inf*) se sauver; **scarcely** *adv* à peine, presque pas
scare [skɛəʳ] *n* peur *f*, panique *f* ▷ *vt* effrayer, faire peur à; **to ~ sb stiff** faire une peur bleue à qn; **bomb ~** alerte *f* à la bombe; **scarecrow** *n* épouvantail *m*; **scared** *adj*: **to be scared** avoir peur
scarf (*pl* **scarves**) [skɑːf, skɑːvz] *n* (*long*) écharpe *f*; (*square*) foulard *m*
scarlet ['skɑːlɪt] *adj* écarlate
scarves [skɑːvz] *npl of* **scarf**
scary ['skɛərɪ] *adj* (*inf*) effrayant(e); (*film*) qui fait peur
scatter ['skætəʳ] *vt* éparpiller, répandre; (*crowd*) disperser ▷ *vi* se disperser
scenario [sɪ'nɑːrɪəu] *n* scénario *m*
scene [siːn] *n* (*Theat, fig etc*) scène *f*; (*of crime, accident*) lieu(x) *m(pl)*, endroit *m*; (*sight, view*) spectacle *m*, vue *f*; **scenery** *n* (*Theat*) décor(s) *m(pl)*; (*landscape*) paysage *m*; **scenic** *adj* offrant de beaux paysages *or* panoramas
scent [sɛnt] *n* parfum *m*, odeur *f*; (*fig: track*) piste *f*
sceptical (US **skeptical**) ['skɛptɪkl] *adj* sceptique
schedule ['ʃɛdjuːl] (US) ['skɛdjuːl] *n* programme *m*, plan *m*; (*of trains*) horaire *m*; (*of prices etc*) barème *m*, tarif *m* ▷ *vt* prévoir; **on ~** à l'heure (prévue); à la date prévue; **to be ahead of/behind ~** avoir de l'avance/du retard; **scheduled flight** *n* vol régulier
scheme [skiːm] *n* plan *m*, projet *m*; (*plot*) complot *m*, combine *f*; (*arrangement*) arrangement *m*, classification *f*; (*pension scheme etc*) régime *m* ▷ *vt, vi* comploter, manigancer
schizophrenic [skɪtsə'frɛnɪk] *adj* schizophrène
scholar ['skɔləʳ] *n* érudit(e); (*pupil*) boursier(-ère); **scholarship** *n* érudition *f*; (*grant*) bourse *f* (d'études)
school [skuːl] *n* (*gen*) école *f*; (*secondary school*) collège *m*, lycée *m*; (*in university*) faculté *f*; (US: *university*) université *f* ▷ *cpd* scolaire; **schoolbook** *n* livre *m* scolaire *or* de classe; **schoolboy** *n* écolier *m*; (*at secondary school*) collégien *m*, lycéen *m*; **schoolchildren** *npl* écoliers *mpl*; (*at secondary school*) collégiens *mpl*, lycéens *mpl*; **schoolgirl** *n* écolière *f*; (*at secondary school*) collégienne *f*, lycéenne *f*; **schooling** *n* instruction *f*, études *fpl*; **schoolteacher** *n* (*primary*) instituteur(-trice); (*secondary*) professeur *m*
science ['saɪəns] *n* science *f*; **science fiction** *n* science-fiction *f*; **scientific** [saɪən'tɪfɪk] *adj* scientifique; **scientist** *n* scientifique *m/f*; (*eminent*) savant *m*
sci-fi ['saɪfaɪ] *n abbr* (*inf: = science fiction*) SF *f*
scissors ['sɪzəz] *npl* ciseaux *mpl*; **a pair of ~** une paire de ciseaux
scold [skəuld] *vt* gronder
scone [skɔn] *n sorte de petit pain rond au lait*
scoop [skuːp] *n* pelle *f* (à main); (*for ice cream*) boule *f* à glace; (*Press*) reportage exclusif *or* à sensation
scooter ['skuːtəʳ] *n* (*motor cycle*) scooter *m*; (*toy*)

trottinette *f*
scope [skəup] *n* (*capacity: of plan, undertaking*) portée *f*, envergure *f*; (*: of person*) compétence *f*, capacités *fpl*; (*opportunity*) possibilités *fpl*
scorching ['skɔːtʃɪŋ] *adj* torride, brûlant(e)
score [skɔːʳ] *n* score *m*, décompte *m* des points; (*Mus*) partition *f* ▷ *vt* (*goal, point*) marquer; (*success*) remporter; (*cut: leather, wood, card*) entailler, inciser ▷ *vi* marquer des points; (*Football*) marquer un but; (*keep score*) compter les points; **on that ~** sur ce chapitre, à cet égard; **a ~ of** (*twenty*) vingt; **~s of** (*fig*) des tas de; **to ~ 6 out of 10** obtenir 6 sur 10; **score out** *vt* rayer, barrer, biffer; **scoreboard** *n* tableau *m*; **scorer** *n* (*Football*) auteur *m* du but; buteur *m*; (*keeping score*) marqueur *m*
scorn [skɔːn] *n* mépris *m*, dédain *m*
Scorpio ['skɔːpɪəu] *n* le Scorpion
scorpion ['skɔːpɪən] *n* scorpion *m*
Scot [skɔt] *n* Écossais(e)
Scotch [skɔtʃ] *n* whisky *m*, scotch *m*
Scotch tape® (US) *n* scotch® *m*, ruban adhésif
Scotland ['skɔtlənd] *n* Écosse *f*
Scots [skɔts] *adj* écossais(e); **Scotsman** (*irreg*) *n* Écossais *m*; **Scotswoman** (*irreg*) *n* Écossaise *f*; **Scottish** ['skɔtɪʃ] *adj* écossais(e); **Scottish Parliament** *n* Parlement écossais
scout [skaut] *n* (*Mil*) éclaireur *m*; (*also*: **boy ~**) scout *m*; **girl ~** (US) guide *f*
scowl [skaul] *vi* se renfrogner, avoir l'air maussade; **to ~ at** regarder de travers
scramble ['skræmbl] *n* (*rush*) bousculade *f*, ruée *f* ▷ *vi* grimper/descendre tant bien que mal; **to ~ for** se bousculer *or* se disputer pour (avoir); **to go scrambling** (*Sport*) faire du trial; **scrambled eggs** *npl* œufs brouillés
scrap [skræp] *n* bout *m*, morceau *m*; (*fight*) bagarre *f*; (*also*: **~ iron**) ferraille *f* ▷ *vt* jeter, mettre au rebut; (*fig*) abandonner, laisser tomber ▷ *vi* se bagarrer; **scraps** *npl* (*waste*) déchets *mpl*; **scrapbook** *n* album *m*
scrape [skreɪp] *vt*, *vi* gratter, racler ▷ *n*: **to get into a ~** s'attirer des ennuis; **scrape through** *vi* (*exam etc*) réussir de justesse
scrap paper *n* papier *m* brouillon
scratch [skrætʃ] *n* égratignure *f*, rayure *f*; (*on paint*) éraflure *f*; (*from claw*) coup *m* de griffe ▷ *vt* (*rub*) (se) gratter; (*paint etc*) érafler; (*with claw, nail*) griffer ▷ *vi* (se) gratter; **to start from ~** partir de zéro; **to be up to ~** être à la hauteur; **scratch card** *n* carte *f* à gratter
scream [skriːm] *n* cri perçant, hurlement *m* ▷ *vi* crier, hurler
screen [skriːn] *n* écran *m*; (*in room*) paravent *m*; (*fig*) écran, rideau *m* ▷ *vt* masquer, cacher; (*from the wind etc*) abriter, protéger; (*film*) projeter; (*candidates etc*) filtrer; **screening** *n* (*of film*) projection *f*; (*Med*) test *m* (*or* tests) de dépistage; **screenplay** *n* scénario *m*; **screen saver** *n* (*Comput*) économiseur *m* d'écran
screw [skruː] *n* vis *f* ▷ *vt* (*also*: **~ in**) visser; **screw up** *vt* (*paper etc*) froisser; **to ~ up one's eyes** se plisser les yeux; **screwdriver** *n* tournevis *m*
scribble ['skrɪbl] *n* gribouillage *m* ▷ *vt* gribouiller, griffonner
script [skrɪpt] *n* (*Cine etc*) scénario *m*, texte *m*; (*writing*) (écriture *f*) script *m*
scroll [skrəul] *n* rouleau *m* ▷ *vt* (*Comput*) faire défiler (sur l'écran)
scrub [skrʌb] *n* (*land*) broussailles *fpl* ▷ *vt* (*floor*) nettoyer à la brosse; (*pan*) récurer; (*washing*) frotter
scruffy ['skrʌfɪ] *adj* débraillé(e)
scrum(mage) ['skrʌm(ɪdʒ)] *n* mêlée *f*
scrutiny ['skruːtɪnɪ] *n* examen minutieux
scuba diving ['skuːbə-] *n* plongée sous-marine (autonome)
sculptor ['skʌlptəʳ] *n* sculpteur *m*
sculpture ['skʌlptʃəʳ] *n* sculpture *f*
scum [skʌm] *n* écume *f*, mousse *f*; (*pej: people*) rebut *m*, lie *f*
scurry ['skʌrɪ] *vi* filer à toute allure; **to ~ off** détaler, se sauver
sea [siː] *n* mer *f* ▷ *cpd* marin(e), de (la) mer, maritime; **by** *or* **beside the ~** (*holiday, town*) au bord de la mer; **by ~** par mer, en bateau; **out to ~** au large; **(out) at ~** en mer; **to be all at ~** (*fig*) nager complètement; **seafood** *n* fruits *mpl* de mer; **sea front** *n* bord *m* de mer; **seagull** *n* mouette *f*
seal [siːl] *n* (*animal*) phoque *m*; (*stamp*) sceau *m*, cachet *m* ▷ *vt* sceller; (*envelope*) coller; (*: with seal*) cacheter; **seal off** *vt* (*forbid entry to*) interdire l'accès de
sea level *n* niveau *m* de la mer
seam [siːm] *n* couture *f*; (*of coal*) veine *f*, filon *m*
search [səːtʃ] *n* (*for person, thing, Comput*) recherche(s) *f(pl)*; (*of drawer, pockets*) fouille *f*; (*Law: at sb's home*) perquisition *f* ▷ *vt* fouiller; (*examine*) examiner minutieusement; scruter ▷ *vi*: **to ~ for** chercher; **in ~ of** à la recherche de; **search engine** *n* (*Comput*) moteur *m* de recherche; **search party** *n* expédition *f* de secours
sea: **seashore** *n* rivage *m*, plage *f*, bord *m* de (la) mer; **seasick** *adj*: **to be seasick** avoir le mal de mer; **seaside** *n* bord *m* de mer; **seaside resort** *n* station *f* balnéaire
season ['siːzn] *n* saison *f* ▷ *vt* assaisonner, relever; **to be in/out of ~** être/ne pas être de saison; **seasonal** *adj* saisonnier(-ière); **seasoning** *n* assaisonnement *m*; **season ticket** *n* carte *f* d'abonnement
seat [siːt] *n* siège *m*; (*in bus, train: place*) place *f*; (*buttocks*) postérieur *m*; (*of trousers*) fond *m* ▷ *vt* faire asseoir, placer; (*have room for*) avoir des places assises pour, pouvoir accueillir; **I'd like to book two ~s** je voudrais réserver deux places; **to be ~ed** être assis; **seat belt** *n* ceinture *f* de sécurité; **seating** *n* sièges *fpl*, places assises
sea: **sea water** *n* eau *f* de mer; **seaweed** *n* algues *fpl*
sec. *abbr* (= *second*) sec
secluded [sɪ'kluːdɪd] *adj* retiré(e), à l'écart
second ['sɛkənd] *num* deuxième, second(e) ▷ *adv* (*in race etc*) en seconde position ▷ *n* (*unit of time*) seconde *f*; (*Aut: also*: **~ gear**) seconde; (*Comm: imperfect*) article *m* de second choix; (BRIT *Scol*) ≈ licence *f* avec mention ▷ *vt* (*motion*) appuyer; **seconds** *npl* (*inf: food*) rab *m* (*inf*); **secondary** *adj* secondaire; **secondary school** *n* collège *m*; lycée *m*; **second-class** *adj* de deuxième classe; (*Rail*) de seconde (classe); (*Post*) au tarif réduit; (*pej*) de qualité inférieure ▷ *adv* (*Rail*) en seconde; (*Post*) au tarif réduit; **secondhand** *adj* d'occasion; (*information*) de seconde main; **secondly** *adv* deuxièmement; **second-rate** *adj* de deuxième ordre, de qualité inférieure; **second thoughts** *npl*: **to have second thoughts** changer d'avis; **on second thoughts** *or* **thought** (US) à la réflexion
secrecy ['siːkrəsɪ] *n* secret *m*
secret ['siːkrɪt] *adj* secret(-ète) ▷ *n* secret *m*; **in ~** *adv* en secret, secrètement, en cachette
secretary ['sɛkrətrɪ] *n* secrétaire *m/f*; **S~ of State**

(for) (*Brit Pol*) ministre *m* (de)
secretive ['si:krətɪv] *adj* réservé(e); (*pej*) cachottier(-ière), dissimulé(e)
secret service *n* services secrets
sect [sɛkt] *n* secte *f*
section ['sɛkʃən] *n* section *f*; (*Comm*) rayon *m*; (*of document*) section, article *m*, paragraphe *m*; (*cut*) coupe *f*
sector ['sɛktəʳ] *n* secteur *m*
secular ['sɛkjuləʳ] *adj* laïque
secure [sɪ'kjuəʳ] *adj* (*free from anxiety*) sans inquiétude, sécurisé(e); (*firmly fixed*) solide, bien attaché(e) (*or* fermé(e) *etc*); (*in safe place*) en lieu sûr, en sûreté ▷ *vt* (*fix*) fixer, attacher; (*get*) obtenir, se procurer
security [sɪ'kjuərɪtɪ] *n* sécurité *f*, mesures *fpl* de sécurité; (*for loan*) caution *f*, garantie *f*; **securities** *npl* (*Stock Exchange*) valeurs *fpl*, titres *mpl*; **security guard** *n* garde chargé de la sécurité; (*transporting money*) convoyeur *m* de fonds
sedan [sə'dæn] *n* (*US Aut*) berline *f*
sedate [sɪ'deɪt] *adj* calme; posé(e) ▷ *vt* donner des sédatifs à
sedative ['sɛdɪtɪv] *n* calmant *m*, sédatif *m*
seduce [sɪ'dju:s] *vt* séduire; **seductive** [sɪ'dʌktɪv] *adj* séduisant(e); (*smile*) séducteur(-trice); (*fig: offer*) alléchant(e)
see [si:] *vb* (*pt* **saw**, *pp* **~n**) ▷ *vt* (*gen*) voir; (*accompany*): **to ~ sb to the door** reconduire *or* raccompagner qn jusqu'à la porte ▷ *vi* voir; **to ~ that** (*ensure*) veiller à ce que + *sub*, faire en sorte que + *sub*, s'assurer que; **~ you soon/later/tomorrow!** à bientôt/plus tard/demain!; **see off** *vt* accompagner (à la gare *or* à l'aéroport *etc*); **see out** *vt* (*take to door*) raccompagner à la porte; **see through** *vt* mener à bonne fin ▷ *vt fus* voir clair dans; **see to** *vt fus* s'occuper de, se charger de
seed [si:d] *n* graine *f*; (*fig*) germe *m*; (*Tennis etc*) tête *f* de série; **to go to ~** (*plant*) monter en graine; (*fig*) se laisser aller
seeing ['si:ɪŋ] *conj*: **~ (that)** vu que, étant donné que
seek (*pt, pp* **sought**) [si:k, sɔ:t] *vt* chercher, rechercher
seem [si:m] *vi* sembler, paraître; **there ~s to be ...** il semble qu'il y a ..., on dirait qu'il y a ...; **seemingly** *adv* apparemment
seen [si:n] *pp of* **see**
seesaw ['si:sɔ:] *n* (jeu *m* de) bascule *f*
segment ['sɛgmənt] *n* segment *m*; (*of orange*) quartier *m*
segregate ['sɛgrɪgeɪt] *vt* séparer, isoler
Seine [seɪn] *n*: **the (River) ~** la Seine
seize [si:z] *vt* (*grasp*) saisir, attraper; (*take possession of*) s'emparer de; (*opportunity*) saisir
seizure ['si:ʒəʳ] *n* (*Med*) crise *f*, attaque *f*; (*of power*) prise *f*
seldom ['sɛldəm] *adv* rarement
select [sɪ'lɛkt] *adj* choisi(e), d'élite; (*hotel, restaurant, club*) chic *inv*, sélect *inv* ▷ *vt* sélectionner, choisir; **selection** *n* sélection *f*, choix *m*; **selective** *adj* sélectif(-ive); (*school*) à recrutement sélectif
self [sɛlf] *n* (*pl* **selves**): **the ~** le moi *inv* ▷ *prefix* auto-; **self-assured** *adj* sûr(e) de soi, plein(e) d'assurance; **self-catering** *adj* (BRIT: *flat*) avec cuisine, où l'on peut faire sa cuisine; (*: holiday*) en appartement (*or* chalet *etc*) loué; **self-centred** (US **self-centered**) *adj* égocentrique; **self-confidence** *n* confiance *f* en soi; **self-confident** *adj* sûr(e) de soi, plein(e) d'assurance; **self-conscious** *adj* timide, qui manque d'assurance; **self-contained** *adj* (BRIT: *flat*) avec entrée particulière, indépendant(e); **self-control** *n* maîtrise *f* de soi; **self-defence** (US **self-defense**) *n* autodéfense *f*; (*Law*) légitime défense *f*; **self-drive** *adj* (BRIT): **self-drive car** voiture *f* de location; **self-employed** *adj* qui travaille à son compte; **self-esteem** *n* amour-propre *m*; **self-indulgent** *adj* qui ne se refuse rien; **self-interest** *n* intérêt personnel; **selfish** *adj* égoïste; **self-pity** *n* apitoiement *m* sur soi-même; **self-raising** [sɛlf'reɪzɪŋ] (US **self-rising**) [sɛlf'raɪzɪŋ] *adj*: **self-raising flour** farine *f* pour gâteaux (*avec levure incorporée*); **self-respect** *n* respect *m* de soi, amour-propre *m*; **self-service** *adj, n* libre-service (*m*), self-service (*m*)
sell (*pt, pp* **sold**) [sɛl, səuld] *vt* vendre ▷ *vi* se vendre; **to ~ at** *or* **for 10 euros** se vendre 10 euros; **sell off** *vt* liquider; **sell out** *vi*: **to ~ out (of sth)** (*use up stock*) vendre tout son stock (de qch); **sell-by date** *n* date *f* limite de vente; **seller** *n* vendeur(-euse), marchand(e)
Sellotape® ['sɛləuteɪp] *n* (BRIT) scotch® *m*
selves [sɛlvz] *npl of* **self**
semester [sɪ'mɛstəʳ] *n* (*esp US*) semestre *m*
semi... ['sɛmɪ] *prefix* semi-, demi-; à demi, à moitié; **semicircle** *n* demi-cercle *m*; **semidetached (house)** *n* (BRIT) maison jumelée *or* jumelle; **semi-final** *n* demi-finale *f*
seminar ['sɛmɪnɑ:ʳ] *n* séminaire *m*
semi-skimmed ['sɛmɪ'skɪmd] *adj* demi-écrémé(e)
senate ['sɛnɪt] *n* sénat *m*; (US): **the S~** le Sénat; **senator** *n* sénateur *m*
send (*pt, pp* **sent**) [sɛnd, sɛnt] *vt* envoyer; **send back** *vt* renvoyer; **send for** *vt fus* (*by post*) se faire envoyer, commander par correspondance; **send in** *vt* (*report, application, resignation*) remettre; **send off** *vt* (*goods*) envoyer, expédier; (BRIT *Sport: player*) expulser *or* renvoyer du terrain; **send on** *vt* (BRIT: *letter*) faire suivre; (*luggage etc: in advance*) (faire) expédier à l'avance; **send out** *vt* (*invitation*) envoyer (par la poste); (*emit: light, heat, signal*) émettre; **send up** *vt* (*person, price*) faire monter; (BRIT: *parody*) mettre en boîte, parodier; **sender** *n* expéditeur(-trice); **send-off** *n*: **a good send-off** des adieux chaleureux
senile ['si:naɪl] *adj* sénile
senior ['si:nɪəʳ] *adj* (*high-ranking*) de haut niveau; (*of higher rank*): **to be ~ to sb** être le supérieur de qn; **senior citizen** *n* personne *f* du troisième âge; **senior high school** *n* (US) ≈ lycée *m*
sensation [sɛn'seɪʃən] *n* sensation *f*; **sensational** *adj* qui fait sensation; (*marvellous*) sensationnel(le)
sense [sɛns] *n* sens *m*; (*feeling*) sentiment *m*; (*meaning*) sens, signification *f*; (*wisdom*) bon sens ▷ *vt* sentir, pressentir; **it makes ~** c'est logique; **senseless** *adj* insensé(e), stupide; (*unconscious*) sans connaissance; **sense of humour** (US **sense of humor**) *n* sens *m* de l'humour
sensible ['sɛnsɪbl] *adj* sensé(e), raisonnable; (*shoes etc*) pratique
sensitive ['sɛnsɪtɪv] *adj*: **~ (to)** sensible (à)
sensual ['sɛnsjuəl] *adj* sensuel(le)
sensuous ['sɛnsjuəs] *adj* voluptueux(-euse), sensuel(le)
sent [sɛnt] *pt, pp of* **send**
sentence ['sɛntns] *n* (*Ling*) phrase *f*; (*Law: judgment*) condamnation *f*, sentence *f*; (*: punishment*) peine *f* ▷ *vt*: **to ~ sb to death/to 5 years** condamner qn à mort/à 5 ans

sentiment ['sɛntɪmənt] *n* sentiment *m*; (*opinion*) opinion *f*, avis *m*; **sentimental** [sɛntɪ'mɛntl] *adj* sentimental(e)
Sep. *abbr* (= *September*) septembre
separate *adj* ['sɛprɪt] séparé(e); (*organization*) indépendant(e); (*day, occasion, issue*) différent(e) ▷ *vb* ['sɛpəreɪt] ▷ *vt* séparer; (*distinguish*) distinguer ▷ *vi* se séparer; **separately** *adv* séparément; **separates** *npl* (*clothes*) coordonnés *mpl*; **separation** [sɛpə'reɪʃən] *n* séparation *f*
September [sɛp'tɛmbəʳ] *n* septembre *m*
septic ['sɛptɪk] *adj* (*wound*) infecté(e); **septic tank** *n* fosse *f* septique
sequel ['si:kwl] *n* conséquence *f*; séquelles *fpl*; (*of story*) suite *f*
sequence ['si:kwəns] *n* ordre *m*, suite *f*; (*in film*) séquence *f*; (*dance*) numéro *m*
sequin ['si:kwɪn] *n* paillette *f*
Serb [sə:b] *adj*, *n* = **Serbian**
Serbia ['sə:bɪə] *n* Serbie *f*
Serbian ['sə:bɪən] *adj* serbe ▷ *n* Serbe *m/f*; (*Ling*) serbe *m*
sergeant ['sɑ:dʒənt] *n* sergent *m*; (*Police*) brigadier *m*
serial ['sɪərɪəl] *n* feuilleton *m*; **serial killer** *n* meurtrier *m* tuant en série; **serial number** *n* numéro *m* de série
series ['sɪərɪz] *n* série *f*; (*Publishing*) collection *f*
serious ['sɪərɪəs] *adj* sérieux(-euse); (*accident etc*) grave; **seriously** *adv* sérieusement; (*hurt*) gravement
sermon ['sə:mən] *n* sermon *m*
servant ['sə:vənt] *n* domestique *m/f*; (*fig*) serviteur (servante)
serve [sə:v] *vt* (*employer etc*) servir, être au service de; (*purpose*) servir à; (*customer, food, meal*) servir; (*subj: train*) desservir; (*apprenticeship*) faire, accomplir; (*prison term*) faire; purger ▷ *vi* (*Tennis*) servir; (*be useful*): **to ~ as/for/to do** servir de/à/à faire ▷ *n* (*Tennis*) service *m*; **it ~s him right** c'est bien fait pour lui; **server** *n* (*Comput*) serveur *m*
service ['sə:vɪs] *n* (*gen*) service *m*; (*Aut*) révision *f*; (*Rel*) office *m* ▷ *vt* (*car etc*) réviser; **services** *npl* (*Econ: tertiary sector*) (secteur *m*) tertiaire *m*, secteur des services; (BRIT: *on motorway*) station-service *f*; (*Mil*): **the S~s** *npl* les forces armées; **to be of ~ to sb, to do sb a ~** rendre service à qn; **~ included/not included** service compris/non compris; **service area** *n* (*on motorway*) aire *f* de services; **service charge** *n* (BRIT) service *m*; **serviceman** (*irreg*) *n* militaire *m*; **service station** *n* station-service *f*
serviette [sə:vɪ'ɛt] *n* (BRIT) serviette *f* (de table)
session ['sɛʃən] *n* (*sitting*) séance *f*; **to be in ~** siéger, être en session *or* en séance
set [sɛt] *n* série *f*, assortiment *m*; (*of tools etc*) jeu *m*; (*Radio, TV*) poste *m*; (*Tennis*) set *m*; (*group of people*) cercle *m*, milieu *m*; (*Cine*) plateau *m*; (*Theat: stage*) scène *f*; (*: scenery*) décor *m*; (*Math*) ensemble *m*; (*Hairdressing*) mise *f* en plis ▷ *adj* (*fixed*) fixe, déterminé(e); (*ready*) prêt(e) ▷ *vb* (*pt, pp* ~) ▷ *vt* (*place*) mettre, poser, placer; (*fix, establish*) fixer; (*: record*) établir; (*assign: task, homework*) donner; (*exam*) composer; (*adjust*) régler; (*decide: rules etc*) fixer, choisir ▷ *vi* (*sun*) se coucher; (*jam, jelly, concrete*) prendre; (*bone*) se ressouder; **to be ~ on doing** être résolu(e) à faire; **to ~ to music** mettre en musique; **to ~ on fire** mettre le feu à; **to ~ free** libérer; **to ~ sth going** déclencher qch; **to ~ sail** partir, prendre la mer; **set aside** *vt* mettre de côté; (*time*) garder; **set down** *vt* (*subj: bus, train*) déposer; **set in** *vi* (*infection, bad weather*) s'installer; (*complications*) survenir, surgir; **set off** *vi* se mettre en route, partir ▷ *vt* (*bomb*) faire exploser; (*cause to start*) déclencher; (*show up well*) mettre en valeur, faire valoir; **set out** *vi*: **to ~ out (from)** partir (de) ▷ *vt* (*arrange*) disposer; (*state*) présenter, exposer; **to ~ out to do** entreprendre de faire; avoir pour but *or* intention de faire; **set up** *vt* (*organization*) fonder, créer; **setback** *n* (*hitch*) revers *m*, contretemps *m*; **set menu** *n* menu *m*
settee [sɛ'ti:] *n* canapé *m*
setting ['sɛtɪŋ] *n* cadre *m*; (*of jewel*) monture *f*; (*position: of controls*) réglage *m*
settle ['sɛtl] *vt* (*argument, matter, account*) régler; (*problem*) résoudre; (*Med: calm*) calmer ▷ *vi* (*bird, dust etc*) se poser; **to ~ for sth** accepter qch, se contenter de qch; **to ~ on sth** opter *or* se décider pour qch; **settle down** *vi* (*get comfortable*) s'installer; (*become calmer*) se calmer; se ranger; (*live quietly*) se fixer; **settle in** *vi* s'installer; **settle up** *vi*: **to ~ up with sb** régler (ce que l'on doit à) qn; **settlement** *n* (*payment*) règlement *m*; (*agreement*) accord *m*; (*village etc*) village *m*, hameau *m*
setup ['sɛtʌp] *n* (*arrangement*) manière *f* dont les choses sont organisées; (*situation*) situation *f*, allure *f* des choses
seven ['sɛvn] *num* sept; **seventeen** *num* dix-sept; **seventeenth** [sɛvn'ti:nθ] *num* dix-septième; **seventh** *num* septième; **seventieth** ['sɛvntɪɪθ] *num* soixante-dixième; **seventy** *num* soixante-dix
sever ['sɛvəʳ] *vt* couper, trancher; (*relations*) rompre
several ['sɛvərl] *adj, pron* plusieurs *pl*; **~ of us** plusieurs d'entre nous
severe [sɪ'vɪəʳ] *adj* (*stern*) sévère, strict(e); (*serious*) grave, sérieux(-euse); (*plain*) sévère, austère
sew (*pt* **~ed**, *pp* **~n**) [səu, səud, səun] *vt, vi* coudre
sewage ['su:ɪdʒ] *n* vidange(s) *f(pl)*
sewer ['su:əʳ] *n* égout *m*
sewing ['səuɪŋ] *n* couture *f*; (*item(s)*) ouvrage *m*; **sewing machine** *n* machine *f* à coudre
sewn [səun] *pp of* **sew**
sex [sɛks] *n* sexe *m*; **to have ~ with** avoir des rapports (sexuels) avec; **sexism** ['sɛksɪzəm] *n* sexisme *m*; **sexist** *adj* sexiste; **sexual** ['sɛksjuəl] *adj* sexuel(le); **sexual intercourse** *n* rapports sexuels; **sexuality** [sɛksju'ælɪtɪ] *n* sexualité *f*; **sexy** *adj* sexy *inv*
shabby ['ʃæbɪ] *adj* miteux(-euse); (*behaviour*) mesquin(e), méprisable
shack [ʃæk] *n* cabane *f*, hutte *f*
shade [ʃeɪd] *n* ombre *f*; (*for lamp*) abat-jour *m inv*; (*of colour*) nuance *f*, ton *m*; (US: *window shade*) store *m*; (*small quantity*): **a ~ of** un soupçon de ▷ *vt* abriter du soleil, ombrager; **shades** *npl* (US: *sunglasses*) lunettes *fpl* de soleil; **in the ~** à l'ombre; **a ~ smaller** un tout petit peu plus petit
shadow ['ʃædəu] *n* ombre *f* ▷ *vt* (*follow*) filer; **shadow cabinet** *n* (BRIT *Pol*) *cabinet parallèle formé par le parti qui n'est pas au pouvoir*
shady ['ʃeɪdɪ] *adj* ombragé(e); (*fig: dishonest*) louche, véreux(-euse)
shaft [ʃɑ:ft] *n* (*of arrow, spear*) hampe *f*; (*Aut, Tech*) arbre *m*; (*of mine*) puits *m*; (*of lift*) cage *f*; (*of light*) rayon *m*, trait *m*
shake [ʃeɪk] *vb* (*pt* **shook**, *pp* **~n**) ▷ *vt* secouer; (*bottle, cocktail*) agiter; (*house, confidence*) ébranler ▷ *vi* trembler; **to ~ one's head** (*in refusal etc*) dire *or* faire non de la tête; (*in dismay*) secouer la tête;

to ~ hands with sb serrer la main à qn; **shake off** *vt* secouer; (*pursuer*) se débarrasser de; **shake up** *vt* secouer; **shaky** *adj* (*hand, voice*) tremblant(e); (*building*) branlant(e), peu solide
shall [ʃæl] *aux vb*: **I ~ go** j'irai; **~ I open the door?** j'ouvre la porte?; **I'll get the coffee, ~ I?** je vais chercher le café, d'accord?
shallow ['ʃæləu] *adj* peu profond(e); (*fig*) superficiel(le), qui manque de profondeur
sham [ʃæm] *n* frime *f*
shambles ['ʃæmblz] *n* confusion *f*, pagaïe *f*, fouillis *m*
shame [ʃeɪm] *n* honte *f* ▷ *vt* faire honte à; **it is a ~ (that/to do)** c'est dommage (que + *sub*/de faire); **what a ~!** quel dommage!; **shameful** *adj* honteux(-euse), scandaleux(-euse); **shameless** *adj* éhonté(e), effronté(e)
shampoo [ʃæm'pu:] *n* shampooing *m* ▷ *vt* faire un shampooing à
shandy ['ʃændɪ] *n* bière panachée
shan't [ʃɑ:nt] = **shall not**
shape [ʃeɪp] *n* forme *f* ▷ *vt* façonner, modeler; (*sb's ideas, character*) former; (*sb's life*) déterminer ▷ *vi* (*also*: **~ up**: *events*) prendre tournure; (: *person*) faire des progrès, s'en sortir; **to take ~** prendre forme *or* tournure
share [ʃɛəʳ] *n* part *f*; (*Comm*) action *f* ▷ *vt* partager; (*have in common*) avoir en commun; **to ~ out (among *or* between)** partager (entre); **shareholder** *n* (BRIT) actionnaire *m/f*
shark [ʃɑ:k] *n* requin *m*
sharp [ʃɑ:p] *adj* (*razor, knife*) tranchant(e), bien aiguisé(e); (*point, voice*) aigu(ë); (*nose, chin*) pointu(e); (*outline, increase*) net(te); (*cold, pain*) vif (vive); (*taste*) piquant(e), âcre; (*Mus*) dièse; (*person*: *quick-witted*) vif (vive), éveillé(e); (: *unscrupulous*) malhonnête ▷ *n* (*Mus*) dièse *m* ▷ *adv*: **at 2 o'clock ~** à 2 heures pile *or* tapantes; **sharpen** *vt* aiguiser; (*pencil*) tailler; (*fig*) aviver; **sharpener** *n* (*also*: **pencil sharpener**) taille-crayon(s) *m inv*; **sharply** *adv* (*turn, stop*) brusquement; (*stand out*) nettement; (*criticize, retort*) sèchement, vertement
shatter ['ʃætəʳ] *vt* briser; (*fig: upset*) bouleverser; (: *ruin*) briser, ruiner ▷ *vi* voler en éclats, se briser; **shattered** *adj* (*overwhelmed, grief-stricken*) bouleversé(e); (*inf: exhausted*) éreinté(e)
shave [ʃeɪv] *vt* raser ▷ *vi* se raser ▷ *n*: **to have a ~** se raser; **shaver** *n* (*also*: **electric shaver**) rasoir *m* électrique
shaving cream *n* crème *f* à raser
shaving foam *n* mousse *f* à raser
shavings ['ʃeɪvɪŋz] *npl* (*of wood etc*) copeaux *mpl*
shawl [ʃɔ:l] *n* châle *m*
she [ʃi:] *pron* elle
sheath [ʃi:θ] *n* gaine *f*, fourreau *m*, étui *m*; (*contraceptive*) préservatif *m*
shed [ʃɛd] *n* remise *f*, resserre *f* ▷ *vt* (*pt, pp* **~**) (*leaves, fur etc*) perdre; (*tears*) verser, répandre; (*workers*) congédier
she'd [ʃi:d] = **she had**; **she would**
sheep [ʃi:p] *n* (*pl inv*) mouton *m*; **sheepdog** *n* chien *m* de berger; **sheepskin** *n* peau *f* de mouton
sheer [ʃɪəʳ] *adj* (*utter*) pur(e), pur et simple; (*steep*) à pic, abrupt(e); (*almost transparent*) extrêmement fin(e) ▷ *adv* à pic, abruptement
sheet [ʃi:t] *n* (*on bed*) drap *m*; (*of paper*) feuille *f*; (*of glass, metal etc*) feuille, plaque *f*
sheik(h) [ʃeɪk] *n* cheik *m*
shelf (*pl* **shelves**) [ʃɛlf, ʃɛlvz] *n* étagère *f*, rayon *m*
shell [ʃɛl] *n* (*on beach*) coquillage *m*; (*of egg, nut etc*) coquille *f*; (*explosive*) obus *m*; (*of building*) carcasse *f* ▷ *vt* (*peas*) écosser; (*Mil*) bombarder (d'obus)
she'll [ʃi:l] = **she will**; **she shall**
shellfish ['ʃɛlfɪʃ] *n* (*pl inv*: *crab etc*) crustacé *m*; (: *scallop etc*) coquillage *m* ▷ *npl* (*as food*) fruits *mpl* de mer
shelter ['ʃɛltəʳ] *n* abri *m*, refuge *m* ▷ *vt* abriter, protéger; (*give lodging to*) donner asile à ▷ *vi* s'abriter, se mettre à l'abri; **sheltered** *adj* (*life*) retiré(e), à l'abri des soucis; (*spot*) abrité(e)
shelves ['ʃɛlvz] *npl of* **shelf**
shelving ['ʃɛlvɪŋ] *n* (*shelves*) rayonnage(s) *m(pl)*
shepherd ['ʃɛpəd] *n* berger *m* ▷ *vt* (*guide*) guider, escorter; **shepherd's pie** *n* ≈ hachis *m* Parmentier
sheriff ['ʃɛrɪf] (US) *n* shérif *m*
sherry ['ʃɛrɪ] *n* xérès *m*, sherry *m*
she's [ʃi:z] = **she is**; **she has**
Shetland ['ʃɛtlənd] *n* (*also*: **the ~s, the ~ Isles** *or* **Islands**) les îles *fpl* Shetland
shield [ʃi:ld] *n* bouclier *m*; (*protection*) écran *m* de protection ▷ *vt*: **to ~ (from)** protéger (de *or* contre)
shift [ʃɪft] *n* (*change*) changement *m*; (*work period*) période *f* de travail; (*of workers*) équipe *f*, poste *m* ▷ *vt* déplacer, changer de place; (*remove*) enlever ▷ *vi* changer de place, bouger
shin [ʃɪn] *n* tibia *m*
shine [ʃaɪn] *n* éclat *m*, brillant *m* ▷ *vb* (*pt, pp* **shone**) ▷ *vi* briller ▷ *vt* (*torch*): **to ~ on** braquer sur; (*polish*): (*pt, pp* **~d**) faire briller *or* reluire
shingles ['ʃɪŋglz] *n* (*Med*) zona *m*
shiny ['ʃaɪnɪ] *adj* brillant(e)
ship [ʃɪp] *n* bateau *m*; (*large*) navire *m* ▷ *vt* transporter (par mer); (*send*) expédier (par mer); **shipment** *n* cargaison *f*; **shipping** *n* (*ships*) navires *mpl*; (*traffic*) navigation *f*; (*the industry*) industrie navale; (*transport*) transport *m*; **shipwreck** *n* épave *f*; (*event*) naufrage *m* ▷ *vt*: **to be shipwrecked** faire naufrage; **shipyard** *n* chantier naval
shirt [ʃə:t] *n* chemise *f*; (*woman's*) chemisier *m*; **in ~ sleeves** en bras de chemise
shit [ʃɪt] *excl* (*inf!*) merde (!)
shiver ['ʃɪvəʳ] *n* frisson *m* ▷ *vi* frissonner
shock [ʃɔk] *n* choc *m*; (*Elec*) secousse *f*, décharge *f*; (*Med*) commotion *f*, choc ▷ *vt* (*scandalize*) choquer, scandaliser; (*upset*) bouleverser; **shocking** *adj* (*outrageous*) choquant(e), scandaleux(-euse); (*awful*) épouvantable
shoe [ʃu:] *n* chaussure *f*, soulier *m*; (*also*: **horse~**) fer *m* à cheval ▷ *vt* (*pt, pp* **shod**) (*horse*) ferrer; **shoelace** *n* lacet *m* (de soulier); **shoe polish** *n* cirage *m*; **shoeshop** *n* magasin *m* de chaussures
shone [ʃɔn] *pt, pp of* **shine**
shook [ʃuk] *pt of* **shake**
shoot [ʃu:t] *n* (*on branch, seedling*) pousse *f* ▷ *vb* (*pt, pp* **shot**) ▷ *vt* (*game: hunt*) chasser; (: *aim at*) tirer; (: *kill*) abattre; (*person*) blesser/tuer d'un coup de fusil (*or* de revolver); (*execute*) fusiller; (*arrow*) tirer; (*gun*) tirer un coup de; (*Cine*) tourner ▷ *vi* (*with gun, bow*): **to ~ (at)** tirer (sur); (*Football*) shooter, tirer; **shoot down** *vt* (*plane*) abattre; **shoot up** *vi* (*fig: prices etc*) monter en flèche; **shooting** *n* (*shots*) coups *mpl* de feu; (*attack*) fusillade *f*; (*murder*) homicide *m* (*à l'aide d'une arme à feu*); (*Hunting*) chasse *f*
shop [ʃɔp] *n* magasin *m*; (*workshop*) atelier *m* ▷ *vi* (*also*: **go ~ping**) faire ses courses *or* ses achats; **shop assistant** *n* (BRIT) vendeur(-euse); **shopkeeper** *n* marchand(e), commerçant(e); **shoplifting** *n* vol *m* à l'étalage; **shopping** *n* (*goods*) achats *mpl*,

provisions *fpl*; **shopping bag** *n* sac *m* (à provisions); **shopping centre** (*US* **shopping center**) *n* centre commercial; **shopping mall** *n* centre commercial; **shopping trolley** *n* (BRIT) Caddie® *m*; **shop window** *n* vitrine *f*

shore [ʃɔːʳ] *n* (*of sea, lake*) rivage *m*, rive *f* ▷ *vt*: **to ~ (up)** étayer; **on ~** à terre

short [ʃɔːt] *adj* (*not long*) court(e); (*soon finished*) court, bref (brève); (*person, step*) petit(e); (*curt*) brusque, sec (sèche); (*insufficient*) insuffisant(e) ▷ *n* (*also*: **~ film**) court métrage; (*Elec*) court-circuit *m*; **to be ~ of sth** être à court de *or* manquer de qch; **in ~** bref; en bref; **~ of doing** à moins de faire; **everything ~ of** tout sauf; **it is ~ for** c'est l'abréviation *or* le diminutif de; **to cut ~** (*speech, visit*) abréger, écourter; **to fall ~ of** ne pas être à la hauteur de; **to run ~ of** arriver à court de, venir à manquer de; **to stop ~** s'arrêter net; **to stop ~ of** ne pas aller jusqu'à; **shortage** *n* manque *m*, pénurie *f*; **shortbread** *n* ≈ sablé *m*; **shortcoming** *n* défaut *m*; **short(crust) pastry** *n* (BRIT) pâte brisée; **shortcut** *n* raccourci *m*; **shorten** *vt* raccourcir; (*text, visit*) abréger; **shortfall** *n* déficit *m*; **shorthand** *n* (BRIT) sténo(graphie) *f*; **shortlist** *n* (BRIT: *for job*) liste *f* des candidats sélectionnés; **short-lived** *adj* de courte durée; **shortly** *adv* bientôt, sous peu; **shorts** *npl*: **(a pair of) shorts** un short; **short-sighted** *adj* (BRIT) myope; (*fig*) qui manque de clairvoyance; **short-sleeved** *adj* à manches courtes; **short story** *n* nouvelle *f*; **short-tempered** *adj* qui s'emporte facilement; **short-term** *adj* (*effect*) à court terme

shot [ʃɔt] *pt, pp of* **shoot** ▷ *n* coup *m* (de feu); (*try*) coup, essai *m*; (*injection*) piqûre *f*; (*Phot*) photo *f*; **to be a good/poor ~** (*person*) tirer bien/mal; **like a ~** comme une flèche; (*very readily*) sans hésiter; **shotgun** *n* fusil *m* de chasse

should [ʃud] *aux vb*: **I ~ go now** je devrais partir maintenant; **he ~ be there now** il devrait être arrivé maintenant; **I ~ go if I were you** si j'étais vous j'irais; **I ~ like to** j'aimerais bien, volontiers

shoulder ['ʃəuldəʳ] *n* épaule *f* ▷ *vt* (*fig*) endosser, se charger de; **shoulder blade** *n* omoplate *f*

shouldn't ['ʃudnt] = **should not**

shout [ʃaut] *n* cri *m* ▷ *vt* crier ▷ *vi* crier, pousser des cris

shove [ʃʌv] *vt* pousser; (*inf*: *put*): **to ~ sth in** fourrer *or* ficher qch dans ▷ *n* poussée *f*

shovel ['ʃʌvl] *n* pelle *f* ▷ *vt* pelleter, enlever (*or* enfourner) à la pelle

show [ʃəu] *n* (*of emotion*) manifestation *f*, démonstration *f*; (*semblance*) semblant *m*, apparence *f*; (*exhibition*) exposition *f*, salon *m*; (*Theat, TV*) spectacle *m*; (*Cine*) séance *f* ▷ *vb* (*pt* **~ed**, *pp* **~n**) ▷ *vt* montrer; (*film*) passer; (*courage etc*) faire preuve de, manifester; (*exhibit*) exposer ▷ *vi* se voir, être visible; **can you ~ me where it is, please?** pouvez-vous me montrer où c'est?; **to be on ~** être exposé(e); **it's just for ~** c'est juste pour l'effet; **show in** *vt* faire entrer; **show off** *vi* (*pej*) crâner ▷ *vt* (*display*) faire valoir; (*pej*) faire étalage de; **show out** *vt* reconduire à la porte; **show up** *vi* (*stand out*) ressortir; (*inf*: *turn up*) se montrer ▷ *vt* (*unmask*) démasquer, dénoncer; (*flaw*) faire ressortir; **show business** *n* le monde du spectacle

shower ['ʃauəʳ] *n* (*for washing*) douche *f*; (*rain*) averse *f*; (*of stones etc*) pluie *f*, grêle *f*; (*US*: *party*) *réunion organisée pour la remise de cadeaux* ▷ *vi* prendre une douche, se doucher ▷ *vt*: **to ~ sb with** (*gifts etc*) combler qn de; **to have** *or* **take a ~** prendre une douche, se doucher; **shower cap** *n* bonnet *m* de douche; **shower gel** *n* gel *m* douche

showing ['ʃəuɪŋ] *n* (*of film*) projection *f*

show jumping [-dʒʌmpɪŋ] *n* concours *m* hippique

shown [ʃəun] *pp of* **show**

show: **show-off** *n* (*inf*: *person*) crâneur(-euse), m'as-tu-vu(e); **showroom** *n* magasin *m* *or* salle *f* d'exposition

shrank [ʃræŋk] *pt of* **shrink**

shred [ʃrɛd] *n* (*gen pl*) lambeau *m*, petit morceau; (*fig*: *of truth, evidence*) parcelle *f* ▷ *vt* mettre en lambeaux, déchirer; (*documents*) détruire; (*Culin*: *grate*) râper; (*: lettuce etc*) couper en lanières

shrewd [ʃruːd] *adj* astucieux(-euse), perspicace; (*business person*) habile

shriek [ʃriːk] *n* cri perçant *or* aigu, hurlement *m* ▷ *vt, vi* hurler, crier

shrimp [ʃrɪmp] *n* crevette grise

shrine [ʃraɪn] *n* (*place*) lieu *m* de pèlerinage

shrink (*pt* **shrank**, *pp* **shrunk**) [ʃrɪŋk, ʃræŋk, ʃrʌŋk] *vi* rétrécir; (*fig*) diminuer; (*also*: **~ away**) reculer ▷ *vt* (*wool*) (faire) rétrécir ▷ *n* (*inf*: *pej*) psychanalyste *m/f*; **to ~ from (doing) sth** reculer devant (la pensée de faire) qch

shrivel ['ʃrɪvl] (*also*: **~ up**) *vt* ratatiner, flétrir ▷ *vi* se ratatiner, se flétrir

shroud [ʃraud] *n* linceul *m* ▷ *vt*: **~ed in mystery** enveloppé(e) de mystère

Shrove Tuesday ['ʃrəuv-] *n* (le) Mardi gras

shrub [ʃrʌb] *n* arbuste *m*

shrug [ʃrʌg] *n* haussement *m* d'épaules ▷ *vt, vi*: **to ~ (one's shoulders)** hausser les épaules; **shrug off** *vt* faire fi de

shrunk [ʃrʌŋk] *pp of* **shrink**

shudder ['ʃʌdəʳ] *n* frisson *m*, frémissement *m* ▷ *vi* frissonner, frémir

shuffle ['ʃʌfl] *vt* (*cards*) battre; **to ~ (one's feet)** traîner les pieds

shun [ʃʌn] *vt* éviter, fuir

shut (*pt, pp* **~**) [ʃʌt] *vt* fermer ▷ *vi* (se) fermer; **shut down** *vt* fermer définitivement ▷ *vi* fermer définitivement; **shut up** *vi* (*inf*: *keep quiet*) se taire ▷ *vt* (*close*) fermer; (*silence*) faire taire; **shutter** *n* volet *m*; (*Phot*) obturateur *m*

shuttle ['ʃʌtl] *n* navette *f*; (*also*: **~ service**) (service *m* de) navette *f*; **shuttlecock** *n* volant *m* (*de badminton*)

shy [ʃaɪ] *adj* timide

siblings ['sɪblɪŋz] *npl* (*formal*) frères et sœurs *mpl* (*de mêmes parents*)

Sicily ['sɪsɪlɪ] *n* Sicile *f*

sick [sɪk] *adj* (*ill*) malade; (BRIT: *vomiting*): **to be ~** vomir; (*humour*) noir(e), macabre; **to feel ~** avoir envie de vomir, avoir mal au cœur; **to be ~ of** (*fig*) en avoir assez de; **sickening** *adj* (*fig*) écœurant(e), révoltant(e), répugnant(e); **sick leave** *n* congé *m* de maladie; **sickly** *adj* maladif(-ive), souffreteux(-euse); (*causing nausea*) écœurant(e); **sickness** *n* maladie *f*; (*vomiting*) vomissement(s) *m(pl)*

side [saɪd] *n* côté *m*; (*of lake, road*) bord *m*; (*of mountain*) versant *m*; (*fig*: *aspect*) côté, aspect *m*; (*team*: *Sport*) équipe *f*; (*TV*: *channel*) chaîne *f* ▷ *adj* (*door, entrance*) latéral(e) ▷ *vi*: **to ~ with sb** prendre le parti de qn, se ranger du côté de qn; **by the ~ of** au bord de; **~ by ~** côte à côte; **to rock from ~ to ~** se balancer; **to take ~s (with)** prendre parti (pour); **sideboard** *n* buffet *m*; **sideboards** (BRIT **sideburns**) *npl* (*whiskers*) pattes *fpl*; **side effect** *n* effet *m* secondaire; **sidelight** *n* (*Aut*) veilleuse *f*; **sideline** *n* (*Sport*) (ligne *f* de) touche *f*; (*fig*) activité *f* secondaire; **side order** *n* garniture *f*; **side road** *n* petite route, route transversale; **side street** *n* rue transversale; **sidetrack** *vt* (*fig*) faire dévier de son sujet; **sidewalk** *n* (US) trottoir *m*; **sideways** *adv* de côté

siege [siːdʒ] *n* siège *m*

sieve [sɪv] *n* tamis *m*, passoire *f* ▷ *vt* tamiser, passer (au tamis)

sift [sɪft] *vt* passer au tamis *or* au crible; (*fig*) passer au crible

sigh [saɪ] *n* soupir *m* ▷ *vi* soupirer, pousser un soupir

sight [saɪt] *n* (*faculty*) vue *f*; (*spectacle*) spectacle *m*; (*on gun*) mire *f* ▷ *vt* apercevoir; **in ~** visible; (*fig*) en vue; **out of ~** hors de vue; **sightseeing** *n* tourisme *m*; **to go sightseeing** faire du tourisme

sign [saɪn] *n* (*gen*) signe *m*; (*with hand etc*) signe, geste *m*; (*notice*) panneau *m*, écriteau *m*; (*also*: **road ~**) panneau de signalisation ▷ *vt* signer; **where do I ~?** où dois-je signer?; **sign for** *vt fus* (*item*) signer le reçu pour; **sign in** *vi* signer le registre (en arrivant); **sign on** *vi* (BRIT: *as unemployed*) s'inscrire au chômage; (*enrol*) s'inscrire ▷ *vt* (*employee*) embaucher; **sign over** *vt*: **to ~ sth over to sb** céder qch par écrit à qn; **sign up** *vi* (*Mil*) s'engager; (*for course*) s'inscrire

signal ['sɪgnl] *n* signal *m* ▷ *vi* (*Aut*) mettre son clignotant ▷ *vt* (*person*) faire signe à; (*message*) communiquer par signaux

signature ['sɪgnətʃəʳ] *n* signature *f*

significance [sɪg'nɪfɪkəns] *n* signification *f*; importance *f*

significant [sɪg'nɪfɪkənt] *adj* significatif(-ive); (*important*) important(e), considérable

signify ['sɪgnɪfaɪ] *vt* signifier

sign language *n* langage *m* par signes

signpost ['saɪnpəust] *n* poteau indicateur

Sikh [siːk] *adj*, *n* Sikh *m/f*

silence ['saɪlns] *n* silence *m* ▷ *vt* faire taire, réduire au silence

silent ['saɪlnt] *adj* silencieux(-euse); (*film*) muet(te); **to keep** *or* **remain ~** garder le silence, ne rien dire

silhouette [sɪluː'ɛt] *n* silhouette *f*

silicon chip ['sɪlɪkən-] *n* puce *f* électronique

silk [sɪlk] *n* soie *f* ▷ *cpd* de *or* en soie

silly ['sɪlɪ] *adj* stupide, sot(te), bête

silver ['sɪlvəʳ] *n* argent *m*; (*money*) monnaie *f* (en pièces d'argent); (*also*: **~ware**) argenterie *f* ▷ *adj* (*made of silver*) d'argent, en argent; (*in colour*) argenté(e); **silver-plated** *adj* plaqué(e) argent

similar ['sɪmɪləʳ] *adj*: **~ (to)** semblable (à); **similarity** [sɪmɪ'lærɪtɪ] *n* ressemblance *f*, similarité *f*; **similarly** *adv* de la même façon, de même

simmer ['sɪməʳ] *vi* cuire à feu doux, mijoter

simple ['sɪmpl] *adj* simple; **simplicity** [sɪm'plɪsɪtɪ] *n* simplicité *f*; **simplify** ['sɪmplɪfaɪ] *vt* simplifier; **simply** *adv* simplement; (*without fuss*) avec simplicité; (*absolutely*) absolument

simulate ['sɪmjuleɪt] *vt* simuler, feindre

simultaneous [sɪməl'teɪnɪəs] *adj* simultané(e); **simultaneously** *adv* simultanément

sin [sɪn] *n* péché *m* ▷ *vi* pécher

since [sɪns] *adv*, *prep* depuis ▷ *conj* (*time*) depuis que; (*because*) puisque, étant donné que, comme; **~ then**, **ever ~** depuis ce moment-là

sincere [sɪn'sɪəʳ] *adj* sincère; **sincerely** *adv* sincèrement; **Yours sincerely** (*at end of letter*) veuillez agréer, Monsieur (*or* Madame) l'expression de mes sentiments distingués *or* les meilleurs

sing (*pt* **sang**, *pp* **sung**) [sɪŋ, sæŋ, sʌŋ] *vt*, *vi* chanter

Singapore [sɪŋgə'pɔːʳ] *n* Singapour *m*

singer ['sɪŋəʳ] *n* chanteur(-euse)

singing ['sɪŋɪŋ] *n* (*of person, bird*) chant *m*

single ['sɪŋgl] *adj* seul(e), unique; (*unmarried*) célibataire; (*not double*) simple ▷ *n* (BRIT: *also*: **~ ticket**) aller *m* (simple); (*record*) 45 tours *m*; **singles** *npl* (*Tennis*) simple *m*; **every ~ day** chaque jour sans exception; **single out** *vt* choisir; (*distinguish*) distinguer; **single bed** *n* lit *m* d'une personne *or* à une place; **single file** *n*: **in single file** en file indienne; **single-handed** *adv* tout(e) seul(e), sans (aucune) aide; **single-minded** *adj* résolu(e), tenace; **single parent** *n* parent unique (*or* célibataire); **single-parent family** famille monoparentale; **single room** *n* chambre *f* à un lit *or* pour une personne

singular ['sɪŋgjuləʳ] *adj* singulier(-ière); (*odd*) singulier, étrange; (*outstanding*) remarquable; (*Ling*) (au) singulier, du singulier ▷ *n* (*Ling*) singulier *m*

sinister ['sɪnɪstəʳ] *adj* sinistre

sink [sɪŋk] *n* évier *m*; (*washbasin*) lavabo *m* ▷ *vb* (*pt* **sank**, *pp* **sunk**) ▷ *vt* (*ship*) (faire) couler, faire sombrer; (*foundations*) creuser ▷ *vi* couler, sombrer; (*ground etc*) s'affaisser; **to ~ into sth** (*chair*) s'enfoncer dans qch; **sink in** *vi* (*explanation*) rentrer (*inf*), être compris

sinus ['saɪnəs] *n* (*Anat*) sinus *m inv*

sip [sɪp] *n* petite gorgée ▷ *vt* boire à petites gorgées

sir [səʳ] *n* monsieur *m*; **S~ John Smith** sir John Smith; **yes ~** oui Monsieur

siren ['saɪərn] *n* sirène *f*

sirloin ['səːlɔɪn] *n* (*also*: **~ steak**) aloyau *m*

sister ['sɪstəʳ] *n* sœur *f*; (*nun*) religieuse *f*, (bonne) sœur; (BRIT: *nurse*) infirmière *f* en chef; **sister-in-law** *n* belle-sœur *f*

sit (*pt*, *pp* **sat**) [sɪt, sæt] *vi* s'asseoir; (*be sitting*) être assis(e); (*assembly*) être en séance, siéger; (*for painter*) poser ▷ *vt* (*exam*) passer, se présenter à; **sit back** *vi* (*in seat*) bien s'installer, se carrer; **sit down** *vi* s'asseoir; **sit on** *vt fus* (*jury, committee*) faire partie de; **sit up** *vi* s'asseoir; (*straight*) se redresser; (*not go to bed*) rester debout, ne pas se coucher

sitcom ['sɪtkɔm] *n abbr* (*TV*: = *situation comedy*) sitcom *f*, comédie *f* de situation

site [saɪt] *n* emplacement *m*, site *m*; (*also*: **building ~**) chantier *m* ▷ *vt* placer

sitting ['sɪtɪŋ] *n* (*of assembly etc*) séance *f*; (*in canteen*) service *m*; **sitting room** *n* salon *m*

situated ['sɪtjueɪtɪd] *adj* situé(e)

situation [sɪtju'eɪʃən] *n* situation *f*; **"~s vacant/wanted"** (BRIT) "offres/demandes d'emploi"

six [sɪks] *num* six; **sixteen** *num* seize; **sixteenth** [sɪks'tiːnθ] *num* seizième; **sixth** ['sɪksθ] *num* sixième; **sixth form** *n* (BRIT) ≈ classes *fpl* de première et de terminale; **sixth-form college** *n* *lycée n'ayant que des classes de première et de terminale*; **sixtieth** ['sɪkstɪɪθ] *num* soixantième; **sixty** *num* soixante

size [saɪz] *n* dimensions *fpl*; (*of person*) taille *f*; (*of clothing*) taille; (*of shoes*) pointure *f*; (*of problem*) ampleur *f*; (*glue*) colle *f*; **sizeable** *adj* assez grand(e); (*amount, problem, majority*) assez important(e)

sizzle ['sɪzl] *vi* grésiller

skate [skeɪt] *n* patin *m*; (*fish*: *pl inv*) raie *f* ▷ *vi* patiner; **skateboard** *n* skateboard *m*, planche *f* à roulettes; **skateboarding** *n* skateboard *m*; **skater** *n* patineur(-euse); **skating** *n* patinage *m*; **skating**

rink *n* patinoire *f*
skeleton ['skɛlɪtn] *n* squelette *m*; (*outline*) schéma *m*
skeptical ['skɛptɪkl] (US) = **sceptical**
sketch [skɛtʃ] *n* (*drawing*) croquis *m*, esquisse *f*; (*outline plan*) aperçu *m*; (*Theat*) sketch *m*, saynète *f* ▷ *vt* esquisser, faire un croquis *or* une esquisse de; (*plan etc*) esquisser
skewer ['skju:əʳ] *n* brochette *f*
ski [ski:] *n* ski *m* ▷ *vi* skier, faire du ski; **ski boot** *n* chaussure *f* de ski
skid [skɪd] *n* dérapage *m* ▷ *vi* déraper
ski: **skier** *n* skieur(-euse); **skiing** *n* ski *m*; **to go skiing** (aller) faire du ski
skilful (US **skillful**) ['skɪlful] *adj* habile, adroit(e)
ski lift *n* remonte-pente *m inv*
skill [skɪl] *n* (*ability*) habileté *f*, adresse *f*, talent *m*; (*requiring training*) compétences *fpl*; **skilled** *adj* habile, adroit(e); (*worker*) qualifié(e)
skim [skɪm] *vt* (*soup*) écumer; (*glide over*) raser, effleurer ▷ *vi*: **to ~ through** (*fig*) parcourir; **skimmed milk** (US **skim milk**) *n* lait écrémé
skin [skɪn] *n* peau *f* ▷ *vt* (*fruit etc*) éplucher; (*animal*) écorcher; **skinhead** *n* skinhead *m*; **skinny** *adj* maigre, maigrichon(ne)
skip [skɪp] *n* petit bond *or* saut; (BRIT: *container*) benne *f* ▷ *vi* gambader, sautiller; (*with rope*) sauter à la corde ▷ *vt* (*pass over*) sauter
ski: **ski pass** *n* forfait-skieur(s) *m*; **ski pole** *n* bâton *m* de ski
skipper ['skɪpəʳ] *n* (*Naut, Sport*) capitaine *m*; (*in race*) skipper *m*
skipping rope ['skɪpɪŋ-] (US **skip rope**) *n* (BRIT) corde *f* à sauter
skirt [skə:t] *n* jupe *f* ▷ *vt* longer, contourner
skirting board ['skə:tɪŋ-] *n* (BRIT) plinthe *f*
ski slope *n* piste *f* de ski
ski suit *n* combinaison *f* de ski
skull [skʌl] *n* crâne *m*
skunk [skʌŋk] *n* mouffette *f*
sky [skaɪ] *n* ciel *m*; **skyscraper** *n* gratte-ciel *m inv*
slab [slæb] *n* (*of stone*) dalle *f*; (*of meat, cheese*) tranche épaisse
slack [slæk] *adj* (*loose*) lâche, desserré(e); (*slow*) stagnant(e); (*careless*) négligent(e), peu sérieux(-euse) *or* consciencieux(-euse); **slacks** *npl* pantalon *m*
slain [sleɪn] *pp of* **slay**
slam [slæm] *vt* (*door*) (faire) claquer; (*throw*) jeter violemment, flanquer; (*inf: criticize*) éreinter, démolir ▷ *vi* claquer
slander ['slɑ:ndəʳ] *n* calomnie *f*; (*Law*) diffamation *f*
slang [slæŋ] *n* argot *m*
slant [slɑ:nt] *n* inclinaison *f*; (*fig*) angle *m*, point *m* de vue
slap [slæp] *n* claque *f*, gifle *f*; (*on the back*) tape *f* ▷ *vt* donner une claque *or* une gifle (*or* une tape) à; **to ~ on** (*paint*) appliquer rapidement ▷ *adv* (*directly*) tout droit, en plein
slash [slæʃ] *vt* entailler, taillader; (*fig: prices*) casser
slate [sleɪt] *n* ardoise *f* ▷ *vt* (*fig: criticize*) éreinter, démolir
slaughter ['slɔ:təʳ] *n* carnage *m*, massacre *m*; (*of animals*) abattage *m* ▷ *vt* (*animal*) abattre; (*people*) massacrer; **slaughterhouse** *n* abattoir *m*
Slav [slɑ:v] *adj* slave
slave [sleɪv] *n* esclave *m/f* ▷ *vi* (*also*: **~ away**) trimer, travailler comme un forçat; **slavery** *n* esclavage *m*
slay (*pt* **slew**, *pp* **slain**) [sleɪ, slu:, sleɪn] *vt* (*literary*) tuer
sleazy ['sli:zɪ] *adj* miteux(-euse), minable
sled [slɛd] (US) = **sledge**
sledge [slɛdʒ] *n* luge *f*
sleek [sli:k] *adj* (*hair, fur*) brillant(e), luisant(e); (*car, boat*) aux lignes pures *or* élégantes
sleep [sli:p] *n* sommeil *m* ▷ *vi* (*pt, pp* **slept**) dormir; **to go to ~** s'endormir; **sleep in** *vi* (*oversleep*) se réveiller trop tard; (*on purpose*) faire la grasse matinée; **sleep together** *vi* (*have sex*) coucher ensemble; **sleeper** *n* (*person*) dormeur(-euse); (BRIT *Rail: on track*) traverse *f*; (*: train*) train-couchettes *m*; (*: berth*) couchette *f*; **sleeping bag** *n* sac *m* de couchage; **sleeping car** *n* wagon-lits *m*, voiture-lits *f*; **sleeping pill** *n* somnifère *m*; **sleepover** *n* nuit *f* chez un copain *or* une copine; **we're having a sleepover at Jo's** nous allons passer la nuit chez Jo; **sleepwalk** *vi* marcher en dormant; **sleepy** *adj* (*fig*) endormi(e)
sleet [sli:t] *n* neige fondue
sleeve [sli:v] *n* manche *f*; (*of record*) pochette *f*; **sleeveless** *adj* (*garment*) sans manches
sleigh [sleɪ] *n* traîneau *m*
slender ['slɛndəʳ] *adj* svelte, mince; (*fig*) faible, ténu(e)
slept [slɛpt] *pt, pp of* **sleep**
slew [slu:] *pt of* **slay**
slice [slaɪs] *n* tranche *f*; (*round*) rondelle *f*; (*utensil*) spatule *f*; (*also*: **fish ~**) pelle *f* à poisson ▷ *vt* couper en tranches (*or* en rondelles)
slick [slɪk] *adj* (*skilful*) bien ficelé(e); (*salesperson*) qui a du bagout ▷ *n* (*also*: **oil ~**) nappe *f* de pétrole, marée noire
slide [slaɪd] *n* (*in playground*) toboggan *m*; (*Phot*) diapositive *f*; (BRIT: *also*: **hair ~**) barrette *f*; (*in prices*) chute *f*, baisse *f* ▷ *vb* (*pt, pp* **slid**) ▷ *vt* (faire) glisser ▷ *vi* glisser; **sliding** *adj* (*door*) coulissant(e)
slight [slaɪt] *adj* (*slim*) mince, menu(e); (*frail*) frêle; (*trivial*) faible, insignifiant(e); (*small*) petit(e), léger(-ère) *before n* ▷ *n* offense *f*, affront *m* ▷ *vt* (*offend*) blesser, offenser; **not in the ~est** pas le moins du monde, pas du tout; **slightly** *adv* légèrement, un peu
slim [slɪm] *adj* mince ▷ *vi* maigrir; (*diet*) suivre un régime amaigrissant; **slimming** *n* amaigrissement *m* ▷ *adj* (*diet, pills*) amaigrissant(e), pour maigrir; (*food*) qui ne fait pas grossir
slimy ['slaɪmɪ] *adj* visqueux(-euse), gluant(e)
sling [slɪŋ] *n* (*Med*) écharpe *f*; (*for baby*) porte-bébé *m*; (*weapon*) fronde *f*, lance-pierre *m* ▷ *vt* (*pt, pp* **slung**) lancer, jeter
slip [slɪp] *n* faux pas; (*mistake*) erreur *f*, bévue *f*; (*underskirt*) combinaison *f*; (*of paper*) petite feuille, fiche *f* ▷ *vt* (*slide*) glisser ▷ *vi* (*slide*) glisser; (*move smoothly*): **to ~ into/out of** se glisser *or* se faufiler dans/hors de; (*decline*) baisser; **to ~ sth on/off** enfiler/enlever qch; **to give sb the ~** fausser compagnie à qn; **a ~ of the tongue** un lapsus; **slip up** *vi* faire une erreur, gaffer
slipped disc [slɪpt-] *n* déplacement *m* de vertèbre
slipper ['slɪpəʳ] *n* pantoufle *f*
slippery ['slɪpərɪ] *adj* glissant(e)
slip road *n* (BRIT: *to motorway*) bretelle *f* d'accès
slit [slɪt] *n* fente *f*; (*cut*) incision *f* ▷ *vt* (*pt, pp* **~**) fendre; couper, inciser
slog [slɔg] *n* (BRIT: *effort*) gros effort; (*: work*) tâche fastidieuse ▷ *vi* travailler très dur
slogan ['sləugən] *n* slogan *m*
slope [sləup] *n* pente *f*, côte *f*; (*side of mountain*)

versant *m*; (*slant*) inclinaison *f* ▷ *vi*: **to ~ down** être *or* descendre en pente; **to ~ up** monter; **sloping** *adj* en pente, incliné(e); (*handwriting*) penché(e)
sloppy ['slɔpɪ] *adj* (*work*) peu soigné(e), bâclé(e); (*appearance*) négligé(e), débraillé(e)
slot [slɔt] *n* fente *f* ▷ *vt*: **to ~ sth into** encastrer *or* insérer qch dans; **slot machine** *n* (BRIT: *vending machine*) distributeur *m* (automatique), machine *f* à sous; (*for gambling*) appareil *m or* machine à sous
Slovakia [sləu'vækɪə] *n* Slovaquie *f*
Slovene [sləu'vi:n] *adj* slovène ▷ *n* Slovène *m/f*; (*Ling*) slovène *m*
Slovenia [sləu'vi:nɪə] *n* Slovénie *f*; **Slovenian** *adj*, *n* = **Slovene**
slow [sləu] *adj* lent(e); (*watch*): **to be ~** retarder ▷ *adv* lentement ▷ *vt*, *vi* ralentir; **"~"** (*road sign*) "ralentir"; **slow down** *vi* ralentir; **slowly** *adv* lentement; **slow motion** *n*: **in slow motion** au ralenti
slug [slʌg] *n* limace *f*; (*bullet*) balle *f*; **sluggish** *adj* (*person*) mou (molle), lent(e); (*stream, engine, trading*) lent(e)
slum [slʌm] *n* (*house*) taudis *m*; **slums** *npl* (*area*) quartiers *mpl* pauvres
slump [slʌmp] *n* baisse soudaine, effondrement *m*; (*Econ*) crise *f* ▷ *vi* s'effondrer, s'affaisser
slung [slʌŋ] *pt*, *pp of* **sling**
slur [slə:ʳ] *n* (*smear*): **~ (on)** atteinte *f* (à); insinuation *f* (contre) ▷ *vt* mal articuler
slush [slʌʃ] *n* neige fondue
sly [slaɪ] *adj* (*person*) rusé(e); (*smile, expression, remark*) sournois(e)
smack [smæk] *n* (*slap*) tape *f*; (*on face*) gifle *f* ▷ *vt* donner une tape à; (*on face*) gifler; (*on bottom*) donner la fessée à ▷ *vi*: **to ~ of** avoir des relents de, sentir
small [smɔ:l] *adj* petit(e); **small ads** *npl* (BRIT) petites annonces; **small change** *n* petite *or* menue monnaie
smart [smɑ:t] *adj* élégant(e), chic *inv*; (*clever*) intelligent(e); (*quick*) vif (vive), prompt(e) ▷ *vi* faire mal, brûler; **smartcard** *n* carte *f* à puce
smash [smæʃ] *n* (*also*: **~-up**) collision *f*, accident *m*; (*Mus*) succès foudroyant ▷ *vt* casser, briser, fracasser; (*opponent*) écraser; (*Sport*: *record*) pulvériser ▷ *vi* se briser, se fracasser; s'écraser; **smashing** *adj* (*inf*) formidable
smear [smɪəʳ] *n* (*stain*) tache *f*; (*mark*) trace *f*; (*Med*) frottis *m* ▷ *vt* enduire; (*make dirty*) salir; **smear test** *n* (BRIT *Med*) frottis *m*
smell [smɛl] *n* odeur *f*; (*sense*) odorat *m* ▷ *vb* (*pt*, *pp* **smelt** *or* **~ed**) ▷ *vt* sentir ▷ *vi* (*pej*) sentir mauvais; **smelly** *adj* qui sent mauvais, malodorant(e)
smelt [smɛlt] *pt*, *pp of* **smell**
smile [smaɪl] *n* sourire *m* ▷ *vi* sourire
smirk [smə:k] *n* petit sourire suffisant *or* affecté
smog [smɔg] *n* brouillard mêlé de fumée
smoke [sməuk] *n* fumée *f* ▷ *vt*, *vi* fumer; **do you mind if I ~?** ça ne vous dérange pas que je fume?; **smoke alarm** *n* détecteur *m* de fumée; **smoked** *adj* (*bacon, glass*) fumé(e); **smoker** *n* (*person*) fumeur(-euse); (*Rail*) wagon *m* fumeurs; **smoking** *n*: **"no smoking"** (*sign*) "défense de fumer"; **smoky** *adj* enfumé(e); (*taste*) fumé(e)
smooth [smu:ð] *adj* lisse; (*sauce*) onctueux(-euse); (*flavour, whisky*) moelleux(-euse); (*movement*) régulier(-ière), sans à-coups *or* heurts; (*flight*) sans secousses; (*pej*: *person*) doucereux(-euse), mielleux(-euse) ▷ *vt* (*also*: **~ out**) lisser, défroisser; (*creases, difficulties*) faire disparaître
smother ['smʌðəʳ] *vt* étouffer
SMS *n abbr* (= *short message service*) SMS *m*; **SMS message** *n* message *m* SMS
smudge [smʌdʒ] *n* tache *f*, bavure *f* ▷ *vt* salir, maculer
smug [smʌg] *adj* suffisant(e), content(e) de soi
smuggle ['smʌgl] *vt* passer en contrebande *or* en fraude; **smuggling** *n* contrebande *f*
snack [snæk] *n* casse-croûte *m inv*; **snack bar** *n* snack(-bar) *m*
snag [snæg] *n* inconvénient *m*, difficulté *f*
snail [sneɪl] *n* escargot *m*
snake [sneɪk] *n* serpent *m*
snap [snæp] *n* (*sound*) claquement *m*, bruit sec; (*photograph*) photo *f*, instantané *m* ▷ *adj* subit(e), fait(e) sans réfléchir ▷ *vt* (*fingers*) faire claquer; (*break*) casser net ▷ *vi* se casser net *or* avec un bruit sec; (*speak sharply*) parler d'un ton brusque; **to ~ open/shut** s'ouvrir/se refermer brusquement; **snap at** *vt fus* (*subj*: *dog*) essayer de mordre; **snap up** *vt* sauter sur, saisir; **snapshot** *n* photo *f*, instantané *m*
snarl [snɑ:l] *vi* gronder
snatch [snætʃ] *n* (*small amount*) ▷ *vt* saisir (*d'un geste vif*); (*steal*) voler; **to ~ some sleep** arriver à dormir un peu
sneak [sni:k] (US): (*pt* **snuck**) *vi*: **to ~ in/out** entrer/sortir furtivement *or* à la dérobée ▷ *n* (*inf*: *pej*: *informer*) faux jeton; **to ~ up on sb** s'approcher de qn sans faire de bruit; **sneakers** *npl* tennis *mpl*, baskets *fpl*
sneer [snɪəʳ] *vi* ricaner; **to ~ at sb/sth** se moquer de qn/qch avec mépris
sneeze [sni:z] *vi* éternuer
sniff [snɪf] *vi* renifler ▷ *vt* renifler, flairer; (*glue, drug*) sniffer, respirer
snigger ['snɪgəʳ] *vi* ricaner
snip [snɪp] *n* (*cut*) entaille *f*; (BRIT: *inf*: *bargain*) (bonne) occasion *or* affaire ▷ *vt* couper
sniper ['snaɪpəʳ] *n* (*marksman*) tireur embusqué
snob [snɔb] *n* snob *m/f*
snooker ['snu:kəʳ] *n sorte de jeu de billard*
snoop [snu:p] *vi*: **to ~ about** fureter
snooze [snu:z] *n* petit somme ▷ *vi* faire un petit somme
snore [snɔ:ʳ] *vi* ronfler ▷ *n* ronflement *m*
snorkel ['snɔ:kl] *n* (*of swimmer*) tuba *m*
snort [snɔ:t] *n* grognement *m* ▷ *vi* grogner; (*horse*) renâcler
snow [snəu] *n* neige *f* ▷ *vi* neiger; **snowball** *n* boule *f* de neige; **snowdrift** *n* congère *f*; **snowman** (*irreg*) *n* bonhomme *m* de neige; **snowplough** (US **snowplow**) *n* chasse-neige *m inv*; **snowstorm** *n* tempête *f* de neige
snub [snʌb] *vt* repousser, snober ▷ *n* rebuffade *f*
snug [snʌg] *adj* douillet(te), confortable; (*person*) bien au chaud

 KEYWORD

so [səu] *adv* **1** (*thus, likewise*) ainsi, de cette façon; **if so** si oui; **so do** *or* **have I** moi aussi; **it's 5 o'clock - so it is!** il est 5 heures - en effet! *or* c'est vrai!; **I hope/think so** je l'espère/le crois; **so far** jusqu'ici, jusqu'à maintenant; (*in past*) jusque-là
2 (*in comparisons etc*: *to such a degree*) si, tellement; **so big (that)** si *or* tellement grand (que); **she's not so clever as her brother** elle n'est pas aussi

intelligente que son frère
3: **so much** *adj, adv* tant (de); **I've got so much work** j'ai tant de travail; **I love you so much** je vous aime tant; **so many** tant (de)
4 (*phrases*): **10 or so** à peu près *or* environ 10; **so long!** (*inf*: *goodbye*) au revoir!, à un de ces jours!; **so (what)?** (*inf*) (bon) et alors?, et après?
▷ *conj* **1** (*expressing purpose*): **so as to do** pour faire, afin de faire; **so (that)** pour que *or* afin que + *sub*
2 (*expressing result*) donc, par conséquent; **so that** si bien que, de (telle) sorte que; **so that's the reason!** c'est donc (pour) ça!; **so you see, I could have gone** alors tu vois, j'aurais pu y aller

soak [səuk] *vt* faire *or* laisser tremper; (*drench*) tremper ▷ *vi* tremper; **soak up** *vt* absorber; **soaking** *adj* (*also*: **soaking wet**) trempé(e)
so-and-so ['səuənsəu] *n* (*somebody*) un(e) tel(le)
soap [səup] *n* savon *m*; **soap opera** *n* feuilleton télévisé (*quotidienneté réaliste ou embellie*); **soap powder** *n* lessive *f*, détergent *m*
soar [sɔːʳ] *vi* monter (en flèche), s'élancer; (*building*) s'élancer
sob [sɔb] *n* sanglot *m* ▷ *vi* sangloter
sober ['səubəʳ] *adj* qui n'est pas (*or* plus) ivre; (*serious*) sérieux(-euse), sensé(e); (*colour, style*) sobre, discret(-ète); **sober up** *vi* se dégriser
so-called ['səu'kɔːld] *adj* soi-disant *inv*
soccer ['sɔkəʳ] *n* football *m*
sociable ['səuʃəbl] *adj* sociable
social ['səuʃl] *adj* social(e); (*sociable*) sociable ▷ *n* (petite) fête; **socialism** *n* socialisme *m*; **socialist** *adj, n* socialiste (*m/f*); **socialize** *vi*: **to socialize with** (*meet often*) fréquenter; (*get to know*) lier connaissance *or* parler avec; **social life** *n* vie sociale; **socially** *adv* socialement, en société; **social security** *n* aide sociale; **social services** *npl* services sociaux; **social work** *n* assistance sociale; **social worker** *n* assistant(e) sociale(e)
society [sə'saɪətɪ] *n* société *f*; (*club*) société, association *f*; (*also*: **high ~**) (haute) société, grand monde
sociology [səusɪ'ɔlədʒɪ] *n* sociologie *f*
sock [sɔk] *n* chaussette *f*
socket ['sɔkɪt] *n* cavité *f*; (*Elec*: *also*: **wall ~**) prise *f* de courant
soda ['səudə] *n* (*Chem*) soude *f*; (*also*: **~ water**) eau *f* de Seltz; (*US*: *also*: **~ pop**) soda *m*
sodium ['səudɪəm] *n* sodium *m*
sofa ['səufə] *n* sofa *m*, canapé *m*; **sofa bed** *n* canapé-lit *m*
soft [sɔft] *adj* (*not rough*) doux (douce); (*not hard*) doux, mou (molle); (*not loud*) doux, léger(-ère); (*kind*) doux, gentil(le); **soft drink** *n* boisson non alcoolisée; **soft drugs** *npl* drogues douces; **soften** ['sɔfn] *vt* (r)amollir; (*fig*) adoucir ▷ *vi* se ramollir; (*fig*) s'adoucir; **softly** *adv* doucement; (*touch*) légèrement; (*kiss*) tendrement; **software** *n* (*Comput*) logiciel *m*, software *m*
soggy ['sɔgɪ] *adj* (*clothes*) trempé(e); (*ground*) détrempé(e)
soil [sɔɪl] *n* (*earth*) sol *m*, terre *f* ▷ *vt* salir; (*fig*) souiller
solar ['səuləʳ] *adj* solaire; **solar power** *n* énergie *f* solaire; **solar system** *n* système *m* solaire
sold [səuld] *pt, pp of* **sell**
soldier ['səuldʒəʳ] *n* soldat *m*, militaire *m*
sold out *adj* (*Comm*) épuisé(e)
sole [səul] *n* (*of foot*) plante *f*; (*of shoe*) semelle *f*; (*fish*: *pl inv*) sole *f* ▷ *adj* seul(e), unique; **solely** *adv* seulement, uniquement
solemn ['sɔləm] *adj* solennel(le); (*person*) sérieux(-euse), grave
solicitor [sə'lɪsɪtəʳ] *n* (*BRIT*: *for wills etc*) ≈ notaire *m*; (: *in court*) ≈ avocat *m*
solid ['sɔlɪd] *adj* (*not liquid*) solide; (*not hollow*: *mass*) compact(e); (: *metal, rock, wood*) massif(-ive) ▷ *n* solide *m*
solitary ['sɔlɪtərɪ] *adj* solitaire
solitude ['sɔlɪtjuːd] *n* solitude *f*
solo ['səuləu] *n* solo *m* ▷ *adv* (*fly*) en solitaire; **soloist** *n* soliste *m/f*
soluble ['sɔljubl] *adj* soluble
solution [sə'luːʃən] *n* solution *f*
solve [sɔlv] *vt* résoudre
solvent ['sɔlvənt] *adj* (*Comm*) solvable ▷ *n* (*Chem*) (dis)solvant *m*
sombre (*US* **somber**) ['sɔmbəʳ] *adj* sombre, morne

KEYWORD

some [sʌm] *adj* **1** (*a certain amount or number of*): **some tea/water/ice cream** du thé/de l'eau/de la glace; **some children/apples** des enfants/pommes; **I've got some money but not much** j'ai de l'argent mais pas beaucoup
2 (*certain*: *in contrasts*): **some people say that ...** il y a des gens qui disent que ...; **some films were excellent, but most were mediocre** certains films étaient excellents, mais la plupart étaient médiocres
3 (*unspecified*): **some woman was asking for you** il y avait une dame qui vous demandait; **he was asking for some book (or other)** il demandait un livre quelconque; **some day** un de ces jours; **some day next week** un jour la semaine prochaine
▷ *pron* **1** (*a certain number*) quelques-un(e)s, certain(e)s; **I've got some** (*books etc*) j'en ai (quelques-uns); **some (of them) have been sold** certains ont été vendus
2 (*a certain amount*) un peu; **I've got some** (*money, milk*) j'en ai (un peu); **would you like some?** est-ce que vous en voulez?, en voulez-vous?; **could I have some of that cheese?** pourrais-je avoir un peu de ce fromage?; **I've read some of the book** j'ai lu une partie du livre
▷ *adv*: **some 10 people** quelque 10 personnes, 10 personnes environ; **somebody** ['sʌmbədɪ] *pron* = **someone**; **somehow** *adv* d'une façon ou d'une autre; (*for some reason*) pour une raison ou une autre; **someone** *pron* quelqu'un; **someplace** *adv* (*US*) = **somewhere**; **something** *pron* quelque chose *m*; **something interesting** quelque chose d'intéressant; **something to do** quelque chose à faire; **sometime** *adv* (*in future*) un de ces jours, un jour ou l'autre; (*in past*): **sometime last month** au cours du mois dernier; **sometimes** *adv* quelquefois, parfois; **somewhat** *adv* quelque peu, un peu; **somewhere** *adv* quelque part; **somewhere else** ailleurs, autre part

son [sʌn] *n* fils *m*
song [sɔŋ] *n* chanson *f*; (*of bird*) chant *m*
son-in-law ['sʌnɪnlɔː] *n* gendre *m*, beau-fils *m*
soon [suːn] *adv* bientôt; (*early*) tôt; **~ afterwards** peu après; *see also* **as**; **sooner** *adv* (*time*) plus tôt; (*preference*): **I would sooner do that** j'aimerais autant *or* je préférerais faire ça; **sooner or later** tôt ou tard

soothe [su:ð] *vt* calmer, apaiser
sophisticated [sə'fɪstɪkeɪtɪd] *adj* raffiné(e), sophistiqué(e); (*machinery*) hautement perfectionné(e), très complexe
sophomore ['sɔfəmɔ:ʳ] *n* (US) étudiant(e) de seconde année
soprano [sə'prɑ:nəu] *n* (*singer*) soprano *m/f*
sorbet ['sɔ:beɪ] *n* sorbet *m*
sordid ['sɔ:dɪd] *adj* sordide
sore [sɔ:ʳ] *adj* (*painful*) douloureux(-euse), sensible ▷ *n* plaie *f*
sorrow ['sɔrəu] *n* peine *f*, chagrin *m*
sorry ['sɔrɪ] *adj* désolé(e); (*condition, excuse, tale*) triste, déplorable; **~!** pardon!, excusez-moi!; **~?** pardon?; **to feel ~ for sb** plaindre qn
sort [sɔ:t] *n* genre *m*, espèce *f*, sorte *f*; (*make: of coffee, car etc*) marque *f* ▷ *vt* (*also*: **~ out**: *select which to keep*) trier; (*classify*) classer; (*tidy*) ranger; **sort out** *vt* (*problem*) résoudre, régler
SOS *n* SOS *m*
so-so ['səusəu] *adv* comme ci comme ça
sought [sɔ:t] *pt, pp of* **seek**
soul [səul] *n* âme *f*
sound [saund] *adj* (*healthy*) en bonne santé, sain(e); (*safe, not damaged*) solide, en bon état; (*reliable, not superficial*) sérieux(-euse), solide; (*sensible*) sensé(e) ▷ *adv*: **~ asleep** profondément endormi(e) ▷ *n* (*noise, volume*) son *m*; (*louder*) bruit *m*; (*Geo*) détroit *m*, bras *m* de mer ▷ *vt* (*alarm*) sonner ▷ *vi* sonner, retentir; (*fig: seem*) sembler (être); **to ~ like** ressembler à; **sound bite** *n* phrase toute faite (*pour être citée dans les médias*); **soundtrack** *n* (*of film*) bande *f* sonore
soup [su:p] *n* soupe *f*, potage *m*
sour ['sauəʳ] *adj* aigre; **it's ~ grapes** c'est du dépit
source [sɔ:s] *n* source *f*
south [sauθ] *n* sud *m* ▷ *adj* sud *inv*; (*wind*) du sud ▷ *adv* au sud, vers le sud; **South Africa** *n* Afrique *f* du Sud; **South African** *adj* sud-africain(e) ▷ *n* Sud-Africain(e); **South America** *n* Amérique *f* du Sud; **South American** *adj* sud-américain(e) ▷ *n* Sud-Américain(e); **southbound** *adj* en direction du sud; (*carriageway*) sud *inv*; **south-east** *n* sud-est *m*; **southeastern** [sauθ'i:stən] *adj* du *or* au sud-est; **southern** ['sʌðən] *adj* (du) sud; méridional(e); **South Korea** *n* Corée *f* du Sud; **South of France** *n*: **the South of France** le Sud de la France, le Midi; **South Pole** *n* Pôle *m* Sud; **southward(s)** *adv* vers le sud; **south-west** *n* sud-ouest *m*; **southwestern** [sauθ'westən] *adj* du *or* au sud-ouest
souvenir [su:və'nɪəʳ] *n* souvenir *m* (*objet*)
sovereign ['sɔvrɪn] *adj, n* souverain(e)
sow[1] [səu] (*pt* **~ed**, *pp* **~n**) *vt* semer
sow[2] *n* [sau] truie *f*
soya ['sɔɪə] (US **soy**) [sɔɪ] *n*: **~ bean** graine *f* de soja; **~ sauce** sauce *f* au soja
spa [spɑ:] *n* (*town*) station thermale; (US: *also*: **health ~**) établissement *m* de cure de rajeunissement
space [speɪs] *n* (*gen*) espace *m*; (*room*) place *f*; espace; (*length of time*) laps *m* de temps ▷ *cpd* spatial(e) ▷ *vt* (*also*: **~ out**) espacer; **spacecraft** *n* engin *or* vaisseau spatial; **spaceship** *n* = **spacecraft**
spacious ['speɪʃəs] *adj* spacieux(-euse), grand(e)
spade [speɪd] *n* (*tool*) bêche *f*, pelle *f*; (*child's*) pelle; **spades** *npl* (*Cards*) pique *m*
spaghetti [spə'gɛtɪ] *n* spaghetti *mpl*
Spain [speɪn] *n* Espagne *f*
spam [spæm] *n* (*Comput*) spam *m*
span [spæn] *n* (*of bird, plane*) envergure *f*; (*of arch*) portée *f*; (*in time*) espace *m* de temps, durée *f* ▷ *vt* enjamber, franchir; (*fig*) couvrir, embrasser
Spaniard ['spænjəd] *n* Espagnol(e)
Spanish ['spænɪʃ] *adj* espagnol(e), d'Espagne ▷ *n* (*Ling*) espagnol *m*; **the Spanish** *npl* les Espagnols
spank [spæŋk] *vt* donner une fessée à
spanner ['spænəʳ] *n* (BRIT) clé *f* (de mécanicien)
spare [spɛəʳ] *adj* de réserve, de rechange; (*surplus*) de *or* en trop, de reste ▷ *n* (*part*) pièce *f* de rechange, pièce détachée ▷ *vt* (*do without*) se passer de; (*afford to give*) donner, accorder, passer; (*not hurt*) épargner; **to ~** (*surplus*) en surplus, de trop; **spare part** *n* pièce *f* de rechange, pièce détachée; **spare room** *n* chambre *f* d'ami; **spare time** *n* moments *mpl* de loisir; **spare tyre** (US **spare tire**) *n* (*Aut*) pneu *m* de rechange; **spare wheel** *n* (*Aut*) roue *f* de secours
spark [spɑ:k] *n* étincelle *f*; **spark(ing) plug** *n* bougie *f*
sparkle ['spɑ:kl] *n* scintillement *m*, étincellement *m*, éclat *m* ▷ *vi* étinceler, scintiller
sparkling ['spɑ:klɪŋ] *adj* (*wine*) mousseux(-euse), pétillant(e); (*water*) pétillant(e), gazeux(-euse)
sparrow ['spærəu] *n* moineau *m*
sparse [spɑ:s] *adj* clairsemé(e)
spasm ['spæzəm] *n* (*Med*) spasme *m*
spat [spæt] *pt, pp of* **spit**
spate [speɪt] *n* (*fig*): **~ of** avalanche *f or* torrent *m* de
spatula ['spætjulə] *n* spatule *f*
speak (*pt* **spoke**, *pp* **spoken**) [spi:k, spəuk, 'spəukn] *vt* (*language*) parler; (*truth*) dire ▷ *vi* parler; (*make a speech*) prendre la parole; **to ~ to sb/of** *or* **about sth** parler à qn/de qch; **I don't ~ French** je ne parle pas français; **do you ~ English?** parlez-vous anglais?; **can I ~ to ...?** est-ce que je peux parler à ...?; **speaker** *n* (*in public*) orateur *m*; (*also*: **loudspeaker**) haut-parleur *m*; (*for stereo etc*) baffle *m*, enceinte *f*; (*Pol*): **the Speaker** (BRIT) *le président de la Chambre des communes or des représentants*; (US) *le président de la Chambre*
spear [spɪəʳ] *n* lance *f* ▷ *vt* transpercer
special ['spɛʃl] *adj* spécial(e); **special delivery** *n* (*Post*): **by special delivery** en express; **special effects** *npl* (*Cine*) effets spéciaux; **specialist** *n* spécialiste *m/f*; **speciality** [spɛʃɪ'ælɪtɪ] *n* (BRIT) spécialité *f*; **specialize** *vi*: **to specialize (in)** se spécialiser (dans); **specially** *adv* spécialement, particulièrement; **special needs** *npl* (BRIT) difficultés *fpl* d'apprentissage scolaire; **special offer** *n* (*Comm*) réclame *f*; **special school** *n* (BRIT) établissement *m* d'enseignement spécialisé; **specialty** *n* (US) = **speciality**
species ['spi:ʃi:z] *n* (*pl inv*) espèce *f*
specific [spə'sɪfɪk] *adj* (*not vague*) précis(e), explicite; (*particular*) particulier(-ière); **specifically** *adv* explicitement, précisément; (*intend, ask, design*) expressément, spécialement
specify ['spɛsɪfaɪ] *vt* spécifier, préciser
specimen ['spɛsɪmən] *n* spécimen *m*, échantillon *m*; (*Med: of blood*) prélèvement *m*; (: *of urine*) échantillon *m*
speck [spɛk] *n* petite tache, petit point; (*particle*) grain *m*
spectacle ['spɛktəkl] *n* spectacle *m*; **spectacles** *npl* (BRIT) lunettes *fpl*; **spectacular** [spɛk'tækjuləʳ] *adj* spectaculaire
spectator [spɛk'teɪtəʳ] *n* spectateur(-trice)
spectrum (*pl* **spectra**) ['spɛktrəm, -rə] *n* spectre *m*;

(*fig*) gamme *f*
speculate ['spɛkjuleɪt] *vi* spéculer; (*try to guess*): **to ~ about** s'interroger sur
sped [spɛd] *pt, pp of* **speed**
speech [spi:tʃ] *n* (*faculty*) parole *f*; (*talk*) discours *m*, allocution *f*; (*manner of speaking*) façon *f* de parler, langage *m*; (*enunciation*) élocution *f*; **speechless** *adj* muet(te)
speed [spi:d] *n* vitesse *f*; (*promptness*) rapidité *f* ▷ *vi* (*pt, pp* **sped**) (*Aut*: *exceed speed limit*) faire un excès de vitesse; **at full** *or* **top ~** à toute vitesse *or* allure; **speed up** (*pt, pp* **~ed up**) *vi* aller plus vite, accélérer ▷ *vt* accélérer; **speedboat** *n* vedette *f*, hors-bord *m inv*; **speeding** *n* (*Aut*) excès *m* de vitesse; **speed limit** *n* limitation *f* de vitesse, vitesse maximale permise; **speedometer** [spɪ'dɔmɪtə^r] *n* compteur *m* (de vitesse); **speedy** *adj* rapide, prompt(e)
spell [spɛl] *n* (*also*: **magic ~**) sortilège *m*, charme *m*; (*period of time*) (courte) période ▷ *vt* (*pt, pp* **spelt** *or* **~ed**) (*in writing*) écrire, orthographier; (*aloud*) épeler; (*fig*) signifier; **to cast a ~ on sb** jeter un sort à qn; **he can't ~** il fait des fautes d'orthographe; **spell out** *vt* (*explain*): **to ~ sth out for sb** expliquer qch clairement à qn; **spellchecker** ['speltʃekə^r] *n* (*Comput*) correcteur *m or* vérificateur *m* orthographique; **spelling** *n* orthographe *f*
spelt [spɛlt] *pt, pp of* **spell**
spend (*pt, pp* **spent**) [spɛnd, spɛnt] *vt* (*money*) dépenser; (*time, life*) passer; (*devote*) consacrer; **spending** *n*: **government spending** les dépenses publiques
spent [spɛnt] *pt, pp of* **spend** ▷ *adj* (*cartridge, bullets*) vide
sperm [spə:m] *n* spermatozoïde *m*; (*semen*) sperme *m*
sphere [sfɪə^r] *n* sphère *f*; (*fig*) sphère, domaine *m*
spice [spaɪs] *n* épice *f* ▷ *vt* épicer
spicy ['spaɪsɪ] *adj* épicé(e), relevé(e); (*fig*) piquant(e)
spider ['spaɪdə^r] *n* araignée *f*
spike [spaɪk] *n* pointe *f*; (*Bot*) épi *m*
spill (*pt, pp* **spilt** *or* **~ed**) [spɪl, -t, -d] *vt* renverser; répandre ▷ *vi* se répandre; **spill over** *vi* déborder
spin [spɪn] *n* (*revolution of wheel*) tour *m*; (*Aviat*) (chute *f* en) vrille *f*; (*trip in car*) petit tour, balade *f*; (*on ball*) effet *m* ▷ *vb* (*pt, pp* **spun**) ▷ *vt* (*wool etc*) filer; (*wheel*) faire tourner ▷ *vi* (*turn*) tourner, tournoyer
spinach ['spɪnɪtʃ] *n* épinards *mpl*
spinal ['spaɪnl] *adj* vertébral(e), spinal(e)
spinal cord *n* moelle épinière
spin doctor *n* (*inf*) *personne employée pour présenter un parti politique sous un jour favorable*
spin-dryer [spɪn'draɪə^r] *n* (BRIT) essoreuse *f*
spine [spaɪn] *n* colonne vertébrale; (*thorn*) épine *f*, piquant *m*
spiral ['spaɪərl] *n* spirale *f* ▷ *vi* (*fig*: *prices etc*) monter en flèche
spire ['spaɪə^r] *n* flèche *f*, aiguille *f*
spirit ['spɪrɪt] *n* (*soul*) esprit *m*, âme *f*; (*ghost*) esprit, revenant *m*; (*mood*) esprit, état *m* d'esprit; (*courage*) courage *m*, énergie *f*; **spirits** *npl* (*drink*) spiritueux *mpl*, alcool *m*; **in good ~s** de bonne humeur
spiritual ['spɪrɪtjuəl] *adj* spirituel(le); (*religious*) religieux(-euse)
spit [spɪt] *n* (*for roasting*) broche *f*; (*spittle*) crachat *m*; (*saliva*) salive *f* ▷ *vi* (*pt, pp* **spat**) cracher; (*sound*) crépiter; (*rain*) crachiner
spite [spaɪt] *n* rancune *f*, dépit *m* ▷ *vt* contrarier, vexer; **in ~ of** en dépit de, malgré; **spiteful** *adj* malveillant(e), rancunier(-ière)
splash [splæʃ] *n* (*sound*) plouf *m*; (*of colour*) tache *f* ▷ *vt* éclabousser ▷ *vi* (*also*: **~ about**) barboter, patauger; **splash out** *vi* (BRIT) faire une folie
splendid ['splɛndɪd] *adj* splendide, superbe, magnifique
splinter ['splɪntə^r] *n* (*wood*) écharde *f*; (*metal*) éclat *m* ▷ *vi* (*wood*) se fendre; (*glass*) se briser
split [splɪt] *n* fente *f*, déchirure *f*; (*fig*: *Pol*) scission *f* ▷ *vb* (*pt, pp* **~**) ▷ *vt* fendre, déchirer; (*party*) diviser; (*work, profits*) partager, répartir ▷ *vi* (*break*) se fendre, se briser; (*divide*) se diviser; **split up** *vi* (*couple*) se séparer, rompre; (*meeting*) se disperser
spoil (*pt, pp* **~ed** *or* **~t**) [spɔɪl, -d, -t] *vt* (*damage*) abîmer; (*mar*) gâcher; (*child*) gâter
spoilt [spɔɪlt] *pt, pp of* **spoil** ▷ *adj* (*child*) gâté(e); (*ballot paper*) nul(le)
spoke [spəuk] *pt of* **speak** ▷ *n* rayon *m*
spoken ['spəukn] *pp of* **speak**
spokesman ['spəuksmən] (*irreg*) *n* porte-parole *m inv*
spokesperson ['spəukspə:sn] *n* porte-parole *m inv*
spokeswoman ['spəukswumən] (*irreg*) *n* porte-parole *m inv*
sponge [spʌndʒ] *n* éponge *f*; (*Culin*: *also*: **~ cake**) ≈ biscuit *m* de Savoie ▷ *vt* éponger ▷ *vi*: **to ~ off** *or* **on** vivre aux crochets de; **sponge bag** *n* (BRIT) trousse *f* de toilette
sponsor ['spɔnsə^r] *n* (*Radio, TV, Sport*) sponsor *m*; (*for application*) parrain *m*, marraine *f*; (BRIT: *for fund-raising event*) donateur(-trice) ▷ *vt* sponsoriser, parrainer, faire un don à; **sponsorship** *n* sponsoring *m*, parrainage *m*; dons *mpl*
spontaneous [spɔn'teɪnɪəs] *adj* spontané(e)
spooky ['spu:kɪ] *adj* (*inf*) qui donne la chair de poule
spoon [spu:n] *n* cuiller *f*; **spoonful** *n* cuillerée *f*
sport [spɔ:t] *n* sport *m*; (*person*) chic type *m*/chic fille *f* ▷ *vt* (*wear*) arborer; **sport jacket** *n* (US) = **sports jacket**; **sports car** *n* voiture *f* de sport; **sports centre** (BRIT) *n* centre sportif; **sports jacket** *n* (BRIT) veste *f* de sport; **sportsman** (*irreg*) *n* sportif *m*; **sports utility vehicle** *n* véhicule *m* de loisirs (*de type SUV*); **sportswear** *n* vêtements *mpl* de sport; **sportswoman** (*irreg*) *n* sportive *f*; **sporty** *adj* sportif(-ive)
spot [spɔt] *n* tache *f*; (*dot*: *on pattern*) pois *m*; (*pimple*) bouton *m*; (*place*) endroit *m*, coin *m*; (*small amount*): **a ~ of** un peu de ▷ *vt* (*notice*) apercevoir, repérer; **on the ~** sur place, sur les lieux; (*immediately*) sur le champ; **spotless** *adj* immaculé(e); **spotlight** *n* projecteur *m*; (*Aut*) phare *m* auxiliaire
spouse [spauz] *n* époux (épouse)
sprain [spreɪn] *n* entorse *f*, foulure *f* ▷ *vt*: **to ~ one's ankle** se fouler *or* se tordre la cheville
sprang [spræŋ] *pt of* **spring**
sprawl [sprɔ:l] *vi* s'étaler
spray [spreɪ] *n* jet *m* (en fines gouttelettes); (*from sea*) embruns *mpl*; (*aerosol*) vaporisateur *m*, bombe *f*; (*for garden*) pulvérisateur *m*; (*of flowers*) petit bouquet ▷ *vt* vaporiser, pulvériser; (*crops*) traiter
spread [sprɛd] *n* (*distribution*) répartition *f*; (*Culin*) pâte *f* à tartiner; (*inf*: *meal*) festin *m* ▷ *vb* (*pt, pp* **~**) ▷ *vt* (*paste, contents*) étendre, étaler; (*rumour, disease*) répandre, propager; (*wealth*) répartir ▷ *vi* s'étendre; se répandre; se propager; (*stain*) s'étaler; **spread out** *vi* (*people*) se disperser; **spreadsheet** *n* (*Comput*) tableur *m*
spree [spri:] *n*: **to go on a ~** faire la fête
spring [sprɪŋ] *n* (*season*) printemps *m*; (*leap*) bond *m*, saut *m*; (*coiled metal*) ressort *m*; (*of water*) source

f ▷ *vb* (*pt* **sprang**, *pp* **sprung**) ▷ *vi* bondir, sauter; **spring up** *vi* (*problem*) se présenter, surgir; (*plant, buildings*) surgir de terre; **spring onion** *n* (BRIT) ciboule *f*, cive *f*
sprinkle ['sprɪŋkl] *vt*: **to ~ water** *etc* **on, ~ with water** *etc* asperger d'eau *etc*; **to ~ sugar** *etc* **on, ~ with sugar** *etc* saupoudrer de sucre *etc*
sprint [sprɪnt] *n* sprint *m* ▷ *vi* courir à toute vitesse; (*Sport*) sprinter
sprung [sprʌŋ] *pp of* **spring**
spun [spʌn] *pt, pp of* **spin**
spur [spəːʳ] *n* éperon *m*; (*fig*) aiguillon *m* ▷ *vt* (*also*: **~ on**) éperonner; aiguillonner; **on the ~ of the moment** sous l'impulsion du moment
spurt [spəːt] *n* jet *m*; (*of blood*) jaillissement *m*; (*of energy*) regain *m*, sursaut *m* ▷ *vi* jaillir, gicler
spy [spaɪ] *n* espion(ne) ▷ *vi*: **to ~ on** espionner, épier ▷ *vt* (*see*) apercevoir
sq. *abbr* = **square**
squabble ['skwɔbl] *vi* se chamailler
squad [skwɔd] *n* (*Mil, Police*) escouade *f*, groupe *m*; (*Football*) contingent *m*
squadron ['skwɔdrn] *n* (*Mil*) escadron *m*; (*Aviat, Naut*) escadrille *f*
squander ['skwɔndəʳ] *vt* gaspiller, dilapider
square [skwɛəʳ] *n* carré *m*; (*in town*) place *f* ▷ *adj* carré(e) ▷ *vt* (*arrange*) régler; arranger; (*Math*) élever au carré; (*reconcile*) concilier; **all ~** quitte; à égalité; **a ~ meal** un repas convenable; **2 metres ~** (de) 2 mètres sur 2; **1 ~ metre** 1 mètre carré; **square root** *n* racine carrée
squash [skwɔʃ] *n* (BRIT: *drink*): **lemon/orange ~** citronnade *f*/orangeade *f*; (*Sport*) squash *m*; (US: *vegetable*) courge *f* ▷ *vt* écraser
squat [skwɔt] *adj* petit(e) et épais(se), ramassé(e) ▷ *vi* (*also*: **~ down**) s'accroupir; **squatter** *n* squatter *m*
squeak [skwiːk] *vi* (*hinge, wheel*) grincer; (*mouse*) pousser un petit cri
squeal [skwiːl] *vi* pousser un *or* des cri(s) aigu(s) *or* perçant(s); (*brakes*) grincer
squeeze [skwiːz] *n* pression *f* ▷ *vt* presser; (*hand, arm*) serrer
squid [skwɪd] *n* calmar *m*
squint [skwɪnt] *vi* loucher
squirm [skwəːm] *vi* se tortiller
squirrel ['skwɪrəl] *n* écureuil *m*
squirt [skwəːt] *vi* jaillir, gicler ▷ *vt* faire gicler
Sr *abbr* = **senior**
Sri Lanka [srɪ'læŋkə] *n* Sri Lanka *m*
St *abbr* = **saint**; **street**
stab [stæb] *n* (*with knife etc*) coup *m* (de couteau *etc*); (*of pain*) lancée *f*; (*inf*: *try*): **to have a ~ at (doing) sth** s'essayer à (faire) qch ▷ *vt* poignarder
stability [stə'bɪlɪtɪ] *n* stabilité *f*
stable ['steɪbl] *n* écurie *f* ▷ *adj* stable
stack [stæk] *n* tas *m*, pile *f* ▷ *vt* empiler, entasser
stadium ['steɪdɪəm] *n* stade *m*
staff [stɑːf] *n* (*work force*) personnel *m*; (BRIT *Scol*: *also*: **teaching ~**) professeurs *mpl*, enseignants *mpl*, personnel enseignant ▷ *vt* pourvoir en personnel
stag [stæg] *n* cerf *m*
stage [steɪdʒ] *n* scène *f*; (*platform*) estrade *f*; (*point*) étape *f*, stade *m*; (*profession*): **the ~** le théâtre ▷ *vt* (*play*) monter, mettre en scène; (*demonstration*) organiser; **in ~s** par étapes, par degrés
stagger ['stægəʳ] *vi* chanceler, tituber ▷ *vt* (*person*: *amaze*) stupéfier; (*hours, holidays*) étaler, échelonner; **staggering** *adj* (*amazing*) stupéfiant(e), renversant(e)
stagnant ['stægnənt] *adj* stagnant(e)
stag night, stag party *n* enterrement *m* de vie de garçon
stain [steɪn] *n* tache *f*; (*colouring*) colorant *m* ▷ *vt* tacher; (*wood*) teindre; **stained glass** *n* (*decorative*) verre coloré; (*in church*) vitraux *mpl*; **stainless steel** *n* inox *m*, acier *m* inoxydable
staircase ['stɛəkeɪs] *n* = **stairway**
stairs [stɛəz] *npl* escalier *m*
stairway ['stɛəweɪ] *n* escalier *m*
stake [steɪk] *n* pieu *m*, poteau *m*; (*Comm*: *interest*) intérêts *mpl*; (*Betting*) enjeu *m* ▷ *vt* risquer, jouer; (*also*: **~ out**: *area*) marquer, délimiter; **to be at ~** être en jeu
stale [steɪl] *adj* (*bread*) rassis(e); (*food*) pas frais (fraîche); (*beer*) éventé(e); (*smell*) de renfermé; (*air*) confiné(e)
stalk [stɔːk] *n* tige *f* ▷ *vt* traquer
stall [stɔːl] *n* (BRIT: *in street, market etc*) éventaire *m*, étal *m*; (*in stable*) stalle *f* ▷ *vt* (*Aut*) caler; (*fig*: *delay*) retarder ▷ *vi* (*Aut*) caler; (*fig*) essayer de gagner du temps; **stalls** *npl* (BRIT: *in cinema, theatre*) orchestre *m*
stamina ['stæmɪnə] *n* vigueur *f*, endurance *f*
stammer ['stæməʳ] *n* bégaiement *m* ▷ *vi* bégayer
stamp [stæmp] *n* timbre *m*; (*also*: **rubber ~**) tampon *m*; (*mark, also fig*) empreinte *f*; (*on document*) cachet *m* ▷ *vi* (*also*: **~ one's foot**) taper du pied ▷ *vt* (*letter*) timbrer; (*with rubber stamp*) tamponner; **stamp out** *vt* (*fire*) piétiner; (*crime*) éradiquer; (*opposition*) éliminer; **stamped addressed envelope** *n* (BRIT) enveloppe affranchie pour la réponse
stampede [stæm'piːd] *n* ruée *f*; (*of cattle*) débandade *f*
stance [stæns] *n* position *f*
stand [stænd] *n* (*position*) position *f*; (*for taxis*) station *f* (de taxis); (*Comm*) étalage *m*, stand *m*; (*Sport*: *also*: **~s**) tribune *f*; (*also*: **music ~**) pupitre *m* ▷ *vb* (*pt, pp* **stood**) ▷ *vi* être *or* se tenir (debout); (*rise*) se lever, se mettre debout; (*be placed*) se trouver; (*remain*: *offer etc*) rester valable ▷ *vt* (*place*) mettre, poser; (*tolerate, withstand*) supporter; (*treat, invite*) offrir, payer; **to make a ~** prendre position; **to ~ for parliament** (BRIT) se présenter aux élections (*comme candidat à la députation*); **I can't ~ him** je ne peux pas le voir; **stand back** *vi* (*move back*) reculer, s'écarter; **stand by** *vi* (*be ready*) se tenir prêt(e) ▷ *vt fus* (*opinion*) s'en tenir à; (*person*) ne pas abandonner, soutenir; **stand down** *vi* (*withdraw*) se retirer; **stand for** *vt fus* (*signify*) représenter, signifier; (*tolerate*) supporter, tolérer; **stand in for** *vt fus* remplacer; **stand out** *vi* (*be prominent*) ressortir; **stand up** *vi* (*rise*) se lever, se mettre debout; **stand up for** *vt fus* défendre; **stand up to** *vt fus* tenir tête à, résister à
standard ['stændəd] *n* (*norm*) norme *f*, étalon *m*; (*level*) niveau *m* (voulu); (*criterion*) critère *m*; (*flag*) étendard *m* ▷ *adj* (*size etc*) ordinaire, normal(e); (*model, feature*) standard *inv*; (*practice*) courant(e); (*text*) de base; **standards** *npl* (*morals*) morale *f*, principes *mpl*; **standard of living** *n* niveau *m* de vie
stand-by ticket *n* (*Aviat*) billet *m* stand-by
standing ['stændɪŋ] *adj* debout *inv*; (*permanent*) permanent(e) ▷ *n* réputation *f*, rang *m*, standing *m*; **of many years' ~** qui dure *or* existe depuis longtemps; **standing order** *n* (BRIT: *at bank*) virement *m* automatique, prélèvement *m* bancaire
stand: **standpoint** *n* point *m* de vue; **standstill** *n*:

at a standstill à l'arrêt; (*fig*) au point mort; **to come to a standstill** s'immobiliser, s'arrêter

stank [stæŋk] *pt of* **stink**

staple ['steɪpl] *n* (*for papers*) agrafe *f* ▷ *adj* (*food, crop, industry etc*) de base principal(e) ▷ *vt* agrafer

star [stɑːʳ] *n* étoile *f*; (*celebrity*) vedette *f* ▷ *vt* (*Cine*) avoir pour vedette; **stars** *npl*: **the ~s** (*Astrology*) l'horoscope *m*

starboard ['stɑːbəd] *n* tribord *m*

starch [stɑːtʃ] *n* amidon *m*; (*in food*) fécule *f*

stardom ['stɑːdəm] *n* célébrité *f*

stare [stɛəʳ] *n* regard *m* fixe ▷ *vi*: **to ~ at** regarder fixement

stark [stɑːk] *adj* (*bleak*) désolé(e), morne ▷ *adv*: **~ naked** complètement nu(e)

start [stɑːt] *n* commencement *m*, début *m*; (*of race*) départ *m*; (*sudden movement*) sursaut *m*; (*advantage*) avance *f*, avantage *m* ▷ *vt* commencer; (*cause: fight*) déclencher; (*rumour*) donner naissance à; (*fashion*) lancer; (*found: business, newspaper*) lancer, créer; (*engine*) mettre en marche ▷ *vi* (*begin*) commencer; (*begin journey*) partir, se mettre en route; (*jump*) sursauter; **when does the film ~?** à quelle heure est-ce que le film commence?; **to ~ doing** *or* **to do sth** se mettre à faire qch; **start off** *vi* commencer; (*leave*) partir; **start out** *vi* (*begin*) commencer; (*set out*) partir; **start up** *vi* commencer; (*car*) démarrer ▷ *vt* (*fight*) déclencher; (*business*) créer; (*car*) mettre en marche; **starter** *n* (*Aut*) démarreur *m*; (*Sport: official*) starter *m*; (BRIT *Culin*) entrée *f*; **starting point** *n* point *m* de départ

startle ['stɑːtl] *vt* faire sursauter; donner un choc à; **startling** *adj* surprenant(e), saisissant(e)

starvation [stɑː'veɪʃən] *n* faim *f*, famine *f*

starve [stɑːv] *vi* mourir de faim ▷ *vt* laisser mourir de faim

state [steɪt] *n* état *m*; (*Pol*) État ▷ *vt* (*declare*) déclarer, affirmer; (*specify*) indiquer, spécifier; **States** *npl*: **the S~s** les États-Unis; **to be in a ~** être dans tous ses états; **stately home** *n* manoir *m or* château *m* (*ouvert au public*); **statement** *n* déclaration *f*; (*Law*) déposition *f*; **state school** *n* école publique; **statesman** (*irreg*) *n* homme *m* d'État

static ['stætɪk] *n* (*Radio*) parasites *mpl*; (*also*: **~ electricity**) électricité *f* statique ▷ *adj* statique

station ['steɪʃən] *n* gare *f*; (*also*: **police ~**) poste *m or* commissariat *m* (de police) ▷ *vt* placer, poster

stationary ['steɪʃnərɪ] *adj* à l'arrêt, immobile

stationer's (shop) *n* (BRIT) papeterie *f*

stationery ['steɪʃnərɪ] *n* papier *m* à lettres, petit matériel de bureau

station wagon *n* (US) break *m*

statistic [stə'tɪstɪk] *n* statistique *f*; **statistics** *n* (*science*) statistique *f*

statue ['stætjuː] *n* statue *f*

stature ['stætʃəʳ] *n* stature *f*; (*fig*) envergure *f*

status ['steɪtəs] *n* position *f*, situation *f*; (*prestige*) prestige *m*; (*Admin, official position*) statut *m*; **status quo** [-'kwəu] *n*: **the status quo** le statu quo

statutory ['stætjutrɪ] *adj* statutaire, prévu(e) par un article de loi

staunch [stɔːntʃ] *adj* sûr(e), loyal(e)

stay [steɪ] *n* (*period of time*) séjour *m* ▷ *vi* rester; (*reside*) loger; (*spend some time*) séjourner; **to ~ put** ne pas bouger; **to ~ the night** passer la nuit; **stay away** *vi* (*from person, building*) ne pas s'approcher; (*from event*) ne pas venir; **stay behind** *vi* rester en arrière; **stay in** *vi* (*at home*) rester à la maison; **stay on** *vi* rester; **stay out** *vi* (*of house*) ne pas rentrer; (*strikers*) rester en grève; **stay up** *vi* (*at night*) ne pas se coucher

steadily ['stɛdɪlɪ] *adv* (*regularly*) progressivement; (*firmly*) fermement; (*walk*) d'un pas ferme; (*fixedly: look*) sans détourner les yeux

steady ['stɛdɪ] *adj* stable, solide, ferme; (*regular*) constant(e), régulier(-ière); (*person*) calme, pondéré(e) ▷ *vt* assurer, stabiliser; (*nerves*) calmer; **a ~ boyfriend** un petit ami

steak [steɪk] *n* (*meat*) bifteck *m*, steak *m*; (*fish, pork*) tranche *f*

steal (*pt* **stole**, *pp* **stolen**) [stiːl, stəul, 'stəuln] *vt, vi* voler; (*move*) se faufiler, se déplacer furtivement; **my wallet has been stolen** on m'a volé mon portefeuille

steam [stiːm] *n* vapeur *f* ▷ *vt* (*Culin*) cuire à la vapeur ▷ *vi* fumer; **steam up** *vi* (*window*) se couvrir de buée; **to get ~ed up about sth** (*fig: inf*) s'exciter à propos de qch; **steamy** *adj* humide; (*window*) embué(e); (*sexy*) torride

steel [stiːl] *n* acier *m* ▷ *cpd* d'acier

steep [stiːp] *adj* raide, escarpé(e); (*price*) très élevé(e), excessif(-ive) ▷ *vt* (faire) tremper

steeple ['stiːpl] *n* clocher *m*

steer [stɪəʳ] *vt* diriger; (*boat*) gouverner; (*lead: person*) guider, conduire ▷ *vi* tenir le gouvernail; **steering** *n* (*Aut*) conduite *f*; **steering wheel** *n* volant *m*

stem [stɛm] *n* (*of plant*) tige *f*; (*of glass*) pied *m* ▷ *vt* contenir, endiguer; (*attack, spread of disease*) juguler

step [stɛp] *n* pas *m*; (*stair*) marche *f*; (*action*) mesure *f*, disposition *f* ▷ *vi*: **to ~ forward/back** faire un pas en avant/arrière, avancer/reculer; **steps** *npl* (BRIT) = **stepladder**; **to be in/out of ~ (with)** (*fig*) aller dans le sens (de)/être déphasé(e) (par rapport à); **step down** *vi* (*fig*) se retirer, se désister; **step in** *vi* (*fig*) intervenir; **step up** *vt* (*production, sales*) augmenter; (*campaign, efforts*) intensifier; **stepbrother** *n* demi-frère *m*; **stepchild** (*pl* **~ren**) *n* beau-fils *m*, belle-fille *f*; **stepdaughter** *n* belle-fille *f*; **stepfather** *n* beau-père *m*; **stepladder** *n* (BRIT) escabeau *m*; **stepmother** *n* belle-mère *f*; **stepsister** *n* demi-sœur *f*; **stepson** *n* beau-fils *m*

stereo ['stɛrɪəu] *n* (*sound*) stéréo *f*; (*hi-fi*) chaîne *f* stéréo ▷ *adj* (*also*: **~phonic**) stéréo(phonique)

stereotype ['stɪərɪətaɪp] *n* stéréotype *m* ▷ *vt* stéréotyper

sterile ['stɛraɪl] *adj* stérile; **sterilize** ['stɛrɪlaɪz] *vt* stériliser

sterling ['stəːlɪŋ] *adj* (*silver*) de bon aloi, fin(e) ▷ *n* (*currency*) livre *f* sterling *inv*

stern [stəːn] *adj* sévère ▷ *n* (*Naut*) arrière *m*, poupe *f*

steroid ['stɪərɔɪd] *n* stéroïde *m*

stew [stjuː] *n* ragoût *m* ▷ *vt, vi* cuire à la casserole

steward ['stjuːəd] *n* (*Aviat, Naut, Rail*) steward *m*; **stewardess** *n* hôtesse *f*

stick [stɪk] *n* bâton *m*; (*for walking*) canne *f*; (*of chalk etc*) morceau *m* ▷ *vb* (*pt, pp* **stuck**) ▷ *vt* (*glue*) coller; (*thrust*): **to ~ sth into** piquer *or* planter *or* enfoncer qch dans; (*inf: put*) mettre, fourrer; (*: tolerate*) supporter ▷ *vi* (*adhere*) tenir, coller; (*remain*) rester; (*get jammed: door, lift*) se bloquer; **stick out** *vi* dépasser, sortir; **stick up** *vi* dépasser, sortir; **stick up for** *vt fus* défendre; **sticker** *n* auto-collant *m*; **sticking plaster** *n* sparadrap *m*, pansement adhésif; **stick insect** *n* phasme *m*; **stick shift** *n* (US *Aut*) levier *m* de vitesses

sticky ['stɪkɪ] *adj* poisseux(-euse); (*label*) adhésif(-ive); (*fig: situation*) délicat(e)

stiff [stɪf] *adj* (*gen*) raide, rigide; (*door, brush*) dur(e); (*difficult*) difficile, ardu(e); (*cold*) froid(e), distant(e); (*strong, high*) fort(e), élevé(e) ▷ *adv*: **to be bored/ scared/frozen ~** s'ennuyer à mourir/être mort(e) de peur/froid
stifling ['staɪflɪŋ] *adj* (*heat*) suffocant(e)
stigma ['stɪgmə] *n* stigmate *m*
stiletto [stɪ'lɛtəu] *n* (BRIT: *also*: **~ heel**) talon *m* aiguille
still [stɪl] *adj* immobile ▷ *adv* (*up to this time*) encore, toujours; (*even*) encore; (*nonetheless*) quand même, tout de même
stimulate ['stɪmjuleɪt] *vt* stimuler
stimulus (*pl* **stimuli**) ['stɪmjuləs, 'stɪmjulaɪ] *n* stimulant *m*; (*Biol, Psych*) stimulus *m*
sting [stɪŋ] *n* piqûre *f*; (*organ*) dard *m* ▷ *vt, vi* (*pt, pp* **stung**) piquer
stink [stɪŋk] *n* puanteur *f* ▷ *vi* (*pt* **stank**, *pp* **stunk**) puer, empester
stir [stəːʳ] *n* agitation *f*, sensation *f* ▷ *vt* remuer ▷ *vi* remuer, bouger; **stir up** *vt* (*trouble*) fomenter, provoquer; **stir-fry** *vt* faire sauter ▷ *n*: **vegetable stir-fry** légumes sautés à la poêle
stitch [stɪtʃ] *n* (*Sewing*) point *m*; (*Knitting*) maille *f*; (*Med*) point de suture; (*pain*) point de côté ▷ *vt* coudre, piquer; (*Med*) suturer
stock [stɔk] *n* réserve *f*, provision *f*; (*Comm*) stock *m*; (*Agr*) cheptel *m*, bétail *m*; (*Culin*) bouillon *m*; (*Finance*) valeurs *fpl*, titres *mpl*; (*descent, origin*) souche *f* ▷ *adj* (*fig: reply etc*) classique ▷ *vt* (*have in stock*) avoir, vendre; **in ~** en stock, en magasin; **out of ~** épuisé(e); **to take ~** (*fig*) faire le point; **~s and shares** valeurs (mobilières), titres; **stockbroker** ['stɔkbrəukəʳ] *n* agent *m* de change; **stock cube** *n* (BRIT *Culin*) bouillon-cube *m*; **stock exchange** *n* Bourse *f* (des valeurs); **stockholder** ['stɔkhəuldəʳ] *n* (US) actionnaire *m/f*
stocking ['stɔkɪŋ] *n* bas *m*
stock market *n* Bourse *f*, marché financier
stole [stəul] *pt of* **steal** ▷ *n* étole *f*
stolen ['stəuln] *pp of* **steal**
stomach ['stʌmək] *n* estomac *m*; (*abdomen*) ventre *m* ▷ *vt* supporter, digérer; **stomachache** *n* mal *m* à l'estomac *or* au ventre
stone [stəun] *n* pierre *f*; (*pebble*) caillou *m*, galet *m*; (*in fruit*) noyau *m*; (*Med*) calcul *m*; (BRIT: *weight*) = *6.348 kg; 14 pounds* ▷ *cpd* de *or* en pierre ▷ *vt* (*person*) lancer des pierres sur, lapider; (*fruit*) dénoyauter
stood [stud] *pt, pp of* **stand**
stool [stuːl] *n* tabouret *m*
stoop [stuːp] *vi* (*also*: **have a ~**) être voûté(e); (*also*: **~ down**: *bend*) se baisser, se courber
stop [stɔp] *n* arrêt *m*; (*in punctuation*) point *m* ▷ *vt* arrêter; (*break off*) interrompre; (*also*: **put a ~ to**) mettre fin à; (*prevent*) empêcher ▷ *vi* s'arrêter; (*rain, noise etc*) cesser, s'arrêter; **to ~ doing sth** cesser *or* arrêter de faire qch; **to ~ sb (from) doing sth** empêcher qn de faire qch; **~ it!** arrête!; **stop by** *vi* s'arrêter (au passage); **stop off** *vi* faire une courte halte; **stopover** *n* halte *f*; (*Aviat*) escale *f*; **stoppage** *n* (*strike*) arrêt *m* de travail; (*obstruction*) obstruction *f*
storage ['stɔːrɪdʒ] *n* emmagasinage *m*
store [stɔːʳ] *n* (*stock*) provision *f*, réserve *f*; (*depot*) entrepôt *m*; (BRIT: *large shop*) grand magasin; (US: *shop*) magasin *m* ▷ *vt* emmagasiner; (*information*) enregistrer; **stores** *npl* (*food*) provisions; **who knows what is in ~ for us?** qui sait ce que l'avenir nous réserve *or* ce qui nous attend?; **storekeeper** *n* (US) commerçant(e)
storey (US **story**) ['stɔːrɪ] *n* étage *m*
storm [stɔːm] *n* tempête *f*; (*thunderstorm*) orage *m* ▷ *vi* (*fig*) fulminer ▷ *vt* prendre d'assaut; **stormy** *adj* orageux(-euse)
story ['stɔːrɪ] *n* histoire *f*; (*Press: article*) article *m*; (US) = **storey**
stout [staut] *adj* (*strong*) solide; (*fat*) gros(se), corpulent(e) ▷ *n* bière brune
stove [stəuv] *n* (*for cooking*) fourneau *m*; (*: small*) réchaud *m*; (*for heating*) poêle *m*
straight [streɪt] *adj* droit(e); (*hair*) raide; (*frank*) honnête, franc (franche); (*simple*) simple ▷ *adv* (tout) droit; (*drink*) sec, sans eau; **to put** *or* **get ~** mettre en ordre, mettre de l'ordre dans; (*fig*) mettre au clair; **~ away, ~ off** (*at once*) tout de suite; **straighten** *vt* ajuster; (*bed*) arranger; **straighten out** *vt* (*fig*) débrouiller; **straighten up** *vi* (*stand up*) se redresser; **straightforward** *adj* simple; (*frank*) honnête, direct(e)
strain [streɪn] *n* (*Tech*) tension *f*; pression *f*; (*physical*) effort *m*; (*mental*) tension (nerveuse); (*Med*) entorse *f*; (*breed: of plants*) variété *f*; (*: of animals*) race *f* ▷ *vt* (*fig: resources etc*) mettre à rude épreuve, grever; (*hurt: back etc*) se faire mal à; (*vegetables*) égoutter; **strains** *npl* (*Mus*) accords *mpl*, accents *mpl*; **strained** *adj* (*muscle*) froissé(e); (*laugh etc*) forcé(e), contraint(e); (*relations*) tendu(e); **strainer** *n* passoire *f*
strait [streɪt] *n* (*Geo*) détroit *m*; **straits** *npl*: **to be in dire ~s** (*fig*) avoir de sérieux ennuis
strand [strænd] *n* (*of thread*) fil *m*, brin *m*; (*of rope*) toron *m*; (*of hair*) mèche *f* ▷ *vt* (*boat*) échouer; **stranded** *adj* en rade, en plan
strange [streɪndʒ] *adj* (*not known*) inconnu(e); (*odd*) étrange, bizarre; **strangely** *adv* étrangement, bizarrement; *see also* **enough**; **stranger** *n* (*unknown*) inconnu(e); (*from somewhere else*) étranger(-ère)
strangle ['stræŋgl] *vt* étrangler
strap [stræp] *n* lanière *f*, courroie *f*, sangle *f*; (*of slip, dress*) bretelle *f*
strategic [strə'tiːdʒɪk] *adj* stratégique
strategy ['strætɪdʒɪ] *n* stratégie *f*
straw [strɔː] *n* paille *f*; **that's the last ~!** ça c'est le comble!
strawberry ['strɔːbərɪ] *n* fraise *f*
stray [streɪ] *adj* (*animal*) perdu(e), errant(e); (*scattered*) isolé(e) ▷ *vi* s'égarer; **~ bullet** balle perdue
streak [striːk] *n* bande *f*, filet *m*; (*in hair*) raie *f* ▷ *vt* zébrer, strier
stream [striːm] *n* (*brook*) ruisseau *m*; (*current*) courant *m*, flot *m*; (*of people*) défilé ininterrompu, flot ▷ *vt* (*Scol*) répartir par niveau ▷ *vi* ruisseler; **to ~ in/out** entrer/sortir à flots
street [striːt] *n* rue *f*; **streetcar** *n* (US) tramway *m*; **street light** *n* réverbère *m*; **street map, street plan** *n* plan *m* des rues
strength [strɛŋθ] *n* force *f*; (*of girder, knot etc*) solidité *f*; **strengthen** *vt* renforcer; (*muscle*) fortifier; (*building, Econ*) consolider
strenuous ['strɛnjuəs] *adj* vigoureux(-euse), énergique; (*tiring*) ardu(e), fatigant(e)
stress [strɛs] *n* (*force, pressure*) pression *f*; (*mental strain*) tension (nerveuse), stress *m*; (*accent*) accent *m*; (*emphasis*) insistance *f* ▷ *vt* insister sur, souligner; (*syllable*) accentuer; **stressed** *adj* (*tense*) stressé(e); (*syllable*) accentué(e); **stressful** *adj* (*job*)

stressant(e)
stretch [strɛtʃ] *n* (*of sand etc*) étendue *f* ▷ *vi* s'étirer; (*extend*): **to ~ to** *or* **as far as** s'étendre jusqu'à ▷ *vt* tendre, étirer; (*fig*) pousser (au maximum); **at a ~** d'affilée; **stretch out** *vi* s'étendre ▷ *vt* (*arm etc*) allonger, tendre; (*to spread*) étendre
stretcher ['strɛtʃəʳ] *n* brancard *m*, civière *f*
strict [strɪkt] *adj* strict(e); **strictly** *adv* strictement
stride [straɪd] *n* grand pas, enjambée *f* ▷ *vi* (*pt* **strode**, *pp* **stridden**) marcher à grands pas
strike [straɪk] *n* grève *f*; (*of oil etc*) découverte *f*; (*attack*) raid *m* ▷ *vb* (*pt, pp* **struck**) ▷ *vt* frapper; (*oil etc*) trouver, découvrir; (*make*: *agreement, deal*) conclure ▷ *vi* faire grève; (*attack*) attaquer; (*clock*) sonner; **to go on** *or* **come out on ~** se mettre en grève, faire grève; **to ~ a match** frotter une allumette; **striker** *n* gréviste *m/f*; (*Sport*) buteur *m*; **striking** *adj* frappant(e), saisissant(e); (*attractive*) éblouissant(e)
string [strɪŋ] *n* ficelle *f*, fil *m*; (*row*: *of beads*) rang *m*; (*Mus*) corde *f* ▷ *vt* (*pt, pp* **strung**): **to ~ out** échelonner; **to ~ together** enchaîner; **the strings** *npl* (*Mus*) les instruments *mpl* à cordes; **to pull ~s** (*fig*) faire jouer le piston
strip [strɪp] *n* bande *f*; (*Sport*) tenue *f* ▷ *vt* (*undress*) déshabiller; (*paint*) décaper; (*fig*) dégarnir, dépouiller; (*also*: **~ down**: *machine*) démonter ▷ *vi* se déshabiller; **strip off** *vt* (*paint etc*) décaper ▷ *vi* (*person*) se déshabiller
stripe [straɪp] *n* raie *f*, rayure *f*; (*Mil*) galon *m*; **striped** *adj* rayé(e), à rayures
stripper ['strɪpəʳ] *n* strip-teaseuse *f*
strip-search ['strɪpsəːtʃ] *vt*: **to ~ sb** fouiller qn (*en le faisant se déshabiller*)
strive (*pt* **strove**, *pp* **~n**) [straɪv, strəuv, 'strɪvn] *vi*: **to ~ to do/for sth** s'efforcer de faire/d'obtenir qch
strode [strəud] *pt of* **stride**
stroke [strəuk] *n* coup *m*; (*Med*) attaque *f*; (*Swimming*: *style*) (sorte *f* de) nage *f* ▷ *vt* caresser; **at a ~** d'un (seul) coup
stroll [strəul] *n* petite promenade ▷ *vi* flâner, se promener nonchalamment; **stroller** *n* (*US*: *for child*) poussette *f*
strong [strɔŋ] *adj* (*gen*) fort(e); (*healthy*) vigoureux(-euse); (*heart, nerves*) solide; **they are 50 ~** ils sont au nombre de 50; **stronghold** *n* forteresse *f*, fort *m*; (*fig*) bastion *m*; **strongly** *adv* fortement, avec force; vigoureusement; solidement
strove [strəuv] *pt of* **strive**
struck [strʌk] *pt, pp of* **strike**
structure ['strʌktʃəʳ] *n* structure *f*; (*building*) construction *f*
struggle ['strʌgl] *n* lutte *f* ▷ *vi* lutter, se battre
strung [strʌŋ] *pt, pp of* **string**
stub [stʌb] *n* (*of cigarette*) bout *m*, mégot *m*; (*of ticket etc*) talon *m* ▷ *vt*: **to ~ one's toe (on sth)** se heurter le doigt de pied (contre qch); **stub out** *vt* écraser
stubble ['stʌbl] *n* chaume *m*; (*on chin*) barbe *f* de plusieurs jours
stubborn ['stʌbən] *adj* têtu(e), obstiné(e), opiniâtre
stuck [stʌk] *pt, pp of* **stick** ▷ *adj* (*jammed*) bloqué(e), coincé(e)
stud [stʌd] *n* (*on boots etc*) clou *m*; (*collar stud*) bouton *m* de col; (*earring*) petite boucle d'oreille; (*of horses*: *also*: **~ farm**) écurie *f*, haras *m*; (*also*: **~ horse**) étalon *m* ▷ *vt* (*fig*): **~ded with** parsemé(e) *or* criblé(e) de
student ['stjuːdənt] *n* étudiant(e) ▷ *adj* (*life*) estudiantin(e), étudiant(e), d'étudiant; (*residence, restaurant*) universitaire; (*loan, movement*) étudiant; **student driver** *n* (*US*) (conducteur(-trice)) débutant(e); **students' union** *n* (*BRIT*: *association*) ≈ union *f* des étudiants; (: *building*) ≈ foyer *m* des étudiants
studio ['stjuːdɪəu] *n* studio *m*, atelier *m*; (*TV etc*) studio; **studio flat** (*US* **studio apartment**) *n* studio *m*
study ['stʌdɪ] *n* étude *f*; (*room*) bureau *m* ▷ *vt* étudier; (*examine*) examiner ▷ *vi* étudier, faire ses études
stuff [stʌf] *n* (*gen*) chose(s) *f(pl)*, truc *m*; (*belongings*) affaires *fpl*, trucs; (*substance*) substance *f* ▷ *vt* rembourrer; (*Culin*) farcir; (*inf*: *push*) fourrer; **stuffing** *n* bourre *f*, rembourrage *m*; (*Culin*) farce *f*; **stuffy** *adj* (*room*) mal ventilé(e) *or* aéré(e); (*ideas*) vieux jeu *inv*
stumble ['stʌmbl] *vi* trébucher; **to ~ across** *or* **on** (*fig*) tomber sur
stump [stʌmp] *n* souche *f*; (*of limb*) moignon *m* ▷ *vt*: **to be ~ed** sécher, ne pas savoir que répondre
stun [stʌn] *vt* (*blow*) étourdir; (*news*) abasourdir, stupéfier
stung [stʌŋ] *pt, pp of* **sting**
stunk [stʌŋk] *pp of* **stink**
stunned [stʌnd] *adj* assommé(e); (*fig*) sidéré(e)
stunning ['stʌnɪŋ] *adj* (*beautiful*) étourdissant(e); (*news etc*) stupéfiant(e)
stunt [stʌnt] *n* (*in film*) cascade *f*, acrobatie *f*; (*publicity*) truc *m* publicitaire ▷ *vt* retarder, arrêter
stupid ['stjuːpɪd] *adj* stupide, bête; **stupidity** [stjuː'pɪdɪtɪ] *n* stupidité *f*, bêtise *f*
sturdy ['stəːdɪ] *adj* (*person, plant*) robuste, vigoureux(-euse); (*object*) solide
stutter ['stʌtəʳ] *n* bégaiement *m* ▷ *vi* bégayer
style [staɪl] *n* style *m*; (*distinction*) allure *f*, cachet *m*, style; (*design*) modèle *m*; **stylish** *adj* élégant(e), chic *inv*; **stylist** *n* (*hair stylist*) coiffeur(-euse)
sub... [sʌb] *prefix* sub..., sous-; **subconscious** *adj* subconscient(e)
subdued [səb'djuːd] *adj* (*light*) tamisé(e); (*person*) qui a perdu de son entrain
subject *n* ['sʌbdʒɪkt] sujet *m*; (*Scol*) matière *f* ▷ *vt* [səb'dʒɛkt]: **to ~ to** soumettre à; **to be ~ to** (*law*) être soumis(e) à; **subjective** [səb'dʒɛktɪv] *adj* subjectif(-ive); **subject matter** *n* (*content*) contenu *m*
subjunctive [səb'dʒʌŋktɪv] *n* subjonctif *m*
submarine [sʌbmə'riːn] *n* sous-marin *m*
submission [səb'mɪʃən] *n* soumission *f*
submit [səb'mɪt] *vt* soumettre ▷ *vi* se soumettre
subordinate [sə'bɔːdɪnət] *adj* (*junior*) subalterne; (*Grammar*) subordonné(e) ▷ *n* subordonné(e)
subscribe [səb'skraɪb] *vi* cotiser; **to ~ to** (*opinion, fund*) souscrire à; (*newspaper*) s'abonner à; être abonné(e) à
subscription [səb'skrɪpʃən] *n* (*to magazine etc*) abonnement *m*
subsequent ['sʌbsɪkwənt] *adj* ultérieur(e), suivant(e); **subsequently** *adv* par la suite
subside [səb'saɪd] *vi* (*land*) s'affaisser; (*flood*) baisser; (*wind, feelings*) tomber
subsidiary [səb'sɪdɪərɪ] *adj* subsidiaire; accessoire; (*BRIT Scol*: *subject*) complémentaire ▷ *n* filiale *f*
subsidize ['sʌbsɪdaɪz] *vt* subventionner
subsidy ['sʌbsɪdɪ] *n* subvention *f*
substance ['sʌbstəns] *n* substance *f*
substantial [səb'stænʃl] *adj* substantiel(le); (*fig*) important(e)
substitute ['sʌbstɪtjuːt] *n* (*person*) remplaçant(e);

(*thing*) succédané *m* ▷ *vt*: **to ~ sth/sb for** substituer qch/qn à, remplacer par qch/qn; **substitution** *n* substitution *f*
subtitles ['sʌbtaɪtlz] *npl* (*Cine*) sous-titres *mpl*
subtle ['sʌtl] *adj* subtil(e)
subtract [səb'trækt] *vt* soustraire, retrancher
suburb ['sʌbə:b] *n* faubourg *m*; **the ~s** la banlieue; **suburban** [sə'bə:bən] *adj* de banlieue, suburbain(e)
subway ['sʌbweɪ] *n* (BRIT: *underpass*) passage souterrain; (US: *railway*) métro *m*
succeed [sək'si:d] *vi* réussir ▷ *vt* succéder à; **to ~ in doing** réussir à faire
success [sək'sɛs] *n* succès *m*; réussite *f*; **successful** *adj* (*business*) prospère, qui réussit; (*attempt*) couronné(e) de succès; **to be successful (in doing)** réussir (à faire); **successfully** *adv* avec succès
succession [sək'sɛʃən] *n* succession *f*
successive [sək'sɛsɪv] *adj* successif(-ive)
successor [sək'sɛsə^r] *n* successeur *m*
succumb [sə'kʌm] *vi* succomber
such [sʌtʃ] *adj* tel (telle); (*of that kind*): **~ a book** un livre de ce genre *or* pareil, un tel livre; (*so much*): **~ courage** un tel courage ▷ *adv* si; **~ a long trip** un si long voyage; **~ a lot of** tellement *or* tant de; **~ as** (*like*) tel (telle) que, comme; **as ~** *adv* en tant que tel (telle), à proprement parler; **such-and-such** *adj* tel ou tel (telle ou telle)
suck [sʌk] *vt* sucer; (*breast, bottle*) téter
Sudan [su'dɑ:n] *n* Soudan *m*
sudden ['sʌdn] *adj* soudain(e), subit(e); **all of a ~** soudain, tout à coup; **suddenly** *adv* brusquement, tout à coup, soudain
sue [su:] *vt* poursuivre en justice, intenter un procès à
suede [sweɪd] *n* daim *m*, cuir suédé
suffer ['sʌfə^r] *vt* souffrir, subir; (*bear*) tolérer, supporter, subir ▷ *vi* souffrir; **to ~ from** (*illness*) souffrir de, avoir; **suffering** *n* souffrance(s) *f(pl)*
suffice [sə'faɪs] *vi* suffire
sufficient [sə'fɪʃənt] *adj* suffisant(e)
suffocate ['sʌfəkeɪt] *vi* suffoquer; étouffer
sugar ['ʃugə^r] *n* sucre *m* ▷ *vt* sucrer
suggest [sə'dʒɛst] *vt* suggérer, proposer; (*indicate*) sembler indiquer; **suggestion** [sə'dʒɛstʃən] *n* suggestion *f*
suicide ['suɪsaɪd] *n* suicide *m*; **~ bombing** attentat *m* suicide; *see also* **commit**; **suicide bomber** *n* kamikaze *m/f*
suit [su:t] *n* (*man's*) costume *m*, complet *m*; (*woman's*) tailleur *m*, ensemble *m*; (*Cards*) couleur *f*; (*lawsuit*) procès *m* ▷ *vt* (*subj: clothes, hairstyle*) aller à; (*be convenient for*) convenir à; (*adapt*): **to ~ sth to** adapter *or* approprier qch à; **well ~ed** (*couple*) faits l'un pour l'autre, très bien assortis; **suitable** *adj* qui convient; approprié(e), adéquat(e); **suitcase** *n* valise *f*
suite [swi:t] *n* (*of rooms, also Mus*) suite *f*; (*furniture*): **bedroom/dining room ~** (ensemble *m* de) chambre *f* à coucher/salle *f* à manger; **a three-piece ~** un salon (canapé et deux fauteuils)
sulfur ['sʌlfə^r] (US) *n* = **sulphur**
sulk [sʌlk] *vi* bouder
sulphur (US **sulfur**) ['sʌlfə^r] *n* soufre *m*
sultana [sʌl'tɑ:nə] *n* (*fruit*) raisin (sec) de Smyrne
sum [sʌm] *n* somme *f*; (*Scol etc*) calcul *m*; **sum up** *vt* résumer ▷ *vi* résumer
summarize ['sʌməraɪz] *vt* résumer
summary ['sʌmərɪ] *n* résumé *m*
summer ['sʌmə^r] *n* été *m* ▷ *cpd* d'été, estival(e); **in (the) ~** en été, pendant l'été; **summer holidays** *npl* grandes vacances; **summertime** *n* (*season*) été *m*
summit ['sʌmɪt] *n* sommet *m*; (*also*: **~ conference**) (conférence *f* au) sommet *m*
summon ['sʌmən] *vt* appeler, convoquer; **to ~ a witness** citer *or* assigner un témoin
Sun. *abbr* (= *Sunday*) dim
sun [sʌn] *n* soleil *m*; **sunbathe** *vi* prendre un bain de soleil; **sunbed** *n* lit pliant; (*with sun lamp*) lit à ultra-violets; **sunblock** *n* écran *m* total; **sunburn** *n* coup *m* de soleil; **sunburned, sunburnt** *adj* bronzé(e), hâlé(e); (*painfully*) brûlé(e) par le soleil
Sunday ['sʌndɪ] *n* dimanche *m*
sunflower ['sʌnflauə^r] *n* tournesol *m*
sung [sʌŋ] *pp of* **sing**
sunglasses ['sʌnglɑ:sɪz] *npl* lunettes *fpl* de soleil
sunk [sʌŋk] *pp of* **sink**
sun: **sunlight** *n* (lumière *f* du) soleil *m*; **sun lounger** *n* chaise longue; **sunny** *adj* ensoleillé(e); **it is sunny** il fait (du) soleil, il y a du soleil; **sunrise** *n* lever *m* du soleil; **sun roof** *n* (*Aut*) toit ouvrant; **sunscreen** *n* crème *f* solaire; **sunset** *n* coucher *m* du soleil; **sunshade** *n* (*over table*) parasol *m*; **sunshine** *n* (lumière *f* du) soleil *m*; **sunstroke** *n* insolation *f*, coup *m* de soleil; **suntan** *n* bronzage *m*; **suntan lotion** *n* lotion *f* or lait *m* solaire; **suntan oil** *n* huile *f* solaire
super ['su:pə^r] *adj* (*inf*) formidable
superb [su:'pə:b] *adj* superbe, magnifique
superficial [su:pə'fɪʃəl] *adj* superficiel(le)
superintendent [su:pərɪn'tɛndənt] *n* directeur(-trice); (*Police*) ≈ commissaire *m*
superior [su'pɪərɪə^r] *adj* supérieur(e); (*smug*) condescendant(e), méprisant(e) ▷ *n* supérieur(e)
superlative [su'pə:lətɪv] *n* (*Ling*) superlatif *m*
supermarket ['su:pəmɑ:kɪt] *n* supermarché *m*
supernatural [su:pə'nætʃərəl] *adj* surnaturel(le) ▷ *n*: **the ~** le surnaturel
superpower ['su:pəpauə^r] *n* (*Pol*) superpuissance *f*
superstition [su:pə'stɪʃən] *n* superstition *f*
superstitious [su:pə'stɪʃəs] *adj* superstitieux(-euse)
superstore ['su:pəstɔ:^r] *n* (BRIT) hypermarché *m*, grande surface
supervise ['su:pəvaɪz] *vt* (*children etc*) surveiller; (*organization, work*) diriger; **supervision** [su:pə'vɪʒən] *n* surveillance *f*; (*monitoring*) contrôle *m*; (*management*) direction *f*; **supervisor** *n* surveillant(e); (*in shop*) chef *m* de rayon
supper ['sʌpə^r] *n* dîner *m*; (*late*) souper *m*
supple ['sʌpl] *adj* souple
supplement *n* ['sʌplɪmənt] supplément *m* ▷ *vt* [sʌplɪ'mɛnt] ajouter à, compléter
supplier [sə'plaɪə^r] *n* fournisseur *m*
supply [sə'plaɪ] *vt* (*provide*) fournir; (*equip*): **to ~ (with)** approvisionner *or* ravitailler (en); fournir (en) ▷ *n* provision *f*, réserve *f*; (*supplying*) approvisionnement *m*; **supplies** *npl* (*food*) vivres *mpl*; (*Mil*) subsistances *fpl*
support [sə'pɔ:t] *n* (*moral, financial etc*) soutien *m*, appui *m*; (*Tech*) support *m*, soutien ▷ *vt* soutenir, supporter; (*financially*) subvenir aux besoins de; (*uphold*) être pour, être partisan de, appuyer; (*Sport: team*) être pour; **supporter** *n* (*Pol etc*) partisan(e); (*Sport*) supporter *m*
suppose [sə'pəuz] *vt, vi* supposer; imaginer; **to be ~d to do/be** être censé(e) faire/être; **supposedly** [sə'pəuzɪdlɪ] *adv* soi-disant; **supposing** *conj* si, à supposer que + *sub*

suppress [sə'prɛs] *vt* (*revolt, feeling*) réprimer; (*information*) faire disparaître; (*scandal, yawn*) étouffer
supreme [su'pri:m] *adj* suprême
surcharge ['sə:tʃɑ:dʒ] *n* surcharge *f*
sure [ʃuəʳ] *adj* (*gen*) sûr(e); (*definite, convinced*) sûr, certain(e); **~!** (*of course*) bien sûr!; **~ enough** effectivement; **to make ~ of sth/that** s'assurer de qch/que, vérifier qch/que; **surely** *adv* sûrement; certainement
surf [sə:f] *n* (*waves*) ressac *m* ▷ *vt*: **to ~ the Net** surfer sur Internet, surfer sur le net
surface ['sə:fɪs] *n* surface *f* ▷ *vt* (*road*) poser un revêtement sur ▷ *vi* remonter à la surface; (*fig*) faire surface; **by ~ mail** par voie de terre; (*by sea*) par voie maritime
surfboard ['sə:fbɔ:d] *n* planche *f* de surf
surfer ['sə:fəʳ] *n* (*in sea*) surfeur(-euse); **web** *or* **net ~** internaute *m/f*
surfing ['sə:fɪŋ] *n* surf *m*
surge [sə:dʒ] *n* (*of emotion*) vague *f* ▷ *vi* déferler
surgeon ['sə:dʒən] *n* chirurgien *m*
surgery ['sə:dʒərɪ] *n* chirurgie *f*; (BRIT: *room*) cabinet *m* (de consultation); (*also*: **~ hours**) heures *fpl* de consultation
surname ['sə:neɪm] *n* nom *m* de famille
surpass [sə:'pɑ:s] *vt* surpasser, dépasser
surplus ['sə:pləs] *n* surplus *m*, excédent *m* ▷ *adj* en surplus, de trop; (*Comm*) excédentaire
surprise [sə'praɪz] *n* (*gen*) surprise *f*; (*astonishment*) étonnement *m* ▷ *vt* surprendre, étonner; **surprised** *adj* (*look, smile*) surpris(e), étonné(e); **to be surprised** être surpris; **surprising** *adj* surprenant(e), étonnant(e); **surprisingly** *adv* (*easy, helpful*) étonnamment, étrangement; **(somewhat) surprisingly, he agreed** curieusement, il a accepté
surrender [sə'rɛndəʳ] *n* reddition *f*, capitulation *f* ▷ *vi* se rendre, capituler
surround [sə'raund] *vt* entourer; (*Mil etc*) encercler; **surrounding** *adj* environnant(e); **surroundings** *npl* environs *mpl*, alentours *mpl*
surveillance [sə:'veɪləns] *n* surveillance *f*
survey *n* ['sə:veɪ] enquête *f*, étude *f*; (*in house buying etc*) inspection *f*, (rapport *m* d')expertise *f*; (*of land*) levé *m* ▷ *vt* [sə:'veɪ] (*situation*) passer en revue; (*examine carefully*) inspecter; (*building*) expertiser; (*land*) faire le levé de; (*look at*) embrasser du regard; **surveyor** *n* (*of building*) expert *m*; (*of land*) (arpenteur *m*) géomètre *m*
survival [sə'vaɪvl] *n* survie *f*
survive [sə'vaɪv] *vi* survivre; (*custom etc*) subsister ▷ *vt* (*accident etc*) survivre à, réchapper de; (*person*) survivre à; **survivor** *n* survivant(e)
suspect *adj*, *n* ['sʌspɛkt] suspect(e) ▷ *vt* [səs'pɛkt] soupçonner, suspecter
suspend [səs'pɛnd] *vt* suspendre; **suspended sentence** *n* (*Law*) condamnation *f* avec sursis; **suspenders** *npl* (BRIT) jarretelles *fpl*; (US) bretelles *fpl*
suspense [səs'pɛns] *n* attente *f*, incertitude *f*; (*in film etc*) suspense *m*; **to keep sb in ~** tenir qn en suspens, laisser qn dans l'incertitude
suspension [səs'pɛnʃən] *n* (*gen, Aut*) suspension *f*; (*of driving licence*) retrait *m* provisoire; **suspension bridge** *n* pont suspendu
suspicion [səs'pɪʃən] *n* soupçon(s) *m(pl)*; **suspicious** *adj* (*suspecting*) soupçonneux(-euse), méfiant(e); (*causing suspicion*) suspect(e)
sustain [səs'teɪn] *vt* soutenir; (*subj*: *food*) nourrir, donner des forces à; (*damage*) subir; (*injury*) recevoir
SUV *n abbr* (*esp* US: = *sports utility vehicle*) SUV *m*, véhicule *m* de loisirs
swallow ['swɔləu] *n* (*bird*) hirondelle *f* ▷ *vt* avaler; (*fig*: *story*) gober
swam [swæm] *pt of* **swim**
swamp [swɔmp] *n* marais *m*, marécage *m* ▷ *vt* submerger
swan [swɔn] *n* cygne *m*
swap [swɔp] *n* échange *m*, troc *m* ▷ *vt*: **to ~ (for)** échanger (contre), troquer (contre)
swarm [swɔ:m] *n* essaim *m* ▷ *vi* (*bees*) essaimer; (*people*) grouiller; **to be ~ing with** grouiller de
sway [sweɪ] *vi* se balancer, osciller ▷ *vt* (*influence*) influencer
swear [swɛəʳ] (*pt* **swore**, *pp* **sworn**) *vt*, *vi* jurer; **swear in** *vt* assermenter; **swearword** *n* gros mot, juron *m*
sweat [swɛt] *n* sueur *f*, transpiration *f* ▷ *vi* suer
sweater ['swɛtəʳ] *n* tricot *m*, pull *m*
sweatshirt ['swɛtʃə:t] *n* sweat-shirt *m*
sweaty ['swɛtɪ] *adj* en sueur, moite *or* mouillé(e) de sueur
Swede [swi:d] *n* Suédois(e)
swede [swi:d] *n* (BRIT) rutabaga *m*
Sweden ['swi:dn] *n* Suède *f*; **Swedish** ['swi:dɪʃ] *adj* suédois(e) ▷ *n* (*Ling*) suédois *m*
sweep [swi:p] *n* (*curve*) grande courbe; (*also*: **chimney ~**) ramoneur *m* ▷ *vb* (*pt*, *pp* **swept**) ▷ *vt* balayer; (*subj*: *current*) emporter
sweet [swi:t] *n* (BRIT: *pudding*) dessert *m*; (*candy*) bonbon *m* ▷ *adj* doux (douce); (*not savoury*) sucré(e); (*kind*) gentil(le); (*baby*) mignon(ne); **sweetcorn** *n* maïs doux; **sweetener** ['swi:tnəʳ] *n* (*Culin*) édulcorant *m*; **sweetheart** *n* amoureux(-euse); **sweetshop** *n* (BRIT) confiserie *f*
swell [swɛl] *n* (*of sea*) houle *f* ▷ *adj* (US: *inf*: *excellent*) chouette ▷ *vb* (*pt* **~ed**, *pp* **swollen** *or* **~ed**) ▷ *vt* (*increase*) grossir, augmenter ▷ *vi* (*increase*) grossir, augmenter; (*sound*) s'enfler; (*Med*: *also*: **~ up**) enfler; **swelling** *n* (*Med*) enflure *f*; (: *lump*) grosseur *f*
swept [swɛpt] *pt*, *pp of* **sweep**
swerve [swə:v] *vi* (*to avoid obstacle*) faire une embardée *or* un écart; (*off the road*) dévier
swift [swɪft] *n* (*bird*) martinet *m* ▷ *adj* rapide, prompt(e)
swim [swɪm] *n*: **to go for a ~** aller nager *or* se baigner ▷ *vb* (*pt* **swam**, *pp* **swum**) ▷ *vi* nager; (*Sport*) faire de la natation; (*fig*: *head, room*) tourner ▷ *vt* traverser (à la nage); **to ~ a length** nager une longueur; **swimmer** *n* nageur(-euse); **swimming** *n* nage *f*, natation *f*; **swimming costume** *n* (BRIT) maillot *m* (de bain); **swimming pool** *n* piscine *f*; **swimming trunks** *npl* maillot *m* de bain; **swimsuit** *n* maillot *m* (de bain)
swing [swɪŋ] *n* (*in playground*) balançoire *f*; (*movement*) balancement *m*, oscillations *fpl*; (*change in opinion etc*) revirement *m* ▷ *vb* (*pt*, *pp* **swung**) ▷ *vt* balancer, faire osciller; (*also*: **~ round**) tourner, faire virer ▷ *vi* se balancer, osciller; (*also*: **~ round**) virer, tourner; **to be in full ~** battre son plein
swipe card [swaɪp-] *n* carte *f* magnétique
swirl [swə:l] *vi* tourbillonner, tournoyer
Swiss [swɪs] *adj* suisse ▷ *n* (*pl inv*) Suisse(-esse)
switch [swɪtʃ] *n* (*for light, radio etc*) bouton *m*; (*change*) changement *m*, revirement *m* ▷ *vt* (*change*) changer; **switch off** *vt* éteindre; (*engine, machine*) arrêter; **could you ~ off the light?** pouvez-vous éteindre la lumière?; **switch on** *vt* allumer; (*engine,*

machine) mettre en marche; **switchboard** *n* (*Tel*) standard *m*
Switzerland ['swɪtsələnd] *n* Suisse *f*
swivel ['swɪvl] *vi* (*also*: **~ round**) pivoter, tourner
swollen ['swəulən] *pp of* **swell**
swoop [swu:p] *n* (*by police etc*) rafle *f*, descente *f* ▷ *vi* (*bird*: *also*: **~ down**) descendre en piqué, piquer
swop [swɔp] *n*, *vt* = **swap**
sword [sɔ:d] *n* épée *f*; **swordfish** *n* espadon *m*
swore [swɔ:ʳ] *pt of* **swear**
sworn [swɔ:n] *pp of* **swear** ▷ *adj* (*statement, evidence*) donné(e) sous serment; (*enemy*) juré(e)
swum [swʌm] *pp of* **swim**
swung [swʌŋ] *pt*, *pp of* **swing**
syllable ['sɪləbl] *n* syllabe *f*
syllabus ['sɪləbəs] *n* programme *m*
symbol ['sɪmbl] *n* symbole *m*; **symbolic(al)** [sɪm'bɔlɪk(l)] *adj* symbolique
symmetrical [sɪ'mɛtrɪkl] *adj* symétrique
symmetry ['sɪmɪtrɪ] *n* symétrie *f*
sympathetic [sɪmpə'θɛtɪk] *adj* (*showing pity*) compatissant(e); (*understanding*) bienveillant(e), compréhensif(-ive); **~ towards** bien disposé(e) envers
sympathize ['sɪmpəθaɪz] *vi*: **to ~ with sb** plaindre qn; (*in grief*) s'associer à la douleur de qn; **to ~ with sth** comprendre qch
sympathy ['sɪmpəθɪ] *n* (*pity*) compassion *f*
symphony ['sɪmfənɪ] *n* symphonie *f*
symptom ['sɪmptəm] *n* symptôme *m*; indice *m*
synagogue ['sɪnəgɔg] *n* synagogue *f*
syndicate ['sɪndɪkɪt] *n* syndicat *m*, coopérative *f*; (*Press*) agence *f* de presse
syndrome ['sɪndrəum] *n* syndrome *m*
synonym ['sɪnənɪm] *n* synonyme *m*
synthetic [sɪn'θɛtɪk] *adj* synthétique
Syria ['sɪrɪə] *n* Syrie *f*
syringe [sɪ'rɪndʒ] *n* seringue *f*
syrup ['sɪrəp] *n* sirop *m*; (BRIT: *also*: **golden ~**) mélasse raffinée
system ['sɪstəm] *n* système *m*; (*Anat*) organisme *m*; **systematic** [sɪstə'mætɪk] *adj* systématique; méthodique; **systems analyst** *n* analyste-programmeur *m/f*

t

ta [tɑ:] *excl* (BRIT *inf*) merci!
tab [tæb] *n* (*label*) étiquette *f*; (*on drinks can etc*) languette *f*; **to keep ~s on** (*fig*) surveiller
table ['teɪbl] *n* table *f* ▷ *vt* (BRIT: *motion etc*) présenter; **a ~ for 4, please** une table pour 4, s'il vous plaît; **to lay** *or* **set the ~** mettre le couvert *or* la table; **tablecloth** *n* nappe *f*; **table d'hôte** [tɑ:bl'dəut] *adj* (*meal*) à prix fixe; **table lamp** *n* lampe décorative *or* de table; **tablemat** *n* (*for plate*) napperon *m*, set *m*; (*for hot dish*) dessous-de-plat *m inv*; **tablespoon** *n* cuiller *f* de service; (*also*: **tablespoonful**: *as measurement*) cuillerée *f* à soupe
tablet ['tæblɪt] *n* (*Med*) comprimé *m*; (*of stone*) plaque *f*
table tennis *n* ping-pong *m*, tennis *m* de table
tabloid ['tæblɔɪd] *n* (*newspaper*) quotidien *m* populaire
taboo [tə'bu:] *adj*, *n* tabou (*m*)
tack [tæk] *n* (*nail*) petit clou; (*fig*) direction *f* ▷ *vt* (*nail*) clouer; (*sew*) bâtir ▷ *vi* (*Naut*) tirer un *or* des bord(s); **to ~ sth on to (the end of) sth** (*of letter, book*) rajouter qch à la fin de qch
tackle ['tækl] *n* matériel *m*, équipement *m*; (*for lifting*) appareil *m* de levage; (*Football, Rugby*) plaquage *m* ▷ *vt* (*difficulty, animal, burglar*) s'attaquer à; (*person*: *challenge*) s'expliquer avec; (*Football, Rugby*) plaquer
tacky ['tækɪ] *adj* collant(e); (*paint*) pas sec (sèche); (*pej*: *poor-quality*) minable; (: *showing bad taste*) ringard(e)
tact [tækt] *n* tact *m*; **tactful** *adj* plein(e) de tact
tactics ['tæktɪks] *npl* tactique *f*
tactless ['tæktlɪs] *adj* qui manque de tact
tadpole ['tædpəul] *n* têtard *m*
taffy ['tæfɪ] *n* (US) (bonbon *m* au) caramel *m*
tag [tæg] *n* étiquette *f*
tail [teɪl] *n* queue *f*; (*of shirt*) pan *m* ▷ *vt* (*follow*) suivre, filer; **tails** *npl* (*suit*) habit *m*; *see also* **head**
tailor ['teɪləʳ] *n* tailleur *m* (*artisan*)
Taiwan ['taɪ'wɑ:n] *n* Taïwan (*no article*); **Taiwanese** [taɪwə'ni:z] *adj* taïwanais(e) ▷ *n inv* Taïwanais(e)
take [teɪk] *vb* (*pt* **took**, *pp* **~n**) ▷ *vt* prendre; (*gain*: *prize*) remporter; (*require*: *effort, courage*) demander; (*tolerate*) accepter, supporter; (*hold*: *passengers etc*) contenir; (*accompany*) emmener, accompagner; (*bring, carry*) apporter, emporter; (*exam*) passer, se présenter à; **to ~ sth from** (*drawer etc*) prendre qch dans; (*person*) prendre qch à; **I ~ it that** je suppose que; **to be ~n ill** tomber malade; **it won't ~ long** ça ne prendra pas longtemps; **I was quite ~n with her/it** elle/cela m'a beaucoup plu; **take after** *vt fus* ressembler à; **take apart** *vt* démonter; **take away** *vt* (*carry off*) emporter; (*remove*) enlever; (*subtract*) soustraire; **take back** *vt* (*return*) rendre, rapporter; (*one's words*) retirer; **take down** *vt* (*building*) démolir; (*letter etc*) prendre, écrire; **take in** *vt* (*deceive*) tromper, rouler; (*understand*) comprendre, saisir; (*include*) couvrir, inclure; (*lodger*) prendre; (*dress, waistband*) reprendre; **take off** *vi* (*Aviat*) décoller ▷ *vt* (*remove*) enlever; **take on** *vt* (*work*) accepter, se charger de; (*employee*) prendre, embaucher; (*opponent*) accepter de se battre contre; **take out** *vt* sortir; (*remove*) enlever; (*invite*) sortir avec; **to ~ sth out of** (*out of drawer etc*) prendre qch dans; **to ~ sb out to a restaurant** emmener qn au restaurant; **take over** *vt* (*business*) reprendre ▷ *vi*: **to ~ over from sb** prendre la relève de qn; **take up** *vt* (*one's story*) reprendre; (*dress*) raccourcir; (*occupy*: *time, space*) prendre, occuper; (*engage in*: *hobby etc*) se mettre à; (*accept*: *offer, challenge*) accepter; **takeaway** (BRIT) *adj* (*food*) à emporter ▷ *n* (*shop, restaurant*) ≈ magasin *m* qui vend des plats à emporter; **taken** *pp of* **take**; **is this seat taken?** la place est prise?; **takeoff** *n* (*Aviat*) décollage *m*; **takeout** *adj*, *n* (US) = **takeaway**; **takeover** *n* (*Comm*) rachat *m*; **takings** *npl* (*Comm*) recette *f*

talc [tælk] *n* (*also*: **~um powder**) talc *m*
tale [teɪl] *n* (*story*) conte *m*, histoire *f*; (*account*) récit *m*; **to tell ~s** (*fig*) rapporter
talent ['tælnt] *n* talent *m*, don *m*; **talented** *adj* doué(e), plein(e) de talent
talk [tɔ:k] *n* (*a speech*) causerie *f*, exposé *m*; (*conversation*) discussion *f*; (*interview*) entretien *m*; (*gossip*) racontars *mpl* (*pej*) ▷ *vi* parler; (*chatter*) bavarder; **talks** *npl* (*Pol etc*) entretiens *mpl*; **to ~ about** parler de; **to ~ sb out of/into doing** persuader qn de ne pas faire/de faire; **to ~ shop** parler métier *or* affaires; **talk over** *vt* discuter (de); **talk show** *n* (*TV, Radio*) émission-débat *f*
tall [tɔ:l] *adj* (*person*) grand(e); (*building, tree*) haut(e); **to be 6 feet ~** ≈ mesurer 1 mètre 80
tambourine [tæmbə'ri:n] *n* tambourin *m*
tame [teɪm] *adj* apprivoisé(e); (*fig*: *story, style*) insipide
tamper ['tæmpə^r] *vi*: **to ~ with** toucher à (*en cachette ou sans permission*)
tampon ['tæmpən] *n* tampon *m* hygiénique *or* périodique
tan [tæn] *n* (*also*: **sun~**) bronzage *m* ▷ *vt, vi* bronzer, brunir ▷ *adj* (*colour*) marron clair *inv*
tandem ['tændəm] *n* tandem *m*
tangerine [tændʒə'ri:n] *n* mandarine *f*
tangle ['tæŋgl] *n* enchevêtrement *m*; **to get in(to) a ~** s'emmêler
tank [tæŋk] *n* réservoir *m*; (*for fish*) aquarium *m*; (*Mil*) char *m* d'assaut, tank *m*
tanker ['tæŋkə^r] *n* (*ship*) pétrolier *m*, tanker *m*; (*truck*) camion-citerne *m*
tanned [tænd] *adj* bronzé(e)
tantrum ['tæntrəm] *n* accès *m* de colère
Tanzania [tænzə'nɪə] *n* Tanzanie *f*
tap [tæp] *n* (*on sink etc*) robinet *m*; (*gentle blow*) petite tape ▷ *vt* frapper *or* taper légèrement; (*resources*) exploiter, utiliser; (*telephone*) mettre sur écoute; **on ~** (*fig*: *resources*) disponible; **tap dancing** *n* claquettes *fpl*
tape [teɪp] *n* (*for tying*) ruban *m*; (*also*: **magnetic ~**) bande *f* (magnétique); (*cassette*) cassette *f*; (*sticky*) Scotch® *m* ▷ *vt* (*record*) enregistrer (au magnétoscope *or* sur cassette); (*stick*) coller avec du Scotch®; **tape measure** *n* mètre *m* à ruban; **tape recorder** *n* magnétophone *m*
tapestry ['tæpɪstrɪ] *n* tapisserie *f*
tar [tɑ:] *n* goudron *m*
target ['tɑ:gɪt] *n* cible *f*; (*fig*: *objective*) objectif *m*
tariff ['tærɪf] *n* (*Comm*) tarif *m*; (*taxes*) tarif douanier
tarmac ['tɑ:mæk] *n* (BRIT: *on road*) macadam *m*; (*Aviat*) aire *f* d'envol
tarpaulin [tɑ:'pɔ:lɪn] *n* bâche goudronnée
tarragon ['tærəgən] *n* estragon *m*
tart [tɑ:t] *n* (*Culin*) tarte *f*; (BRIT *inf*: *pej*: *prostitute*) poule *f* ▷ *adj* (*flavour*) âpre, aigrelet(te)
tartan ['tɑ:tn] *n* tartan *m* ▷ *adj* écossais(e)
tartar(e) sauce *n* sauce *f* tartare
task [tɑ:sk] *n* tâche *f*; **to take to ~** prendre à partie
taste [teɪst] *n* goût *m*; (*fig*: *glimpse, idea*) idée *f*, aperçu *m* ▷ *vt* goûter ▷ *vi*: **to ~ of** (*fish etc*) avoir le *or* un goût de; **you can ~ the garlic (in it)** on sent bien l'ail; **to have a ~ of sth** goûter (à) qch; **can I have a ~?** je peux goûter?; **to be in good/bad** *or* **poor ~** être de bon/mauvais goût; **tasteful** *adj* de bon goût; **tasteless** *adj* (*food*) insipide; (*remark*) de mauvais goût; **tasty** *adj* savoureux(-euse), délicieux(-euse)
tatters ['tætəz] *npl*: **in ~** (*also*: **tattered**) en lambeaux
tattoo [tə'tu:] *n* tatouage *m*; (*spectacle*) parade *f* militaire ▷ *vt* tatouer
taught [tɔ:t] *pt, pp of* **teach**
taunt [tɔ:nt] *n* raillerie *f* ▷ *vt* railler
Taurus ['tɔ:rəs] *n* le Taureau
taut [tɔ:t] *adj* tendu(e)
tax [tæks] *n* (*on goods etc*) taxe *f*; (*on income*) impôts *mpl*, contributions *fpl* ▷ *vt* taxer; imposer; (*fig*: *patience etc*) mettre à l'épreuve; **tax disc** *n* (BRIT *Aut*) vignette *f* (automobile); **tax-free** *adj* exempt(e) d'impôts
taxi ['tæksɪ] *n* taxi *m* ▷ *vi* (*Aviat*) rouler (lentement) au sol; **can you call me a ~, please?** pouvez-vous m'appeler un taxi, s'il vous plaît?; **taxi driver** *n* chauffeur *m* de taxi; **taxi rank** (BRIT **taxi stand**) *n* station *f* de taxis
tax payer [-peɪə^r] *n* contribuable *m/f*
tax return *n* déclaration *f* d'impôts *or* de revenus
TB *n abbr* = **tuberculosis**
tea [ti:] *n* thé *m*; (BRIT: *snack*: *for children*) goûter *m*; **high ~** (BRIT) *collation combinant goûter et dîner*; **tea bag** *n* sachet *m* de thé; **tea break** *n* (BRIT) pause-thé *f*
teach (*pt, pp* **taught**) [ti:tʃ, tɔ:t] *vt*: **to ~ sb sth, to ~ sth to sb** apprendre qch à qn; (*in school etc*) enseigner qch à qn ▷ *vi* enseigner; **teacher** *n* (*in secondary school*) professeur *m*; (*in primary school*) instituteur(-trice); **teaching** *n* enseignement *m*
tea: **tea cloth** *n* (BRIT) torchon *m*; **teacup** *n* tasse *f* à thé
tea leaves *npl* feuilles *fpl* de thé
team [ti:m] *n* équipe *f*; (*of animals*) attelage *m*; **team up** *vi*: **to ~ up (with)** faire équipe (avec)
teapot ['ti:pɔt] *n* théière *f*
tear[1] ['tɪə^r] *n* larme *f*; **in ~s** en larmes
tear[2] *n* [tɛə^r] déchirure *f* ▷ *vb* (*pt* **tore**, *pp* **torn**) ▷ *vt* déchirer ▷ *vi* se déchirer; **tear apart** *vt* (*also fig*) déchirer; **tear down** *vt* (*building, statue*) démolir; (*poster, flag*) arracher; **tear off** *vt* (*sheet of paper etc*) arracher; (*one's clothes*) enlever à toute vitesse; **tear up** *vt* (*sheet of paper etc*) déchirer, mettre en morceaux *or* pièces
tearful ['tɪəful] *adj* larmoyant(e)
tear gas ['tɪə-] *n* gaz *m* lacrymogène
tearoom ['ti:ru:m] *n* salon *m* de thé
tease [ti:z] *vt* taquiner; (*unkindly*) tourmenter
tea: **teaspoon** *n* petite cuiller; (*also*: **teaspoonful**: *as measurement*) ≈ cuillerée *f* à café; **teatime** *n* l'heure *f* du thé; **tea towel** *n* (BRIT) torchon *m* (à vaisselle)
technical ['tɛknɪkl] *adj* technique
technician [tɛk'nɪʃən] *n* technicien(ne)
technique [tɛk'ni:k] *n* technique *f*
technology [tɛk'nɔlədʒɪ] *n* technologie *f*
teddy (bear) ['tɛdɪ-] *n* ours *m* (en peluche)
tedious ['ti:dɪəs] *adj* fastidieux(-euse)
tee [ti:] *n* (*Golf*) tee *m*
teen [ti:n] *adj* = **teenage** ▷ *n* (US) = **teenager**
teenage ['ti:neɪdʒ] *adj* (*fashions etc*) pour jeunes, pour adolescents; (*child*) qui est adolescent(e); **teenager** *n* adolescent(e)
teens [ti:nz] *npl*: **to be in one's ~** être adolescent(e)
teeth [ti:θ] *npl of* **tooth**
teetotal ['ti:'təutl] *adj* (*person*) qui ne boit jamais d'alcool
telecommunications ['tɛlɪkəmju:nɪ'keɪʃənz] *n* télécommunications *fpl*
telegram ['tɛlɪgræm] *n* télégramme *m*
telegraph pole ['tɛlɪgrɑ:f-] *n* poteau *m*

télégraphique
telephone ['tɛlɪfəun] *n* téléphone *m* ▷ *vt* (*person*) téléphoner à; (*message*) téléphoner; **to be on the ~** (*be speaking*) être au téléphone; **telephone book** *n* = **telephone directory**; **telephone booth** (BRIT **telephone box**) *n* cabine *f* téléphonique; **telephone call** *n* appel *m* téléphonique; **telephone directory** *n* annuaire *m* (du téléphone); **telephone number** *n* numéro *m* de téléphone
telesales ['tɛlɪseɪlz] *npl* télévente *f*
telescope ['tɛlɪskəup] *n* télescope *m*
televise ['tɛlɪvaɪz] *vt* téléviser
television ['tɛlɪvɪʒən] *n* télévision *f*; **on ~** à la télévision; **television programme** *n* émission *f* de télévision
tell (*pt, pp* **told**) [tɛl, təuld] *vt* dire; (*relate*: *story*) raconter; (*distinguish*): **to ~ sth from** distinguer qch de ▷ *vi* (*talk*): **to ~ of** parler de; (*have effect*) se faire sentir, se voir; **to ~ sb to do** dire à qn de faire; **to ~ the time** (*know how to*) savoir lire l'heure; **tell off** *vt* réprimander, gronder; **teller** *n* (*in bank*) caissier(-ière)
telly ['tɛlɪ] *n abbr* (BRIT *inf*: = *television*) télé *f*
temp [tɛmp] *n* (BRIT: = *temporary worker*) intérimaire *m/f* ▷ *vi* travailler comme intérimaire
temper ['tɛmpə^r] *n* (*nature*) caractère *m*; (*mood*) humeur *f*; (*fit of anger*) colère *f* ▷ *vt* (*moderate*) tempérer, adoucir; **to be in a ~** être en colère; **to lose one's ~** se mettre en colère
temperament ['tɛmprəmənt] *n* (*nature*) tempérament *m*; **temperamental** [tɛmprə'mɛntl] *adj* capricieux(-euse)
temperature ['tɛmprətʃə^r] *n* température *f*; **to have** *or* **run a ~** avoir de la fièvre
temple ['tɛmpl] *n* (*building*) temple *m*; (*Anat*) tempe *f*
temporary ['tɛmpərərɪ] *adj* temporaire, provisoire; (*job, worker*) temporaire
tempt [tɛmpt] *vt* tenter; **to ~ sb into doing** induire qn à faire; **temptation** *n* tentation *f*; **tempting** *adj* tentant(e); (*food*) appétissant(e)
ten [tɛn] *num* dix
tenant ['tɛnənt] *n* locataire *m/f*
tend [tɛnd] *vt* s'occuper de ▷ *vi*: **to ~ to do** avoir tendance à faire; **tendency** ['tɛndənsɪ] *n* tendance *f*
tender ['tɛndə^r] *adj* tendre; (*delicate*) délicat(e); (*sore*) sensible ▷ *n* (*Comm*: *offer*) soumission *f*; (*money*): **legal ~** cours légal ▷ *vt* offrir
tendon ['tɛndən] *n* tendon *m*
tenner ['tɛnə^r] *n* (BRIT *inf*) billet *m* de dix livres
tennis ['tɛnɪs] *n* tennis *m*; **tennis ball** *n* balle *f* de tennis; **tennis court** *n* (court *m* de) tennis *m*; **tennis match** *n* match *m* de tennis; **tennis player** *n* joueur(-euse) de tennis; **tennis racket** *n* raquette *f* de tennis
tenor ['tɛnə^r] *n* (*Mus*) ténor *m*
tenpin bowling ['tɛnpɪn-] *n* (BRIT) bowling *m* (*à 10 quilles*)
tense [tɛns] *adj* tendu(e) ▷ *n* (*Ling*) temps *m*
tension ['tɛnʃən] *n* tension *f*
tent [tɛnt] *n* tente *f*
tentative ['tɛntətɪv] *adj* timide, hésitant(e); (*conclusion*) provisoire
tenth [tɛnθ] *num* dixième
tent: **tent peg** *n* piquet *m* de tente; **tent pole** *n* montant *m* de tente
tepid ['tɛpɪd] *adj* tiède
term [tə:m] *n* terme *m*; (*Scol*) trimestre *m* ▷ *vt* appeler; **terms** *npl* (*conditions*) conditions *fpl*; (*Comm*) tarif *m*; **in the short/long ~** à court/long terme; **to come to ~s with** (*problem*) faire face à; **to be on good ~s with** bien s'entendre avec, être en bons termes avec
terminal ['tə:mɪnl] *adj* (*disease*) dans sa phase terminale; (*patient*) incurable ▷ *n* (*Elec*) borne *f*; (*for oil, ore etc, also Comput*) terminal *m*; (*also*: **air ~**) aérogare *f*; (BRIT: *also*: **coach ~**) gare routière
terminate ['tə:mɪneɪt] *vt* mettre fin à; (*pregnancy*) interrompre
termini ['tə:mɪnaɪ] *npl of* **terminus**
terminology [tə:mɪ'nɔlədʒɪ] *n* terminologie *f*
terminus (*pl* **termini**) ['tə:mɪnəs, 'tə:mɪnaɪ] *n* terminus *m inv*
terrace ['tɛrəs] *n* terrasse *f*; (BRIT: *row of houses*) rangée *f* de maisons (*attenantes les unes aux autres*); **the ~s** (BRIT *Sport*) les gradins *mpl*; **terraced** *adj* (*garden*) en terrasses; (*in a row*: *house, cottage etc*) attenant(e) aux maisons voisines
terrain [tɛ'reɪn] *n* terrain *m* (*sol*)
terrestrial [tɪ'restrɪəl] *adj* terrestre
terrible ['tɛrɪbl] *adj* terrible, atroce; (*weather, work*) affreux(-euse), épouvantable; **terribly** *adv* terriblement; (*very badly*) affreusement mal
terrier ['tɛrɪə^r] *n* terrier *m* (*chien*)
terrific [tə'rɪfɪk] *adj* (*very great*) fantastique, incroyable, terrible; (*wonderful*) formidable, sensationnel(le)
terrified ['tɛrɪfaɪd] *adj* terrifié(e); **to be ~ of sth** avoir très peur de qch
terrify ['tɛrɪfaɪ] *vt* terrifier; **terrifying** *adj* terrifiant(e)
territorial [tɛrɪ'tɔ:rɪəl] *adj* territorial(e)
territory ['tɛrɪtərɪ] *n* territoire *m*
terror ['tɛrə^r] *n* terreur *f*; **terrorism** *n* terrorisme *m*; **terrorist** *n* terroriste *m/f*; **terrorist attack** *n* attentat *m* terroriste
test [tɛst] *n* (*trial, check*) essai *m*; (: *of courage etc*) épreuve *f*; (*Med*) examen *m*; (*Chem*) analyse *f*; (*Scol*) interrogation *f* de contrôle; (*also*: **driving ~**) (examen du) permis *m* de conduire ▷ *vt* essayer; mettre à l'épreuve; examiner; analyser; faire subir une interrogation (de contrôle) à
testicle ['tɛstɪkl] *n* testicule *m*
testify ['tɛstɪfaɪ] *vi* (*Law*) témoigner, déposer; **to ~ to sth** (*Law*) attester qch
testimony ['tɛstɪmənɪ] *n* (*Law*) témoignage *m*, déposition *f*
test: **test match** *n* (*Cricket, Rugby*) match international; **test tube** *n* éprouvette *f*
tetanus ['tɛtənəs] *n* tétanos *m*
text [tɛkst] *n* texte *m*; (*on mobile phone*) texto *m*, SMS *m inv* ▷ *vt* (*inf*) envoyer un texto *or* SMS à; **textbook** *n* manuel *m*
textile ['tɛkstaɪl] *n* textile *m*
text message *n* texto *m*, SMS *m inv*
text messaging [-'mɛsɪdʒɪŋ] *n* messagerie textuelle
texture ['tɛkstʃə^r] *n* texture *f*; (*of skin, paper etc*) grain *m*
Thai [taɪ] *adj* thaïlandais(e) ▷ *n* Thaïlandais(e)
Thailand ['taɪlænd] *n* Thaïlande *f*
Thames [tɛmz] *n*: **the (River) ~** la Tamise
than [ðæn, ðən] *conj* que; (*with numerals*): **more ~ 10/once** plus de 10/d'une fois; **I have more/less ~ you** j'en ai plus/moins que toi; **she has more apples ~ pears** elle a plus de pommes que de poires; **it is better to phone ~ to write** il vaut mieux

téléphoner (plutôt) qu'écrire; **she is older ~ you think** elle est plus âgée que tu le crois

thank [θæŋk] *vt* remercier, dire merci à; **thanks** *npl* remerciements *mpl* ▷ *excl* merci!; **~ you (very much)** merci (beaucoup); **~ God** Dieu merci; **~s to** *prep* grâce à; **thankfully** *adv* (*fortunately*) heureusement; **Thanksgiving (Day)** *n* jour *m* d'action de grâce

KEYWORD

that [ðæt] *adj* (*demonstrative*): (*pl* **those**) ce, cet + *vowel or h mute*, cette *f*; **that man/woman/book** cet homme/cette femme/ce livre; (*not this*) cet homme-là/cette femme-là/ce livre-là; **that one** celui-là (celle-là)
▷ *pron* **1** (*demonstrative*): (*pl* **those**) ce; (*not this one*) cela, ça; (*that one*) celui (celle); **who's that?** qui est-ce?; **what's that?** qu'est-ce que c'est?; **is that you?** c'est toi?; **I prefer this to that** je préfère ceci à cela *or* ça; **that's what he said** c'est *or* voilà ce qu'il a dit; **will you eat all that?** est-ce que tu vas manger tout ça?; **that is (to say)** c'est-à-dire, à savoir
2 (*relative: subject*) qui; (*: object*) que; (*: after prep*) lequel (laquelle), lesquels (lesquelles) *pl*; **the book that I read** le livre que j'ai lu; **the books that are in the library** les livres qui sont dans la bibliothèque; **all that I have** tout ce que j'ai; **the box that I put it in** la boîte dans laquelle je l'ai mis; **the people that I spoke to** les gens auxquels *or* à qui j'ai parlé
3 (*relative: of time*) où; **the day that he came** le jour où il est venu
▷ *conj* que; **he thought that I was ill** il pensait que j'étais malade
▷ *adv* (*demonstrative*): **I don't like it that much** ça ne me plaît pas tant que ça; **I didn't know it was that bad** je ne savais pas que c'était si *or* aussi mauvais; **it's about that high** c'est à peu près de cette hauteur

thatched [θætʃt] *adj* (*roof*) de chaume; **~ cottage** chaumière *f*

thaw [θɔ:] *n* dégel *m* ▷ *vi* (*ice*) fondre; (*food*) dégeler ▷ *vt* (*food*) (faire) dégeler

KEYWORD

the [ði:, ðə] *def art* **1** (*gen*) le, la *f*, l' + *vowel or h mute*, les *pl* (*NB: à + le(s)* = **au(x)**; *de + le* = **du**; *de + les* = **des**); **the boy/girl/ink** le garçon/la fille/l'encre; **the children** les enfants; **the history of the world** l'histoire du monde; **give it to the postman** donne-le au facteur; **to play the piano/flute** jouer du piano/de la flûte
2 (*+ adj to form n*) le, la *f*, l' + *vowel or h mute*, les *pl*; **the rich and the poor** les riches et les pauvres; **to attempt the impossible** tenter l'impossible
3 (*in titles*): **Elizabeth the First** Elisabeth première; **Peter the Great** Pierre le Grand
4 (*in comparisons*): **the more he works, the more he earns** plus il travaille, plus il gagne de l'argent

theatre (*US* **theater**) ['θɪətəʳ] *n* théâtre *m*; (*Med*: *also*: **operating ~**) salle *f* d'opération

theft [θɛft] *n* vol *m* (*larcin*)

their [ðɛəʳ] *adj* leur, leurs *pl*; *see also* **my**; **theirs** *pron* le (la) leur, les leurs; *see also* **mine'**

them [ðɛm, ðəm] *pron* (*direct*) les; (*indirect*) leur; (*stressed, after prep*) eux (elles); **give me a few of ~** donnez m'en quelques uns (*or* quelques unes); *see also* **me**

theme [θi:m] *n* thème *m*; **theme park** *n* parc *m* à thème

themselves [ðəm'sɛlvz] *pl pron* (*reflexive*) se; (*emphatic, after prep*) eux-mêmes (elles-mêmes); **between ~** entre eux (elles); *see also* **oneself**

then [ðɛn] *adv* (*at that time*) alors, à ce moment-là; (*next*) puis, ensuite; (*and also*) et puis ▷ *conj* (*therefore*) alors, dans ce cas ▷ *adj*: **the ~ president** le président d'alors *or* de l'époque; **by ~** (*past*) à ce moment-là; (*future*) d'ici là; **from ~ on** dès lors; **until ~** jusqu'à ce moment-là, jusque-là

theology [θɪ'ɔlədʒɪ] *n* théologie *f*

theory ['θɪərɪ] *n* théorie *f*

therapist ['θɛrəpɪst] *n* thérapeute *m/f*

therapy ['θɛrəpɪ] *n* thérapie *f*

KEYWORD

there [ðɛəʳ] *adv* **1**: **there is, there are** il y a; **there are 3 of them** (*people, things*) il y en a 3; **there is no-one here/no bread left** il n'y a personne/il n'y a plus de pain; **there has been an accident** il y a eu un accident
2 (*referring to place*) là, là-bas; **it's there** c'est là(-bas); **in/on/up/down there** là-dedans/là-dessus/là-haut/en bas; **he went there on Friday** il y est allé vendredi; **I want that book there** je veux ce livre-là; **there he is!** le voilà!
3: **there, there** (*esp to child*) allons, allons!

there: **thereabouts** *adv* (*place*) par là, près de là; (*amount*) environ, à peu près; **thereafter** *adv* par la suite; **thereby** *adv* ainsi; **therefore** *adv* donc, par conséquent

there's ['ðɛəz] = **there is**; **there has**

thermal ['θə:ml] *adj* thermique; **~ underwear** sous-vêtements *mpl* en Thermolactyl®

thermometer [θə'mɔmɪtəʳ] *n* thermomètre *m*

thermostat ['θə:məustæt] *n* thermostat *m*

these [ði:z] *pl pron* ceux-ci (celles-ci) ▷ *pl adj* ces; (*not those*): **~ books** ces livres-ci

thesis (*pl* **theses**) ['θi:sɪs, 'θi:si:z] *n* thèse *f*

they [ðeɪ] *pl pron* ils (elles); (*stressed*) eux (elles); **~ say that ...** (*it is said that*) on dit que ...; **they'd** = **they had**; **they would**; **they'll** = **they shall**; **they will**; **they're** = **they are**; **they've** = **they have**

thick [θɪk] *adj* épais(se); (*stupid*) bête, borné(e) ▷ *n*: **in the ~ of** au beau milieu de, en plein cœur de; **it's 20 cm ~** ça a 20 cm d'épaisseur; **thicken** *vi* s'épaissir ▷ *vt* (*sauce etc*) épaissir; **thickness** *n* épaisseur *f*

thief (*pl* **thieves**) [θi:f, θi:vz] *n* voleur(-euse)

thigh [θaɪ] *n* cuisse *f*

thin [θɪn] *adj* mince; (*skinny*) maigre; (*soup*) peu épais(se); (*hair, crowd*) clairsemé(e) ▷ *vt* (*also*: **~ down**: *sauce, paint*) délayer

thing [θɪŋ] *n* chose *f*; (*object*) objet *m*; (*contraption*) truc *m*; **things** *npl* (*belongings*) affaires *fpl*; **the ~ is ...** c'est que ...; **the best ~ would be to** le mieux serait de; **how are ~s?** comment ça va?; **to have a ~ about** (*be obsessed by*) être obsédé(e) par; (*hate*) détester; **poor ~!** le (*or* la) pauvre!

think (*pt, pp* **thought**) [θɪŋk, θɔ:t] *vi* penser, réfléchir ▷ *vt* penser, croire; (*imagine*) s'imaginer; **what did you ~ of them?** qu'avez-vous pensé d'eux?; **to ~ about sth/sb** penser à qch/qn; **I'll ~ about it** je vais y réfléchir; **to ~ of doing** avoir l'idée de faire; **I ~ so/not** je crois *or* pense que oui/non; **to**

~ well of avoir une haute opinion de; **think over** *vt* bien réfléchir à; **think up** *vt* inventer, trouver
third [θə:d] *num* troisième ▷ *n* (*fraction*) tiers *m*; (*Aut*) troisième (vitesse) *f*; (BRIT *Scol*: *degree*) ≈ licence *f* avec mention passable; **thirdly** *adv* troisièmement; **third party insurance** *n* (BRIT) assurance *f* au tiers; **Third World** *n*: **the Third World** le Tiers-Monde
thirst [θə:st] *n* soif *f*; **thirsty** *adj* qui a soif, assoiffé(e); (*work*) qui donne soif; **to be thirsty** avoir soif
thirteen [θə:'ti:n] *num* treize; **thirteenth** [-'ti:nθ] *num* treizième
thirtieth ['θə:tɪɪθ] *num* trentième
thirty ['θə:tɪ] *num* trente

 **KEYWORD**

this [ðɪs] *adj* (*demonstrative*): (*pl* **these**) ce, cet + *vowel or h mute*, cette *f*; **this man/woman/book** cet homme/cette femme/ce livre; (*not that*) cet homme-ci/cette femme-ci/ce livre-ci; **this one** celui-ci (celle-ci)
▷ *pron* (*demonstrative*): (*pl* **these**) ce; (*not that one*) celui-ci (celle-ci), ceci; **who's this?** qui est-ce?; **what's this?** qu'est-ce que c'est?; **I prefer this to that** je préfère ceci à cela; **this is where I live** c'est ici que j'habite; **this is what he said** voici ce qu'il a dit; **this is Mr Brown** (*in introductions*) je vous présente Mr Brown; (*in photo*) c'est Mr Brown; (*on telephone*) ici Mr Brown
▷ *adv* (*demonstrative*): **it was about this big** c'était à peu près de cette grandeur *or* grand comme ça; **I didn't know it was this bad** je ne savais pas que c'était si *or* aussi mauvais

thistle ['θɪsl] *n* chardon *m*
thorn [θɔ:n] *n* épine *f*
thorough ['θʌrə] *adj* (*search*) minutieux(-euse); (*knowledge, research*) approfondi(e); (*work, person*) consciencieux(-euse); (*cleaning*) à fond; **thoroughly** *adv* (*search*) minutieusement; (*study*) en profondeur; (*clean*) à fond; (*very*) tout à fait
those [ðəuz] *pl pron* ceux-là (celles-là) ▷ *pl adj* ces; (*not these*): **~ books** ces livres-là
though [ðəu] *conj* bien que + *sub*, quoique + *sub* ▷ *adv* pourtant
thought [θɔ:t] *pt, pp of* **think** ▷ *n* pensée *f*; (*idea*) idée *f*; (*opinion*) avis *m*; **thoughtful** *adj* (*deep in thought*) pensif(-ive); (*serious*) réfléchi(e); (*considerate*) prévenant(e); **thoughtless** *adj* qui manque de considération
thousand ['θauzənd] *num* mille; **one ~** mille; **two ~** deux mille; **~s of** des milliers de; **thousandth** *num* millième
thrash [θræʃ] *vt* rouer de coups; (*as punishment*) donner une correction à; (*inf*: *defeat*) battre à plate(s) couture(s)
thread [θrɛd] *n* fil *m*; (*of screw*) pas *m*, filetage *m* ▷ *vt* (*needle*) enfiler
threat [θrɛt] *n* menace *f*; **threaten** *vi* (*storm*) menacer ▷ *vt*: **to threaten sb with sth/to do** menacer qn de qch/de faire; **threatening** *adj* menaçant(e)
three [θri:] *num* trois; **three-dimensional** *adj* à trois dimensions; **three-piece suite** *n* salon *m* (canapé et deux fauteuils); **three-quarters** *npl* trois-quarts *mpl*; **three-quarters full** aux trois-quarts plein
threshold ['θrɛʃhəuld] *n* seuil *m*
threw [θru:] *pt of* **throw**
thrill [θrɪl] *n* (*excitement*) émotion *f*, sensation forte; (*shudder*) frisson *m* ▷ *vt* (*audience*) électriser; **thrilled** *adj*: **thrilled (with)** ravi(e) de; **thriller** *n* film *m* (*or* roman *m or* pièce *f*) à suspense; **thrilling** *adj* (*book, play etc*) saisissant(e); (*news, discovery*) excitant(e)
thriving ['θraɪvɪŋ] *adj* (*business, community*) prospère
throat [θrəut] *n* gorge *f*; **to have a sore ~** avoir mal à la gorge
throb [θrɔb] *vi* (*heart*) palpiter; (*engine*) vibrer; **my head is ~bing** j'ai des élancements dans la tête
throne [θrəun] *n* trône *m*
through [θru:] *prep* à travers; (*time*) pendant, durant; (*by means of*) par, par l'intermédiaire de; (*owing to*) à cause de ▷ *adj* (*ticket, train, passage*) direct(e) ▷ *adv* à travers; **(from) Monday ~ Friday** (US) de lundi à vendredi; **to put sb ~ to sb** (*Tel*) passer qn à qn; **to be ~** (BRIT: : *Tel*) avoir la communication; (*esp US*: *have finished*) avoir fini; **"no ~ traffic"** (US) "passage interdit"; **"no ~ road"** (BRIT) "impasse"; **throughout** *prep* (*place*) partout dans; (*time*) durant tout(e) le (la) ▷ *adv* partout
throw [θrəu] *n* jet *m*; (*Sport*) lancer *m* ▷ *vt* (*pt* **threw**, *pp* **~n**) lancer, jeter; (*Sport*) lancer; (*rider*) désarçonner; (*fig*) décontenancer; **to ~ a party** donner une réception; **throw away** *vt* jeter; (*money*) gaspiller; **throw in** *vt* (*Sport*: *ball*) remettre en jeu; (*include*) ajouter; **throw off** *vt* se débarrasser de; **throw out** *vt* jeter; (*reject*) rejeter; (*person*) mettre à la porte; **throw up** *vi* vomir
thru [θru:] (US) = **through**
thrush [θrʌʃ] *n* (*Zool*) grive *f*
thrust [θrʌst] *vt* (*pt, pp* **~**) pousser brusquement; (*push in*) enfoncer
thud [θʌd] *n* bruit sourd
thug [θʌg] *n* voyou *m*
thumb [θʌm] *n* (*Anat*) pouce *m* ▷ *vt*: **to ~ a lift** faire de l'auto-stop, arrêter une voiture; **thumbtack** *n* (US) punaise *f* (*clou*)
thump [θʌmp] *n* grand coup; (*sound*) bruit sourd ▷ *vt* cogner sur ▷ *vi* cogner, frapper
thunder ['θʌndə[r]] *n* tonnerre *m* ▷ *vi* tonner; (*train etc*): **to ~ past** passer dans un grondement *or* un bruit de tonnerre; **thunderstorm** *n* orage *m*
Thur(s) *abbr* (= *Thursday*) jeu
Thursday ['θə:zdɪ] *n* jeudi *m*
thus [ðʌs] *adv* ainsi
thwart [θwɔ:t] *vt* contrecarrer
thyme [taɪm] *n* thym *m*
Tibet [tɪ'bɛt] *n* Tibet *m*
tick [tɪk] *n* (*sound*: *of clock*) tic-tac *m*; (*mark*) coche *f*; (*Zool*) tique *f*; (BRIT *inf*): **in a ~** dans un instant ▷ *vi* faire tic-tac ▷ *vt* (*item on list*) cocher; **tick off** *vt* (*item on list*) cocher; (*person*) réprimander, attraper
ticket ['tɪkɪt] *n* billet *m*; (*for bus, tube*) ticket *m*; (*in shop*: *on goods*) étiquette *f*; (*for library*) carte *f*; (*also*: **parking ~**) contravention *f*, p.-v. *m*; **ticket barrier** *n* (BRIT: *Rail*) portillon *m* automatique; **ticket collector** *n* contrôleur(-euse); **ticket inspector** *n* contrôleur(-euse); **ticket machine** *n* billetterie *f* automatique; **ticket office** *n* guichet *m*, bureau *m* de vente des billets
tickle ['tɪkl] *vi* chatouiller ▷ *vt* chatouiller; **ticklish** *adj* (*person*) chatouilleux(-euse); (*problem*) épineux(-euse)
tide [taɪd] *n* marée *f*; (*fig*: *of events*) cours *m*
tidy ['taɪdɪ] *adj* (*room*) bien rangé(e); (*dress, work*) net (nette), soigné(e); (*person*) ordonné(e), qui a de

l'ordre ▷ *vt* (*also*: **~ up**) ranger
tie [taɪ] *n* (*string etc*) cordon *m*; (BRIT: *also*: **neck~**) cravate *f*; (*fig*: *link*) lien *m*; (*Sport*: *draw*) égalité *f* de points; match nul ▷ *vt* (*parcel*) attacher; (*ribbon*) nouer ▷ *vi* (*Sport*) faire match nul; finir à égalité de points; **to ~ sth in a bow** faire un nœud à *or* avec qch; **to ~ a knot in sth** faire un nœud à qch; **tie down** *vt* (*fig*): **to ~ sb down to** contraindre qn à accepter; **to feel ~d down** (*by relationship*) se sentir coincé(e); **tie up** *vt* (*parcel*) ficeler; (*dog, boat*) attacher; (*prisoner*) ligoter; (*arrangements*) conclure; **to be ~d up** (*busy*) être pris(e) *or* occupé(e)
tier [tɪəʳ] *n* gradin *m*; (*of cake*) étage *m*
tiger ['taɪgəʳ] *n* tigre *m*
tight [taɪt] *adj* (*rope*) tendu(e), raide; (*clothes*) étroit(e), très juste; (*budget, programme, bend*) serré(e); (*control*) strict(e), sévère; (*inf*: *drunk*) ivre, rond(e) ▷ *adv* (*squeeze*) très fort; (*shut*) à bloc, hermétiquement; **hold ~!** accrochez-vous bien!; **tighten** *vt* (*rope*) tendre; (*screw*) resserrer; (*control*) renforcer ▷ *vi* se tendre; se resserrer; **tightly** *adv* (*grasp*) bien, très fort; **tights** *npl* (BRIT) collant *m*
tile [taɪl] *n* (*on roof*) tuile *f*; (*on wall or floor*) carreau *m*
till [tɪl] *n* caisse (enregistreuse) ▷ *prep, conj* = **until**
tilt [tɪlt] *vt* pencher, incliner ▷ *vi* pencher, être incliné(e)
timber ['tɪmbəʳ] *n* (*material*) bois *m* de construction
time [taɪm] *n* temps *m*; (*epoch*: *often pl*) époque *f*, temps; (*by clock*) heure *f*; (*moment*) moment *m*; (*occasion, also Math*) fois *f*; (*Mus*) mesure *f* ▷ *vt* (*race*) chronométrer; (*programme*) minuter; (*visit*) fixer; (*remark etc*) choisir le moment de; **a long ~** un long moment, longtemps; **four at a ~** quatre à la fois; **for the ~ being** pour le moment; **from ~ to ~** de temps en temps; **at ~s** parfois; **in ~** (*soon enough*) à temps; (*after some time*) avec le temps, à la longue; (*Mus*) en mesure; **in a week's ~** dans une semaine; **in no ~** en un rien de temps; **any ~** n'importe quand; **on ~** à l'heure; **5 ~s 5** 5 fois 5; **what ~ is it?** quelle heure est-il?; **what ~ is the museum/shop open?** à quelle heure ouvre le musée/magasin?; **to have a good ~** bien s'amuser; **time limit** *n* limite *f* de temps, délai *m*; **timely** *adj* opportun(e); **timer** *n* (*in kitchen*) compte-minutes *m inv*; (*Tech*) minuteur *m*; **time-share** *n* maison *f*/appartement *m* en multipropriété; **timetable** *n* (*Rail*) (indicateur *m*) horaire *m*; (*Scol*) emploi *m* du temps; **time zone** *n* fuseau *m* horaire
timid ['tɪmɪd] *adj* timide; (*easily scared*) peureux(-euse)
timing ['taɪmɪŋ] *n* (*Sport*) chronométrage *m*; **the ~ of his resignation** le moment choisi pour sa démission
tin [tɪn] *n* étain *m*; (*also*: **~ plate**) fer-blanc *m*; (BRIT: *can*) boîte *f* (de conserve); (: *for baking*) moule *m* (à gâteau); (*for storage*) boîte *f*; **tinfoil** *n* papier *m* d'étain *or* d'aluminium
tingle ['tɪŋgl] *vi* picoter; (*person*) avoir des picotements
tinker ['tɪŋkəʳ]; **tinker with** *vt fus* bricoler, rafistoler
tinned [tɪnd] *adj* (BRIT: *food*) en boîte, en conserve
tin opener [-'əupnəʳ] *n* (BRIT) ouvre-boîte(s) *m*
tinsel ['tɪnsl] *n* guirlandes *fpl* de Noël (*argentées*)
tint [tɪnt] *n* teinte *f*; (*for hair*) shampooing colorant; **tinted** *adj* (*hair*) teint(e); (*spectacles, glass*) teinté(e)
tiny ['taɪnɪ] *adj* minuscule
tip [tɪp] *n* (*end*) bout *m*; (*gratuity*) pourboire *m*; (BRIT: *for rubbish*) décharge *f*; (*advice*) tuyau *m* ▷ *vt* (*waiter*) donner un pourboire à; (*tilt*) incliner; (*overturn*: *also*: **~ over**) renverser; (*empty*: *also*: **~ out**) déverser; **how much should I ~?** combien de pourboire est-ce qu'il faut laisser?; **tip off** *vt* prévenir, avertir
tiptoe ['tɪptəu] *n*: **on ~** sur la pointe des pieds
tire ['taɪəʳ] *n* (US) = **tyre** ▷ *vt* fatiguer ▷ *vi* se fatiguer; **tired** *adj* fatigué(e); **to be tired of** en avoir assez de, être las (lasse) de; **tire pressure** (US) = **tyre pressure**; **tiring** *adj* fatigant(e)
tissue ['tɪʃuː] *n* tissu *m*; (*paper handkerchief*) mouchoir *m* en papier, kleenex® *m*; **tissue paper** *n* papier *m* de soie
tit [tɪt] *n* (*bird*) mésange *f*; **to give ~ for tat** rendre coup pour coup
title ['taɪtl] *n* titre *m*
T-junction ['tiː'dʒʌŋkʃən] *n* croisement *m* en T
TM *n abbr* = **trademark**

 **KEYWORD**

to [tuː, tə] *prep* **1** (*direction*) à; (*towards*) vers; envers; **to go to France/Portugal/London/school** aller en France/au Portugal/à Londres/à l'école; **to go to Claude's/the doctor's** aller chez Claude/le docteur; **the road to Edinburgh** la route d'Édimbourg
2 (*as far as*) (jusqu')à; **to count to 10** compter jusqu'à 10; **from 40 to 50 people** de 40 à 50 personnes
3 (*with expressions of time*): **a quarter to 5** 5 heures moins le quart; **it's twenty to 3** il est 3 heures moins vingt
4 (*for, of*) de; **the key to the front door** la clé de la porte d'entrée; **a letter to his wife** une lettre (adressée) à sa femme
5 (*expressing indirect object*) à; **to give sth to sb** donner qch à qn; **to talk to sb** parler à qn; **to be a danger to sb** être dangereux(-euse) pour qn
6 (*in relation to*) à; **3 goals to 2** 3 (buts) à 2; **30 miles to the gallon** ≈ 9,4 litres aux cent (km)
7 (*purpose, result*): **to come to sb's aid** venir au secours de qn, porter secours à qn; **to sentence sb to death** condamner qn à mort; **to my surprise** à ma grande surprise
▷ *with vb* **1** (*simple infinitive*): **to go/eat** aller/manger
2 (*following another vb*): **to want/try/start to do** vouloir/essayer de/commencer à faire
3 (*with vb omitted*): **I don't want to** je ne veux pas
4 (*purpose, result*) pour; **I did it to help you** je l'ai fait pour vous aider
5 (*equivalent to relative clause*): **I have things to do** j'ai des choses à faire; **the main thing is to try** l'important est d'essayer
6 (*after adjective etc*): **ready to go** prêt(e) à partir; **too old/young to ...** trop vieux/jeune pour ...
▷ *adv*: **push/pull the door to** tirez/poussez la porte

toad [təud] *n* crapaud *m*; **toadstool** *n* champignon (vénéneux)
toast [təust] *n* (*Culin*) pain grillé, toast *m*; (*drink, speech*) toast ▷ *vt* (*Culin*) faire griller; (*drink to*) porter un toast à; **toaster** *n* grille-pain *m inv*
tobacco [tə'bækəu] *n* tabac *m*
toboggan [tə'bɔgən] *n* toboggan *m*; (*child's*) luge *f*
today [tə'deɪ] *adv, n* (*also fig*) aujourd'hui (*m*)
toddler ['tɔdləʳ] *n* enfant *m/f* qui commence à marcher, bambin *m*
toe [təu] *n* doigt *m* de pied, orteil *m*; (*of shoe*) bout *m* ▷ *vt*: **to ~ the line** (*fig*) obéir, se conformer; **toenail** *n* ongle *m* de l'orteil

toffee ['tɔfɪ] *n* caramel *m*
together [tə'gɛðə^r] *adv* ensemble; (*at same time*) en même temps; **~ with** *prep* avec
toilet ['tɔɪlət] *n* (BRIT: *lavatory*) toilettes *fpl*, cabinets *mpl*; **to go to the ~** aller aux toilettes; **where's the ~?** où sont les toilettes?; **toilet bag** *n* (BRIT) nécessaire *m* de toilette; **toilet paper** *n* papier *m* hygiénique; **toiletries** *npl* articles *mpl* de toilette; **toilet roll** *n* rouleau *m* de papier hygiénique
token ['təukən] *n* (*sign*) marque *f*, témoignage *m*; (*metal disc*) jeton *m* ▷ *adj* (*fee, strike*) symbolique; **book/record ~** (BRIT) chèque-livre/-disque *m*
Tokyo ['təukjəu] *n* Tokyo
told [təuld] *pt, pp of* **tell**
tolerant ['tɔlərnt] *adj*: **~ (of)** tolérant(e) (à l'égard de)
tolerate ['tɔləreɪt] *vt* supporter
toll [təul] *n* (*tax, charge*) péage *m* ▷ *vi* (*bell*) sonner; **the accident ~ on the roads** le nombre des victimes de la route; **toll call** *n* (US *Tel*) appel *m* (à) longue distance; **toll-free** *adj* (US) gratuit(e) ▷ *adv* gratuitement
tomato [tə'mɑːtəu] (*pl* **~es**) *n* tomate *f*; **tomato sauce** *n* sauce *f* tomate
tomb [tuːm] *n* tombe *f*; **tombstone** *n* pierre tombale
tomorrow [tə'mɔrəu] *adv, n* (*also fig*) demain (*m*); **the day after ~** après-demain; **a week ~** demain en huit; **~ morning** demain matin
ton [tʌn] *n* tonne *f* (*BRIT: = 1016 kg; US = 907 kg; metric = 1000 kg*); **~s of** (*inf*) des tas de
tone [təun] *n* ton *m*; (*of radio*, BRIT *Tel*) tonalité *f* ▷ *vi* (*also*: **~ in**) s'harmoniser; **tone down** *vt* (*colour, criticism*) adoucir
tongs [tɔŋz] *npl* pinces *fpl*; (*for coal*) pincettes *fpl*; (*for hair*) fer *m* à friser
tongue [tʌŋ] *n* langue *f*; **~ in cheek** *adv* ironiquement
tonic ['tɔnɪk] *n* (*Med*) tonique *m*; (*also*: **~ water**) Schweppes® *m*
tonight [tə'naɪt] *adv, n* cette nuit; (*this evening*) ce soir
tonne [tʌn] *n* (BRIT: *metric ton*) tonne *f*
tonsil ['tɔnsl] *n* amygdale *f*; **tonsillitis** [tɔnsɪ'laɪtɪs] *n*: **to have tonsillitis** avoir une angine *or* une amygdalite
too [tuː] *adv* (*excessively*) trop; (*also*) aussi; **~ much** (*as adv*) trop; (*as adj*) trop de; **~ many** *adj* trop de
took [tuk] *pt of* **take**
tool [tuːl] *n* outil *m*; **tool box** *n* boîte *f* à outils; **tool kit** *n* trousse *f* à outils
tooth (*pl* **teeth**) [tuːθ, tiːθ] *n* (*Anat, Tech*) dent *f*; **to brush one's teeth** se laver les dents; **toothache** *n* mal *m* de dents; **to have toothache** avoir mal aux dents; **toothbrush** *n* brosse *f* à dents; **toothpaste** *n* (pâte *f*) dentifrice *m*; **toothpick** *n* cure-dent *m*
top [tɔp] *n* (*of mountain, head*) sommet *m*; (*of page, ladder*) haut *m*; (*of box, cupboard, table*) dessus *m*; (*lid: of box, jar*) couvercle *m*; (*: of bottle*) bouchon *m*; (*toy*) toupie *f*; (*Dress: blouse etc*) haut; (*: of pyjamas*) veste *f* ▷ *adj* du haut; (*in rank*) premier(-ière); (*best*) meilleur(e) ▷ *vt* (*exceed*) dépasser; (*be first in*) être en tête de; **from ~ to bottom** de fond en comble; **on ~ of** sur; (*in addition to*) en plus de; **over the ~** (*inf: behaviour etc*) qui dépasse les limites; **top up** (US); **top off** *vt* (*bottle*) remplir; (*salary*) compléter; **to ~ up one's mobile (phone)** recharger son compte; **top floor** *n* dernier étage; **top hat** *n* haut-de-forme *m*
topic ['tɔpɪk] *n* sujet *m*, thème *m*; **topical** *adj* d'actualité
topless ['tɔplɪs] *adj* (*bather etc*) aux seins nus
topping ['tɔpɪŋ] *n* (*Culin*) *couche de crème, fromage etc qui recouvre un plat*
topple ['tɔpl] *vt* renverser, faire tomber ▷ *vi* basculer; tomber
top-up ['tɔpʌp] *n* (*for mobile phone*) recharge *f*, minutes *fpl*; **top-up card** *n* (*for mobile phone*) recharge *f*
torch [tɔːtʃ] *n* torche *f*; (BRIT: *electric*) lampe *f* de poche
tore [tɔː^r] *pt of* **tear**[2]
torment *n* ['tɔːmɛnt] tourment *m* ▷ *vt* [tɔː'mɛnt] tourmenter; (*fig: annoy*) agacer
torn [tɔːn] *pp of* **tear**[2]
tornado [tɔː'neɪdəu] (*pl* **~es**) *n* tornade *f*
torpedo [tɔː'piːdəu] (*pl* **~es**) *n* torpille *f*
torrent ['tɔrnt] *n* torrent *m*; **torrential** [tɔ'rɛnʃl] *adj* torrentiel(le)
tortoise ['tɔːtəs] *n* tortue *f*
torture ['tɔːtʃə^r] *n* torture *f* ▷ *vt* torturer
Tory ['tɔːrɪ] *adj, n* (BRIT *Pol*) tory *m/f*, conservateur(-trice)
toss [tɔs] *vt* lancer, jeter; (BRIT: *pancake*) faire sauter; (*head*) rejeter en arrière ▷ *vi*: **to ~ up for sth** (BRIT) jouer qch à pile ou face; **to ~ a coin** jouer à pile ou face; **to ~ and turn** (*in bed*) se tourner et se retourner
total ['təutl] *adj* total(e) ▷ *n* total *m* ▷ *vt* (*add up*) faire le total de, additionner; (*amount to*) s'élever à
totalitarian [təutælɪ'tɛərɪən] *adj* totalitaire
totally ['təutəlɪ] *adv* totalement
touch [tʌtʃ] *n* contact *m*, toucher *m*; (*sense, skill: of pianist etc*) toucher ▷ *vt* (*gen*) toucher; (*tamper with*) toucher à; **a ~ of** (*fig*) un petit peu de; une touche de; **to get in ~ with** prendre contact avec; **to lose ~** (*friends*) se perdre de vue; **touch down** *vi* (*Aviat*) atterrir; (*on sea*) amerrir; **touchdown** *n* (*Aviat*) atterrissage *m*; (*on sea*) amerrissage *m*; (US *Football*) essai *m*; **touched** *adj* (*moved*) touché(e); **touching** *adj* touchant(e), attendrissant(e); **touchline** *n* (*Sport*) (ligne *f* de) touche *f*; **touch-sensitive** *adj* (*keypad*) à effleurement; (*screen*) tactile
tough [tʌf] *adj* dur(e); (*resistant*) résistant(e), solide; (*meat*) dur, coriace; (*firm*) inflexible; (*task, problem, situation*) difficile
tour ['tuə^r] *n* voyage *m*; (*also*: **package ~**) voyage organisé; (*of town, museum*) tour *m*, visite *f*; (*by band*) tournée *f* ▷ *vt* visiter; **tour guide** *n* (*person*) guide *m/f*
tourism ['tuərɪzm] *n* tourisme *m*
tourist ['tuərɪst] *n* touriste *m/f* ▷ *cpd* touristique; **tourist office** *n* syndicat *m* d'initiative
tournament ['tuənəmənt] *n* tournoi *m*
tour operator *n* (BRIT) organisateur *m* de voyages, tour-opérateur *m*
tow [təu] *vt* remorquer; (*caravan, trailer*) tracter; **"on ~"** (US): **"in ~"** (*Aut*) "véhicule en remorque"; **tow away** *vt* (*subj: police*) emmener à la fourrière; (*: breakdown service*) remorquer
toward(s) [tə'wɔːd(z)] *prep* vers; (*of attitude*) envers, à l'égard de; (*of purpose*) pour
towel ['tauəl] *n* serviette *f* (de toilette); **towelling** *n* (*fabric*) tissu-éponge *m*
tower ['tauə^r] *n* tour *f*; **tower block** *n* (BRIT) tour *f* (d'habitation)
town [taun] *n* ville *f*; **to go to ~** aller en ville; (*fig*) y mettre le paquet; **town centre** *n* (BRIT) centre *m* de

la ville, centre-ville *m*; **town hall** *n* ≈ mairie *f*
tow truck *n* (*US*) dépanneuse *f*
toxic ['tɔksɪk] *adj* toxique
toy [tɔɪ] *n* jouet *m*; **toy with** *vt fus* jouer avec; (*idea*) caresser; **toyshop** *n* magasin *m* de jouets
trace [treɪs] *n* trace *f* ▷ *vt* (*draw*) tracer, dessiner; (*follow*) suivre la trace de; (*locate*) retrouver
tracing paper ['treɪsɪŋ-] *n* papier-calque *m*
track [træk] *n* (*mark*) trace *f*; (*path*: *gen*) chemin *m*, piste *f*; (: *of bullet etc*) trajectoire *f*; (: *of suspect, animal*) piste; (*Rail*) voie ferrée, rails *mpl*; (*on tape, Comput, Sport*) piste; (*on CD*) piste *f*; (*on record*) plage *f* ▷ *vt* suivre la trace *or* la piste de; **to keep ~ of** suivre; **track down** *vt* (*prey*) trouver et capturer; (*sth lost*) finir par retrouver; **tracksuit** *n* survêtement *m*
tractor ['træktəʳ] *n* tracteur *m*
trade [treɪd] *n* commerce *m*; (*skill, job*) métier *m* ▷ *vi* faire du commerce ▷ *vt* (*exchange*): **to ~ sth (for sth)** échanger qch (contre qch); **to ~ with/in** faire du commerce avec/le commerce de; **trade in** *vt* (*old car etc*) faire reprendre; **trademark** *n* marque *f* de fabrique; **trader** *n* commerçant(e), négociant(e); **tradesman** (*irreg*) *n* (*shopkeeper*) commerçant *m*; **trade union** *n* syndicat *m*
trading ['treɪdɪŋ] *n* affaires *fpl*, commerce *m*
tradition [trə'dɪʃən] *n* tradition *f*; **traditional** *adj* traditionnel(le)
traffic ['træfɪk] *n* trafic *m*; (*cars*) circulation *f* ▷ *vi*: **to ~ in** (*pej*: *liquor, drugs*) faire le trafic de; **traffic circle** *n* (*US*) rond-point *m*; **traffic island** *n* refuge *m* (pour piétons); **traffic jam** *n* embouteillage *m*; **traffic lights** *npl* feux *mpl* (de signalisation); **traffic warden** *n* contractuel(le)
tragedy ['trædʒədɪ] *n* tragédie *f*
tragic ['trædʒɪk] *adj* tragique
trail [treɪl] *n* (*tracks*) trace *f*, piste *f*; (*path*) chemin *m*, piste; (*of smoke etc*) traînée *f* ▷ *vt* (*drag*) traîner, tirer; (*follow*) suivre ▷ *vi* traîner; (*in game, contest*) être en retard; **trailer** *n* (*Aut*) remorque *f*; (*US*) caravane *f*; (*Cine*) bande-annonce *f*
train [treɪn] *n* train *m*; (*in underground*) rame *f*; (*of dress*) traîne *f*; (BRIT: *series*): **~ of events** série *f* d'événements ▷ *vt* (*apprentice, doctor etc*) former; (*Sport*) entraîner; (*dog*) dresser; (*memory*) exercer; (*point*: *gun etc*): **to ~ sth on** braquer qch sur ▷ *vi* recevoir sa formation; (*Sport*) s'entraîner; **one's ~ of thought** le fil de sa pensée; **what time does the ~ from Paris get in?** à quelle heure arrive le train de Paris?; **is this the ~ for ...?** c'est bien le train pour...?; **trainee** [treɪ'ni:] *n* stagiaire *m/f*; (*in trade*) apprenti(e); **trainer** *n* (*Sport*) entraîneur(-euse); (*of dogs etc*) dresseur(-euse); **trainers** *npl* (*shoes*) chaussures *fpl* de sport; **training** *n* formation *f*; (*Sport*) entraînement *m*; (*of dog etc*) dressage *m*; **in training** (*Sport*) à l'entraînement; (*fit*) en forme; **training course** *n* cours *m* de formation professionnelle; **training shoes** *npl* chaussures *fpl* de sport
trait [treɪt] *n* trait *m* (de caractère)
traitor ['treɪtəʳ] *n* traître *m*
tram [træm] *n* (BRIT: *also*: **~car**) tram(way) *m*
tramp [træmp] *n* (*person*) vagabond(e), clochard(e); (*inf*: *pej*: *woman*): **to be a ~** être coureuse
trample ['træmpl] *vt*: **to ~ (underfoot)** piétiner
trampoline ['træmpəli:n] *n* trampoline *m*
tranquil ['træŋkwɪl] *adj* tranquille; **tranquillizer** (*US* **tranquilizer**) *n* (*Med*) tranquillisant *m*
transaction [træn'zækʃən] *n* transaction *f*
transatlantic ['trænzət'læntɪk] *adj* transatlantique
transcript ['trænskrɪpt] *n* transcription *f* (*texte*)
transfer *n* ['trænsfəʳ] (*gen, also Sport*) transfert *m*; (*Pol*: *of power*) passation *f*; (*of money*) virement *m*; (*picture, design*) décalcomanie *f*; (: *stick-on*) autocollant *m* ▷ *vt* [træns'fə:ʳ] transférer; passer; virer; **to ~ the charges** (BRIT *Tel*) téléphoner en P.C.V.
transform [træns'fɔ:m] *vt* transformer; **transformation** *n* transformation *f*
transfusion [træns'fju:ʒən] *n* transfusion *f*
transit ['trænzɪt] *n*: **in ~** en transit
transition [træn'zɪʃən] *n* transition *f*
transitive ['trænzɪtɪv] *adj* (*Ling*) transitif(-ive)
translate [trænz'leɪt] *vt*: **to ~ (from/into)** traduire (du/en); **can you ~ this for me?** pouvez-vous me traduire ceci?; **translation** [trænz'leɪʃən] *n* traduction *f*; (*Scol*: *as opposed to prose*) version *f*; **translator** *n* traducteur(-trice)
transmission [trænz'mɪʃən] *n* transmission *f*
transmit [trænz'mɪt] *vt* transmettre; (*Radio, TV*) émettre; **transmitter** *n* émetteur *m*
transparent [træns'pærnt] *adj* transparent(e)
transplant *n* ['trænsplɑ:nt] (*Med*) transplantation *f*
transport *n* ['trænspɔ:t] transport *m* ▷ *vt* [træns'pɔ:t] transporter; **transportation** [trænspɔ:'teɪʃən] *n* (moyen *m* de) transport *m*
transvestite [trænz'vɛstaɪt] *n* travesti(e)
trap [træp] *n* (*snare, trick*) piège *m*; (*carriage*) cabriolet *m* ▷ *vt* prendre au piège; (*confine*) coincer
trash [træʃ] *n* (*pej*: *goods*) camelote *f*; (: *nonsense*) sottises *fpl*; (*US*: *rubbish*) ordures *fpl*; **trash can** *n* (*US*) poubelle *f*
trauma ['trɔ:mə] *n* traumatisme *m*; **traumatic** [trɔ:'mætɪk] *adj* traumatisant(e)
travel ['trævl] *n* voyage(s) *m(pl)* ▷ *vi* voyager; (*news, sound*) se propager ▷ *vt* (*distance*) parcourir; **travel agency** *n* agence *f* de voyages; **travel agent** *n* agent *m* de voyages; **travel insurance** *n* assurance-voyage *f*; **traveller** (*US* **traveler**) *n* voyageur(-euse); **traveller's cheque** (*US* **traveler's check**) *n* chèque *m* de voyage; **travelling** (*US* **traveling**) *n* voyage(s) *m(pl)*; **travel-sick** *adj*: **to get travel-sick** avoir le mal de la route (*or* de mer *or* de l'air); **travel sickness** *n* mal *m* de la route (*or* de mer *or* de l'air)
tray [treɪ] *n* (*for carrying*) plateau *m*; (*on desk*) corbeille *f*
treacherous ['trɛtʃərəs] *adj* traître(sse); (*ground, tide*) dont il faut se méfier
treacle ['tri:kl] *n* mélasse *f*
tread [trɛd] *n* (*step*) pas *m*; (*sound*) bruit *m* de pas; (*of tyre*) chape *f*, bande *f* de roulement ▷ *vi* (*pt* **trod**, *pp* **trodden**) marcher; **tread on** *vt fus* marcher sur
treasure ['trɛʒəʳ] *n* trésor *m* ▷ *vt* (*value*) tenir beaucoup à; **treasurer** *n* trésorier(-ière)
treasury ['trɛʒərɪ] *n*: **the T~** (*US*): **the T~ Department** ≈ le ministère des Finances
treat [tri:t] *n* petit cadeau, petite surprise ▷ *vt* traiter; **to ~ sb to sth** offrir qch à qn; **treatment** *n* traitement *m*
treaty ['tri:tɪ] *n* traité *m*
treble ['trɛbl] *adj* triple ▷ *vt, vi* tripler
tree [tri:] *n* arbre *m*
trek [trɛk] *n* (*long walk*) randonnée *f*; (*tiring walk*) longue marche, trotte *f*
tremble ['trɛmbl] *vi* trembler
tremendous [trɪ'mɛndəs] *adj* (*enormous*) énorme; (*excellent*) formidable, fantastique

trench [trɛntʃ] *n* tranchée *f*
trend [trɛnd] *n* (*tendency*) tendance *f*; (*of events*) cours *m*; (*fashion*) mode *f*; **trendy** *adj* (*idea, person*) dans le vent; (*clothes*) dernier cri *inv*
trespass ['trɛspəs] *vi*: **to ~ on** s'introduire sans permission dans; **"no ~ing"** "propriété privée", "défense d'entrer"
trial ['traɪəl] *n* (*Law*) procès *m*, jugement *m*; (*test: of machine etc*) essai *m*; **trials** *npl* (*unpleasant experiences*) épreuves *fpl*; **trial period** *n* période *f* d'essai
triangle ['traɪæŋgl] *n* (*Math, Mus*) triangle *m*
triangular [traɪ'æŋgjuləʳ] *adj* triangulaire
tribe [traɪb] *n* tribu *f*
tribunal [traɪ'bju:nl] *n* tribunal *m*
tribute ['trɪbju:t] *n* tribut *m*, hommage *m*; **to pay ~ to** rendre hommage à
trick [trɪk] *n* (*magic*) tour *m*; (*joke, prank*) tour, farce *f*; (*skill, knack*) astuce *f*; (*Cards*) levée *f* ▷ *vt* attraper, rouler; **to play a ~ on sb** jouer un tour à qn; **that should do the ~** (*fam*) ça devrait faire l'affaire
trickle ['trɪkl] *n* (*of water etc*) filet *m* ▷ *vi* couler en un filet *or* goutte à goutte
tricky ['trɪkɪ] *adj* difficile, délicat(e)
tricycle ['traɪsɪkl] *n* tricycle *m*
trifle ['traɪfl] *n* bagatelle *f*; (*Culin*) ≈ diplomate *m* ▷ *adv*: **a ~ long** un peu long
trigger ['trɪgəʳ] *n* (*of gun*) gâchette *f*
trim [trɪm] *adj* (*house, garden*) bien tenu(e); (*figure*) svelte ▷ *n* (*haircut etc*) légère coupe; (*on car*) garnitures *fpl* ▷ *vt* (*cut*) couper légèrement; (*decorate*): **to ~ (with)** décorer (de); (*Naut: a sail*) gréer
trio ['tri:əu] *n* trio *m*
trip [trɪp] *n* voyage *m*; (*excursion*) excursion *f*; (*stumble*) faux pas ▷ *vi* faire un faux pas, trébucher; **trip up** *vi* trébucher ▷ *vt* faire un croc-en-jambe à
triple ['trɪpl] *adj* triple
triplets ['trɪplɪts] *npl* triplés(-ées)
tripod ['traɪpɔd] *n* trépied *m*
triumph ['traɪʌmf] *n* triomphe *m* ▷ *vi*: **to ~ (over)** triompher (de); **triumphant** [traɪ'ʌmfənt] *adj* triomphant(e)
trivial ['trɪvɪəl] *adj* insignifiant(e); (*commonplace*) banal(e)
trod [trɔd] *pt of* **tread**
trodden [trɔdn] *pp of* **tread**
trolley ['trɔlɪ] *n* chariot *m*
trombone [trɔm'bəun] *n* trombone *m*
troop [tru:p] *n* bande *f*, groupe *m*; **troops** *npl* (*Mil*) troupes *fpl*; (*: men*) hommes *mpl*, soldats *mpl*
trophy ['trəufɪ] *n* trophée *m*
tropical ['trɔpɪkl] *adj* tropical(e)
trot [trɔt] *n* trot *m* ▷ *vi* trotter; **on the ~** (BRIT: *fig*) d'affilée
trouble ['trʌbl] *n* difficulté(s) *f(pl)*, problème(s) *m(pl)*; (*worry*) ennuis *mpl*, soucis *mpl*; (*bother, effort*) peine *f*; (*Pol*) conflit(s) *m(pl)*, troubles *mpl*; (*Med*): **stomach** *etc* **~** troubles gastriques *etc* ▷ *vt* (*disturb*) déranger, gêner; (*worry*) inquiéter ▷ *vi*: **to ~ to do** prendre la peine de faire; **troubles** *npl* (*Pol etc*) troubles; (*personal*) ennuis, soucis; **to be in ~** avoir des ennuis; (*ship, climber etc*) être en difficulté; **to have ~ doing sth** avoir du mal à faire qch; **it's no ~!** je vous en prie!; **the ~ is ...** le problème, c'est que ...; **what's the ~?** qu'est-ce qui ne va pas?; **troubled** *adj* (*person*) inquiet(-ète); (*times, life*) agité(e); **troublemaker** *n* élément perturbateur, fauteur *m* de troubles; **troublesome** *adj* (*child*) fatigant(e), difficile; (*cough*) gênant(e)
trough [trɔf] *n* (*also*: **drinking ~**) abreuvoir *m*; (*also*: **feeding ~**) auge *f*; (*depression*) creux *m*
trousers ['trauzəz] *npl* pantalon *m*; **short ~** (BRIT) culottes courtes
trout [traut] *n* (*pl inv*) truite *f*
trowel ['trauəl] *n* truelle *f*; (*garden tool*) déplantoir *m*
truant ['truənt] *n*: **to play ~** (BRIT) faire l'école buissonnière
truce [tru:s] *n* trêve *f*
truck [trʌk] *n* camion *m*; (*Rail*) wagon *m* à plate-forme; **truck driver** *n* camionneur *m*
true [tru:] *adj* vrai(e); (*accurate*) exact(e); (*genuine*) vrai, véritable; (*faithful*) fidèle; **to come ~** se réaliser
truly ['tru:lɪ] *adv* vraiment, réellement; (*truthfully*) sans mentir; **yours ~** (*in letter*) je vous prie d'agréer, Monsieur (*or Madame etc*), l'expression de mes sentiments respectueux
trumpet ['trʌmpɪt] *n* trompette *f*
trunk [trʌŋk] *n* (*of tree, person*) tronc *m*; (*of elephant*) trompe *f*; (*case*) malle *f*; (*US Aut*) coffre *m*; **trunks** *npl* (*also*: **swimming ~s**) maillot *m or* slip *m* de bain
trust [trʌst] *n* confiance *f*; (*responsibility*): **to place sth in sb's ~** confier la responsabilité de qch à qn; (*Law*) fidéicommis *m* ▷ *vt* (*rely on*) avoir confiance en; (*entrust*): **to ~ sth to sb** confier qch à qn; (*hope*): **to ~ (that)** espérer (que); **to take sth on ~** accepter qch les yeux fermés; **trusted** *adj* en qui l'on a confiance; **trustworthy** *adj* digne de confiance
truth [tru:θ, (*pl*) tru:ðz] *n* vérité *f*; **truthful** *adj* (*person*) qui dit la vérité; (*answer*) sincère
try [traɪ] *n* essai *m*, tentative *f*; (*Rugby*) essai ▷ *vt* (*attempt*) essayer, tenter; (*test: sth new: also*: **~ out**) essayer, tester; (*Law: person*) juger; (*strain*) éprouver ▷ *vi* essayer; **to ~ to do** essayer de faire; (*seek*) chercher à faire; **try on** *vt* (*clothes*) essayer; **trying** *adj* pénible
T-shirt ['ti:ʃə:t] *n* tee-shirt *m*
tub [tʌb] *n* cuve *f*; (*for washing clothes*) baquet *m*; (*bath*) baignoire *f*
tube [tju:b] *n* tube *m*; (BRIT: *underground*) métro *m*; (*for tyre*) chambre *f* à air
tuberculosis [tjubə:kju'ləusɪs] *n* tuberculose *f*
tube station *n* (BRIT) station *f* de métro
tuck [tʌk] *vt* (*put*) mettre; **tuck away** *vt* cacher, ranger; (*money*) mettre de côté; (*building*): **to be ~ed away** être caché(e); **tuck in** *vt* rentrer; (*child*) border ▷ *vi* (*eat*) manger de bon appétit; attaquer le repas; **tuck shop** *n* (BRIT *Scol*) boutique *f* à provisions
Tue(s) *abbr* (= *Tuesday*) ma
Tuesday ['tju:zdɪ] *n* mardi *m*
tug [tʌg] *n* (*ship*) remorqueur *m* ▷ *vt* tirer (sur)
tuition [tju:'ɪʃən] *n* (BRIT: *lessons*) leçons *fpl*; (*: private*) cours particuliers; (*US: fees*) frais *mpl* de scolarité
tulip ['tju:lɪp] *n* tulipe *f*
tumble ['tʌmbl] *n* (*fall*) chute *f*, culbute *f* ▷ *vi* tomber, dégringoler; **to ~ to sth** (*inf*) réaliser qch; **tumble dryer** *n* (BRIT) séchoir *m* (à linge) à air chaud
tumbler ['tʌmbləʳ] *n* verre (droit), gobelet *m*
tummy ['tʌmɪ] *n* (*inf*) ventre *m*
tumour (US **tumor**) ['tju:məʳ] *n* tumeur *f*
tuna ['tju:nə] *n* (*pl inv: also*: **~ fish**) thon *m*
tune [tju:n] *n* (*melody*) air *m* ▷ *vt* (*Mus*) accorder; (*Radio, TV, Aut*) régler, mettre au point; **to be in/out of ~** (*instrument*) être accordé/désaccordé; (*singer*) chanter juste/faux; **tune in** *vi* (*Radio, TV*): **to ~ in**

(to) se mettre à l'écoute (de); **tune up** *vi* (*musician*) accorder son instrument
tunic ['tju:nɪk] *n* tunique *f*
Tunis ['tju:nɪs] *n* Tunis
Tunisia [tju:'nɪzɪə] *n* Tunisie *f*
Tunisian [tju:'nɪzɪən] *adj* tunisien(ne) ▷ *n* Tunisien(ne)
tunnel ['tʌnl] *n* tunnel *m*; (*in mine*) galerie *f* ▷ *vi* creuser un tunnel (*or* une galerie)
turbulence ['tə:bjuləns] *n* (*Aviat*) turbulence *f*
turf [tə:f] *n* gazon *m*; (*clod*) motte *f* (de gazon) ▷ *vt* gazonner
Turk [tə:k] *n* Turc (Turque)
Turkey ['tə:kɪ] *n* Turquie *f*
turkey ['tə:kɪ] *n* dindon *m*, dinde *f*
Turkish ['tə:kɪʃ] *adj* turc (turque) ▷ *n* (*Ling*) turc *m*
turmoil ['tə:mɔɪl] *n* trouble *m*, bouleversement *m*
turn [tə:n] *n* tour *m*; (*in road*) tournant *m*; (*tendency: of mind, events*) tournure *f*; (*performance*) numéro *m*; (*Med*) crise *f*, attaque *f* ▷ *vt* tourner; (*collar, steak*) retourner; (*change*): **to ~ sth into** changer qch en; (*age*) atteindre ▷ *vi* (*object, wind, milk*) tourner; (*person: look back*) se (re)tourner; (*reverse direction*) faire demi-tour; (*become*) devenir; **to ~ into** se changer en, se transformer en; **a good ~** un service; **it gave me quite a ~** ça m'a fait un coup; **"no left ~"** (*Aut*) "défense de tourner à gauche"; **~ left/right at the next junction** tournez à gauche/droite au prochain carrefour; **it's your ~** c'est (à) votre tour; **in ~** à son tour; à tour de rôle; **to take ~s** se relayer; **turn around** *vi* (*person*) se retourner ▷ *vt* (*object*) tourner; **turn away** *vi* se détourner, tourner la tête ▷ *vt* (*reject: person*) renvoyer; (*: business*) refuser; **turn back** *vi* revenir, faire demi-tour; **turn down** *vt* (*refuse*) rejeter, refuser; (*reduce*) baisser; (*fold*) rabattre; **turn in** *vi* (*inf: go to bed*) aller se coucher ▷ *vt* (*fold*) rentrer; **turn off** *vi* (*from road*) tourner ▷ *vt* (*light, radio etc*) éteindre; (*tap*) fermer; (*engine*) arrêter; **I can't ~ the heating off** je n'arrive pas à éteindre le chauffage; **turn on** *vt* (*light, radio etc*) allumer; (*tap*) ouvrir; (*engine*) mettre en marche; **I can't ~ the heating on** je n'arrive pas à allumer le chauffage; **turn out** *vt* (*light, gas*) éteindre; (*produce*) produire ▷ *vi* (*voters, troops*) se présenter; **to ~ out to be ...** s'avérer ..., se révéler ...; **turn over** *vi* (*person*) se retourner ▷ *vt* (*object*) retourner; (*page*) tourner; **turn round** *vi* faire demi-tour; (*rotate*) tourner; **turn to** *vt fus*: **to ~ to sb** s'adresser à qn; **turn up** *vi* (*person*) arriver, se pointer (*inf*); (*lost object*) être retrouvé(e) ▷ *vt* (*collar*) remonter; (*radio, heater*) mettre plus fort; **turning** *n* (*in road*) tournant *m*; **turning point** *n* (*fig*) tournant *m*, moment décisif
turnip ['tə:nɪp] *n* navet *m*
turn: **turnout** *n* (*of voters*) taux *m* de participation; **turnover** *n* (*Comm: amount of money*) chiffre *m* d'affaires; (*: of goods*) roulement *m*; (*of staff*) renouvellement *m*, changement *m*; **turnstile** *n* tourniquet *m* (*d'entrée*); **turn-up** *n* (BRIT: *on trousers*) revers *m*
turquoise ['tə:kwɔɪz] *n* (*stone*) turquoise *f* ▷ *adj* turquoise *inv*
turtle ['tə:tl] *n* tortue marine; **turtleneck (sweater)** *n* pullover *m* à col montant
tusk [tʌsk] *n* défense *f* (*d'éléphant*)
tutor ['tju:tə^r] *n* (BRIT *Scol: in college*) directeur(-trice) d'études; (*private teacher*) précepteur(-trice); **tutorial** [tju:'tɔ:rɪəl] *n* (*Scol*) (séance *f* de) travaux *mpl* pratiques
tuxedo [tʌk'si:dəu] *n* (US) smoking *m*
TV [ti:'vi:] *n abbr* (= *television*) télé *f*, TV *f*
tweed [twi:d] *n* tweed *m*
tweezers ['twi:zəz] *npl* pince *f* à épiler
twelfth [twɛlfθ] *num* douzième
twelve [twɛlv] *num* douze; **at ~ (o'clock)** à midi; (*midnight*) à minuit
twentieth ['twɛntɪɪθ] *num* vingtième
twenty ['twɛntɪ] *num* vingt
twice [twaɪs] *adv* deux fois; **~ as much** deux fois plus
twig [twɪg] *n* brindille *f* ▷ *vt, vi* (*inf*) piger
twilight ['twaɪlaɪt] *n* crépuscule *m*
twin [twɪn] *adj, n* jumeau(-elle) ▷ *vt* jumeler; **twin(-bedded) room** *n* chambre *f* à deux lits; **twin beds** *npl* lits *mpl* jumeaux
twinkle ['twɪŋkl] *vi* scintiller; (*eyes*) pétiller
twist [twɪst] *n* torsion *f*, tour *m*; (*in wire, flex*) tortillon *m*; (*bend: in road*) tournant *m*; (*in story*) coup *m* de théâtre ▷ *vt* tordre; (*weave*) entortiller; (*roll around*) enrouler; (*fig*) déformer ▷ *vi* (*road, river*) serpenter; **to ~ one's ankle/wrist** (*Med*) se tordre la cheville/le poignet
twit [twɪt] *n* (*inf*) crétin(e)
twitch [twɪtʃ] *n* (*pull*) coup sec, saccade *f*; (*nervous*) tic *m* ▷ *vi* se convulser; avoir un tic
two [tu:] *num* deux; **to put ~ and ~ together** (*fig*) faire le rapprochement
type [taɪp] *n* (*category*) genre *m*, espèce *f*; (*model*) modèle *m*; (*example*) type *m*; (*Typ*) type, caractère *m* ▷ *vt* (*letter etc*) taper (à la machine); **typewriter** *n* machine *f* à écrire
typhoid ['taɪfɔɪd] *n* typhoïde *f*
typhoon [taɪ'fu:n] *n* typhon *m*
typical ['tɪpɪkl] *adj* typique, caractéristique; **typically** *adv* (*as usual*) comme d'habitude; (*characteristically*) typiquement
typing ['taɪpɪŋ] *n* dactylo(graphie) *f*
typist ['taɪpɪst] *n* dactylo *m/f*
tyre (US **tire**) ['taɪə^r] *n* pneu *m*; **I've got a flat ~** j'ai un pneu crevé; **tyre pressure** *n* (BRIT) pression *f* (de gonflage)

u

UFO ['ju:fəu] *n abbr* (= *unidentified flying object*) ovni *m*
Uganda [ju:'gændə] *n* Ouganda *m*
ugly ['ʌglɪ] *adj* laid(e), vilain(e); (*fig*) répugnant(e)
UHT *adj abbr* = **ultra-heat treated**; **~ milk** lait *m* UHT *or* longue conservation
UK *n abbr* = **United Kingdom**
ulcer ['ʌlsə^r] *n* ulcère *m*; **mouth ~** aphte *f*
ultimate ['ʌltɪmət] *adj* ultime, final(e); (*authority*)

suprême; **ultimately** *adv* (*at last*) en fin de compte; (*fundamentally*) finalement; (*eventually*) par la suite
ultimatum (*pl* **~s** *or* **ultimata**) [ʌltɪˈmeɪtəm, -tə] *n* ultimatum *m*
ultrasound [ˈʌltrəsaund] *n* (*Med*) ultrason *m*
ultraviolet [ˈʌltrəˈvaɪəlɪt] *adj* ultraviolet(te)
umbrella [ʌmˈbrɛlə] *n* parapluie *m*; (*for sun*) parasol *m*
umpire [ˈʌmpaɪəʳ] *n* arbitre *m*; (*Tennis*) juge *m* de chaise
UN *n abbr* = **United Nations**
unable [ʌnˈeɪbl] *adj*: **to be ~ to** ne (pas) pouvoir, être dans l'impossibilité de; (*not capable*) être incapable de
unacceptable [ʌnəkˈsɛptəbl] *adj* (*behaviour*) inadmissible; (*price, proposal*) inacceptable
unanimous [juːˈnænɪməs] *adj* unanime
unarmed [ʌnˈɑːmd] *adj* (*person*) non armé(e); (*combat*) sans armes
unattended [ʌnəˈtɛndɪd] *adj* (*car, child, luggage*) sans surveillance
unattractive [ʌnəˈtræktɪv] *adj* peu attrayant(e); (*character*) peu sympathique
unavailable [ʌnəˈveɪləbl] *adj* (*article, room, book*) (qui n'est) pas disponible; (*person*) (qui n'est) pas libre
unavoidable [ʌnəˈvɔɪdəbl] *adj* inévitable
unaware [ʌnəˈwɛəʳ] *adj*: **to be ~ of** ignorer, ne pas savoir, être inconscient(e) de; **unawares** *adv* à l'improviste, au dépourvu
unbearable [ʌnˈbɛərəbl] *adj* insupportable
unbeatable [ʌnˈbiːtəbl] *adj* imbattable
unbelievable [ʌnbɪˈliːvəbl] *adj* incroyable
unborn [ʌnˈbɔːn] *adj* à naître
unbutton [ʌnˈbʌtn] *vt* déboutonner
uncalled-for [ʌnˈkɔːldfɔːʳ] *adj* déplacé(e), injustifié(e)
uncanny [ʌnˈkænɪ] *adj* étrange, troublant(e)
uncertain [ʌnˈsəːtn] *adj* incertain(e); (*hesitant*) hésitant(e); **uncertainty** *n* incertitude *f*, doutes *mpl*
unchanged [ʌnˈtʃeɪndʒd] *adj* inchangé(e)
uncle [ˈʌŋkl] *n* oncle *m*
unclear [ʌnˈklɪəʳ] *adj* (qui n'est) pas clair(e) *or* évident(e); **I'm still ~ about what I'm supposed to do** je ne sais pas encore exactement ce que je dois faire
uncomfortable [ʌnˈkʌmfətəbl] *adj* inconfortable, peu confortable; (*uneasy*) mal à l'aise, gêné(e); (*situation*) désagréable
uncommon [ʌnˈkɔmən] *adj* rare, singulier(-ière), peu commun(e)
unconditional [ʌnkənˈdɪʃənl] *adj* sans conditions
unconscious [ʌnˈkɔnʃəs] *adj* sans connaissance, évanoui(e); (*unaware*): **~ (of)** inconscient(e) (de) ▷ *n*: **the ~** l'inconscient *m*
uncontrollable [ʌnkənˈtrəuləbl] *adj* (*child, dog*) indiscipliné(e); (*temper, laughter*) irrépressible
unconventional [ʌnkənˈvɛnʃənl] *adj* peu conventionnel(le)
uncover [ʌnˈkʌvəʳ] *vt* découvrir
undecided [ʌndɪˈsaɪdɪd] *adj* indécis(e), irrésolu(e)
undeniable [ʌndɪˈnaɪəbl] *adj* indéniable, incontestable
under [ˈʌndəʳ] *prep* sous; (*less than*) (de) moins de; au-dessous de; (*according to*) selon, en vertu de ▷ *adv* au-dessous; en dessous; **~ there** là-dessous; **~ the circumstances** étant donné les circonstances; **~ repair** en (cours de) réparation; **undercover** *adj* secret(-ète), clandestin(e); **underdone** *adj* (*Culin*) saignant(e); (: *pej*) pas assez cuit(e); **underestimate** *vt* sous-estimer, mésestimer; **undergo** *vt* (*irreg: like* **go**) subir; (*treatment*) suivre; **undergraduate** *n* étudiant(e) (qui prépare la licence); **underground** *adj* souterrain(e); (*fig*) clandestin(e) ▷ *n* (BRIT: *railway*) métro *m*; (*Pol*) clandestinité *f*; **undergrowth** *n* broussailles *fpl*, sous-bois *m*; **underline** *vt* souligner; **undermine** *vt* saper, miner; **underneath** [ʌndəˈniːθ] *adv* (en) dessous ▷ *prep* sous, au-dessous de; **underpants** *npl* caleçon *m*, slip *m*; **underpass** *n* (BRIT: *for pedestrians*) passage souterrain; (: *for cars*) passage inférieur; **underprivileged** *adj* défavorisé(e); **underscore** *vt* souligner; **undershirt** *n* (US) tricot *m* de corps; **underskirt** *n* (BRIT) jupon *m*
understand [ʌndəˈstænd] *vt, vi* (*irreg: like* **stand**) comprendre; **I don't ~** je ne comprends pas; **understandable** *adj* compréhensible; **understanding** *adj* compréhensif(-ive) ▷ *n* compréhension *f*; (*agreement*) accord *m*
understatement [ˈʌndəsteɪtmənt] *n*: **that's an ~** c'est (bien) peu dire, le terme est faible
understood [ʌndəˈstud] *pt, pp of* **understand** ▷ *adj* entendu(e); (*implied*) sous-entendu(e)
undertake [ʌndəˈteɪk] *vt* (*irreg: like* **take**) (*job, task*) entreprendre; (*duty*) se charger de; **to ~ to do sth** s'engager à faire qch
undertaker [ˈʌndəteɪkəʳ] *n* (BRIT) entrepreneur *m* des pompes funèbres, croque-mort *m*
undertaking [ˈʌndəteɪkɪŋ] *n* entreprise *f*; (*promise*) promesse *f*
under: **underwater** *adv* sous l'eau ▷ *adj* sous-marin(e); **underway** *adj*: **to be underway** (*meeting, investigation*) être en cours; **underwear** *n* sous-vêtements *mpl*; (*women's only*) dessous *mpl*; **underwent** *pt of* **undergo**; **underworld** *n* (*of crime*) milieu *m*, pègre *f*
undesirable [ʌndɪˈzaɪərəbl] *adj* peu souhaitable; (*person, effect*) indésirable
undisputed [ˈʌndɪsˈpjuːtɪd] *adj* incontesté(e)
undo [ʌnˈduː] *vt* (*irreg: like* **do**) défaire
undone [ʌnˈdʌn] *pp of* **undo** ▷ *adj*: **to come ~** se défaire
undoubtedly [ʌnˈdautɪdlɪ] *adv* sans aucun doute
undress [ʌnˈdrɛs] *vi* se déshabiller
unearth [ʌnˈəːθ] *vt* déterrer; (*fig*) dénicher
uneasy [ʌnˈiːzɪ] *adj* mal à l'aise, gêné(e); (*worried*) inquiet(-ète); (*feeling*) désagréable; (*peace, truce*) fragile
unemployed [ʌnɪmˈplɔɪd] *adj* sans travail, au chômage ▷ *n*: **the ~** les chômeurs *mpl*
unemployment [ʌnɪmˈplɔɪmənt] *n* chômage *m*; **unemployment benefit** (US **unemployment compensation**) *n* allocation *f* de chômage
unequal [ʌnˈiːkwəl] *adj* inégal(e)
uneven [ʌnˈiːvn] *adj* inégal(e); (*quality, work*) irrégulier(-ière)
unexpected [ʌnɪkˈspɛktɪd] *adj* inattendu(e), imprévu(e); **unexpectedly** *adv* (*succeed*) contre toute attente; (*arrive*) à l'improviste
unfair [ʌnˈfɛəʳ] *adj*: **~ (to)** injuste (envers)
unfaithful [ʌnˈfeɪθful] *adj* infidèle
unfamiliar [ʌnfəˈmɪlɪəʳ] *adj* étrange, inconnu(e); **to be ~ with sth** mal connaître qch
unfashionable [ʌnˈfæʃnəbl] *adj* (*clothes*) démodé(e); (*place*) peu chic *inv*
unfasten [ʌnˈfɑːsn] *vt* défaire; (*belt, necklace*) détacher; (*open*) ouvrir
unfavourable (US **unfavorable**) [ʌnˈfeɪvrəbl] *adj*

défavorable
unfinished [ʌnˈfɪnɪʃt] *adj* inachevé(e)
unfit [ʌnˈfɪt] *adj* (*physically: ill*) en mauvaise santé; (: *out of condition*) pas en forme; (*incompetent*): **~ (for)** impropre (à); (*work, service*) inapte (à)
unfold [ʌnˈfəuld] *vt* déplier ▷ *vi* se dérouler
unforgettable [ʌnfəˈgɛtəbl] *adj* inoubliable
unfortunate [ʌnˈfɔːtʃnət] *adj* malheureux(-euse); (*event, remark*) malencontreux(-euse);
unfortunately *adv* malheureusement
unfriendly [ʌnˈfrɛndlɪ] *adj* peu aimable, froid(e)
unfurnished [ʌnˈfəːnɪʃt] *adj* non meublé(e)
unhappiness [ʌnˈhæpɪnɪs] *n* tristesse *f*, peine *f*
unhappy [ʌnˈhæpɪ] *adj* triste, malheureux(-euse); (*unfortunate: remark etc*) malheureux(-euse); (*not pleased*): **~ with** mécontent(e) de, peu satisfait(e) de
unhealthy [ʌnˈhɛlθɪ] *adj* (*gen*) malsain(e); (*person*) maladif(-ive)
unheard-of [ʌnˈhəːdɔv] *adj* inouï(e), sans précédent
unhelpful [ʌnˈhɛlpful] *adj* (*person*) peu serviable; (*advice*) peu utile
unhurt [ʌnˈhəːt] *adj* indemne, sain(e) et sauf (sauve)
unidentified [ʌnaɪˈdɛntɪfaɪd] *adj* non identifié(e); *see also* **UFO**
uniform [ˈjuːnɪfɔːm] *n* uniforme *m* ▷ *adj* uniforme
unify [ˈjuːnɪfaɪ] *vt* unifier
unimportant [ʌnɪmˈpɔːtənt] *adj* sans importance
uninhabited [ʌnɪnˈhæbɪtɪd] *adj* inhabité(e)
unintentional [ʌnɪnˈtɛnʃənəl] *adj* involontaire
union [ˈjuːnjən] *n* union *f*; (*also*: **trade ~**) syndicat *m* ▷ *cpd* du syndicat, syndical(e); **Union Jack** *n drapeau du Royaume-Uni*
unique [juːˈniːk] *adj* unique
unisex [ˈjuːnɪsɛks] *adj* unisexe
unit [ˈjuːnɪt] *n* unité *f*; (*section: of furniture etc*) élément *m*, bloc *m*; (*team, squad*) groupe *m*, service *m*; **kitchen ~** élément de cuisine
unite [juːˈnaɪt] *vt* unir ▷ *vi* s'unir; **united** *adj* uni(e); (*country, party*) unifié(e); (*efforts*) conjugué(e); **United Kingdom** *n* Royaume-Uni *m* (R.U.); **United Nations (Organization)** *n* (Organisation *f* des) Nations unies (ONU); **United States (of America)** *n* États-Unis *mpl*
unity [ˈjuːnɪtɪ] *n* unité *f*
universal [juːnɪˈvəːsl] *adj* universel(le)
universe [ˈjuːnɪvəːs] *n* univers *m*
university [juːnɪˈvəːsɪtɪ] *n* université *f* ▷ *cpd* (*student, professor*) d'université; (*education, year, degree*) universitaire
unjust [ʌnˈdʒʌst] *adj* injuste
unkind [ʌnˈkaɪnd] *adj* peu gentil(le), méchant(e)
unknown [ʌnˈnəun] *adj* inconnu(e)
unlawful [ʌnˈlɔːful] *adj* illégal(e)
unleaded [ʌnˈlɛdɪd] *n* (*also*: **~ petrol**) essence *f* sans plomb
unleash [ʌnˈliːʃ] *vt* (*fig*) déchaîner, déclencher
unless [ʌnˈlɛs] *conj*: **~ he leaves** à moins qu'il (ne) parte; **~ otherwise stated** sauf indication contraire
unlike [ʌnˈlaɪk] *adj* dissemblable, différent(e) ▷ *prep* à la différence de, contrairement à
unlikely [ʌnˈlaɪklɪ] *adj* (*result, event*) improbable; (*explanation*) invraisemblable
unlimited [ʌnˈlɪmɪtɪd] *adj* illimité(e)
unlisted [ˈʌnˈlɪstɪd] *adj* (*US Tel*) sur la liste rouge
unload [ʌnˈləud] *vt* décharger
unlock [ʌnˈlɔk] *vt* ouvrir
unlucky [ʌnˈlʌkɪ] *adj* (*person*) malchanceux(-euse); (*object, number*) qui porte malheur; **to be ~** (*person*) ne pas avoir de chance
unmarried [ʌnˈmærɪd] *adj* célibataire
unmistak(e)able [ʌnmɪsˈteɪkəbl] *adj* indubitable; qu'on ne peut pas ne pas reconnaître
unnatural [ʌnˈnætʃrəl] *adj* non naturel(le); (*perversion*) contre nature
unnecessary [ʌnˈnɛsəsərɪ] *adj* inutile, superflu(e)
UNO [ˈjuːnəu] *n abbr* = **United Nations Organization**
unofficial [ʌnəˈfɪʃl] *adj* (*news*) officieux(-euse), non officiel(le); (*strike*) ≈ sauvage
unpack [ʌnˈpæk] *vi* défaire sa valise ▷ *vt* (*suitcase*) défaire; (*belongings*) déballer
unpaid [ʌnˈpeɪd] *adj* (*bill*) impayé(e); (*holiday*) non-payé(e), sans salaire; (*work*) non rétribué(e)
unpleasant [ʌnˈplɛznt] *adj* déplaisant(e), désagréable
unplug [ʌnˈplʌg] *vt* débrancher
unpopular [ʌnˈpɔpjuləʳ] *adj* impopulaire
unprecedented [ʌnˈprɛsɪdɛntɪd] *adj* sans précédent
unpredictable [ʌnprɪˈdɪktəbl] *adj* imprévisible
unprotected [ˈʌnprəˈtɛktɪd] *adj* (*sex*) non protégé(e)
unqualified [ʌnˈkwɔlɪfaɪd] *adj* (*teacher*) non diplômé(e), sans titres; (*success*) sans réserve, total(e); (*disaster*) total(e)
unravel [ʌnˈrævl] *vt* démêler
unreal [ʌnˈrɪəl] *adj* irréel(le); (*extraordinary*) incroyable
unrealistic [ˈʌnrɪəˈlɪstɪk] *adj* (*idea*) irréaliste; (*estimate*) peu réaliste
unreasonable [ʌnˈriːznəbl] *adj* qui n'est pas raisonnable
unrelated [ʌnrɪˈleɪtɪd] *adj* sans rapport; (*people*) sans lien de parenté
unreliable [ʌnrɪˈlaɪəbl] *adj* sur qui (*or* quoi) on ne peut pas compter, peu fiable
unrest [ʌnˈrɛst] *n* agitation *f*, troubles *mpl*
unroll [ʌnˈrəul] *vt* dérouler
unruly [ʌnˈruːlɪ] *adj* indiscipliné(e)
unsafe [ʌnˈseɪf] *adj* (*in danger*) en danger; (*journey, car*) dangereux(-euse)
unsatisfactory [ˈʌnsætɪsˈfæktərɪ] *adj* peu satisfaisant(e)
unscrew [ʌnˈskruː] *vt* dévisser
unsettled [ʌnˈsɛtld] *adj* (*restless*) perturbé(e); (*unpredictable*) instable; incertain(e); (*not finalized*) non résolu(e)
unsettling [ʌnˈsɛtlɪŋ] *adj* qui a un effet perturbateur
unsightly [ʌnˈsaɪtlɪ] *adj* disgracieux(-euse), laid(e)
unskilled [ʌnˈskɪld] *adj*: **~ worker** manœuvre *m*
unspoiled [ˈʌnˈspɔɪld], **unspoilt** [ˈʌnˈspɔɪlt] *adj* (*place*) non dégradé(e)
unstable [ʌnˈsteɪbl] *adj* instable
unsteady [ʌnˈstɛdɪ] *adj* mal assuré(e), chancelant(e), instable
unsuccessful [ʌnsəkˈsɛsful] *adj* (*attempt*) infructueux(-euse); (*writer, proposal*) qui n'a pas de succès; **to be ~** (*in attempting sth*) ne pas réussir; ne pas avoir de succès; (*application*) ne pas être retenu(e)
unsuitable [ʌnˈsuːtəbl] *adj* qui ne convient pas, peu approprié(e); (*time*) inopportun(e)
unsure [ʌnˈʃuəʳ] *adj* pas sûr(e); **to be ~ of o.s.** ne pas être sûr de soi, manquer de confiance en soi
untidy [ʌnˈtaɪdɪ] *adj* (*room*) en désordre;

(*appearance, person*) débraillé(e); (*person: in character*) sans ordre, désordonné; (*work*) peu soigné(e)
untie [ʌn'taɪ] *vt* (*knot, parcel*) défaire; (*prisoner, dog*) détacher
until [ən'tɪl] *prep* jusqu'à; (*after negative*) avant ▷ *conj* jusqu'à ce que + *sub*; (*in past, after negative*) avant que + *sub*; **~ he comes** jusqu'à ce qu'il vienne, jusqu'à son arrivée; **~ now** jusqu'à présent, jusqu'ici; **~ then** jusque-là
untrue [ʌn'tru:] *adj* (*statement*) faux (fausse)
unused[1] [ʌn'ju:zd] *adj* (*new*) neuf (neuve)
unused[2] [ʌn'ju:st] *adj*: **to be ~ to sth/to doing sth** ne pas avoir l'habitude de qch/de faire qch
unusual [ʌn'ju:ʒuəl] *adj* insolite, exceptionnel(le), rare; **unusually** *adv* exceptionnellement, particulièrement
unveil [ʌn'veɪl] *vt* dévoiler
unwanted [ʌn'wɔntɪd] *adj* (*child, pregnancy*) non désiré(e); (*clothes etc*) à donner
unwell [ʌn'wɛl] *adj* souffrant(e); **to feel ~** ne pas se sentir bien
unwilling [ʌn'wɪlɪŋ] *adj*: **to be ~ to do** ne pas vouloir faire
unwind [ʌn'waɪnd] *vb* (*irreg: like* **wind**) ▷ *vt* dérouler ▷ *vi* (*relax*) se détendre
unwise [ʌn'waɪz] *adj* imprudent(e), peu judicieux(-euse)
unwittingly [ʌn'wɪtɪŋlɪ] *adv* involontairement
unwrap [ʌn'ræp] *vt* défaire; ouvrir
unzip [ʌn'zɪp] *vt* ouvrir (la fermeture éclair de); (*Comput*) dézipper

KEYWORD

up [ʌp] *prep*: **he went up the stairs/the hill** il a monté l'escalier/la colline; **the cat was up a tree** le chat était dans un arbre; **they live further up the street** ils habitent plus haut dans la rue; **go up that road and turn left** remontez la rue et tournez à gauche
▷ *adv* **1** en haut; en l'air; (*upwards, higher*): **up in the sky/the mountains** (là-haut) dans le ciel/les montagnes; **put it a bit higher up** mettez-le un peu plus haut; **to stand up** (*get up*) se lever, se mettre debout; (*be standing*) être debout; **up there** là-haut; **up above** au-dessus
2: **to be up** (*out of bed*) être levé(e); (*prices*) avoir augmenté *or* monté; (*finished*): **when the year was up** à la fin de l'année
3: **up to** (*as far as*) jusqu'à; **up to now** jusqu'à présent
4: **to be up to** (*depending on*): **it's up to you** c'est à vous de décider; (*equal to*): **he's not up to it** (*job, task etc*) il n'en est pas capable; (*inf: be doing*): **what is he up to?** qu'est-ce qu'il peut bien faire?
▷ *n*: **ups and downs** hauts et bas *mpl*

up-and-coming [ʌpənd'kʌmɪŋ] *adj* plein(e) d'avenir *or* de promesses
upbringing ['ʌpbrɪŋɪŋ] *n* éducation *f*
update [ʌp'deɪt] *vt* mettre à jour
upfront [ʌp'frʌnt] *adj* (*open*) franc (franche) ▷ *adv* (*pay*) d'avance; **to be ~ about sth** ne rien cacher de qch
upgrade [ʌp'greɪd] *vt* (*person*) promouvoir; (*job*) revaloriser; (*property, equipment*) moderniser
upheaval [ʌp'hi:vl] *n* bouleversement *m*; (*in room*) branle-bas *m*; (*event*) crise *f*
uphill [ʌp'hɪl] *adj* qui monte; (*fig: task*) difficile, pénible ▷ *adv* (*face, look*) en amont, vers l'amont; **to go ~** monter
upholstery [ʌp'həulstərɪ] *n* rembourrage *m*; (*cover*) tissu *m* d'ameublement; (*of car*) garniture *f*
upmarket [ʌp'mɑ:kɪt] *adj* (*product*) haut de gamme *inv*; (*area*) chic *inv*
upon [ə'pɔn] *prep* sur
upper ['ʌpəʳ] *adj* supérieur(e); du dessus ▷ *n* (*of shoe*) empeigne *f*; **upper-class** *adj* de la haute société, aristocratique; (*district*) élégant(e), huppé(e); (*accent, attitude*) caractéristique des classes supérieures
upright ['ʌpraɪt] *adj* droit(e); (*fig*) droit, honnête
uprising ['ʌpraɪzɪŋ] *n* soulèvement *m*, insurrection *f*
uproar ['ʌprɔ:ʳ] *n* tumulte *m*, vacarme *m*; (*protests*) protestations *fpl*
upset *n* ['ʌpsɛt] dérangement *m* ▷ *vt* [ʌp'sɛt] (*irreg: like* **set**) (*glass etc*) renverser; (*plan*) déranger; (*person: offend*) contrarier; (*: grieve*) faire de la peine à; bouleverser ▷ *adj* [ʌp'sɛt] contrarié(e); peiné(e); **to have a stomach ~** (BRIT) avoir une indigestion
upside down ['ʌpsaɪd-] *adv* à l'envers; **to turn sth ~** (*fig: place*) mettre sens dessus dessous
upstairs [ʌp'stɛəz] *adv* en haut ▷ *adj* (*room*) du dessus, d'en haut ▷ *n*: **the ~** l'étage *m*
up-to-date ['ʌptə'deɪt] *adj* moderne; (*information*) très récent(e)
uptown ['ʌptaun] (US) *adv* (*live*) dans les quartiers chics; (*go*) vers les quartiers chics ▷ *adj* des quartiers chics
upward ['ʌpwəd] *adj* ascendant(e); vers le haut; **upward(s)** *adv* vers le haut; (*more than*): **upward(s) of** plus de
uranium [juə'reɪnɪəm] *n* uranium *m*
Uranus [juə'reɪnəs] *n* Uranus *f*
urban ['ə:bən] *adj* urbain(e)
urge [ə:dʒ] *n* besoin (impératif), envie (pressante) ▷ *vt* (*person*): **to ~ sb to do** exhorter qn à faire, pousser qn à faire, recommander vivement à qn de faire
urgency ['ə:dʒənsɪ] *n* urgence *f*; (*of tone*) insistance *f*
urgent ['ə:dʒənt] *adj* urgent(e); (*plea, tone*) pressant(e)
urinal ['juərɪnl] *n* (BRIT: *place*) urinoir *m*
urinate ['juərɪneɪt] *vi* uriner
urine ['juərɪn] *n* urine *f*
URL *abbr* (= *uniform resource locator*) URL *f*
US *n abbr* = **United States**
us [ʌs] *pron* nous; *see also* **me**
USA *n abbr* = **United States of America**
use *n* [ju:s] emploi *m*, utilisation *f*; (*usefulness*) utilité *f* ▷ *vt* [ju:z] se servir de, utiliser, employer; **in ~** en usage; **out of ~** hors d'usage; **to be of ~** servir, être utile; **it's no ~** ça ne sert à rien; **to have the ~ of** avoir l'usage de; **she ~d to do it** elle le faisait (autrefois), elle avait coutume de le faire; **to be ~d to** avoir l'habitude de, être habitué(e) à; **use up** *vt* finir, épuiser; (*food*) consommer; **used** [ju:zd] *adj* (*car*) d'occasion; **useful** *adj* utile; **useless** *adj* inutile; (*inf: person*) nul(le); **user** *n* utilisateur(-trice), usager *m*; **user-friendly** *adj* convivial(e), facile d'emploi
usual ['ju:ʒuəl] *adj* habituel(le); **as ~** comme d'habitude; **usually** *adv* d'habitude, d'ordinaire
utensil [ju:'tɛnsl] *n* ustensile *m*; **kitchen ~s** batterie *f* de cuisine
utility [ju:'tɪlɪtɪ] *n* utilité *f*; (*also*: **public ~**) service public
utilize ['ju:tɪlaɪz] *vt* utiliser; (*make good use of*)

exploiter
utmost ['ʌtməust] *adj* extrême, le (la) plus grand(e) ▷ *n*: **to do one's ~** faire tout son possible
utter ['ʌtə^r] *adj* total(e), complet(-ète) ▷ *vt* prononcer, proférer; (*sounds*) émettre; **utterly** *adv* complètement, totalement
U-turn ['ju:'tə:n] *n* demi-tour *m*; (*fig*) volte-face *f inv*

V

v. *abbr* = **verse**; (= *vide*) v.; (= *versus*) c.; (= *volt*) V
vacancy ['veɪkənsɪ] *n* (BRIT: *job*) poste vacant; (*room*) chambre *f* disponible; **"no vacancies"** "complet"
vacant ['veɪkənt] *adj* (*post*) vacant(e); (*seat etc*) libre, disponible; (*expression*) distrait(e)
vacate [və'keɪt] *vt* quitter
vacation [və'keɪʃən] *n* (*esp* US) vacances *fpl*; **on ~** en vacances; **vacationer** (US **vacationist**) *n* vacancier(-ière)
vaccination [væksɪ'neɪʃən] *n* vaccination *f*
vaccine ['væksi:n] *n* vaccin *m*
vacuum ['vækjum] *n* vide *m*; **vacuum cleaner** *n* aspirateur *m*
vagina [və'dʒaɪnə] *n* vagin *m*
vague [veɪg] *adj* vague, imprécis(e); (*blurred*: *photo, memory*) flou(e)
vain [veɪn] *adj* (*useless*) vain(e); (*conceited*) vaniteux(-euse); **in ~** en vain
Valentine's Day ['væləntaɪnz-] *n* Saint-Valentin *f*
valid ['vælɪd] *adj* (*document*) valide, valable; (*excuse*) valable
valley ['vælɪ] *n* vallée *f*
valuable ['væljuəbl] *adj* (*jewel*) de grande valeur; (*time, help*) précieux(-euse); **valuables** *npl* objets *mpl* de valeur
value ['vælju:] *n* valeur *f* ▷ *vt* (*fix price*) évaluer, expertiser; (*appreciate*) apprécier; **values** *npl* (*principles*) valeurs *fpl*
valve [vælv] *n* (*in machine*) soupape *f*; (*on tyre*) valve *f*; (*Med*) valve, valvule *f*
vampire ['væmpaɪə^r] *n* vampire *m*
van [væn] *n* (*Aut*) camionnette *f*
vandal ['vændl] *n* vandale *m/f*; **vandalism** *n* vandalisme *m*; **vandalize** *vt* saccager
vanilla [və'nɪlə] *n* vanille *f*
vanish ['vænɪʃ] *vi* disparaître
vanity ['vænɪtɪ] *n* vanité *f*
vapour (US **vapor**) ['veɪpə^r] *n* vapeur *f*; (*on window*) buée *f*
variable ['vɛərɪəbl] *adj* variable; (*mood*) changeant(e)
variant ['vɛərɪənt] *n* variante *f*
variation [vɛərɪ'eɪʃən] *n* variation *f*; (*in opinion*) changement *m*
varied ['vɛərɪd] *adj* varié(e), divers(e)
variety [və'raɪətɪ] *n* variété *f*; (*quantity*) nombre *m*, quantité *f*
various ['vɛərɪəs] *adj* divers(e), différent(e); (*several*) divers, plusieurs
varnish ['vɑ:nɪʃ] *n* vernis *m* ▷ *vt* vernir
vary ['vɛərɪ] *vt, vi* varier, changer
vase [vɑ:z] *n* vase *m*
Vaseline® ['væsɪli:n] *n* vaseline *f*
vast [vɑ:st] *adj* vaste, immense; (*amount, success*) énorme
VAT [væt] *n abbr* (BRIT: = *value added tax*) TVA *f*
vault [vɔ:lt] *n* (*of roof*) voûte *f*; (*tomb*) caveau *m*; (*in bank*) salle *f* des coffres; chambre forte ▷ *vt* (*also*: **~ over**) sauter (d'un bond)
VCR *n abbr* = **video cassette recorder**
VDU *n abbr* = **visual display unit**
veal [vi:l] *n* veau *m*
veer [vɪə^r] *vi* tourner; (*car, ship*) virer
vegan ['vi:gən] *n* végétalien(ne)
vegetable ['vɛdʒtəbl] *n* légume *m* ▷ *adj* végétal(e)
vegetarian [vɛdʒɪ'tɛərɪən] *adj, n* végétarien(ne); **do you have any ~ dishes?** avez-vous des plats végétariens?
vegetation [vɛdʒɪ'teɪʃən] *n* végétation *f*
vehicle ['vi:ɪkl] *n* véhicule *m*
veil [veɪl] *n* voile *m*
vein [veɪn] *n* veine *f*; (*on leaf*) nervure *f*
Velcro® ['vɛlkrəu] *n* velcro® *m*
velvet ['vɛlvɪt] *n* velours *m*
vending machine ['vɛndɪŋ-] *n* distributeur *m* automatique
vendor ['vɛndə^r] *n* vendeur(-euse); **street ~** marchand ambulant
Venetian blind [vɪ'ni:ʃən-] *n* store vénitien
vengeance ['vɛndʒəns] *n* vengeance *f*; **with a ~** (*fig*) vraiment, pour de bon
venison ['vɛnɪsn] *n* venaison *f*
venom ['vɛnəm] *n* venin *m*
vent [vɛnt] *n* conduit *m* d'aération; (*in dress, jacket*) fente *f* ▷ *vt* (*fig*: *one's feelings*) donner libre cours à
ventilation [vɛntɪ'leɪʃən] *n* ventilation *f*, aération *f*
venture ['vɛntʃə^r] *n* entreprise *f* ▷ *vt* risquer, hasarder ▷ *vi* s'aventurer, se risquer; **a business ~** une entreprise commerciale
venue ['vɛnju:] *n* lieu *m*
Venus ['vi:nəs] *n* (*planet*) Vénus *f*
verb [və:b] *n* verbe *m*; **verbal** *adj* verbal(e)
verdict ['və:dɪkt] *n* verdict *m*
verge [və:dʒ] *n* bord *m*; **"soft ~s"** (BRIT) "accotements non stabilisés"; **on the ~ of doing** sur le point de faire
verify ['vɛrɪfaɪ] *vt* vérifier
versatile ['və:sətaɪl] *adj* polyvalent(e)
verse [və:s] *n* vers *mpl*; (*stanza*) strophe *f*; (*in Bible*) verset *m*
version ['və:ʃən] *n* version *f*
versus ['və:səs] *prep* contre
vertical ['və:tɪkl] *adj* vertical(e)
very ['vɛrɪ] *adv* très ▷ *adj*: **the ~ book which** le livre même que; **the ~ last** le tout dernier; **at the ~ least** au moins; **~ much** beaucoup
vessel ['vɛsl] *n* (*Anat, Naut*) vaisseau *m*; (*container*) récipient *m*; *see also* **blood**
vest [vɛst] *n* (BRIT: *underwear*) tricot *m* de corps; (US: *waistcoat*) gilet *m*
vet [vɛt] *n abbr* (BRIT: = *veterinary surgeon*) vétérinaire *m/f*; (US: = *veteran*) ancien(ne) combattant(e) ▷ *vt*

examiner minutieusement
veteran ['vɛtərn] *n* vétéran *m*; (*also*: **war ~**) ancien combattant
veterinary surgeon ['vɛtrɪnərɪ-] (BRIT: US **veterinarian**) [vɛtrɪ'nɛərɪən] *n* vétérinaire *m/f*
veto ['vi:təu] *n* (*pl* **~es**) veto *m* ▷ *vt* opposer son veto à
via ['vaɪə] *prep* par, via
viable ['vaɪəbl] *adj* viable
vibrate [vaɪ'breɪt] *vi*: **to ~ (with)** vibrer (de)
vibration [vaɪ'breɪʃən] *n* vibration *f*
vicar ['vɪkə^r] *n* pasteur *m* (*de l'Église anglicane*)
vice [vaɪs] *n* (*evil*) vice *m*; (*Tech*) étau *m*; **vice-chairman** *n* vice-président(e)
vice versa ['vaɪsɪ'və:sə] *adv* vice versa
vicinity [vɪ'sɪnɪtɪ] *n* environs *mpl*, alentours *mpl*
vicious ['vɪʃəs] *adj* (*remark*) cruel(le), méchant(e); (*blow*) brutal(e); (*dog*) méchant(e), dangereux(-euse); **a ~ circle** un cercle vicieux
victim ['vɪktɪm] *n* victime *f*
victor ['vɪktə^r] *n* vainqueur *m*
Victorian [vɪk'tɔ:rɪən] *adj* victorien(ne)
victorious [vɪk'tɔ:rɪəs] *adj* victorieux(-euse)
victory ['vɪktərɪ] *n* victoire *f*
video ['vɪdɪəu] *n* (*video film*) vidéo *f*; (*also*: **~ cassette**) vidéocassette *f*; (*also*: **~ cassette recorder**) magnétoscope *m* ▷ *vt* (*with recorder*) enregistrer; (*with camera*) filmer; **video camera** *n* caméra *f* vidéo *inv*; **video (cassette) recorder** *n* magnétoscope *m*; **video game** *n* jeu *m* vidéo *inv*; **video shop** *n* vidéoclub *m*; **video tape** *n* bande *f* vidéo *inv*; (*cassette*) vidéocassette *f*
vie [vaɪ] *vi*: **to ~ with** lutter avec, rivaliser avec
Vienna [vɪ'ɛnə] *n* Vienne
Vietnam, Viet Nam ['vjɛt'næm] *n* Viêt-nam *or* Vietnam *m*; **Vietnamese** [vjɛtnə'mi:z] *adj* vietnamien(ne) ▷ *n* (*pl inv*) Vietnamien(ne)
view [vju:] *n* vue *f*; (*opinion*) avis *m*, vue ▷ *vt* voir, regarder; (*situation*) considérer; (*house*) visiter; **on ~** (*in museum etc*) exposé(e); **in full ~ of sb** sous les yeux de qn; **in my ~** à mon avis; **in ~ of the fact that** étant donné que; **viewer** *n* (*TV*) téléspectateur(-trice); **viewpoint** *n* point *m* de vue
vigilant ['vɪdʒɪlənt] *adj* vigilant(e)
vigorous ['vɪgərəs] *adj* vigoureux(-euse)
vile [vaɪl] *adj* (*action*) vil(e); (*smell, food*) abominable; (*temper*) massacrant(e)
villa ['vɪlə] *n* villa *f*
village ['vɪlɪdʒ] *n* village *m*; **villager** *n* villageois(e)
villain ['vɪlən] *n* (*scoundrel*) scélérat *m*; (BRIT: *criminal*) bandit *m*; (*in novel etc*) traître *m*
vinaigrette [vɪneɪ'grɛt] *n* vinaigrette *f*
vine [vaɪn] *n* vigne *f*
vinegar ['vɪnɪgə^r] *n* vinaigre *m*
vineyard ['vɪnjɑ:d] *n* vignoble *m*
vintage ['vɪntɪdʒ] *n* (*year*) année *f*, millésime *m* ▷ *cpd* (*car*) d'époque; (*wine*) de grand cru
vinyl ['vaɪnl] *n* vinyle *m*
viola [vɪ'əulə] *n* alto *m*
violate ['vaɪəleɪt] *vt* violer
violation [vaɪə'leɪʃən] *n* violation *f*; **in ~ of** (*rule, law*) en infraction à, en violation de
violence ['vaɪələns] *n* violence *f*
violent ['vaɪələnt] *adj* violent(e)
violet ['vaɪələt] *adj* (*colour*) violet(te) ▷ *n* (*plant*) violette *f*
violin [vaɪə'lɪn] *n* violon *m*
VIP *n abbr* (= *very important person*) VIP *m*
virgin ['və:dʒɪn] *n* vierge *f*
Virgo ['və:gəu] *n* la Vierge
virtual ['və:tjuəl] *adj* (*Comput, Physics*) virtuel(le); (*in effect*): **it's a ~ impossibility** c'est quasiment impossible; **virtually** *adv* (*almost*) pratiquement; **virtual reality** *n* (*Comput*) réalité virtuelle
virtue ['və:tju:] *n* vertu *f*; (*advantage*) mérite *m*, avantage *m*; **by ~ of** en vertu *or* raison de
virus ['vaɪərəs] *n* (*Med, Comput*) virus *m*
visa ['vɪ:zə] *n* visa *m*
vise [vaɪs] *n* (US *Tech*) = **vice**
visibility [vɪzɪ'bɪlɪtɪ] *n* visibilité *f*
visible ['vɪzəbl] *adj* visible
vision ['vɪʒən] *n* (*sight*) vue *f*, vision *f*; (*foresight, in dream*) vision
visit ['vɪzɪt] *n* visite *f*; (*stay*) séjour *m* ▷ *vt* (*person*: US: *also*: **~ with**) rendre visite à; (*place*) visiter; **visiting hours** *npl* heures *fpl* de visite; **visitor** *n* visiteur(-euse); (*to one's house*) invité(e); **visitor centre** (US **visitor center**) *n* hall *m or* centre *m* d'accueil
visual ['vɪzjuəl] *adj* visuel(le); **visualize** *vt* se représenter
vital ['vaɪtl] *adj* vital(e); **of ~ importance (to sb/sth)** d'une importance capitale (pour qn/qch)
vitality [vaɪ'tælɪtɪ] *n* vitalité *f*
vitamin ['vɪtəmɪn] *n* vitamine *f*
vivid ['vɪvɪd] *adj* (*account*) frappant(e), vivant(e); (*light, imagination*) vif (vive)
V-neck ['vi:nɛk] *n* décolleté *m* en V
vocabulary [vəu'kæbjulərɪ] *n* vocabulaire *m*
vocal ['vəukl] *adj* vocal(e); (*articulate*) qui n'hésite pas à s'exprimer, qui sait faire entendre ses opinions
vocational [vəu'keɪʃənl] *adj* professionnel(le)
vodka ['vɔdkə] *n* vodka *f*
vogue [vəug] *n*: **to be in ~** être en vogue *or* à la mode
voice [vɔɪs] *n* voix *f* ▷ *vt* (*opinion*) exprimer, formuler; **voice mail** *n* (*system*) messagerie *f* vocale; (*device*) boîte *f* vocale
void [vɔɪd] *n* vide *m* ▷ *adj* (*invalid*) nul(le); (*empty*): **~ of** vide de, dépourvu(e) de
volatile ['vɔlətaɪl] *adj* volatil(e); (*fig*: *person*) versatile; (: *situation*) explosif(-ive)
volcano (*pl* **~es**) [vɔl'keɪnəu] *n* volcan *m*
volleyball ['vɔlɪbɔ:l] *n* volley(-ball) *m*
volt [vəult] *n* volt *m*; **voltage** *n* tension *f*, voltage *m*
volume ['vɔlju:m] *n* volume *m*; (*of tank*) capacité *f*
voluntarily ['vɔləntrɪlɪ] *adv* volontairement
voluntary ['vɔləntərɪ] *adj* volontaire; (*unpaid*) bénévole
volunteer [vɔlən'tɪə^r] *n* volontaire *m/f* ▷ *vt* (*information*) donner spontanément ▷ *vi* (*Mil*) s'engager comme volontaire; **to ~ to do** se proposer pour faire
vomit ['vɔmɪt] *n* vomissure *f* ▷ *vt, vi* vomir
vote [vəut] *n* vote *m*, suffrage *m*; (*votes cast*) voix *f*, vote; (*franchise*) droit *m* de vote ▷ *vt* (*chairman*) élire; (*propose*): **to ~ that** proposer que + *sub* ▷ *vi* voter; **~ of thanks** discours *m* de remerciement; **voter** *n* électeur(-trice); **voting** *n* scrutin *m*, vote *m*
voucher ['vautʃə^r] *n* (*for meal, petrol, gift*) bon *m*
vow [vau] *n* vœu *m*, serment *m* ▷ *vi* jurer
vowel ['vauəl] *n* voyelle *f*
voyage ['vɔɪɪdʒ] *n* voyage *m* par mer, traversée *f*
vulgar ['vʌlgə^r] *adj* vulgaire
vulnerable ['vʌlnərəbl] *adj* vulnérable
vulture ['vʌltʃə^r] *n* vautour *m*

waddle ['wɔdl] *vi* se dandiner

wade [weɪd] *vi*: **to ~ through** marcher dans, patauger dans; (*fig*: *book*) venir à bout de

wafer ['weɪfəʳ] *n* (*Culin*) gaufrette *f*

waffle ['wɔfl] *n* (*Culin*) gaufre *f* ▷ *vi* parler pour ne rien dire; faire du remplissage

wag [wæg] *vt* agiter, remuer ▷ *vi* remuer

wage [weɪdʒ] *n* (*also*: **~s**) salaire *m*, paye *f* ▷ *vt*: **to ~ war** faire la guerre

wag(g)on ['wægən] *n* (*horse-drawn*) chariot *m*; (BRIT *Rail*) wagon *m* (de marchandises)

wail [weɪl] *n* gémissement *m*; (*of siren*) hurlement *m* ▷ *vi* gémir; (*siren*) hurler

waist [weɪst] *n* taille *f*, ceinture *f*; **waistcoat** *n* (BRIT) gilet *m*

wait [weɪt] *n* attente *f* ▷ *vi* attendre; **to ~ for sb/sth** attendre qn/qch; **to keep sb ~ing** faire attendre qn; **~ for me, please** attendez-moi, s'il vous plaît; **I can't ~ to ...** (*fig*) je meurs d'envie de ...; **to lie in ~ for** guetter; **wait on** *vt fus* servir; **waiter** *n* garçon *m* (de café), serveur *m*; **waiting list** *n* liste *f* d'attente; **waiting room** *n* salle *f* d'attente; **waitress** ['weɪtrɪs] *n* serveuse *f*

waive [weɪv] *vt* renoncer à, abandonner

wake [weɪk] *vb* (*pt* **woke** *or* **~d**, *pp* **woken** *or* **~d**) ▷ *vt* (*also*: **~ up**) réveiller ▷ *vi* (*also*: **~ up**) se réveiller ▷ *n* (*for dead person*) veillée *f* mortuaire; (*Naut*) sillage *m*

Wales [weɪlz] *n* pays *m* de Galles; **the Prince of ~** le prince de Galles

walk [wɔ:k] *n* promenade *f*; (*short*) petit tour; (*gait*) démarche *f*; (*path*) chemin *m*; (*in park etc*) allée *f* ▷ *vi* marcher; (*for pleasure, exercise*) se promener ▷ *vt* (*distance*) faire à pied; (*dog*) promener; **10 minutes' ~ from** à 10 minutes de marche de; **to go for a ~** se promener; faire un tour; **from all ~s of life** de toutes conditions sociales; **walk out** *vi* (*go out*) sortir; (*as protest*) partir (en signe de protestation); (*strike*) se mettre en grève; **to ~ out on sb** quitter qn; **walker** *n* (*person*) marcheur(-euse); **walkie-talkie** ['wɔ:kɪ'tɔ:kɪ] *n* talkie-walkie *m*; **walking** *n* marche *f* à pied; **walking shoes** *npl* chaussures *fpl* de marche; **walking stick** *n* canne *f*; **Walkman®** *n* Walkman® *m*; **walkway** *n* promenade *f*, cheminement piéton

wall [wɔ:l] *n* mur *m*; (*of tunnel, cave*) paroi *f*

wallet ['wɔlɪt] *n* portefeuille *m*; **I can't find my ~** je ne retrouve plus mon portefeuille

wallpaper ['wɔ:lpeɪpəʳ] *n* papier peint ▷ *vt* tapisser

walnut ['wɔ:lnʌt] *n* noix *f*; (*tree, wood*) noyer *m*

walrus (*pl* **~** *or* **~es**) ['wɔ:lrəs] *n* morse *m*

waltz [wɔ:lts] *n* valse *f* ▷ *vi* valser

wand [wɔnd] *n* (*also*: **magic ~**) baguette *f* (magique)

wander ['wɔndəʳ] *vi* (*person*) errer, aller sans but; (*thoughts*) vagabonder ▷ *vt* errer dans

want [wɔnt] *vt* vouloir; (*need*) avoir besoin de ▷ *n*: **for ~ of** par manque de, faute de; **to ~ to do** vouloir faire; **to ~ sb to do** vouloir que qn fasse; **wanted** *adj* (*criminal*) recherché(e) par la police; **"cook wanted"** "on recherche un cuisinier"

war [wɔ:ʳ] *n* guerre *f*; **to make ~ (on)** faire la guerre (à)

ward [wɔ:d] *n* (*in hospital*) salle *f*; (*Pol*) section électorale; (*Law*: *child*: *also*: **~ of court**) pupille *m/f*

warden ['wɔ:dn] *n* (BRIT: *of institution*) directeur(-trice); (*of park, game reserve*) gardien(ne); (BRIT: *also*: **traffic ~**) contractuel(le)

wardrobe ['wɔ:drəub] *n* (*cupboard*) armoire *f*; (*clothes*) garde-robe *f*

warehouse ['wɛəhaus] *n* entrepôt *m*

warfare ['wɔ:fɛəʳ] *n* guerre *f*

warhead ['wɔ:hɛd] *n* (*Mil*) ogive *f*

warm [wɔ:m] *adj* chaud(e); (*person, thanks, welcome, applause*) chaleureux(-euse); **it's ~** il fait chaud; **I'm ~** j'ai chaud; **warm up** *vi* (*person, room*) se réchauffer; (*athlete, discussion*) s'échauffer ▷ *vt* (*food*) (faire) réchauffer; (*water*) (faire) chauffer; (*engine*) faire chauffer; **warmly** *adv* (*dress*) chaudement; (*thank, welcome*) chaleureusement; **warmth** *n* chaleur *f*

warn [wɔ:n] *vt* avertir, prévenir; **to ~ sb (not) to do** conseiller à qn de (ne pas) faire; **warning** *n* avertissement *m*; (*notice*) avis *m*; **warning light** *n* avertisseur lumineux

warrant ['wɔrnt] *n* (*guarantee*) garantie *f*; (*Law*: *to arrest*) mandat *m* d'arrêt; (: *to search*) mandat de perquisition ▷ *vt* (*justify, merit*) justifier

warranty ['wɔrəntɪ] *n* garantie *f*

warrior ['wɔrɪəʳ] *n* guerrier(-ière)

Warsaw ['wɔ:sɔ:] *n* Varsovie

warship ['wɔ:ʃɪp] *n* navire *m* de guerre

wart [wɔ:t] *n* verrue *f*

wartime ['wɔ:taɪm] *n*: **in ~** en temps de guerre

wary ['wɛərɪ] *adj* prudent(e)

was [wɔz] *pt of* **be**

wash [wɔʃ] *vt* laver ▷ *vi* se laver; (*sea*): **to ~ over/against sth** inonder/baigner qch ▷ *n* (*clothes*) lessive *f*; (*washing programme*) lavage *m*; (*of ship*) sillage *m*; **to have a ~** se laver, faire sa toilette; **wash up** *vi* (BRIT) faire la vaisselle; (US: *have a wash*) se débarbouiller; **washbasin** *n* lavabo *m*; **wash cloth** *n* (US) gant *m* de toilette; **washer** *n* (*Tech*) rondelle *f*, joint *m*; **washing** *n* (BRIT: *linen etc*: *dirty*) linge *m*; (: *clean*) lessive *f*; **washing line** *n* (BRIT) corde *f* à linge; **washing machine** *n* machine *f* à laver; **washing powder** *n* (BRIT) lessive *f* (en poudre)

Washington ['wɔʃɪŋtən] *n* Washington *m*

wash: **washing-up** *n* (BRIT) vaisselle *f*; **washing-up liquid** *n* (BRIT) produit *m* pour la vaisselle; **washroom** *n* (US) toilettes *fpl*

wasn't ['wɔznt] = **was not**

wasp [wɔsp] *n* guêpe *f*

waste [weɪst] *n* gaspillage *m*; (*of time*) perte *f*; (*rubbish*) déchets *mpl*; (*also*: **household ~**) ordures *fpl* ▷ *adj* (*land, ground*: *in city*) à l'abandon; (*leftover*): **~ material** déchets ▷ *vt* gaspiller; (*time, opportunity*) perdre; **waste ground** *n* (BRIT) terrain *m* vague; **wastepaper basket** *n* corbeille *f* à papier

watch [wɔtʃ] *n* montre *f*; (*act of watching*) surveillance *f*; (*guard*: *Mil*) sentinelle *f*; (: *Naut*) homme *m* de quart; (*Naut*: *spell of duty*) quart *m* ▷ *vt* (*look at*) observer; (: *match, programme*) regarder; (*spy on, guard*) surveiller; (*be careful of*) faire attention à ▷ *vi* regarder; (*keep guard*) monter la garde; **to keep ~** faire le guet; **watch out** *vi* faire attention;

watchdog *n* chien *m* de garde; (*fig*) gardien(ne); **watch strap** *n* bracelet *m* de montre

water ['wɔːtəʳ] *n* eau *f* ▷ *vt* (*plant, garden*) arroser ▷ *vi* (*eyes*) larmoyer; **in British ~s** dans les eaux territoriales Britanniques; **to make sb's mouth ~** mettre l'eau à la bouche de qn; **water down** *vt* (*milk etc*) couper avec de l'eau; (*fig: story*) édulcorer; **watercolour** (US **watercolor**) *n* aquarelle *f*; **watercress** *n* cresson *m* (de fontaine); **waterfall** *n* chute *f* d'eau; **watering can** *n* arrosoir *m*; **watermelon** *n* pastèque *f*; **waterproof** *adj* imperméable; **water-skiing** *n* ski *m* nautique

watt [wɔt] *n* watt *m*

wave [weɪv] *n* vague *f*; (*of hand*) geste *m*, signe *m*; (*Radio*) onde *f*; (*in hair*) ondulation *f*; (*fig: of enthusiasm, strikes etc*) vague ▷ *vi* faire signe de la main; (*flag*) flotter au vent; (*grass*) ondoyer ▷ *vt* (*handkerchief*) agiter; (*stick*) brandir; **wavelength** *n* longueur *f* d'ondes

waver ['weɪvəʳ] *vi* vaciller; (*voice*) trembler; (*person*) hésiter

wavy ['weɪvɪ] *adj* (*hair, surface*) ondulé(e); (*line*) onduleux(-euse)

wax [wæks] *n* cire *f*; (*for skis*) fart *m* ▷ *vt* cirer; (*car*) lustrer; (*skis*) farter ▷ *vi* (*moon*) croître

way [weɪ] *n* chemin *m*, voie *f*; (*distance*) distance *f*; (*direction*) chemin, direction *f*; (*manner*) façon *f*, manière *f*; (*habit*) habitude *f*, façon; **which ~? — this ~/that ~** par où *or* de quel côté? — par ici/par là; **to lose one's ~** perdre son chemin; **on the ~ (to)** en route (pour); **to be on one's ~** être en route; **to be in the ~** bloquer le passage; (*fig*) gêner; **it's a long ~ a~** c'est loin d'ici; **to go out of one's ~ to do** (*fig*) se donner beaucoup de mal pour faire; **to be under ~** (*work, project*) être en cours; **in a ~** dans un sens; **by the ~** à propos; **"~ in"** (BRIT) "entrée"; **"~ out"** (BRIT) "sortie"; **the ~ back** le chemin du retour; **"give ~"** (BRIT *Aut*) "cédez la priorité"; **no ~!** (*inf*) pas question!

W.C. *n abbr* (BRIT: = *water closet*) w.-c. *mpl*, waters *mpl*

we [wiː] *pl pron* nous

weak [wiːk] *adj* faible; (*health*) fragile; (*beam etc*) peu solide; (*tea, coffee*) léger(-ère); **weaken** *vi* faiblir ▷ *vt* affaiblir; **weakness** *n* faiblesse *f*; (*fault*) point *m* faible

wealth [wɛlθ] *n* (*money, resources*) richesse(s) *f(pl)*; (*of details*) profusion *f*; **wealthy** *adj* riche

weapon ['wɛpən] *n* arme *f*; **~s of mass destruction** armes *fpl* de destruction massive

wear [wɛəʳ] *n* (*use*) usage *m*; (*deterioration through use*) usure *f* ▷ *vb* (*pt* **wore**, *pp* **worn**) ▷ *vt* (*clothes*) porter; (*put on*) mettre; (*damage: through use*) user ▷ *vi* (*last*) faire de l'usage; (*rub etc through*) s'user; **sports/baby~** vêtements *mpl* de sport/pour bébés; **evening ~** tenue *f* de soirée; **wear off** *vi* disparaître; **wear out** *vt* user; (*person, strength*) épuiser

weary ['wɪərɪ] *adj* (*tired*) épuisé(e); (*dispirited*) las (lasse); abattu(e) ▷ *vi*: **to ~ of** se lasser de

weasel ['wiːzl] *n* (*Zool*) belette *f*

weather ['wɛðəʳ] *n* temps *m* ▷ *vt* (*storm: lit, fig*) essuyer; (*crisis*) survivre à; **under the ~** (*fig: ill*) mal fichu(e); **weather forecast** *n* prévisions *fpl* météorologiques, météo *f*

weave (*pt* **wove**, *pp* **woven**) [wiːv, wəuv, 'wəuvn] *vt* (*cloth*) tisser; (*basket*) tresser

web [wɛb] *n* (*of spider*) toile *f*; (*on duck's foot*) palmure *f*; (*fig*) tissu *m*; (*Comput*): **the (World-Wide) W~** le Web; **web page** *n* (*Comput*) page *f* Web; **website** *n* (*Comput*) site *m* web

wed [wɛd] (*pt, pp* **~ded**) *vt* épouser ▷ *vi* se marier

Wed *abbr* (= *Wednesday*) me

we'd [wiːd] = **we had**; **we would**

wedding ['wɛdɪŋ] *n* mariage *m*; **wedding anniversary** *n* anniversaire *m* de mariage; **silver/golden wedding anniversary** noces *fpl* d'argent/d'or; **wedding day** *n* jour *m* du mariage; **wedding dress** *n* robe *f* de mariée; **wedding ring** *n* alliance *f*

wedge [wɛdʒ] *n* (*of wood etc*) coin *m*; (*under door etc*) cale *f*; (*of cake*) part *f* ▷ *vt* (*fix*) caler; (*push*) enfoncer, coincer

Wednesday ['wɛdnzdɪ] *n* mercredi *m*

wee [wiː] *adj* (SCOTTISH) petit(e); tout(e) petit(e)

weed [wiːd] *n* mauvaise herbe ▷ *vt* désherber; **weedkiller** *n* désherbant *m*

week [wiːk] *n* semaine *f*; **a ~ today/on Tuesday** aujourd'hui/mardi en huit; **weekday** *n* jour *m* de semaine; (*Comm*) jour ouvrable; **weekend** *n* week-end *m*; **weekly** *adv* une fois par semaine, chaque semaine ▷ *adj, n* hebdomadaire (*m*)

weep [wiːp] (*pt, pp* **wept**) *vi* (*person*) pleurer

weigh [weɪ] *vt, vi* peser; **to ~ anchor** lever l'ancre; **weigh up** *vt* examiner

weight [weɪt] *n* poids *m*; **to put on/lose ~** grossir/maigrir; **weightlifting** *n* haltérophilie *f*

weir [wɪəʳ] *n* barrage *m*

weird [wɪəd] *adj* bizarre; (*eerie*) surnaturel(le)

welcome ['wɛlkəm] *adj* bienvenu(e) ▷ *n* accueil *m* ▷ *vt* accueillir; (*also*: **bid ~**) souhaiter la bienvenue à; (*be glad of*) se réjouir de; **you're ~!** (*after thanks*) de rien, il n'y a pas de quoi

weld [wɛld] *vt* souder

welfare ['wɛlfɛəʳ] *n* (*wellbeing*) bien-être *m*; (*social aid*) assistance sociale; **welfare state** *n* État-providence *m*

well [wɛl] *n* puits *m* ▷ *adv* bien ▷ *adj*: **to be ~** aller bien ▷ *excl* eh bien!; (*relief also*) bon!; (*resignation*) enfin!; **~ done!** bravo!; **get ~ soon!** remets-toi vite!; **to do ~** bien réussir; (*business*) prospérer; **as ~** (*in addition*) aussi, également; **as ~ as** aussi bien que *or* de; en plus de

we'll [wiːl] = **we will**; **we shall**

well: **well-behaved** *adj* sage, obéissant(e); **well-built** *adj* (*person*) bien bâti(e); **well-dressed** *adj* bien habillé(e), bien vêtu(e)

well-groomed [-'gruːmd] *adj* très soigné(e)

wellies ['welɪz] (*inf*) *npl* (BRIT) = **wellingtons**

wellingtons ['wɛlɪŋtənz] *npl* (*also*: **wellington boots**) bottes *fpl* en caoutchouc

well: **well-known** *adj* (*person*) bien connu(e); **well-off** *adj* aisé(e), assez riche; **well-paid** [wel'peɪd] *adj* bien payé(e)

Welsh [wɛlʃ] *adj* gallois(e) ▷ *n* (*Ling*) gallois *m*; **the Welsh** *npl* (*people*) les Gallois; **Welshman** (*irreg*) *n* Gallois *m*; **Welshwoman** (*irreg*) *n* Galloise *f*

went [wɛnt] *pt of* **go**

wept [wɛpt] *pt, pp of* **weep**

were [wəːʳ] *pt of* **be**

we're [wɪəʳ] = **we are**

weren't [wəːnt] = **were not**

west [wɛst] *n* ouest *m* ▷ *adj* (*wind*) d'ouest; (*side*) ouest *inv* ▷ *adv* à *or* vers l'ouest; **the W~** l'Occident *m*, l'Ouest; **westbound** ['wɛstbaund] *adj* en direction de l'ouest; (*carriageway*) ouest *inv*; **western** *adj* occidental(e), de *or* à l'ouest ▷ *n* (*Cine*) western *m*; **West Indian** *adj* antillais(e) ▷ *n* Antillais(e)

West Indies [-'ɪndɪz] *npl* Antilles *fpl*

wet [wɛt] *adj* mouillé(e); (*damp*) humide; (*soaked*:

also: **~ through**) trempé(e); (*rainy*) pluvieux(-euse); **to get ~** se mouiller; **"~ paint"** "attention peinture fraîche"; **wetsuit** *n* combinaison *f* de plongée
we've [wi:v] = **we have**
whack [wæk] *vt* donner un grand coup à
whale [weɪl] *n* (*Zool*) baleine *f*
wharf (*pl* **wharves**) [wɔ:f, wɔ:vz] *n* quai *m*

 **KEYWORD**

what [wɔt] *adj* **1** (*in questions*) quel(le); **what size is he?** quelle taille fait-il?; **what colour is it?** de quelle couleur est-ce?; **what books do you need?** quels livres vous faut-il?
2 (*in exclamations*): **what a mess!** quel désordre!; **what a fool I am!** que je suis bête!
▷ *pron* **1** (*interrogative*) que; de/à/en *etc* quoi; **what are you doing?** que faites-vous?, qu'est-ce que vous faites?; **what is happening?** qu'est-ce qui se passe?, que se passe-t-il?; **what are you talking about?** de quoi parlez-vous?; **what are you thinking about?** à quoi pensez-vous?; **what is it called?** comment est-ce que ça s'appelle?; **what about me?** et moi?; **what about doing ...?** et si on faisait ...?
2 (*relative*: *subject*) ce qui; (: *direct object*) ce que; (: *indirect object*) ce à quoi, ce dont; **I saw what you did/was on the table** j'ai vu ce que vous avez fait/ce qui était sur la table; **tell me what you remember** dites-moi ce dont vous vous souvenez; **what I want is a cup of tea** ce que je veux, c'est une tasse de thé
▷ *excl* (*disbelieving*) quoi!, comment!

whatever [wɔt'ɛvəʳ] *adj*: **take ~ book you prefer** prenez le livre que vous préférez, peu importe lequel; **~ book you take** quel que soit le livre que vous preniez ▷ *pron*: **do ~ is necessary** faites (tout) ce qui est nécessaire; **~ happens** quoi qu'il arrive; **no reason ~** *or* **whatsoever** pas la moindre raison; **nothing ~** *or* **whatsoever** rien du tout
whatsoever [wɔtsəu'ɛvəʳ] *adj see* **whatever**
wheat [wi:t] *n* blé *m*, froment *m*
wheel [wi:l] *n* roue *f*; (*Aut*: *also*: **steering ~**) volant *m*; (*Naut*) gouvernail *m* ▷ *vt* (*pram etc*) pousser, rouler ▷ *vi* (*birds*) tournoyer; (*also*: **~ round**: *person*) se retourner, faire volte-face; **wheelbarrow** *n* brouette *f*; **wheelchair** *n* fauteuil roulant; **wheel clamp** *n* (*Aut*) sabot *m* (de Denver)
wheeze [wi:z] *vi* respirer bruyamment

 **KEYWORD**

when [wɛn] *adv* quand; **when did he go?** quand est-ce qu'il est parti?
▷ *conj* **1** (*at, during, after the time that*) quand, lorsque; **she was reading when I came in** elle lisait quand *or* lorsque je suis entré
2 (*on, at which*): **on the day when I met him** le jour où je l'ai rencontré
3 (*whereas*) alors que; **I thought I was wrong when in fact I was right** j'ai cru que j'avais tort alors qu'en fait j'avais raison

whenever [wɛn'ɛvəʳ] *adv* quand donc ▷ *conj* quand; (*every time that*) chaque fois que
where [wɛəʳ] *adv, conj* où; **this is ~** c'est là que; **whereabouts** *adv* où donc ▷ *n*: **nobody knows his whereabouts** personne ne sait où il se trouve; **whereas** *conj* alors que; **whereby** *adv* (*formal*) par lequel (*or* laquelle *etc*); **wherever** *adv* où donc ▷ *conj* où que + *sub*; **sit wherever you like** asseyez-vous (là) où vous voulez
whether ['wɛðəʳ] *conj* si; **I don't know ~ to accept or not** je ne sais pas si je dois accepter ou non; **it's doubtful ~** il est peu probable que + *sub*; **~ you go or not** que vous y alliez ou non

 **KEYWORD**

which [wɪtʃ] *adj* **1** (*interrogative*: *direct, indirect*) quel(le); **which picture do you want?** quel tableau voulez-vous?; **which one?** lequel (laquelle)?
2: **in which case** auquel cas; **we got there at 8pm, by which time the cinema was full** quand nous sommes arrivés à 20h, le cinéma était complet
▷ *pron* **1** (*interrogative*) lequel (laquelle), lesquels (lesquelles) *pl*; **I don't mind which** peu importe lequel; **which (of these) are yours?** lesquels sont à vous?; **tell me which you want** dites-moi lesquels *or* ceux que vous voulez
2 (*relative*: *subject*) qui; (: *object*) que; sur/vers *etc* lequel (laquelle) (*NB*: *à + lequel* = **auquel**; *de + lequel* = **duquel**); **the apple which you ate/which is on the table** la pomme que vous avez mangée/qui est sur la table; **the chair on which you are sitting** la chaise sur laquelle vous êtes assis; **the book of which you spoke** le livre dont vous avez parlé; **he said he knew, which is true/I was afraid of** il a dit qu'il le savait, ce qui est vrai/ce que je craignais; **after which** après quoi

whichever [wɪtʃ'ɛvəʳ] *adj*: **take ~ book you prefer** prenez le livre que vous préférez, peu importe lequel; **~ book you take** quel que soit le livre que vous preniez
while [waɪl] *n* moment *m* ▷ *conj* pendant que; (*as long as*) tant que; (*as, whereas*) alors que; (*though*) bien que + *sub*, quoique + *sub*; **for a ~** pendant quelque temps; **in a ~** dans un moment
whilst [waɪlst] *conj* = **while**
whim [wɪm] *n* caprice *m*
whine [waɪn] *n* gémissement *m*; (*of engine, siren*) plainte stridente ▷ *vi* gémir, geindre, pleurnicher; (*dog, engine, siren*) gémir
whip [wɪp] *n* fouet *m*; (*for riding*) cravache *f*; (*Pol*: *person*) chef *m* de file (*assurant la discipline dans son groupe parlementaire*) ▷ *vt* fouetter; (*snatch*) enlever (*or* sortir) brusquement; **whipped cream** *n* crème fouettée
whirl [wə:l] *vi* tourbillonner; (*dancers*) tournoyer ▷ *vt* faire tourbillonner, faire tournoyer
whisk [wɪsk] *n* (*Culin*) fouet *m* ▷ *vt* (*eggs*) fouetter, battre; **to ~ sb away** *or* **off** emmener qn rapidement
whiskers ['wɪskəz] *npl* (*of animal*) moustaches *fpl*; (*of man*) favoris *mpl*
whisky (IRISH, US **whiskey**) ['wɪskɪ] *n* whisky *m*
whisper ['wɪspəʳ] *n* chuchotement *m* ▷ *vt, vi* chuchoter
whistle ['wɪsl] *n* (*sound*) sifflement *m*; (*object*) sifflet *m* ▷ *vi* siffler ▷ *vt* siffler, siffloter
white [waɪt] *adj* blanc (blanche); (*with fear*) blême ▷ *n* blanc *m*; (*person*) blanc (blanche); **White House** *n* (US): **the White House** la Maison-Blanche; **whitewash** *n* (*paint*) lait *m* de chaux ▷ *vt* blanchir à la chaux; (*fig*) blanchir
whiting ['waɪtɪŋ] *n* (*pl inv*: *fish*) merlan *m*
Whitsun ['wɪtsn] *n* la Pentecôte
whittle ['wɪtl] *vt*: **to ~ away**, **to ~ down** (*costs*)

réduire, rogner
whizz [wɪz] *vi* aller (*or* passer) à toute vitesse
who [hu:] *pron* qui
whoever [hu:'ɛvəʳ] *pron*: **~ finds it** celui (celle) qui le trouve (, qui que ce soit), quiconque le trouve; **ask ~ you like** demandez à qui vous voulez; **~ he marries** qui que ce soit *or* quelle que soit la personne qu'il épouse; **~ told you that?** qui a bien pu vous dire ça?, qui donc vous a dit ça?
whole [həul] *adj* (*complete*) entier(-ière), tout(e); (*not broken*) intact(e), complet(-ète) ▷ *n* (*all*): **the ~ of** la totalité de, tout(e) le (la); (*entire unit*) tout *m*; **the ~ of the town** la ville tout entière; **on the ~, as a ~** dans l'ensemble; **wholefood(s)** *n(pl)* aliments complets; **wholeheartedly** [həul'hɑ:tɪdlɪ] *adv* sans réserve; **to agree wholeheartedly** être entièrement d'accord; **wholemeal** *adj* (BRIT: *flour, bread*) complet(-ète); **wholesale** *n* (vente *f* en) gros *m* ▷ *adj* (*price*) de gros; (*destruction*) systématique; **wholewheat** *adj* = **wholemeal**; **wholly** *adv* entièrement, tout à fait

KEYWORD

whom [hu:m] *pron* **1** (*interrogative*) qui; **whom did you see?** qui avez-vous vu?; **to whom did you give it?** à qui l'avez-vous donné?
2 (*relative*) que; à/de *etc* qui; **the man whom I saw/ to whom I spoke** l'homme que j'ai vu/à qui j'ai parlé

whore [hɔ:ʳ] *n* (*inf*: *pej*) putain *f*

KEYWORD

whose [hu:z] *adj* **1** (*possessive*: *interrogative*): **whose book is this?, whose is this book?** à qui est ce livre?; **whose pencil have you taken?** à qui est le crayon que vous avez pris?, c'est le crayon de qui que vous avez pris?; **whose daughter are you?** de qui êtes-vous la fille?
2 (*possessive*: *relative*): **the man whose son you rescued** l'homme dont *or* de qui vous avez sauvé le fils; **the girl whose sister you were speaking to** la fille à la sœur de qui *or* de laquelle vous parliez; **the woman whose car was stolen** la femme dont la voiture a été volée
▷ *pron* à qui; **whose is this?** à qui est ceci?; **I know whose it is** je sais à qui c'est

KEYWORD

why [waɪ] *adv* pourquoi; **why not?** pourquoi pas?
▷ *conj*: **I wonder why he said that** je me demande pourquoi il a dit ça; **that's not why I'm here** ce n'est pas pour ça que je suis là; **the reason why** la raison pour laquelle
▷ *excl* eh bien!, tiens!; **why, it's you!** tiens, c'est vous!; **why, that's impossible!** voyons, c'est impossible!

wicked ['wɪkɪd] *adj* méchant(e); (*mischievous*: *grin, look*) espiègle, malicieux(-euse); (*crime*) pervers(e); (*inf*: *very good*) génial(e) (*inf*)
wicket ['wɪkɪt] *n* (*Cricket*: *stumps*) guichet *m*; (: *grass area*) espace compris entre les deux guichets
wide [waɪd] *adj* large; (*area, knowledge*) vaste, très étendu(e); (*choice*) grand(e) ▷ *adv*: **to open ~** ouvrir tout grand; **to shoot ~** tirer à côté; **it is 3 metres ~** cela fait 3 mètres de large; **widely** *adv* (*different*) radicalement; (*spaced*) sur une grande étendue; (*believed*) généralement; (*travel*) beaucoup; **widen** *vt* élargir ▷ *vi* s'élargir; **wide open** *adj* grand(e) ouvert(e); **widespread** *adj* (*belief etc*) très répandu(e)
widow ['wɪdəu] *n* veuve *f*; **widower** *n* veuf *m*
width [wɪdθ] *n* largeur *f*
wield [wi:ld] *vt* (*sword*) manier; (*power*) exercer
wife (*pl* **wives**) [waɪf, waɪvz] *n* femme *f*, épouse *f*
wig [wɪg] *n* perruque *f*
wild [waɪld] *adj* sauvage; (*sea*) déchaîné(e); (*idea, life*) fou (folle); (*behaviour*) déchaîné(e), extravagant(e); (*inf*: *angry*) hors de soi, furieux(-euse) ▷ *n*: **the ~** la nature; **wilderness** ['wɪldənɪs] *n* désert *m*, région *f* sauvage; **wildlife** *n* faune *f* (et flore *f*); **wildly** *adv* (*behave*) de manière déchaînée; (*applaud*) frénétiquement; (*hit, guess*) au hasard; (*happy*) follement

KEYWORD

will [wɪl] *aux vb* **1** (*forming future tense*): **I will finish it tomorrow** je le finirai demain; **I will have finished it by tomorrow** je l'aurai fini d'ici demain; **will you do it? - yes I will/no I won't** le ferez-vous? - oui/non
2 (*in conjectures, predictions*): **he will** *or* **he'll be there by now** il doit être arrivé à l'heure qu'il est; **that will be the postman** ça doit être le facteur
3 (*in commands, requests, offers*): **will you be quiet!** voulez-vous bien vous taire!; **will you help me?** est-ce que vous pouvez m'aider?; **will you have a cup of tea?** voulez-vous une tasse de thé?; **I won't put up with it!** je ne le tolérerai pas!
▷ *vt* (*pt, pp* **willed**): **to will sb to do** souhaiter ardemment que qn fasse; **he willed himself to go on** par un suprême effort de volonté, il continua
▷ *n* volonté *f*; (*document*) testament *m*; **against one's will** à contre-cœur

willing ['wɪlɪŋ] *adj* de bonne volonté, serviable; **he's ~ to do it** il est disposé à le faire, il veut bien le faire; **willingly** *adv* volontiers
willow ['wɪləu] *n* saule *m*
willpower ['wɪl'pauəʳ] *n* volonté *f*
wilt [wɪlt] *vi* dépérir
win [wɪn] *n* (*in sports etc*) victoire *f* ▷ *vb* (*pt, pp* **won**) ▷ *vt* (*battle, money*) gagner; (*prize, contract*) remporter; (*popularity*) acquérir ▷ *vi* gagner; **win over** *vt* convaincre
wince [wɪns] *vi* tressaillir
wind[1] [wɪnd] *n* (*also Med*) vent *m*; (*breath*) souffle *m* ▷ *vt* (*take breath away*) couper le souffle à; **the ~(s)** (*Mus*) les instruments *mpl* à vent
wind[2] (*pt, pp* **wound**) [waɪnd, waund] *vt* enrouler; (*wrap*) envelopper; (*clock, toy*) remonter ▷ *vi* (*road, river*) serpenter; **wind down** *vt* (*car window*) baisser; (*fig*: *production, business*) réduire progressivement; **wind up** *vt* (*clock*) remonter; (*debate*) terminer, clôturer
windfall ['wɪndfɔ:l] *n* coup *m* de chance
winding ['waɪndɪŋ] *adj* (*road*) sinueux(-euse); (*staircase*) tournant(e)
windmill ['wɪndmɪl] *n* moulin *m* à vent
window ['wɪndəu] *n* fenêtre *f*; (*in car, train*: *also*: **~pane**) vitre *f*; (*in shop etc*) vitrine *f*; **window box** *n* jardinière *f*; **window cleaner** *n* (*person*) laveur(-euse) de vitres; **window pane** *n* vitre *f*,

carreau *m*; **window seat** *n* (*in vehicle*) place *f* côté fenêtre; **windowsill** *n* (*inside*) appui *m* de la fenêtre; (*outside*) rebord *m* de la fenêtre
windscreen ['wɪndskri:n] *n* pare-brise *m inv*; **windscreen wiper** *n* essuie-glace *m inv*
windshield ['wɪndʃi:ld] (*US*) *n* = **windscreen**
windsurfing ['wɪndsə:fɪŋ] *n* planche *f* à voile
windy ['wɪndɪ] *adj* (*day*) de vent, venteux(-euse); (*place, weather*) venteux; **it's ~** il y a du vent
wine [waɪn] *n* vin *m*; **wine bar** *n* bar *m* à vin; **wine glass** *n* verre *m* à vin; **wine list** *n* carte *f* des vins; **wine tasting** *n* dégustation *f* (de vins)
wing [wɪŋ] *n* aile *f*; **wings** *npl* (*Theat*) coulisses *fpl*; **wing mirror** *n* (*BRIT*) rétroviseur latéral
wink [wɪŋk] *n* clin *m* d'œil ▷ *vi* faire un clin d'œil; (*blink*) cligner des yeux
winner ['wɪnəʳ] *n* gagnant(e)
winning ['wɪnɪŋ] *adj* (*team*) gagnant(e); (*goal*) décisif(-ive); (*charming*) charmeur(-euse)
winter ['wɪntəʳ] *n* hiver *m* ▷ *vi* hiverner; **in ~** en hiver; **winter sports** *npl* sports *mpl* d'hiver; **wintertime** *n* hiver *m*
wipe [waɪp] *n*: **to give sth a ~** donner un coup de torchon/de chiffon/d'éponge à qch ▷ *vt* essuyer; (*erase: tape*) effacer; **to ~ one's nose** se moucher; **wipe out** *vt* (*debt*) éteindre, amortir; (*memory*) effacer; (*destroy*) anéantir; **wipe up** *vt* essuyer
wire ['waɪəʳ] *n* fil *m* (de fer); (*Elec*) fil électrique; (*Tel*) télégramme *m* ▷ *vt* (*house*) faire l'installation électrique de; (*also*: **~ up**) brancher; (*person: send telegram to*) télégraphier à
wiring ['waɪərɪŋ] *n* (*Elec*) installation *f* électrique
wisdom ['wɪzdəm] *n* sagesse *f*; (*of action*) prudence *f*; **wisdom tooth** *n* dent *f* de sagesse
wise [waɪz] *adj* sage, prudent(e); (*remark*) judicieux(-euse)
wish [wɪʃ] *n* (*desire*) désir *m*; (*specific desire*) souhait *m*, vœu *m* ▷ *vt* souhaiter, désirer, vouloir; **best ~es** (*on birthday etc*) meilleurs vœux; **with best ~es** (*in letter*) bien amicalement; **to ~ sb goodbye** dire au revoir à qn; **he ~ed me well** il m'a souhaité bonne chance; **to ~ to do/sb to do** désirer *or* vouloir faire/que qn fasse; **to ~ for** souhaiter
wistful ['wɪstful] *adj* mélancolique
wit [wɪt] *n* (*also*: **~s**: *intelligence*) intelligence *f*, esprit *m*; (*presence of mind*) présence *f* d'esprit; (*wittiness*) esprit; (*person*) homme/femme d'esprit
witch [wɪtʃ] *n* sorcière *f*

KEYWORD

with [wɪð, wɪθ] *prep* **1** (*in the company of*) avec; (*at the home of*) chez; **we stayed with friends** nous avons logé chez des amis; **I'll be with you in a minute** je suis à vous dans un instant
2 (*descriptive*): **a room with a view** une chambre avec vue; **the man with the grey hat/blue eyes** l'homme au chapeau gris/aux yeux bleus
3 (*indicating manner, means, cause*): **with tears in her eyes** les larmes aux yeux; **to walk with a stick** marcher avec une canne; **red with anger** rouge de colère; **to shake with fear** trembler de peur; **to fill sth with water** remplir qch d'eau
4 (*in phrases*): **I'm with you** (*I understand*) je vous suis; **to be with it** (*inf: up-to-date*) être dans le vent

withdraw [wɪθ'drɔ:] *vt* (*irreg: like* **draw**) retirer ▷ *vi* se retirer; **withdrawal** *n* retrait *m*; (*Med*) état *m* de manque; **withdrawn** *pp of* **withdraw** ▷ *adj* (*person*) renfermé(e)
withdrew [wɪθ'dru:] *pt of* **withdraw**
wither ['wɪðəʳ] *vi* se faner
withhold [wɪθ'həuld] *vt* (*irreg: like* **hold**) (*money*) retenir; (*decision*) remettre; (*permission*): **to ~ (from)** (*permission*) refuser (à); (*information*): **to ~ (from)** cacher (à)
within [wɪð'ɪn] *prep* à l'intérieur de ▷ *adv* à l'intérieur; **~ his reach** à sa portée; **~ sight of** en vue de; **~ a mile of** à moins d'un mille de; **~ the week** avant la fin de la semaine
without [wɪð'aut] *prep* sans; **~ a coat** sans manteau; **~ speaking** sans parler; **to go** *or* **do ~ sth** se passer de qch
withstand [wɪθ'stænd] *vt* (*irreg: like* **stand**) résister à
witness ['wɪtnɪs] *n* (*person*) témoin *m* ▷ *vt* (*event*) être témoin de; (*document*) attester l'authenticité de; **to bear ~ to sth** témoigner de qch
witty ['wɪtɪ] *adj* spirituel(le), plein(e) d'esprit
wives [waɪvz] *npl of* **wife**
wizard ['wɪzəd] *n* magicien *m*
wk *abbr* = **week**
wobble ['wɔbl] *vi* trembler; (*chair*) branler
woe [wəu] *n* malheur *m*
woke [wəuk] *pt of* **wake**
woken ['wəukn] *pp of* **wake**
wolf (*pl* **wolves**) [wulf, wulvz] *n* loup *m*
woman (*pl* **women**) ['wumən, 'wɪmɪn] *n* femme *f* ▷ *cpd*: **~ doctor** femme *f* médecin; **~ teacher** professeur *m* femme
womb [wu:m] *n* (*Anat*) utérus *m*
women ['wɪmɪn] *npl of* **woman**
won [wʌn] *pt, pp of* **win**
wonder ['wʌndəʳ] *n* merveille *f*, miracle *m*; (*feeling*) émerveillement *m* ▷ *vi*: **to ~ whether/why** se demander si/pourquoi; **to ~ at** (*surprise*) s'étonner de; (*admiration*) s'émerveiller de; **to ~ about** songer à; **it's no ~ that** il n'est pas étonnant que + *sub*; **wonderful** *adj* merveilleux(-euse)
won't [wəunt] = **will not**
wood [wud] *n* (*timber, forest*) bois *m*; **wooden** *adj* en bois; (*fig: actor*) raide; (*: performance*) qui manque de naturel; **woodwind** *n*: **the woodwind** (*Mus*) les bois *mpl*; **woodwork** *n* menuiserie *f*
wool [wul] *n* laine *f*; **to pull the ~ over sb's eyes** (*fig*) en faire accroire à qn; **woollen** (*US* **woolen**) *adj* de *or* en laine; **woolly** (*US* **wooly**) *adj* laineux(-euse); (*fig: ideas*) confus(e)
word [wə:d] *n* mot *m*; (*spoken*) mot, parole *f*; (*promise*) parole; (*news*) nouvelles *fpl* ▷ *vt* rédiger, formuler; **in other ~s** en d'autres termes; **to have a ~ with sb** toucher un mot à qn; **to break/keep one's ~** manquer à sa parole/tenir (sa) parole; **wording** *n* termes *mpl*, langage *m*; (*of document*) libellé *m*; **word processing** *n* traitement *m* de texte; **word processor** *n* machine *f* de traitement de texte
wore [wɔ:ʳ] *pt of* **wear**
work [wə:k] *n* travail *m*; (*Art, Literature*) œuvre *f* ▷ *vi* travailler; (*mechanism*) marcher, fonctionner; (*plan etc*) marcher; (*medicine*) agir ▷ *vt* (*clay, wood etc*) travailler; (*mine etc*) exploiter; (*machine*) faire marcher *or* fonctionner; (*miracles etc*) faire; **works** *n* (*BRIT: factory*) usine *f*; **how does this ~?** comment est-ce que ça marche?; **the TV isn't ~ing** la télévision est en panne *or* ne marche pas; **to be out of ~** être au chômage *or* sans emploi; **to ~ loose** se défaire, se desserrer; **work out** *vi* (*plans etc*)

marcher; (*Sport*) s'entraîner ▷ *vt* (*problem*) résoudre; (*plan*) élaborer; **it ~s out at £100** ça fait 100 livres; **worker** *n* travailleur(-euse), ouvrier(-ière); **work experience** *n* stage *m*; **workforce** *n* main-d'œuvre *f*; **working class** *n* classe ouvrière ▷ *adj*: **working-class** ouvrier(-ière), de la classe ouvrière; **working week** *n* semaine *f* de travail; **workman** (*irreg*) *n* ouvrier *m*; **work of art** *n* œuvre *f* d'art; **workout** *n* (*Sport*) séance *f* d'entraînement; **work permit** *n* permis *m* de travail; **workplace** *n* lieu *m* de travail; **worksheet** *n* (*Scol*) feuille *f* d'exercices; **workshop** *n* atelier *m*; **work station** *n* poste *m* de travail; **work surface** *n* plan *m* de travail; **worktop** *n* plan *m* de travail

world [wə:ld] *n* monde *m* ▷ *cpd* (*champion*) du monde; (*power, war*) mondial(e); **to think the ~ of sb** (*fig*) ne jurer que par qn; **World Cup** *n*: **the World Cup** (*Football*) la Coupe du monde; **world-wide** *adj* universel(le); **World-Wide Web** *n*: **the World-Wide Web** le Web

worm [wə:m] *n* (*also*: **earth~**) ver *m*

worn [wɔ:n] *pp of* **wear** ▷ *adj* usé(e); **worn-out** *adj* (*object*) complètement usé(e); (*person*) épuisé(e)

worried ['wʌrɪd] *adj* inquiet(-ète); **to be ~ about sth** être inquiet au sujet de qch

worry ['wʌrɪ] *n* souci *m* ▷ *vt* inquiéter ▷ *vi* s'inquiéter, se faire du souci; **worrying** *adj* inquiétant(e)

worse [wə:s] *adj* pire, plus mauvais(e) ▷ *adv* plus mal ▷ *n* pire *m*; **to get ~** (*condition, situation*) empirer, se dégrader; **a change for the ~** une détérioration; **worsen** *vt, vi* empirer; **worse off** *adj* moins à l'aise financièrement; (*fig*): **you'll be worse off this way** ça ira moins bien de cette façon

worship ['wə:ʃɪp] *n* culte *m* ▷ *vt* (*God*) rendre un culte à; (*person*) adorer

worst [wə:st] *adj* le (la) pire, le (la) plus mauvais(e) ▷ *adv* le plus mal ▷ *n* pire *m*; **at ~** au pis aller

worth [wə:θ] *n* valeur *f* ▷ *adj*: **to be ~** valoir; **it's ~ it** cela en vaut la peine, ça vaut la peine; **it is ~ one's while (to do)** ça vaut le coup (*inf*) (de faire); **worthless** *adj* qui ne vaut rien; **worthwhile** *adj* (*activity*) qui en vaut la peine; (*cause*) louable

worthy ['wə:ðɪ] *adj* (*person*) digne; (*motive*) louable; **~ of** digne de

KEYWORD

would [wud] *aux vb* 1 (*conditional tense*): **if you asked him he would do it** si vous le lui demandiez, il le ferait; **if you had asked him he would have done it** si vous le lui aviez demandé, il l'aurait fait

2 (*in offers, invitations, requests*): **would you like a biscuit?** voulez-vous un biscuit?; **would you close the door please?** voulez-vous fermer la porte, s'il vous plaît?

3 (*in indirect speech*): **I said I would do it** j'ai dit que je le ferais

4 (*emphatic*): **it WOULD have to snow today!** naturellement il neige aujourd'hui! *or* il fallait qu'il neige aujourd'hui!

5 (*insistence*): **she wouldn't do it** elle n'a pas voulu *or* elle a refusé de le faire

6 (*conjecture*): **it would have been midnight** il devait être minuit; **it would seem so** on dirait bien

7 (*indicating habit*): **he would go there on Mondays** il y allait le lundi

wouldn't ['wudnt] = **would not**

wound[1] [wu:nd] *n* blessure *f* ▷ *vt* blesser

wound[2] [waund] *pt, pp of* **wind**

wove [wəuv] *pt of* **weave**

woven ['wəuvn] *pp of* **weave**

wrap [ræp] *vt* (*also*: **~ up**) envelopper; (*parcel*) emballer; (*wind*) enrouler; **wrapper** *n* (*on chocolate etc*) papier *m*; (BRIT: *of book*) couverture *f*; **wrapping** *n* (*of sweet, chocolate*) papier *m*; (*of parcel*) emballage *m*; **wrapping paper** *n* papier *m* d'emballage; (*for gift*) papier cadeau

wreath [ri:θ, (*pl*) ri:ðz] *n* couronne *f*

wreck [rɛk] *n* (*sea disaster*) naufrage *m*; (*ship*) épave *f*; (*vehicle*) véhicule accidentée; (*pej*: *person*) loque (humaine) ▷ *vt* démolir; (*fig*) briser, ruiner; **wreckage** *n* débris *mpl*; (*of building*) décombres *mpl*; (*of ship*) naufrage *m*

wren [rɛn] *n* (*Zool*) troglodyte *m*

wrench [rɛntʃ] *n* (*Tech*) clé *f* (à écrous); (*tug*) violent mouvement de torsion; (*fig*) déchirement *m* ▷ *vt* tirer violemment sur, tordre; **to ~ sth from** arracher qch (violemment) à *or* de

wrestle ['rɛsl] *vi*: **to ~ (with sb)** lutter (avec qn); **wrestler** *n* lutteur(-euse); **wrestling** *n* lutte *f*; (*also*: **all-in wrestling**: BRIT) catch *m*

wretched ['rɛtʃɪd] *adj* misérable

wriggle ['rɪgl] *vi* (*also*: **~ about**) se tortiller

wring (*pt, pp* **wrung**) [rɪŋ, rʌŋ] *vt* tordre; (*wet clothes*) essorer; (*fig*): **to ~ sth out of** arracher qch à

wrinkle ['rɪŋkl] *n* (*on skin*) ride *f*; (*on paper etc*) pli *m* ▷ *vt* rider, plisser ▷ *vi* se plisser

wrist [rɪst] *n* poignet *m*

write (*pt* **wrote**, *pp* **written**) [raɪt, rəut, 'rɪtn] *vt, vi* écrire; (*prescription*) rédiger; **write down** *vt* noter; (*put in writing*) mettre par écrit; **write off** *vt* (*debt*) passer aux profits et pertes; (*project*) mettre une croix sur; (*smash up*: *car etc*) démolir complètement; **write out** *vt* écrire; (*copy*) recopier; **write-off** *n* perte totale; **the car is a write-off** la voiture est bonne pour la casse; **writer** *n* auteur *m*, écrivain *m*

writing ['raɪtɪŋ] *n* écriture *f*; (*of author*) œuvres *fpl*; **in ~** par écrit; **writing paper** *n* papier *m* à lettres

written ['rɪtn] *pp of* **write**

wrong [rɔŋ] *adj* (*incorrect*) faux (fausse); (*incorrectly chosen*: *number, road etc*) mauvais(e); (*not suitable*) qui ne convient pas; (*wicked*) mal; (*unfair*) injuste ▷ *adv* mal ▷ *n* tort *m* ▷ *vt* faire du tort à, léser; **you are ~ to do it** tu as tort de le faire; **you are ~ about that, you've got it ~** tu te trompes; **what's ~?** qu'est-ce qui ne va pas?; **what's ~ with the car?** qu'est-ce qu'elle a, la voiture?; **to go ~** (*person*) se tromper; (*plan*) mal tourner; (*machine*) se détraquer; **I took a ~ turning** je me suis trompé de route; **wrongly** *adv* à tort; (*answer, do, count*) mal, incorrectement; **wrong number** *n* (*Tel*): **you have the wrong number** vous vous êtes trompé de numéro

wrote [rəut] *pt of* **write**

wrung [rʌŋ] *pt, pp of* **wring**

WWW *n abbr* = **World-Wide Web**; **the ~** le Web

xyz

XL *abbr* (= *extra large*) XL
Xmas ['ɛksməs] *n abbr* = **Christmas**
X-ray ['ɛksreɪ] *n* (*ray*) rayon *m* X; (*photograph*) radio(graphie) *f* ▷ *vt* radiographier
xylophone ['zaɪləfəun] *n* xylophone *m*

yacht [jɔt] *n* voilier *m*; (*motor, luxury yacht*) yacht *m*; **yachting** *n* yachting *m*, navigation *f* de plaisance
yard [jɑ:d] *n* (*of house etc*) cour *f*; (*US: garden*) jardin *m*; (*measure*) yard *m* (= *914 mm; 3 feet*); **yard sale** *n* (US) brocante *f* (dans son propre jardin)
yarn [jɑ:n] *n* fil *m*; (*tale*) longue histoire
yawn [jɔ:n] *n* bâillement *m* ▷ *vi* bâiller
yd. *abbr* = **yard(s)**
yeah [jɛə] *adv* (*inf*) ouais
year [jɪəʳ] *n* an *m*, année *f*; (*Scol etc*) année; **to be 8 ~s old** avoir 8 ans; **an eight-~-old child** un enfant de huit ans; **yearly** *adj* annuel(le) ▷ *adv* annuellement; **twice yearly** deux fois par an
yearn [jə:n] *vi*: **to ~ for sth/to do** aspirer à qch/à faire
yeast [ji:st] *n* levure *f*
yell [jɛl] *n* hurlement *m*, cri *m* ▷ *vi* hurler
yellow ['jɛləu] *adj*, *n* jaune (*m*); **Yellow Pages®** *npl* (*Tel*) pages *fpl* jaunes
yes [jɛs] *adv* oui; (*answering negative question*) si ▷ *n* oui *m*; **to say ~ (to)** dire oui (à)
yesterday ['jɛstədɪ] *adv*, *n* hier (*m*); **~ morning/evening** hier matin/soir; **all day ~** toute la journée d'hier
yet [jɛt] *adv* encore; (*in questions*) déjà ▷ *conj* pourtant, néanmoins; **it is not finished ~** ce n'est pas encore fini *or* toujours pas fini; **have you eaten ~?** vous avez déjà mangé?; **the best ~** le meilleur jusqu'ici *or* jusque-là; **as ~** jusqu'ici, encore
yew [ju:] *n* if *m*
Yiddish ['jɪdɪʃ] *n* yiddish *m*
yield [ji:ld] *n* production *f*, rendement *m*; (*Finance*) rapport *m* ▷ *vt* produire, rendre, rapporter; (*surrender*) céder ▷ *vi* céder; (*US Aut*) céder la priorité
yob(bo) ['jɔb(əu)] *n* (BRIT *inf*) loubar(d) *m*
yoga ['jəugə] *n* yoga *m*
yog(h)ourt *n* = **yog(h)urt**
yog(h)urt ['jɔgət] *n* yaourt *m*
yolk [jəuk] *n* jaune *m* (d'œuf)

KEYWORD

you [ju:] *pron* **1** (*subject*) tu; (*polite form*) vous; (*plural*) vous; **you are very kind** vous êtes très gentil; **you French enjoy your food** vous autres Français, vous aimez bien manger; **you and I will go** toi et moi *or* vous et moi, nous irons; **there you are!** vous voilà!
2 (*object: direct, indirect*) te, t' + *vowel*; vous; **I know you** je te *or* vous connais; **I gave it to you** je te l'ai donné, je vous l'ai donné
3 (*stressed*) toi; vous; **I told YOU to do it** c'est à toi *or* vous que j'ai dit de le faire
4 (*after prep, in comparisons*) toi; vous; **it's for you** c'est pour toi *or* vous; **she's younger than you** elle est plus jeune que toi *or* vous
5 (*impersonal: one*) on; **fresh air does you good** l'air frais fait du bien; **you never know** on ne sait jamais; **you can't do that!** ça ne se fait pas!

you'd [ju:d] = **you had**; **you would**
you'll [ju:l] = **you will**; **you shall**
young [jʌŋ] *adj* jeune ▷ *npl* (*of animal*) petits *mpl*; (*people*): **the ~** les jeunes, la jeunesse; **my ~er brother** mon frère cadet; **youngster** *n* jeune *m/f*; (*child*) enfant *m/f*
your [jɔ:ʳ] *adj* ton (ta), tes *pl*; (*polite form, pl*) votre, vos *pl*; *see also* **my**
you're [juəʳ] = **you are**
yours [jɔ:z] *pron* le (la) tien(ne), les tiens (tiennes); (*polite form, pl*) le (la) vôtre, les vôtres; **is it ~?** c'est à toi (*or* à vous)?; **a friend of ~** un(e) de tes (*or* de vos) amis; *see also* **faithfully**; **mine¹**; *see also* **sincerely**
yourself [jɔ:'sɛlf] *pron* (*reflexive*) te; (: *polite form*) vous; (*after prep*) toi; vous; (*emphatic*) toi-même; vous-même; *see also* **oneself**; **yourselves** *pl pron* vous; (*emphatic*) vous-mêmes; *see also* **oneself**
youth [ju:θ] *n* jeunesse *f*; (*young man*): (*pl* **~s**) jeune homme *m*; **youth club** *n* centre *m* de jeunes; **youthful** *adj* jeune; (*enthusiasm etc*) juvénile; **youth hostel** *n* auberge *f* de jeunesse
you've [ju:v] = **you have**
Yugoslav ['ju:gəuslɑ:v] *adj* yougoslave ▷ *n* Yougoslave *m/f*
Yugoslavia [ju:gəu'slɑ:vɪə] *n* (*Hist*) Yougoslavie *f*

zeal [zi:l] *n* (*revolutionary etc*) ferveur *f*; (*keenness*) ardeur *f*, zèle *m*
zebra ['zi:brə] *n* zèbre *m*; **zebra crossing** *n* (BRIT) passage clouté *or* pour piétons
zero ['zɪərəu] *n* zéro *m*
zest [zɛst] *n* entrain *m*, élan *m*; (*of lemon etc*) zeste *m*
zigzag ['zɪgzæg] *n* zigzag *m* ▷ *vi* zigzaguer, faire des zigzags
Zimbabwe [zɪm'bɑ:bwɪ] *n* Zimbabwe *m*
zinc [zɪŋk] *n* zinc *m*
zip [zɪp] *n* (*also*: **~ fastener**) fermeture *f* éclair® *or* à glissière ▷ *vt* (*file*) zipper; (*also*: **~ up**) fermer (avec une fermeture éclair®); **zip code** *n* (US) code postal; **zip file** *n* (*Comput*) fichier *m* zip *inv*; **zipper** *n* (US) = **zip**
zit [zɪt] (*inf*) *n* bouton *m*
zodiac ['zəudɪæk] *n* zodiaque *m*
zone [zəun] *n* zone *f*
zoo [zu:] *n* zoo *m*
zoology [zu:'ɔlədʒɪ] *n* zoologie *f*
zoom [zu:m] *vi*: **to ~ past** passer en trombe; **zoom lens** *n* zoom *m*
zucchini [zu:'ki:nɪ] *n(pl)* (US) courgette(s) *f(pl)*

Grammar
Grammaire

USING THE GRAMMAR

The Grammar section deals systematically and comprehensively with all the information you will need in order to communicate accurately in French. The boxed numbers, → [1] etc, direct you to the relevant example in every case.

ABBREVIATIONS

ctd.	continued	**p(p)**	page(s)	**qn**	quelqu'un
fem.	feminine	**perf.**	perfect	**sb**	somebody
infin.	infinitive	**plur.**	plural	**sing.**	singular
masc.	masculine	**qch**	quelque chose	**sth**	something

CONTENTS

CONTENTS

❒ Simple Tenses: Formation of Regular Verbs

Simple tenses are one-word tenses which are formed by adding endings to a verb stem. The endings show the number and person of the subject of the verb. The stem and endings of regular verbs are totally predictable.

There are three regular patterns (called conjugations), each identifiable by the ending of the infinitive. For irregular verbs see pp 50 ff.

❒ Simple Tenses: First Conjugation

- First conjugation verbs end in **-er**, e.g. **donner** to give. The stem is formed as follows:

TENSE	FORMATION	EXAMPLE
Present Imperfect Past Historic Present Subjunctive	infinitive minus **-er**	**donn-**
Future Conditional	infinitive	**donner-**

- To the appropriate stem add the following endings

		PRESENT → 1	IMPERFECT → 2	PAST HISTORIC → 3
sing.	1st person	**-e**	**-ais**	**-ai**
	2nd person	**-es**	**-ais**	**-as**
	3rd person	**-e**	**-ait**	**-a**
plur.	1st person	**-ons**	**-ions**	**-âmes**
	2nd person	**-ez**	**-iez**	**-âtes**
	3rd person	**-ent**	**-aient**	**-èrent**
		PRESENT SUBJUNCTIVE → 4	**FUTURE → 5**	**CONDITIONAL → 6**
sing.	1st person	**-e**	**-ai**	**-ais**
	2nd person	**-es**	**-as**	**-ais**
	3rd person	**-e**	**-a**	**-ait**
plur.	1st person	**-ions**	**-ons**	**-ions**
	2nd person	**-iez**	**-ez**	**-iez**
	3rd person	**-ent**	**-ont**	**-aient**

EXAMPLES

1	PRESENT
je	donn**e**
tu	donn**es**
il	donn**e**
elle	donn**e**
nous	donn**ons**
vous	donn**ez**
ils	donn**ent**
elles	donn**ent**

I give, I am giving, I do give *etc*

2	IMPERFECT
je	donn**ais**
tu	donn**ais**
il	donn**ait**
elle	donn**ait**
nous	donn**ions**
vous	donn**iez**
ils	donn**aient**
elles	donn**aient**

I gave, I was giving, I used to give *etc*

3	PAST HISTORIC
je	donn**ai**
tu	donn**as**
il	donn**a**
elle	donn**a**
nous	donn**âmes**
vous	donn**âtes**
ils	donn**èrent**
elles	donn**èrent**

I gave *etc*

4	PRESENT SUBJUNCTIVE
je	donn**e**
tu	donn**es**
il	donn**e**
elle	donn**e**
nous	donn**ions**
vous	donn**iez**
ils	donn**ent**
elles	donn**ent**

I give/gave *etc*

5	FUTURE
je	donner**ai**
tu	donner**as**
il	donner**a**
elle	donner**a**
nous	donner**ons**
vous	donner**ez**
ils	donner**ont**
elles	donner**ont**

I shall give, I shall be giving *etc*

6	CONDITIONAL
je	donner**ais**
tu	donner**ais**
il	donner**ait**
elle	donner**ait**
nous	donner**ions**
vous	donner**iez**
ils	donner**aient**
elles	donner**aient**

I should/would give,
I should/would be giving *etc*

❒ Simple Tenses: Second Conjugation

- Second conjugation verbs end in **-ir**, e.g. **finir** to finish. The stem is formed as follows:

TENSE	FORMATION	EXAMPLE
Present Imperfect Past Historic Present Subjunctive	infinitive minus **-ir**	**fin-**
Future Conditional	infinitive	**finir-**

- To the appropriate stem add the following endings:

		PRESENT → 1	IMPERFECT → 2
sing.	1st person	**-is**	**-issais**
	2nd person	**-is**	**-issais**
	3rd person	**-it**	**-issait**
plur.	1st person	**-issons**	**-issions**
	2nd person	**-issez**	**-issiez**
	3rd person	**-issent**	**-issaient**

		PAST HISTORIC → 3	PRESENT SUBJUNCTIVE → 4
sing.	1st person	**-is**	**-isse**
	2nd person	**-is**	**-isses**
	3rd person	**-it**	**-isse**
plur.	1st person	**-îmes**	**-issions**
	2nd person	**-îtes**	**-issiez**
	3rd person	**-irent**	**-issent**

		FUTURE → 5	CONDITIONAL → 6
sing.	1st person	**-ai**	**-ais**
	2nd person	**-as**	**-ais**
	3rd person	**-a**	**-ait**
plur.	1st person	**-ons**	**-ions**
	2nd person	**-ez**	**-iez**
	3rd person	**-ont**	**-aient**

1	PRESENT	2	IMPERFECT
je	fin**is**	je	fin**issais**
tu	fin**is**	tu	fin**issais**
il	fin**it**	il	fin**issait**
elle	fin**it**	elle	fin**issait**
nous	fin**issons**	nous	fin**issions**
vous	fin**issez**	vous	fin**issiez**
ils	fin**issent**	ils	fin**issaient**
elles	fin**issent**	elles	fin**issaient**

I finish, I am finishing, I do finish *etc*

I finished, I was finishing, I used to finish *etc*

3	PAST HISTORIC	4	PRESENT SUBJUNCTIVE
je	fin**is**	je	fin**isse**
tu	fin**is**	tu	fin**isses**
il	fin**it**	il	fin**isse**
elle	fin**it**	elle	fin**isse**
nous	fin**îmes**	nous	fin**issions**
vous	fin**îtes**	vous	fin**issiez**
ils	fin**irent**	ils	fin**issent**
elles	fin**irent**	elles	fin**issent**

I finished *etc*

I finish/finished *etc*

5	FUTURE	6	CONDITIONAL
je	finir**ai**	je	finir**ais**
tu	finir**as**	tu	finir**ais**
il	finir**a**	il	finir**ait**
elle	finir**a**	elle	finir**ait**
nous	finir**ons**	nous	finir**ions**
vous	finir**ez**	vous	finir**iez**
ils	finir**ont**	ils	finir**aient**
elles	finir**ont**	elles	finir**aient**

I shall finish, I shall be finishing *etc*

I should/would finish,
I should/would be finishing *etc*

❒ Simple Tenses: Third Conjugation

- Third conjugation verbs end in **-re**, e.g. **vendre** to sell. The stem is formed as follows:

TENSE	FORMATION	EXAMPLE
Present Imperfect Past Historic Present Subjunctive	infinitive minus **-re**	**vend-**
Future Conditional	infinitive minus **-e**	**vendr-**

- To the appropriate stem add the following endings:

		PRESENT → 1	IMPERFECT → 2
	1st person	**-s**	**-ais**
sing.	2nd person	**-s**	**-ais**
	3rd person	—	**-ait**
	1st person	**-ons**	**-ions**
plur.	2nd person	**-ez**	**-iez**
	3rd person	**-ent**	**-aient**
		PAST HISTORIC → 3	**PRESENT SUBJUNCTIVE → 4**
	1st person	**-is**	**-e**
sing.	2nd person	**-is**	**-es**
	3rd person	**-it**	**-e**
	1st person	**-îmes**	**-ions**
plur.	2nd person	**-îtes**	**-iez**
	3rd person	**-irent**	**-ent**
		FUTURE → 5	**CONDITIONAL → 6**
	1st person	**-ai**	**-ais**
sing.	2nd person	**-as**	**-ais**
	3rd person	**-a**	**-ait**
	1st person	**-ons**	**-ions**
plur.	2nd person	**-ez**	**-iez**
	3rd person	**-ont**	**-aient**

EXAMPLES

1	PRESENT	2	IMPERFECT
je	vend**s**	je	vend**ais**
tu	vend**s**	tu	vend**ais**
il	vend	il	vend**ait**
elle	vend	elle	vend**ait**
nous	vend**ons**	nous	vend**ions**
vous	vend**ez**	vous	vend**iez**
ils	vend**ent**	ils	vend**aient**
elles	vend**ent**	elles	vend**aient**

I sell, I am selling, I do sell *etc*

I sold, I was selling, I used to sell *etc*

3	PAST HISTORIC	4	PRESENT SUBJUNCTIVE
je	vend**is**	je	vend**e**
tu	vend**is**	tu	vend**es**
il	vend**it**	il	vend**e**
elle	vend**it**	elle	vend**e**
nous	vend**îmes**	nous	vend**ions**
vous	vend**îtes**	vous	vend**iez**
ils	vend**irent**	ils	vend**ent**
elles	vend**irent**	elles	vend**ent**

I sold *etc*

I sell/sold *etc*

5	FUTURE	6	CONDITIONAL
je	vendr**ai**	je	vendr**ais**
tu	vendr**as**	tu	vendr**ais**
il	vendr**a**	il	vendr**ait**
elle	vendr**a**	elle	vendr**ait**
nous	vendr**ons**	nous	vendr**ions**
vous	vendr**ez**	vous	vendr**iez**
ils	vendr**ont**	ils	vendr**aient**
elles	vendr**ont**	elles	vendr**aient**

I shall sell, I shall be selling *etc*

I should/would sell,
I should/would be selling *etc*

❒ First Conjugation Spelling Irregularities

Before certain endings, the stems of some **'-er'** verbs may change slightly.

Verbs ending:	**-cer**
Change:	**c** becomes **ç** before **a** or **o** to retain its soft [s] pronunciation
Tenses affected:	Present, Imperfect, Past Historic; Present Participle
Model:	**lancer** *to throw* → [1]

Verbs ending:	**-ger**
Change:	**g** becomes **ge** before **a** or **o** to retain its soft [ʒ] pronunciation
Tenses affected:	Present, Imperfect, Past Historic; Present Participle
Model:	**manger** *to eat* → [2]

Verbs ending	**-eler**
Change:	**-l** doubles before **-e**, **-es**, **-ent** and throughout the Future and Conditional tenses
Tenses affected:	Present, Present Subjunctive, Future, Conditional
Model:	**appeler** *to call* → [3]

◆ EXCEPTIONS: **geler** *to freeze*, **peler** *to peel* } like **mener** (p 14)

1 INFINITIVE **lancer** — PRESENT PARTICIPLE **lançant**

PRESENT		IMPERFECT		PAST HISTORIC	
je	lance	**je**	**lançais**	**je**	**lançai**
tu	lances	**tu**	**lançais**	**tu**	**lanças**
il/elle	lance	**il/elle**	**lançait**	**il/elle**	**lança**
nous	**lançons**	nous	lancions	**nous**	**lançâmes**
vous	lancez	vous	lanciez	**vous**	**lançâtes**
ils/elles	lancent	**ils/elles**	**lançaient**	ils/elles	lancèrent

2 INFINITIVE **manger** — PRESENT PARTICIPLE **mangeant**

PRESENT		IMPERFECT		PAST HISTORIC	
je	mange	**je**	**mangeais**	**je**	**mangeai**
tu	manges	**tu**	**mangeais**	**tu**	**mangeas**
il/elle	mange	**il/elle**	**mangeait**	**il/elle**	**mangea**
nous	**mangeons**	nous	mangions	**nous**	**mangeâmes**
vous	mangez	vous	mangiez	**vous**	**mangeâtes**
ils/elles	mangent	**ils/elles**	**mangeaient**	ils/elles	mangèrent

3 PRESENT (+ SUBJUNCTIVE)

	j'appelle
tu	**appelles**
il/elle	**appelle**
nous	appelons (appelions)
vous	appelez (appeliez)
ils/elles	**appellent**

FUTURE

	j'appellerai
tu	**appelleras**
il	**appellera** *etc*

CONDITIONAL

	j'appellerais
tu	**appellerais**
il	**appellerait** *etc*

Verbs ending	**-eter**
Change:	**-t** doubles before **-e**, **-es**, **-ent** and throughout the Future and Conditional tenses
Tenses affected:	Present, Present Subjunctive, Future, Conditional
Model:	**jeter** *to throw* → 1

◆ EXCEPTIONS: **acheter** *to buy*, **haleter** *to pant* } like **mener** (*see below*)

Verbs ending	**-yer**
Change:	**y** changes to **i** before **-e**, **-es**, **-ent** and throughout the Future and Conditional tenses
Tenses affected:	Present, Present Subjunctive, Future, Conditional
Model:	**essuyer** *to wipe* → 2

◆ The change described is optional for verbs ending in **-ayer** e.g. **payer** *to pay*, **essayer** *to try*.

Verbs like:	**mener, peser, lever** etc
Change:	**e** changes to **è** before **-e, -es, -ent** and throughout the Future and Conditional tenses
Tenses affected:	Present, Present Subjunctive, Future, Conditional
Model:	**mener** *to lead* → 3

Verbs like:	**céder, régler, espérer** etc
Change:	**é** changes to **è** before **-e, -es, -ent**
Tenses affected:	Present, Present Subjunctive
Model:	**céder** *to yield* → 4

	PRESENT (+ SUBJUNCTIVE)	FUTURE	
1			
je	**jette**	**je**	**jetterai**
tu	**jettes**	**tu**	**jetteras**
il/elle	**jette**	**il**	**jettera** *etc*
nous	jetons		
	(jetions)	CONDITIONAL	
vous	jetez	**je**	**jetterais**
	(jetiez)	**tu**	**jetterais**
ils/elles	**jettent**	**il**	**jetterait** *etc*

	PRESENT (+ SUBJUNCTIVE)	FUTURE	
2			
	j'essuie		**j'essuierai**
tu	**essuies**	**tu**	**essuieras**
il/elle	**essuie**	**il**	**essuiera** *etc*
nous	essuyons		
	(essuyions)	CONDITIONAL	
vous	essuyez		**j'essuierais**
	(essuyiez)	**tu**	**essuierais**
ils/elles	**essuient**	**il**	**essuierait** *etc*

	PRESENT (+ SUBJUNCTIVE)	FUTURE	
3			
je	**mène**	**je**	**mènerai**
tu	**mènes**	**tu**	**mèneras**
il/elle	**mène**	**il**	**mènera** *etc*
nous	menons		
	(menions)	CONDITIONAL	
vous	menez	**je**	**mènerais**
	(meniez)	**tu**	**mènerais**
ils/elles	**mènent**	**il**	**mènerait** *etc*

	PRESENT (+ SUBJUNCTIVE)
4	
je	**cède**
tu	**cèdes**
il/elle	**cède**
nous	cédons
	(cédions)
vous	cédez
	(cédiez)
ils/elles	**cèdent**

❐ The Imperative

The imperative is the form of the verb used to give commands or orders. It can be used politely, as in English 'Shut the door, please'.

The imperative is the same as the present tense **tu, nous** and **vous** forms without the subject pronouns:

donne*	**finis**	**vends**
give	*finish*	*sell*

*The final 's' of the present tense of first conjugation verbs is dropped, except before **y** and **en** → 1

donnons	**finissons**	**vendons**
let's give	*let's finish*	*let's sell*
donnez	**finissez**	**vendez**
give	*finish*	*sell*

- The imperative of irregular verbs is given in the verb tables, pp 50 ff.
- Position of object pronouns with the imperative:
  in POSITIVE commands: they follow the verb and are attached to it by hyphens → 2
  in NEGATIVE commands: they precede the verb and are not attached to it → 3
- For the order of object pronouns, see p 102.
- For reflexive verbs – e.g. **se lever** *to get up* – the object pronoun is the reflexive pronoun → 4

EXAMPLES

1 Compare: **Tu donnes de l'argent à Paul**
You give (some) money to Paul
and: **Donne de l'argent à Paul**
Give (some) money to Paul

2 **Excusez-moi**
Excuse me
Crois-nous
Believe us
Attendons-la
Let's wait for her/it
Envoyons-les-leur
Let's send them to them
Expliquez-le-moi
Explain it to me
Rends-la-lui
Give it back to him/her

3 **Ne me dérange pas**
Don't disturb me
Ne les négligeons pas
Let's not neglect them
Ne leur répondez pas
Don't answer them
Ne leur en parlons pas
Let's not speak to them about it
N'y pense plus
Don't think about it any more
Ne la lui rends pas
Don't give it back to him/her

4 **Lève-toi**
Get up
Dépêchons-nous
Let's hurry
Levez-vous
Get up
Ne te lève pas
Don't get up
Ne nous affolons pas
Let's not panic
Ne vous levez pas
Don't get up

❐ Compound Tenses: Formation of Regular Verbs

Compound tenses consist of the past participle of the verb together with an auxiliary verb. Most verbs take the auxiliary **avoir,** but some take **être** (see p 22).

Compound tenses are formed in exactly the same way for both regular and irregular verbs, the only difference being that irregular verbs may have an irregular past participle. The past participle of irregular verbs is given for each verb in the verb tables, pp 50 ff.

The past participle

For all compound tenses you need to know how to form the past participle of the verb. For regular verbs this is as follows:

- 1st conjugation: replace the **-er** of the infinitive by **-é**:

  donner → **donné**
  to give → given

- 2nd conjugation: replace the **-ir** of the infinitive by **-i**:

  finir → **fini**
  to finish → finished

- 3rd conjugation: replace the **-re** of the infinitive by **-u**:

  vendre → **vendu**
  to sell → sold

- See p 40 for agreement of past participles.

❐ Compound Tenses (Continued)

Perfect tense:	the present tense of **avoir** or **être** plus the past participle → [1] (see pp 20–21)
Pluperfect tense:	the imperfect tense of **avoir** or **être** plus the past participle → [2] (see pp 20–21)
Future Perfect:	the future tense of **avoir** or **être** plus the past participle → [3] (see pp 20–21)
Conditional Perfect:	the conditional of **avoir** or **être** plus the past participle → [4] (see pp 20–21)
Perfect Subjunctive:	the present subjunctive of **avoir** or **être** plus the past participle → [5] (see pp 20–21)

- Examples of a verb that takes **avoir** and one that takes **être** are conjugated on pp 20 and 21.
- For a list of verbs and verb types that take the auxiliary **être,** see p 22.

1 PERFECT

j'ai donné	**nous avons donné**
tu as donné	**vous avez donné**
il/elle a donné	**ils/elles ont donné**

I gave, have given *etc*

2 PLUPERFECT

j'avais donné	**nous avions donné**
tu avais donné	**vous aviez donné**
il/elle avait donné	**ils/elles avaient donné**

I had given *etc*

3 FUTURE PERFECT

j'aurai donné	**nous aurons donné**
tu auras donné	**vous aurez donné**
il/elle aura donné	**ils/elles auront donné**

I shall have given *etc*

4 CONDITIONAL PERFECT

j'aurais donné	**nous aurions donné**
tu aurais donné	**vous auriez donné**
il/elle aurait donné	**ils/elles auraient donné**

I should/would have given *etc*

5 PERFECT SUBJUNCTIVE

j'aie donné	**nous ayons donné**
tu aies donné	**vous ayez donné**
il/elle ait donné	**ils/elles aient donné**

I gave/have given *etc*

1 PERFECT

je suis tombé(e)	**nous sommes tombé(e)s**
tu es tombé(e)	**vous êtes tombé(e)(s)**
il est tombé	**ils sont tombés**
elle est tombée	**elles sont tombées**

I fell, have fallen *etc*

2 PLUPERFECT

j'étais tombé(e)	**nous étions tombé(e)s**
tu étais tombé(e)	**vous étiez tombé(e)(s)**
il était tombé	**ils étaient tombés**
elle était tombée	**elles étaient tombées**

I had fallen *etc*

3 FUTURE PERFECT

je serai tombé(e)	**nous serons tombé(e)s**
tu seras tombé(e)	**vous serez tombé(e)(s)**
il sera tombé	**ils seront tombés**
elle sera tombée	**elles seront tombées**

I shall have fallen *etc*

4 CONDITIONAL PERFECT

je serais tombé(e)	**nous serions tombé(e)s**
tu serais tombé(e)	**vous seriez tombé(e)(s)**
il serait tombé	**ils seraient tombés**
elle serait tombée	**elles seraient tombées**

I should/would have fallen *etc*

5 PERFECT SUBJUNCTIVE

je sois tombé(e)	**nous soyons tombé(e)s**
tu sois tombé(e)	**vous soyez tombé(e)(s)**
il soit tombé	**ils soient tombés**
elle soit tombée	**elles soient tombées**

I fell/have fallen *etc*

❒ Compound Tenses (Continued)

Verbs which take the auxiliary être

- Reflexive verbs (see p 24) → [1]
- The following intransitive verbs (i.e. verbs which cannot take a direct object), largely expressing motion or a change of state:

aller	*to go* → [2]	**passer**	*to pass*
arriver	*to arrive; to happen*	**rentrer**	*to go back/in*
descendre	*to go/come down*	**rester**	*to stay* → [5]
devenir	*to become*	**retourner**	*to go back*
entrer	*to go/come in*	**revenir**	*to come back*
monter	*to go/come up*	**sortir**	*to go/come out*
mourir	*to die* → [3]	**tomber**	*to fall*
naître	*to be born*	**venir**	*to come* → [6]
partir	*to leave* → [4]		

- Of these, the following are conjugated with **avoir** when used transitively (i.e. with a direct object):

descendre	*to bring/take down*
entrer	*to bring/take in*
monter	*to bring/take up* → [7]
passer	*to pass; to spend* → [8]
rentrer	*to bring/take in*
retourner	*to turn over*
sortir	*to bring/take out* → [9]

⚠ NOTE that the past participle must show an agreement in number and gender whenever the auxiliary is **être** EXCEPT FOR REFLEXIVE VERBS WHERE THE REFLEXIVE PRONOUN IS THE INDIRECT OBJECT (see p 40).

EXAMPLES

1 **je me suis arrêté(e)**
I stopped
tu t'es levé(e)
you got up

elle s'est trompée
she made a mistake
ils s'étaient battus
they had fought (one another)

2 **elle est allée**
she went

3 **ils sont morts**
they died

4 **vous êtes partie**
you left *(addressing a female person)*
vous êtes parties
you left *(addressing more than one female person)*

5 **nous sommes resté(e)s**
we stayed

6 **elles étaient venues**
they (*female*) had come

7 **Il a monté les valises**
He's taken up the cases

8 **Nous avons passé trois semaines chez elle**
We spent three weeks at her place

9 **Avez-vous sorti la voiture?**
Have you taken the car out?

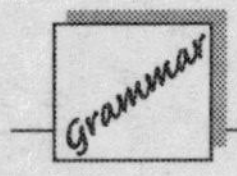

❒ Reflexive Verbs

A reflexive verb is one accompanied by a reflexive pronoun, e.g. **se lever** *to get up;* **se laver** *to wash (oneself).* The pronouns are:

PERSON	SINGULAR	PLURAL
1st	**me (m')**	**nous**
2nd	**te (t')**	**vous**
3rd	**se (s')**	**se (s')**

The forms shown in brackets are used before a vowel, an **h** 'mute', or the pronoun **y** → [1]

- In positive commands, **te** changes to **toi** → [2]
- The reflexive pronoun 'reflects back' to the subject, but it is not always translated in English → [3]

  The plural pronouns are sometimes translated as *one another, each other* (the 'reciprocal' meaning). The reciprocal meaning may be emphasized by **l'un(e) l'autre (les un(e)s les autres)** → [4]
- In constructions other than the imperative affirmative the pronoun comes before the verb → [5]
- In the imperative affirmative, the pronoun follows the verb and is attached to it by a hyphen → [6]

Past participle agreement

- In most reflexive verbs the reflexive pronoun is a DIRECT object pronoun → [7]
- When a direct object accompanies the reflexive verb the pronoun is then the INDIRECT object → [8]
- The past participle of a reflexive verb agrees in number and gender with a direct object which *precedes* the verb (usually, but not always, the reflexive pronoun) → [9]

  The past participle does not change if the direct object follows the verb → [10]

1 **Je m'ennuie**
I'm bored

Ils s'y intéressent
They are interested in it

2 **Assieds-toi**
Sit down

Tais-toi
Be quiet

3 **Je me prépare**
I'm getting (myself) ready

Elle se lève
She gets up

4 **Nous nous parlons**
We speak to each other

Ils se ressemblent
They resemble one another

Ils se regardent l'un l'autre
They are looking at each other

5 **Je me couche tôt**
I go to bed early

Comment vous appelez-vous?
What is your name?

Il ne s'est pas rasé
He hasn't shaved

Ne te dérange pas pour nous
Don't put yourself out on our account

6 **Renseignons-nous**
Let's find out

Asseyez-vous
Sit down

7 **Je m'appelle**
I'm called *(literally: I call myself)*

Ils se lavent
They wash (themselves)

8 **Elle se lave les mains**
She's washing her hands *(literally: She's washing to herself the hands)*

Nous nous envoyons des cadeaux à Noël
We send presents to each other at Christmas

9 **'Je me suis endormi' s'est-il excusé**
'I fell asleep', he apologized

Pauline s'est dirigée vers la sortie
Pauline made her way towards the exit

Ils se sont levés vers dix heures
They got up around ten o'clock

Elles se sont excusées de leur erreur
They apologized for their mistake

10 **Elle s'est lavé les cheveux**
She (has) washed her hair

Nous nous sommes serré la main
We shook hands

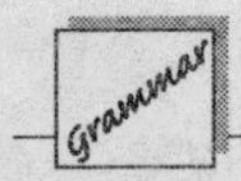

❒ Reflexive Verbs (Continued)

Conjugation of: **se laver** *to wash (oneself)*

I SIMPLE TENSES

Simple tenses of reflexive verbs are conjugated in exactly the same way as those of non-reflexive verbs except that the reflexive pronoun is always used.

PRESENT

je me lave	**nous nous lavons**
tu te laves	**vous vous lavez**
il/elle se lave	**ils/elles se lavent**

IMPERFECT

je me lavais	**nous nous lavions**
tu te lavais	**vous vous laviez**
il/elle se lavait	**ils/elles se lavaient**

FUTURE

je me laverai	**nous nous laverons**
tu te laveras	**vous vous laverez**
il/elle se lavera	**ils/elles se laveront**

CONDITIONAL

je me laverais	**nous nous laverions**
tu te laverais	**vous vous laveriez**
il/elle se laverait	**ils/elles se laveraient**

PAST HISTORIC

je me lavai	**nous nous lavâmes**
tu te lavas	**vous vous lavâtes**
il/elle se lava	**ils/elles se lavèrent**

PRESENT SUBJUNCTIVE

je me lave	**nous nous lavions**
tu te laves	**vous vous laviez**
il/elle se lave	**ils/elles se lavent**

❒ Reflexive Verbs (Continued)

Conjugation of: **se laver** *to wash (oneself)*

II COMPOUND TENSES

Compound tenses of reflexive verbs are formed with the auxiliary **être.**

PERFECT

je me suis lavé(e)	**nous nous sommes lavé(e)s**
tu t'es lavé(e)	**vous vous êtes lavé(e)(s)**
il/elle s'est lavé(e)	**ils/elles se sont lavé(e)s**

PLUPERFECT

je m'étais lavé(e)	**nous nous étions lavé(e)s**
tu t'étais lavé(e)	**vous vous étiez lavé(e)(s)**
il/elle s'était lavé(e)	**ils/elles s'étaient lavé(e)s**

FUTURE PERFECT

je me serai lavé(e)	**nous nous serons lavé(e)s**
tu te seras lavé(e)	**vous vous serez lavé(e)(s)**
il/elle se sera lavé(e)	**ils/elles se seront lavé(e)s**

CONDITIONAL PERFECT

je me serais lavé(e)	**nous nous serions lavé(e)s**
tu te serais lavé(e)	**vous vous seriez lavé(e)(s)**
il/elle se serait lavé(e)	**ils/elles se seraient lavé(e)s**

PERFECT SUBJUNCTIVE

je me sois lavé(e)	**nous nous soyons lavé(e)s**
tu te sois lavé(e)	**vous vous soyez lavé(e)(s)**
il/elle se soit lavé(e)	**ils/elles se soient lavé(e)s**

❒ The Passive

In the passive, the subject *receives* the action (e.g. *I was hit*) as opposed to *performing* it (e.g. *I hit him*). In English the verb 'to be' is used with the past participle. In French the passive is formed in exactly the same way, i.e.:

a tense of **être** + past participle.

The past participle agrees in number and gender with the subject → 1

A sample verb is conjugated in the passive voice on pp 30 and 31.

◆ The indirect object in French cannot become the subject in the passive:

in **quelqu'un m'a donné un livre** the indirect object **m'** cannot become the subject of a passive verb (unlike English: *someone gave me a book* → *I was given a book*).

◆ The passive meaning is often expressed in French by:

– **on** plus a verb in the active voice → 2
– a reflexive verb (see p 24) → 3

EXAMPLES

1 **Philippe a été récompensé**
Philip has been rewarded

Cette peinture est très admirée
This painting is greatly admired

Ils le feront pourvu qu'ils soient payés
They'll do it provided they're paid

Les enfants seront félicités
The children will be congratulated

Cette mesure aurait été critiquée si …
This measure would have been criticized if …

Les portes avaient été fermées
The doors had been closed

2 **On leur a envoyé une lettre**
They were sent a letter

On nous a montré le jardin
We were shown the garden

On m'a dit que …
I was told that …

3 **Ils se vendent 30 francs (la) pièce**
They are sold for 30 francs each

Ce mot ne s'emploie plus
This word is no longer used

❒ The Passive (Continued)

Conjugation of: **être aimé** to *be liked*

PRESENT	
je suis aimé(e)	**nous sommes aimé(e)s**
tu es aimé(e)	**vous êtes aimé(e)(s)**
il/elle est aimé(e)	**ils/elles sont aimé(e)s**
IMPERFECT	
j'étais aimé(e)	**nous étions aimé(e)s**
tu étais aimé(e)	**vous étiez aimé(e)(s)**
il/elle était aimé(e)	**ils/elles étaient aimé(e)s**
FUTURE	
je serai aimé(e)	**nous serons aimé(e)s**
tu seras aimé(e)	**vous serez aimé(e)(s)**
il/elle sera aimé(e)	**ils/elles seront aimé(e)s**
CONDITIONAL	
je serais aimé(e)	**nous serions aimé(e)s**
tu serais aimé(e)	**vous seriez aimé(e)(s)**
il/elle serait aimé(e)	**ils/elles seraient aimé(e)s**
PAST HISTORIC	
je fus aimé(e)	**nous fûmes aimé(e)s**
tu fus aimé(e)	**vous fûtes aimé(e)(s)**
il/elle fut aimé(e)	**ils/elles furent aimé(e)s**
PRESENT SUBJUNCTIVE	
je sois aimé(e)	**nous soyons aimé(e)s**
tu sois aimé(e)	**vous soyez aimé(e)(s)**
il/elle soit aimé(e)	**ils/elles soient aimé(e)s**

❒ The Passive (Continued)

Conjugation of: **être aimé** to *be liked*

PERFECT

j'ai été aimé(e)	**nous avons été aimé(e)s**
tu as été aimé(e)	**vous avez été aimé(e)(s)**
il/elle a été aimé(e)	**ils/elles ont été aimé(e)s**

PLUPERFECT

j'avais été aimé(e)	**nous avions été aimé(e)s**
tu avais été aimé(e)	**vous aviez été aimé(e)(s)**
il/elle avait été aimé(e)	**ils/elles avaient été aimé(e)s**

FUTURE PERFECT

j'aurai été aimé(e)	**nous aurons été aimé(e)s**
tu auras été aimé(e)	**vous aurez été aimé(e)(s)**
il/elle aura été aimé(e)	**ils/elles auront été aimé(e)s**

CONDITIONAL PERFECT

j'aurais été aimé(e)	**nous aurions été aimé(e)s**
tu aurais été aimé(e)	**vous auriez été aimé(e)(s)**
il/elle aurait été aimé(e)	**ils/elles auraient été aimé(e)s**

PERFECT SUBJUNCTIVE

j'aie été aimé(e)	**nous ayons été aimé(e)s**
tu aies été aimé(e)	**vous ayez été aimé(e)(s)**
il/elle ait été aimé(e)	**ils/elles aient été aimé(e)s**

❒ Impersonal Verbs

Impersonal verbs are used only in the infinitive and in the third person singular with the subject pronoun **il**, generally translated *it*.

e.g. **il pleut**
it's raining
il est facile de dire que ...
it's easy to say that ...

The most common impersonal verbs are:

INFINITIVE	CONSTRUCTIONS
s'agir	**il s'agit de** + noun → [1]
	il s'agit de + infinitive → [2]
falloir	**il faut** + noun object (+ indirect object) → [3]
	il faut + infinitive (+ indirect object) → [4]
	il faut que + subjunctive → [5]
neiger, pleuvoir	**il neige/il pleut** → [6]
valoir mieux	**il vaut mieux** + infinitive → [7]
	il vaut mieux que + subjunctive → [8]

The following are also commonly used in impersonal constructions:

INFINITIVE	CONSTRUCTIONS
avoir	**il y a** + noun → [9]
être	**il est** + noun → [10]
	il est + adjective + **de** + infinitive → [11]
faire	**il fait** + adjective or noun of weather → [12]
manquer	**il manque** + noun (+ indirect object) → [13]
paraître	**il paraît que** + subjunctive → [14]
	il paraît + indirect object + **que** + indicative → [15]
rester	**il reste** + noun (+ indirect object) → [16]
sembler	**il semble que** + subjunctive → [17]
	il semble + indirect object + **que** + indicative → [18]
suffire	**il suffit de** + infinitive → [19]

EXAMPLES

1 **Il ne s'agit pas d'argent**
It isn't a question/matter of money

2 **Il s'agit de faire vite**
We must act quickly

3 **Il me faut une chaise de plus**
I need an extra chair

4 **Il me fallait prendre une décision**
I had to make a decision

5 **Il faut que vous partiez**
You have to leave/You must leave

6 **Il neige/Il pleuvait à verse**
It's snowing/It was raining heavily/It was pouring

7 **Il vaut mieux refuser**
It's better to refuse; You/He/I had better refuse *(depending on context)*

8 **Il vaudrait mieux que nous ne venions pas**
It would be better if we didn't come; We'd better not come

9 **Il y a du pain (qui reste)**
There is some bread (left)

Il n'y avait pas de lettres ce matin
There were no letters this morning

10 **Il est dix heures**
It's ten o'clock

11 **Il était inutile de protester**
It was useless to protest

Il est facile de critiquer
Criticizing is easy

12 **Il fait beau/mauvais**
It's lovely/horrible weather

Il faisait nuit/du soleil
It was dark/sunny

13 **Il manque deux tasses**
There are two cups missing; Two cups are missing

14 **Il paraît qu'ils partent demain**
It appears they are leaving tomorrow

15 **Il nous paraît certain qu'il aura du succès**
It seems certain to us that he'll be successful

16 **Il lui restait cinquante francs**
He/She had fifty francs left

17 **Il semble que vous ayez raison**
It seems/appears that you are right

18 **Il me semblait qu'il conduisait trop vite**
It seemed to me (that) he was driving too fast

19 **Il suffit de téléphoner pour réserver une place**
You need only phone to reserve a seat

20 **Il suffit d'une seule erreur pour tout gâcher**
One single error is enough to ruin everything

❒ The Infinitive

The infinitive is the form of the verb found in dictionary entries meaning 'to ... ', e.g. **donner** *to give*, **vivre** *to live*.

There are three main types of verbal construction involving the infinitive:

- with the linking preposition **de**
- with the linking preposition **à**
- with no linking preposition

Examples of verbs governing de

s'apercevoir de qch	*to notice sth* → 1
changer de qch	*to change sth* → 2
décider de + infin.	*to decide to* → 3
essayer de + infin.	*to try to do* → 4
finir de + infin.	*to finish doing* → 5
s'occuper de qch/qn	*to look after sth/sb* → 6
oublier de + infin.	*to forget to do* → 7
regretter de + perf. infin.*	*to regret doing, having done* → 8
se souvenir de qn/qch/de + perf. infin.*	*to remember sb/sth/doing, having done* → 9
venir de + infin.	*to have just done* → 10

Examples of verbs governing à

conseiller à qn de + infin.	*to advise sb to do* → 11
défendre à qn de + infin.	*to forbid sb to do* → 12
dire à qn de + infin.	*to tell sb to do* → 13
s'intéresser à qn/qch/à + infin.	*to be interested in sb/sth/in doing* → 14
manquer à qn	*to be missed by sb* → 15
penser à qn/qch	*to think about sb/sth* → 16
réussir à + infin.	*to manage to do* → 17

EXAMPLES

1 **Il ne s'est pas aperçu de son erreur**
He didn't notice his mistake

2 **J'ai changé d'avis**
I changed my mind

3 **Qu'est-ce que vous avez décidé de faire?**
What have you decided to do?

4 **Essayez d'arriver à l'heure**
Try to arrive on time

5 **Avez-vous fini de lire ce journal?**
Have you finished reading this newspaper?

6 **Je m'occupe de ma nièce**
I'm looking after my niece

7 **J'ai oublié d'appeler ma mère**
I forgot to ring my mother

8 **Je regrette de ne pas vous avoir écrit plus tôt**
I'm sorry for not writing to you sooner

9 **Vous vous souvenez de Lucienne?**
Do you remember Lucienne?

10 **Nous venions d'arriver**
We had just arrived

11 **Il leur a conseillé d'attendre**
He advised them to wait

12 **Je leur ai défendu de sortir**
I've forbidden them to go out

13 **Dites-leur de se taire**
Tell them to be quiet

14 **Elle s'intéresse beaucoup au sport**
She's very interested in sport

15 **Tu manques à tes parents**
Your parents miss you

16 **Je pense souvent à toi**
I often think about you

17 **Vous avez réussi à me convaincre**
You've managed to convince me

18

avoir fini	**être allé**	**s'être levé**
to have finished	to have gone	to have got up

Après être sorties, elles se sont dirigées vers le parking
After leaving/having left, they headed for the car park

❒ The Infinitive (Continued)

Verbs followed by an infinitive with no linking preposition

- the modal auxiliary verbs:

devoir	*to have to, must* → [1] *to be due to* → [2] in the conditional/conditional perfect: *should/should have, ought/ought to have* → [3]
pouvoir	*to be able to, can* → [4] *to be allowed to, can, may* → [5] indicating possibility: *may/might/could* → [6]
savoir	*to know how to, can* → [7]
vouloir	*to want/wish to* → [8] *to be willing to, will* → [9] in polite phrases → [10]
falloir	*to be necessary:* see p 32.

- verbs of seeing or hearing e.g. **voir** *to see*, **entendre** *to hear* → [11]
- intransitive verbs of motion e.g. **aller** *to go*, **descendre** *to come/go down* → [12]
- The following common verbs:

adorer	*to love*
aimer	*to like, love*
aimer mieux	*to prefer* → [13]
compter	*to expect*
désirer	*to wish, want*
détester	*to hate*
envoyer	*to send*
espérer	*to hope*
faillir	→ [14]
faire	→ [15]
laisser	*to let, allow* → [16]
oser	*to dare*
préférer	*to prefer*
sembler	*to seem* → [17]
souhaiter	*to wish*
valoir mieux	see p 32.

EXAMPLES

1 **Je dois leur rendre visite**
I must visit them
Elle a dû partir
She (has) had to leave
Il a dû regretter d'avoir parlé
He must have been sorry he spoke

2 **Je devais attraper le train de neuf heures mais ...**
I was (supposed) to catch the nine o'clock train but ...

3 **Je devrais le faire**
I ought to do it
J'aurais dû m'excuser
I ought to have apologized

4 **Il ne peut pas lever le bras**
He can't raise his arm

5 **Puis-je les accompagner?**
May I go with them?

6 **Il peut encore changer d'avis**
He may change his mind yet
Cela pourrait être vrai
It could/might be true

7 **Savez-vous conduire?**
Can you drive?

8 **Elle veut rester encore un jour**
She wants to stay another day

9 **Ils ne voulaient pas le faire**
They wouldn't do it/They weren't willing to do it
Ma voiture ne veut pas démarrer
My car won't start

10 **Voulez-vous boire quelque chose?**
Would you like something to drink?

11 **Il nous a vus arriver**
He saw us arriving
On les entend chanter
You can hear them singing

12 **Allez voir Nicolas**
Go and see Nicholas
Descends leur demander
Go down and ask them

13 **J'aimerais mieux le choisir moi-même**
I'd rather choose it myself

14 **J'ai failli tomber**
I almost fell

15 **Ne me faites pas rire!**
Don't make me laugh!
J'ai fait réparer ma valise
I've had my case repaired

16 **Laissez-moi passer**
Let me pass

17 **Vous semblez être inquiet**
You seem to be worried

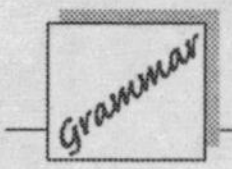

❒ The Present Participle

Formation

- 1st conjugation
  Replace the **-er** of the infinitive by **-ant** → [1]

  – Verbs ending in **-cer**: **c** changes to **ç** → [2]
  – Verbs ending in **-ger**: **g** changes to **ge** → [3]

- 2nd conjugation
  Replace the **-ir** of the infinitive by **-issant** → [4]

- 3rd conjugation
  Replace the **-re** of the infinitive by **-ant** → [5]

- For irregular present participles, see irregular verbs, pp 50 ff.

Uses

The present participle has a more restricted use in French than in English.

- Used as a verbal form, the present participle is invariable. It is found:

  – on its own, where it corresponds to the English present participle → [6]
  – following the preposition **en** → [7]

   NOTE, in particular, the construction:

  verb + **en** + present participle

  which is often translated by an English phrasal verb, i.e. one followed by a preposition like *to run down, to bring up* → [8]

- Used as an adjective, the present participle agrees in number and gender with the noun or pronoun → [9]

  ⚠ NOTE, in particular, the use of **ayant** and **étant** – the present participles of the auxiliary verbs **avoir** and **être** – with a past participle → [10]

1 **donner** → **donnant**
to give — giving

2 **lancer** → **lançant**
to throw — throwing

3 **manger** → **mangeant**
to eat — eating

4 **finir** → **finissant**
to finish — finishing

5 **vendre** → **vendant**
to sell — selling

6 **David, habitant près de Paris, a la possibilité de ...**
David, living near Paris, has the opportunity of...
Elle, pensant que je serais fâché, a dit '...'
She, thinking that I would be angry, said '...'
Ils m'ont suivi, criant à tue-tête
They followed me, shouting at the top of their voices

7 **En attendant sa sœur, Richard s'est endormi**
While waiting for his sister, Richard fell asleep
Téléphone-nous an arrivant chez toi
Telephone us when you get home
En appuyant sur ce bouton, on peut ...
By pressing this button, you can ...
Il s'est blessé en essayant de sauver un chat
He hurt himself trying to rescue a cat

8 **sortir en courant**
to run out *(literally: to go out running)*
avancer en boîtant
to limp along *(literally: to go forward limping)*

9 **le soleil couchant**
the setting sun
une lumière éblouissante
a dazzling light
ils sont déroutants
they are disconcerting
elles étaient étonnantes
they were surprising

10 **Ayant mangé plus tôt, il a pu ...**
Having eaten earlier, he was able to ...
Étant arrivée en retard, elle a dû ...
Having arrived late, she had to ...

❒ Past Participle Agreement

Like adjectives, a past participle must sometimes agree in number and gender with a noun or pronoun. For the rules of agreement, see below. Example: **donné**

	MASCULINE	FEMININE
SING.	donné	donné**e**
PLUR.	donné**s**	donné**es**

- When the masculine singular form already ends in **-s**, no further **s** is added in the masculine plural, e.g. **pris** *taken*.

Rules of agreement in compound tenses

- When the auxiliary verb is **avoir**

  The past participle remains in the masculine singular form, unless a direct object precedes the verb. The past participle then agrees in number and gender with the preceding direct object → [1]

- When the auxiliary verb is **être**

  The past participle of a non-reflexive verb agrees in number and gender with the subject → [2]

  The past participle of a reflexive verb agrees in number and gender with the reflexive pronoun, if the pronoun is a direct object → [3]

  No agreement is made if the reflexive pronoun is an indirect object → [4]

The past participle as an adjective

The past participle agrees in number and gender with the noun or pronoun → [5]

1 **Voici le livre que vous avez demandé**
Here's the book you asked for
Laquelle avaient-elles choisie?
Which one had they chosen?
Ces amis? Je les ai rencontrés à Édimbourg
Those friends? I met them in Edinburgh
Il a gardé toutes les lettres qu'elle a écrites
He has kept all the letters she wrote

2 **Est-ce que ton frère est allé à l'étranger?**
Did your brother go abroad?
Elle était restée chez elle
She had stayed at home
Ils sont partis dans la matinée
They left in the morning
Mes cousines sont revenues hier
My cousins came back yesterday

3 **Tu t'es rappelé d'acheter du pain, Georges?**
Did you remember to buy bread, George?
Martine s'est demandée pourquoi il l'appelait
Martine wondered why he was calling her
'Lui et moi nous nous sommes cachés' a-t-elle dit
'He and I hid,' she said
Les vendeuses se sont mises en grève
Shop assistants have gone on strike
Vous vous êtes brouillés?
Have you fallen out with each other?
Les ouvrières s'étaient entraidées
The workers had helped one another

4 **Elle s'est lavé les mains**
She washed her hands
Ils se sont parlé pendant des heures
They talked to each other for hours

5 **à un moment donné**
at a certain point
ils sont bien connus
they are well-known
la porte ouverte
the open door
elles semblent fatiguées
they seem tired

❒ Use of Tenses

The present

- Unlike English, French does not distinguish between the simple present (e.g. *I smoke, he reads, we live*) and the continuous present (e.g. *I am smoking, he is reading, we are living*) → [1]

- To emphasize continuity, the following constructions may be used:

  être en train de faire
  être à faire } *to be doing* → [2]

- French uses the present tense where English uses the perfect in the following cases:

  – with certain prepositions of time – notably **depuis** *for/since* – when an action begun in the past is continued in the present → [3]
  Note, however, that the perfect is used as in English when the verb is negative or the action has been completed → [4]

  – in the construction **venir de faire** *to have just done* → [5]

The future

The future is generally used as in English, but note the following:

- Immediate future time is often expressed by means of the present tense of **aller** plus an infinitive → [6]

- In time clauses expressing future action, French uses the future where English uses the present → [7]

The future perfect

- Used as in English to mean *shall/will have done* → [8]

- In time clauses expressing future action, where English uses the perfect tense → [9]

EXAMPLES

1 **Je fume**
I smoke OR I am smoking
Il lit
He reads OR He is reading
Nous habitons
We live OR We are living

2 **Il est en train de travailler**
He's (busy) working

3 **Paul apprend à nager depuis six mois**
Paul's been learning to swim for six months *(and still is)*
Je suis debout depuis sept heures
I've been up since seven
Il y a longtemps que vous attendez?
Have you been waiting long?
Voilà deux semaines que nous sommes ici
That's two weeks we've been here (now)

4 **Ils ne se sont pas vus depuis des mois**
They haven't seen each other for months
Elle est revenue il y a un an
She came back a year ago

5 **Élisabeth vient de partir**
Elizabeth has just left

6 **Tu vas tomber si tu ne fais pas attention**
You'll fall if you're not careful
Il va manquer le train
He's going to miss the train
Ça va prendre une demi-heure
It'll take half an hour

7 **Quand il viendra vous serez en vacances**
When he comes you'll be on holiday
Faites-nous savoir aussitôt qu'elle arrivera
Let us know as soon as she arrives

8 **J'aurai fini dans une heure**
I shall have finished in an hour

9 **Quand tu auras lu ce roman, rends-le-moi**
When you've read the novel, give it back to me
Je partirai dès que j'aurai fini
I'll leave as soon as I've finished

❐ Use of Tenses (Continued)

The imperfect

- The imperfect describes:
  – an action (or state) in the past without definite limits in time → [1]
  – habitual action(s) in the past (often translated by means of *would* or *used to*) → [2]

- French uses the imperfect tense where English uses the pluperfect in the following cases:
  – with certain prepositions of time – notably **depuis** *for/since* – when an action begun in the remoter past was continued in the more recent past → [3]
  Note, however, that the pluperfect is used as in English, when the verb is negative or the action has been completed → [4]
  – in the construction **venir de faire** *to have just done* → [5]

The perfect

- The perfect is used to recount a completed action or event in the past. Note that this corresponds to a perfect tense or a simple past tense in English → [6]

The past historic

- Only ever used in *written, literary* French, the past historic recounts a completed action in the past, corresponding to a simple past tense in English → [7]

The subjunctive

- In spoken French, the present subjunctive generally replaces the imperfect subjunctive. See also pp 46 ff.

1 **Elle regardait par la fenêtre**
She was looking out of the window
Il pleuvait quand je suis sorti de chez moi
It was raining when I left the house
Nos chambres donnaient sur la plage
Our rooms overlooked the beach

2 **Dans sa jeunesse, il se levait à l'aube**
In his youth he got up at dawn
Nous causions des heures entières
We would talk for hours on end
Elle te taquinait, n'est-ce pas?
She used to tease you, didn't she?

3 **Nous habitions à Londres depuis deux ans**
We had been living in London for two years *(and still were)*
Il était malade depuis 1985
He had been ill since 1985
Il y avait assez longtemps qu'il le faisait
He had been doing it for quite a long time

4 **Voilà un an que je ne l'avais pas vu**
I hadn't seen him for a year
Il y avait une heure qu'elle était arrivée
She had arrived one hour before

5 **Je venais de les rencontrer**
I had just met them

6 **Nous sommes allés au bord de la mer**
We went/have been to the seaside
Il a refusé de nous aider
He (has) refused to help us
La voiture ne s'est pas arrêtée
The car didn't stop/hasn't stopped

7 **Le roi mourut en 1592**
The king died in 1592

❐ The subjunctive: when to use it

(For how to form the subjunctive see pp 6 ff.)

◆ After certain conjunctions

quoique **bien que**	*although* → [1]
pour que **afin que**	*so that* → [2]
pourvu que	*provided that* → [3]
jusqu'à ce que	*until* → [4]
avant que (… ne)	*before* → [5]
à moins que (… ne)	*unless* → [6]
de peur que (… ne) **de crainte que (… ne)**	*for fear that, lest* → [7]
de sorte que **de façon que** **de manière que**	*so that* (indicating a *purpose*; when they introduce a *result* the indicative is used) → [8]

⚠ NOTE that **ne** in examples [5] to [7] has no translation value. It is often omitted in spoken informal French.

◆ After impersonal constructions which express necessity, possibility etc

il faut que **il est nécessaire que**	*it is necessary that* → [9]
il est possible que	*it is possible that* → [10]
il semble que	*it seems that* → [11]
il vaut mieux que	*it is better that* → [12]
il est dommage que	*it's a pity that* → [13]

◆ After a superlative → [14]

◆ After certain adjectives expressing some sort of 'uniqueness'

dernier … qui/que	*last … who/that*	→ [15]
premier … qui/que	*first … who/that*	
meilleur … qui/que	*best … who/that*	
seul / **unique** … **qui/que**	*only … who/that*	

EXAMPLES

1 **Bien qu'il fasse beaucoup d'efforts, il est peu récompensé**
Although he makes a lot of effort, he isn't rewarded for it

2 **Demandez un reçu afin que vous puissiez être remboursé**
Ask for a receipt so that you can get a refund

3 **Nous partirons ensemble pourvu que Sylvie soit d'accord**
We'll leave together provided Sylvie agrees

4 **Reste ici jusqu'à ce que nous revenions**
Stay here until we come back

5 **Je le ferai avant que tu ne partes**
I'll do it before you leave

6 **Ce doit être Paul, à moins que je ne me trompe**
That must be Paul, unless I'm mistaken

7 **Parlez bas de peur qu'on ne vous entende**
Speak softly lest anyone hears you

8 **Retournez-vous de sorte que je vous voie**
Turn round so that I can see you

9 **Il faut que je vous parle immédiatement**
I must speak to you right away/It is necessary that I speak …

10 **Il est possible qu'ils aient raison**
They may be right/It's possible that they are right

11 **Il semble qu'elle ne soit pas venue**
It appears that she hasn't come

12 **Il vaut mieux que vous restiez chez vous**
It's better that you stay at home

13 **Il est dommage qu'elle ait perdu cette adresse**
It's a shame/a pity that she's lost the address

14 **la personne la plus sympathique que je connaisse**
the nicest person I know
l'article le moins cher que j'aie jamais acheté
the cheapest item I have ever bought

15 **Voici la dernière lettre qu'elle m'ait écrite**
This is the last letter she wrote to me
David est la seule personne qui puisse me conseiller
David is the only person who can advise me

16 **Vive le roi!** — **Que Dieu vous bénisse!**
Long live the king! — God bless you!

❐ The subjunctive: when to use it (Continued)

◆ After verbs of:

– 'wishing'

vouloir que **désirer que** **souhaiter que**	*to wish that, want* → [1]

– 'fearing'

craindre que **avoir peur que**	*to be afraid that* → [2]

⚠ NOTE that **ne** in example [2] has no translation value. It is often omitted in spoken informal French.

– 'ordering', 'forbidding', 'allowing'

ordonner que	*to order that*
défendre que	*to forbid that*
permettre que	*to allow that* → [3]

– opinion, expressing uncertainty

croire que **penser que**	*to think that* → [4]
douter que	*to doubt that*

– emotion (e.g. regret, shame, pleasure)
regretter que *to be sorry that* → [5]
être content/surpris etc **que** *to be pleased/surprised* etc *that* → [6]

◆ After

si (...) que	*however*	→ [7]
qui que	*whoever*	→ [8]
quoi que	*whatever*	→ [9]

◆ After **que** in the following:
– to form the 3rd person imperative or to express a wish → [10]
– when **que** has the meaning *if*, replacing **si** in a clause → [11]
– when **que** has the meaning *whether* → [12]

◆ In relative clauses following certain types of indefinite and negative construction → [13]

1 **Nous voulons qu'elle soit contente**
We want her to be happy *(literally: We want that she is happy)*

2 **Il craint qu'il ne soit trop tard**
He's afraid it may be too late

3 **Permettez que nous vous aidions**
Allow us to help you

4 **Je ne pense pas qu'ils soient venus**
I don't think they came

5 **Je regrette que vous ne puissiez pas venir**
I'm sorry that you cannot come

6 **Je suis content que vous les aimiez**
I'm pleased that you like them

7 **si courageux qu'il soit**
however brave he may be

si peu que ce soit
however little it is

8 **Qui que vous soyez, allez-vous-en!**
Whoever you are, go away!

9 **Quoi que nous fassions, …**
Whatever we do, …

10 **Qu'il entre!**
Let him come in!

Que cela vous serve de leçon!
Let that be a lesson to you!

11 **S'il fait beau et que tu te sentes mieux, nous irons …**
If it's nice and you're feeling better, we'll go …

12 **Que tu viennes ou non, je …**
Whether you come or not, I …

13 **Il cherche une maison qui ait deux caves**
He's looking for a house which has two cellars
(subjunctive used since such a house may or may not exist)
J'ai besoin d'un livre qui décrive l'art du mime
I need a book which describes the art of mime
(subjunctive used since such a book may or may not exist)

Je n'ai rencontré personne qui la connaisse
I haven't met anyone who knows her

❒ Irregular Verb Tables

The verbs on the following pages provide the main patterns for irregular verbs. They are given in their most common simple tenses, together with the imperative and the present participle. The auxiliary (*avoir* or *être*) is also shown, together with the past participle, to enable you to form the compound tenses (see pp 18ff). *Falloir* and *pleuvoir*, which are only used in the 'il' form, are given below. The rest follow in alphabetical order.

falloir *to be necessary* // **pleuvoir** *to rain*		Auxiliary: **avoir**
PAST PARTICIPLE **fallu // plu**	PRESENT PARTICIPLE *not used* // **pleuvant**	IMPERATIVE *not used*
PRESENT	FUTURE	IMPERFECT
il faut // il pleut	**il faudra // il pleuvra**	**il fallait // il pleuvait**
PRESENT SUBJUNCTIVE	CONDITIONAL	PAST HISTORIC
il faille // il pleuve	**il faudrait // il pleuvrait**	**il fallut // il plut**

acquérir *to acquire*		Auxiliary: **avoir**
PAST PARTICIPLE **acquis**	PRESENT PARTICIPLE **acquérant**	IMPERATIVE **acquiers** **acquérons** **acquérez**
PRESENT	FUTURE	IMPERFECT
j'acquiers **tu acquiers** **il acquiert** **nous acquérons** **vous acquérez** **ils acquièrent**	**j'acquerrai** **tu acquerras** **il acquerra** **nous acquerrons** **vous acquerrez** **ils acquerront**	**j'acquérais** **tu acquérais** **il acquérait** **nous acquérions** **vous acquériez** **ils acquéraient**
PRESENT SUBJUNCTIVE	CONDITIONAL	PAST HISTORIC
j'acquière **tu acquières** **il acquière** **nous acquérions** **vous acquériez** **ils acquièrent**	**j'acquerrais** **tu acquerrais** **il acquerrait** **nous acquerrions** **vous acquerriez** **ils acquerraient**	**j'acquis** **tu acquis** **il acquit** **nous acquîmes** **vous acquîtes** **ils acquirent**

aller *to go* — Auxiliary: être

PAST PARTICIPLE	PRESENT PARTICIPLE	IMPERATIVE
allé	allant	**va** allons allez

PRESENT	FUTURE	IMPERFECT
je vais **tu vas** **il va** nous allons vous allez **ils vont**	**j'irai** **tu iras** **il ira** **nous irons** **vous irez** **ils iront**	j'allais tu allais il allait nous allions vous alliez ils allaient
PRESENT SUBJUNCTIVE	**CONDITIONAL**	**PAST HISTORIC**
j'aille **tu ailles** **il aille** nous allions vous alliez **ils aillent**	**j'irais** **tu irais** **il irait** **nous irions** **vous iriez** **ils iraient**	j'allai tu allas il alla nous allâmes vous allâtes ils allèrent

s'asseoir *to sit down* — Auxiliary: être

PAST PARTICIPLE	PRESENT PARTICIPLE	IMPERATIVE
assis	**s'asseyant**	**assieds-toi** **asseyons-nous** **asseyez-vous**

PRESENT	FUTURE	IMPERFECT
je m'assieds *or* **assois** **tu t'assieds** *or* **assois** **il s'assied** *or* **assoit** **nous nous asseyons** *or* **assoyons** **vous vous asseyez** *or* **assoyez** **ils s'asseyent** *or* **assoient**	**je m'assiérai** **tu t'assiéras** **il s'assiéra** **nous nous assiérons** **vous vous assiérez** **ils s'assiéront**	**je m'asseyais** **tu t'asseyais** **il s'asseyait** **nous nous asseyions** **vous vous asseyiez** **ils s'asseyaient**
PRESENT SUBJUNCTIVE	**CONDITIONAL**	**PAST HISTORIC**
je m'asseye **tu t'asseyes** **il s'asseye** **nous nous asseyions** **vous vous asseyiez** **ils s'asseyent**	**je m'assiérais** **tu t'assiérais** **il s'assiérait** **nous nous assiérions** **vous vous assiériez** **ils s'assiéraient**	**je m'assis** **tu t'assis** **il s'assit** **nous nous assîmes** **vous vous assîtes** **ils s'assirent**

avoir *to have*		Auxiliary: *avoir*
PAST PARTICIPLE	PRESENT PARTICIPLE	IMPERATIVE
eu	**ayant**	**aie** **ayons** **ayez**

PRESENT	FUTURE	IMPERFECT
j'ai **tu as** **il a** **nous avons** **vous avez** **ils ont**	**j'aurai** **tu auras** **il aura** **nous aurons** **vous aurez** **ils auront**	**j'avais** **tu avais** **il avait** **nous avions** **vous aviez** **ils avaient**
PRESENT SUBJUNCTIVE	CONDITIONAL	PAST HISTORIC
j'aie **tu aies** **il ait** **nous ayons** **vous ayez** **ils aient**	**j'aurais** **tu aurais** **il aurait** **nous aurions** **vous auriez** **ils auraient**	**j'eus** **tu eus** **il eut** **nous eûmes** **vous eûtes** **ils eurent**

battre *to beat*		Auxiliary: *avoir*
PAST PARTICIPLE	PRESENT PARTICIPLE	IMPERATIVE
battu	battant	**bats** battons battez

PRESENT	FUTURE	IMPERFECT
je bats **tu bats** **il bat** nous battons vous battez ils battent	je battrai tu battras il battra nous battrons vous battrez ils battront	je battais tu battais il battait nous battions vous battiez ils battaient
PRESENT SUBJUNCTIVE	CONDITIONAL	PAST HISTORIC
je batte tu battes il batte nous battions vous battiez ils battent	je battrais tu battrais il battrait nous battrions vous battriez ils battraient	je battis tu battis il battit nous battîmes vous battîtes ils battirent

boire *to drink*		Auxiliary: **avoir**
PAST PARTICIPLE	PRESENT PARTICIPLE	IMPERATIVE
bu	**buvant**	bois **buvons** **buvez**

PRESENT	FUTURE	IMPERFECT
je bois tu bois il boit **nous buvons** **vous buvez** **ils boivent**	je boirai tu boiras il boira nous boirons vous boirez ils boiront	**je buvais** **tu buvais** **il buvait** **nous buvions** **vous buviez** **ils buvaient**
PRESENT SUBJUNCTIVE	CONDITIONAL	PAST HISTORIC
je boive **tu boives** **il boive** **nous buvions** **vous buviez** **ils boivent**	je boirais tu boirais il boirait nous boirions vous boiriez ils boiraient	**je bus** **tu bus** **il but** **nous bûmes** **vous bûtes** **ils burent**

connaître *to know*		Auxiliary: **avoir**
PAST PARTICIPLE	PRESENT PARTICIPLE	IMPERATIVE
connu	**connaissant**	**connais** **connaissons** **connaissez**

PRESENT	FUTURE	IMPERFECT
je connais **tu connais** il connaît **nous connaissons** **vous connaissez** **ils connaissent**	je connaîtrai tu connaîtras il connaîtra nous connaîtrons vous connaîtrez ils connaîtront	**je connaissais** **tu connaissais** **il connaissait** **nous connaissions** **vous connaissiez** **ils connaissaient**
PRESENT SUBJUNCTIVE	CONDITIONAL	PAST HISTORIC
je connaisse **tu connaisses** **il connaisse** **nous connaissions** **vous connaissiez** **ils connaissent**	je connaîtrais tu connaîtrais il connaîtrait nous connaîtrions vous connaîtriez ils connaîtraient	**je connus** **tu connus** **il connut** **nous connûmes** **vous connûtes** **ils connurent**

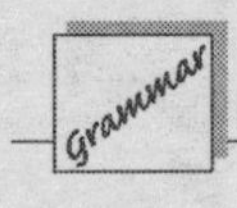

coudre *to sew* — Auxiliary: *avoir*

PAST PARTICIPLE	PRESENT PARTICIPLE	IMPERATIVE
cousu	**cousant**	couds **cousons** **cousez**

PRESENT	FUTURE	IMPERFECT
je couds tu couds il coud **nous cousons** **vous cousez** **ils cousent**	je coudrai tu coudras il coudra nous coudrons vous coudrez ils coudront	**je cousais** **tu cousais** **il cousait** **nous cousions** **vous cousiez** **ils cousaient**
PRESENT SUBJUNCTIVE	**CONDITIONAL**	**PAST HISTORIC**
je couse **tu couses** **il couse** **nous cousions** **vous cousiez** **ils cousent**	je coudrais tu coudrais il coudrait nous coudrions vous coudriez ils coudraient	**je cousis** **tu cousis** **il cousit** **nous cousîmes** **vous cousîtes** **ils cousirent**

courir *to run* — Auxiliary: *avoir*

PAST PARTICIPLE	PRESENT PARTICIPLE	IMPERATIVE
couru	**courant**	**cours** **courons** **courez**

PRESENT	FUTURE	IMPERFECT
je cours **tu cours** **il court** **nous courons** **vous courez** **ils courent**	**je courrai** **tu courras** **il courra** **nous courrons** **vous courrez** **ils courront**	**je courais** **tu courais** **il courait** **nous courions** **vous couriez** **ils couraient**
PRESENT SUBJUNCTIVE	**CONDITIONAL**	**PAST HISTORIC**
je coure **tu coures** **il coure** **nous courions** **vous couriez** **ils courent**	**je courrais** **tu courrais** **il courrait** **nous courrions** **vous courriez** **ils courraient**	**je courus** **tu courus** **il courut** **nous courûmes** **vous courûtes** **ils coururent**

craindre *to fear*		Auxiliary: *avoir*
PAST PARTICIPLE	PRESENT PARTICIPLE	IMPERATIVE
craint	**craignant**	**crains** **craignons** **craignez**

PRESENT	FUTURE	IMPERFECT
je crains	je craindrai	**je craignais**
tu crains	tu craindras	**tu craignais**
il craint	il craindra	**il craignait**
nous craignons	nous craindrons	**nous craignions**
vous craignez	vous craindrez	**vous craigniez**
ils craignent	ils craindront	**ils craignaient**
PRESENT SUBJUNCTIVE	CONDITIONAL	PAST HISTORIC
je craigne	je craindrais	**je craignis**
tu craignes	tu craindrais	**tu craignis**
il craigne	il craindrait	**il craignit**
nous craignions	nous craindrions	**nous craignîmes**
vous craigniez	vous craindriez	**vous craignîtes**
ils craignent	ils craindraient	**ils craignirent**

Verbs ending in **-eindre** and **-oindre** are conjugated similarly

croire *to believe*		Auxiliary: *avoir*
PAST PARTICIPLE	PRESENT PARTICIPLE	IMPERATIVE
cru	**croyant**	crois **croyons** **croyez**

PRESENT	FUTURE	IMPERFECT
je crois	je croirai	**je croyais**
tu crois	tu croiras	**tu croyais**
il croit	il croira	**il croyait**
nous croyons	nous croirons	**nous croyions**
vous croyez	vous croirez	**vous croyiez**
ils croient	ils croiront	**ils croyaient**
PRESENT SUBJUNCTIVE	CONDITIONAL	PAST HISTORIC
je croie	je croirais	**je crus**
tu croies	tu croirais	**tu crus**
il croie	il croirait	**il crut**
nous croyions	nous croirions	**nous crûmes**
vous croyiez	vous croiriez	**vous crûtes**
ils croient	ils croiraient	**ils crurent**

croître *to grow*		Auxiliary: *avoir*
PAST PARTICIPLE	PRESENT PARTICIPLE	IMPERATIVE
crû	croissant	croîs croissons croissez

PRESENT	FUTURE	IMPERFECT
je croîs tu croîs il croît nous croissons vous croissez ils croissent	je croîtrai tu croîtras il croîtra nous croîtrons vous croîtrez ils croîtront	je croissais tu croissais il croissait nous croissions vous croissiez ils croissaient
PRESENT SUBJUNCTIVE	**CONDITIONAL**	**PAST HISTORIC**
je croisse tu croisses il croisse nous croissions vous croissiez ils croissent	je croîtrais tu croîtrais il croîtrait nous croîtrions vous croîtriez ils croîtraient	je crûs tu crûs il crût nous crûmes vous crûtes ils crûrent

cueillir *to pick*		Auxiliary: *avoir*
PAST PARTICIPLE	PRESENT PARTICIPLE	IMPERATIVE
cueilli	cueillant	cueille cueillons cueillez

PRESENT	FUTURE	IMPERFECT
je cueille tu cueilles il cueille nous cueillons vous cueillez ils cueillent	je cueillerai tu cueilleras il cueillera nous cueillerons vous cueillerez ils cueilleront	je cueillais tu cueillais il cueillait nous cueillions vous cueilliez ils cueillaient
PRESENT SUBJUNCTIVE	**CONDITIONAL**	**PAST HISTORIC**
je cueille tu cueilles il cueille nous cueillions vous cueilliez ils cueillent	je cueillerais tu cueillerais il cueillerait nous cueillerions vous cueilleriez ils cueilleraient	je cueillis tu cueillis il cueillit nous cueillîmes vous cueillîtes ils cueillirent

cuire *to cook*

Auxiliary: **avoir**

PAST PARTICIPLE	PRESENT PARTICIPLE	IMPERATIVE
cuit	**cuisant**	cuis **cuisons** **cuisez**

PRESENT	FUTURE	IMPERFECT
je cuis tu cuis **il cuit** **nous cuisons** **vous cuisez** **ils cuisent**	je cuirai tu cuiras il cuira nous cuirons vous cuirez ils cuiront	**je cuisais** **tu cuisais** **il cuisait** **nous cuisions** **vous cuisiez** **ils cuisaient**
PRESENT SUBJUNCTIVE	**CONDITIONAL**	**PAST HISTORIC**
je cuise **tu cuises** **il cuise** **nous cuisions** **vous cuisiez** **ils cuisent**	je cuirais tu cuirais il cuirait nous cuirions vous cuiriez ils cuiraient	**je cuisis** **tu cuisis** **il cuisit** **nous cuisîmes** **vous cuisîtes** **ils cuisirent**

nuire *to harm*, conjugated similarly, but past participle **nui**

devoir *to have to; to owe*

Auxiliary: **avoir**

PAST PARTICIPLE	PRESENT PARTICIPLE	IMPERATIVE
dû, due	**devant**	**dois** **devons** **devez**

PRESENT	FUTURE	IMPERFECT
je dois **tu dois** **il doit** **nous devons** **vous devez** **ils doivent**	**je devrai** **tu devras** **il devra** **nous devrons** **vous devrez** **ils devront**	**je devais** **tu devais** **il devait** **nous devions** **vous deviez** **ils devaient**
PRESENT SUBJUNCTIVE	**CONDITIONAL**	**PAST HISTORIC**
je doive **tu doives** **il doive** **nous devions** **vous deviez** **ils doivent**	**je devrais** **tu devrais** **il devrait** **nous devrions** **vous devriez** **ils devraient**	**je dus** **tu dus** **il dut** **nous dûmes** **vous dûtes** **ils durent**

dire *to say, tell* — Auxiliary: **avoir**

PAST PARTICIPLE	PRESENT PARTICIPLE	IMPERATIVE
dit	**disant**	dis **disons** **dites**

PRESENT	FUTURE	IMPERFECT
je dis tu dis **il dit** **nous disons** **vous dites** **ils disent**	je dirai tu diras il dira nous dirons vous direz ils diront	**je disais** **tu disais** **il disait** **nous disions** **vous disiez** **ils disaient**
PRESENT SUBJUNCTIVE	**CONDITIONAL**	**PAST HISTORIC**
je dise **tu dises** **il dise** **nous disions** **vous disiez** **ils disent**	je dirais tu dirais il dirait nous dirions vous diriez ils diraient	**je dis** **tu dis** **il dit** **nous dîmes** **vous dîtes** **ils dirent**

interdire *to forbid*, conjugated similarly, but 2nd person plural of the present tense is **vous interdisez**

dormir *to sleep* — Auxiliary: **avoir**

PAST PARTICIPLE	PRESENT PARTICIPLE	IMPERATIVE
dormi	**dormant**	**dors** **dormons** **dormez**

PRESENT	FUTURE	IMPERFECT
je dors **tu dors** **il dort** **nous dormons** **vous dormez** **ils dorment**	je dormirai tu dormiras il dormira nous dormirons vous dormirez ils dormiront	**je dormais** **tu dormais** **il dormait** **nous dormions** **vous dormiez** **ils dormaient**
PRESENT SUBJUNCTIVE	**CONDITIONAL**	**PAST HISTORIC**
je dorme **tu dormes** **il dorme** **nous dormions** **vous dormiez** **ils dorment**	je dormirais tu dormirais il dormirait nous dormirions vous dormiriez ils dormiraient	je dormis tu dormis il dormit nous dormîmes vous dormîtes ils dormirent

écrire *to write*

Auxiliary: *avoir*

PAST PARTICIPLE	PRESENT PARTICIPLE	IMPERATIVE
écrit	**écrivant**	écris **écrivons** **écrivez**

PRESENT	FUTURE	IMPERFECT
j'écris tu écris il écrit **nous écrivons** **vous écrivez** **ils écrivent**	j'écrirai tu écriras il écrira nous écrirons vous écrirez ils écriront	**j'écrivais** **tu écrivais** **il écrivait** **nous écrivions** **vous écriviez** **ils écrivaient**
PRESENT SUBJUNCTIVE	**CONDITIONAL**	**PAST HISTORIC**
j'écrive **tu écrives** **il écrive** **nous écrivions** **vous écriviez** **ils écrivent**	j'écrirais tu écrirais il écrirait nous écririons vous écririez ils écriraient	**j'écrivis** **tu écrivis** **il écrivit** **nous écrivîmes** **vous écrivîtes** **ils écrivirent**

envoyer *to send*

Auxiliary: *avoir*

PAST PARTICIPLE	PRESENT PARTICIPLE	IMPERATIVE
envoyé	envoyant	envoie envoyons envoyez

PRESENT	FUTURE	IMPERFECT
j'envoie tu envoies il envoie nous envoyons vous envoyez ils envoient	**j'enverrai** **tu enverras** **il enverra** **nous enverrons** **vous enverrez** **ils enverront**	j'envoyais tu envoyais il envoyait nous envoyions vous envoyiez ils envoyaient
PRESENT SUBJUNCTIVE	**CONDITIONAL**	**PAST HISTORIC**
j'envoie tu envoies il envoie nous envoyions vous envoyiez ils envoient	**j'enverrais** **tu enverrais** **il enverrait** **nous enverrions** **vous enverriez** **ils enverraient**	j'envoyai tu envoyas il envoya nous envoyâmes vous envoyâtes ils envoyèrent

VERBS: IRREGULAR

être *to be*

Auxiliary: *avoir*

PAST PARTICIPLE	PRESENT PARTICIPLE	IMPERATIVE
été	**étant**	**sois** **soyons** **soyez**

PRESENT	FUTURE	IMPERFECT
je suis **tu es** **il est** **nous sommes** **vous êtes** **ils sont**	**je serai** **tu seras** **il sera** **nous serons** **vous serez** **ils seront**	**j'étais** **tu étais** **il était** **nous étions** **vous étiez** **ils étaient**
PRESENT SUBJUNCTIVE	**CONDITIONAL**	**PAST HISTORIC**
je sois **tu sois** **il soit** **nous soyons** **vous soyez** **ils soient**	**je serais** **tu serais** **il serait** **nous serions** **vous seriez** **ils seraient**	**je fus** **tu fus** **il fut** **nous fûmes** **vous fûtes** **ils furent**

faire *to do; to make*

Auxiliary: *avoir*

PAST PARTICIPLE	PRESENT PARTICIPLE	IMPERATIVE
fait	**faisant**	fais **faisons** **faites**

PRESENT	FUTURE	IMPERFECT
je fais tu fais **il fait** **nous faisons** **vous faites** **ils font**	**je ferai** **tu feras** **il fera** **nous ferons** **vous ferez** **ils feront**	**je faisais** **tu faisais** **il faisait** **nous faisions** **vous faisiez** **ils faisaient**
PRESENT SUBJUNCTIVE	**CONDITIONAL**	**PAST HISTORIC**
je fasse **tu fasses** **il fasse** **nous fassions** **vous fassiez** **ils fassent**	**je ferais** **tu ferais** **il ferait** **nous ferions** **vous feriez** **ils feraient**	**je fis** **tu fis** **il fit** **nous fîmes** **vous fîtes** **ils firent**

fuir *to flee*		Auxiliary: *avoir*
PAST PARTICIPLE	PRESENT PARTICIPLE	IMPERATIVE
fui	**fuyant**	fuis **fuyons** **fuyez**

PRESENT	FUTURE	IMPERFECT
je fuis tu fuis il fuit **nous fuyons** **vous fuyez** **ils fuient**	je fuirai tu fuiras il fuira nous fuirons vous fuirez ils fuiront	**je fuyais** **tu fuyais** **il fuyait** **nous fuyions** **vous fuyiez** **ils fuyaient**
PRESENT SUBJUNCTIVE	CONDITIONAL	PAST HISTORIC
je fuie **tu fuies** **il fuie** **nous fuyions** **vous fuyiez** **ils fuient**	je fuirais tu fuirais il fuirait nous fuirions vous fuiriez ils fuiraient	je fuis tu fuis il fuit nous fuîmes vous fuîtes ils fuirent

haïr *to hate*		Auxiliary: *avoir*
PAST PARTICIPLE	PRESENT PARTICIPLE	IMPERATIVE
haï	**haïssant**	hais **haïssons** **haïssez**

PRESENT	FUTURE	IMPERFECT
je hais tu hais il hait **nous haïssons** **vous haïssez** **ils haïssent**	je haïrai tu haïras il haïra nous haïrons vous haïrez ils haïront	**je haïssais** **tu haïssais** **il haïssait** **nous haïssions** **vous haïssiez** **ils haïssaient**
PRESENT SUBJUNCTIVE	CONDITIONAL	PAST HISTORIC
je haïsse **tu haïsses** **il haïsse** **nous haïssions** **vous haïssiez** **ils haïssent**	je haïrais tu haïrais il haïrait nous haïrions vous haïriez ils haïraient	**je haïs** **tu haïs** **il haït** **nous haïmes** **vous haïtes** **ils haïrent**

lire *to read*		Auxiliary: **avoir**
PAST PARTICIPLE	PRESENT PARTICIPLE	IMPERATIVE
lu	**lisant**	lis **lisons** **lisez**

PRESENT	FUTURE	IMPERFECT
je lis tu lis **il lit** **nous lisons** **vous lisez** **ils lisent**	je lirai tu liras il lira nous lirons vous lirez ils liront	**je lisais** **tu lisais** **il lisait** **nous lisions** **vous lisiez** **ils lisaient**
PRESENT SUBJUNCTIVE	CONDITIONAL	PAST HISTORIC
je lise **tu lises** **il lise** **nous lisions** **vous lisiez** **ils lisent**	je lirais tu lirais il lirait nous lirions vous liriez ils liraient	**je lus** **tu lus** **il lut** **nous lûmes** **vous lûtes** **ils lurent**

mettre *to put*		Auxiliary: **avoir**
PAST PARTICIPLE	PRESENT PARTICIPLE	IMPERATIVE
mis	mettant	**mets** mettons mettez

PRESENT	FUTURE	IMPERFECT
je mets **tu mets** **il met** nous mettons vous mettez ils mettent	je mettrai tu mettras il mettra nous mettrons vous mettrez ils mettront	je mettais tu mettais il mettait nous mettions vous mettiez ils mettaient
PRESENT SUBJUNCTIVE	CONDITIONAL	PAST HISTORIC
je mette tu mettes il mette nous mettions vous mettiez ils mettent	je mettrais tu mettrais il mettrait nous mettrions vous mettriez ils mettraient	**je mis** **tu mis** **il mit** **nous mîmes** **vous mîtes** **ils mirent**

mourir *to die* — Auxiliary: **être**

PAST PARTICIPLE	PRESENT PARTICIPLE	IMPERATIVE
mort	**mourant**	**meurs** **mourons** **mourez**

PRESENT	FUTURE	IMPERFECT
je meurs **tu meurs** **il meurt** **nous mourons** **vous mourez** **ils meurent**	**je mourrai** **tu mourras** **il mourra** **nous mourrons** **vous mourrez** **ils mourront**	**je mourais** **tu mourais** **il mourait** **nous mourions** **vous mouriez** **ils mouraient**
PRESENT SUBJUNCTIVE	**CONDITIONAL**	**PAST HISTORIC**
je meure **tu meures** **il meure** **nous mourions** **vous mouriez** **ils meurent**	**je mourrais** **tu mourrais** **il mourrait** **nous mourrions** **vous mourriez** **ils mourraient**	**je mourus** **tu mourus** **il mourut** **nous mourûmes** **vous mourûtes** **ils moururent**

naître *to be born* — Auxiliary: **être**

PAST PARTICIPLE	PRESENT PARTICIPLE	IMPERATIVE
né	**naissant**	**nais** **naissons** **naissez**

PRESENT	FUTURE	IMPERFECT
je nais **tu nais** il naît **nous naissons** **vous naissez** **ils naissent**	je naîtrai tu naîtras il naîtra nous naîtrons vous naîtrez ils naîtront	**je naissais** **tu naissais** **il naissait** **nous naissions** **vous naissiez** **ils naissaient**
PRESENT SUBJUNCTIVE	**CONDITIONAL**	**PAST HISTORIC**
je naisse **tu naisses** **il naisse** **nous naissions** **vous naissiez** **ils naissent**	je naîtrais tu naîtrais il naîtrait nous naîtrions vous naîtriez ils naîtraient	je naquis tu naquis il naquit nous naquîmes vous naquîtes ils naquirent

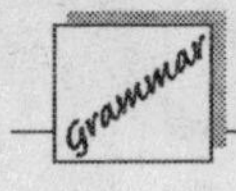

ouvrir *to open*		Auxiliary: *avoir*
PAST PARTICIPLE	PRESENT PARTICIPLE	IMPERATIVE
ouvert	**ouvrant**	**ouvre** **ouvrons** **ouvrez**

PRESENT	FUTURE	IMPERFECT
j'ouvre **tu ouvres** **il ouvre** **nous ouvrons** **vous ouvrez** **ils ouvrent**	j'ouvrirai tu ouvriras il ouvrira nous ouvrirons vous ouvrirez ils ouvriront	**j'ouvrais** **tu ouvrais** **il ouvrait** **nous ouvrions** **vous ouvriez** **ils ouvraient**
PRESENT SUBJUNCTIVE	CONDITIONAL	PAST HISTORIC
j'ouvre **tu ouvres** **il ouvre** **nous ouvrions** **vous ouvriez** **ils ouvrent**	j'ouvrirais tu ouvrirais il ouvrirait nous ouvririons vous ouvririez ils ouvriraient	j'ouvris tu ouvris il ouvrit nous ouvrîmes vous ouvrîtes ils ouvrirent

offrir *to offer*, **souffrir** *to suffer* are conjugated similarly

paraître *to appear*		Auxiliary: *avoir*
PAST PARTICIPLE	PRESENT PARTICIPLE	IMPERATIVE
paru	**paraissant**	**parais** **paraissons** **paraissez**

PRESENT	FUTURE	IMPERFECT
je parais **tu parais** il paraît **nous paraissons** **vous paraissez** **ils paraissent**	je paraîtrai tu paraîtras il paraîtra nous paraîtrons vous paraîtrez ils paraîtront	**je paraissais** **tu paraissais** **il paraissait** **nous paraissions** **vous paraissiez** **ils paraissaient**
PRESENT SUBJUNCTIVE	CONDITIONAL	PAST HISTORIC
je paraisse **tu paraisses** **il paraisse** **nous paraissions** **vous paraissiez** **ils paraissent**	je paraîtrais tu paraîtrais il paraîtrait nous paraîtrions vous paraîtriez ils paraîtraient	**je parus** **tu parus** **il parut** **nous parûmes** **vous parûtes** **ils parurent**

partir *to leave*

Auxiliary: *être*

PAST PARTICIPLE	PRESENT PARTICIPLE	IMPERATIVE
parti	**partant**	**pars** **partons** **partez**

PRESENT	FUTURE	IMPERFECT
je pars	je partirai	**je partais**
tu pars	tu partiras	**tu partais**
il part	il partira	**il partait**
nous partons	nous partirons	**nous partions**
vous partez	vous partirez	**vous partiez**
ils partent	ils partiront	**ils partaient**
PRESENT SUBJUNCTIVE	CONDITIONAL	PAST HISTORIC
je parte	je partirais	je partis
tu partes	tu partirais	tu partis
il parte	il partirait	il partit
nous partions	nous partirions	nous partîmes
vous partiez	vous partiriez	vous partîtes
ils partent	ils partiraient	ils partirent

plaire *to please*

Auxiliary: *avoir*

PAST PARTICIPLE	PRESENT PARTICIPLE	IMPERATIVE
plu	**plaisant**	plais **plaisons** **plaisez**

PRESENT	FUTURE	IMPERFECT
je plais	je plairai	**je plaisais**
tu plais	tu plairas	**tu plaisais**
il plaît	il plaira	**il plaisait**
nous plaisons	nous plairons	**nous plaisions**
vous plaisez	vous plairez	**vous plaisiez**
ils plaisent	ils plairont	**ils plaisaient**
PRESENT SUBJUNCTIVE	CONDITIONAL	PAST HISTORIC
je plaise	je plairais	**je plus**
tu plaises	tu plairais	**tu plus**
il plaise	il plairait	**il plut**
nous plaisions	nous plairions	**nous plûmes**
vous plaisiez	vous plairiez	**vous plûtes**
ils plaisent	ils plairaient	**ils plurent**

pouvoir *to be able to*		Auxiliary: **avoir**
PAST PARTICIPLE	PRESENT PARTICIPLE	IMPERATIVE
pu	**pouvant**	*not used*

PRESENT	FUTURE	IMPERFECT
je peux*	**je pourrai**	**je pouvais**
tu peux	**tu pourras**	**tu pouvais**
il peut	**il pourra**	**il pouvait**
nous pouvons	**nous pourrons**	**nous pouvions**
vous pouvez	**vous pourrez**	**vous pouviez**
ils peuvent	**ils pourront**	**ils pouvaient**
PRESENT SUBJUNCTIVE	CONDITIONAL	PAST HISTORIC
je puisse	**je pourrais**	**je pus**
tu puisses	**tu pourrais**	**tu pus**
il puisse	**il pourrait**	**il put**
nous puissions	**nous pourrions**	**nous pûmes**
vous puissiez	**vous pourriez**	**vous pûtes**
ils puissent	**ils pourraient**	**ils purent**

*In questions: **puis-je?**

prendre *to take*		Auxiliary: **avoir**
PAST PARTICIPLE	PRESENT PARTICIPLE	IMPERATIVE
pris	**prenant**	prends **prenons** **prenez**

PRESENT	FUTURE	IMPERFECT
je prends	je prendrai	**je prenais**
tu prends	tu prendras	**tu prenais**
il prend	il prendra	**il prenait**
nous prenons	nous prendrons	**nous prenions**
vous prenez	vous prendrez	**vous preniez**
ils prennent	ils prendront	**ils prenaient**
PRESENT SUBJUNCTIVE	CONDITIONAL	PAST HISTORIC
je prenne	je prendrais	**je pris**
tu prennes	tu prendrais	**tu pris**
il prenne	il prendrait	**il prit**
nous prenions	nous prendrions	**nous prîmes**
vous preniez	vous prendriez	**vous prîtes**
ils prennent	ils prendraient	**ils prirent**

recevoir *to receive* — Auxiliary: *avoir*

PAST PARTICIPLE	PRESENT PARTICIPLE	IMPERATIVE
reçu	**recevant**	**reçois** **recevons** **recevez**

PRESENT	FUTURE	IMPERFECT
je **reçois**	je **recevrai**	je **recevais**
tu **reçois**	tu **recevras**	tu **recevais**
il **reçoit**	il **recevra**	il **recevait**
nous **recevons**	nous **recevrons**	nous **recevions**
vous **recevez**	vous **recevrez**	vous **receviez**
ils **reçoivent**	ils **recevront**	ils **recevaient**
PRESENT SUBJUNCTIVE	**CONDITIONAL**	**PAST HISTORIC**
je **reçoive**	je **recevrais**	je **reçus**
tu **reçoives**	tu **recevrais**	tu **reçus**
il **reçoive**	il **recevrait**	il **reçut**
nous **recevions**	nous **recevrions**	nous **reçûmes**
vous **receviez**	vous **recevriez**	vous **reçûtes**
ils **reçoivent**	ils **recevraient**	ils **reçurent**

résoudre *to solve* — Auxiliary: *avoir*

PAST PARTICIPLE	PRESENT PARTICIPLE	IMPERATIVE
résolu	**résolvant**	**résous** **résolvons** **résolvez**

PRESENT	FUTURE	IMPERFECT
je **résous**	je résoudrai	je **résolvais**
tu **résous**	tu résoudras	tu **résolvais**
il **résout**	il résoudra	il **résolvait**
nous **résolvons**	nous résoudrons	nous **résolvions**
vous **résolvez**	vous résoudrez	vous **résolviez**
ils **résolvent**	ils résoudront	ils **résolvaient**
PRESENT SUBJUNCTIVE	**CONDITIONAL**	**PAST HISTORIC**
je **résolve**	je résoudrais	je **résolus**
tu **résolves**	tu résoudrais	tu **résolus**
il **résolve**	il résoudrait	il **résolut**
nous **résolvions**	nous résoudrions	nous **résolûmes**
vous **résolviez**	vous résoudriez	vous **résolûtes**
ils **résolvent**	ils résoudraient	ils **résolurent**

rire *to laugh* — Auxiliary: *avoir*

PAST PARTICIPLE	PRESENT PARTICIPLE	IMPERATIVE
ri	riant	ris rions riez

PRESENT	FUTURE	IMPERFECT
je ris	je rirai	je riais
tu ris	tu riras	tu riais
il **rit**	il rira	il riait
nous rions	nous rirons	nous riions
vous riez	vous rirez	vous riiez
ils rient	ils riront	ils riaient

PRESENT SUBJUNCTIVE	CONDITIONAL	PAST HISTORIC
je rie	je rirais	**je ris**
tu ries	tu rirais	**tu ris**
il rie	il rirait	**il rit**
nous riions	nous ririons	**nous rîmes**
vous riiez	vous ririez	**vous rîtes**
ils rient	ils riraient	**ils rirent**

rompre *to break* — Auxiliary: *avoir*

PAST PARTICIPLE	PRESENT PARTICIPLE	IMPERATIVE
rompu	rompant	romps rompons rompez

PRESENT	FUTURE	IMPERFECT
je romps	je romprai	je rompais
tu romps	tu rompras	tu rompais
il rompt	il rompra	il rompait
nous rompons	nous romprons	nous rompions
vous rompez	vous romprez	vous rompiez
ils rompent	ils rompront	ils rompaient

PRESENT SUBJUNCTIVE	CONDITIONAL	PAST HISTORIC
je rompe	je romprais	je rompis
tu rompes	tu romprais	tu rompis
il rompe	il romprait	il rompit
nous rompions	nous romprions	nous rompîmes
vous rompiez	vous rompriez	vous rompîtes
ils rompent	ils rompraient	ils rompirent

savoir *to know*		Auxiliary: *avoir*
PAST PARTICIPLE	PRESENT PARTICIPLE	IMPERATIVE
su	**sachant**	**sache** **sachons** **sachez**

PRESENT	FUTURE	IMPERFECT
je sais **tu sais** **il sait** **nous savons** **vous savez** **ils savent**	**je saurai** **tu sauras** **il saura** **nous saurons** **vous saurez** **ils sauront**	**je savais** **tu savais** **il savait** **nous savions** **vous saviez** **ils savaient**
PRESENT SUBJUNCTIVE	CONDITIONAL	PAST HISTORIC
je sache **tu saches** **il sache** **nous sachions** **vous sachiez** **ils sachent**	**je saurais** **tu saurais** **il saurait** **nous saurions** **vous sauriez** **ils sauraient**	**je sus** **tu sus** **il sut** **nous sûmes** **vous sûtes** **ils surent**

sentir *to feel; to smell*		Auxiliary: *avoir*
PAST PARTICIPLE	PRESENT PARTICIPLE	IMPERATIVE
senti	**sentant**	**sens** **sentons** **sentez**

PRESENT	FUTURE	IMPERFECT
je sens **tu sens** **il sent** **nous sentons** **vous sentez** **ils sentent**	je sentirai tu sentiras il sentira nous sentirons vous sentirez ils sentiront	**je sentais** **tu sentais** **il sentait** **nous sentions** **vous sentiez** **ils sentaient**
PRESENT SUBJUNCTIVE	CONDITIONAL	PAST HISTORIC
je sente **tu sentes** **il sente** **nous sentions** **vous sentiez** **ils sentent**	je sentirais tu sentirais il sentirait nous sentirions vous sentiriez ils sentiraient	je sentis tu sentis il sentit nous sentîmes vous sentîtes ils sentirent

servir *to serve*		Auxiliary: *avoir*
PAST PARTICIPLE	PRESENT PARTICIPLE	IMPERATIVE
servi	**servant**	**sers** **servons** **servez**

PRESENT	FUTURE	IMPERFECT
je sers	je servirai	**je servais**
tu sers	tu serviras	**tu servais**
il sert	il servira	**il servait**
nous servons	nous servirons	**nous servions**
vous servez	vous servirez	**vous serviez**
ils servent	ils serviront	**ils servaient**
PRESENT SUBJUNCTIVE	CONDITIONAL	PAST HISTORIC
je serve	je servirais	je servis
tu serves	tu servirais	tu servis
il serve	il servirait	il servit
nous servions	nous servirions	nous servîmes
vous serviez	vous serviriez	vous servîtes
ils servent	ils serviraient	ils servirent

sortir *to go/come out*		Auxiliary: *être*
PAST PARTICIPLE	PRESENT PARTICIPLE	IMPERATIVE
sorti	**sortant**	**sors** **sortons** **sortez**

PRESENT	FUTURE	IMPERFECT
je sors	je sortirai	**je sortais**
tu sors	tu sortiras	**tu sortais**
il sort	il sortira	**il sortait**
nous sortons	nous sortirons	**nous sortions**
vous sortez	vous sortirez	**vous sortiez**
ils sortent	ils sortiront	**ils sortaient**
PRESENT SUBJUNCTIVE	CONDITIONAL	PAST HISTORIC
je sorte	je sortirais	je sortis
tu sortes	tu sortirais	tu sortis
il sorte	il sortirait	il sortit
nous sortions	nous sortirions	nous sortîmes
vous sortiez	vous sortiriez	vous sortîtes
ils sortent	ils sortiraient	ils sortirent

suffire *to be enough*		Auxiliary: *avoir*
PAST PARTICIPLE	PRESENT PARTICIPLE	IMPERATIVE
suffi	**suffisant**	suffis **suffisons** **suffisez**

PRESENT	FUTURE	IMPERFECT
je suffis tu suffis il suffit **nous suffisons** **vous suffisez** **ils suffisent**	je suffirai tu suffiras il suffira nous suffirons vous suffirez ils suffiront	**je suffisais** **tu suffisais** **il suffisait** **nous suffisions** **vous suffisiez** **ils suffisaient**
PRESENT SUBJUNCTIVE	CONDITIONAL	PAST HISTORIC
je suffise **tu suffises** **il suffise** **nous suffisions** **vous suffisiez** **ils suffisent**	je suffirais tu suffirais il suffirait nous suffirions vous suffiriez ils suffiraient	**je suffis** **tu suffis** **il suffit** **nous suffîmes** **vous suffîtes** **ils suffirent**

suivre *to follow*		Auxiliary: *avoir*
PAST PARTICIPLE	PRESENT PARTICIPLE	IMPERATIVE
suivi	suivant	**suis** suivons suivez

PRESENT	FUTURE	IMPERFECT
je suis **tu suis** **il suit** nous suivons vous suivez ils suivent	je suivrai tu suivras il suivra nous suivrons vous suivrez ils suivront	je suivais tu suivais il suivait nous suivions vous suiviez ils suivaient
PRESENT SUBJUNCTIVE	CONDITIONAL	PAST HISTORIC
je suive tu suives il suive nous suivions vous suiviez ils suivent	je suivrais tu suivrais il suivrait nous suivrions vous suivriez ils suivraient	je suivis tu suivis il suivit nous suivîmes vous suivîtes ils suivirent

se taire *to stop talking* — Auxiliary: *être*

PAST PARTICIPLE	PRESENT PARTICIPLE	IMPERATIVE
tu	**se taisant**	tais-toi **taisons-nous** **taisez-vous**

PRESENT	FUTURE	IMPERFECT
je me tais	je me tairai	**je me taisais**
tu te tais	tu te tairas	**tu te taisais**
il se tait	il se taira	**il se taisait**
nous nous taisons	nous nous tairons	**nous nous taisions**
vous vous taisez	vous vous tairez	**vous vous taisiez**
ils se taisent	ils se tairont	**ils se taisaient**

PRESENT SUBJUNCTIVE	CONDITIONAL	PAST HISTORIC
je me taise	je me tairais	**je me tus**
tu te taises	tu te tairais	**tu te tus**
il se taise	il se tairait	**il se tut**
nous nous taisions	nous nous tairions	**nous nous tûmes**
vous vous taisiez	vous vous tairiez	**vous vous tûtes**
ils se taisent	ils se tairaient	**ils se turent**

tenir *to hold* — Auxiliary: *avoir*

PAST PARTICIPLE	PRESENT PARTICIPLE	IMPERATIVE
tenu	**tenant**	**tiens** **tenons** **tenez**

PRESENT	FUTURE	IMPERFECT
je tiens	**je tiendrai**	**je tenais**
tu tiens	**tu tiendras**	**tu tenais**
il tient	**il tiendra**	**il tenait**
nous tenons	**nous tiendrons**	**nous tenions**
vous tenez	**vous tiendrez**	**vous teniez**
ils tiennent	**ils tiendront**	**ils tenaient**

PRESENT SUBJUNCTIVE	CONDITIONAL	PAST HISTORIC
je tienne	**je tiendrais**	**je tins**
tu tiennes	**tu tiendrais**	**tu tins**
il tienne	**il tiendrait**	**il tint**
nous tenions	**nous tiendrions**	**nous tînmes**
vous teniez	**vous tiendriez**	**vous tîntes**
ils tiennent	**ils tiendraient**	**ils tinrent**

vaincre *to defeat*

Auxiliary: **avoir**

PAST PARTICIPLE	PRESENT PARTICIPLE	IMPERATIVE
vaincu	**vainquant**	vaincs **vainquons** **vainquez**

PRESENT	FUTURE	IMPERFECT
je vaincs tu vaincs il vainc **nous vainquons** **vous vainquez** **ils vainquent**	je vaincrai tu vaincras il vaincra nous vaincrons vous vaincrez ils vaincront	**je vainquais** **tu vainquais** **il vainquait** **nous vainquions** **vous vainquiez** **ils vainquaient**
PRESENT SUBJUNCTIVE	**CONDITIONAL**	**PAST HISTORIC**
je vainque **tu vainques** **il vainque** **nous vainquions** **vous vainquiez** **ils vainquent**	je vaincrais tu vaincrais il vaincrait nous vaincrions vous vaincriez ils vaincraient	**je vainquis** **tu vainquis** **il vainquit** **nous vainquîmes** **vous vainquîtes** **ils vainquirent**

valoir *to be worth*

Auxiliary: **avoir**

PAST PARTICIPLE	PRESENT PARTICIPLE	IMPERATIVE
valu	**valant**	**vaux** **valons** **valez**

PRESENT	FUTURE	IMPERFECT
je vaux **tu vaux** **il vaut** **nous valons** **vous valez** **ils valent**	**je vaudrai** **tu vaudras** **il vaudra** **nous vaudrons** **vous vaudrez** **ils vaudront**	**je valais** **tu valais** **il valait** **nous valions** **vous valiez** **ils valaient**
PRESENT SUBJUNCTIVE	**CONDITIONAL**	**PAST HISTORIC**
je vaille **tu vailles** **il vaille** **nous valions** **vous valiez** **ils vaillent**	**je vaudrais** **tu vaudrais** **il vaudrait** **nous vaudrions** **vous vaudriez** **ils vaudraient**	**je valus** **tu valus** **il valut** **nous valûmes** **vous valûtes** **ils valurent**

venir *to come*		Auxiliary: **être**
PAST PARTICIPLE	PRESENT PARTICIPLE	IMPERATIVE
venu	**venant**	**viens** **venons** **venez**

PRESENT	FUTURE	IMPERFECT
je viens **tu viens** **il vient** **nous venons** **vous venez** **ils viennent**	**je viendrai** **tu viendras** **il viendra** **nous viendrons** **vous viendrez** **ils viendront**	**je venais** **tu venais** **il venait** **nous venions** **vous veniez** **ils venaient**
PRESENT SUBJUNCTIVE	CONDITIONAL	PAST HISTORIC
je vienne **tu viennes** **il vienne** **nous venions** **vous veniez** **ils viennent**	**je viendrais** **tu viendrais** **il viendrait** **nous viendrions** **vous viendriez** **ils viendraient**	**je vins** **tu vins** **il vint** **nous vînmes** **vous vîntes** **ils vinrent**

vivre *to live*		Auxiliary: **avoir**
PAST PARTICIPLE	PRESENT PARTICIPLE	IMPERATIVE
vécu	**vivant**	**vis** vivons vivez

PRESENT	FUTURE	IMPERFECT
je vis **tu vis** **il vit** nous vivons vous vivez ils vivent	je vivrai tu vivras il vivra nous vivrons vous vivrez ils vivront	je vivais tu vivais il vivait nous vivions vous viviez ils vivaient
PRESENT SUBJUNCTIVE	CONDITIONAL	PAST HISTORIC
je vive tu vives il vive nous vivions vous viviez ils vivent	je vivrais tu vivrais il vivrait nous vivrions vous vivriez ils vivraient	**je vécus** **tu vécus** **il vécut** **nous vécûmes** **vous vécûtes** **ils vécurent**

voir *to see*

Auxiliary: avoir

PAST PARTICIPLE	PRESENT PARTICIPLE	IMPERATIVE
vu	voyant	vois voyons voyez

PRESENT	FUTURE	IMPERFECT
je vois	je verrai	je voyais
tu vois	tu verras	tu voyais
il voit	il verra	il voyait
nous voyons	nous verrons	nous voyions
vous voyez	vous verrez	vous voyiez
ils voient	ils verront	ils voyaient

PRESENT SUBJUNCTIVE	CONDITIONAL	PAST HISTORIC
je voie	je verrais	je vis
tu voies	tu verrais	tu vis
il voie	il verrait	il vit
nous voyions	nous verrions	nous vîmes
vous voyiez	vous verriez	vous vîtes
ils voient	ils verraient	ils virent

vouloir *to wish, want*

Auxiliary: avoir

PAST PARTICIPLE	PRESENT PARTICIPLE	IMPERATIVE
voulu	voulant	veuille veuillons veuillez

PRESENT	FUTURE	IMPERFECT
je veux	je voudrai	je voulais
tu veux	tu voudras	tu voulais
il veut	il voudra	il voulait
nous voulons	nous voudrons	nous voulions
vous voulez	vous voudrez	vous vouliez
ils veulent	ils voudront	ils voulaient

PRESENT SUBJUNCTIVE	CONDITIONAL	PAST HISTORIC
je veuille	je voudrais	je voulus
tu veuilles	tu voudrais	tu voulus
il veuille	il voudrait	il voulut
nous voulions	nous voudrions	nous voulûmes
vous vouliez	vous voudriez	vous voulûtes
ils veuillent	ils voudraient	ils voulurent

❒ The Gender of Nouns

In French, all nouns are either masculine or feminine, whether denoting people, animals or things. Unlike English, there is no neuter gender for inanimate objects and abstract nouns.

Gender is largely unpredictable and has to be learnt for each noun. However, the following guidelines will help you determine the gender for certain types of nouns.

◆ Nouns denoting male people and animals are usually – but not always – masculine, e.g.

un homme
a man
un infirmier
a (male) nurse

un taureau
a bull
un cheval
a horse

◆ Nouns denoting female people and animals are usually – but not always – feminine, e.g.

une fille
a girl
une infirmière
a nurse

une vache
a cow
une brebis
a ewe

◆ Some nouns are masculine OR feminine depending on the sex of the person to whom they refer, e.g.

un camarade
a (male) friend
un Belge
a Belgian (man)

une camarade
a (female) friend
une Belge
a Belgian (woman)

◆ Other nouns referring to either men or women have only one gender which applies to both, e.g.

un professeur
a teacher
un témoin
a witness

une personne
a person
une victime
a victim

une sentinelle
a sentry
une recrue
a recruit

- Sometimes the ending of the noun indicates its gender. Shown below are some of the most important to guide you:

Masculine endings

-age	**le courage** *courage*, **le rinçage** *rinsing*
	EXCEPTIONS: **une cage** *a cage*, **une image** *a picture*, **la nage** *swimming*, **une page** *a page*, **une plage** *a beach*, **une rage** *a rage*
-ment	**le commencement** *the beginning*
	EXCEPTION: **une jument** *a mare*
-oir	**un couloir** *a corridor*, **un miroir** *a mirror*
-sme	**le pessimisme** *pessimism*, **l'enthousiasme** *enthusiasm*

Feminine endings

-ance, anse	**la confiance** *confidence*, **la danse** *dancing*
-ence, -ense	**la prudence** *caution*, **la défense** *defence*
	EXCEPTION: **le silence** *silence*
-ion	**une région** *a region*, **une addition** *a bill*
	EXCEPTIONS: **un pion** *a pawn*, **un espion** *a spy*
-oire	**une baignoire** *a bath(tub)*
-té, -tié	**la beauté** *beauty*, **la moitié** *half*

- Suffixes which differentiate between male and female are shown on p 78.

- The following words have different meanings depending on gender:

le crêpe	*crêpe*	**la crêpe**	*pancake*
le livre	*book*	**la livre**	*pound*
le manche	*handle*	**la manche**	*sleeve*
le mode	*method*	**la mode**	*fashion*
le moule	*mould*	**la moule**	*mussel*
le page	*page(boy)*	**la page**	*page* (in book)
le physique	*physique*	**la physique**	*physics*
le poêle	*stove*	**la poêle**	*frying pan*
le somme	*nap*	**la somme**	*sum*
le tour	*turn*	**la tour**	*tower*
le voile	*veil*	**la voile**	*sail*

❐ Gender: the Formation of Feminines

As in English, male and female are sometimes differentiated by the use of two quite separate words, e.g. **mon oncle/ma tante** *my uncle/my aunt*. There are, however, some words in French which show this distinction by the form of their ending.

- Some nouns add an **e** to the masculine singular form to form the feminine → [1]
- If the masculine singular form already ends in **-e**, no further **e** is added in the feminine → [2]
- Some nouns undergo a further change when **e** is added.

MASC. SING.	FEM. SING.	
-f	**-ve**	→ [3]
-x	**-se**	→ [4]
-eur	**-euse**	→ [5]
-teur	**-teuse**	→ [6]
	-trice	→ [7]

Some nouns double the final consonant before adding **e:**

MASC. SING.	FEM. SING.	
-an	**-anne**	→ [8]
-en	**-enne**	→ [9]
-on	**-onne**	→ [10]
-et	**-ette**	→ [11]
-el	**-elle**	→ [12]

Some nouns add an accent to the final syllable before adding **e:**

MASC. SING.	FEM. SING.	
-er	**-ère**	→ [13]

- Some nouns have unusual feminine forms → [14]

EXAMPLES

1	**un ami** a (male) friend	**une amie** a (female) friend
2	**un élève** a (male) pupil	**une élève** a (female) pupil
3	**un veuf** a widower	**une veuve** a widow
4	**un époux** a husband	**une épouse** a wife
5	**un danseur** a dancer	**une danseuse** a dancer
6	**un menteur** a liar	**une menteuse** a liar
7	**un conducteur** a driver	**une conductrice** a driver
8	**un paysan** a countryman	**une paysanne** a countrywoman
9	**un Parisien** a Parisian	**une Parisienne** a Parisian (woman)
10	**un baron** a baron	**une baronne** a baroness
11	**le cadet** the youngest (child)	**la cadette** the youngest (child)
12	**un intellectuel** an intellectual	**une intellectuelle** an intellectual
13	**un étranger** a foreigner	**une étrangère** a foreigner
14	**le comte/la comtesse** count/countess	**le duc/la duchesse** duke/duchess
	le maître/la maîtresse master/mistress	**le prince/la princesse** prince/princess
	le fou/la folle madman/madwoman	**le Turc/la Turque** Turk
	un hôte/une hôtesse host/hostess	**le vieux/la vieille** old man/old woman

❒ The Formation of Plurals

- Most nouns add **s** to the singular form → [1]
- When the singular form already ends in **-s**, **-x** or **-z**, no further **s** is added → [2]
- For nouns ending in **-au**, **-eau** or **-eu**, the plural ends in **-aux**, **-eaux** or **-eux** → [3]

EXCEPTIONS:	**pneu**	*tyre*	(plur: **pneus**)
	bleu	*bruise*	(plur: **bleus**)

- For nouns ending in **-al** or **-ail**, the plural ends in **-aux** → [4]

EXCEPTIONS:	**bal**	*ball*	(plur: **bals**)
	festival	*festival*	(plur: **festivals**)
	chandail	*sweater*	(plur: **chandails**)
	détail	*detail*	(plur: **détails**)

- Forming the plural of compound nouns is complicated and you are advised to check each one individually in a dictionary.
- A word which is singular in English may be plural in French, or vice versa → [5]

Irregular plural forms

- Some masculine nouns ending in **-ou** add **x** in the plural. These are:

bijou	*jewel*	**genou**	*knee*	**joujou**	*toy*
caillou	*pebble*	**hibou**	*owl*	**pou**	*louse*
chou	*cabbage*				

- Some other nouns are totally unpredictable. Chief among these are:

SINGULAR		PLURAL
œil	*eye*	**yeux**
ciel	*sky*	**cieux**
Monsieur	*Mr*	**Messieurs**
Madame	*Mrs*	**Mesdames**
Mademoiselle	*Miss*	**Mesdemoiselles**

1	**le jardin** the garden	**les jardins** the gardens
	une voiture a car	**des voitures** (some) cars
	l'hôtel the hotel	**les hôtels** the hotels
2	**un tas** a heap	**des tas** (some) heaps
	une voix a voice	**des voix** (some) voices
	le gaz the gas	**les gaz** the gases
3	**un tuyau** a pipe	**des tuyaux** (some) pipes
	le chapeau the hat	**les chapeaux** the hats
	le feu the fire	**les feux** the fires
4	**le journal** the newspaper	**les journaux** the newspapers
	un travail a job	**des travaux** (some) jobs
5	**les bagages** the luggage	**ses cheveux** his/her hair
	le bétail the cattle	**mon pantalon** my trousers

❐ The Definite Article

	WITH MASC. NOUN	WITH FEM. NOUN	
SING.	**le (l')**	**la (l')**	*the*
PLUR.	**les**	**les**	*the*

- The gender and number of the noun determines the form of the article → 1

- **le** and **la** change to **l'** before a vowel or an **h** 'mute' → 2

- While the French definite article is used in much the same way as in English, it is also found:
  - with abstract nouns, except after certain prepositions → 3
  - in generalizations, especially with plural or uncountable nouns (those which cannot be used in the plural or with an indefinite article, e.g. **le lait** *milk*) → 4
  - with names of countries, except after **en** *to/in* → 5
  - with parts of the body; 'ownership' is often indicated by an indirect object pronoun or a reflexive pronoun → 6
  - in expressions of quantity/rate/price → 7
  - with titles/ranks/professions followed by a proper name → 8
  - The definite article is NOT used with nouns in apposition → 9

- **à + le/la (l'), à + les; de + le/la (l'), de + les**

	à WITH MASC. NOUN	**à** WITH FEM. NOUN	**de** WITH MASC. NOUN	**de** WITH FEM. NOUN
SING.	**au (à l')**	**à la (à l')** → 10	**du (de l')**	**de la (de l')** → 11
PLUR.	**aux**	**aux**	**des**	**des**

- The definite article combines with the prepositions **à** and **de**, as shown above. You should pay particular attention to the masculine singular forms **au** and **du**, and plural forms **aux** and **des**, since these are not visually the sum of their parts.

EXAMPLES

1	**le garçon** the boy	**la fille** the girl	
	les hôtels the hotels	**les écoles** the schools	
2	**l'acteur** the actor	**l'actrice** the actress	
	l'hôpital the hospital	**l'heure** the time	
3	**Les prix montent** Prices are rising	**L'amour rayonne dans ses yeux** Love shines in his eyes	
BUT	**avec plaisir** with pleasure	**sans espoir** without hope	
4	**Je n'aime pas le café** I don't like coffee	**Les enfants ont besoin d'être aimés** Children need to be loved	
5	**le Japon** Japan	**les Pays-Bas** The Netherlands	
BUT	**aller en Écosse** to go to Scotland		
6	**Tournez la tête à gauche** Turn your head to the left	**J'ai mal à la gorge** My throat is sore, I have a sore throat	
	La tête me tourne My head is spinning	**Elle s'est brossé les dents** She brushed her teeth	
7	**40 francs le mètre/le kilo/rouler à 80 km à l'heure** 40 francs a metre/a kilo/to go at 50 mph		
8	**le roi Georges III** King George III	**Monsieur le président** Mr Chairman/President	
9	**Victor Hugo, grand écrivain du dix-neuvième siècle** Victor Hugo, a great author of the nineteenth century		
10	**au cinéma** at/to the cinema	**à la bibliothèque** at/to the library	**à l'hôpital** at/to the hospital
	à l'hôtesse to the hostess	**aux étudiants** to the students	**aux maisons** to the houses
11	**du bureau** from/of the office	**de la réunion** from/of the meeting	
	de l'auteur from/of the author	**de l'Italienne** from/of the Italian woman	
	des États-Unis from/of the United States	**des vendeuses** from/of the saleswomen	

❐ The Partitive Article

The partitive article has the sense of *some* or *any*, although the French is not always translated in English.

	WITH MASC. NOUN	WITH FEM. NOUN	
SING.	**du (de l')**	**de la (de l')**	*some, any*
PLUR.	**des**	**des**	*some, any*

◆ The gender and number of the noun determines the form of the partitive → [1]

◆ The forms shown in brackets in the above table are used before a vowel or an **h** 'mute' → [2]

◆ **des** becomes **de** (**d'** + vowel) before an adjective → [3], unless the adjective and noun are seen as forming one unit → [4]

◆ In negative sentences **de** (**d'** + vowel) is used → [5]
EXCEPTION: after **ne ... que** *only*, the positive forms above are used → [6]

❐ The Indefinite Article

	WITH MASC. NOUN	WITH FEM. NOUN	
SING.	**un**	**une**	*a*
PLUR.	**des**	**des**	*some*

◆ In negative sentences, **de** (**d'** + vowel) is used → [7]

◆ The indefinite article is used in French largely as it is in English EXCEPT:

– there is no article when a person's profession is being stated → [8]
The article *is* present, however, following **ce** (**c'** + vowel) → [9]

– the English article is not translated by **un**/**une** in constructions like *what a surprise, what an idiot* → [10]

– in structures of the type given in example [11] the article **un**/**une** is

EXAMPLES

1 **Avez-vous du sucre?**
Do you have any sugar?
J'ai acheté de la farine
I bought (some) flour
Il a mangé des gâteaux
He ate some cakes
Est-ce qu'il y a des lettres pour moi?
Are there (any) letters for me?

2 **Il me doit de l'argent**
He owes me (some) money
C'est de l'histoire ancienne
That's ancient history

3 **Cette région a de belles églises**
This region has some beautiful churches

4 **des grandes vacances**
summer holidays
des jeunes gens
young people

5 **Vous n'avez pas de timbres/d'œufs?**
Have you no stamps/eggs?
Je ne mange jamais de viande/d'omelettes
I never eat meat/omelettes

6 **Il ne boit que du thé/de la bière/de l'eau**
He only drinks tea/beer/water
Je n'ai que des problèmes avec cette machine
I have nothing but problems with this machine

7 **Je n'ai pas de livre/d'enfants**
I don't have a book/(any) children

8 **Il est professeur**
He's a teacher
Ma mère est infirmière
My mother's a nurse

9 **C'est un médecin**
He's/She's a doctor
Ce sont des acteurs
They're actors

10 **Quelle surprise!**
What a surprise!
Quel dommage!
What a shame!

11 **avec une grande sagesse/un courage admirable**
with great wisdom/admirable courage
un produit d'une qualité incomparable
a product of incomparable quality

❐ Adjectives

Most adjectives agree in number and in gender with the noun or pronoun.

The formation of feminines

- Most adjectives add an **e** to the masculine singular form → [1]
- If the masculine singular form already ends in **-e,** no further **e** is added → [2]
- Some adjectives undergo a further change when **e** is added. These changes occur regularly and are shown on p 88.
- Irregular feminine forms are shown on p 90.

The formation of plurals

- The plural of both regular and irregular adjectives is formed by adding an **s** to the masculine or feminine singular form, as appropriate → [3]
- When the masculine singular form already ends in **-s** or **-x**, no further **s** is added → [4]
- For masculine singulars ending in **-au** and **-eau**, the masculine plural is **-aux** and **-eaux** → [5]
- For masculine singulars ending in **-al**, the masculine plural is **-aux** → [6]

EXCEPTIONS: **final** (masculine plural **finals**)
fatal (masculine plural **fatals**)
naval (masculine plural **navals**)

1	**mon frère aîné** my elder brother	**ma sœur aînée** my elder sister
	le petit garçon the little boy	**la petite fille** the little girl
	un sac gris a grey bag	**une chemise grise** a grey shirt
	un bruit fort a loud noise	**une voix forte** a loud voice
2	**un jeune homme** a young man	**une jeune femme** a young woman
	l'autre verre the other glass	**l'autre assiette** the other plate
3	**le dernier train** the last train	**les derniers trains** the last trains
	une vieille maison an old house	**de vieilles maisons** old houses
	un long voyage a long journey	**de longs voyages** long journeys
	la rue étroite the narrow street	**les rues étroites** the narrow streets
4	**un diplomate français** a French diplomat	**des diplomates français** French diplomats
	un homme dangereux a dangerous man	**des hommes dangereux** dangerous men
5	**le nouveau professeur** the new teacher	**les nouveaux professeurs** the new teachers
	un chien esquimau a husky (Fr. = an Eskimo dog)	**des chiens esquimaux** huskies (Fr. = Eskimo dogs)
6	**un ami loyal** a loyal friend	**des amis loyaux** loyal friends
	un geste amical a friendly gesture	**des gestes amicaux** friendly gestures

❐ Regular Feminine Endings

MASC. SING.	FEM. SING.	EXAMPLES	
-f	**-ve**	**neuf, vif**	→ 1
-x	**-se**	**heureux, jaloux**	→ 2
-eur	**-euse**	**travailleur, flâneur**	→ 3
-teur	{ **-teuse**	**flatteur, menteur**	→ 4
	-trice	**destructeur, séducteur**	→ 5

EXCEPTIONS:

bref: see p 90

doux, faux, roux, vieux: see p 90

extérieur, inférieur, intérieur, meilleur, supérieur: all add **e** to the masculine

enchanteur: fem. = **enchanteresse**

MASC. SING.	FEM. SING.	EXAMPLES	
-an	**-anne**	**paysan**	→ 6
-en	**-enne**	**ancien, parisien**	→ 7
-on	**-onne**	**bon, breton**	→ 8
-as	**-asse**	**bas, las**	→ 9
-et*	**-ette**	**muet, violet**	→ 10
-el	**-elle**	**annuel, mortel**	→ 11
-eil	**-eille**	**pareil, vermeil**	→ 12

EXCEPTION:

ras: fem. = **rase**

MASC. SING.	FEM. SING.	EXAMPLES	
-et*	**-ète**	**secret, complet**	→ 13
-er	**-ère**	**étranger, fier**	→ 14

*Note that there are two feminine endings for masculine adjectives ending in **-et**.

EXAMPLES

1	**un résultat positif** a positive result	**une attitude positive** a positive attitude
2	**d'un ton sérieux** in a serious tone (of voice)	**une voix sérieuse** a serious voice
3	**un enfant trompeur** a deceitful child	**une déclaration trompeuse** a misleading statement
4	**un tableau flatteur** a flattering picture	**une comparaison flatteuse** a flattering comparison
5	**un geste protecteur** a protective gesture	**une couche protectrice** a protective layer
6	**un problème paysan** a farming problem	**la vie paysanne** country life
7	**un avion égyptien** an Egyptian plane	**une statue égyptienne** an Egyptian statue
8	**un bon repas** a good meal	**de bonne humeur** in a good mood
9	**un plafond bas** a low ceiling	**à voix basse** in a low voice
10	**un travail net** a clean piece of work	**une explication nette** a clear explanation
11	**un homme cruel** a cruel man	**une remarque cruelle** a cruel remark
12	**un livre pareil** such a book	**en pareille occasion** on such an occasion
13	**un regard inquiet** an anxious look	**une attente inquiète** an anxious wait
14	**un goût amer** a bitter taste	**une amère déception** a bitter disappointment

❐ Irregular Feminine Forms

MASC. SING.	FEM. SING.		
aigu	**aiguë**	*sharp; high-pitched*	→ 1
ambigu	**ambiguë**	*ambiguous*	
beau (bel*)	**belle**	*beautiful*	
bénin	**bénigne**	*benign*	
blanc	**blanche**	*white*	
bref	**brève**	*brief, short*	→ 2
doux	**douce**	*soft; sweet*	
épais	**épaisse**	*thick*	
faux	**fausse**	*wrong*	
favori	**favorite**	*favourite*	→ 3
fou (fol*)	**folle**	*mad*	
frais	**fraîche**	*fresh*	→ 4
franc	**franche**	*frank*	
gentil	**gentille**	*kind*	
grec	**grecque**	*Greek*	
gros	**grosse**	*big*	
jumeau	**jumelle**	*twin*	→ 5
long	**longue**	*long*	
malin	**maligne**	*malignant*	
mou (mol*)	**molle**	*soft*	
nouveau (nouvel*)	**nouvelle**	*new*	
nul	**nulle**	*no*	
public	**publique**	*public*	→ 6
roux	**rousse**	*red-haired*	
sec	**sèche**	*dry*	
sot	**sotte**	*foolish*	
turc	**turque**	*Turkish*	
vieux (vieil*)	**vieille**	*old*	

*This form is used when the following word begins with a vowel or an **h** 'mute' → 7

1	**un son aigu** a high-pitched sound	**une douleur aiguë** a sharp pain
2	**un bref discours** a short speech	**une brève rencontre** a short meeting
3	**mon sport favori** my favourite sport	**ma chanson favorite** my favourite song
4	**du pain frais** fresh bread	**de la crème fraîche** fresh cream
5	**mon frère jumeau** my twin brother	**ma sœur jumelle** my twin sister
6	**un jardin public** a (public) park	**l'opinion publique** public opinion
7	**un bel appartement** a beautiful flat **le nouvel inspecteur** the new inspector **un vieil arbre** an old tree	
	un bel habit a beautiful outfit **un nouvel harmonica** a new harmonica **un vieil hôtel** an old hotel	

❐ Comparatives and Superlatives

Comparatives

These are formed using the following constructions:

plus ... (que)	*more ... (than)*	→ 1
moins ... (que)	*less ... (than)*	→ 2
aussi ... que	*as ... as*	→ 3
si ... que*	*as ... as*	→ 4

*used mainly after a negative

Superlatives

These are formed using the following constructions:

le/la/les plus ... (que)	*the most ... (that)*	→ 5
le/la/les moins ... (que)	*the least ... (that)*	→ 6

- When the possessive adjective is present, two constructions are possible → 7
- After a superlative the preposition **de** is often translated as *in* → 8
- If a clause follows a superlative, the verb is in the subjunctive → 9

Adjectives with irregular comparatives/superlatives

ADJECTIVE	COMPARATIVE	SUPERLATIVE
bon *good*	**meilleur** *better*	**le meilleur** *the best*
mauvais *bad*	**pire** OR **plus mauvais** *worse*	**le pire** OR **le plus mauvais** *the worst*
petit *small*	**moindre*** OR **plus petit** *smaller;* *lesser*	**le moindre*** OR **le plus petit** *the smallest;* *the least*

*used only with abstract nouns

- Comparative and superlative adjectives agree in number and in gender with the noun, just like any other adjective → 10

1 **une raison plus grave**
a more serious reason
Elle est plus petite que moi
She is smaller than me

2 **un film moins connu**
a less well-known film
C'est moins cher qu'il ne pense
It's cheaper than he thinks

3 **Robert était aussi inquiet que moi**
Robert was as worried as I was
Cette ville n'est pas aussi grande que Bordeaux
This town isn't as big as Bordeaux

4 **Ils ne sont pas si contents que ça**
They aren't as happy as all that

5 **le guide le plus utile**
the most useful guidebook
la voiture la plus petite
the smallest car
les plus grandes maisons
the biggest houses

6 **le mois le moins agréable**
the least pleasant month
la fille la moins forte
the weakest girl
les moins belles peintures
the least attractive paintings

7 **Mon désir le plus cher** } **est de voyager**
Mon plus cher désir }
My dearest wish is to travel

8 **la plus grande gare de Londres**
the biggest station in London
l'habitant le plus âgé du village/de la région
the oldest inhabitant in the village/in the area

9 **la personne la plus gentille que je connaisse**
the nicest person I know

10 **les moindres difficultés**
the least difficulties
la meilleure qualité
the best quality

Demonstrative Adjectives

	MASCULINE	FEMININE	
SING.	**ce (cet)**	**cette**	*this; that*
PLUR.	**ces**	**ces**	*these; those*

- Demonstrative adjectives agree in number and gender with the noun → [1]
- **cet** is used when the following word begins with a vowel or an **h** 'mute' → [2]
- For emphasis or in order to distinguish between people or objects, **-ci** or **-là** is added to the noun: **-ci** indicates proximity (usually translated *this)* and **-là** distance *(that)* → [3]

Interrogative Adjectives

	MASCULINE	FEMININE	
SING.	**quel?**	**quelle?**	*what?; which?*
PLUR.	**quels?**	**quelles?**	*what?; which?*

- Interrogative adjectives agree in number and gender with the noun → [4]
- The forms shown above are also used in indirect questions → [5]

Exclamatory Adjectives

	MASCULINE	FEMININE	
SING.	**quel!**	**quelle!**	*what (a)!*
PLUR.	**quels!**	**quelles!**	*what!*

- Exclamatory adjectives agree in number and gender with the noun → [6]
- For other exclamations, see p 128.

EXAMPLES

1 **Ce stylo ne marche pas**
This/That pen isn't working
Comment s'appelle cette entreprise?
What's this/that company called?
Ces livres sont les miens
These/Those books are mine
Ces couleurs sont plus jolies
These/Those colours are nicer

2 **cet oiseau**
this/that bird
cet homme
this/that man

3 **Combien coûte ce manteau-ci?**
How much is this coat?
Je voudrais cinq de ces pommes-là
I'd like five of those apples
Est-ce que tu reconnais cette personne-là?
Do you recognize that person?
Mettez ces vêtements-ci dans cette valise-là
Put these clothes in that case

4 **Quel genre d'homme est-ce?**
What type of man is he?
Quelle est leur décision?
What is their decision?
Vous jouez de quels instruments?
What instruments do you play?
Quelles offres avez-vous reçues?
What offers have you received?

5 **Je ne sais pas à quelle heure il est arrivé**
I don't know what time he arrived
Dites-moi quels sont les livres les plus intéressants
Tell me which books are the most interesting

6 **Quel dommage!**
What a pity!
Quels beaux livres vous avez!
What fine books you have!
Quelle idée!
What an idea!
Quelles jolies fleurs!
What nice flowers!

Position of Adjectives

- French adjectives usually follow the noun → [1]
- Adjectives of colour or nationality *always* follow the noun → [2]
- As in English, demonstrative, possessive, numerical and interrogative adjectives precede the noun → [3]
- The adjectives **autre** *other* and **chaque** *each*, *every* precede the noun → [4]
- The following common adjectives can precede the noun:

beau	*beautiful*	**jeune**	*young*
bon	*good*	**joli**	*pretty*
court	*short*	**long**	*long*
dernier	*last*	**mauvais**	*bad*
grand	*great*	**petit**	*small*
gros	*big*	**tel**	*such (a)*
haut	*high*	**vieux**	*old*

- The meaning of the following adjectives varies according to their position:

	BEFORE NOUN	AFTER NOUN	
ancien	*former*	*old, ancient*	→ [5]
brave	*good*	*brave*	→ [6]
cher	*dear (beloved)*	*expensive*	→ [7]
grand	*great*	*tall*	→ [8]
même	*same*	*very*	→ [9]
pauvre	*poor (wretched)*	*poor (not rich)*	→ [10]
propre	*own*	*clean*	→ [11]
seul	*single, sole*	*on one's own*	→ [12]
simple	*mere, simple*	*simple, easy*	→ [13]
vrai	*real*	*true*	→ [14]

- Adjectives following the noun are linked by **et** → [15]

EXAMPLES

1	**le chapitre suivant** the following chapter	**l'heure exacte** the right time
2	**une cravate rouge** a red tie	**un mot français** a French word
3	**ce dictionnaire** this dictionary	**mon père** my father
	le premier étage the first floor	**deux exemples** two examples
	quel homme? which man?	
4	**une autre fois** another time	**chaque jour** every day
5	**un ancien collègue** a former colleague	**l'histoire ancienne** ancient history
6	**un brave homme** a good man	**un homme brave** a brave man
7	**mes chers amis** my dear friends	**une robe chère** an expensive dress
8	**un grand peintre** a great painter	**un homme grand** a tall man
9	**la même réponse** the same answer	**vos paroles mêmes** your very words
10	**cette pauvre femme** that poor woman	**une nation pauvre** a poor nation
11	**ma propre vie** my own life	**une chemise propre** a clean shirt
12	**une seule réponse** a single reply	**une femme seule** a woman on her own
13	**un simple regard** a mere look	**un problème simple** a simple problem
14	**la vraie raison** the real reason	**les faits vrais** the true facts
15	**un acte lâche et trompeur** a cowardly, deceitful act	
	un acte lâche, trompeur et ignoble a cowardly, deceitful and ignoble act	

❒ Possessive Adjectives

WITH SING. NOUN		WITH PLUR. NOUN	
MASC.	FEM.	MASC./FEM.	
mon	**ma (mon)**	**mes**	*my*
ton	**ta (ton)**	**tes**	*your*
son	**sa (son)**	**ses**	*his; her; its*
notre	**notre**	**nos**	*our*
votre	**votre**	**vos**	*your*
leur	**leur**	**leurs**	*their*

- Possessive adjectives agree in number and gender with the noun, NOT WITH THE OWNER → [1]
- The forms shown in brackets are used when the following word begins with a vowel or an **h** 'mute' → [2]
- **son, sa, ses** have the additional meaning of *one's* → [3]

[1] **Catherine a oublié son parapluie**
Catherine has left her umbrella
Paul cherche sa montre
Paul's looking for his watch
Mon frère et ma sœur habitent à Glasgow
My brother and sister live in Glasgow
Est-ce que tes voisins ont vendu leur voiture?
Did your neighbours sell their car?
Rangez vos affaires
Put your things away

[2] **mon appareil-photo**
my camera
son erreur
his/her mistake
ton histoire
your story
mon autre sœur
my other sister

[3] **perdre son équilibre**
to lose one's balance
présenter ses excuses
to offer one's apologies

❐ Personal Pronouns: Subject

PERSON	SINGULAR	PLURAL
1st	**je (j')** *I*	**nous** *we*
2nd	**tu** *you*	**vous** *you*
3rd (masc.)	**il** *he; it*	**ils** *they*
(fem.)	**elle** *she; it*	**elles** *they*

je changes to **j'** before a vowel, an **h** 'mute', or the pronoun **y** → [1]

- **Vous**, as well as being the second person plural, is also used when addressing one person. As a general rule, use **tu** only when addressing a friend, a child, a relative, someone you know very well, or when invited to do so. In all other cases use **vous**. For singular and plural uses of **vous**, see example [2]

- The form of the third person pronouns (**il/elle; ils/elles**) reflects the number and gender of the noun(s) they replace, referring to animals and things as well as to people. **Ils** also replaces a combination of masculine and feminine nouns → [3]

- Sometimes stressed pronouns replace the subject pronouns, see p 103.

[1] **J'arrive!**
I'm just coming!
J'en ai trois
I've got 3 of them
J'hésite à le déranger
I hesitate to disturb him
J'y pense souvent
I often think about it

[2] Compare: **Vous êtes certain, Monsieur Leclerc?**
Are you sure, Mr Leclerc?
and: **Vous êtes certains, les enfants?**
Are you sure, children?

[3] **Où logent ton père et ta mère quand ils vont à Rome?**
Where do your father and mother stay when they go to Rome?
Donne-moi le journal et les lettres quand ils arriveront
Give me the newspaper and the letters when they arrive

❐ Personal Pronouns: Object

	DIRECT OBJECT PRONOUNS		INDIRECT OBJECT PRONOUNS	
PERSON	SINGULAR	PLURAL	SINGULAR	PLURAL
1st	**me (m')**	**nous**	**me (m')**	**nous**
	me	*us*	*to me*	*to us*
2nd	**te (t')**	**vous**	**te (t')**	**vous**
	you	*you*	*to you*	*to you*
3rd (masc.)	**le (l')**	**les**	**lui**	**leur**
	him; it	*them*	*to him; to it*	*to them*
(fem.)	**la (l')**	**les**	**lui**	**leur**
	her; it	*them*	*to her; to it*	*to them*

The forms shown in brackets are used before a vowel, an **h** 'mute', or the pronoun **y** → 1

- In positive commands **me** and **te** change to **moi** and **toi** except before **en** or **y** → 2
- **le** sometimes functions as a 'neuter' pronoun, referring to an idea or information contained in a previous statement or question. It is often not translated → 3
- The indirect object pronouns replace the preposition **à** + noun, where the noun is a person or an animal → 4
- The verbal construction affects the translation of the pronoun → 5

Position of object pronouns

- In constructions other than the imperative affirmative the pronoun comes before the verb → 6
  The same applies when the verb is in the infinitive → 7
  In the imperative affirmative, the pronoun follows the verb and is attached to it by a hyphen → 8
- For further information, see Order of Object Pronouns, p 102.

Reflexive pronouns

These are dealt with under reflexive verbs, p 24.

1 **Il m'a vu**
He saw me

Ils t'ont caché les faits
They hid the facts from you

2 **Avertis-moi de ta décision** → **Avertis-m'en**
Inform me of your decision — Inform me of it

Donnez-moi du sucre → **Donnez-m'en**
Give me some sugar — Give me some

3 **Il n'est pas là. – Je le sais bien.**
He isn't there. – I know that.

Elle viendra demain. – Je l'espère bien.
She'll come tomorrow. – I hope so.

4 **J'écris à Suzanne** → **Je lui écris**
I'm writing to Suzanne — I'm writing to her

5 **arracher qch à qn: Un voleur m'a arraché mon porte-monnaie**
A thief snatched my purse from me

promettre qch à qn: Il leur a promis un cadeau
He promised them a present

demander à qn de faire: Elle nous avait demandé de revenir
She had asked us to come back

6 **Je t'aime**
I love you

Ne me faites pas rire
Don't make me laugh

Elle vous a écrit
She's written to you

Il ne nous parle pas
He doesn't speak to us

Les voyez-vous?
Can you see them?

Elle ne nous connaît pas
She doesn't know us

Vous a-t-elle écrit?
Has she written to you?

Ne leur répondez pas
Don't answer them

7 **Puis-je vous aider?**
May I help you?

Voulez-vous leur envoyer l'adresse?
Do you want to send them the address?

8 **Aidez-moi**
Help me

Donnez-nous la réponse
Tell us the answer

❒ Personal Pronouns: Order of Object Pronouns

- When two object pronouns of different persons come before the verb, the order is: indirect before direct, i.e.

me **te** **nous** **vous**	before	**le** **la** **les**	→ [1]

- When two third person object pronouns come before the verb, the order is: direct before indirect, i.e.

le **la** **les**	before	**lui** **leur**	→ [2]

- When two object pronouns come after the verb (i.e. in the imperative affirmative), the order is: direct before indirect, i.e.

le **la** **les**	before	**moi** **toi** **lui** **nous** **vous** **leur**	→ [3]

- The pronouns **en** and **y** (see pp 104 and 105) always come last → [4]

[1] **Dominique vous l'envoie demain**
Dominique's sending it to you tomorrow
Est-ce qu'il te les a montrés?
Has he shown them to you?

[2] **Elle le leur a emprunté**
She borrowed it from them
Ne la leur donne pas
Don't give it to them

[3] **Rends-les-moi**
Give them back to me
Donnez-le-nous
Give it to us

[4] **Donnez-leur-en**
Give them some
Je l'y ai déposé
I dropped him there

❐ Personal Pronouns: Stressed or Disjunctive Forms

PERSON	SINGULAR	PLURAL
1st	**moi** *me*	**nous** *us*
2nd	**toi** *you*	**vous** *you*
3rd (masc.)	**lui** *him; it*	**eux** *them*
(fem.)	**elle** *her; it*	**elles** *them*
('reflexive')	**soi** *oneself*	

◆ These pronouns are used:

- after prepositions → [1]
- on their own → [2]
- following **c'est, ce sont** *it is* → [3]
- for emphasis, especially to show contrast; for particular emphasis **-même** (singular) or **-mêmes** (plural) is added to the pronoun → [4]
- when the subject consists of two or more pronouns, or a pronoun and a noun → [5]
- in comparisons → [6]
- before relative pronouns → [7]

[1] **Je pense à toi**
I think about you
Partez sans eux
Leave without them

[2] **Qui a fait cela? – Lui**
Who did that? – He did
Qui est-ce qui gagne? – Moi
Who's winning? – Me

[3] **C'est toi, Simon? – Non, c'est moi, David**
Is that you, Simon? – No, it's me, David

[4] **Toi, tu ressembles à ton père, eux pas**
You look like your father, *they* don't
Je l'ai fait moi-même
I did it myself

[5] **Lui et moi partons demain**
He and I are leaving tomorrow
Mon père et elle ne s'entendent pas
My father and she don't get on

[6] **plus jeune que moi**
younger than me
Il est moins grand que toi
He's smaller than you (are)

[7] **Ce sont eux qui font du bruit, pas nous**
They're the ones making the noise, not us

❒ The Pronoun *en*

- **en** replaces the preposition **de** + noun → [1]
  The verbal construction can affect the translation → [2]
- **en** also replaces the partitive article *(English = some, any)* + noun → [3]

In expressions of quantity **en** represents the noun → [4]

- Position:
  en comes before the verb, except in positive commands when it follows and is attached to the verb by a hyphen → [5]
- **en** follows other object pronouns → [6]

[1] **Il est fier de son succès** → **Il en est fier**
He's proud of his success — He's proud of it
Elle est sortie du cinéma → **Elle en est sortie**
She came out of the cinema — She came out (of it)
Je suis couvert de peinture → **J'en suis couvert**
I'm covered in paint — I'm covered in it

[2] **avoir besoin de qch: J'en ai besoin**
I need it/them
avoir peur de qch: J'en ai peur
I'm afraid of it/them

[3] **Avez-vous de l'argent?** → **En avez-vous?**
Have you any money? — Do you have any?
Je veux acheter des timbres → **Je veux en acheter**
I want to buy some stamps — I want to buy some

[4] **Combien de sœurs as-tu? – J'en ai trois**
How many sisters do you have? – I have three

[5] **Elle en a discuté avec moi** — **En êtes-vous content?**
She discussed it with me — Are you pleased with it/them?
N'en parlez plus — **Prenez-en**
Don't talk about it any more — Take some

[6] **Donnez-leur-en** — **Il m'en a parlé**
Give them some — He spoke to me about it

❐ The Pronoun *y*

- **y** replaces the preposition **à** + noun → [1]
  The verbal construction can affect the translation → [2]
- **y** also replaces the prepositions **dans** and **sur** + noun → [3]
- **y** can also mean *there* → [4]
- Position:
  y comes before the verb, except in positive commands when it follows and is attached to the verb by a hyphen → [5]
- **y** follows other object pronouns → [6]

[1] **Ne touchez pas à ce bouton** → **N'y touchez pas**
Don't touch this switch — Don't touch it
Il participe aux concerts → **Il y participe**
He takes part in the concerts — He takes part (in them)

[2] **penser à qch: J'y pense souvent**
I often think about it
consentir à qch: Tu y as consenti?
Have you agreed to it?

[3] **Mettez-les dans la boîte** → **Mettez-les-y**
Put them in the box — Put them in it
Il les a mis sur les étagères → **Il les y a mis**
He put them on the shelves — He put them on them

[4] **Elle y passe tout l'été**
She spends the whole summer there

[5] **Il y a ajouté du sucre** — **Elle n'y a pas écrit son nom**
He added sugar to it — She hasn't written her name on it
Comment fait-on pour y aller?
How do you get there?
N'y pense plus! — **Réfléchissez-y**
Don't give it another thought! — Think it over

[6] **Elle m'y a conduit** — **Menez-nous-y**
She drove me there — Take us there

❐ Relative Pronouns

qui *who; which*
que *who(m); which*

These are subject and direct object pronouns that introduce a clause and refer to people or things.

	PEOPLE	THINGS
SUBJECT	**qui** → 1	**qui** → 3
	who, that	*which, that*
DIRECT OBJECT	**que (qu')** → 2	**que (qu')** → 4
	who(m), that	*which, that*

- **que** changes to **qu'** before a vowel → 2/4
- You cannot omit the object relative pronoun in French as you can in English → 2/4

After a preposition:

- When referring to people, use **qui** → 5
  EXCEPTIONS: after **parmi** *among* and **entre** *between* use **lesquels/ lesquelles** (see below) → 6
- When referring to things, use forms of **lequel:**

	MASCULINE	FEMININE	
SING.	**lequel**	**laquelle**	*which*
PLUR.	**lesquels**	**lesquelles**	*which*

The pronoun agrees in number and gender with the noun → 7

- After the prepositions **à** and **de, lequel** and **lesquel(le)s** contract as follows:
  à + lequel → auquel
  à + lesquels → auxquels → 8
  à + lesquelles → auxquelles

  de + lequel → duquel
  de + lesquels → desquels → 9
  de + lesquelles → desquelles

EXAMPLES

1 **Mon frère, qui a vingt ans, est à l'université**
My brother, who's twenty, is at university

2 **Les amis que je vois le plus sont ...**
The friends (that) I see most are ...
Lucienne, qu'il connaît depuis longtemps, est ...
Lucienne, whom he has known for a long time, is ...

3 **Il y a un escalier qui mène au toit**
There's a staircase which leads to the roof

4 **La maison que nous avons achetée a ...**
The house (which) we've bought has ...
Voici le cadeau qu'elle m'a envoyé
This is the present (that) she sent me

5 **la personne à qui il parle**
the person he's talking to
la personne avec qui je voyage
the person with whom I travel
les enfants pour qui je l'ai acheté
the children for whom I bought it

6 **Il y avait des jeunes, parmi lesquels Robert**
There were some young people, Robert among them
les filles entre lesquelles j'étais assis
the girls between whom I was sitting

7 **le torchon avec lequel il l'essuie**
the cloth he's wiping it with
la table sur laquelle je l'ai mis
the table on which I put it
les moyens par lesquels il l'accomplit
the means by which he achieves it
les pièces pour lesquelles elle est connue
the plays for which she is famous

8 **le magasin auquel il livre ces marchandises**
the shop to which he delivers these goods

9 **les injustices desquelles il se plaint**
the injustices he's complaining about

❒ Relative Pronouns (Continued)

quoi *which, what*

- When the relative pronoun does not refer to a specific noun, **quoi** is used after a preposition → [1]

dont *whose, of whom, of which*

- **dont** often (but not always) replaces **de qui**, **duquel**, **de laquelle**, and **desquel(le)s** → [2]
- It cannot replace **de qui**, **duquel** etc in the construction preposition + noun + **de qui/duquel** → [3]
- If the person (or object) 'owned' is the *object* of the verb, word order is: **dont** + verb + noun → [4]
  If the person (or object) 'owned' is the *subject* of the verb, word order is: **dont** + noun + verb → [5]

ce qui, ce que *that which, what*

These are used when the relative pronoun does not refer to a specific noun, and they are often translated as *what* (literally: *that which*)

ce qui	is used as the subject → [6]
ce que*	is used as the direct object → [7]

***que** changes to **qu'** before a vowel → [7]

- Note the construction

  tout ce qui / **tout ce que** } *everything/all that* → [8]

- **de + ce que → ce dont** → [9]
- preposition + **ce que → ce** + preposition + **quoi** → [10]
- When **ce qui, ce que** etc, refers to a previous CLAUSE the translation is *which* → [11]

1 **C'est en quoi vous vous trompez**
That's where you're wrong
À quoi, j'ai répondu '...'
To which I replied, '...'

2 **la femme dont (= de qui) la voiture est garée en face**
the woman whose car is parked opposite
un prix dont (= de qui) je suis fier
an award I am proud of

3 **une personne sur l'aide de qui on peut compter**
a person whose help one can rely on
les enfants aux parents de qui j'écris
the children to whose parents I'm writing
la maison dans le jardin de laquelle il y a ...
the house in whose garden there is ...

4 **un homme dont je connais la fille**
a man whose daughter I know

5 **un homme dont la fille me connaît**
a man whose daughter knows me

6 **Je n'ai pas vu ce qui s'est passé**
I didn't see what happened

7 **Ce que j'aime c'est la musique classique**
What I like is classical music
Montrez-moi ce qu'il vous a donné
Show me what he gave you

8 **Tout ce qui reste c'est ...**
All that's left is ...
Donnez-moi tout ce que vous avez
Give me everything you have

9 **Voilà ce dont il s'agit**
That's what it's about

10 **Ce n'est pas ce à quoi je m'attendais**
It's not what I was expecting
Ce à quoi je m'intéresse particulièrement c'est ...
What I'm particularly interested in is ...

11 **Il est d'accord, ce qui m'étonne**
He agrees, which surprises me
Il a dit qu'elle ne venait pas, ce que nous savions déjà
He said she wasn't coming, which we already knew

❐ Interrogative Pronouns

In direct questions

qui?	*who; whom?*
que?	*what?*
quoi?	*what?*

These pronouns are used in direct questions. Their form depends on:

- whether it refers to people or to things
- whether it is the subject or object of the verb, or if it comes after a preposition

Qui and **que** have longer forms, as shown in the tables below.

◆ Referring to people:

SUBJECT	**qui?**	
	qui est-ce qui?	→ 1
	who?	
OBJECT	**qui?**	
	qui est-ce que*?	→ 2
	who(m)?	
AFTER PREPOSITIONS	**qui?**	→ 3
	who(m)?	

◆ Referring to things:

SUBJECT	**qu'est-ce qui?**	→ 4
	what?	
OBJECT	**que*?**	
	qu'est-ce que*?	→ 5
	what?	
AFTER PREPOSITIONS	**quoi?**	→ 6
	what?	

***que** changes to **qu'** before a vowel → 2, 5

1 **Qui vient?**
Qui est-ce qui vient?
Who's coming?

2 **Qui vois-tu?**
Qui est-ce que tu vois?
Who(m) can you see?
Qui a-t-elle rencontré?
Qui est-ce qu'elle a rencontré?
Who(m) did she meet?

3 **De qui parle-t-il?**
Who's he talking about?
Pour qui est ce livre?
Who's this book for?
À qui avez-vous écrit?
To whom did you write?

4 **Qu'est-ce qui se passe?**
What's happening?
Qu'est-ce qui a vexé Paul?
What upset Paul?

5 **Que faites-vous?**
Qu'est-ce que vous faites?
What are you doing?
Qu'a-t-il dit?
Qu'est-ce qu'il a dit?
What did he say?

6 **À quoi cela sert-il?**
What's that used for?
De quoi a-t-on parlé?
What was the discussion about?
Sur quoi vous basez-vous?
What do you base it on?

❒ Interrogative Pronouns (Continued)

In indirect questions

qui	*who; whom*
ce qui	*what*
ce que	*what*
quoi	*what*

These pronouns are used in indirect questions.
The form of the pronoun depends on:
- whether it refers to people or to things
- whether it is the subject or object of the verb, or if it comes after a preposition

◆ Referring to people: use **qui** in all instances → [1]

◆ Referring to things:

SUBJECT	**ce qui** *what*	→ [2]
OBJECT	**ce que*** *what*	→ [3]
AFTER PREPOSITIONS	**quoi** *what*	→ [4]

***que** changes to **qu'** before a vowel → [3]

lequel?, laquelle?; lesquels?, lesquelles?

	MASCULINE	FEMININE	
SING.	**lequel?**	**laquelle?**	*which (one)?*
PLUR.	**lesquels?**	**lesquelles?**	*which (ones)?*

◆ The pronoun agrees in number and gender with the noun it refers to → [5]

◆ The same forms are used in indirect questions → [6]

◆ After **à** and **de, lequel** and **lesquel(le)s** contract as shown on p 106.

EXAMPLES

1 **Demande-lui qui est venu**
Ask him who came
Je me demande qui ils ont vu
I wonder who they saw
Dites-moi qui vous préférez
Tell me who you prefer
Elle ne sait pas à qui s'adresser
She doesn't know who to apply to
Demandez-leur pour qui elles travaillent
Ask them who they work for

2 **Il se demande ce qui se passe**
He's wondering what's happening
Je ne sais pas ce qui vous fait croire que …
I don't know what makes you think that …

3 **Raconte-nous ce que tu as fait**
Tell us what you did
Je me demande ce qu'elle pense
I wonder what she's thinking

4 **On ne sait pas de quoi vivent ces animaux**
We don't know what these animals live on
Je vais lui demander à quoi il fait allusion
I'm going to ask him what he's hinting at

5 **J'ai choisi un livre – Lequel?**
I've chosen a book – Which one?
Laquelle de ces valises est la vôtre?
Which of these cases is yours?
Amenez quelques amis – Lesquels?
Bring some friends – Which ones?
Lesquelles de vos sœurs sont mariées?
Which of your sisters are married?

6 **Je me demande laquelle des maisons est la leur**
I wonder which is their house
Dites-moi lesquels d'entre eux étaient là
Tell me which of them were there

❒ Possessive Pronouns

SINGULAR		
MASCULINE	FEMININE	
le mien	**la mienne**	*mine*
le tien	**la tienne**	*yours*
le sien	**la sienne**	*his; hers; its*
le nôtre	**la nôtre**	*ours*
le vôtre	**la vôtre**	*yours*
le leur	**la leur**	*theirs*

PLURAL		
MASCULINE	FEMININE	
les miens	**les miennes**	*mine*
les tiens	**les tiennes**	*yours*
les siens	**les siennes**	*his; hers; its*
les nôtres	**les nôtres**	*ours*
les vôtres	**les vôtres**	*yours*
les leurs	**les leurs**	*theirs*

- The pronoun agrees in number and gender with the noun it replaces, NOT WITH THE OWNER → [1]

- Alternative translations are *my own, your own* etc; **le sien, la sienne** etc may also mean *one's own* → [2]

- After the prepositions **à** and **de** the articles **le** and **les** are contracted in the normal way (see p 82):

à + le mien → au mien
à + les miens → aux miens → [3]
à + les miennes → aux miennes

de + le mien → du mien
de + les miens → des miens → [4]
de + les miennes → des miennes

[1] **Demandez à Carole si ce stylo est le sien**
Ask Carole if this pen is hers
Quelle équipe a gagné – la leur ou la nôtre?
Which team won – theirs or ours?
Mon stylo marche mieux que le tien
My pen writes better than yours
Richard a pris mes affaires pour les siennes
Richard mistook my belongings for his
Si tu n'as pas de disques, emprunte les miens
If you don't have any records, borrow mine
Nos maisons sont moins grandes que les vôtres
Our houses are smaller than yours

[2] **Est-ce que leur entreprise est aussi grande que la vôtre?**
Is their company as big as your own?
Leurs prix sont moins élevés que les nôtres
Their prices are lower than our own
Le bonheur des autres importe plus que le sien
Other people's happiness matters more than one's own

[3] **Pourquoi préfères-tu ce manteau au mien?**
Why do you prefer this coat to mine?
Quelles maisons ressemblent aux leurs?
Which houses resemble theirs?

[4] **Leur car est garé à côté du nôtre**
Their coach is parked beside ours
Vos livres sont au-dessus des miens
Your books are on top of mine

❒ Demonstrative Pronouns

celui, celle; ceux, celles

	MASCULINE	FEMININE	
SING.	**celui**	**celle**	*the one*
PLUR.	**ceux**	**celles**	*the ones*

- **Celui** agrees in number and gender with the noun it replaces → 1
- Uses:
  – preceding a relative pronoun, meaning *the one(s) who/which* → 1
  – preceding **de**, meaning *the one(s) belonging to, the one(s) of* → 2
  – with **-ci** and **-là**, for emphasis or to distinguish between two things:

	MASCULINE	FEMININE		
SING.	**celui-ci**	**celle-ci**	*this (one)*	→ 3
PLUR.	**ceux-ci**	**celles-ci**	*these (ones)*	
SING.	**celui-là**	**celle-là**	*that(one)*	→ 3
PLUR.	**ceux-là**	**celles-là**	*those (ones)*	

  – **celui-ci/celui-là** etc can also mean *the former/the latter.*

ce (c') *it, that*

- **Ce** is usually found in the expressions **c'est, ce sont** etc. Note the spelling **ç** when followed by the letter **a** → 4
- Uses:
  – to identify a person or object → 5
  – for emphasis → 6
  – as a neuter pronoun, referring to a statement, idea etc → 7

ce qui, ce que, ce dont etc

See Relative Pronouns (p 108), Interrogative Pronouns (p 112).

cela, ça *it, that*

- **cela** and **ça** are used as 'neuter' pronouns, referring to a statement, an idea, an object. In everyday spoken language **ça** is preferred → 8

ceci *this* → 9

- **ceci** is not used as often as 'this' in English; **cela, ça** are used instead.

EXAMPLES

1 **Cet article n'est pas celui dont vous m'avez parlé**
This article isn't the one you spoke to me about
Quelle robe désirez-vous? – Celle qui est en vitrine
Which dress do you want? – The one which is in the window
Est-ce que ces livres sont ceux qu'il t'a donnés?
Are these the books that he gave you?
Quelles filles? – Celles que nous avons vues hier
Which girls? – The ones we saw yesterday

2 **Comparez vos réponses à celles de votre voisin**
Compare your answers with your neighbour's (answers)
les montagnes d'Écosse et celles du pays de Galles
the mountains of Scotland and those of Wales

3 **Quel tailleur préférez-vous: celui-ci ou celui-là?**
Which suit do you prefer: this one or that one?
De toutes mes jupes, celle-ci me va le mieux
Of all my skirts, this one fits me best

4 **Ç'a été la cause de ...**
It has been the cause of…
C'était moi
It was me

5 **Qui est-ce?**
Who is it?; Who's this/that?; Who's he/she?
C'est mon frère
It's/That's my brother
C'est une infirmière*
She's a nurse
Qu'est-ce que c'est?
What's this/that?
Ce sont des trombones
They're paper clips

6 **C'est moi qui ai téléphoné**
It was me who phoned

7 **C'est très intéressant**
That's/It's very interesting
Ce serait dangereux
That/It would be dangerous

8 **Ça ne fait rien**
It doesn't matter
Cela ne compte pas
That doesn't count

9 **À qui est ceci?**
Whose is this?
Ouvrez-le comme ceci
Open it like this

* See p 85 for the use of the article with professions

Adverbs

Formation

- Most adverbs are formed by adding **-ment** to the feminine form of the adjective → [1]
- **-ment** is added to the *masculine* form when the masculine form ends in **-é**, **-i** or **-u** → [2]
  EXCEPTION: **gai** → [3]
  Occasionally the **u** changes to **û** before **-ment** is added → [4]
- If the adjective ends in **-ant** or **-ent**, the adverb ends in **-amment** or **-emment** → [5]
  EXCEPTIONS: **lent, présent** → [6]

Irregular adverbs

ADJECTIVE		ADVERB		
aveugle	*blind*	**aveuglément**	blindly	
bon	*good*	**bien**	well	→ [7]
bref	*brief*	**brièvement**	briefly	
énorme	*enormous*	**énormément**	enormously	
exprès	*express*	**expressément**	expressly	→ [8]
gentil	*kind*	**gentiment**	kindly	
mauvais	*bad*	**mal**	badly	→ [9]
meilleur	*better*	**mieux**	better	
pire	*worse*	**pis**	worse	
précis	*precise*	**précisément**	precisely	
profond	*deep*	**profondément**	deeply	→ [10]
traître	*treacherous*	**traîtreusement**	treacherously	

Adjectives used as adverbs

Certain adjectives are used adverbially. These include: **bas, bon, cher, clair, court, doux, droit, dur, faux, ferme, fort, haut, mauvais** and **net** → [11]

EXAMPLES

1	MASC./FEM. ADJECTIVE	ADVERB
	heureux/heureuse fortunate	**heureusement** fortunately
	franc/franche frank	**franchement** frankly
	extrême/extrême extreme	**extrêmement** extremely
2	MASC. ADJECTIVE	ADVERB
	désespéré desperate	**désespérément** desperately
	vrai true	**vraiment** truly
	résolu resolute	**résolument** resolutely
3	**gai** cheerful	**gaiement** OR **gaîment** cheerfully
4	**continu** continuous	**continûment** continuously
5	**constant** constant	**constamment** constantly
	courant fluent	**couramment** fluently
	évident obvious	**évidemment** obviously
	fréquent frequent	**fréquemment** frequently
6	**lent** slow	**lentement** slowly
	présent present	**présentement** presently

7 **Elle travaille bien**
She works well

8 **Il a expressément défendu qu'on parte**
He has expressly forbidden us to leave

9 **Un emploi mal payé**
A badly paid job

10 **J'ai été profondément ému**
I was deeply moved

11 **parler bas/haut**
to speak softly/loudly
coûter cher
to be expensive
voir clair
to see clearly
travailler dur
to work hard
chanter faux
to sing off key
sentir bon/mauvais
to smell nice/horrible

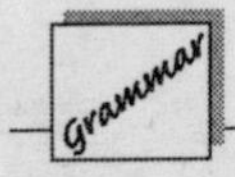

Position of Adverbs

- When the adverb accompanies a verb in a simple tense, it generally follows the verb → [1]
- When the adverb accompanies a verb in a compound tense, it generally comes between the auxiliary verb and the past participle → [2]
  Some adverbs, however, follow the past participle → [3]
- When the adverb accompanies an adjective or another adverb it generally precedes the adjective/adverb → [4]

Comparatives and Superlatives of Adverbs

- Comparatives are formed using the following constructions:

plus ... (que)	*more ... (than)*	→ [5]
moins ... (que)	*less ... (than)*	→ [6]
aussi ... que	*as ... as*	→ [7]
si ... que*	*as ... as*	→ [8]

*used mainly after a negative

- Superlatives are formed using the following constructions:

le plus ... (que)	*the most ... (that)*	→ [9]
le moins ... (que)	*the least ... (that)*	→ [10]

Adverbs with irregular comparatives/superlatives

ADVERB	COMPARATIVE	SUPERLATIVE
beaucoup	**plus**	**le plus**
a lot	*more*	*(the) most*
bien	**mieux**	**le mieux**
well	*better*	*(the) best*
mal	**pis** OR **plus mal**	**le pis** OR **le plus mal**
badly	*worse*	*(the) worst*
peu	**moins**	**le moins**
little	*less*	*(the) least*

EXAMPLES

1 **Il dort encore**
He's still asleep

Je pense souvent à toi
I often think about you

2 **Ils sont déjà partis**
They've already gone

J'ai presque fini
I've almost finished

J'ai toujours cru que ...
I've always thought that ...

Il a trop mangé
He's eaten too much

3 **On les a vus partout**
We saw them everywhere

Elle est revenue hier
She came back yesterday

4 **un très beau chemisier**
a very nice blouse

beaucoup plus vite
much faster

une femme bien habillée
a well-dressed woman

peu souvent
not very often

5 **plus vite**
more quickly

plus régulièrement
more regularly

Elle chante plus fort que moi
She sings louder than I do

6 **moins facilement**
less easily

moins souvent
less often

Nous nous voyons moins fréquemment qu'auparavant
We see each other less frequently than before

7 **Faites-le aussi vite que possible**
Do it as quickly as possible

Il en sait aussi long que nous
He knows as much about it as we do

8 **Ce n'est pas si loin que je pensais**
It's not as far as I thought

9 **Marianne court le plus vite**
Marianne runs fastest

Le plus tôt que je puisse venir c'est samedi
The earliest that I can come is Saturday

10 **C'est l'auteur que je connais le moins bien**
It's the writer I'm least familiar with

❒ Prepositions

- It is often difficult to give an English equivalent for French prepositions, since usage varies so much between the two languages. The French preposition may not always be the one that the English sentence leads you to expect, and vice versa. A good dictionary will help you here → [1]
- English verbal constructions often contain a preposition where none exists in French, and vice versa → [2]
- English phrasal verbs (i.e. verbs followed by a preposition e.g. *to run away*, *to fall down*) are often translated by one word in French → [3]

[1] **Il y a beaucoup de restaurants à Londres**
There are lots of restaurants in London
Elle est allée à Londres
She went/has gone to London
donner qch à qn
to give sth to sb, to give sb sth

lancer qch à qn to throw sth at sb	**prendre qch à qn** to take sth from sb
à pied on foot	**une tasse à thé** a teacup
venir de Paris to come from Paris	**une boîte d'allumettes** a box of matches
une robe de soie a silk dress	**d'une façon irrégulière** in an irregular way
la plus belle ville du monde The most beautiful city in the world	**plus de cent personnes** more than a hundred people
je vais en ville I'm going (in)to town	**en janvier** in January
déguisé en cowboy dressed up as a cowboy	**je suis venue en voiture** I came by car

[2]

payer to pay for	**regarder** to look at	**écouter** to listen to
obéir à to obey	**nuire à** to harm	**manquer de** to lack

[3]

s'enfuir to run away	**tomber** to fall down	**céder** to give in

❐ Conjunctions

Some conjunctions introduce a main clause, e.g. **et** *and*, **mais** *but*, and some introduce subordinate clauses e.g. **parce que** *because*, **pendant que** *while*. They are used in much the same way as in English, but:

- Some conjunctions in French require a following subjunctive, see p 46
- Some conjunctions are 'split' in French:

et ... et	*both ... and*	→ 1
ni ... ni ... ne	*neither ... nor*	→ 2
ou (bien) ... ou (bien)	*either ... or (else)*	→ 3
soit ... soit	*either ... or*	→ 4

- **si + il(s) → s'il(s)** → 5
- **que**
  - meaning *that* → 6
  - replacing another conjunction → 7
  - replacing **si**, see p 48
  - in comparisons, see pp 92 and 120
  - followed by the subjunctive, see p 48
- **aussi** *so, therefore*: the subject and verb are inverted if the subject is a pronoun → 8

1 **Ces fleurs poussent et en été et en hiver**
These flowers grow in both summer and winter

2 **Ni lui ni elle ne sont venus**
Neither he nor she came

3 **Ou bien il m'évite ou bien il ne me reconnaît pas**
Either he's avoiding me or else he doesn't recognize me

4 **Il faut choisir soit l'un soit l'autre**
You have to choose either one or the other

5 **Je ne sais pas s'il vient/s'ils viennent**
I don't know if he's coming/if they're coming

6 **Il dit qu'il t'a vu**
He says (that) he saw you

7 **Comme il pleuvait et que je n'avais pas de parapluie, ...**
As it was raining and I didn't have an umbrella, ...

8 **Ceux-ci sont plus rares, aussi coûtent-ils cher**
These ones are rarer, so they're expensive

❐ Negatives

ne ... pas	*not*
ne ... point (literary)	*not*
ne ... rien	*nothing*
ne ... personne	*nobody*
ne ... plus	*no longer, no more*
ne ... jamais	*never*
ne ... que	*only*
ne ... aucun(e)	*no*
ne ... nul(le)	*no*
ne ... nulle part	*nowhere*
ne ... ni (... ni)	*neither ... nor*

◆ **Word order**

– In simple tenses and the imperative:
ne precedes the verb (and any object pronouns) and the second element follows the verb → [1]

– In compound tenses:

i **ne ... pas, ne ... point, ne ... rien, ne ... plus, ne ... jamais, ne... guère** follow the pattern:
ne + auxiliary verb + **pas** + past participle → [2]

ii **ne ... personne, ne ... que, ne ... aucun(e), ne ... nul(le), ne ... nulle part, ne ... ni (... ni)** follow the pattern:
ne + auxiliary verb + past participle + **personne** → [3]

– With a verb in the infinitive:
ne ... pas, ne ... point (etc; see i above) come together → [4]

◆ **Rien, personne** and **aucun** can also be used as pronouns. When they are the subject or object of the verb, **ne** is placed immediately before the verb. **Aucun** also needs the pronoun **en** when used as an object → [5]

◆ **Jamais** and **plus** can be combined with some of the negative particles listed above → [6]

EXAMPLES

1. **Je ne fume pas**
I don't smoke
Ne changez rien
Don't change anything
Je ne vois personne
I can't see anybody
Nous ne nous verrons plus
We won't see each other any more
Il n'arrive jamais à l'heure
He never arrives on time
Il n'avait qu'une valise
He only had one suitcase
Il ne boit ni ne fume
He neither drinks nor smokes
Ni mon fils ni ma fille ne les connaissaient
Neither my son nor my daughter knew them

2. **Elle n'a pas fait ses devoirs**
She hasn't done her homework
Ne vous a-t-il rien dit?
Didn't he say anything to you?
Tu n'as guère changé
You've hardly changed

3. **Je n'ai vu personne**
I haven't seen anybody
Il n'avait mangé que la moitié du repas
He had only eaten half the meal
Elle ne les a trouvés nulle part
She couldn't find them anywhere

4. **Il essayait de ne pas rire**
He was trying not to laugh

5. **Je ne vois personne**
I can't see anyone
Rien ne lui plaît
Nothing pleases him/her
Aucune des entreprises ne veut ...
None of the companies wants ...
Il n'en a aucun
He hasn't any (of them)

6. **Je ne le ferai plus jamais**
I'll never do it again
Ces marchandises ne valaient plus rien
Those goods were no longer worth anything
Ils ne font jamais rien d'intéressant
They never do anything interesting
Je n'ai jamais parlé qu'à sa femme
I've only ever spoken to his wife

❐ Question Forms

Direct questions

There are four ways of forming direct questions in French:

- by inverting the normal word order so that *pronoun subject* + *verb* → *verb* + *pronoun subject*. A hyphen links the verb and pronoun → [1]

  – When the subject is a noun, a pronoun is inserted after the verb and linked to it by a hyphen → [2]

  – When the verb ends in a vowel in the third person singular, **-t-** is inserted before the pronoun → [3]

- by maintaining the word order *subject* + *verb* and using a rising intonation at the end of the sentence → [4]
- by inserting **est-ce que** before the construction *subject* + *verb* → [5]
- by using an interrogative word at the beginning of the sentence, together with inversion *or* the **est-ce que** form above → [6]

Indirect questions

An indirect question is one that is 'reported', e.g. he asked me *what the time was*, tell me *which way to go*. Word order in indirect questions is as follows:

- *interrogative word* + subject + verb → [7]
- when the subject is a noun, and not a pronoun, the subject and verb are often inverted → [8]

n'est-ce pas

This is used wherever English would use *isn't it?*, *don't they?*, *weren't we?*, *is it?* etc tagged on to the end of a sentence → [9]

EXAMPLES

[1] **Aimez-vous la France?**
Do you like France?
Est-ce possible?
Is it possible?

Avez-vous fini?
Have you finished?
Est-elle restée?
Did she stay?

[2] **Tes parents sont-ils en vacances?**
Are your parents on holiday?

[3] **A-t-elle de l'argent?**
Does she have any money?
La pièce dure-t-elle longtemps?
Does the play last long?

[4] **Robert va venir**
Robert's coming

Robert va venir?
Is Robert coming?

[5] **Est-ce que tu la connais?**
Do you know her?
Est-ce que tes parents sont revenus d'Italie?
Have your parents come back from Italy?

[6] **Quel train** { **prends-tu?** / **est-ce que tu prends?** }
What train are you getting?
Pourquoi { **ne sont-ils pas venus?** / **est-ce qu'ils ne sont pas venus?** }
Why haven't they come?

[7] **Je me demande s'il viendra**
I wonder if he'll come
Dites-moi quel autobus va à la gare
Tell me which bus goes to the station

[8] **Elle nous a demandé comment allait notre père**
She asked us how our father was
Je ne sais pas ce que veulent dire ces mots
I don't know what these words mean

[9] **Il fait chaud, n'est-ce pas?**
It's warm, isn't it?
Vous n'oublierez pas, n'est-ce pas?
You won't forget, will you?

❒ Word Order

Word order in French is largely the same as in English, except:

- Object pronouns nearly always come before the verb (see p 100)
- Certain adjectives come after the noun (see p 96)
- Adverbs accompanying a verb in a simple tense usually follow the verb (see p 120)
- After **aussi** *so, therefore*, **à peine** *hardly*, **peut-être** *perhaps*, the verb and subject are inverted → [1]
- After the relative pronoun **dont** *whose* certain rules apply (see p 108)
- In exclamations, **que** and **comme** do not affect the normal word order → [2]
- Following direct speech:
  - the *verb* + *subject* order is inverted to become *subject* + *verb* → [3]
  - with a pronoun subject, the verb and pronoun are linked by a hyphen → [4]
  - when the verb ends in a vowel in the third person singular, **-t-** is inserted between the pronoun and the verb → [5]

For word order in negative sentences, see p 124.
For word order in interrogative sentences, see pp 126 and 128.

[1] **Il vit tout seul, aussi fait-il ce qu'il veut**
He lives alone, so he does what he likes
À peine la pendule avait-elle sonné trois heures que ...
Hardly had the clock struck three when ...
Peut-être avez-vous raison
Perhaps you're right

[2] **Qu'il fait chaud!**
How warm it is!
Comme c'est cher
How expensive it is!

[3] **'Je pense que oui' a dit Luc**
' I think so', said Luke
'Ça ne fait rien' répondit Jean
'It doesn't matter', John replied

[4] **'Quelle horreur!' me suis-je exclamé**
'How awful!' I exclaimed

[5] **'Pourquoi pas?' a-t-elle demandé**
'Why not?' she asked